*Witt, Franz Xaver*

# Musica sacra : Monatschrift fur Kirchenmusik und Liturgie

*Witt, Franz Xaver*

**Musica sacra : Monatschrift für Kirchenmusik und Liturgie**

*Inktank publishing, 2018*

*www.inktank-publishing.com*

*ISBN/EAN: 9783750103634*

# MUSICA SACRA.

Gegründet von Dr. Franz Xaver Witt († 1888).

## Monatschrift

für

## Hebung und Förderung der kathol. Kirchenmusik.

Herausgegeben von Dr. Franz Xaver Haberl, Direktor der Kirchenmusikschule in Regensburg.

Neue Folge XX., als Fortsetzung XLI. Jahrgang.

Mit 12 Musikbeilagen.

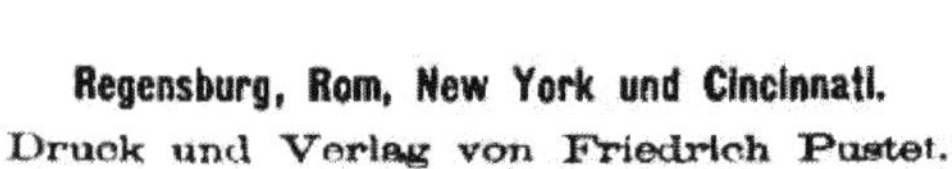

Regensburg, Rom, New York und Cincinnati.
Druck und Verlag von Friedrich Pustet.
1908.

# Inhaltsübersicht

## vom 41. Jahrgang 1908 der Musica sacra.

### I. Abhandlungen, Aufsätze, Leitartikel.



### II. Im Lesezimmer.



### III. Liturgica.



### IV. Aus Archiven und Bibliotheken.



*) Die Kompositionen und Werke, welche in den mit * bezeichneten Abteilungen besprochen wurden, sind in eigenem Sachregister pag. IV—VIII kurz aufgezählt.

### V. Vermischte Nachrichten und Mitteilungen.



### VI. Musikbeilagen.

# Ortsnamen-Register.

# Alphabetisches und Sachregister

der im 41. Jahrgang (1908) der Mus. s. angezeigten und besprochenen Kompositionen und Werke.

## 1. Messen.



## 2. Requiem.



## 3. Latein. Motetten, Gradual., Offert. etc.

Verheyen, J., Op. 7. *Stabat mater.* 4 gem. St. m. O. S. 21.
— — Op. 8. *Ave Maria.* 5 gem. St. m. O. S. 108.
Waldeck, Karl. Grad. u. Offert. für die 4 Adventsonntage. 4 gem. St. S. 22.
Wheeler, Vinz., Op. 5. 5 Offertorien. 4 Mst. S. 68.

### 4. Latein. Hymnen, Psalmen, Litaneien etc.

Artigarum, Joh. *Panis angelicus.* Alt, 2 Mst. u. O. S. 31.
Bas, Jul. Sechs Sakramentsgesänge. 2 gl. St. u. O. S. 77.
Deschermeier, Jos., Op. 82. Herz-Jesu-Litanei. 2 gl. St. m. Op. S. 106.
Dobler, Jos., Op. 2a. 45 Hymnen, Offertorien etc. 4 Mst. (3. Aufl.) S. 65.
Faist, Dr. Ant., Op. 9. Zwei euch. Hymnen. 4 gem. St. m. O. S. 20.
Götze, H., Op. 55. Vier *Tantum ergo.* 4 Mst. (2. Aufl.) S. 53.
Goicoechia, Vinz. *Ps. Miserere.* Verse zu 3-6 gem. St. u. 4 Mst. S. 66.
Greipl, Hans. Vier *Pange lingua.* 4 gem. St. S. 79.
Greith, C., Op. 10. Ave Maria. 4 gem. St. m. O. oder Instr. (4. Aufl.) S. 53.
Griesbacher, Pet., Op. 107. Herz Jesu-Litanei. 4 gem. St. m. O. S. 31.
— — Op. 108. *Te Deum.* 4 gem. St. m. O. oder Harm. S. 32.
— — Op. 115. *Hymnarium.* 25 Hymnen etc. 1—3 Oberst. teils Org. S. 32.
— — Op. 116. *Te Deum.* 3 Oberst. m. O. S. 53.
Gruber, Jos., Op. 136. Herz Jesu-Litanei. 4 gem. St. m. Orch. od. Org. S. 79.
— — Op. 176. Vier *Pange lingua.* 4 Mst. S. 79.
— — Op. 178. Neue Fronleichnamsgesänge. 4 gem. St. (und kleines Blasorchester). S. 79.
Gülker, Aug., Op. 46. Acht lateinische Gesänge. 4 gem. St. S. 109.
Habert, Joh. Ev., siehe Stadlmayr.
Haller, M., Op. 59a. 16 euch. Hymnen. 4, teils 5 Mst. (3. Aufl.) S. 20.
— — Op. 97. Drei Lamentationen. 4 u. 5 gem. St. S. 53.
Hekking, Raymund, P. Fr., Op. 6. Vier euch. Gesänge. 2 Oberst. m. O. S. 109.
Heuler, R., Op. 16. Acht lat. euch. Gesänge. 2 Oberst. u. O. S. 77.
— — Op. 19. Laur. Litanei. 1 st. m. O. (die Resp. auch 2 st. m. O.) S. 109.
Löhle, A. Zehn Kirchengesänge. 4 gem. St. S. 109.
Otaño, N. Ps. Miserere. Sopr., Ten., B. (u. O.) S. 67.
Pagella, Joh., Op. 37. *Psalmodia Vespertina.* 3 u. 4 gem. St., teils 2 u. 4 Mst. S. 33.
Polzer, Jul., Op. 140—145. Chorgesänge für den hl. Karfreitag. 4 gem. St. (auch 1 st. m. O.) S. 109.
— — Op. 150—153. Chorgesänge für den Karsamstag u. Pfingstsamstag. 4 gem. St. (auch 1 st. m. O.) S. 110.
— — Op. 162—164. Chorgesänge zur Messe am Karsamstag. 4 gem. St., auch 1 st. m. O. S. 110.
Quadflieg, J., siehe Stadlmayr.
Ravanello, Or., Op. 35. Nr. 1. Ps. 115, *Credidi propter quod.* 2 Mst. m. O. S. 21.
Schub, Joh., *Te Deum.* 2 gl. St. m. O. S. 110.
Singenberger, J. B. *Cantus sacri.* 6 Segensgesänge. 2 gleiche St. m. O. (3. Aufl.) S. 21.
Stadlmayr, Joh., (Habert-Quadflieg). 36 Hymnen. 4 gem. St. S. 108.
Stehle, J. G. E., *Magnificat.* 3 gl. St. m. O. S. 68.
Tonizzo, A., Op. 152. Hymnus. 1-, 2- u. 3 st. m. O. S. 54.
Wheeler, V., Op. 2. *Tota pulchra es* u. *Ave maris stella.* 4 gem. St. S. 68.
Wilden, W. Der Psalmist. 26 Psalmen u. Cantica. 4 Mst. S. 110.
Wiltberger, Aug., Op. 122. Zehn *Tantum ergo.* a) 2—4 gem., b) 2—4 gl. St., teils O. S. 34.
— — Op. 125. *Te Deum.* 2 Oberst. m. O. S. 108.

### 5. Mehrstimmige deutsche Kirchengesänge und Volksgesangbücher.

Auer, P. Bernhard, O. S. B. Das Vaterunser und der Englische Gruß. 1 st. oder 2 gleiche St. m. O. (Harm.) S. 49.
Bach, J. B., (Thiel Karl). Passionsgesang. 4 gem. St. S. 94.
Begräbnisgesänge. Siehe Greipel-Klier.
Breitenbach, F. J. *Cantuarium sacrum.* 13 Herz-Jesu- und 7 Marienlieder. 4 gem. St. S. 121.
Buchal, Op. 1. *Angelus Domini.* 3 Oberst. (Soli) u. 4 gem. St. S. 94.
Büning, Fr., Op. 19. Festgesang. 4 gem. St (7 Tromp. u. O.) S. 94.
Deigendesch, Karl, Op. 93. Marienlied. a) 4 gem. St.; b) 4 Mst. — Herz-Jesu-Lied. 4 Mst. S. 123.
Deschermeier, Jos., Op. 78. 2 Marianische Wallfahrtslieder. 1 st. od. 4 gem. St. S. 95.
— — Op. 85. Fünf geistliche Männerchöre. 4 Mst. S. 122.
Diebold, Joh., Op. 53. 25 Jesus-, Maria-, Joseph- u. Aloysiuslieder. 1- od. 2 st. m. O. od. Harm., od. 4 gem. St. (2. Aufl.) S. 95.
— — Op. 99. Cäcilia II. Sammlung für gem. Chöre. S. 122.
Dieter, Hch. Du bist Petrus. 1 st. m. Piano od. Blasinstr. S. 150.
Eder, P. Viktor, Op. 10. Primizlied. 4 gem. St. S. 123.
— — Op. 11. Sechs Kreuzweglieder. 4 gem. St. S. 123.
— — Op. 13. Herz-Jesu-Lied. 1 st. m. O. S. 124.
— — Op. 14. Altöttinger Wallfahrtslied. 1 st. m. O. S. 124.
— — Op. 15. Missionslied. 4 gem. St. S. 124.
Engelhart, F. X. Zwölf Lieder (Jesus, Mutter Gottes, hl. Familie, Schutzengel). 2 3 Oberst. m. O. od. Harm. S. 122.
Faist, Dr. Ant., Op. 18. Zwölf Muttergotteslieder. 4 gem. St. S. 23.
Götze, H., Op. 53. Vier Marienlieder. 4 Mst. (2. Aufl.) S. 49.
Greipel, H.-Klier, D. Zwölf Begräbnisgesänge. 3 u. 4 gem. St. S. 124.
Greith, Karl, Op. 30. Zehn Marienlieder. 2—4 Oberst. m. O. od. Harm. (4. Aufl.) S. 49.
Griesbacher, P., Op. 105. Zwanzig Herz Jesu-Lieder. 2—4 Oberst. m. O. od. Harm. S. 49.
Gruber, Jos., Op. 196. Sechs Marienlieder. a) 4 Mst.; b) 4 Oberst. S. 124.

## 6. Orgel- und Harmoniumkompositionen.



## 7. Theoret., ästhet., geschichtl. Werke.

## 8. Kompositionen für Schule, Haus, Konzert etc.

1908. Regensburg, am 1. Januar 1908. Nro 1.

# MUSICA SACRA.

Gegründet von Dr. Franz Xaver Witt († 1888).

**Monatschrift für Hebung und Förderung der kathol. Kirchenmusik.**

Herausgegeben von Dr. Franz Xaver Haberl, Direktor der Kirchenmusikschule in Regensburg.

**Neue Folge XX., als Fortsetzung XXXXI. Jahrgang. Mit 12 Musikbeilagen.**

Die „*Musica sacra*" wird am 1. jeden Monats ausgegeben, jede der 12 Nummern umfaßt 12 Seiten Text. Die 12 Musikbeilagen werden im ersten Semester versendet. Der Abonnementpreis des 41. Jahrganges 1908 beträgt 3 Mark; Einzelnummern ohne Musikbeilagen kosten 30 Pfennige. Die Bestellung kann bei jeder Postanstalt oder Buchhandlung erfolgen.



## Vor vierzig Jahren

gründete † Dr. Franz Witt die *Musica sacra* als Monatschrift. Die 12 Nummern des Jahrganges 1868 behandelten in Aufsätzen: 1. Eine Bearbeitung des Chorals *Pange lingua* von Fr. Liszt aus dessen „Zwei Episoden von Lenaus Faust". 2. In Fortsetzungen bis zur Schlußnummer: „Die große Umwälzung auf dem Gebiete der Kirchenmusik, als geschichtliche Studie." 3. Verschiedene kleinere Feuilletons über Kirchenmusik in Oberschlesien, über Abbé Vogler, Musikalische Miniaturbilder aus verschiedenen Ländern und Journalschau mit allerlei Polemik.

Vor 40 Jahren hatten diese größeren und kleineren Artikel viel Gutes gestiftet, Bahn gebrochen, unter Staubaufwirbeln musikalische Baracken niedergerissen und den Strom neuer, gesunder Ideen über Kirchenmusik in die Länder deutscher Zunge geleitet. Auch heute noch wird man den 1. Jahrgang der *Musica sacra* Witts mit hohem Interesse lesen.

Der Nachfolger Witts in der Redaktion der *Musica sacra* hat soeben den Inhalt des 1. Jahrganges durchgegangen und hält es für passend, den Schlußartikel Witts in Nr. 12, 1868, in Erinnerung zu bringen und zwar als Einleitung zum **41.** Jahrgang.

Witt spricht, noch ehe von einer Neuausgabe der römischen Choralbücher die Rede sein konnte, über den Wert des Chorals wie folgt:

„Vielfach besteht die Ansicht, die moderne Kirchenmusik müsse deshalb vortrefflich sein, weil ja die Kunst immer fortschreite und darum immer besser werden müßte.[1]) Meine Ansicht hierüber will ich in Nachfolgendem darlegen.

„Es ist eine Tatsache, daß unsere Bildhauer nichts Wichtigeres kennen, als sich nach alten Mustern auszubilden. Sie suchen das, was wirklich schön, vollkommen und unvergänglich an denselben ist, sich anzueignen; ja, wer es verstände, ein Meisterwerk zu schaffen, wie die Darstellung des Laokoon aus der vorchristlichen Zeit ist, der würde

[1]) In einer wegen ihrer vollständigen Konfusion von Wahrem und Falschem, Verstandenem und Unverstandenem berüchtigten Schrift „Ein Wort über Kirchenmusik, Augsburg, Kollmann 1860", die dem Geschichtsforscher einst einen Beleg für die Unwissenschaftlichkeit und Oberflächlichkeit des Verfahrens in der Frage über die echte katholische Kirchenmusik um so mehr geben wird, als man, doch wohl ironisch, vielen Chorregenten Bayerns nachgesagt hat, diese Schrift sei ihr Evangelium, heißt es z. B. „Wenn der Herr Verfasser von der unermeßlichen Tiefe und Fülle des gregorianischen Chorales spricht, so müssen wir ja dasselbe noch in viel höherem Grade von der heutigen Kunst sagen, weil ihr ja alles das zu Diensten steht, was seit Anbeginn der Kunst vorhanden ist etc."

für den ersten Bildner der Welt erklärt werden. Es fällt niemand ein, die griechischen Bildhauerwerke zu verachten, etwa deswegen, weil sie Jahrtausende alt sind. Umgekehrt aber wird man kein Meisterwerk der Bildhauerkunst unseres Jahrhunderts deswegen verachten, weil es nicht aus der Hand und Zeit des Praxiteles stammt. Ja Gegenstand, Material, Form etc. etc. zweier Kunstwerke mögen voneinander noch so verschieden, sogar einander entgegengesetzt sein, es ist möglich, daß jedes von sich aus betrachtet, ein vollendetes Kunstwerk ist. Das weiß alle Welt!

„In ähnlicher Weise verachtet niemand Fiësole, weil die christliche Malerei „in Kinderschuhen" gesteckt ist; das Kind ist in seiner Weise geradezu unnachahmlich und unübertrefflich; und Naivität, kindliche Frömmigkeit, Unbefangenheit, trotz aller Genialität, stellen Fiësole so hoch[1]) als Raphael, wenn es im Grunde auch wenig Vergleichungspunkte zwischen beiden gibt. — Die Gegenstände der Gemälde und die dazu verwendeten Farben mögen noch so verschieden sein, der eine Maler mag sich zur Hauptaufgabe gestellt haben, den menschlichen Leib in seiner ganzen Schönheit zu zeigen, der andere mag die Formen des Leibes in Gewänder einhüllen und seinen Hauptfleiß auf den Ausdruck des Gesichtes gewendet haben — jedes Meisterwerk will von sich aus betrachtet und gewürdiget sein. In manchen Beziehungen gilt Raphael, in anderen Correggio oder Titian usf. für unübertrefflich, ja für unerreichbar, selbst dann, wenn an ihren Gemälden nach einer oder der anderen Seite Mängel entdeckt würden. Es ist sogar historisch erwiesen, daß manche Kunst gänzlich verloren gegangen ist und neu aufgefunden werden mußte, z. B. die Art, wie die Römer „Bleiglas" bereiteten, war verloren, bis in die allerneueste Zeit und sie wurde wieder gefunden wie man es „weder gesucht noch erwartet"[2]); so auch in Bauwerken. Ob die neuen Glasgemälde im Regensburger Dom Jahrhunderten trotzen, wie die alten ober dem Hochaltare ist eine Frage; ein Teil der neueren hat schon wesentlicher Reparaturen bedurft; jedenfalls hat es Jahrzehnte gebraucht, um in unseren Tagen diese Kunst wieder zu gewinnen; den Glasgemälden dieselbe Farbenglut zu geben, wie die alten hatten, ist nach meiner Überzeugung bis heute nicht gelungen. Es ist also mit dem Fortschritte immer eine kitzliche Sache, d. h. jede Periode hat ihre Genies, die in irgendeiner Beziehung das Vollkommenste leisten und in ihrer Eigentümlichkeit entweder gar nicht oder kaum in Jahrtausenden erreicht werden.

„Inbezug auf Musik ist es nun meine Ansicht, daß der Choral, wie er in den ersten sieben christlichen Jahrhunderten entstanden, von sich aus betrachtet, in seiner Art ein ebenso vollkommenes Meisterwerk ist, wie Beethovens Symphonien und Mozarts Don Juan in ihrer Art, daß die *Missa „Papae Marcelli"* eben so wertvoll und unvergänglich ist, als der „Freischütz" von C. M. v. Weber. Es ist gänzlich falsch und durch geschichtliche Tatsachen leicht zu widerlegen, daß deswegen, weil eine Kunst alt ist, sie, wie man zu sagen pflegt, noch in den Kinderschuhen stecken muß, d. h. nur Unbedeutendes leisten kann. Homer ist einer der ältesten Dichter, den wir kennen; nach meiner Überzeugung steht er um keine Stufe niedriger als Goethe. Homers Werke sind die herrlichste und schönste Blüte einer in sich abgeschlossenen Kunstepoche, wie die Goethes. So ist auch der Choral *(cantus gregorianus)* die Zusammenfassung und das höchste und herrlichste Erzeugnis jener Kunstepoche, in welcher man Melodien erfand, ohne an ihre Begleitung resp. Harmonisierung durch Akkorde zu denken, er ist ein unvergängliches, ja in seiner Art unerreichbares Meisterwerk der natürlichen musikalischen Deklamation. Ebenso ist das 16. Jahrhundert eine Kunstepoche, welche eine Seite der Musik und der musikalischen Komposition in der allerbewunderungswürdigsten Weise ausgebildet hat, so daß ich nach dieser Seite gar keinen Fortschritt mehr für möglich halte. Palestrina stand etwa nicht in der Kindheit der Musik, sondern er war nach dieser Seite hin schon der Größte, der vor sich zahllose und geniale Vorläufer gehabt und nach dem seine Kunst wieder herabsank und herabsinken mußte.

[1]) E. Polko sagt: „. . . sie mag jenen singenden Engeln des Fiësole geglichen haben, deren unvergleichliche Gestalten kein Auge vergißt, das sie jemals geschaut."

[2]) Vgl. das Buch der Erfindungen, Gewerbe und Industrien, II. p. 81, 3. Auflage."

„Also — um das vielfach mißverstandene Gerede über den Fortschritt zurechtzuweisen,[1]) bemerke ich: Wie wir heutzutage in der Baukunst im Technischen, durch das Maschinenwesen etc. sehr weit vorangekommen sind, trotzdem aber in idealer Auffassung, in der Erfindung hinter dem Altertum und dem Mittelalter zurückstehen, so daß unsere talentvollsten Architekten eben nur Epigonen, Eklektiker sind, so sind wir auch in der Musik bezüglich der Instrumentation etc. weit voran, in anderem aber, z. B. in der Chorgesang-Kompositionsweise eher zurückgegangen. Und die mehrstimmige, die harmonische Musik mit dem Chorale vergleichen wollen, ist deswegen ein törichtes Unternehmen und pur unmöglich, weil es keine Vergleichungspunkte gibt. Denn die Prinzipien, die Grundgesetze des Chorals sind: Fehlen der Harmonie und des Taktes, Bildung der Melodie innerhalb diatonischer Oktavenreihen. Die Prinzipien der mehrstimmigen Musik sind aber: Harmonie, Takt, Notwendigkeit der Diësen zu vollständigen Kadenzen. Das ist sich geradezu entgegengesetzt. Sagen demnach: Die moderne Musik ist besser, vollkommener, fortgeschrittener, als der Choral, klingt besser, hat schönere Melodien oder: „das Volk hat mit diesem Choral längst gebrochen und es versteht und fühlt nichts von alledem, was mit ihm vorgegangen ist. Man gebe sich ja doch nicht dem Wahne hin, als könnte man es je dafür gewinnen" (a. a. O. p. 10), oder das Volk hat nur für moderne Musik Sinn und Verständnis, alle diese und ähnliche glatte Worte heiße ich leeres Stroh dreschen. Man kann nämlich Choral

---

[1]) So heißt es a. a. O. p. 7: „Keine der Künste ist ein solches Kind der Schmerzen gewesen, wie die Tonkunst. Der Dichtkunst stand das Wort zur Seite etc. (als ob der Tonkunst nicht der Ton, der in der Natur des Menschen gegebene Ton, das pathetisch gehaltene Wort, zur Seite gestanden hätte) . . . und die Jahreszahlen sagen es uns, daß die Tonkunst eine noch junge Kunst ist." Das ist nach meiner Überzeugung völlig falsch und ich mache meine Leser recht sehr darauf aufmerksam: Die Tonkunst ist älter als die Malerei etc. Unsere Art der Tonkunst ist jung, ist erst zirka 400 Jahre alt; allein die Tonkunst als solche ist so alt als der Mensch. Und wenn man behauptet, wir seien erst zur vollkommenen Tonkunst fortgeschritten, so sage ich: ob die ältere oder neuere Art der Tonkunst die bessere, vollkommenere ist, kann niemand mit Unfehlbarkeit behaupten; unsere Art ist vollständiger, das mag sein. Wer kann darüber streiten, ob Raphael ein größerer Maler gewesen, als Apelles? Und, wenn man einwendet, diese beiden haben mit demselben Material gearbeitet, nicht so aber sei es in der Musik, die neues Material gefunden, so antworte ich: Ein genialer Maler kann mit einer Kohle und mit fünf Strichen ein entzückenderes Meisterwerk schaffen, als ein Talent mit allem Malerwerkzeug. — Betrachten wir die Wirkungen (aus welchen man bekanntlich auf die Größe und Bedeutendheit der Ursachen schließt), so kann „Fidelio", 5. oder 9. Symphonie, „Don Juan" etc. keinen größeren Eindruck machen, keine stärkere Begeisterung hervorrufen, als die Chöre in den Tragödien des Aeschylos, Sophokles etc., und wenn Riehl von den Wirkungen der Bellinischen Opern erzählt, und wenn wir von der Begeisterung für den „Freischütz" lesen etc., und wenn Blätter in unseren Tagen berichten: Bei dem Auftreten des Sängers N. in Lissabon wurden 190 Tauben im Theater losgelassen, 200 Bukette geworfen, der Sänger 30 Mal hervorgerufen etc., so ist das alles nichts gegen die Wirkungen der Musik bei den feingebildeten Griechen. So hat denn auch der Choral auf St. Augustinus einen Eindruck gemacht, wie ihn eben nur Musik höchster Genialität zu allen Zeiten gemacht hat und machen wird. Es wäre falsch zu glauben, die Griechen, St. Augustinus etc. waren eben nichts Besseres gewohnt; allerdings waren sie eine andere Art der Musik gewohnt, als wir, aber diese mußte in sich genial und in ihrer Art vollkommen sein; denn der hochgebildete Geist wird in solcher Weise nur vom wahrhaft Erhabenen und Künstlerischen ergriffen zu allen Zeiten.

Ich wiederhole, was die „Signale" s. Z. berichteten: „London, 26. Februar 1865. Bei der pompösen Leichenfeier (für den Kardinal Wisemann) übte der gregorianische Gesang, von einem großen Chore vorgetragen, eine mächtige Wirkung auf die versammelte Menge." Und hier in Regensburg zeigt uns nicht selten die Erfahrung, daß der Choral auf Männer, z. B. Hr. K. und H. aus G. in B., die Sinn für Gesang haben und das moderne Arienwesen nicht für den höchsten Inbegriff der Kirchenmusik halten, größeren Eindruck, als alle Modernen zusammen, ja einen größeren, als Palestrina und andere in vielen ihrer Werke machen; den größten machen aber in der Regel die Vespern in ihrer Abwechslung von Choral und Vielstimmigkeit. — Es gibt kein besseres Analogon, als die Sprache; denn die Musik ist potenzierte Sprache. Wollte man im Sinne der genannten Broschüre reden, so müßte man sagen, die jetzt lebenden Sprachen sind die besten. Denn sie können alle Vorteile der übrigen Sprachen sich aneignen und neues, was die Alten nicht kannten, hinzufügen. Dem ist aber nicht so; wir haben eine andere Art zu sprechen, wir flicken auch unsere Sprache mit allen möglichen Fremdwörtern aus, wie manche Opernkomponisten Psalmentöne, arabische etc. Lieder gebrauchen, um eine „lokale Färbung" hervorzubringen, aber unsere Sprachen sind nicht besser als die toten, die römische und griechische; das Gegenteil gilt vielen als ausgemachte Sache. Ebenso in der Musik. Es war eine andere Tonsprache, weil ein anderer Geist es war, der sprach, aber für den Geist jener Zeit war jene Tonsprache der entsprechendste,

und mehrstimmige Musik, jedes nur nach ganz anderen Prinzipien messen, d. h. gar nicht miteinander vergleichen,[1]) der Maßstab ist ein total verschiedener.

„Welcher Maßstab ist demnach an den Choral anzulegen, um seinen Wert zu ermessen? Man kann und sollte vor allem darstellen, daß der Choral seinem liturgischen Zwecke auf unnachahmliche Weise dient; doch führt uns dies hier zu weit, weil man eben alle Teile des Gottesdienstes durchgehen müßte;[2]) ich mache nur im voraus darauf aufmerksam, daß in dieser Beziehung der Wert des Chorals ein absoluter, der möglich höchste ist, so daß man zwar nicht sagen kann, die Liturgie steht und fällt mit ihm, wohl aber: der Choral ist die vollkommenste, weil adaequateste Musik für diese Liturgie. Ein Guß mit ihr; für die Liturgie kann es nichts Entsprechenderes, Passenderes und darum Höheres geben, weil beide das Werk eines Geistes, und zwar eines höheren, des spezifisch kirchlichen Geistes im strengsten Sinne des Wortes, in einem viel höheren und ganz anderen Sinne, als z. B. die *Missa „Papae Marcelli"* kirchlich ist, weil beide aus einer Zeit stammen, und zwar einer Zeit, wo das kirchliche Leben von den Schöpfern des Chorals im tiefsten Grunde erfaßt und sie von demselben erfaßt wurden, wo man der Zeit unmittelbarer göttlicher Inspiration in den Aposteln noch ganz nahe stand und gleichsam von ihrem Geiste noch getragen wurde. Ich verweise alle, die mit der Choralfrage weniger vertraut sind, recht nachdrücklich auf das in meiner Broschüre „der Zustand der katholischen Kirchenmusik" (bei Coppenrath in Regensburg erschienen) pag. 15—26 Gesagte, um nicht wiederholen zu müssen, und füge noch bei:

„1) Da der katholische Gottesdienst für Menschen aller Zonen, Bildungsstufen, Alter, Geschlechter etc. bestimmt ist, so muß der kirchlichen Musik die höchste Einfachheit, Faßlichkeit, also Naturgemäßheit eigen sein. Der Choral beruht auf dem einfachsten und natürlichsten Systeme, ist die Natur und Einfachheit selbst; denn er kennt im Grunde bloß sieben Töne, die einfachst-natürlichste Skala. Gerade das Fehlen der Harmonie erhöht die Faßlichkeit der Melodie, wie wir aus zahllosen Beispielen aus der Erfahrung und dem Leben erweisen können. Ebenso das Meiden der weiten Intervalle d. h. der Sext und Sept.

„2) Da der katholische Gottesdienst als teilweisen Zweck die Sänftigung, Beruhigung der menschlichen Leidenschaften hat und heilige Ruhe, weil Versenken in Andacht, und Ruhen in Gott selbst sein soll, so muß die Kirchenmusik leidenschaftslos und andächtig, rein und keusch sein. Der Choral ist dies seinem Systeme nach wegen der Vermeidung aller Chromatik.

„3) Da der katholische Gottesdienst als Hauptzweck die Verherrlichung des Herrn hat, so muß die Kirchenmusik voll Feierlichkeit und Erhabenheit sein. Das ist der Choral schon gemäß seines einfachen Systems. Denn es ist ein bekannter Grundsatz der Ästhetik: Das Erhabene wird meist, wenn nicht ausschließlich durch das Einfache erreicht, ohne daß dadurch die höchste Kunst ausgeschlossen wäre. Die 5. Symphonie von Beethoven ist nach vieler Meinung die erhabenste, aber auch (mit Ausnahme des Scherzo) die architektonisch am einfachsten gebaute.

„4) Der katholische Gottesdienst ist, obwohl sehr in die Sinne fallend, doch voll tiefer Mysterien. Der Choral ist trotz seiner Einfachheit doch tiefsinnig, wie die ge-

---

adäquateste, also vollendetste und vollkommenste Tonausdruck. Es ist daher ein rein äußerliches Hinzufügen, zu den Dramen des Sophokles etc. polyphone, überhaupt moderne Musik zu schreiben, wie Mendelssohn zu Antigone getan. Und es ist inbezug auf Liturgie ein Hinzufügen von Späterem, wenn man Palestrinas etc. Messen aufführt. Der letztere Satz braucht übrigens, so richtig er ist, so viele Erläuterungen, daß ich mich ausdrücklich vor Mißverständnissen verwahren und bitten muß, diese Erläuterungen abzuwarten. Jedenfalls hat die Kirche recht, den Choral festzuhalten, wie sie recht hat, wenn sie die lateinische Sprache beibehält. Vgl. Fliegende Blätter für katholische Kirchenmusik III. 1 ff., 9 ff.

[1]) Man könnte vielleicht sagen, ein Vergleich sei möglich nach dem Eindrucke, den die eine oder andere Art der Musik macht. Es kommen aber hiebei so viele Faktoren mit ins Spiel, Anlage, natürliche Begabung, Ausbildung, Gewohnheit etc., daß ein absolut richtiges Urteil nicht möglich ist.

[2]) Es ist das eine so umfassende Aufgabe, daß wir hier nicht einmal Fingerzeige geben können. Der Choral wird uns allen erst recht wert, wenn wir auf Einzelnheiten (Details) eingehen. Das müssen wir uns auf später versparen. Man muß sich mit seinem Studium ganz vertraut machen. Nur womit man vollkommen vertraut ist, das kennt man und kann es nach Gebühr schätzen.

lehrtesten Forschungen beweisen, und wie alles ist, was nach einem streng logischen Systeme gebaut und bis in die äußersten Konsequenzen ausgebaut und ins Einzelne, ins Feinste gearbeitet ist z. B. auch unsere besten gotischen Dome, mit denen der Choral viel Ähnlichkeit hat.

„5) Der katholische Gottesdienst ist trotz des äußerlichen Pompes auch ideal, geistig, eine Anbetung „im Geiste und in der Wahrheit". Der Choral ist richtig vorgetragen voll Pomp und Kraft; Pomp und Kraft erstehen ihm aber nicht aus äußerlichen Mitteln, deren benützt er viel zu wenige (vgl. oben sub 1), sondern aus dem geistigen Gepräge; es webet jedem etwas nicht bloß Fremdartiges, sondern Ehrfurcht Gebietendes, Keusches, Reines und doch Mildes entgegen; das kann nur vom Geiste und der idealen Wahrheit desselben kommen.

„6) Der katholische Gottesdienst ist trotz aller Einheit voll Abwechslung; ebenso der Choral; die einfache Tonleiter ist zu allen möglichen Schlüssen (Tonarten) verwertet; innerhalb des diatonischen Systems ist ein größerer Reichtum gar nicht mehr denkbar. Während die modernen Tonarten nur zweierlei Tonleitern (Dur und Moll) immer in derselben Aufeinanderfolge kennen, legt der Choral die Halbtöne zum Haupt- (Final-) Ton immer anders; in der 1. Tonart sind die zwei halben Töne von der 2. zur 3. und von der 6. zur 7. Stufe, in der 3. (phrygischen) von der 1. zur 2. und von der 5. zur 6. Stufe und so immer anders. Hier haben wir also einen eklatanten Rückschritt jetzt gegen früher. Wenn man entgegnet, dafür habe der Choral nicht die Chromatik, so antworte ich: die Komponisten des Chorals kannten die Chromatik sehr gut, wollten sie aber nicht zu ihrem Zwecke, und wenn Beethoven nicht in jedem Stücke alle Tonarten und enharmonischen Verwechslungen durchläuft, so ist das kein Mangel; es entsprach eben nicht seinen Intentionen.

„7) Der katholische Gottesdienst verschmäht nicht menschliche Kunst. Der Choral ist wegen seiner richtigen Deklamation, wegen seines so treffenden Ausdruckes des Lyrischen, Epischen und Dramatischen etc. ein volles Kunstwerk. Anders sind die Vespern, anders die Litaneien, anders ist das Kyriale (die ständigen Teile der heiligen Messe), anders das Graduale, anders die Antiphonen behandelt; alles dieses werde ich bei einer anderen Gelegenheit ausführlich nachweisen.

„8) Der katholische Gottesdienst bequemt sich inbezug auf Zeremonien etc. allen Bedürfnissen an, d. h. Trauer, Freude, Hoffnung, Liebe, Schmerz, Buße durchdringen sich auf merkwürdige, staunenswerte Weise; wenn auch das eine mehr hervortritt als das andere, das Hervortreten ist immer ein ruhiges, nie grell, kein Schmerz ohne Trost, keine Bitterkeit der Träne und der Buße ohne versüßende Beruhigung, keine Trauer ohne alle Freude (d. h. keine Verzweiflung), nichts Heftiges, Stürmisches — aber alles süß ohne Sentimentalität, stark und kräftig ohne Starrheit, alles heilig und göttlich. Ebenso der Choral.

„9) Der katholische Gottesdienst ist voll Leben — nichts ist tot, schleppend, verzerrt, geschmacklos; ebenso beim Choral und dies — wegen seiner Freiheit in der Bewegung von den Fesseln des Taktes und der Harmonie. Dadurch wird er des Ausdrucks fähiger, die Seele des Sängers hat mehr Spielraum, das Innerste in lauter Melodie auszusprechen; er kann das *tempo rubato*, das die Neueren so dringend als unerläßliches Requisit für das freie Austönen der Seele in der höchsten Begeisterung fordern, mit der größten Freiheit anwenden, — und wird nicht einmal dem Systeme untreu. Denn wenn auch im Chorale die Noten verschiedene Geltung haben, so ist die Ausführung doch nicht an eine Begleitung gebunden. Und mag die Harmonie etwas Großes sein und der Melodie Großes gewähren, erhabener, seelischer, innerlicher ist die Melodie und zwar die Melodie in ihrer Freiheit; die Vorteile der hinzugefügten Harmonie werden dadurch nahezu aufgewogen. —

„Damit sind wir am Ende der ersten Abteilung unserer Studie; wir könnten wohl noch von der Art und Weise den Choral zu begleiten, reden; das tun wir aber besser, wenn einmal von der Harmonie etc. die Rede ist. Denn die erste große Umwälzung, welche wir auf unserem Gebiete zu verzeichnen haben, besteht eben in der Entstehung der Harmonie im modernen Sinne und damit des Taktes, in der Anwendung der ♯ und ♭ zu vollkommenen Schlüssen.

Was aber den Vortrag des Chorals angeht, so erlaube ich mir eine kurze Darstellung der hier in Regensburg Tradition gewordenen Art und Weise. 1) Daß der Choral nur *unisono* nicht vierstimmig gesungen wird, versteht sich von selbst. Es ist eine Sünde wider die Natur des Chorals, ihn von drei Singstimmen oder etc. Instrumenten begleiten zu lassen; nur der Orgel resp. einem ganz tüchtigen Organisten ist eine entsprechende Begleitung, die in jedem Falle etwas dem Chorale Fremdes bleibt, möglich. Es gehört eine große Gewandtheit dazu und die feinsten Nuancierungen gehen doch verloren, ja, die Sänger verlernen diese, wenn sie auch dieselben ohne Orgel hervorzubringen wußten; überhaupt vergröbert auch die Orgelbegleitung die Ausführung des Chorals auch durch den besten Chor. Ist aber der Organist nicht gewandt, dann wehe dem Choral! Wenn ich mir aber nun das Trierer Verfahren (unter Hermesdorf in den sechziger Jahren. F. X. H.) vorstelle, zu der den Choral singenden Oberstimme drei weitere Singstimmen hinzuzufügen (laut Cäcilia IV 85), so mag ich mir die Fertigkeit der daran gewöhnten Sänger noch so groß und ideal denken, ich kann doch nur eine Sünde gegen die Natur des Chorals darin finden; es muß unbiegsamer und schwerfälliger werden, bei vier oder acht ausgezeichneten Sängern weniger, aber bei einem großen Chore bis zum Unleidentlichen. Sollte die Notiz in der Cäcilia, daß in Trier bei der Generalversammlung 1865 das *Credo* fast eine halbe Stunde dauerte, während das römische fließend gesungen 3 Minuten in Anspruch nimmt, richtig sein, so mag das wohl allerwärts als abschreckendes Beispiel dienen.[1] Es liegt mir ferne, die Trierer kritisieren oder gar beleidigen zu wollen — allein ich möchte sie aufmerksam machen, ob es sich nicht lohnte, ihr Verfahren aufzugeben und ihre Mühe und Kräfte Besserem zuzuwenden. 2) Die Knaben- und die Männerstimmen gehen in Oktaven; oft aber wechseln sie ab. Die Abschnitte sind im *Missale* durch die roten Anfangsbuchstaben kenntlich gemacht. 3) Es wird nach dem Texte betont. Hat eine kurze Silbe mehrere Noten, so werden sie leicht, sanft, schnell genommen; hat eine lange Silbe bloß eine Note, so wird sie gehalten und betont. 4) Gegen den Schluß der Kadenzen (in Mettenleiters *Enchiridion* durch Taktstriche, welche die fünf Linien durchschneiden, angedeutet) läßt die Stärke nach. Der Chor setzt wieder frisch ein. 5) Hat eine lange Silbe mehrere Noten, so tritt naturgemäß ein *crescendo* ein, wenn die Melodie aufwärts steigt, umgekehrt, wenn sie fällt. 6) Die Schnelligkeit der Bewegung hängt von der Beschaffenheit des Stückes ab. Solche Stücke, welche auf einer Silbe meist bloß eine oder zwei Noten haben, werden gemäßigter genommen, als solche, die mehr Noten haben. — Im Großen und Ganzen kann man sagen, daß die Regeln des Rezitativs vielfache Anwendung beim Vortrage des Chorals finden.

„Es mag mit der Einführung des Chorals und mit der Gewöhnung des Volkes an denselben Schwierigkeiten haben, weil er uns fremdartig klingt, seine Einführung in Süddeutschland muß erfolgen, wenn man eine liturgische Kirchenmusik will; daß man diese in Bälde wollen wird, dafür wird das allgemeine, werden die darauffolgenden Provinzial- und Diözesansynoden sorgen, und ist er einmal gut durchgeführt, dann wird man erkennen, daß der Choral die am leichtesten durchführbare Kirchenmusik, die für Landchöre beste ist, dann wird man ihn um alle modernen Arien nicht mehr lassen, dann wird man im Choral den unschätzbaren Juwel auch dem rein musikalischen Werte nach erkennen, der er ist."

## Aus Archiven und Bibliotheken

### Byzantinische Herkunft der Neumenschrift der lateinischen Kirche.[2]

Bekanntlich hat der unermüdliche Neumenforscher und Choralkenner P. Ant. Dechevrens aus der Lehre den ältesten, zum Teil noch zur Entstehungszeit mancher Choralmelodien lebenden Schriftsteller dargetan, daß ursprünglich der gregorianische Gesang, im Einklang mit jeder anderen Musik,

[1] Die Redaktion der Cäcilia sagte mit Recht: Was würde man von einem Musiker sagen, der es wagen wollte, ein Rezitativ mehrstimmig singen zu lassen? Und doch sind die meisten Choralgesänge nichts anderes, als rezitativische Gesänge, die durch einen solchen Ballast in ihrer freien Bewegung nur gehemmt werden.

[2] Nachfolgender Artikel ist Originalbeitrag des H. H. P. Ludwig Bonvin, S. J. im Canisiuskolleg zu Buffalo N.-Y. und Referat über das Werk: J. Thibaut. *Origine byzantine de la notation neumatique de l'Église latine.* Paris, Alph. Picard & Fils. 1907.

Noten von verschiedener und bestimmter verhältnismäßiger Dauer besaß. Eine Bestätigung dieser Lehre findet er in den ältesten Choralkodizes, welche aus der Zeit vor dem 12. Jahrhundert stammen. Die rhythmischen Zeichen, welche die alten Choralmeister erwähnen, sind in denselben enthalten und es läßt sich überhaupt die ganze darin befindliche Neumennotation als wesentlich rhythmisch erklären. Dies bezeugt ja schon Hucbald[1]) im 10. Jahrhundert.

In seiner Auffassung wird Dechevrens nicht wenig bestärkt durch die in neuerer Zeit genauer untersuchte Tatsache, daß der liturgische Gesang der orientalischen Kirchen sich jetzt noch in abgemessenen, proportionellen Noten bewegt und sich in solchen stets bewegt hat, und daß das rhythmische System dieses orientalischen Gesanges mit der mittelalterlichen Chorallehre auffallend übereinstimmt.

Die Musik beider Kirchen gründet sich auf dasselbe System der 8 Modi, sollte sie ursprünglich nicht auch in beiden dieselbe Rhythmuspraxis gehabt haben? Eine Praxis, die man im konservativen Orient bewahrt hat, deren man hingegen im Abendland zur Zeit der unbeholfenen Anfänge der Mehrstimmigkeit verlustig wurde, als nämlich, nach dem Zeugnisse Hucbalds[2]), bei Verbindung der Choralmelodie mit den Begleitstimmen des übermäßig langsamen Organums (Diaphonie) die rhythmischen Verhältnisse nicht mehr beobachtet werden konnten.

Der orientalische Ursprung unseres Choralsystems kann nicht befremden, wenn man die Herkunft überhaupt des ganzen Christentums aus dem Morgenland vor Augen hält und sich des lange ausgeübten Einflusses des christlichen Griechentums auf das Abendland erinnert. Bis ins 11. Jahrhundert herrschten enge Beziehungen zwischen der orientalischen und der lateinischen Kirche; in der letzteren war in den ersten Jahrhunderten selbst die liturgische Sprache griechisch. Und gestehen nicht die ältesten gregorianischen Meister, wie z. B. Aurelian von Réomé[3]) (9. Jahrhundert), daß das Abendland sowohl die musikalischen Grundlehren als manche kirchliche Melodien von Byzanz erhalten hat?

P. Thibauts Werk, dessen Titel mit demjenigen dieses Aufsatzes gleichlautend ist, schafft in dieser Frage neues und wichtiges Material herbei. „In der Frage der Wiederherstellung des Choralsystems" sagt P. Dechevrens in einem dem Thibautschen Buche vorgedruckten Briefe, „ist der behandelte Gegenstand von größter Wichtigkeit; wurde uns ja der Choral in den Neumenkodizes erhalten und ist es doch zu seiner Wiederauffindung in denselben eine notwendige Bedingung, zu wissen, woher diese Neumenschrift kommt und was sie bedeutet. Das ist nun gerade der Zweck Ihrer Arbeit: nämlich durch Tatsachen und Vergleichung der Handschriften der verschiedenen Kirchen, der orientalischen sowohl als der abendländischen, die Entstehung der musikalischen Notationen und ihre gemeinsame Herkunft klarzustellen: daraus wird sich dann die Schlußfolgerung ergeben, daß alle diese Kirchen ein und dasselbe Musiksystem hatten, namentlich bezüglich des Rhythmus, und daß deshalb der wahre gregorianische Rhythmus bis zum 12. Jahrhundert derjenige aller orientalischen Gesänge war, ein Rhythmus, der im Orient noch heute im wesentlichen derselbe wie damals geblieben ist."

Dr. H. Riemann mußte noch in seinem „Handbuch der Musikgeschichte, I., 2," schreiben: „Leider haben die historischen Untersuchungen über die Neumenschrift bisher nur wenig oder nichts ergeben für die Aufweisung einer gemeinsamen Wurzel der abendländischen und der morgenländischen Neumen. Es scheint aber fast als ob seitens der kirchlichen liturgischen Historiker bisher noch keine ernstlichen Versuche gemacht worden wären, einen solchen Zusammenhang zu erweisen, obgleich doch die orientalische Provenienz der Neumenschrift, wie wir sie im Abendlande seit dem 8.—9. Jahrhundert kennen, schon wegen der griechischen Namen vieler Zeichen als zweifellos gelten muß." Dieser Klage dürfte nun Thibaut durch das Werk, dessen Ergebnisse den Inhalt des gegenwärtigen Artikels bilden, in dankenswerter Weise abgeholfen haben.

Zuerst gibt er uns in demselben einen geschichtlichen Überblick über die Versuche, die man seit der Mitte des 19. Jahrhunderts gemacht hat, die Herkunft der Neumen zu ermitteln; er erwähnt die verschiedenen Ansichten, welche von Fétis, Nisard, de Coussemaker und im Gefolge des letzteren von den beiden Benediktinern Dom Pothier und Dom Mocquereau vertreten worden sind. Hierauf stellt er seine eigene These auf, welche folgendermaßen lautet: Die Neumenschrift der lateinischen Kirche, wie diejenige aller altchristlichen Bekenntnisse, stammt indirekt aus der ekphonetischen Zeichenschrift der Byzantiner; letztere entwickelte sich nämlich zur konstantinopolitanischen Notenschrift, von der die lateinische eine einfache Abänderung ist. Als Zeit ihrer Einführung in das Abendland muß man, aller Wahrscheinlichkeit nach, die Mitte des 8. Jahrhunderts bezeichnen.

I. Ekphonetische Notation. Unter ekphonetischer Notation — vom Griechischen *ἐκφώνησις*, Aussprache, lautes Vorlesen, Rezitativ — versteht Thibaut die Zeichen, mit welchen die Byzantiner in den Evangelien- und Epistelbüchern das feierliche Lesen der liturgischen Perikopen notierten. Letztere werden auf einem leicht modulierten Rezitationston vorgetragen.

Diese primitive Notenschrift ist ihrerseits aus den alten Zeiten der griechischen Prosodie entstanden. Der prosodische Akzent in den altklassischen Sprachen war ja musikalisch: so betrugen z. B. die Erhöhung des Tones beim Akut und die Senkung beim Gravis, wie Dyonis von Halikarnass

---

[1]) Hucbald. *De harmonica institut.* Apud Gerbert I. S. 117—118. Vgl. auch Odington, ap. de Coussemaker, *Scriptores, nor. ser. I, 213.*

[2]) Fragment, ap. de Coussemaker. *Script. de mus. II.* S. 75. Vgl. auch Hucbald, *Mus. Ench.* ap. Migne 132, c. XIII und S. 899 b.

[3]) Aurelian. Reom., *Musica disciplina*, c. VIII (Gerbert I, 41) und c. 18 S. 53.

mitteilt, eine Quinte. Es lag deshalb die Benutzung der prosodischen Zeichen zu musikalischen Zwecken nahe. Ein Blick auf das diesem Artikel beigegebene Schema der Prosodiezeichen und der verschiedenen Notenschriften wird übrigens das in Rede stehende Verhältnis ersichtlich machen.

Die älteste, mit ekphonetischer Notation versehene Handschrift, die wir kennen, ist der Kodex Ephräm aus dem 5. oder 6. Jahrhundert. Soweit zurück wenigstens reicht also diese Notenschrift.

Während uns die Namen der ekphonetischen Zeichen durch eine von Papadopulos-Kerameus veröffentlichte Seite des Kodex 38 (10. oder 11. Jahrhundert) aus dem Kloster Leimon in Lesbos bekannt sind, ist uns, wegen völligen Mangels an dokumentarischen Erklärungen, eine musikalische Deutung dieser Zeichen sehr schwer; wir wissen jedoch, daß die Notation synthetischer Natur ist: den modernen Zeichen für den Doppelschlag etc. nicht unähnlich, besteht sie nämlich im wesentlichen nicht aus Bezeichnungen für Einzelnoten, sondern aus Formeln, die kleinere oder größere Notenkomplexe bedeuten.

Ich gebe hier das oben erwähnte Schema der altgriechischen Prosodiezeichen und der ekphonetischen Notation, denen ich schon die erst noch zu besprechenden anderen orientalischen Notenschriften und auch die lateinischen Neumen anreihe, und zwar, zur leichteren Vergleichung, in der Ordnung und mit den Zahlenbezeichnungen, die ihnen P. Dechevrens gegeben hat. Auf diese Tabelle (welche in Nr. 2 wiedergegeben werden wird. D. R.) wird im folgenden stets verwiesen werden.

(Fortsetzung folgt in Nr. 2.)

## „Zukunftsmusik in der Kirche".[1])

„Hat dieser Titel eine Berechtigung oder klingt er nicht paradox? Soll damit etwa der Gedanke angeregt werden, dramatische Musik im Sinne R. Wagners in die Kirche zu verpflanzen? Wir wollen sehen, zu welchen Ergebnissen wir gelangen. R. Wagner verstand unter dem „Kunstwerk der Zukunft" die Darstellung eines Ideenkreises unter gleichmäßiger und gleichwertiger Zuhilfenahme aller Künste, so daß jeder Kunst berechtigter Anteil am Gelingen des Werkes zukommt. Da die Idee, das gedachte Geschehnis, dargestellt, also sinnlich veranschaulicht und erfaßt werden soll, so konnte nur das Drama, die dramatische Darstellung, das Substrat für sein „Gesamtkunstwerk" bilden, bei welchem sich alle Künste in ihrer möglichsten Vollendung treffen sollen.

Dieser Gedanke war zwar nicht ganz neu. Wir finden ihn, wenn auch erst in seinem Entstehen und Werden, schon beim Theater der alten Griechen, beim synagogalen Gottesdienste, noch mehr und in steter Fortentwicklung in der christlichen Kirche, bei jenem geheimnisvollen, erschütternden Drama, das auf Kalvaria seinen Anfang genommen hat und beim katholischen Gottesdienste seine dauernde Darstellung findet, so daß die Kirche dieses Gesamtkunstwerk, welches Wagner für das Theater geschaffen hat, „in der feierlich heiligen Pracht ihres Gottesdienstes seit Jahrhunderten besitzt" (A. W. Ambros). Und wie Wagner in seinem Drama alle Künste in edlem Wettstreit vereinigt sehen will, so finden wir im Drama der Kirche das Zusammenwirken der Künste bereits in den Katakomben.

Da, wie die Kirche selbst, auch der katholische Gottesdienst, den wir mit dem Namen „Liturgie", d. i. öffentlicher, von den dazu besonders geweihten Personen nach bestimmten Normen gefeierter Kultus, bezeichnen wollen, einen Anfang und eine Fortentwicklung haben mußte, so hielten auch die zur Liturgie herbeigezogenen Künste mit der Entwicklung jener gleichen Schritt. Und so sehen wir auch diejenige Kunst, die uns hier interessiert, die holde Musika, aus bescheidenen Anfängen sich im Laufe der Zeiten emporheben zu einem großartigen Gebilde, das des Menschen Herz in allen seinen Regungen und Empfindungen ganz in seinen Bann zu zwingen weiß. Kein Wunder, daß die Kirche besondere Sorgfalt und Pflege gerade dieser Kunst zuwandte, die wie keine andere geeignet ist, alle Saiten des Herzens zum Ertönen zu bringen und die Seele zur Erbauung, Andacht und Frömmigkeit zu bewegen. Die bei lärmenden Festen und Gelagen verwendeten heidnischen Instrumente schloß sie aus. So hat denn

[1]) Aus diesem Artikel von P. Robert Johandl, Chorregent im Benediktinerstift Göttweig in Nr. 12 der „Musikliterarischen Blätter" Wien, Praterstraße Nr. 54, gibt die Redaktion nachfolgende Grundgedanken wieder; sie bilden auch die Programmpunkte der *Musica sacra* und können nicht eindringlich und oft genug betont und wiederholt werden.

die Kirche für ihre Liturgie die allerdings noch sehr einfachen Weisen aus dem Oriente und aus der Synagoge herübergenommen: die Uranfänge des mit der Kirche gleichalten Choralgesanges, den sie wie ein zartes Pflänzchen hegte und pflegte, bis sie ihn zur Höhe eines vollendeten Kunstgesanges brachte und für dessen Verbreitung sie sorgte, wohin sie ihre Glaubensboten sandte. Aus ihm, der fast durch das ganze erste Jahrtausend allein berechtigter Kirchengesang war, entwickelte sich der mehrstimmige Gesang, der in den verschiedenen „Schulen", besonders in der niederländischen, in der römischen und venezianischen, im 16. Jahrhunderte sich bis zur Klassizität ausgestaltete, deren genialste Vertreter die Dioskuren Palestrina (römische Schule) und Orlandus Lassus (niederländische Schule) sind, beide † 1594. Mit diesen prächtigen Erfolgen nicht zufrieden, fing man an, die bereits existierenden musikalischen Instrumente herbeizuziehen, die Gesänge damit zu „begleiten", indem einfach die Singstimmen mitgespielt wurden, während eine freiere, selbständige Handhabung der Instrumente parallel mit der stets mehr sich entfaltenden Instrumentalmusik an den Höfen und im Theater sich auch in die Kirche einschlich und den Verfall, d. h. die Verweltlichung der Kirchenmusik anbahnte.

Aller dieser Musikarten bediente sich die Kirche bei ihrer Liturgie, war aber sehr darauf bedacht, mit den Errungenschaften und Neuerungen nicht auch die Entartungen und Auswüchse, die jene stets mit sich führen, mit in den Kauf zu nehmen.

Zukunftsmusik in der Kirche! Wie soll also beim heutigen Stande der musikalischen Kunst, bei ihrer staunenswerten Entfaltung und Größe, in der Kirche beim liturgischen Gottesdienste musiziert werden, welche Musikstücke sind für die Zukunft dabei zulässig, welche verboten? Es würde zu weit führen zu spezialisieren; aus den folgenden allgemeinen Andeutungen über Kirchenmusik wird sich die Beantwortung dieser Fragen von selbst ergeben.

Es ist klar, daß die Entscheidung hierüber nur der kompetenten kirchlichen Oberbehörde, der kirchlichen Gesetzgebung, zufällt. Eine stattliche Reihe von Päpsten und Konzilien beschäftigte sich denn auch mit Kirchenmusik, gab Verordnungen und Gesetze und wandte gerade der heiligen Musik eine Aufmerksamkeit zu wie keiner anderen Kunst. Es wurde eine Kongregation von Kardinälen, Gelehrten und Fachmännern gegründet, die „Kongregation der Riten", die über Beobachtung und Ausführung der Gesetze über Kirchenmusik zu wachen hat. Besonders zur Zeit ihrer Entartung erhob sich (1749) Papst Benedikt XIV., um eindringlich zur Beobachtung der Vorschriften über Kirchenmusik zu mahnen, welchem Beispiele Pius IX., noch mehr Leo XIII., in besonders hervorragender Weise aber Pius X. folgten. Letzterer faßte in seinem „*Motu proprio*" vom 22. November 1903 alle bestehenden Anordnungen und Gesetze über Kirchenmusik gleichsam zu einem einzigen Kodex zusammen, der als Gesetzbuch der Kirchenmusik gilt. An der Hand dieses Gesetzbuches mögen nun die allgemeinen Grundsätze über Kirchenmusik kurz dargelegt werden.

Was ist der Zweck der Kirchenmusik? Verherrlichung Gottes, Förderung der Heiligkeit und Erbauung der Gläubigen. Diesen Zweck haben im Grunde genommen auch die anderen der Liturgie dienenden Künste; doch die Eignung, diesen Zweck zu erreichen, besitzt in besonders hohem Grade nur die Musik, und zwar die von der Kirche verlangte *musica sacra*, die heilige Musik. Neben dieser gibt es auch eine andere, die Leidenschaften des menschlichen Herzens entzückende Musik, die naturgemäß der Kirche fremd bleiben muß. Andrerseits ist aber auch nicht jede ernste, an sich edle Musik schon Kirchenmusik, obgleich sie den Zuhörer „erbauen", erschüttern, ja zu Tränen rühren kann. Unter „Erbauung" versteht die Kirche nicht momentane Gefühlsduselei und sentimentalen Sinnenkitzel, sondern Beeinflussung und Anregung des Herzens und Willens zu dauernder Betätigung einer gottgefälligen Gesinnung und Überzeugung und zu gottesfürchtigem Leben. Aus dieser hohen Auffassung der Kunst erklärt sich die Gesetzgebung für Kirchenmusik. Dieser muß aber nebst der Heiligkeit auch die Güte der Formen innewohnen, sie muß wahre Kunst sein und alles Profane ausschließen, sonst kann sie das beabsichtigte Ziel nicht erreichen. Aus diesen Eigenschaften erwächst folgerichtig die Allgemeinheit der Kirchenmusik, so daß ihr Charakter als Kirchenmusik neben den den verschiedenen Nationen eigentümlichen musikalischen Formen gewahrt bleibt.

So die allgemeinen Grundsätze für echte Kirchenmusik.

Wie schon früher erwähnt, wurden die verschiedenen Musikgattungen zur Liturgie zugelassen und werden es auch jetzt noch; gregorianischer Choral, mehrstimmiger Gesang und Instrumentalmusik in Verbindung mit dem Gesange, aber nicht in gleichem Grade. Die bevorzugte Musik ist der Choral, jener Gesang, der von den modernen Musikern und Musikliebhabern weltlichen und geistlichen Standes am wenigsten erkannt und verstanden ist und als „aschgrau" verhöhnt wird, was zum Teile auch erklärlich ist. Denn so innig dieser Gesang mit der Liturgie verbunden ist, so war er doch durch die ausübenden Sänger gefährlichen Einflüssen, Zutaten und Entstellungen ausgesetzt, die eine mehrmalige Reform veranlaßten. Mit der künstlerischen Entfaltung der Mehrstimmigkeit wurde er mehr in den Hintergrund gedrängt und als die Instrumentalmusik ihre Orgien feierte, fast vergessen, so daß er in mehreren Ländern und Gegenden nur mehr gesungen wurde von Kultpersonen, die ihn singen mußten, und von Choralplänklern, die weder von Kunstgesang überhaupt, noch weniger aber von Choralgesang eine Ahnung hatten, jedoch zur Ausübung des Gesanges bei der liturgischen Feier bestellt waren. Leider kann man diese Art von Sängern und diese Art Choralgesang auch heute noch hören zum Schaden des Ansehens und der Würde des Gottesdienstes. Auf diese Weise ist es erklärlich, daß dieser an und für sich so schöne, ernste, kunstvolle Gesang an Ansehen verlor, von den Zuhörern mißachtet wurde und zum Gegenstande des Spottes herabsank. Doch das soll in Zukunft anders werden.

Nach dem schon erwähnten *Motu proprio* des jetzt regierenden Papstes sollen vorerst die berufenen Choralsänger, die Kleriker und die es werden wollen, in den kirchlichen Instituten und Seminarien in der Gesangskunst, in den liturgischen Gesetzen über Kirchenmusik und in den Lehren der Ästhetik unterrichtet werden an eigenen Sängerschulen, zuerst an den Hauptkirchen. Den in diesen Schulen gebildeten Klerikern wird es dann nicht allzu schwer fallen, auch an kleineren und an Landkirchen Gesangsschulen zu gründen. Freilich wird nur dann ein Erfolg zu verzeichnen sein, wenn ein gewichtiger Faktor zur Betätigung in der Kirchenmusik herangezogen wird: die Lehrerwelt.

Neben dem Choral empfiehlt die Kirche auch den mehrstimmigen Gesang, besonders die klassische Polyphonie, den sogenannten Palestrinastil; aber auch gegen die moderne Kunstrichtung verschließt sich die Kirche nicht, sei es nun unbegleiteter oder durch Orgel und Instrumente begleiteter Gesang, nur darf die auf modernen Prinzipien aufgebaute Kirchenmusik nichts Profanes enthalten, nicht an das Theater erinnern und nicht in jenen Stil verfallen, „der im vorigen Jahrhundert sehr verbreitet war, besonders in Italien".

Das Fundament, worauf das Gebäude der Gesetzgebung für Kirchenmusik ruht, ist der liturgische Text, dessen vollständige, unverstümmelte, deutliche und möglichst würdige Wiedergabe. „Er muß gesungen werden, wie er in den (liturgischen) Büchern steht, ohne Veränderung und Umstellung der Worte, ohne ungehörige Wiederholungen, ohne Zerstückelung der Silben und in einer den Gläubigen verständlichen Weise. Es ist nicht erlaubt, die vorgeschriebenen Texte durch andere eigener Wahl zu ersetzen oder sie ganz oder teilweise auszulassen". Da also der Text, die musikalische Wiedergabe desselben, der Gesang, die Hauptsache ist und vorherrschen muß, so dürfen die Orgel oder die Instrumente ihn wohl begleiten und stützen, nicht aber unterdrücken. Es ist als ein schwerer Mißbrauch zu verurteilen, die Liturgie an die zweite Stelle zu setzen, als ob sie nur Dienerin der Musik sei; nein, „die Musik ist ein Teil der Liturgie und deren demütige Magd".

Man vergleiche mit diesen Darlegungen die heutige, noch zur Aufführung gebrachte Musik! Ist das noch Kirchenmusik? Nein, das ist nur mehr Musik im Gotteshause, die, von tüchtigen Musikern wiedergegeben, ganz schöne Profanmusik sein kann, aber wahre Kirchenmusik ist das nicht, weil die von der Kirche gestellten

Anforderungen fehlen. Da weht kein religiöser Geist mehr, da wird keine Andacht mehr erweckt, geschweige gefördert, das ist nicht Gotteskult, sondern Menschenkult. Und wäre der Instrumental-Titane R. Wagner noch unter uns, er könnte auch jetzt noch von einer „trivialen Geigerei in den meisten unserer jetzigen Kirchenmusik-Stücke" reden, er würde auch jetzt noch in seinem Urteile nicht wanken, das ihn rufen ließ: „Der erste Schritt zum Verfall der wahren katholischen Kirchenmusik war die Einführung der Orchesterinstrumente in dieselbe" und „die menschliche Stimme muß den unmittelbaren Vorrang in der Kirche haben, und wenn die Kirchenmusik zu ihrer ursprünglichen Reinheit wieder gelangen soll, muß die Vokalmusik sie wieder ganz allein vertreten". (Gesammelte Schriften und Dichtungen R. Wagners, 2 Bde., p. 335.)

Dieser beklagenswerte Stand der Kirchenmusik darf nicht andauern! Anfänge einer Besserung sind hie und da schon zu merken. Chorregenten und ausübende Musiker, besonders aber die Kirchenvorstände, mögen das ihrige beitragen! Die Zukunftsmusik in der Kirche muß anders werden! Und wenn ein R. Wagner die Instrumentalmusik aus der Kirche verbannt wissen will, so wollen wir nicht kirchlicher sein als die Kirche, sondern dieser, die sich dem wahren und gesunden Fortschritte nicht verschließt und auch die modernen Errungenschaften zur Verherrlichung ihres Gottesdienstes herbeizieht, in freudigem Gehorsam folgen und uns jene weise Mäßigung auferlegen, die überall zum Ziele führt und in Geduld — warten, bis der liebe Gott, wie Witt an Liszt schrieb, uns einen Palestrina der modernen Orchestermusik erweckt."

## Im Lesezimmer

liegen außer den kirchenmusikalischen Zeitschriften in deutscher Sprache, über deren Inhalt im Cäcilienvereinsorgan alle drei Monate Übersicht gegeben wird, noch nachfolgende Zeitschriften auf, welche teils in fremden Sprachen kirchenmusikalische Materien behandeln, teils in deutscher Sprache über weltliche Musik referieren, aber manchmal auch kirchenmusikalische Themate berücksichtigen.

Die Redaktion der *Musica sacra* wird im neuen Jahrgang wenigstens auf jene Artikel hinweisen, welche in pädagogischer, ästhetischer oder künstlerischer Beziehung von Interesse sein können.

a) Kirchenmusikalische Blätter des Auslandes: 1. ***Cäcilia***, Monatschrift für katholische Kirchenmusik, redigiert von Johann Singenberger in St. Francis, Wisc. (Nordamerika), eine der ersten und lange Jahre die einzige Zeitschrift, welche jenseits des Ozeans die Grundsätze des deutschen Cäcilienvereins beharrlich und richtig vertreten hat. Sie beginnt mit 1908 den 35. Jahrgang und kann durch J. Singenberger, Sacred Heart Sanitorium, Greenfield and 22d Aves, Milwaukee, Wa. bezogen werden.

2. ***Il Bollettino Ceciliano.*** Dieses Organ des italienischen Cäcilienvereins wird vom derzeitigen Generalpräses des genannten Vereines P. Ambrogio Amelli, Benediktinerprior in Montecassino, redigiert und kostet nach auswärts jährlich 5 Lire.

3. Die ***Santa Cecilia*** erscheint mit dem 1. Juli 1907 im 9. Jahrgang. Direktion und Administration sind in Turin, Via-Nizza 147—149. Gründer der Monatschrift ist Marcello Capra, Redakteur Priester Ippolito Rostagno. Jahres-Abonnement nach auswärts 6 Lire. Text und Musikbeilagen sind überaus reich und schön ausgestattet.

4. ***Courrier de St. Gregoire*** redigiert von H. N. Joachim, Domkapellmeister in Tournai, Expedition von P. Basqué in Lüttich (Liège) rue Bois-l' Evêque. Tritt mit 1. Januar 1908 in den 20. Jahrgang und kostet im Auslande 3 Francs 60 Cents.

5. ***St. Gregoriusblad*** beginnt den 33. Jahrgang. Diese Monatschrift in holländischer Sprache hat als Hauptredakteur den H. H. Dekan Monsignore J. A. Lans in Amsterdam, Keizersgracht, 354. Als Mitredakteur den Hochwürd. Herrn Pastor W. P. H. Jansen in Beemster, Verlag der Druckerei St. Jakobs Godshuis in Haarlem. Jahresabonnement der 12 Nummern 1 fl. 70 Kreuzer im Auslande.

6. Den 15. Jahrgang beginnt die ungarische Monatschrift ***Katholikus Egyházi Zene-Közlöny.*** Sie erscheint unter Redaktion von Dr. Bundala János in Budapest, Maria-Theresiastraße 9, und kostet jährlich 3 Kronen 20 Heller.

7. Die ***Musica sacra*** in Mailand beginnt den 32. Jahrgang, erscheint unter Redaktion des Herrn Kanonikus Angelo Nasoni und des Herrn Professors Gina. Terrabugio, monatlich; inklusive der reichlichen Musikbeilagen kostet sie im Ausland 12 Lire.

8. Die ***Musica sacra*** in Namur (Belgien) Wesmael-Charlier, Imprimeur de L' Evêque rue de Fer, 53. Redakteur ist Kanonikus Sosson in Gand. Die Abonnements besorgt Abbé Van de Wattyne in Namur. Preis 6 Francs im Ausland. Sie begann mit August 1907 den 27. Jahrgang und ist das offizielle Organ des belgischen St. Gregoriusvereins.

9. ***Musique Sacrée*** unter Redaktion von M. Mathieu und P. Nouguès in Toulouse tritt den 7. Jahrgang an und kostet jährlich im Ausland 3 Francs und 50 Cents.

10. Von der ***Música Sacro-Hispana*** Revista Mensual Litúrgico-Musical Organo de los Congresos Españoles de Musica Sacrada hat der Unterzeichnete nur die Doppelnummer 1/2 des ersten Jahrganges, beginnend mit Juni 1907 erhalten. Ob sie weiterlebt, wer sie redigiert (als Herausgeber ist D. Andres Martin in Valladolid, Plaza de Portugalete, 2, gezeichnet), wurde nicht weiter mitgeteilt. Als Abonnementspreis für den Jahrgang sind 5 Pesetas verlangt.

11. Von einer zweiten spanischen kirchenmusikalischen Schrift, die zweimonatlich erschien, liegt ein kompletter erster Jahrgang (1907) vor. Redigiert von Jos. O. Martinez in Burgos und Federico Olmeda, Calle de Santa Agueda, 4. Der Titel lautet: ***Voz de la Musica,*** Revista bimestral de música sagrada. Preis im Auslande 8 Pesetas.

12. Die Monatschrift ***Psalterium*** begann im Jahre 1907 den ersten Jahrgang. Sie ist redigiert von Don Raffaele Casimiri, Domkapellmeister in Perugia, erscheint dortselbst und kostet jährlich für das Ausland 6 Lire, mit den Musikbeilagen 7 Lire.

13. Die ***Rassegna Gregoriana*** beginnt 1908 den siebenten Jahrgang, erscheint in Rom bei Desclée & Cie. (Piazza Grazioli); als Strohmann zeichnet Aug. Zucconi. Artikel in italienischer und französischer Sprache werden von den Vertretern der Solesmenserschule und vielen französischen und italienischen Gelehrten, mit zahlreichen Notenbeispielen illustriert, über Geschichte der Liturgie, über Archäologie usw. geschrieben. Der wertvollste Teil der prächtig und umfangreich ausgestatteten Monatschrift ist die *„Bibliografia delle discipline liturgiche"*.

14. Im August 1907 begann der 16. Jahrgang der Monatschrift ***Revue du Chant Gregorien,*** Redaktion: Grand Séminaire, 1, rue du Vieux-Temple; Administration: Rue d' Alembert, Grenoble (Frankreich). Preis im Ausland 5 Franken. In jeder Nummer pflegt ein Leitartikel aus der Feder von Dom J. Pothier enthalten zu sein.

15. In polnischer Sprache erscheint zu Warschau die Monatschrift ***Spiew Koscielny.*** 1908 beginnt der 13. Jahrgang. Jährlich erscheinen 24 Nummern; der Preis beträgt 5 Rubel. Administration in Warschau (Ganka Nr. 46).

16. P. Ant. Dechevrens redigiert 1907 den 2. Jahrgang, der in französischer Sprache geschriebenen ***Voix de St. Gall.*** Ausschließlich theoretische und praktische Fragen und Themata über den gregorianischen Choral mit zahlreichen Notenbeispielen bilden den Inhalt dieser Monatschrift, die in Freiburg (Schweiz) erscheint. Abonnementspreis 6 Francs 75 Cents im Ausland. Expedition Imprimiere Canisienne 58, Grand rue.

Außer den genannten kirchenmusikalischen Zeitschriften des Auslandes existieren noch andere Publikationen, von denen nur einzelne Nummern zugesendet wurden, ohne daß dem Unterzeichneten weitere Nachrichten über das Fortbestehen derselben zugegangen sind, so z. B. *La Tribune de S. Gervais* in Paris.

Es wäre für den einzelnen schon eine Jahresaufgabe, den mannigfachen Inhalt dieser periodischen Literatur über Kirchenmusik zu studieren, die verschiedenen Tendenzen zu würdigen, die Anschauungen zu kritisieren, zu versöhnen oder gegen dieselben zu polemisieren. An Stoff mangelt es wahrlich nicht. Dem ungeachtet glaubt die Redaktion der vorliegenden ältesten Monatschrift über *Musica sacra* ihren Lesern nur ausnahmsweise Mitteilungen aus dieser reichen außerdeutschen Literatur vorlegen zu sollen, wenn die Materien wirklich von allgemeinem, wissenschaftlichem oder künstlerischem Interesse sind; meistenteils tragen dieselben nationalen oder lokalen Anstrich oder wiederholen nur für ihren geringen Leserkreis, was vorher in anderen Zeitschriften schon zu lesen war und oft nur wenige Spezialisten, Archäologen oder gelehrte Nichtmusiker interessieren kann.

Da aber von einigen auswärtigen Lesern vorliegender *Musica sacra* öfters schon Anfragen, ja mißmutige Äußerungen ergangen sind, warum „den so gründlichen, bahnbrechenden, hochinteressanten, mit staunenswerter Gelehrtheit und Klarheit abgefaßten Artikeln dieser oder jener Zeitschrift keine Aufmerksamkeit geschenkt worden sei und ob man dieselbe prinzipiell ignorieren wolle", so glaubte der Unterzeichnete mit vorstehenden Zeilen wenigstens konstatieren zu sollen, daß er es nicht für seine Aufgabe ansehe, sich um die halbe Welt zu kümmern, sondern daß er, mehr als je früher, es für seine Pflicht halte, nur das für die Kirchenmusik Förderliche, Praktische und Bewährte festzuhalten und zu fördern. Es kann übrigens nur mit Freude und Genugtuung begrüßt werden, wenn die Grundsätze, welche vor bald fünfzig Jahren von Deutschland aus ihre Wanderung in die weite Welt angetreten haben, auch jene Gegenden in ihre Kreise ziehen, in denen bisher Morast und Sumpf ein undankbares, ja unmögliches Terrain für kirchenmusikalische Reformen gewesen sind.

Über musikalische Zeitschriften, welche meist über weltliche Musik handeln und nur vorübergehend kirchenmusikalische Fragen berühren, soll in einem folgenden Artikel berichtet werden.

F. X. H.

---

**Inhaltsübersicht von Nr. 12 des Cäcilienvereinsorgans:** Vereins-Chronik: Cäcilienfeier in Aussig, Bautzen, Danzig, Düsseldorf; Jahresbericht des Cäcilienvereins Gleiwitz; Diebolds Op. 95 in Jung-Bunzlau; Cäcilienverein Landau i. Pfalz; Mainburg; Plan; Neue Orgel in Reisbach. — Weihnachtsgedanken (von P. M. W.) — Vermischte Nachrichten und Notizen: Ein Oratorium von P. Benoit in Antwerpen; Kirchenkonzert in Tournai; Leipzig: Konzert des Vinzentiusvereins, Singakademie, I. Konzert des Riedelvereins; Zittau (Aufführung des Pfarr-Cäcilienvereins); Ujvidéker Cäcilienverein; Freiburg i. B.; Unzeitiger Apostroph; Inhaltsübersicht von Nr. 12 der *Musica sacra.* — Neue Subskription auf die Gesamtausgabe von Palestrinas Werken. — Abonnementseinladung. — Cäcilienvereins-Katalog, 5. Bd, S. 121—128 Nr. 3522—35[illegible]. — Anzeigenblatt Nr. 12. — Titel, Inhalt und Register des 42. Jahrganges.

---

Druck und Verlag von **Friedrich Pustet** in Regensburg, Gesandtenstraße.

1908. Regensburg, am 1. Februar 1908. Nro 2.

# MUSICA SACRA.

Gegründet von Dr. Franz Xaver Witt († 1888).

**Monatschrift für Hebung und Förderung der kathol. Kirchenmusik.**

Herausgegeben von Dr. Franz Xaver Haberl, Direktor der Kirchenmusikschule in Regensburg.

**Neue Folge XX., als Fortsetzung XXXXI. Jahrgang. Mit 12 Musikbeilagen.**

Die „Musica sacra" wird am 1. jeden Monats ausgegeben, jede der 12 Nummern umfaßt 12 Seiten Text. Die 12 Musikbeilagen werden im ersten Semester versendet. Der Abonnementpreis des 41. Jahrgangs 1908 beträgt 5 Mark; Einzelnummern ohne Musikbeilagen kosten 30 Pfennige. Die Bestellung kann bei jeder Postanstalt oder Buchhandlung erfolgen.



## Des Chordirigenten, Kantors und Organisten goldenes Alphabet.

Von Alfred Gebauer, Liebenthal, Bez. Liegnitz in Schlesien.

Motto: „Was man einmal ist, muß man ganz sein." (Bodenstedt.)

Der Chordirigent, Kantor und Organist ist ein Gehilfe der Kirche und hat als solcher ein überaus wichtiges und folgenschweres, ein edles und heiliges, nicht minder aber ein pflichten- und verantwortungsvolles Amt zu besorgen. Daraus ergibt sich von selbst, daß jeder Berufsinhaber von der Wichtigkeit seines Amtes und von dem Glauben an seine Verdienstlichkeit voll und ganz durchdrungen sein muß, will er die Schar der Feinde, welche im Laufe der Praxis wohl einen jeden selbständigen Kirchenmusiker — mehr oder weniger — bekriegen, siegreich bekämpfen, in seinem verantwortungsvollen Berufe so wirken, auf daß er einst mit offener Freude und voller Genugtuung von der gewissenhaften Verwaltung Rechenschaft geben kann. Der Organist darf daher kein Mietling sein, bloß aus reinem Broterwerb seines schwierigen Amtes walten und nur der kirchlichen Aufsicht wegen den großen Anforderungen, welche diese an ihn stellt, nachzukommen versuchen. So mancher glaubt auch, da der Organistenberuf wichtig ist, jedermann müsse voll Achtung und Ehrerbietung gegen ihn sein. Nur zu oft entspricht aber in diesem Punkte die Wirklichkeit nicht dem Erhofften. Und warum wohl? Hochachtung will erst erworben, Ehrerbietung errungen und verdient sein. Die Mitglieder des Kirchenchores und des Kirchenvorstandes, fast alle Parochianen achten gar sehr auf des Kantors Tun und Handeln. Wenn sie ihn in seinem Werte erkannt haben, er in ihren Augen ein strebsamer, gesetzter Mann ist, erst dann bringen sie ihm Liebe und Vertrauen entgegen, lassen ihm ihre vollste Hochachtung zukommen, zweifelsohne ein gutes Mittel zur Hebung der Arbeitslust und -freude. Zu einem solch erhabenen Berufe als Chordirigent gehören demnach Männer, welche im sicheren Besitze vielseitiger, guter Eigenschaften sind; denen ein nieversagender Born voll von den schönsten Männertugenden germanischer Art zur Seite steht, aus dem sie zur gegebenen Stunde — sei's trüber Tag, sei's heitrer Sonnenschein — nur zu schöpfen brauchen. In nachstehendem soll in schwachen Zügen das Bild eines echten, treuen Organisten und Dirigenten zu zeichnen versucht werden. Die charakteristischen Eigenschaften, die er sein Eigentum nennen muß, seien in alphabetischer Reihenfolge aufgeführt — sie bilden sein goldenes Alphabet.

## Anstand und Höflichkeit.

Anstand und Höflichkeit sind für den Verkehr der Menschen untereinander recht bedeutungsvoll; ein anständiger höflicher Musiker empfiehlt sich gewiß überall. „Höflichkeit und gute Sitten machen jeden wohlgelitten." Der Organist, Kantor und Chordirigent trage eine wohlanständige, saubere bequeme Kleidung, damit die Bewegungen des Körpers bei Ausübung seines Berufes nicht gehemmt werden, andererseits um nicht auffallend zu erscheinen. Hier gilt das rechte Maß zu halten. Nicht gleich jede aufkommende Mode nachmachen, aber auch nicht an längst veralteten, vielleicht unpraktischen Modezöpfen hängen; nicht alles ist schon deshalb gut, weil es alt ist. Hier muß der Grundsatz zur Anwendung kommen: „Prüfet ein jedes, das Beste behaltet." Zufolge der bei uns Deutschen herrschenden Sitte sei auch jeder Chorbeamte bescheiden und sittsam, liebe die Reinlichkeit in seiner ganzen äußeren Erscheinung, sei stets gefällig und dienstfertig, erweise sich allezeit dankbar in erwiesenen Aufmerksamkeiten im Verkehr mit anderen. In der Gesellschaft mache er sich mit fremden Personen, wenn auch manchmal nur oberflächlich, bekannt, lege Gewicht auf eine geziemende Körperhaltung, äußere in der Unterhaltung seine Meinung, ohne dabei durch starren Widerspruch zu verletzen und bekunde durch die rechten Worte Teilnahme an der Mitbürger Freud und Leid, Mitfreude am Glück und Mitleid am Unglück der Kollegen. Jüngeren Dirigenten, Organisten und Kantoren steht es wohl an, gegen ältere erfahrene Kollegen sich gefällig, liebenswürdig und zuvorkommend zu erweisen. Doch alle seine Anstands- und Höflichkeitsformen dürfen nicht den Charakter der Aufrichtigkeit und Natürlichkeit verlieren, in bloße Komplimentenmacherei ausarten, da sie sonst keinen sittlichen Wert besitzen, ihn dann einfach zum Lügner und Heuchler stempeln.

## Beispiel.

Goethe sagt:

„Der kann sich manchen Wunsch gewähren,
Der kalt sich selbst und seinem Willen lebt;
Allein wer andre wohl zu leiten strebt,
Muß fähig sein, viel zu entbehren."

Es ist nun einmal so, daß die Menschen mehr den Augen glauben als den Ohren. Der Chordirigent muß in allem seinen Choristen ein leuchtendes Vorbild und Muster sein; das gute Beispiel wirkt weit mächtiger als lange Belehrungen. „Worte sind Zwerge, Taten sind Riesen." Die Chorsänger sind ordnungsmäßig und pünktlich in allen Stücken, wenn es ihr Kantor ist; sie sind wohlwollend, friedlich und gefällig, wenn der Chordirigent ihnen mit Milde, Gerechtigkeit und Freundlichkeit begegnet. Dagegen ist es Tatsache, daß trotzköpfige Organisten stets über Eigensinn einzelner Chorsängerinnen und Sänger, unhöfliche über ihre Dreistigkeit, Frechheit Klage zu führen haben. Ist der Organist der Mann, welcher mit seinem Chore fleißig, unermüdlich übt, der die Kirchensänger in allen Zweigen des Gesanges eingehend, verständnisvoll belehrt, der sich selbst in seiner Parochie und darüber hinaus den Ruf der Unparteilichkeit verschafft, der neben der sittlichen Tüchtigkeit des Charakters auch die Kenntnisse und Geschicklichkeiten erworben, durch die er seinen Sängern zur vollsten Autorität geworden, dann beugt sich ein jeder Musiker, wessen Standes er auch im Zivilverhältnis sei, gern und freudig vor der Allgewalt ihres Chorrektors, und die Kraft des stillen, selbstsprechenden Beispiels verschafft ihm große Achtung und treue Anhänglichkeit. Wie das Vor- so auch das Nachbild.

## Charakter.

Das höchste Gut des Kirchenmusikers ist ein sittlich guter Charakter; er allein gibt erst die rechte Würde, das eigentümliche Gepräge, wodurch sein wahrer Wert bestimmt wird. Jeder Chorleiter sei deshalb bestrebt, in seinem Tun und Wollen den höchsten Sittengesetzen nicht zu widersprechen, sein ganzes Denken, Urteilen und Handeln nicht nach augenblicklichen Launen, Einfällen und Verhältnissen einzurichten. Zeigt er feste Grundsätze und Konsequenz in allen Berufstätigkeiten, dann schauen auch seine Chorsänger mit Ehrfurcht auf diesen charakterfesten Mann hinauf. Es gibt gewiß kein größeres, bedeutsameres Lob für einen Organisten als: „Unser Organist, Kantor oder Chordirigent ist ein Mann von Charakter." Das sagt viel, aber alles. Ein Chorrektor von vorzüglicher musikalischer Bildung mit wegwerfendem Charakter, er verdient Verachtung. Erst der felsenfeste, lautere Charakter, der unbeugsame Wille gibt und bleibt das Imponierende; „ein steter Charakter ist Kraft; und Kraft hat immer etwas von göttlicher Natur." (Foltage.) Der Kantor, Organist und Chordirigent hüte sich ferner vor Trotz, Eigen- und Starrsinn, sei nicht unempfindlich für jede vernünftige Einwirkung, stelle sich nicht rechthaberisch. Beharre nicht sachlichen Gründen, Grundsätzen und Autoritäten gegenüber auf seinen persönlichen Ansichten und seinem Willen.

### Dirigent.

Von einem Chordirigenten unserer Zeit verlangt man außer einer natürlichen Anlage zum Taktieren vor allem ein feines musikalisches Gehör, sicheres Gefühl für den Rhythmus, gründliche Ausbildung in der Harmonie, der Formen- und Kompositionslehre, Lesen und Spielen von Partituren in modernen und alten Notenschlüsseln, Fertigkeit im Orgel- und Klavierspiel, gründliche Kenntnis der Gesangskunst und Sinn für eine deutliche dialektfreie, scharf akzentuierte Textaussprache. Eigen müssen ihm ferner sein: ein vielumfassender Blick, geistige Überlegenheit und Ruhe, sowie die Gabe, die Empfindungen eines Komponisten durch sich auf die Ausführenden und im Vereine mit diesen auf die Zuhörer übertragen zu können. Ästhetisch wohlgefälliges Dirigieren ist für den Chorleiter eine unbedingte Notwendigkeit, will er eine vollkommene Kirchenmusik bieten. Ohne diese natürliche Beanlagung wird selbst der tüchtigste, fertigste Kirchenbeamte selten ein guter Dirigent sein. Man hat nur zuviel Beispiele von Komponisten, die mit dem besten Willen nicht imstande sind, ihre Werke selbst zu leiten, dagegen trifft man wieder vortreffliche Dirigenten (inbezug auf das Taktieren), welche sonst schwache Musiker, teilweise ohne besondere theoretische Bildung sind. Was gehört nun zum guten Dirigieren? Hauptsächlich eine leichte Armführung und ein elastisches Handgelenk, vermittelst dessen man befähigt ist, allen, namentlich bei Gesangbegleitungen, vorkommenden Schwankungen oder Modifikationen des Tempos in unauffälliger Weise zu folgen, resp. diese anzudeuten. Ein Haupterfordernis zum Dirigieren eines Tonstückes kirchlicher Art ist das richtige Erfassen der Tempi, zu welchem man nur auf dem Wege des musikalischen Gefühls kommen kann. Versteht der Chordirigent ein Offertorium oder Graduale, hat er sich die Phrasierung und den Vortrag desselben vollständig klar gemacht, so wird es ihm ein leichtes sein, das richtige Zeitmaß dafür zu finden, und wissen, wie er das Opus dirigieren und taktieren soll. Ist denn Taktieren und Dirigieren nicht dasselbe? Vom künstlerischen Standpunkte aus nicht. Schlägt der Dirigent zum Musikstück nur den Takt korrekt und sicher, so daß es vortrefflich zusammengeht, weiß er aber nicht der Komposition durch richtiges Erfassen der Intentionen des Tondichters und durch sein eigenes Empfinden und Fühlen geistiges Leben einzuhauchen, so hat er **taktiert** und nicht **dirigiert**. Bei vielen Kirchenkompositionen sind die Tempo- und Metronombezeichnungen oft trügerisch. Man gebe sich also die größte Mühe, in den Geist des zu dirigierenden Opus einzudringen. Sodann beachte ein jeder, daß alle Schläge mit dem Taktstock bestimmt, klar und ruhig gegeben werden, daß die Taktgabe nie undeutlich und verwischt erscheint. Streng unterlasse man alles lächerliche, unnötige Umherfuchteln mit dem Dirigentenstabe, alle überflüssigen Bewegungen und Verrenkungen des Körpers und das ekelhafte Grimassenschneiden.

### Eifer.

Ohne Eifer der Kirchensänger, d. h. ohne ihre ganze, freudige Bemühung das vom Chordirigenten Verlangte so gut als möglich zu bieten oder sich anzueignen, kann kein Kirchenchor, kein Cäcilienverein etwas Ersprießliches leisten. Talent allein ist ein rohes Stück Metall, erst der Eifer prägt es und bestimmt seinen wahren Wert." Wie erzieht nun der Chorleiter die Sänger zum Eifer und Fleiße?

1. Durch sein Beispiel. Trägheit, Saumseligkeit und Gleichgültigkeit des Chordirigenten, Kantors und Organisten stecken auch die Chorsänger an, dagegen Frische und Freudigkeit des Leiters geht wie ein elektrischer Funke über den ganzen Chor und bewirkt Gefallen und Lust am Üben und Können. „Sich der Arbeit nicht weigern,

ist nicht genug; man soll sie eifrig suchen. Ein Mann darf keinen Schweiß scheuen." (Seneca.) „Von der Stirne heiß, rinnen muß der Schweiß, soll das Werk den Meister loben, doch der Segen kommt von oben." (Schiller.)

2. Durch seine gestellten Ansprüche an seinen Chor, welche der Leistungsfähigkeit entsprechen. Der Eifer fängt — nur zu oft lehrt uns das die Erfahrung — unmittelbar mit dem wohltuenden Gefühle des Gelingens und des stetigen Fortschrittes an. Kirchenmusik, die über des Chores Kräften steht, lähmt, stimmt mißmutig, macht nach und nach oberflächlich, ja raubt mit der Zeit jegliche Lust und Liebe zur *Musica sacra*. „Wenn die Feder bricht, geht die Maschine nicht mehr, und wenn das Interesse schwindet, ist's vorbei."

3. Durch verständige Aneiferung der Chorsänger und unbeugsame Konsequenz in der Forderung möglichst vollkommener Darbietungen von Kirchenmusik." „Das Proben ist kein Scherz, das Üben ist kein Spiel. Ernst ist das Leben, und nur Ernst führt ans Ziel."

Wie kann der Chordirigent einen regelmäßigen, eifrigen Besuch der Übungsstunden erzielen?

1. Durch eine liebevolle, ernste Behandlung der Sängerinnen und Sänger, nicht nach Gunst.

2. Durch ein anziehendes, gediegenes und gründliches Einstudieren der einzelnen Werke. „Herrlich ist die Göttergabe Lehrgeschick, sie schafft durch treuen Sinn nur Glück." (Freimuth.)

3. Durch eine möglichste Abwechslung des Übungsstoffes in den Proben.

4. Durch die stete Förderung des Interesses der Eltern und sonstigen Angehörigen an der edlen Kirchenmusik.

5. Durch ein Belohnen besonders pünktlicher, fleißiger Besucher der Proben vor dem anwesenden Chore durch Äußerung seiner größten Freude und Zufriedenheit.

(Fortsetzung folgt.)

---

## Aus Archiven und Bibliotheken.

### Byzantinische Herkunft der Neumenschrift der lateinischen Kirche.

(Fortsetzung aus Nr. 1 und Schluß.)

II. Konstantinopolitanische, hagiopolitische und armenische Notenschrift. — Als die orientalische Hymnenkomposition sich erweiterte und immer mehr aufblühte, genügte eine solche synthetische Formschrift, die dem Gedächtnisse zuviel aufbürdete, nicht mehr; die Formeln entwickelten sich nach und nach zu einer genaueren, die einzelnen Töne bezeichnenden analytischen Schrift. Indem P. Thibaut die, wie er denkt, älteste derartige Notation die konstantinopolitanische nennt, will er damit keineswegs über ihren eigentlichen Lokalursprung einen Vorbescheid abgeben, sondern nur, zugleich mit der Bezeichnung des Einflußkreises, dem sie angehört, sie von einer andern, aus derselben Quelle entsprungenen Notenschrift unterscheiden, nämlich von der hagiopolitischen, die so genannt wird, weil sie aus Jerusalem (ἁγία πόλις, heilige Stadt) stammt, die aber auch die damaszenische heißt, weil sie dem heil. Johannes Damaszenus (700—760) zugeschrieben wird.

Was führte nun Thibaut zur Entdeckung dieser konstantinopolitanischen Notenschrift? Die Berücksichtigung folgender Tatsachen. Die Russen verdanken bekanntlich den Byzantinern das Christentum, und nach dem Zeugnisse der Chronik des Mönchs Joachim (Chronik von Gustinsk) und derjenigen des russischen Metropoliten Cyprian, erhielten sie aus Byzanz auch ihren liturgischen Gesang. Ein Faksimile der ältesten russischen Handschrift des Klosters der Auferstehung bei Moskau (11. oder 12. Jahrhundert), das in Thibauts Besitz kam, wies nun eine Notenschrift auf, die der damaszenischen ähnlich, jedoch mit ihr nicht identisch war. Wäre wohl diese Notenschrift, dachte sich Thibaut, diejenige, welche die Russen von Byzanz zugleich mit ihrem Gesang erhalten haben? Einige Zeit später zeigte ihm Th. Upensky einige in Mazedonien von ihm hergestellten Photographien verschiedener Handschriften mit byzantinischem Gesange; eine derselben, zu Thibauts Überraschung, enthielt oberhalb eines griechischen Textes aus dem 10. Jahrhundert genau die in der Moskauer Handschrift verwendete Notation. „Bedurfte es da weiterer Beweise?" ruft er aus; „die konstantinopolitanische Schrift war entdeckt."

Diese Notation ist in Konstantinopel wahrscheinlich vom 7. bis 12. Jahrhundert in Gebrauch gewesen. Liturgische und politische Umwälzungen bewirken dann die Ersetzung derselben durch die hagiopolitische; in der Mitte des 12. Jahrhunderts ist die Herrschaft der letzteren eine vollzogene Tatsache.

| I<br>Prosodische Zeichen | II<br>Ekphonetische Notation | III<br>Konstantinopolitanische N. | IV<br>Hagiopolitische Notation | V<br>Armenische Notation | VI<br>Lateinische Notation |
|---|---|---|---|---|---|
| Tonoi: 1. Oxeia / | 1. Oxeia / | 1. / | 1. Oxeia / | 1 Checht. Cundj // | 1 Vrguta-Cephalicus // |
| Tonoi: 3. Bareia \ | 2. Oxeiai // | 2. // | 2. Diplé // | | |
| Tonoi: 7. Perispoméne ^ ~ | 3. Bareia \ | 3. \ | 3. Bareia \ | | |
| Pneumata Chronoi: 8. Bracheia ◡ | 4. Bareiai \\ | 4. \\ | 4. .................... | | |
| Pneumata Chronoi: 13. Makrá — | 5. Kremasté apéso | 5. | 5. Json | 5. Puch | 5. Podatus |
| Pneumata Chronoi: 5. Daseia ⊢ und | 6. Kremasté apéxo | 6. — | 6. Olígon — | | |
| Pneumata Chronoi: 6. Psile ⊣ und | 7. Syrmatiké ~ | 7. ~ | 7. Sýrma oder lýgisma ~ | | |
| Pathe oder Tonoi logikoi: 10. Hyphén ◡ | 8. Kathisté | 8. | 8. Zeron klásma ~ | 8. Jerkar ~ | 8. Torculus |
| Pathe oder Tonoi logikoi: 11. Apóstrophos ) | 9. Paroklitiké | 9. | 9. Parakletiké | 9. Khosruwain ~ | 9. Porrectus ~ |
| Pathe oder Tonoi logikoi: 15. Diastolé > | 10. Synémbra ◡ | 10. ◡ | 10. Petasté | 10. Tacht ◡ | 10. Epiphonus ◡ |
| Pathe oder Tonoi logikoi: 16. Teleia + und ÷ | 11. Apóstrophos ) | 11. ) | 11. Apóstrophos ) | | |
| | 12. Apóstrophoi )) | 12. )) | 12. Apóstrophoi )) | 12. Dznkner )) | 12. Strophicus )) |
| | 13. Kentémata | 13. | 13. Kentémata | | |
| | 14. .................... | 14. | 14. Kéntema | 14. Ket | 14. Punctus . |
| | 15. Hypókrisis | 15. | 15. Hyporroé | 15. Vergach | 15. Oriskus |
| | 16. Teleia + | 16. + | 16. Apóderma | | 15. Climacus |
| | | 17. × | 17. Chamelé × | | |
| | | 18. .................... | 18. Hypselé | | |
| | | 19. | 19. Elaphrón | 19. Olark | 19. Clinis |
| | | 20. | 20. Kúphisma | | |
| | | 21. Z | 21. Sýnagma Z | | |
| | | 22. | 22. Antikénoma | 22. Parnik | 22. Ancus |
| | | 23. | 23. Klásma | | |
| | | 24. | 24. Krátema | 24. Zark | 24. Scandicus-Salicus |
| | | 25. ϕ | 25. Phthorá ϕ | | |
| | | 26. ~ | 26. Kýlisma ~ | 26. Khagh ~ | 26. Quilisma |
| | | | 27. Seisma | 27. Vernakhagh | 27. Pressus major |
| | | | 28. Píasma | 28. Kurr ~ | 28. Pressus minor ~ |

Column III (vertical note beside the numbers): Die Namen dieser Neumen sind noch nicht aufgefunden worden, sie werden wohl mit den ekphonetischen und hagiopolitischen verwandt gewesen sein.

Es sei jedoch bemerkt, daß Amédée Gastoné im *Mercure musical*, III. 8, Abbildungen einer etwas verschiedenen Notation mitteilt, deren Zeichen teilweise stärkeren Formelcharakter tragen, und die auch mit der ekphonetischen Notation verwandt ist. Gastoné hält sie für älter als die, seines Erachtens schon unter dem Einflusse der hagiopolitischen Schule stehende konstantinopolitanische Notation. Er nennt sie die paleo- (alt) byzantynische, die konstantinopolitanische dagegen eine gemischte, d. h. paleobyzantinische und damaszenische Elemente enthaltende. Manche paleobyzantinische Zeichen finden sich in der bisher wenig untersuchten mozarabischen Neumenschrift in Spanien wieder, wohin sie die Westgoten gebracht hatten. Vor ihrem Eindringen ins Abendland war nämlich dieses Volk in Kleinasien und Byzanz zum Christentum bekehrt und mit liturgischen Offizien aus diesen Ländern versehen worden. Die innigen Beziehungen zum Orient unterhaltende mozarabische Liturgie und ihre Singweise erhielten im 7. Jahrhundert, namentlich durch den heil. Leander, Erzbischof von Sevilla, feste Gestalt. Hieraus ist das hohe Alter der mozarabischen Tonschrift und mithin ihrer paleobyzantinischen Quelle ersichtlich.

Läßt man die verwandten slavischen Urkunden außer acht, so besitzt man gegenwärtig, sagt Thibaut, nur ungefähr 15 Kodizes mit konstantinopolitanischer Schrift. Sehr bedauerlich ist namentlich, daß man noch keine einzige alte Abhandlung über diese Notenschrift aufgefunden hat.

Etwas weniger selten sind die Urkunden des hagiopolitischen Gesanges; aber zahlreich sind sie auch nicht, weil Kukuzeles und andere „Meister" im 12.—14. Jahrhundert, und Chrysanthos von Madytos im 19. Jahrhundert die Notation umgemodelt haben. Da aber das neue System sich als eine einfache Entwicklung darstellt, welche die wesentlichen Punkte des alten beibehält, so unternimmt es Thibaut mit Hilfe einiger erhaltenen byzantinischen Abhandlungen uns einen ziemlich genauen Begriff des damaszenischen Systems zu geben.

Von der engen Verwandtschaft der hagiopolitischen Neumen mit den übrigen Notierungen kann man sich durch die Betrachtung unserer Notationstabelle überzeugen. Im übrigen müssen wir wegen Raummangels darauf verzichten, Thibaut auf seinen Entdeckungsfahrten durch das Labyrinth der so verwickelten Erklärungen des orientalischen Zeichensystems zu begleiten.

Es sei hier aber das Bedauern ausgesprochen, daß dem Verfasser die Studien[1]) H. Riemanns unbekannt zu sein scheinen. Thibaut kann manche in den byzantinischen Schriften aufgegebenen Rätsel nicht aufhellen; Riemanns Arbeiten hätten ihm eine recht annehmbare Lösung geboten. In den damaszenischen Kodizes finden sich nämlich eine Menge Zeichen, welche je nach ihrer Stellung von den alten orientalischen Abhandlungen sonderbarerweise als bedeutungslos, annulliert, „aphon" erklärt werden, und deshalb bei Übertragungen in modernen Noten einfach ausgelassen werden. Man fragt sich da unwillkürlich, warum denn die orientalischen Musiker diese vielen Notenzeichen überhaupt hinschreiben, wenn diese wirklich nichts gelten sollen. Riemann findet es deshalb seltsam, daß keiner von denen, welche sich mit den byzantinischen Neumen beschäftigt haben, sofort begriffen hat, daß „aphon" nicht bedeuten kann, daß das Zeichen überhaupt bedeutungslos wird, da bezüglich des Ison[2]) doch die ganz bestimmte Erklärung gegeben wird: „Gesungen wird es natürlich, aber nicht gezählt," d. h. diese Notenzeichen kommen für das „Zählen", in anderen Worten, für die Bestimmung der durch die Notenzeichen ausgedrückten Intervalle (für die Intervallberechnung) nicht in Betracht, ähnlich wie unsere in kleinerer Gestalt geschriebenen Verzierungsnoten (Vorschläge, Doppelschläge etc.) in der metrischen Niederschrift des modernen Taktes nicht mitgezählt werden, obwohl sie bei der praktischen Ausführung wohl mitklingen und rhythmisch-metrisch zur Geltung kommen. Diese bisher rätselhaften und vernachlässigten „aphonen" Noten sind also Ausschmückungstöne, Melismen, die nun, infolge der Riemannschen Entdeckung, in den Übertragungen der byzantinischen Neumen, plötzlich zum Vorschein kommen, wo vorher, entgegen der bekannten Vorliebe der Orientalen für das Figurenwerk, ein syllabisches Knochengerüst uns auffällig entgegenstarrte. Die so gewonnenen Melismen stellen die vermißten Verwandtschaftsmerkmale des byzantinischen Kirchengesanges und des verzierungsreichen lateinischen Chorals her. Dieses Ergebnis bildet den Grund meines etwas längeren Verweilens bei diesem Gegenstande.

Es seien hier noch wenigstens ein paar Worte bezüglich einer andern uns von Thibaut vorgeführten Neumenschrift gestattet. Unsere Tabelle enthält sie unter der Bezeichnung der armenischen in der 5. Spalte. Diese Notenschrift weist unter allen orientalischen die größte Ähnlichkeit mit der ekphonetischen, konstantinopolitanischen und hagiopolitischen auf und hat vom 12. Jahrhundert bis zu unseren Tagen ihre archaistische und traditionelle Form behalten; nur wurde ihren alten Notenzeichen seit dem 19. Jahrhundert eine ganz neue Bedeutung zugeschrieben.

III. Neumenschrift der lateinischen Kirche. — Zu den Musikzeichen der abendländischen Kirche übergehend sucht Thibaut zuerst die Grundneumen auf, die sich später in den St. Galler Kodizes zu so mannigfaltigen Formen entwickelten; er sieht sie natürlich in den ältesten, aus dem 9. Jahrhundert stammenden Neumenurkunden, in den zwei Oden von Boetius, im Schlachtgesang von Fontanet; im Erichlied, in der Totenklage um Karl den Großen, die mit noch anderen Dokumenten de Coussemaker in seiner *Histoire de l'harmonie au moyen âge* (Tafel 1 bis 6) veröffentlicht

[1]) Riemann besprach den Gegenstand zuerst in seinem „Handbuch der Musikgeschichte" I, 2, § 34, dann klarer gelegentlich einer Rezension in der „Zeitschrift der Internation. Musikgesellschaft" VII, S. 18 ff., und vor kurzem am ausführlichsten in seinem Aufsatze: „Die Metrophonie der Papadiken als Lösung der byzantinischen Neumenschrift", in den „Sammelbänden derselben Intern. Musikgesellschaft, Jahrgang IX, Heft I, wo er seine früheren Auseinandersetzungen mehrfach berichtigt und erweitert.

[2]) Ison ist das Zeichen des Einklanges; d. h. der Wiederholung des vorhergehenden Tones.

hat. Es sind dieselben Neumenzeichen, welche mit ihren Namen in der bekannten von Lambillottes faksimilierten alten Murbachschen Tabelle enthalten sind. In unserem Schema stehen sie in der 6. Spalte.

Entgegen der Ansicht, welche die lateinischen Neumen ausschließlich von den Sprachakzenten herleitet, schickt sich nun Thibaut an, zu erhärten, daß die in dieser Tabelle und in den ältesten Handschriften (namentlich in den St. Galler Mss.) enthaltene Neumenschrift eine einfache Anpassung der konstantinopolitanischen Notation ist. Hiefür bringt er zwei Beweise:

Der erste besteht in der augenscheinlichen Ähnlichkeit der lateinischen Neumen mit den konstantinopolitanischen (und übrigens auch mit den anderen orientalischen) Notenzeichen. Ein Blick auf unsere Tabelle läßt in der Tat diese graphische Analogie, ja diese fast gänzliche Übereinstimmung sofort in die Augen springen.

Daß nun die lateinischen Neumen gerade von der konstantinopolitanischen Notation abstammen, hat der Verfasser dokumentarisch eigentlich nicht bewiesen, denn die von ihm angeführten Kodizes mit konstantinopolitanischen Zeichen sind späteren Datums als die St. Galler Handschriften. Die konstantinopolitanische Notation kann allerdings — und dies ist wahrscheinlich — in Gebrauch gewesen sein vor der Zeit, welcher die zitierten Kodizes angehören; sie mag, wie behauptet wird, im 6. oder 7. Jahrhundert entstanden sein; aber es liegt Thibaut ob, dieses urkundlich in dem von ihm in Aussicht gestellten zweiten (historischen) Teil seines Werkes festzustellen. Ein lateinischer- und griechischerseits zufälliges, voneinander unabhängiges Verfallen auf dieselbe Notenschrift kann jedenfalls, bei der beinahe gänzlichen Übereinstimmung so vieler Zeichen nicht angenommen werden. Eine Herübernahme der Notation aus dem Abendlande ist ebenfalls ausgeschlossen; denn wir haben nicht nur keine Anhaltspunkte dafür, sondern vielmehr Gründe dagegen, und anderseits positive historische und etymologische Beweise für eine diesbezügliche byzantinische Beeinflussung des Abendlandes. Die beinahe identischen Notenzeichen sind also auf eine Herübernahme aus dem Orient zurückzuführen. Die ekphonetische Notation, welche die gemeinsame Quelle aller in Frage stehenden Neumenschrift ist, läßt sich übrigens, wie wir gesehen haben, urkundlich jedenfalls bis ins 5. oder 6. Jahrhundert zurückdatieren, und die früher erwähnte, von A. Gastoué mitgeteilte paleobyzantinische Notenschrift, welche auf der ekphonetischen fußt und für älter als die konstantinopolitanische angesehen wird, mag die von Thibaut etwa gelassene Lücke ausfüllen. Ob nun die ekphonetische oder die paleobyzantinische oder die konstantinopolitanische Notation die direkte Stammutter unserer lateinischen Notenschrift ist, darauf kommt schließlich für die den Choral betreffenden Schlußfolgerungen nicht so viel an.

Den zweiten Beweis für Thibauts These liefert die vielsagende Etymologie (Abstammung der Namen) der lateinischen Neumen. Die Benennungen der Neumenzeichen der gregorianischen Notenschrift, sagt Thibaut, verbergen schlecht ihren wahren Ursprung unter einer lateinischen Form, deren einigermaßen barbarisches Aussehen schon längst hätte Verdacht erregen sollen.

a) Ein Teil der Neumennamen sind nämlich einfach aus dem Griechischen herübergenommen und tragen ihre griechische Abstammung beinahe unverändert an der Stirne, z. B. das *Quilisma*, welches auch in der hagiopolitischen Notation so heißt, und augenscheinlich das Griechische *κύλισμα* (ein Rollen), von *κυλίω*, wiedergibt. — *Epiphonus* = *ἐπίφωνος*; *ἐπί* und *φωνή*, der Stimme hinzugefügt, dem Hauptton beigefügt. Dieser Name entspricht wirklich der melodisch-rhythmischen Bedeutung *Epiphonus*; letzterer enthält bekanntlich eine Hauptnote mit einer folgenden „liqueszierenden“ oder Fließnote. Zu bemerken ist zudem, daß die *Petaste*, welche in der hagiopolitischen Notation das Äquivalent unseres Epiphonus ist, in der griechischen liturgischen Musik dieselbe Ausführungsweise beibehalten hat, nur kommt dort der Fließton zuerst. — *Oriscus* = *ὡρίσκος*, kleine Verzierung, von *ὡραΐζω*, verzieren, verschönern. — *Strophicus* = *στροφικός*, gebogen. Das äquivalente armenische Notenzeichen heißt, seiner gebogenen Gestalt (, ,) entsprechend *dzunker*, die zwei Knie. — *Cephalicus* = *κεφαλικός* (was sich auf den Kopf bezieht). — *Clinis* (*Clivis*) *κλίσις*, von *κλίνω*, neigen. — *Podatus* oder *Pes*, von *πούς, ποδός*, Fuß. Das entsprechende russische Zeichen heißt analog *stopitsa*, von *stopa*, Fußsohle. — *Climacus* = *κλῖμαξ*, Leiter. — *Ancus*, *ἄγκος*, Bergkrümmung, Ellbogen.

b) Andere Benennungen sind nicht einfach aus dem Griechischen herübergenommen, sondern aus demselben direkt übersetzt. „Diese Übersetzung ist übrigens durchsichtig genug für denjenigen, der einigermaßen mit den byzantinischen Musiktraktaten oder den liturgischen Gesangbüchern der modernen Griechen vertraut ist.“ So übersetzt Punctus den in der ekphonetischen und damaszenischen Notation vorkommenden Ausdruck *κέντημα*, Stich, Spitze, Punkt. Der Name für das entsprechende armenische Notenzeichen ist *ket*, das ebenfalls Punkt bedeutet. — *Porrectus*, das Partizip der Vergangenheit von *porrigere*, ausstrecken, niederlegen, übersetzt den Namen des entsprechenden ekphonetischen und hagiopolitischen Zeichens *παρακλιτική*, von *παρακλίνω*, beiseitebeugen etc. — *Torculus* von *torqueo*, drehen, biegen, und so eine Übersetzung ekphonetischen und hagiopolitischen *συρματική* und *σύρμα* darstellend. — *Pressus* von *premere*, zusammenpressen, eine Übersetzung des byzantinischen Neumennamens *πίεσμα*, von *πιέζω*, zwingen, zusammendrücken.

Auf Byzanz weisen übrigens nicht nur diese von Thibaut erläuterten Neumennamen hin, sondern überhaupt ein großer Teil der musikalischen Terminologie und Gepflogenheiten des Mittelalters. Einige Andeutungen mögen hier genügen. Aus den orientalischen Kirchen wurde der antiphonische Gesang vom hl. Ambrosius nach Mailand verpflanzt. So wanderte ebenfalls das System der 8 Tongeschlechter von dorther ins Abendland. In seiner unversehrten byzantinischen Form deckt denn auch dieses System befriedigend manche der ältesten Choralmelodien, die sich in die später umgemodelten Kirchentonarten nicht recht einordnen lassen.

Eine von Odo von Clugny stammende oder wenigstens ihm zugeschriebene Abhandlung über die 8 Tonarten ist betitelt: *De octo tonora*, offenbar in Übersetzung des byzantinischen *ὀκτώηχος*. Die älteste Terminologie dieser Modi ist wieder griechisch: *authentus*, *plagis*, *protus*, *deuterus*, *tritus*, *tetartus*. Selbst die die 8 Tongeschlechter charakterisierenden Merkformeln werden anfangs auf die bekannten byzantinischen Silben *Noeane* gesungen. Und so ließen sich noch eine Menge Anknüpfungspunkte anführen. „Was“, ruft Gevaert aus, „sollte eine Körperschaft römischer Sänger diese Terminologie geschaffen haben? Oder hätte es der heil. Gregor getan, der selbst bekannte, kein Griechisch zu können?“

Im letzten Kapitel zeigt dann Thibaut die Wandlungen der lateinischen Neumenschrift, wie diese sich aus wahrscheinlich einfachen Grundformen nach und nach reicher gestaltet, durch die Romanusbuchstaben des St. Galler Kodizes, und, in anderer Hinsicht, durch die in verschiedener Höhe geordneten Punktneumen der Metzer- und aquitanischen Handschriften sich näher präzisierten, bis sie endlich auf dem von Guido von Arezzo vervollkommneten Liniensystem zu stehen kam. Zur Veranschaulichung dieser Wandlungen sowie der orientalischen Notationen sind 28 Photographien aus alten Kodizes beigegeben. Der Wert des Buches wird durch diese Illustrationen nicht wenig erhöht.

Um seine Untersuchungen über den wahren Ursprung der lateinischen Neumen wirkungsvoll abzuschließen, verspricht der Verfasser, in einem zweiten Bande die geschichtliche Seite der Frage zu behandeln, nämlich die Einführung der orientalischen Notenschrift ins Abendland um die Mitte des 8. Jahrhunderts.

Welches Licht das Studium der orientalischen Kirchenmusik auf die umstrittene Rhythmusfrage des Chorals zu verbreiten geeignet ist, dürfte nach all dem in diesem Aufsatz Gesagten für jeden ersichtlich sein. Auch hierauf will Thibaut in einer eigenen Studie zurückkommen. Was übrigens deren Ergebnis sein wird, kann man im allgemeinen jetzt schon voraussehen, spricht es Thibaut doch mehrfach aus, daß die Bedeutung der lateinischen Neumen hauptsächlich eine rhythmische ist.

Ludwig Bonvin, S. J.

## Neu und früher erschienene Kirchenkompositionen.

Zwei Hymnen zur Anbetung des allerheiligsten Altarssakramentes, für vier Singstimmen mit Orgel von **Dr. Anton Faist.**[1]) Die Texte dieser Hymnen sind *Jesu redemptor omnium* von Weihnachten und *Jesu dulcis memoria* vom Namen Jesu-Feste. Vom ersteren fehlen die 4. und 6. Strophe; er eignet sich also nicht zum Gebrauch bei der liturgischen Vesper. Beide Hymnen sind ja auch als Gesänge während der Anbetung des Allerheiligsten bestimmt. Der musikalische Satz ist fortlaufend; die Strophen werden durch kurze Orgelzwischenspiele abgeteilt, jede aber ist selbständig behandelt. Die Orgelbegleitung ist nur Stütze des Gesangsatzes, in welchem der Sopran melodieführend ist; die Harmonien sind modern, weich, gefällig und einschmeichelnd. Im ersten Hymnus ist die 2. und 5. Strophe als Solo, aber recht andächtig und ausdrucksvoll behandelt.

In 5. Auflage ist erschienen **Mich. Hallers** Op. 53, zweistimmige Messe mit Orgelbegleitung.[2]) Im Cäcilienvereins-Katalog steht die Messe unter 1558.

— — Das Op. 59a,[3]) sechzehn Kompositionen für vier und fünf Männerstimmen (13 Originalkompositionen von M. H., sowie das *Domine non sum dignus* von Victoria, ein *Adoramus* von Aichinger, der gleiche Text von Lassus für Männerstimmen arrangiert) sind in dritter Auflage erschienen. (Cäc.-Ver.-Kat. Nr. 1999.)

Die leichte und kurze Messe zu Ehren des heil. Johann Evangelist mit dem Offertorium *Justus ut palma*[4]) für eine Singstimme oder Unisono-Kinderchor von **Joh. Mandl** hat schon nach kurzer Zeit eine dritte Auflage erlebt. (Cäc.-Ver.-Kat. Nr. 2410.)

**J. B. Marabini**, O. F. M., *Missa pro defunctis*, Op. 41.[5]) Dieses *Requiem* für drei Männerstimmen bedient sich für die Intonationen der einzelnen Teile der Choralmelodien nach der vatikanischen Ausgabe, wechselt also in den Tonarten ähnlich dem Choral.

---

[1]) Op. 9. Graz und Wien, „Styria“. Partitur 1 ℳ 20 ₰, 4 Stimmen à 20 ₰. Da dieses Opus keine Jahreszahl trägt, konnte es laut Bestimmungen der Geschäftsordnung nicht für den Cäcilienvereins-Katalog vorgelegt werden.

[2]) *Cantica sacra I. Missa quintadecima*, ad duas voces aequales Organo Comitante. Regensburg, Fr. Pustet. 1908. Partitur 80 ₰, 2 Stimmen à 20 ₰.

[3]) *Hymni et Cantus cultui SS. Sacramenti servientes*, quos ad 4 et 5 voces aequales. Regensburg, Fr. Pustet. 1908. Partitur 1 ℳ, 4 Stimmen à 30 ₰.

[4]) Op. 16. *Missa brevis et facilis in hon. S. Joannis Evangelistae* una cum Offertorio: *Justus ut palma* ad unam vocem vel unisonochorum parvulorum comitante Organo vel Harmonio. Regensburg, Fr. Pustet. 1908. Partitur 1 ℳ, Stimme 10 ₰.

[5]) *Missa pro defunctis* cum Sequentia *Dies irae* per duos modulos et Responsorio *Libera* ad chorum trium vocum virilium (Tenor I, Tenor II, Baß) ad libitum comitante. Turin, Marcello Capra, für Deutschland: Leipzig, Breitkopf & Härtel. Partitur und Stimmen 3 ℳ 40 ₰, 3 Stimmen à 35 ₰.

Die Orgelbegleitung ist nicht obligat, stützt jedoch die Singstimmen und füllt durch ihre Vierstimmigkeit die Harmonie. Die Komposition zeigt von guter Kenntnis des Kontrapunktes und führt die drei Einzelstimmen in selbständiger Weise. Im Graduale und Traktus sind Falsibordoni eingeschaltet; das *Dies irae* ist vollständig durchkomponiert, aber auch eine leichtere Fassung, nach welcher die Choralstrophen mit vier verschiedenen mensurierten und harmonisch gehaltenen dreistimmigen Sätzen abwechseln, ist beigefügt. Die Komposition ist mittelschwer, fordert jedoch gute erste Tenöre und Sänger, welche rhythmisch selbständig sind. Auch die Absolution *Libera me* ist in ähnlichem Stile durchkomponiert.

Von der *Missa „brevis“* für vier gemischte Stimmen von **Palestrina**, Cäcilienvereins-Katalog I und 900, ist die 4. Auflage erschienen.[1]) Bekanntlich hat der Unterzeichnete in den Jahren 1880 bis 1885 den ersten, 1853 erschienenen Band von Proskes *Musica divina* in 2. Auflage herausgegeben und zwar in 12 Einzelheften. Bei dieser Redaktion wurde die Messe *Dies sanctificatus* von Palestrina durch drei andere vierstimmige des gleichen Meisters *(Sine nomine, Lauda Sion,* und *Jesu nostra redemptio)* ersetzt. Von der ersten, der *Missa brevis* von Palestrina, ist unterdessen eine vierte Ausgabe notwendig geworden. Derselben liegt, wie schon der dritten, die Redaktion nach der Gesamtausgabe von Palestrinas Werken vor. Vom Unterzeichneten stammen die Atem- und Absatzzeichen; als Schlüssel wurden Sopran-, Alt-, und Tenorschlüssel nach Proskes Vorgang beibehalten, für die Einzelstimmen jedoch wurde für die drei genannten Stimmen der Violinschlüssel angewendet, da die Mehrzahl unserer Sänger leider sich nicht entschließen kann, oder vielmehr nicht mehr unterrichtet wird, nach den alten Schlüsseln zu treffen.

Der 3. Band vom Proskes *Musica divina* enthält unter der Bezeichnung *Psalmodia modulata* mehrere vierstimmige Kompositionen, in denen der Psalmentext, freilich mit Rücksicht auf die Psalmtöne, ohne Unterbrechung durch Choralverse durchkomponiert ist. Ähnlich behandelte der geschickte Paduaner Kapellmeister **Oreste Ravanello** den Psalm *Credidi, propter quod locutus sum,* jedoch für zwei Männerstimmen mit obligater Orgelbegleitung.[2]) Letztere ist durchaus selbständig und illustriert, teils in Zwischenspielen, teils bei einzelnen Worten, z. B. *Ego dixi in excessu meo: omnis homo mendax.* und im Verse *Dirupisti vincula mea,* in gelungener Weise den liturgischen Text, ohne sich zu weit zu verirren. Die Kantilene der beiden Stimmen ist ausdrucksvoll, lebendig und dankbar. Die Einlage dieses Psalmes in Falsibordoni-Vespern bietet angenehme Abwechslung; auch zwei Sänger reichen aus, um Effekt zu machen.

Von den Kompositionen **J. B. Singenbergers** erschienen die Messe zu Ehren des heil. Johannes des Täufers für zwei gleiche oder drei gemischte Stimmen mit obligater Orgelbegleitung (Cäc.-Ver.-Kat. Nr. 536) in 9. Auflage,[3]) dessen *Cantus sacri*[4]) für zwei gleiche Stimmen (Cäc.-Ver.-Kat. Nr. 2493) in 3. Auflage. Texte: *O salutaris hostia* (2), *Tantum ergo* (4), *O esca viatorum* und *Panis angelicus.*

Die Preismesse von **J. G. E. Stehle**, eingerichtet für vier Männerstimmen mit Orgelbegleitung (Cäc.-Ver.-Kat. Nr. 3093) liegt in 2. Auflage vor.[5])

**Verheyen, J.,** Op. 7. *Sequentia Stabat Mater,* ad quatuor voces inaequales comitante Organo.[6]) Der wundervolle Text der Sequenz *Stabat Mater* hat von den verschiedensten Meistern seit dem 16. Jahrhundert ein mehr oder minder pomphaftes, öfters auch zu weltliches Kleid erhalten. Am besten entspricht für den Gebrauch in

[1]) *Musica divina. Annus primus. Liber Missarum. I. Missa „brevis“* quatuor vocum auctore Joanne Petro Aloisio Praenestino (Giovanni Pierluigi da Palestrina). Regensburg, Fr. Pustet. 1908. Partitur 90 ₰, 4 Stimmen à 10 ₰.

[2]) Op. 35, Nr. 1, Psalm 115: *Credidi propter quod,* ad chorum duarum vocum aequalium organo comitante. Turin, Marcello Capra, für Deutschland: Leipzig, Breitkopf & Härtel. Partitur und Stimmen 1 ℳ 20 ₰, 2 Stimmen à 20 ₰.

[3]) *Missa in honorem S. Joannis Baptistae,* a) ad duas voces, b) ad 3 voces comitante Organo. Regensburg, Fr. Pustet. 1908. Partitur 80 ₰, 3 Stimmen à 10 ₰.

[4]) *Cantus sacri.* Acht leichte Segensgesänge mit dem Psalm *Laudate Dominum* im 6. und 8. Tone, für zwei Stimmen (Sopran und Alt) mit Orgelbegleitung. Regensburg, Fr. Pustet. 1908. Partitur 80 ₰, 2 Stimmen à 12 ₰.

[5]) *Missa coronata Salve Regina.* Quatuor vocibus aequalibus comitante organo concinendam composuit J. G. E. Stehle. Regensburg, Fr. Pustet. 1908. Partitur 1 ℳ 40 ₰, 4 Stimmen à 20 ₰.

[6]) Regensburg, A. Coppenrath (H. Pawelek). 1907. Partitur 1 ℳ 60 ₰, 4 Stimmen à 25 ₰.

der Liturgie der Messe oder auch bei Passionsandachten an Nachmittagen die einfache strophische Wiedergabe. Daher ist das Op. 7 von J. Verheyen, einem Schüler des † P. H. Thielen, als meditierendes, andächtiges, einfaches, für die Singstimmen und die Orgelbegleitung mittelschweres Tonstück sehr zu empfehlen. Die Orgelbegleitung ist mit Registrierangaben sorgfältig ausgestattet. Jede Strophe hat ihren eigenen ausdrucksvollen Satz, so daß bei innigem verständnisvollem Vortrag überreiche Abwechslung geschaffen und besonders am Schluß schöne Wirkung erzielt wird. Neben dem bekannten vierstimmigen *Stabat Mater* von Witt dürfte diese Komposition von Verheyen eine bevorzugte Nummer in den Programmen kirchenmusikalischer Aufführungen, besonders bei Cäcilienvereins-Versammlungen bilden.

Graduale und Offertorium für die vier Adventsonntage von **Karl Waldeck.**[1]) Die Texte wurden von Ignaz Gruber vervollständigt, waren also im Originalmanuskript mangelhaft!? Ob die Vervollständigung der Texte durch Teilung von Noten oder durch Einschiebsel bewerkstelligt worden ist, wird nicht bekannt gegeben. Die einzelnen Nummern sind so primitiv einfach und schablonenmäßig ohne jeden melodischen, rhythmischen und harmonischen Reiz, daß die Herren, welche über manche leichte Nummern des Vereinskataloges so gerne die Nase rümpfen, schwerlich ähnlich magere Kompositionen unter den bisherigen 3561 Nummern des Cäcilienvereins-Kataloges finden werden. Werden jedoch diese vier Gradualien und vier Offertorien schön deklamiert, nach dynamischer Seite sorgfältig behandelt und nach rhythmischer (besonders bei den Achtelbewegungen) gemäßigt, so dienen sie ebenfalls als nicht unwürdige Bereicherung der Adventliturgie.

*Requiem* für drei Männerstimmen mit Orgelbegleitung, leicht ausführbar komponiert und dem Kirchenchor in Niedermorschweier gewidmet von **Heinrich Wiltberger,** Kaiserl. Musikdirektor.[2]) Dieses *Requiem* nimmt auf die einfachsten Gesangkräfte Rücksicht, läßt manche Texte, besonders die Wiederholungen in *Kyrie*, den 2. Teil des Offertoriums rezitieren, hat aber Traktus und Graduale ganz weggelassen, dagegen das *Dies irae* mit den 19 Strophen in Noten wiedergegeben. Störende Druckfehler im Texte, z. B. fehlen von Trennungszeichen, unrichtige Buchstaben und Wörter *(tubo* statt *tuba*, *stubebit* statt *stupebit*, *culba* statt *culpa)* müssen vor Gebrauch der im übrigen nicht zu verwerfenden Komposition unbedingt verbessert werden. F. X. H.

## Vom Musikalien- und Büchermarkte.

I. Gesangsmusik. **Georg Amft.** Zwei alte Weihnachtslieder aus der Grafschaft Glatz, Tonsatz für gemischten Chor. Franz Görlich, Breslau, Altbüßerstraße 42. Partitur 75 ₰, jede Singstimme 10 ₰. Die Texte der beiden Lieder beginnen: „O laufet, ihr Hirten!“ und „Auf, auf, ihr Hirten“! Die lieblichen Pastoralmelodien werden vom Sopran und Alt im zweistimmigen Satze gesungen, die beiden Unterstimmen (Tenor und Baß) begleiten vier- und manchmal auch fünfstimmig, so daß ein volkstümlicher Chorsatz erzielt wird. Amft ist Seminarmusiklehrer in Habelschwerdt und hat das gefällige Opus Herrn Chorrektor Hauck in Reinerz zugeeignet.

Fünf geistliche Lieder für den Privatgebrauch bearbeitet von **Anton Averkamp**, aus „Een Duytsch Musyk Boeck“ nach den Stimmbüchern von 1572 in Partitur gebracht von Florimond van Duyse im Jahre 1903 und in das Hochdeutsche übersetzt von F. du Pré. Amsterdam, Johannes Müller und Leipzig, Breitkopf & Härtel. 1907. Preis 2 ℳ 60 ₰, 10 Exemplare 15 ℳ, 40 Exemplare 40 ℳ. Die 5 Kompositionen von M. Jan Belle, Gerard Tournhut, Noe Faignient (2) und Klemens non Papa sind von süßem Wohllaut und eignen sich als Konzertnummern edelsten Stiles und Einlagen bei musikalischen Aufführungen. Die Bearbeitung von Anton Averkamp geht auf die Einzelstimmen mit größter Sorgfalt ein durch Atemangabe und dynamische Schattierungen. Wer etwa annimmt, daß die alten Meister nur starre Kontrapunktik und herzlose Zusammenklänge fertig brachten, schaue sich diese fünf Lieder an und bekehre sich, wenn's ihm noch möglich ist!

„Den geboren hat eine Magd.“ (Aus den „Katholischen Geistlichen Gesängen“. Andernach. 1608.) Nach einer Melodie aus dem 15. Jahrhundert. Andernach. 1608. Bearbeitet für vier gemischte Stimmen von **Aug. Becker.** Göttingen, Vandenhoeck & Ruprecht. Partitur Einzelpreis 12 ₰: Partiepreis von 15 Exemplaren an à 8 ₰. Ein zartes, inniges, schön harmonisiertes Weihnachtslied für den Familienkreis und bei Christbescherungen.

Die Ausgabe der fünfzig zweistimmigen Solfeggien von **Angelo Bertalotti**, welche F. X. Haberl als Gesangsübungen und als die besten Vorübungen für das Partiturspiel in den alten Schlüsseln

[1]) Kommissionsverlag der Verlagsbuchhandlung „Styria“, Graz. Ohne Jahreszahl. Partitur 1 K 20 h, 4 Stimmen à 40 h.

[2]) Op. 101. Zum Vorteil des Lehrerwaisenstiftes von Elsaß-Lothringen. Verlag von Max Welting, Colmar i. E. Partitur 2 ℳ, 3 Stimmen à 40 ₰.

bearbeitet und herausgegeben hat (siehe Cäc.-Ver.-Kat. Nr. 551), liegen in fünfter Auflage vor. Regensburg, Fr. Pustet. 1908. Partitur 1 M 60 ₰, 2 Stimmen à 40 ₰.

Mariengrüße. Zwölf Lieder zu Ehren der Mutter Gottes für vier gemischte Stimmen von **Dr. Anton Faist**, Op. 18. Graz und Wien, „Styria". Ohne Jahreszahl. Partitur 1 M 50 ₰, 4 Stimmen à 20 ₰. Den Texten fehlt die oberhirtliche Approbation, dem Drucke die Jahreszahl! Daher konnte dieses Opus 18 den Referenten des Cäcilienvereins-Kataloges nicht vorgelegt werden. Die Kompositionen selbst bewegen sich auf bekannten Geleisen von Strophenliedern, sind melodiös angenehm, harmonisch weich und rhythmisch ohne jede Schwierigkeit.

Musikbeilage zu Karl Weikums Weihnachtsspielen. I. Die Berufung der Hirten. II. Die Berufung der Heiden. Komponiert von **J. Schweitzer**, Op. 29. 4. Auflage. Mit einem Nachtrag: III. „Die Herrlichkeit des Herrn in seiner Niedrigkeit." Komponiert von **J. Schweitzer** und **J. B. Männer**. Quer-Oktav. (34). Freiburg, Herdersche Verlagshandlung. 1907. 1 M 25 ₰. Text: „Weihnachtsspiele". Dramatische Vorstellungen nach den biblischen Mitteilungen über die Geburt Christi. Von Karl Weikum. 4. Auflage. 12°. (84). Freiburg, Herdersche Verlagshandlung. 1 M 40 ₰. Die Weihnachtsspiele sind bei edler und schöner Sprache einfach gehalten, so daß sie mit geringen Kräften aufgeführt werden können. Sie eignen sich daher für Vereine und Schulen. Auch weniger musikalische Persönlichkeiten können auf der Bühne die einfachen Lieder: 1. „Morgenlied der Hirten" (Alt, Tenor, 2 Bässe) und 2. „Hirtenchor" (in gleicher Besetzung), 3. „Psalmlied der Hirten" (Duett für Tenor und Baß), 4. „Chor der Engel" (für drei Knabenstimmen), 5. „Einstimmiger Chor der Hirten" und „Wiegenlied der Engel" (Knabenstimmen) zum Vortrag bringen, besonders wenn hinter den Kulissen gewandtere Sänger mit den Noten in der Hand zur Unterstützung der Bühnensänger aufgestellt sind. Im 2. Akt sind folgende Gesangsnummern: 1. ein zweistimmiger Gesang der Engel, 2. ein Wiegenlied für drei Oberstimmen, 3. ein einstimmiger Chor, 4. ein Wechselgesang der Könige und Hirten. Im Nachtrage komponierte J. B. Männer nach einem melodramatischen Satz einen dreistimmigen Knabenchor mit Harmoniumbegleitung; drei kleinere Nummern von J. Schweitzer sind eingefügt.

II. Instrumentalmusik: Die Streichorchesterstunde. Instruktive Vortragsstücke in den gebräuchlichsten Dur- und Molltonarten, komponiert von **Max Burger**, Op. 60. Erstes Heft: *Moderato; Allegretto; Andantino; Adagio, ma non troppo e patetico; Andante scherzando.* Chr. Fr. Vieweg, Berlin, Groß-Lichterfelde. Partitur 1 M 50 ₰, 5 Stimmen (à 40 ₰) 2 M. In *Musica sacra*, 1907, S. 141 wurde das zweite Heft dieser Publikation von M. Burger empfehlend besprochen. Unterdessen ist der Redaktion auch das erste Heft zugegangen, dem sie ebenfalls große Verbreitung unter den Mittelschülern zum Zwecke der Erlernung eines guten Ensembles wünscht. „Mit Kleinem fängt man an, mit Großem hört man auf!" — Das sei die Devise für Schüler und Lehrer, auch beim Streichorchester.

**Arrigo Coronaro.** (Nachgelassenes Werk.) *Offertorio Assumpta est* per Organo. Turin, Marcello Capra, für Deutschland Breitkopf & Härtel in Leipzig. Preis 80 ₰. Auf drei Systemen ist über das Choralmotiv des Offertoriums *Assumpta est Maria* eine Phantasie entworfen, welche als längeres Orgelstück von mittlerer Schwierigkeit gut empfohlen werden kann.

Bunte Blätter. Eine Anthologie von 100 Stücken für Harmonium, enthaltend Volksmelodien und beliebteste Kompositionen klassischer und moderner Meister, als Ergänzung zu jeder Harmoniumschule, in progressiver Folge zusammengestellt von **Siegfried Karg-Elert**. Leipzig und Zürich, Gebrüder Hug & Co. Vier Hefte à 1 M 20 ₰, komplett 4 M, gebunden 4 M 80 ₰. Kürzere und längere Sätze aus Werken bedeutender Meister, wie R. Schumann, J. S. Bach, W. A. Mozart, G. Bizet, H. Berlioz, sind für das Harmonium arrangiert, mit Fingersatz und Registrierung versehen und dienen als Übungs- und Unterhaltungsmaterial den Freunden des Harmoniumspieles, welche nicht über eigene Phantasie verfügen.

Präludium und Doppelfuge für Orgel (Choral am Schluß mit vier Trompeten und vier Posaunen) von **Friedrich Klose**. Kommissionsverlag Hugo Kunz, Karlsruhe i. B. Orgelstimme (zugleich Partitur) 8 M, Bläserstimmen 2 M. Der Komponist (geb. 1863 zu Karlsruhe), in weiteren Kreisen bekannt durch die dreiteilige symphonische Dichtung „Das Leben, ein Traum" und die dramatische Symphonie „Ilsebill", genoß den Unterricht des Meisters Ant. Bruckner, dessen Andenken er auch diese Doppelfuge widmete, und hat das typographisch großartig ausgestattete, schwierige und nur für Meisterspieler geschaffene Werk meisterlich erfunden und durchgeführt. Am Schlusse (S. 31 bis 38) ist ein Choral mit vier Trompeten und vier Posaunen beigegeben, den die volle Orgel in den ersten Takten mitspielt und im Verlauf bis zum Schluß figuriert. Die Wirkung muß im Wortsinn erschütternd sein.

Zu den zwei Märschen für Pianoforte zu vier Händen (mit Begleitung der Violine ad lib.) je Klavier 1 M, Violinstimme 15 ₰ von **Pet. Piel**, Op. 20, Nr. 1 und 2, hat **P. Esser** das Streichquintett und eine Flöte geschrieben und durch diese Bearbeitung größere Tonfülle und eindringlichere Wirkung erzielt. Düsseldorf, L. Schwann. Preis der 6 Einzelstimmen?

III. Bücher und Broschüren: **K. M. Bässler** versendet einen Vorschlag zu einer „Zwölfstufen-Tonschrift — Zwölfstufen Tonnamen", in welcher er die zwölf Töne, bezw. die zwölf Noten auf zwölf besonderen Stufen mit zwölf Namen bezeichnet wissen will, so daß alle Versetzungszeichen (♯ ♭ ♮) wegbleiben. Wer sich für diese Neuerung interessiert, wende sich nach Zwickau (Sachsen) an den obengenannten Verfasser.

Von der „Geschichte der Notenschrift", welche **Franz Dietrich-Kalkhoff** bei Oskar Hellmann in Jauer-Leipzig herausgegeben hat, wurde das erste Heft in *Musica sacra*, 1907, Seite 39, angekündigt. Unterdessen sind weitere sieben Lieferungen à 50 ₰, erschienen, so daß die acht Lieferungen 4 M kosten. Eine Einbanddecke zu dem Buch kostet 1 M. Was je im Laufe der Jahrhunderte als Notenschrift in Manuskripten oder Drucken zutage gefördert worden ist, wird

Seite 149 in dem Literaturnachweis aufgezählt. Auch Bäslers zwölfstufiges Notensystem ist erwähnt und Schriftproben für Tabulaturen und Notenzeichen aus den verschiedenen Perioden der Musikgeschichte sind der fleißigen Arbeit beigegeben.

Von der Neuauflage der durch Dr. **Eugen Schmitz** umgearbeiteten „Illustrierten Musikgeschichte" von † **Emil Naumann** (vergl. *Musica sacra*, 1907, S. 79 und 149) wurden der Redaktion die 8. bis 12. Lieferung zugesendet. Das Werk, welches in Stuttgart-Berlin-Leipzig bei der Union, Deutsche Verlagsgesellschaft erscheint und mit 30 Lieferungen à 50 ₰ abgeschlossen sein wird, ist bei der 12. Lieferung bis zu „Neapolitanische Schule" und „Scarlatti" fortgeschritten.

*Giovanni Maria Nanino, Musicista Tiburtino del Secolo XVI. Vita ed opere secondo i documenti archavistici e bibliografici. Traduzione dal tedesco con note ed aggiunte bibliografiche Prof.* ***Giuseppe Radiciotti*** *Pesaro Stab. Tip. Annesio Nobili.* 1906. Schon in *Musica sacra*, 1907, S. 123, wurde auf die Übersetzung des Artikels im Kirchenmusikalischen Jahrbuch 1891, den der Unterzeichnete über Giov. M. Nanino publizierte, hingewiesen. Dieselbe ist unterdessen erschienen, 45 Seiten in 8°. und verbessert den Irrtum des Unterzeichneten, daß Bernardino Nanino der Brudersohn von Giov. Maria gewesen sei. Radiciotti weist aus einem Drucke von 1588 (I. Buch der fünfstimmigen Madrigale von Giov. Bernardino) nach, daß dieses erste Werk laut Titel vom Bruder und Schüler des Giov. Maria (*Fratello e Discepolo*) komponiert worden sei.

F. X. H.

---

**Regensburg. Der 34. Kurs an der hiesigen Kirchenmusikschule** wurde am 15. ds. M. eröffnet. 17 Schüler (der 18. war im letzten Augenblick zu kommen verhindert) wurden den Herren Lehrern vorgestellt, die Stunden- und Tagesordnung bekannt gegeben. Die Lehrgegenstände sind in folgender Weise verteilt:

1. H. H. Stiftskanonikus Mich. Haller lehrt Kontrapunkt und Kompositionslehre, unterstützt von 2. H. H. Karl Kindsmüller, Seminarpräfekt in Obermünster; 3. H. H. Domkapellmeister F. X. Engelhart unterrichtet im gregorianischen Choral und im Gesang; 4. H. H. Lyzealprofessor Dr. Jos. Endres gibt Musikästhetik, 5. Stiftskapellmeister Dr. Karl Weinmann Geschichte der Kirchenmusik; 6. Herr Domorganist Jos. Renner erteilt Unterricht im Orgelspiel; 7. der Unterzeichnete doziert lateinische Kirchensprache und Liturgik, Direktion und Partiturspiel, Harmonielehre und Kirchenmusikrepertorium.

Die Schüler sind aus nachfolgenden Diözesen zusammengekommen: 4 Priester aus den Diözesen: Cattaro, Genua, Gnesen und Serajewo; 13 Laien aus den Diözesen: Augsburg, Breslau (2), Brixen, Cöln, Gnesen, Kulm, Leitmeritz, Osnabrück, Prag, Regensburg, Trient und Trier. Dr. F. X. Haberl, Direktor der Kirchenmusikschule.

Auf die am 10. Januar eingereichte Bittschrift an den Hochwürdigsten Diözesanbischof, für den 34. Kurs die oberhirtliche Genehmigung und den Bischöfl. Segen gnädigst erteilen zu wollen, erfolgte nachstehende Zuschrift nebst einem überaus huldvollen Handschreiben Se. Exzellenz. Die erstere lautet:

„Der Bischof von Regensburg an den Hochwürd. Herrn Dr. Franz Xaver Haberl, Kgl. geistl. Rat, Direktor der Kirchenmusikschule in Regensburg. Betreff: Kirchenmusikschule in Regensburg im Jahre 1908. Auf die Zuschrift vom 10. d. M. im nebenbezeichneten Betreffe erwidern Wir dem Herrn geistl. Rate Dr. Haberl, daß Wir mit lebhaftem Interesse von dem Berichte Kenntnis genommen haben, gerne die erbetene *facultas docendi* sämtlichen Lehrern der Musikschule mit Unserem Bischöflichen Segen erteilen, und daß Wir einer weiteren Bitte des Herrn geistl. Rates entsprechend mit Freude das Protektorat über die Kirchenmusikschule übernehmen.

Regensburg, den 11. Januar 1908.

† Antonius, Bischof von Regensburg."

---



---

Druck und Verlag von **Friedrich Pustet** in Regensburg, Gesandtenstraße.
**Nebst Anzeigenblatt.**

1908. Regensburg, am 1. März 1908. Nro 3.

# MUSICA SACRA.

Gegründet von Dr. Franz Xaver Witt († 1888).

**Monatschrift für Hebung und Förderung der kathol. Kirchenmusik.**

Herausgegeben von Dr. Franz Xaver Haberl, Direktor der Kirchenmusikschule in Regensburg.

**Neue Folge XX., als Fortsetzung XXXXI. Jahrgang. Mit 12 Musikbeilagen.**

Die „Musica sacra“ wird am 1. jeden Monats ausgegeben. Jede der 12 Nummern umfaßt 12 Seiten Text. Die 12 Musikbeilagen werden im ersten Semester versendet. Der Abonnementpreis des 41. Jahrgangs 1908 beträgt 3 Mark; Einzelnummern ohne Musikbeilagen kosten 30 Pfennige. Die Bestellung kann bei jeder Postanstalt oder Buchhandlung erfolgen.

**Inhaltsübersicht:** 

## Des Chordirigenten, Kantors und Organisten goldenes Alphabet.

Von Alfred Gebauer, Liebenthal, Bez. Liegnitz in Schlesien.

(Fortsetzung aus Nr. 2, Seite 16.)

### Fortbildung.

Nicht zur trägen Ruhe sind dem Kirchenmusiker die Geisteskräfte verliehen, nein, der Schöpfer will, daß ein jeder diese ausbilde und sie benütze, im Guten vorwärts zu kommen, um dereinst sagen zu können: „Herr, zu dem Talent, das du mir gegeben, habe ich noch ein zweites hinzugewonnen.“ Ein Organist und Chordirigent hat die unabweisbare Pflicht, sich fortzubilden; er darf nicht aufhören, zu studieren. Mit unermüdlichem Fleiße und regstem Eifer trage er dem Allgemeinrufe der Gegenwart: „Vorwärts!“ Rechnung. „Wer rastet, der rostet.“ „Wer nicht vorwärts schreitet, der geht rückwärts.“ Man berufe sich nicht auf längere, gewissenhafte Studien in der Kirchenmusik, auch nicht auf abgelegte Examina, durch welche dem Prüfling seinerzeit von der Prüfungskommission bestätigt wurde, daß er die genügenden Fertigkeiten und Kenntnisse zu späterer Berufsarbeit besitzt. Mit dem unentbehrlichsten Rüstzeuge ausgestattet, tritt jeder als Anfänger in die Welt; aber die musikalische Welt ist in beständigem Fortschritte begriffen und kein Chordirigent darf ihrem Laufe müßig zuschauen. „Es fällt kein Meister vom Himmel.“ Wir wissen ja alle wieviel wir nach abgelegten Prüfungen, nach absolviertem Musikstudium haben lernen müssen, und wie wir das alle Tage tun müssen, um nicht rückständig zu erscheinen, um die empfangenen Anregungen auf dem Kgl. akadem. Institut für Kirchenmusik zu Berlin, der Kirchenmusikschule zu Regensburg und auf dem Seminar weiter auszubauen. „Ein Musiker lernt nie aus, wird auch nie fertig.“ Drei Dinge machen erst zu einem guten Meister: „Wissen, Können und Wollen.“ Wer etwa bei der Übernahme eines Kirchenamtes nicht mehr denkt als: „Liebe Seele, nun hast du ja dein Brot, sei guter Dinge“, der ist sehr zu bedauern, tief zu beklagen; er hätte etwas anderes werden sollen. Wer da meint, alles schon begriffen zu haben, zu besitzen, der verfällt unfehlbar der Selbstüberschätzung, dem hohlen Dünkel. Sagt doch schon das Sprichwort: „Dummheit und Stolz wachsen auf einem Holz.“ „Je mehr Einbildung desto weniger Ausbildung.“ „Ach, wie viele Talente „verbauern“ nicht auf diese Weise im Amte!“ — Eitel ist der Vorwand, man habe keine Gelegenheit zu weiterer Fortbildung. Auch in der ungünstigsten Stellung, selbst im einsamen Gebirgsdörfchen mit seiner kleinen Kapellengemeinde, überall bietet sich dem Chordirigenten, Kantor und Organisten mehr als ein Mittel dar, durch dessen sorgfältige Benutzung er seine Erfahrungen und den Kreis seines Wissens, Könnens und Kennens erweitern kann. Zur Vervollkommnung diene: Wiederholung des Gelernten und Geübten, eigenes Suchen und Finden, gründliche Vor- und Nachbereitung auf alle Proben, Anschluß an Fachvereine, Besuch von Musik- und Cäcilienfesten, einschlägige Literatur, Lesen von Kritiken und Kirchenmusikzeitschriften, Besuch von Orgel-, Klavier- und Harmoniumbauanstalten, von Instrumentensammlungen, Beachtung und Prüfung neuer Kirchenkompositionen bei Auslagen und Auswahlsendungen, Gründung eines Pfarr-Cäcilienvereins, Sammlung der Programme von Aufführungen benachbarter Vereine und Kirchenchöre, Pflege der Kammermusik usw. Sehr schätzbar für die weitere Ausbildung ist auch das Reisen im Interesse des Faches. Ohne Fortbildung keine rechte Berufsfreude. Darum als Devise:

„Rastlos vorwärts mußt du streben, nie ermüdet stille stehn, willst du die Vollendung sehn; mußt ins Breite dich entfalten; in die Tiefe mußt du steigen, soll sich dir das Wesen zeigen, nur Beharrung führt zum Ziele.“ (Schiller.) „Nie Meister will ich sein, mit Lernen fertig, nein, Schüler stets, noch höhern Lichts gewärtig.“ (Gerok.)

## Geduld.

Für jeden Chordirigenten ist die Tugend der Geduld unentbehrlich, denn der Dirigentenposten legt eine ununterbrochene Geduldsprobe auf. Ein hitziger, heißblutig veranlagter Chorbeamte wird niemals das richtige Maß an die Leistungen des Chores legen, mehr verlangen als die Sänger mit dem besten Willen zu leisten imstande sind. Er eilt in seinen Anforderungen stets der Zeit voraus, sowohl in den Proben als auch bei und für Aufführungen. In seinem heftigen, nervösen Aufbrausen entschlüpfen ihm dann und wann unüberlegte, manchmal erregte, oft sogar beleidigende Schimpfworte vor seinem Chor — für seine treuen Sänger bestimmt. Und was ist die Folge? Manche gute Kraft geht dadurch der edlen *„Musia sacra“* verloren. Der Dirigent hat selbst den größten Schaden, wenn infolge eines solchen Vorkommnisses diese oder jene sangesfrohe, treffsichere Sängerin, ein oder der andere musikliebende Herr das Probezimmer, das Sängerchor gar nicht mehr, oder auf lange Zeit wenigstens nicht betritt. Leider eine sehr häufige Tageserscheinung! Unangenehme Situationen, viel Ärger und Verdruß blieben ihm erspart, wenn — wenn er sich beherrschen könnte, nicht immer gleich aus dem Häuschen fahren würde. „Soll tragen mit Geduld dein Lehrling Lernbeschwerden, so mußt du selbst nicht ungeduldig werden; denn Schweres hat zu tun der Lehrling wie sein Lehrer, das leichter durch Geduld, durch Ungeduld wird schwerer.“ (Rückert.) Freilich, den wenigsten Menschen ist die Tugend der Geduld angeboren; sie will und muß erworben, errungen werden. „Glaube nur, du hast getan, wenn du dir Geduld gewöhnest an.“ (Goethe.) Wie gelangt nun der Chorleiter in ihren eisernen Besitz? Täglich sein Werk mit Gott anfangen und vollenden, um seine besondere Gnade bitten, diese unheilvolle Leidenschaft zu bezähmen, durch eine gewissenhafte Vorbereitung auf alle Proben und Herausgreifen und oftmalige Übung schwieriger Stellen. Er lernt Geduld im gläubigen Hinblick auf das hohe Beispiel unseres Herrn und Heilandes, erwirbt endlich diese Tugend in der Betrachtung des Wesens der Geduld und ihres reichen Segens, sowie in der Erwägung all der heiklen Umstände, welche die Heftigkeit, dieses erregte, polternde Handeln mit sich zieht. Nicht Kunst und Wissenschaft, Geduld will bei dem Werke sein.“ (Goethe.) Treffend ruft Fritz Treugold zu: „Schreib dir tief ins Herz hinein: Lern geduldig sein.“

## Hochherzigkeit und wohltätiger Sinn.

Seine Gesinnung sei gegen jedermann vornehm und edel. Hochherzig handle er als katholischer Christ nach dem Gebote Gottes gegen Arme und Verlassene, unterstütze ehemalige oder werdende Kollegen, die ohne ihre Schuld ihr Dasein fristen, nach Möglichkeit und trage gern und freudig bei Sammlungen für arme Kirchenmusikstudierende ein Scherflein bei. Bei lokalen oder provinziellen unglücklichen, folgeschweren Ereignissen sei er stets bereit, sich mit seinem Chor oder Cäcilienverein in den Dienst der allgemeinen Wohltätigkeit zu stellen. Liebe und Zutrauen seiner Gemeindemitglieder ist ihm dann sicher, die kirchlichen und weltlichen Behörden werden ihm für diese selbstlose, aufopfernde Handlungsweise anerkennenswerten Dank entgegenbringen, doch der höchste Lohn ist die Vergeltung im Jenseits, das ist „Lohn, der reichlich lohnet". — Musikalische Talente fördere er aus Liebe zur Sache und öffne eben dem jungen aufstrebenden Musiker und Künstler alle Bahnen zu weiterer Aus- und Fortbildung. Gewiß, nur zu oft erlebt man später recht bittere Enttäuschungen, sieht keine goldenen Früchte glühn. Undankbarkeit ist nur zu häufig der Lohn für all diese großen Opfer an Zeit und Geld, für die hingebende, hochherzige Handlungsweise. Doch dann — „Man erträgt, was man nicht ändern kann."

## Kollegialität.

Man blicke ins Leben, wohin man wolle, überall können wir wahrnehmen, daß Personen desselben Ranges und Geschäftes, Standes und Berufes, Alters und Sinnes sich gesellschaftlich zueinander hingezogen fühlen. Es ist dies ein ganz naturgemäßer Zug, den man in allen Schichten der Bevölkerung wahrnimmt, es kann uns nicht wundernehmen. Der Landmann gesellt sich am liebsten zum Bauern, der Kaufmann zum Industriellen, der Krieger zum Soldaten, der Gelehrte zum Manne der Wissenschaft, der Handwerker zum Gewerbetreibenden, der Lehrer zum Lehrer, der Offizier zu seinesgleichen, der Kirchenmusiker zum Musiker. Der Handelsmann bezeichnet jeden einzelnen, mit welchem er geschäftliche Interessen wahrnimmt, als Geschäftsfreund, und die Chordirigenten nennen sich Kollegen, d. i. Amtsbrüder, wodurch das friedliche Verhältnis ausgedrückt wird, in dem sie zueinander stehen sollen. Einem Bruder gegenüber handelt man stets nach dem Sprichwort: „Fehler bedecken pflanzet Liebe." Muß es doch einmal geschehen, daß man sie einem Kollegen vorhält, so sei's mit Ruhe und möglichster Schonung. Erleidet man dagegen von Kollegen eine Verletzung, Verleumdung, Erniedrigung, dann finden wir balsamen Trost und rechte Erbauung in Rückerts ernsten, schönen Worten:

„Und wenn der Freund dich kränkt,
Verzeih 's ihm und gesteh':
Es ist ihm selbst nicht wohl,
Sonst tät er dir nicht weh'.

Dem Vorgesetzten gegenüber ziemt vor allen Dingen Bescheidenheit, auch dann, wenn er im Unrecht zu sein scheint. Man spart sich viel Demütigung und Aufregung, wenn man den Vorgesetzten in zweifelhaften Dingen recht haben läßt und sich selbst bemüht, recht zu tun. — Der Vorgesetzte aber wirkt am sichersten durch das gute Beispiel und die besonnene Ruhe auf seinen Untergebenen. „Je höher er über ihm steht, desto weniger darf er hochmütig, herrschend auftreten", meint der weise Cicero.

## Liebe.

Der Beruf eines Chordirigenten, Kantors und Organisten ist, wie jeder andere, ein Mittel zum Broterwerb. Schon deshalb müßte ein jeder seinem Stande mit freudevoller Dankbarkeit ergeben sein. Würde sich aber in unserer Zeit die Liebe zu jedwedem Stande nach dem Maße richten, was er einbringt: dann freilich wäre es um den Organistenstand schlecht bestellt; denn die Arbeit eines Regens chori wird immer noch zu schlecht bezahlt. So aufgefaßt wäre der Beruf aber nur ein äußerer, und dieser Grad von Liebe genügt nicht; nur zu leicht könnte er zum handwerksmäßigen Abhaspler heruntersinken. Er muß vielmehr dahin streben, den Beruf zu einem innern zu machen, indem er durch angestellte Betrachtung dessen, was den Stand im Lichte des Glaubens schön, Gott wohlgefällig und segensreich, im Vergleich mit anderen Berufsarten ehren- und begehrenswert erscheinen läßt, mehr und mehr sein Herz für den Stand erwärmt, ihn liebgewinnt. „Das Organistenamt ist wie eine Lampe. Wann ist diese gehörig eingerichtet? Wenn 1. Berufsliebe der Docht, 2. Menschenliebe das Öl und 3. Gottesliebe die Flamme ist." Vollständige, uneigennützige Hingabe der ganzen Persönlichkeit an die gute Sache, das ist die rechte Liebe zum Amte, heilige Begeisterung für den Beruf in ihrem schönsten Grade und ihrer schönsten Form. Solche Liebe trägt schon die

Grundbedingung des Wohlgelingens in sich, bewirkt auch, daß der Kantor noch im späten Alter Freude an der Erfüllung seiner Standespflichten findet und krönt endlich das so mühevolle Werk mit dem gewünschten Erfolge. — Zu der Liebe zur Sache und zum Amte gehört auch naturgemäß die Liebe zu den Chorsängern, ohne die alle Berufsliebe einseitig und unzulänglich wäre. Wo rechte, ernste Liebe zu den Choristen vorhanden ist, da herrscht auch eine heitere Gemütsstimmung. „Wer schaffen will, muß fröhlich sein." (Fontana.) „Fröhlicher Mut hilft durch, was Fröhliche tun, das gerät. (Voß.) Dieses heitere Gemüt ist für das Gedeihen einer guten Kirchenmusik das, was der Sonnenschein für die Pflanze ist. „Da werden die Herzen so warm, die Augen so klar, da wird der Gehorsam leicht, das Singen eine Lust; da genügt ein Blick, ein Wink, eine ganze Sängerschar in freudig wetteifernde Bewegung zu setzen." Ein mürrischer, vergrämter Chordirigent mit pedantischem Wesen, der in seinem unzufriedenen, finsteren Naturell für seine Sänger absolut nichts übrig hat, er gleicht dagegen einer Schelle ohne Klang, ist eine Sonne ohne Wärme.

### Mäßigung und Mäßigkeit.

Die erste Tugend ist nicht mit der Mäßigkeit zu verwechseln. Ein jeder Dirigent und Organist halte seinen Unmut in Schranken, beobachte in allem Tun und Lassen das vom göttlichen Gesetze vorgeschriebene Maß und bezähme insbesondere die sinnlichen Gelüste. Diese Eigenschaft hält ihn auch auf allen Lebenspfaden von dem „Zuviel" und dem „Zuwenig" gleich weit entfernt, schließt aber auch die Mäßigkeit ein, d. h. die Beherrschung der Gaumenlust oder der Gier nach Speise und Trank. „Lasset uns ehrbar wandeln, nicht in Schmausereien und Trinkgelagen." „Die Kanne und die Karte macht manchen zum armen Manne." Der Chorrektor bringe Ausgaben und Einnahmen stets in Einklang, sei mäßig in Vergnügungen, in der Kleidung und huldige nicht blindlings kostspieligen Passionen. „Borgen macht Sorgen." „Nicht wer viel hat, sondern der wenig bedarf, ist reich." (Schluß folgt.)

## Aus Archiven und Bibliotheken.

### Herr Christ, der einig Gotts Sohn.

In Rists Passionsandachten 1664 steht das Lied: „Ich weiß, die Zeit wird kommen" (s. Fischer-Tümpel, Deutsch-evangelisches Kirchenlied des 17. Jahrhunderts, II., Nr. 219), darüber als Melodie: „O Schöpfer aller Dinge." Wir finden diese sonst nirgends, nehmen aber an, es sei die bekannte „Entlaubet ist der Walde", denn sie wird über dem Lied „Du Schöpfer aller Dingen" (Wackernagel, Kirchenlied III., Nr. 875) genannt. Deren froher Ton ist für das Morgenlied Kohlroses „Ich dank Dir, lieber Herre" schon im ersten Druck, um 1535, verwendet worden. Rists Lied führt uns aber durch den Hinweis auf das Du (oder O) Schöpfer etc. hin zu „Herr Christ, der einig Gotts Sohn", dem Lied der E. Creutziger † 1558. Beide sind sehr verwandt, eins mag vom andern abhangen. Zum Vergleich stellen wir Vers 3 von „Herr Christ" und Vers 4 von „O Schöpfer" (bei Wackernagel aus einem Druck von Wachter, Nürnberg, ohne Jahreszahl, „Ein bewerte Ertzney etc.") nebeneinander.

Laß uns in deiner Liebe
Und Erkenntnis nehmen zu,
Daß wir im Glauben bleiben
Und dienen im Geist so,
Daß wir hie mögen schmecken
Dein Süßigkeit im Herzen
Und dürsten stets nach Dir.

O Vater Deiner Kinder,
Der Du so freundlich bist,
Schick uns den Überwinder
Des Fleisch und Teufels List,
Daß er uns doch erhalte
In wahrem Glauben rein,
Dein Lieb nit gar erkalte
Und groß werd deine Gmein.

Die Grundgedanken beider Lieder sind ganz gleich. Auch das bei Wackernagel vorhergehende „Ich het mir fürgenommen" berührt sich mit ihnen, sehr nahe außerdem „O Herr, schaff den alten Adam ab" (F.-T. I., Nr. 262), dessen Singweise Zahn (Melodien Nr. 7450) aus Wolff 1569 aufgezeichnet hat. Diese Gedanken leben damals mächtig auf. Ein Ausdruck in „Du Schöpfer": „Ohn Dich mögn wirs nicht enden", kehrt in „Jesu, wollst uns weisen" von Schneegaß 1596 (F.-T. I., Nr. 1) wieder. Ein Lied des Jesajas Rompler von Löwenhalt 1647, bei F.-T. III., Nr. 370, benutzt ganze Sätze aus „Herr Christ", so beginnt der 2. Vers:

Hilf Schäpfer aller dingen,
Du väterliche Kraft,
Dem gaist, das fleysch zuzwingen
Durch deine maisterschaft.

Das Lied der E. Creutziger ist erneuert in Gotters: Herr Jesu, Gnadensonne, welches Fischer im Kirchenliederlexikon I. Seite 278 als die Krone der Gotterschen Gesänge rühmt. Der Ton „Herr Christ" ist weit älter als das Erfurter Gesangbuch von 1524, worin er mit dem Liede zuerst erscheint, er geht auf ein Marienlied *Ave rubens rosa, virgo benedicta* zurück und ist im Lochheimer Liederbuch 1450 dem weltlichen Liede „Mein Freud möcht sich wohl mehren" zugeeignet. Hier folgen beide nach Zahn 7374 (aus Weisse 1531) und 4297.

4297 a.

4297b ist die Weise „Ich hört ein Fräulein klagen", aus Forster 1549, die, wie gesagt, der Weise „Mein Freud" entsprungen. 4297c ist eine Umbildung.

7374. 1)

Weisse hat kein ♭ vorgezeichnet. Alle späteren Gesangbücher setzen es. Bei 1) hat Kath. Zell 1531: [notes] bei 2) *a. g* (Viertel mit Punkt und Achtel) *f e d d c c.*

Der geschätzte Sangmeister Vulpius zu Weimar hat in seinem Gesangbuch 1609 das Lied „Herr Christ" dreimal bearbeitet: für 4 gemischte Stimmen (zu Vers 1 und 2), für 4 gleiche, 1. und 2. Diskant, Alt und Tenor (Vers 3), nochmals für 5 Stimmen, 1. und 2. Diskant, Alt, Tenor und Baß (Strophe 4 und 5), und setzt die gleiche Weise in denselben 5 Stimmen für den Tischgesang „Dich bitten wir, deine Kinder". In den *Pseaumes* der französischen Gemeinde in Frankfurt a. M., deren Ausgabe von 1662 mir vorliegt, sind beide Lieder enthalten samt der Weise nebst einem Baß, jenes ist überschrieben: *Action de graces pour les bienfaits de Christ*, ferner, wie in deutschen Gesangbüchern, das gereimte Vaterunser (mit dem Lobpreiszusatz): O Vater aller Frommen nach derselben Singweise. Sie hat sich mit diesen und anderen Liedern verbreitet, auch im englischen Gesang, und mit Recht beklagt Fischer das Fehlen des Lieds „Herr Christ" in den Büchern der neueren Zeit. Ein guter Wurf ist es, daß in jenem französischen, aber auch auf dem deutschen Boden beruhenden Gesangbuch die Oberquart (*b* statt *f*) als Anfangston gewählt und die Weise dadurch gleichsam höher, festlicher gestimmt ist. — Einige Gesangbücher schreiben für „Wenn meine Sünd mich kränken" neben der eignen Weise (oder den eigenen Weisen, von denen ein paar sehr bedeutend sind) die „Herr Christ" vor, dann muß die vorletzte Note der 5. Zeile geteilt werden. — *Ave rubens rosa* und die ungarische Übersetzung sind im *Vetus hymnarium eccl. Hung.* Seite 381 ff. wiedergegeben. — „Herr Christ" steht im Entwurf eines neuen magyarischen Gesangbuches unter den Liedern für Weihnachten. — Die Weise des Hymnus *Corde natus ex parentis*, der den Satz „aus seim Herz entsprossen" in „Herr Christ" an die Hand gab, ist in der aus Zahn Nr. 4297 angeführten Weise (ebenso in 7374) nicht berücksichtigt worden, die *Hymns ancient and modern* haben eine andere *Corde natus* zum entsprechenden englischen Liede.

## Nun lob, mein Seel, den Herren.

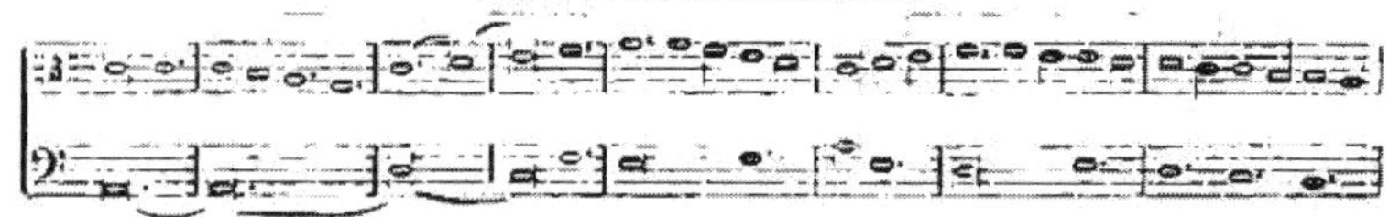

Dieser Tonsatz zu einem flämischen Lied „Ich sach den mey met bloemen bevaen" ist aus dem 14. Jahrhundert (Kirchenmusikalisches Jahrbuch, 1899, Seite 3 und 12). Gefällig spielt die Weise um den Kern *c d e*, ihm geht die Tonreihe *c h a g* vorher, in der 2. Stimme hebt sich der Gang *e d e c h a g* (im zweiten Teil am Schluß) heraus. Die Überschrift nennt die gewaltige Weise, deren Urbild, wie die Vergleichung lehrt, diese flämische aus der Zeit des H. de Zeelandia gewesen ist. Sie war, wie Zahn zu Melodie Nr. 8244 f. bemerkt, vermutlich schon vor 1540 mündlich überliefert, Kugelmann hat sie damals aufgezeichnet, der Anfangston ist später allgemein in *h* geändert worden. Die folgende Weise (Zahn 8246) ähnelt den beiden vorigen, und die untergelegten Worte sind mit denen des Grafen Philipp in den Reuterliedern (siehe nachher) verwandt. Wir lassen Kugelmanns Niederschrift (Zahn 8244) folgen.

Wie fein ist dies Gebild aus der noch unvollkommenen Vorlage gemeißelt! Die Zwischenstufe zwischen beiden scheint der Ton einzunehmen, den Philipp zu Winnenberg und Beilstein 1582 für sein Lied „Wer Gott recht will vertrauen" benutzt. Es ist, wie Zahn dazu (Nr. 5571) bemerkt, wahrscheinlich die Grundlage von „Nun lob etc.", wir wollen dies nicht bestreiten.

Wir blicken weiter auf den französischen Psalm 25 bei Crespin 1551, den Ton, der dem flämischen Lied „Het was my wel te wooren gezet" (Wolfrum, Evang. Kirchenlied, Seite 222 f.) eignete.

Diesen Ton mag Crüger, dem die französischen Psalmen öfter vorgeschwebt zu haben scheinen, zu „Gott ist mein Licht, der Herr mein Heil" *(Prax. piet.*, 1653) umgebildet haben (siehe Zahn, Nr. 4623). Weßnitzer, das Nr. 6680, hat zu demselben Psalm 25 eine Weise, die ohne Zweifel aus der französischen hervorgegangen ist.

Das Band, das unser „Nun lob etc" oder „Ich sach den mey etc." mit der allgemein bekannten Weise „Freu Dich sehr, o meine Seele" aus dem französischen Psalter, (oft mit dem Anfang des Lobwasserschen 42. Psalms „Wie nach einem Wasserquelle" benannt) verknüpft, ist offenbar sehr eng, daher auch das Band zwischen diesen und der Weise des Demantius (Zahn, 6545). Hier die Weise „Freu dich sehr" (Zahn, Nr. 6543). Vergl. die Stellen in „Ich sach etc.", über denen ein ⌐¬ steht.

Der *Recueil de cantiques*, Paris 1908, behandelt den Rhythmus so, daß 6/4-Takt vorgezeichnet ist, das würde allenfalls gehen, aber die Wucht des schweren Taktteils, den die Schlußsilbe der 2. und 4. Zeile durchaus fordert, muß dadurch zur Geltung kommen, daß man schreibt: 𝅗𝅥 𝅗𝅥 𝅝, also hier nicht 6/4-Takt, sondern ¢-Takt setzt. Ebenso hat man schon früher gezeigt, daß in Fällen wie „Lobe den Herren, den mächtigen König der Ehren" die Schlüsse (Ehren, Begehren, hören) nicht lauten dürfen 𝅘𝅥. 𝅘𝅥𝅮 𝅘𝅥., sondern 𝅗𝅥. 𝅗𝅥., weil sonst keine genügende Abrundung im Rhythmus erreicht wird.
V. H.

## Neu und früher erschienene Kirchenkompositionen.

Die Klippen des 6/4-Taktes hat der Priester **Joh. Artigarum** in seiner kleinen Komposition der Hymnenstrophe *Panis Angelicus* für Alt, Tenor und Baß glücklich vermieden durch schöne, ausdrucksvolle und einfache Deklamation des Textes. Die Orgelbegleitung ist nicht selbständig, sondern nur Unterstützung der Singstimmen.[1])

**P. Esser,** Op. 8, Messe für eine Kinderstimme und zwei Männerstimmen.[2]) Schon die Besetzung der Messe ist bemerkenswert und empfiehlt das Opus jenen Chören, welche die Kinder auch zum liturgischen Gesang heranzuziehen bestrebt sind. Die beiden Männerstimmen (Tenor und Baß) bieten der Kinderstimme eine sichere Stütze und führen sie rhythmisch durch den vollständigen liturgischen Text. Die Kinderstimme bewegt sich im Tonumfange von $d^1$ und $d^2$ Sehr empfehlenswert für Anfangschöre.

Von **Joh. Diebolds** *Te Deum laudamus*, Op. 6a, der leicht ausführbaren Messe für gemischten vierstimmigen Chor, die im Cäc.-Ver.-Kat. unter Nr. 305 Aufnahme fand, ist die 7. Auflage erschienen.[3])

Der fleißige und fruchtbare Kirchenkomponist **Peter Griesbacher** übersendet der Redaktion die folgenden sechs neuesten lateinischen Kompositionen seiner Feder, die bei A. Coppenrath (H. Pawelek) in Regensburg erschienen sind:

— — a) Litanei vom heiligsten Herzen Jesu, Op. 107, für gemischten vierstimmigen Chor mit obligater Orgel.[4]) In stetem Flusse wird der lange und schwierige Text von

---

[1]) *Panis Angelicus, Motettum,* ad chorum trium vocum organo comitante. Turin, Marcello Capra. Partitur und Stimmen 1 ℳ 5 ₰. 3 Stimmen à 10 ₰.

[2]) *Missa in hon. Beatae Mariae Virginis.* Herrn Kgl. Seminarlehrer Aug. Wiltberger, seinem Lehrer, gewidmet. Düsseldorf, L. Schwann. 1907. Partitur 1 ℳ 60 ₰, 8 Stimmen à 15 ₰.

[3]) Regensburg, Fr. Pustet. 1908. Partitur 1 ℳ, 4 Stimmen à 10 ₰.

[4]) *Litaniae de Sacro Corde Jesu,* 4 vocibus inaequalibus concinenda comitante Organo vel Harmonio. 1907. Partitur 2 ℳ, 4 Stimmen à 30 ₰.

den vier selbständig geführten Stimmen in reicher Abwechslung deklamiert und jede Ermüdung, besonders durch mannigfaltige Wendungen der mittelmäßig schweren Orgelbegleitung hintangehalten. An Modulationen fehlt es natürlich nicht; dieselben sind jedoch nicht gewalttätig, besonders nicht in den Gesangspartien, die in schöner Gruppierung oder auch in Solis einzelner Stimmen bei den Invokationen und Antworten im lieblichen Reigen sich die Hände reichen. Die dynamischen Zeichen sind nur in den Singstimmen angegeben, beziehen sich aber natürlich auch auf den Orgelpart, den der Organist sorgfältig nach Maßgabe der Sängerzahl und der dynamischen Abstufungen zu registrieren hat, um der schönen Litanei zu der intendierten Wirkung zu verhelfen.

— — b) Das *Te Deum*[1]) für vierstimmigen gemischten Chor mit Orgel oder Harmonium, Op. 108, kann auch unter Begleitung siebenstimmiger Blechmusik vorgetragen werden; letztere ist in der Partitur mit *C. tr.* für die Einsätze und mit *S. tr.* für die Pausen angemerkt. Kraft und Schwung durchdringen die Komposition in *B*-dur bis zum Schlusse. Die stramme Rhythmik ist ein besonderer Vorzug dieses Op. 108, in welchem sich das *Te ergo* in *D*-dur, das auch ohne jede Begleitung gesungen werden kann, sehr zart abhebt. Ein Fest-*Te Deum* im besten Sinne des Wortes!

— — c) Die Augustinusmesse, Op. 111, für 3 gleiche Stimmen mit Orgelbegleitung in *D*-dur[2]) wird in Klosterfrauenchören einen hervorragenden Platz sich erobern. Der Komponist hat in seiner Stellung den Vorteil, die Leistungsfähigkeit der kirchlichen Frauenchöre zu erlauschen und zu erproben. Er stellt jedoch an dieselben keine unmöglichen Forderungen. Die Begleitung ist reich und satt und gibt die notwendige füllende Unterlage für die drei Oberstimmen. Die Modulationen sind sehr mannigfaltig und überraschend, für die Singstimmen jedoch nicht gefährlich und irreführend. Guten Chören mit Oberstimmen, die $fis^2$ und $g^2$ in feiner Intonation zur Verfügung haben, wird diese Messe rückhaltlos gefallen.

— — d) Ein reicher Blumen- und Früchtekorb für die Kirchenchöre in Frauenklöstern und Instituten ist im *Hymnarium*,[3]) Op. 115, dargeboten. Aus dem Inhaltsverzeichnis ist zu entnehmen, daß zu Ehren des heiligsten Altarssakramentes, des Herzens Jesu, der Mutter Gottes und auch des heiligen Joseph für Nachmittags- und Privatandachten reicher Stoff vorhanden ist. Nach den Bestimmungen der Ritenkongregation jedoch zweifelt Referent an der Verwendbarkeit der Litanei vom Herzen Mariä! Unter den 25 lateinischen Kompositionen, von denen 8 in einem Appendix stehen, sind wahre Perlen; über die Fassung **einzelner** jedoch, besonders nach Seite der Chromatik in der Begleitung, hat Referent seine Bedenken.

— — e) Die Sequenz *Stabat Mater* für gemischten vierstimmigen Chor mit obligater Orgelbegleitung, Op. 114, ist im dramatischen Stile gehalten, *F*-moll, und der Orgel das Kolorit anvertraut.[4]) Die 1. und 2. Strophe sind Soli für Tenor, resp. Baß, in der 3. vereinigen sich die 4 Stimmen zum Ausdrucke des Schmerzes über die Leidensmutter. Den Singstimmen sind tiefernste Melodien mit mäßigem Chroma einverwebt. Die Orgelpartie erleichtert die reine Intonation; der Ausdruck steigert sich in jedem Satze, und das Motiv des Anfangs:

[1]) Hymnus *Te Deum*, ad 4 voces mixtas cum Organo vel Harmonio et Trombonis ad libitum. Partitur 1 ℳ 50 ₰, 4 Stimmen à 20 ₰, 7 Instrumentalstimmen 1 ℳ.

[2]) *Missa in hon. S. Augustini*. 3 vocibus aequalibus concinenda comitante Organo. Part. 2 ℳ 80 ₰, 3 Stimmen à 30 ₰. Ihrer Ehrwürden Jungfrau M. Augustina Rigele in Osterhofen-Stift zum goldenen Ordensjubiläum gewidmet.

[3]) *Hymnarium seu Collectio Hymnorum* ad 2—3 voces aequales comitante Organo vel Harmonio. Cum Appendice. Inhalt: 1. und 2. *Pange lingua*; 3. und 4. *Veni Creator*; 5. *Sacris solemniis*; 6. *Verbum supernum*; 7. *Salutis humanae*; 8. *Aeterne Rex*; 9. *Cor arca*; 10. *Cor Jesu*; 11. *O Cor amoris*; 12. *Jesus, doloris victima*; 13. *Omni die*; 14. *O gloriosa*; 15. *Ave maris stella*; 16. *Stabat Mater*; 17. *Te Joseph celebrent*. Appendix. 18. *Cor Jesu, te laudamus*; 19. *Sit laus divino cordi*; 20. *Quid retribuam*; 21. *Exultavit cor meum*; 22. *Tota pulchra es*; 23. *Memorare*; 24. *Sub tuum praesidium*; 25. *Litaniae de Ss. Corde B. M. V.* Nr. 1, 3 und 5—8 sind dreistimmig mit Orgel ad lib., Nr. 13 und 17 sind ein- und dreistimmig mit Orgel; zweistimmig mit Orgel ist Nr. 9, zwei- und dreistimmig mit Orgel Nr. 15; alle übrigen Nummern sind dreistimmig mit Orgel. 1908. Partitur 7 ℳ 20 ₰, Stimmen à 1 ℳ.

[4]) Sequentia *Stabat Mater*, ad 4 voces inaequales comitante Organo. 1908. Partitur 1 ℳ 80 ₰, 4 Stimmen à 25 ₰.

wiederholt sich in den verschiedensten Wendungen und Modulationen, Umkehrungen und Imitationen. Die letzte Strophe will gleichsam einen Blick ins Paradies gewähren und schließt mit frohem Dur auf der Unterdominante und Tonika. Für Nachmittagsandachten in der Fastenzeit bietet dieses Op. 114 eine Glanznummer und wird für modern gebildete Chöre von nachhaltiger Wirkung sein.

— — f) Ein *Te Deum* für 3 gleiche Stimmen mit Orgelbegleitung, Op. 116, ist nicht etwa eine Bearbeitung von Op. 108, sondern eine selbständige Komposition für drei Oberstimmen.[1]) Dasselbe ist einfach gehalten, in der Orgelbegleitung mittelmäßig schwer, mit vielen Unisonisätzen ausgestattet, in der Chromatik maßhaltend. Haupttonart ist *C*-dur, der Satz *Te ergo quaesumus* in *A*-dur. Rhythmik und Melodik klingen frisch. Unter den vielen Kompositionen dieses Hymnus für Oberstimmen wird dieses Op. 116 eine der wirkungsvollsten sein.

Die zwei Motetten für Papstfeierlichkeiten für vier gleiche (Männer)-Stimmen von **P. Pet. Habets**, Op. 1, befassen sich mit den Texten: *Tu es Petrus* und *Tu es Pastor ovium.*[2]) Sie sind im strengen Stile gehalten, kontrapunktisch gut gearbeitet und imitatorisch trefflich durchgeführt. Bei Festversammlungen zu Ehren des goldenen Priesterjubiläums Sr. Heiligkeit seien diese feierlich ernsten und wohlklingenden Motetten für Kirche und Konzertsaal zur Aufführung durch starkbesetzte Männerchöre aufs wärmste empfohlen.

**Alfons Moortgat** komponierte zu Ehren des heil. Alfons Liguori eine Messe für drei Männerstimmen mit obligater Orgelbegleitung.[3]) Der Komponist ist Kapellmeister in Hal (Belgien) und zeigt sich als tüchtiger ernster und erfahrener Meister. Die Messe ist von geringer Schwierigkeit, die Orgelbegleitung durchaus selbständig und belebt in den tieferen Lagen der drei Männerstimmen durch ihre Vierstimmigkeit das Tonbild. Die Deklamation ist im allgemeinen gut (die Doppelakzente auf *deprecationem* fallen jedoch auf). In rhythmischer Beziehung ist das Zusammenbalken von je 2 Achteln nicht lobenswert, z. B.:

Pa - tre na - tum.

An die Einzelstimmen werden geringe Anforderungen gestellt.

Die Messe *O Crux ave,* Op. 30 von **Franz Nekes**, für Cantus, Alt, Tenor I und II, Baß I und II, ist in 2. Auflage erschienen. Im Cäcilienvereins-Katalog steht dieselbe unter Nr. 2165.[4])

Unter dem Titel: *Psalmodia Vespertina* hat der den Lesern der *Musica sacra* nicht unbekannte Priester des Oratoriums von Don Bosco in Turin, **Joh. Pagella**, als Op. 37 sämtliche Vesperpsalmen des *Commune Sanctorum* mit Falsibordoni für drei und vier gemischte, zwei und vier Männerstimmen herausgegeben, sowie auch die betreffenden Hymnen, Antiphonen und *Magnificat*, teils choraliter, teils zwei- und vierstimmig, beigefügt. Ein alphabetischer Index erleichtert das Auffinden der in dem 175 Seiten in Quer-Folio umfassenden Bande enthaltenen Gesänge, Psalmen, Hymnen etc.[5]) Die Falsibordoni sind größtenteils von Pagella selbst und höchst einfach gehalten. Außerdem wurden aus dem 3. Band der *Musica divina* Dr. Proskes Falsibordoni von Cäsar Zachariis, Bernabei, Cima entlehnt; die Antiphonen sind mit

[1]) Hymnus *Te Deum*, 3 vocibus aequalibus concinendus comitante Organo. 1908. Partitur 1 M 80 ₰, 3 Stimmen à 20 ₰.

[2]) *Duo Motetta pro Papa*, ad 4 voces aequales. Düsseldorf, L. Schwann. 1906. Partitur 1 M 20 ₰, 4 Stimmen à 6 ₰.

[3]) *Missa secunda in hon. S. Alphonsi Mariae de Liguori* ad tres voces aequales cum Organo. Chez l'auteur, Maître de Chapelle à Hal (Belgien). Partitur und Stimmen 3 Francs, 3 Stimmen à 50 Cent.

[4]) *Missa sex vocum O Crux ave.* Den Mitgliedern des Aachener Domchores gewidmet. Aachen, Ign. Schweitzer. 1908. Partitur 3 M, 6 Stimmen à 20 ₰.

[5]) *Psalmodia Vespertina totius Communis Sanctorum, Dedicationis Ecclesiae et B. M. V.* sive responsoria, toni psalmorum, antiphonae et hymni in cantu gregoriano traditionali notatione hodierna transcripti, et harmonice ornati cum psalmis in falsibordone (ex auctoribus saeculi XVI partim collectis) et hymnis, quatuor et tribus vocibus inaequalibus, quatuor et duabus vocibus aequalibus compositis. Turin, Marcello Capra. Preis 5 Lire.

Orgelbegleitung versehen. Aus dem Titel kann nicht entnommen werden, ob für diese schöne Sammlung auch Einzelstimmen erschienen sind; ohne solche ist das Werk soviel wie unbrauchbar, der Preis der Partitur übrigens auffallend billig.

Sechs lateinische Kirchengesänge zu Ehren der Gottesmutter Maria, nach **P. Piel**, Op. 44, für sechs- bis achtstimmigen Chor bearbeitet von **J. Quadflieg.** Durch die vorliegende Bearbeitung sind die in der Originalfassung von Piel für zwei Oberstimmen mit Orgel komponierten und unter Nr. 893 im Cäcilienvereins-Katalog aufgenommenen Gesänge vollklingend und hochfestlich geworden. Habets hat sie für vier Männerstimmen arrangiert (siehe Cäc.-Ver.-Kat. Nr. 3323); Quadflieg gab ihnen das Festkleid volltöniger Bearbeitung für sechs bis acht gemischte Stimmen und hat damit das ehrende Andenken an den verstorbenen Meister der kirchlichen Tonkunst würdig erneuert.[1])

Die Messe zu Ehren der heil. Anna von **Peter Schäfer**, Op. 12, empfiehlt sich durch die an vielen Orten gebotene Besetzung für eine Knaben- und 3 Männerstimmen. Das *Credo* ist choraliter gedacht und nur eine Einlage für *Et incarnatus est* in *A*-dur komponiert und angegeben; ein drittes *Agnus Dei* kann bei genügender Anzahl von Sopranstimmen auch 5stimmig vorgetragen werden. Die Messe ist gut durchgeführt, kurz, nicht schwer und von andächtiger Wirkung.[2])

Zehn *Tantum ergo*,[3]) Op. 122 von **Ang. Wiltberger**, sind in ebensovielen Einzelheften zu beziehen. Über die Besetzung der einzelnen Nummern siehe unten; es ist also an alle Fälle gedacht und jedem Verhältnis Rechnung getragen, so daß bei dem oftmaligen Gebrauch der beiden Segenstrophen reiche Abwechslung geboten ist.[4])

— — Meister Wiltberger hat der Bitte aus einem Ursulinenkloster in Batavia, für die goldene Jubelfeier dortselbst eine dreistimmige Messe für Frauenchor zu komponieren, entsprochen und das Werk, von dem er bemerkt: „Die melodischen Linien sind zuweilen etwas weich geraten, der Ausdruck aber ist immer kirchlich geblieben," der großen Öffentlichkeit übergeben. Die Frauenchöre in Klöstern werden ihm dafür danken, denn die Messe ist nicht zu schwer, vermeidet die hohen Töne, enthält keine Solostellen und ist so gestaltet, daß sie in Anlage und Ausführung den Verhältnissen der Frauenchöre in Klöstern entspricht.[5]) F. X. H.

## Vermischte Nachrichten und Mitteilungen.

1. × (Der Bericht ist der Redaktion infolge unlieber Verspätung erst Mitte Februar zugekommen.) Vereinigte Kirchenchöre **Elberfeld**. Sonntag, den 24. November 1907, abends 7 Uhr Cäcilienfeier im großen Saale der Stadthalle. Mitwirkende: Herr Bruno Rode (Violine); Herr August Kleffner, jun., Schüler des Konservatoriums der Musik, Köln (Bariton); Herr Oberlehrer Heffels (Begleitung); Pfarr-Cäcilienverein St. Suitbertus und Singabteilung der Jungfrauenkongregation an St. Suitbertus; Dirigent: Herr E. Müller; Flügel: Rud. Ibach-Sohn, Barmen. Vortragsordnung: 1. „Festgesang" für gemischten Chor und Klavier von Hermann Kipper. 2. *Gloria* aus *Missa octava in hon. Suitberti* für gemischten Chor von J. Quadflieg. 3. *Jubilate Deo* für Männerchor von J. Kaspar Aiblinger. 4. a) „Du Wunderbrot" für 4st. Männerchor und 5st. gemischten Chor von J. Quadflieg; b) „Mariengruß" für gemischten Chor von Rademächers. 5. „Die liebliche Mutter", Männerchor von J. Quadflieg. 6. „Der Gesang" für gemischten Chor zum Feste gedichtet von Frau Rudolf Schmid und komponiert von A. M. Dickmann. 7. *La Melancolie*, Violinsolo (Herr

[1]) Op. 39. Düsseldorf, L. Schwann. 1908. Partitur 1 ℳ 80 ₰, 6 Stimmen, à 15 ₰. Gewidmet dem ehrenden Andenken an den verstorbenen Meister der kirchlichen Tonkunst Peter Piel. Das Heft enthält *Omni die dic Mariae* (6st.); *Virgo Virginum praeclara* — für Mariä Empfängnis (6—7st.); *Ave maris stella* (6—8st.); *Salve regina coelitum* (6—7st.); *Ave Maria* (6—8st.); *Sub tuum praesidium* — Antiphon (6—7st.).

[2]) *Missa in hon. S. Annae*, quatuor vocibus (Alto, Tenore et Basso I et II). Fritz Gleichauf, Regensburg. Ohne Jahreszahl. Partitur 1 ℳ 50 ₰, 4 Stimmen à 25 ₰.

[3]) Nr. 1. Zwei Kinderstimmen mit Orgel. Nr. 2. Zwei Männerstimmen mit Orgel. Nr. 3. Zwei gemischte Stimmen mit Orgel. Nr. 4. Zwei Oberstimmen und eine Unterstimme mit Orgel. Nr. 5. Eine Oberstimme und zwei Unterstimmen mit Orgel. Nr. 6. Dreistimmigen Frauen- oder Männerchor mit Orgel oder a capella. Nr. 7. Vierstimmiger Männerchor a capella. Nr. 8. Vierstimmiger gemischter Chor a capella. Nr. 9. Vierstimmiger Männerchor mit Orgel. Nr. 10. Vierstimmiger gemischter Chor mit Orgel.

[4]) Düsseldorf, L. Schwann. 1907. Jede Nummer: Partitur 20 ₰, von 10 Exemplaren ab 10 ₰.

[5]) Op. 123. *Missa in hon. S. Angelae*, ad tres voces mulierum comitante organo. Düsseldorf, L. Schwann. 1908. Partitur 2 ℳ, 3 Stimmen à 15 ₰.

Bruno Rode) von Fr. Prume. Prolog aus „Bajazzo" Baritonsolo (Herr A. Kleffner) von Leoncavallo. 9. „Lob der geistlichen Musik" aus dem Oratorium „Die heilige Cäcilia" für gemischten Chor und Klavier von A. Wiltberger. Pause von 15 Minuten. Festrede. 10. Gemeinschaftliches Lied. 11. „Gotentreue", Männerchor von Hans Wagner. 12. a) „Bagatelles" von Fr. Schubert, b) „Hullámzo Ballaton" von Jenö Hubay, Violinsoli (Herr Bruno Rode). 13. a) „Auf Golgatha", b) „Abgestiegen zur Hölle", Rezitationen (Herr (A. Kleffner). 14. a. „Das Kirchlein", Männerchor von Alb. Braun; b) „Mutterseelenallein", Männerchor von E. Becker. Gemeinschaftliches Lied (Melodie: „Dort wo der alte Rhein).

Die Red. der *Musica sacra* läßt den Text des gemeinschaftlichen Schlußliedes zum Gaudium und Trost vieler „Chorregenten" abdrucken. Der humorvolle Text lautet:

Das meistgeplagte Wesen auf der Erde
Das kann ein armer Chorregent nur sein.
Daß der Gesang der Kirche würdig werde,
Nur dafür quält er sich tagaus tagein.
Bis alles klappt — kein Ton verschnappt,
Probt er in einem fort,
Weicht eher nicht von seinem Ort.

O seht ihn dort vor seinem Chore stehen,
Das Antlitz triefend, ganz zerzaust das Haar,
Die wirren Strähne ihm den Kopf umwehen;
Heut geht auch alles gar zu schlecht fürwahr.
Sopran zu hoch — Alt höher noch!
Tenor singt stets zu tief,
Und auch beim Baß geht alles schief.

Die armen Sänger müssen heute schwitzen,
Bald singen sie zu hoch und bald zu tief,
Und denkt der Regens: So nun wird es sitzen
Ja, Prosit! grade jetzt erst recht geht's schief.
Von Ärger voll, von Grimm halb toll
Wirft er den Taktstock hin;
Denn heut geht's nicht nach seinem Sinn.

Jetzt explodiert der Krater und er sprudelt:
So schlecht wie heute sang der Chor noch nie!
Das ist kein Singen, nein, das ist gesudelt;
Das ist kein Ausdruck, keine Harmonie.
Mag's gehn', wie's will — nicht länger still
Ertrag' ich diese Pein;
Da mag der Kuckuck Regens sein!

Doch einmal noch greift er zu seinem Stabe,
Gibt den Akkord zum Einsatz noch einmal,
Kein Auge wendet von ihm Mann und Knabe
Sie wollen's besser machen diesesmal.
Den Stab er schwingt — das Lied erklingt,
Der Regens schmunzelt leis',
Denn rein und klar ertönt die Weis'.

Und stehen dann am Ende aller Proben
Die Sänger um ihn auf dem Orgelchor,
Wenn dann, um unsern Gott den Herrn zu loben,
Mit mächt'gem Schalle dringt das Lied empor,
Dann schwillt das Herz — strebt himmelwärts;
Dies Tun zu Gottes Preis
Macht leicht und süß den sauren Schweiß.

Drum, Freunde, laßt uns rüstig weiterstreben;
Cäciliens Jünger wollen stets wir sein,
Wir weihen ferner unser ganzes Leben
Dem hohen Ziel in unserem Verein,
Faßt Mann für Mann die Gläser an,
Und rufet freudig noch:
„*Musica sacra*, ewig hoch!"

Über diese Aufführung berichtete das „Wuppertaler Volksblatt" am Montag den 25. Nov. 1907 folgendes: „Die Kirchenmusik hat alljährlich, im Anschluß an den Tag der heiligen Cäcilia, ihr Fest. Zum achten Male wurde es gestern gefeiert, nach den Begrüßungsworten des Pfarrers Dr. Hilt an die zahlreiche Zuhörerschar, die den großen Stadthallensaal füllte, als eine willkommene Gelegenheit, dem uneigennützigen Wirken unserer Kirchenchöre einmal laute Anerkennung zu zollen. Dieser Zweck wurde erfüllt, und die zum Danke Gekommenen wurden durch musikalische Genüsse wieder zu neuem Danke verpflichtet. Der Pfarr-Cäcilienverein von St. Suitbertus unter der umsichtigen Leitung von Lehrer E. Müller trug kirchliche und weltliche Kompositionen, darunter solche von drei einheimischen Komponisten, vor. Ihn unterstützte bei einigen Chören die Singabteilung der Jungfrauen-Kongregation von St. Suitbertus. Die meisten Leistungen zeigten, daß auch mit einem kleineren Chore bei so sorgfältiger, verständnisvoller Vorarbeit schöne Wirkungen erzielt werden können. Durchweg fühlten sich auch die Stimmen sicher, so daß der Dirigent unverzagt manchmal mehr ins Zeug gehen, mehr Temperament entwickeln konnte. Drei Kompositionen von Jak. Quadflieg standen auf dem Programm, ein *Gloria* von echt kirchlichem Charakter, ein schönes Marienlied und ein Doppelchor von seltener Eigenart. Das Werk, das ebenso sehr durch die Originalität des kompositorischen Grundgedankens, als durch die prächtige Durchführung dieses Gedankens überrascht, ist eine Bearbeitung des Koenenschen Liedes „Du Wunderbrot" für vierstimmigen Männerchor und fünfstimmigen gemischten Chor, aber eine Bearbeitung, die aus dem schlichten Original etwas ganz Neues, Selbständiges gemacht hat. J. Rademächers, München-Gladbach, hatte ein liebliches, einschmeichelndes Marienlied zum übrigen Programm beigesteuert und A. M. Dieckmann, der auch zu unseren geschätztesten Musikern gehört, einen Chor „Der Gesang".[1])

Die Begrüßungsrede des H. H. Pfarrers Hilt lautete: „Zum siebenten Male habe ich die Ehre, die gemeinschaftliche Cäcilienfeier der Pfarr-Cäcilienvereine Elberfeld zu eröffnen. Der jüngste, noch nicht ganz ausgewachsene, erst 8 Jahre alte Sohn hat in diesem Jahre der Reihenfolge nach die Veranstaltung übernommen. Die Kritik möge daher milde und nachsichtig und so

[1]) Die Festrede von Red. Emil Ritter über das Thema „Die Musik als Führerin zu Gott" wird in Nr. 4 der *Musica sacra* abgedruckt werden.

sein, wie man von der Kunst der Kritik es verlangt, daß sie nicht zu finden suche, was mißlungen, sondern zu schätzen wisse, was gut gelungen war. Zweck unserer gemeinschaftlichen Feier ist bekanntlich:

1) Allen das gemeinsame und große Ziel der Förderung katholischer Kirchenmusik näherzubringen und damit ein neues Bindemittel unter der katholischen Bevölkerung der Stadt Elberfeld zu finden. Das Wort Webers „Musik ist die wahre allgemeine Menschensprache" mußte für uns Katholiken hinsichtlich der kirchlichen Musik besonderes Verständnis finden;

2) öffentliche Anerkennung und den verdienten Dank den wackern Kirchensängern darzubieten;

3) Diese selbst zu regem Wetteifer und weiteren Fortschritten in ihren Leistungen wie im Verständnisse für die erhabene Aufgabe, die Kirchenmusik zu fördern, anzuspornen. Darum sollte jeder, wie ein ganzer Mann, so auch ein ganzer Kirchensänger sein und nicht zu sehr nach dem weltlichen Gesange hinschielen. „Singet dem Herrn ein neues Lied!" Das soll uns heute wieder beseelen und in das neue Kirchenjahr geleiten. Mit diesem Vorsatze blicken wir heute von der letzten Warte aus hinein in das Hochland des neuen Kirchenjahres. Und wie der Wanderer die Alpen grüßt, ihre ragenden Gipfel, ihre ewigen Schnee- und Eisfelder, ihre würzigen Wälder und tiefen Seen, wie er mit Wonne die reine Höhenluft atmet, so schauen wir beglückt hinein in die Gotteswelt des erhabenen und heiligen Hochlandes, wo die hochragenden Feste, die ewigen unvergänglichen Wahrheiten, die Kraft und Würze heiliger Gnadenmittel, die geheimnisvolle Tiefe unerforschlicher Geheimnisse und die stärkende Gotteslust der himmlischen Gnadenkräfte uns grüßend winken. So sei es nach den Worten des heil. Augustinus:

„Neu der Weg, neu der Wanderer, neu das Lied!"

2. Z **Cäcilienverein Sursee.** Sonntag, den 26. Januar, nachmittags 4 Uhr fand in der Turnhalle zu Sursee ein Konzert statt. Solisten: Fräulein M. Portmann, Willisau (Sopran). Hr. Frz. Hofstetter, Sursee (Tenor). Hr. H. Zimmermann, Sursee (Baß). Chor: Cäcilienverein. Orchester: Orchesterverein. Direktion: Hr. Jos. Frei, Musikdirektor. Das Programm lautete: 1. Ouverture zur Oper „Die Entführung aus dem Serail". Orchester von M. A. Mozart (1756—1791). 2. *Halleluja* aus „Der Messias". Chor und Orchester von G. F. Händel (1685—1759). 3. Für Sopran und Klavier (Frl. M. Portmann): a) *Ave Maria* von L. Cherubini (1760—1842); b) Arie „Höre, Israel" aus „Elias" von F. Mendelssohn (1809—1847). 4. Pharisäer und Zöllner, Kantate nach Worten der Heiligen Schrift, für Chor und Soli mit Orchester von Martin Grabert, Op. 24. 5. Chor und Terzett mit Orchesterbegleitung „Die Himmel erzählen die Ehre Gottes" aus dem Oratorium „Die Schöpfung" von Jos. Haydn (1732—1809).

3. 2l **Der Musikverlagsbericht** 1907 der Verlagshandlung Breitkopf & Härtel in Leipzig ist soeben erschienen. Er gibt ein getreuliches Bild von dem regen Leben, das der Verlag auch im vergangenen Jahre entwickelt hat. Nicht nur der Herausgabe und Verbreitung der Werke von zeitgenössischen Tonsetzern ist diese Tätigkeit gewidmet gewesen, sondern auch der Neuausgabe von Kompositionen älterer und ältester Meister der Tonkunst. Besonderes Interesse beanspruchen unter diesen die erstmalig veröffentlichten Elf Wiener Tänze von Beethoven, das bisher verschollene 7. Violinkonzert von W. A. Mozart und die vier Jugendouvertüren von Richard Wagner. Unter den zeitgenössischen Komponisten, die mit der Anzeige neuer Werke in dem Bericht vertreten sind, seien vor allem hervorgehoben: Theodor Streicher (Hafislieder, Chorliedchen), Felix Weingartner (Violinsonaten, Faustmusik), Joseph Suk (Symphonie „Asrael", für die dem Komponisten der erste Preis von der böhmischen Akademie für Kunst und Wissenschaft zuerkannt wurde), Leone Sinigaglia (Danze piemontesi). Die zwei größten Verlagsunternehmen aus dem Bericht sind die kritische Gesamtausgabe der Werke Joseph Haydns und Franz Liszts Musikalische Werke.

4. **Inhaltsübersicht von Nr. 2 des Cäcilienvereinsorgans:** Ein Wort an Freunde des Kindergesanges. (Von —b—.) (Schluß.) — Die heilige Fastenzeit. (Von P. A. M. W.) (Schluß folgt.) — Vereins-Chronik: Danzig; Illschwang; Stiftschor Lambach; Domchor Passau (Aufführung von Weihnachten bis Heil. Dreikönig; 6. Jahresbericht des Diözesan-Cäcilienvereins Passau. — Bericht über den ungarischen Landes-Cäcilienverein. (Von Dr. J. Bundala.) — Vermischte Nachrichten und Notizen: Brüssel, Eröffnung des neuen Konzertsaales. (Von P. A. Locher); Leipzig, Abschiedkonzert Dr. Göhlers im Riedelverein. (Von Hugo Löbmann); † Monsignore Lans. — Anzeigenblatt Nr. 2 mit Inhaltsübersicht der *Musica sacra* Nr. 2. — Cäcilienvereins-Katalog, 5. Band, Seite 137—144, Nr. 3562—3577.

## Offene Korrespondenz.

**Nach Holland** stellt die Red. die freundliche Anfrage, ob nicht einer der zahlreichen Verehrer des am 3. Febr. in Amsterdam verstorbenen Monsignore M. J. A. Lans, dem im Cäcilienvereinsorgan Seite 24 ein ehrendes Andenken geweiht worden ist, eine neuere Photographie zur Verfügung stellen wollte. Ich besitze eine Photographie vom Jahre 1894 zum Andenken an sein 25jähriges Priesterjubiläum. Ist vielleicht in einer der holländischen illustrierten Zeitungen ein gutes Klischee erschienen oder zu erwerben? Ich bitte um freundliche Aufschlüsse. F. X. H.

Druck und Verlag von Friedrich Pustet in Regensburg, Gesandtenstraße.
Nebst Anzeigenblatt.

1908. Regensburg, am 1. April 1908. Nr. 4.

# MUSICA SACRA.

Gegründet von Dr. Franz Xaver Witt († 1888).

## Monatschrift für Hebung und Förderung der kathol. Kirchenmusik.

Herausgegeben von Dr. Franz Xaver Haberl, Direktor der Kirchenmusikschule in Regensburg.

Neue Folge XX., als Fortsetzung XXXXI. Jahrgang. Mit 12 Musikbeilagen.

Die „Musica sacra" wird am 1. jeden Monats ausgegeben. Jede der 12 Nummern umfaßt 12 Seiten Text. Die 12 Musikbeilagen werden im ersten Semester versendet. Der Abonnementpreis des 41. Jahrgangs 1908 beträgt 3 Mark; Einzelnummern ohne Musikbeilagen kosten 30 Pfennige. Die Bestellung kann bei jeder Postanstalt oder Buchhandlung erfolgen.



## Des Chordirigenten, Kantors und Organisten goldenes Alphabet.

Von Alfred Gebauer, Liebenthal, Bez. Liegnitz in Schlesien.

(Schluß aus Nr. 3, Seite 28.)

### Nebenbeschäftigung.

Die Praxis mancher Kantoren ist oft voller Bitternisse, so daß seine Berufsfreudigkeit leicht Schaden leiden könnte, wenn nicht gar Schiffbruch. Um für sein Amt neue Kraft und Lust zu sammeln, Ärger und Verdruß zu vergessen, greife er zu einer anregenden Nebenbeschäftigung. Dazu kommt, daß der Dienst eines Chorbeamten in vielen Orten ein sehr unregelmäßiger, zufälliger ist, manchmal auch nur wenige Stunden des Vormittags in Anspruch nehmen wird. „Müßiggang ist aller Laster Anfang." Davon dürfte ihn eine passende Nebenbeschäftigung, dessen Einnahme die Tasche außer dem Gehalte ganz gut vertragen kann, zweifelsohne schützen, ihm eine zusagende Erholung und prächtige Zerstreuung bringen, z. B. Stundengeben im Klavier-, Violin- und Orgelspiel, Berichterstattung über Aufführungen musikalischer Art, Aufsetzen vorbereitender Artikel über größere Konzerte, Kritiken über Konzerte, Leitung eines Gesang- und Oratorienvereins oder einer Singakademie, Rendant der Kirchenkasse usw. Er befleißige sich ferner, die ihm von der Vorsehung in reichstem Maße verliehenen Gaben, wie Komposition und Schriftstellerei, zu verwerten, vernachlässige nicht behufs Kräftigung seiner Gesundheit und Pflege der Nerven das Turnen und Baden, größere Wanderungen und Spaziergänge, vergesse auch nicht seinen ausgeprägten Sinn für Obstbaum- und Rosenpflege, Gartenbau und Bienenzucht praktisch zu betätigen. Doch niemals darf die Nebenbeschäftigung seinen Berufspflichten Schaden zufügen, ihn vom eigentlichen Berufsleben abführen. Zuletzt meide man jede Nebenarbeit, welche seitens der Vorgesetzten nicht gern gesehen wird oder sich mit der sozialen Stellung als Chordirigent und Organist nicht vereinbaren läßt. „Alles mit Maß, alles hat seine Grenzen."

## Ordnung.

Überall im Weltall, in der ganzen Natur herrscht die größte Regelmäßigkeit. Auch im Berufsleben findet man eine zweckmäßige Reihenfolge der Handlungen und Verrichtungen, eine geregelte Einteilung und eine ordnungsmäßige Zusammenstellung der Dinge an festen Stand- und Aufbewahrungsorten nach bestimmten Gesichtspunkten. Der Chordirigent, welcher die Neigung hat, stets auf diese Weise Ordnung zu halten, besitzt Ordnungsliebe. Auf dem Chore müssen die Pulte, Bänke, Instrumente, Gesangbücher und Noten (auch im Kirchenschrank) sich in schöner Ordnung befinden. Die Mitwirkung der Sängerknaben und Chormädchen zur Aufrechterhaltung der Ordnung ist wohl gestattet, zu empfehlen. Der Fußboden werde stets besenrein gehalten, an den Streich- und Blasinstrumenten darf kein auffälliger Staub liegen. Der Chorleiter sorge daher für regelmäßiges Entfernen des gesundheitschädlichen Staubes durch Abwischen der bestaubten Gegenstände mit feuchten Tüchern, durch häufigeres Scheuern der Dielen und Reinigen der Kirchenfenster, welche den Chorraum beleuchten. Papierstücke, Blumen- und Obstreste usw. dürfen nicht auf den Boden geworfen werden. Vor allen Dingen ist aber, auch aus Anstandsrücksichten, das Auswerfen des Speichels auf den Fußboden streng zu untersagen. Die Anbringung napfförmiger, mit Wasser gefüllter Spuckgefäße an geschützten Stellen am Chorraum ist empfehlenswert. Sollen diese Gefäße jedoch ihren Zweck erfüllen, dann müssen sie wöchentlich 1—2 mal gereinigt werden. — Zur Ordnung gehört auch die Ruhe auf dem Chore. Niemals darf das Sprechen, Zischen, Lachen und Zanken unter den Sängern Platz greifen, sowie alles Geräusch und alle den Gottesdienst störenden Bewegungen seitens der Chorsänger müssen vermieden werden. Es sieht gewiß wenig erbauend aus, am allerwenigsten für den Prediger, der vom Kanzelstuhl aus den ganzen Chorraum überblicken kann, wenn die Kirchensänger während der Sonntagspredigt die Köpfe zusammenstecken und womöglich in eifriger Erzählung die lokalen Tagesfragen erledigen oder beim Verteilen der Stimmen vorlaut sind. Solche Zuwiderhandlungen müssen erstlings in schonender Weise in Form eines Wunsches, im Wiederholungsfalle aber ernst gerügt werden. Nur das Allernotwendigste darf gesprochen werden. Der Chordirigent wird gut tun, öfters seine Chorsänger auf die bezeichnende Ordnung hinzuweisen. Einmal erleichtert die Ordnung die Arbeit, läßt weniger Hemmnisse und Hindernisse in unserm Wollen und Handeln zutage treten, ja, die Unordnung kann ein ungestörtes glückliches Gelingen unserer pflichtmäßigen Arbeiten unmöglich machen.

## Pünktlichkeit.

Der Chordirigent beginne und schließe die Proben möglichst pünktlich, er soll nach der Uhr leben. Besonders hat er sich davor zu hüten, daß er bei Lieblingsstücken über die Zeit weile und dadurch die Wiederholung abkürzt. Mit der Zeit gehe er sehr haushälterisch um, verwende daher auf das Neue nicht mehr, aber auch nicht weniger als zum Verständnis und Vortrag notwendig ist, wiederhole in jeder Übungsstunde. „Gebrauche die Zeit," sagt Goethe, „sie geht so schnell von hinnen, doch Ordnung lehrt uns Zeit gewinnen." — Er dulde nicht, daß einzelne Chorsänger absichtlich zu spät in die Proben kommen, die angesagten Übungsstunden ohne weiteres versäumen. Er selbst befleiße sich einer peinlichsten Pünktlichkeit zu allen Kirchendiensten, sei stets der erste und letzte auf dem Chore und halte, soweit es die Verhältnisse gestatten, auf ein rechtzeitiges Erscheinen der Sänger. Es macht gerade keinen günstigen Eindruck, wenn am Sonntag während der Predigt sich die Damen und Herren so nach und nach sammeln, wenn der Priester schon bei der heiligen Opferung ist und dann erst die Orgel hörbar wird.

## Qualifikation.

Soll der Organist seines Amtes gebührend walten, so muß er in körperlicher, geistiger und sittlicher Beziehung dazu befähigt sein. Das Amt eines Chordirigenten ist ein anstrengendes. Darum bedarf er eines gesunden, kräftigen Körpers, sonst wird er frühzeitig den Anstrengungen erliegen. Kränkelnde Jünglinge (besonders Lungenkranke) sollten sich erst nicht dem Studium der *Musica sacra* widmen. — Zur rechten Verwaltung bedarf er weiter gesunder Sinne; besonders nötig ist ein gutes Gesicht. Wer seinen Chor nicht mehr übersehen kann, der kann die notwendige Chordisziplin keineswegs handhaben. Ein gutes Gehör ist aus denselben Gründen unbedingte Notwendigkeit. Mangelhafte Gesicht-, Gehör- und Sprechorgane machen zu diesem Berufe direkt untauglich. Darum hüte und pflege jeder diese edlen Organe, um sie lange brauchbar zu erhalten, bewahre auch Augen und Lunge vor Überarbeit, z. B. vor zu lautem, anhaltendem Sprechen und Singen. — Ein Kantor soll ferner durch einen klaren, gesunden Verstand ausgezeichnet sein. Es ist entschieden unrecht, daß Jünglinge ohne geistige Begabung, insbesondere solche, die in allem andern schon Schiffbruch gelitten haben, in diesen Beruf förmlich hineingedrängt werden. Daß der Organist sich die nötigen Kenntnisse erwerben muß, versteht sich von selbst. Dazu hat sich das Dirigentengeschick zu gesellen, ohne welches selbst die größten Fertigkeiten und besten Empfehlungen nichts nützen, auch darf es ihm an Mitteilungsgabe und Anregungstalent nicht fehlen. Die zweckmäßige Verwaltung erfordert sowohl nach seiner geistigen als leiblichen Seite hin gewisse Eigenschaften. *„Non ex quovis ligno fit Mercurius."* („Nicht aus jedem Holze läßt sich ein Merkurius schneiden.")

### Religiösität.

Das Fundament aller Dirigententugenden ist wahre, ungeheuchelte Religiösität. Religion und Sittlichkeit sind bei jedem Menschen die Grundlage seiner Bildung, seiner Tätigkeit, seines Wandels. „Gott lenkt aller Menschen Geschicke;" „er weiset jedem die Stätte seines Wirkens an;" „er will, daß jeder Mensch, wessen Standes er auch sei, das Gute nach Kräften fördere." Der lebendige Glaube ist der unversiegende Brunnen, aus dem der Kantor täglich neue Schaffenskraft trinkt. Seinen ganzen Beruf muß er demnach als einen Gottesdienst ansehen, als eine Mitarbeit am Ausbau des Reiches Gottes; — dann arbeitet er nicht bloß um das bißchen Materialismus, sondern sein Werk, sein Streben und Schaffen ist ein durch Gott gesegnetes und durch ihn ein reich gefördertes. Wie überall, so auch hier: „An Gottes Segen ist alles gelegen." Der Chordirigent suche sich ferner in seinem religiösen Glauben zu befestigen und seine Kenntnisse in der wichtigsten Angelegenheit unseres Lebens zu erweitern und zu erhellen. Ein vortreffliches Mittel, die Überzeugungstreue zu fördern, ist das tiefere Studium unserer Liturgik, Religionsgeschichte und der Kirchensprache, und ich glaube, daß derjenige, welcher einmal diesem Studium Aufmerksamkeit zugewendet hat, nicht so leicht erkalten, vielmehr mit jedem Tage ihm noch mehr Vorliebe und Interesse abgewinnen wird. Bloß anfangen! „Aller Anfang ist schwer." — Die Religiösität hat auch die echte Gewissenhaftigkeit in Erfüllung der Berufspflichten unmittelbar im Gefolge. „Tu nur redlich das deine, tu's in Schweigen und Vertrauen; rüste Balken, baue Steine! Gott, der Herr, wird bauen." (Geibel.)

### Schweigsamkeit und Selbstüberschätzung.

Der Chordirigent mache über geringfügige Sachen nicht viel Lärm, sei es eine Differenz oder Meinungsverschiedenheit mit dem zuständigen Organisten oder mit dem Ortsgeistlichen. Schweigen beobachte er inbezug auf Amtsgeheimnisse und anvertraute Mitteilungen. Auch im geselligen Verkehre gelte er nicht als Kolporteur der neuesten lokalen Nachrichten, beteilige sich nicht am weibischen Stadtklatsch. „Reden ist Silber, Schweigen ist Gold."

Die Selbstüberschätzung zeigt sich vor allem: 1. In der Sucht, mit seinen Chorsängern zu glänzen, 2. in dem Streben nach möglichst reicher Anerkennung (darin geht leider so mancher auf), 3. in der Abneigung nach jeder Fortbildung, 4. in dem Mangel an Selbsterkenntnis, 5. in dem Nichterkennen des wahren Standpunktes seines Chores.

### Treue.

Alle guten Seiten eines Chordirigenten, Organisten und Kantors sind von zweifelhaftem Werte, wenn ihm die Treue mangelt. Ohne sie ist er einem schwankenden Rohre gleich, das von jedem Windzuge hin- und hergetrieben wird. Fest und unwandelbar sei er in der Anhänglichkeit an seinen Glauben, an seine vorgesetzte Behörde und an seinen Landesfürsten und das angestammte Herrscherhaus, treu bleibe er im Umgange mit den Kollegen, in der Familie und in der Gesellschaft, mögen die Ereignisse kommen, wie sie auch immer wollen. „Üb' immer Treu und Redlichkeit." Dies sei des Chorleiters Wahlspruch in allen seinen Lebenslagen. Der echte Chorbeamte wird dann allezeit in Wort und Tat festhalten an seiner Kirche, seinem geleisteten Diensteide, seinem Landesvater, seinem Familienleben. Mehr noch: er wird echte deutsche Treue auch hineinpflanzen in die Herzen seiner Sänger. Und in längst vergangenen Tagen wird man in der Kirchengemeinde von des verewigten Kantors Treue erzählen, seine bereits ergrauten Choristen werden diesen Ruhm verkünden. Christus hat seinen Aposteln für ihre Treue den Himmel als Lohn verliehen; gibt das nicht dem Organisten und Chordirigenten auch zu der Hoffnung Berechtigung, daß ihm für seine gewissenhafte treue Arbeit auch sein Lohn werde? Die Treue, sie verlasse den Kirchenmusiker nie und steige mit ihm ins kalte Grab hinab. „Sei getreu bis in den Tod."

## Umgang.

Jeder Kirchenbeamte pflege auch gesellschaftlichen Umgang.

„Gesell dich einem Bessern zu,
Daß mit ihm deine Kräfte ringen.
Wer selbst nicht weiter ist als du,
Der kann dich auch nicht weiter bringen." (Rückert.)

Der geeignetste Verkehr ist wohl der mit dem Ortsgeistlichen und Kollegen. Diese leben ja in denselben oder in ähnlichen Verhältnissen, leiden und dulden vielfach Gleiches wie wir; auch sie werden durch dasselbe erfreut, gehoben und geläutert, was unser Herz höher schlagen läßt. Bei einem Kollegen kann man sich Rat einholen in allen Amts- und Lebensverhältnissen, hier kann man die Flamme der Berufsliebe und Freudigkeit aufs neue anfachen und beleben. Aber auch mit dem Volke wird er gemessenen Umgang pflegen müssen, hüte sich aber vor zu großen gesellschaftlichen Verbindungen. Daß er Vereinen angehört, um echte Freundschaft daselbst zu üben, ist oft genug als gut und heilsam angeraten worden. Indessen darf der Verein nicht unter allen Umständen über die Familie gesetzt werden, denn sonst schmiedet man sich einen Nagel zum Sarge, nämlich Zwist mit der Frau.

## Vorsicht.

„Vorsicht ist die Mutter aller Weisheit." Alle rohen, unwürdig spaßenden Ausdrücke, welche auch einzelne Sänger mit der Zeit zu ungeziemender Dreistigkeit aufmuntern, barsches Auftreten, schrilles Schimpfen und pöbelhaftes Keifen, alles muß unterbleiben. „Sei vorsichtig in allen Dingen." — Im Verkehr und in der Gesellschaft sei der Chordirigent stets wahrheitsliebend, verabscheue jede Lüge, Unaufrichtigkeit und Unwahrheit an sich und anderen. — Die Wahl seines äußeren und gesellschaftlichen Umganges erheischt die Vorsicht und Weisheit eines Steuermannes, der sein Schiff den offenen Meereswogen anvertraut. Die Vorsicht als Weisheitsmutter sagt ihm, mit wem er umzugehen habe, die Klugheit, wie er umgehen soll. Der Stadtorganist hat mehr Umgangsgelegenheit, daher muß auch seine Vorsicht und Weisheit größer sein. — Vorsichtig sei er mit Äußerungen über Dritte. Eiligst werden solche Worte aus des Kantors Munde durch die Kolportage von Haus zu Haus, von Familie zu Familie getragen, und um ein bedeutendes vergrößert, in ihrem Sinn völlig entstellt, gelangen sie endlich zu dem besprochenen Freunde oder Bekannten. Die Folgen davon sind Zwistigkeiten oder gar Feindschaften. Solche Klatschereien, Verleumdungen werden um so sicherer und ausgedehnter sein, je kleiner der Ort ist, in welchem man lebt. — Durch gehörige vorsichtige Regelung der Begierden und Neigungen verhüte er die Entstehung folgenschwerer, unglückseliger Leidenschaften, welche die Kräfte des Körpers und des Geistes verunstalten und erniedrigen. „*Principiis obsta, sero medicina paratur*," d. h. Widerstehe den Anfängen, zu spät kommt sonst die Heilung. — Eigensinnige Sänger werden nicht durch vielfache Ermahnungen seitens ihres Chorleiters gebessert; nein, dadurch wird der Trotz und Starrsinn nur genährt. Ebenso verkehrt ist es, einen solchen durch Spott und Neckereien zu reizen. Hier hilft nur entschiedenes Entgegentreten, weise Vorbeugung und Klugwerdenlassen durch Schaden. „Dem Eigensinn wird Ungemach, das er sich selber schafft, der beste Lehrmeister." (Matthias.) — Große Behutsamkeit beachte er in seinem ganzen Verhalten gegen Sängerinnen, damit nicht nur das Böse, sondern auch der Schein vermieden werde.

### Wachsamkeit.

Das erste, was von einem Kirchenchordirigenten gefordert werden muß, ist die Wachsamkeit über seine Proben, sowohl nach der Form als auch nach dem Inhalt. Darum soll er nie unvorbereitet vor seine Sänger treten. Ein kluger Organist sorgt nicht nur für eine gute Vorbereitung sondern auch für die entsprechende Nachbereitung, er übt so an sich Selbstkritik. Dieselbe ist zweifelsohne wichtig, um in Zukunft gemachte Fehler und Mißgriffe beim Einstudieren derselben oder ähnlicher Piecen in späteren Jahren zu vermeiden: „Wer nicht von der Vergangenheit lernt, wird von der Zukunft dafür bestraft." Wie jeder Kaufmann sein Kontobuch hat, in welchem Soll und Haben gegenübersteht, so sollte auch ein jeder verantwortliche Dirigent ein Tagebuch über Erreichtes und Gewolltes anlegen, z. B.:

1. Wie war die Disziplin in der letzten Probe?
2. Stand die Masse des Übungsstoffes im richtigen Verhältnisse zu der zu Gebote stehenden Zeit?
3. War der Stoff auch richtig verteilt?
4. War die Messe melodisch, rhythmisch und dynamisch gut vorbereitet?
5. Welche bei der Vorbereitung nicht berücksichtigten Schwierigkeiten zeigten sich bei der Einübung des *Credo* und *Gloria* usw.?
6. Fiel die Wiederholung des *Tantum ergo* befriedigend aus? usw.

Der wachsame Chordirigent halte stets auf eine gespannte Aufmerksamkeit seiner Sänger sowohl in den Proben als auch bei den Aufführungen in der Kirche, auch auf eine gewisse Ordnung beim Weggehen der Chorsänger, besonders der Chorknaben. Großartiges kann er in all diesen Punkten leisten, wenn er durch sein wachsames Auge nicht allein nach allen Seiten hin vorbeugend, sondern was nicht unterschätzt werden darf, anregend wirkt.

### Zufriedenheit.

Diese Tugend kann nur eine wohlgereifte Frucht wahrhaft religiöser Gesinnung sein. Denjenigen Organisten wird allezeit die Zufriedenheit zieren, der bedenkt, wie erhaben und wichtig auch sein Beruf ist, wie alle Wege des Menschen von der Vaterhand eines allweisen und gütigen Gottes gelenkt werden, wie das irdische Glück der Menschheit nur im inneren Frieden besteht, nicht in einem äußeren, trügerischen Prunke. Er übersehe daher den Widerspruch, in welchem der materielle Lohn zu seinen Berufspflichten steht. Der künstlerische, durchschlagende Erfolg seines unermüdlichen Strebens und Schaffens für die Kirche wird ihn gewiß reich entschädigen. „Nicht Reichtum, sondern Zufriedenheit macht glücklich." „Zufriedenheit ist der blaue Himmel, unter dem alles gedeiht." Erlaubte, gesellige Vergnügungen sind dem Kantor und Organisten so wenig verwehrt, wie anderen Menschen. Bleibt die Geselligkeit, was sie sein soll, ein Verein edler Menschen zu edler Unterhaltung, so wirkt sie höchst segensreich. Heiterkeit und Freude sind da heimisch. Nur ist die sehr naheliegende Gefahr zu meiden, daß die an sich erlaubten Vergnügen nicht in Putz-, Genuß- und Vergnügungssucht ausarten. Dieser Erscheinung folgt gar bald Unzufriedenheit, die Ungenügsamkeit auf dem Fuße. Der Geselligkeitstrieb muß in der Pflicht seine Schranken finden; gar zu leicht führt er ohne diese Einschränkung zu Arbeitsunlust, Schwatzhaftigkeit und Klatschsucht. „Erst die Pflicht, dann das Vergnügen, erst die Arbeit, dann das Spiel."

---

# Liturgica.

## Die Leichengesänge in Vergangenheit und Gegenwart.[1]

I. Es ist nicht zu leugnen, daß es im katholischen Kulte einzelne Zeremonien, zunächst Handlungen gibt, welche ihren Ursprung in der Naturreligion, im Gefühle des paradiesischen und auch des gefallenen Menschen haben. Der heilige Apostel Paulus schuldigt die Heiden geradezu an, daß sie Gott nicht verherrlichten und ihm nicht dankten.[2] Zu diesen ältesten, in der Naturreligion begründeten Handlungen dürfen wir die Kopfverneigung, Auf- und Niederschlag der Augen, Falten und Ausbreiten der Arme, Kußhändchen, Brustklopfen, Kniebeugung usf. zählen.

Aus dem Umstande, daß einzelne Kultformen in der Natur der Menschen wurzeln und auch durch den Sündenfall nicht ausgerottet werden konnten, erklärt es sich, daß dieselben in mehr oder weniger verzerrter Form in den heidnischen vor- oder nachchristlichen Gebräuchen sich wieder finden. Frägt man, in welchem Verhältnis die christlichen, näher die römisch katholischen Kultformen stehen, so stehen drei Möglichkeiten offen:

Eine gewiß falsche Ansicht geht dahin, alle katholischen Gebräuche des Kultes seien dem Heidentum entnommen und höchstens in verbesserter Auflage eingeführt. In der Münchener Glyptothek ist eine große weibliche Statue zu sehen, welche einen Knaben (Pluto) auf dem Arme trägt; nun wird aus dieser Statue eine Madonna mit dem Jesuskind. Wer will an solche Mystifikationen ernstlich glauben? Geradeso extrem ist eine zweite Ansicht, welche von hyperbolischen Grundsätzen geleitet, annimmt, die Kluft zwischen Heidentum und Christentum sei so groß gewesen, daß die Christen jede Übernahme heidnischer religiöser Gebräuche verneinten und auf völlig neuer Grundlage ihren Kult aufbauten. Eine solche Annahme widerspricht nicht bloß der Geschichte, sondern auch allen Gesetzen der Psychologie; denn schon Tertullian[3] weist darauf hin, daß die Christen durch ihren Übertritt sich nicht von der übrigen menschlichen Gesellschaft trennten, sondern mit und von den Heiden lebten. Geschichtlich und psychologisch läßt sich nun eine dritte Ansicht begründen, welche dahin geht, es bestehe zwischen Heiden- und Christentum ein gewisser Synkretismus (Zusammenhang). Die Christen schloßen sich im bürgerlichen Leben nicht von ihrer heidnischen Umgebung ab und behielten auch auf religiösem Gebiete jene Bausteine bei, welche in der christlichen Kirche wieder verwendbar waren. Einen solchen Zusammenhang finden wir in der plastischen Kunst; denn Jahrhunderte lang blieben die alten griechischen und römischen Bauformen in der Herrschaft und selbst im christlichen Gesange finden sich die alten griechischen Tonarten wieder. Warum sollte man von diesem Verfahren absehen? Christus selbst bezeugte, er sei nicht gekommen, das alte Gesetz aufzuheben, sondern neu zu erfüllen und die Apostel besuchten nach dem Tode Christi noch Jahrzehnte lang den jüdischen Tempel. Auch die christliche Glaubensregel verwarf den heidnisch-jüdischen Synkretismus nicht; denn durch die Erbsünde wurde die natürliche Gotteserkenntnis und das natürliche Sittengesetz nicht gänzlich zerstört, wie das Altluthertum annahm, sondern höchstens getrübt.

Die Frage, inwieweit der Synkretismus mit dem klassischen oder in Deutschland mit dem germanischen Heidentum gehe, läßt sich nicht durch allgemeine Sätze, sondern nur in konkreter Weise beantworten. Im Folgenden wollen wir darstellen, daß unsere Leichengesänge aus vorchristlichem Gebrauche hervorgegangen sind, aber biblische Texte zur Grundlage erhielten.

Das römische Rituale hebt unter den Vorbemerkungen zur Begräbnisfeier hervor, in dieser Feierlichkeit offenbare sich das Geheimnis des Glaubens *(religionis mysteria)*. Die Wahrheit dieses Satzes bekundet sich in dem ausgeprägten Totenkulte der Ägypter. Die alten Bewohner dieses Landes glaubten, daß die Seelen der Verstorbenen früher oder später wieder in ihre Leiber zurückkehrten und suchten daher, wie Herodot[4] näher angibt, die Leiber durch kunstvolle Einbalsamierung möglichst unversehrt und frisch zu erhalten. Ein glanzvolles Begräbnis war Ehren- und Gewissenssache. Um die Trauer kräftiger auszudrücken, wurden Musiker und Weiber bestellt, welche durch Lärm, Geheul, Schlaginstrumente und verzweifelnde Gebärden den Schmerz um den Verlust des Toten offenbaren sollten.[5]

Den Juden schärfte Jesus Sirach ein: Beweine nur wenig den Toten; denn er ruhet.[6] Gleichwohl finden wir die Totenklagen auch bei ihnen; denn sie wohnten ja über 300 Jahre unter den Ägyptern und nahmen manche ihrer Gebräuche mit nach Kanaan. Als dem ungetreuen Volke die Zerstörung Jerusalems und die Gefangenschaft bevorstand, sprach der Gott Israels selbst durch den Propheten: Sehet euch um, und bestellet die Klageweiber[7] und Joakim, dem Könige von Juda, sagte er voraus, er werde nicht beklagt, sondern wie ein Esel begraben werden und verfaulen.[8] Die Klage in ihrer höchsten Form kennt wenige Worte; es genügt zu wiederholen *quia non sunt*.[9] — sie sind dahin. Die nämliche Klage hörte man wieder, als Herodes in Bethlehem das Blutbad angerichtet hatte.[10] Das Geheul wurde noch verstärkt durch lärmende Instrumente, seien es Flöten oder hölzerne ägyptische Klappern (Selsilim). Wortreicher lautete die Klage, welche König David über den Tod Abners anstimmte. Da weinte noch mehr alles Volk über ihn.[11] Dieser Gebrauch der Totenklage war auch zur Zeit Christi noch allgemein üblich. Als Christus in Kapharnaum verweilte und das Töchterchen des Synagogenvorstehers Jairus gestorben war, trat er in das Haus

---

[1] Von H. H. Prälaten Dr. Andr. Schmid, Universitätsprofessor in München.
[2] Röm. 1, 21. [3] Tert. apol. 42. [4] Herod. I. 85.
[5] Abbild. in Riehm, Handwörterbuch. Leipzig, 1884, I. S. 161. [6] Sir. 22, 11.
[7] Jer. 9, 17. [8] Jer. 22, 18. [9] Jer. 31, 15. [10] Matth. 2, 18. [11] 2 Kön. 3, 34.

und schaffte die Flötenspieler und das lärmende Volk hinaus, ehe er das Wunder der Auferstehung wirkte.[1])

Da die Trauer um teure Verstorbene in der menschlichen Natur liegt, so dürfen wir uns nicht wundern, daß die Totenklage auch bei dem kulturell sehr hochstehenden Griechen- und Römervolke sich findet. Schon Homer schildert, wie Achilleus zur Klage um Patroklus die Kampfesgefährten aufforderte: Wir wollen zuvor samt Wagen und Roß zu Patrokles ziehn und weinen um ihn; das ist ja die Ehre der Toten. Und es begann der Pelide die endlos jammernde Klage.[2])

Ein Relief auf einer etruskischen Aschenkiste stellt die grauenvolle Klage, die Gebärden und den Flötenspieler dar.[3]) Auch beim Leichenzug fehlten die Flötenspieler und die Klagepersonen nicht[4]) und stellten wie bei Opfern so auch bei Leichenzügen in Wechselchören ihre Klage an.[5])

Man muß bisweilen staunen, welch richtige Auffassung selbst heidnische Männer von dem Leben nach dem Tode hatten. Während es unter Christen noch Konfessionen gibt, welche ein Fegfeuer verwerfen, berichtet Vater Anchises seinem Sohne Aeneas, im Hades werde die Strafe durch Pein abgebüßt, einige würden gegen den Hauch des Windes gespannt, anderen spüle der Strudel die Sünde hinweg, wieder andere würden gesengt und gebrannt, jede Seele erleide ihre eigene Strafe; dann „ziehen wir in Elysiums Fluren ein".[6]) Aus einem Reinigungsorte gelangen wir in das Elysium (Himmel). Schon 400 Jahre vor Virgil unterscheidet Plato in seinem Phädon vier Arten von Verstorbenen: 1. Solche, welche ein ausgezeichnet heiliges Leben führten; 2. solche, welche mittelmäßig gut lebten; 3. solche, welche für unheilbar angesehen werden (Hölle), und 4. solche, welche große Sünder waren, aber doch heilbar sind (Fegfeuer).[7]) Merkwürdig ist, daß nach heidnischer Anschauung Klagetöne ein Mittel sind, um Verstorbene der letzten Gattung aus ihrer Gefangenschaft zu erlösen. Bekannt ist, daß der Sänger Orpheus, als er seine Gemahlin Eurydice durch den Tod verloren hatte, von Sehnsucht getrieben in die Unterwelt hinabstieg und durch Gesang und Saitenspiel den finsteren Pluto vermochte, sie wieder in die Oberwelt zurückzuführen, wenn er nicht nach derselben umschaue.[8]) Solche Gewalt schrieben die Heiden den Trauertönen zu. Doch — wenden wir uns zum Christentum.

2. Nach der früher geäußerten Anschauung, daß manche heidnische und jüdische Gebräuche aus dem bürgerlichen und religiösen Leben auch im Christentum wieder Eingang fanden, erklärt es sich, daß Leichengesänge auch von altchristlichen Schriftstellern erwähnt werden. Zwar erhalten wir keine Mitteilung darüber aus den Evangelien und der Apostelgeschichte, obwohl mehrere Begräbnisse erwähnt werden, erst um zirka 300 wird vom heil. Hieronymus berichtet, als der Einsiedler Paulus gestorben sei, habe Antonius den Leichnam aus der Höhle hinausgetragen und „gemäß der Überlieferung der Christen" Hymnen und Psalmen gesungen.[9])

Aus dem vierten Jahrhundert fließen die Nachrichten aus den Quellen reichlicher. Die sogenannten apostolischen Konstitutionen schreiben zirka 350 vor: „Begleitet die Leichenzüge der Verstorbenen mit Psalmengesang, wenn sie gläubig im Herrn gewesen." Als Psalmen werden genannt Ps. 115. 15; 114, 7; prov. 10, 7, sap. 3, 1.[10]) Bei der Beerdigung des heil. Basilius (379) wurde der „Psalmengesang vom Weinen übertönt" berichtet Gregor von Nazianz in der Trauerrede.[11]) Auch Cäsarius, Gregors Bruder, wurde „unter unaufhörlichen Gesängen" zur Ruhe geleitet.[12]) Am ausführlichsten beschreibt Gregor von Nyssa die Leichengesänge bei dem Tode seiner Schwester, der heil. Makrina (372—380). Gleich nach eingetretenem Tode erhoben Jungfrauen ein klägliches Jammergeschrei; Gregor aber riet ihnen, statt des Klagegeschreies wehmütigen Psalmengesang anzustimmen. Es geschah. Selbst während der Nacht setzte sich dieser Psalmengesang fort. Als gegen Morgen viel Volk zusammengeströmt war und Wehklagen unter den Psalmengesang sich einmischte, „trennte Gregor geschlechtsweise das zusammengeströmte Volk und reihte die Weiberschar in den Jungfrauenchor, das Männervolk aber in die Truppe der Mönche ein und ließ dann von beiden Seiten einen wohlgeordneten und zusammenstimmenden Psalmengesang wie bei einer Choranfstellung erheben, der in dem gemeinsamen Gesange harmonisch sich verband". Als die Leiche vor der Gruft niedergestellt war, verstummte der Psalmengesang und begann das Gebet.[13]) Aus diesen Angaben ersieht man, daß noch am Schlusse des vierten Jahrhunderts auch bei Christen Klagegesänge nach Art der Heiden vorkommen. Der heil. Chrysostomus, ein Zeitgenosse Gregors, ereifert sich sehr gegen diese heidnische Sitte. „Wie tief sind wir selber in den Abgrund geraten! Denn wenn ich die Klagegebärden auf dem Markte wahrnehme und das Wehklagen, die der Verstorbenen wegen stattfinden, das Jammergeschrei und die andern Häßlichkeiten, so schäme ich mich, glaubt es mir, vor den Heiden, vor den Juden und vor den Häretikern, die solches sehen und vor allen, die uns darum wahrhaft verlachen müssen . . . Wenn jemand, sei er nun Weib oder Mann, von sich aussagt, der Welt gekreuzigt zu sein und dieser sich die Haare zerrauft, jene aber laut aufheult, was ist dann schmählicher als dies? Wollte man hier Gerechtigkeit üben, so müßte man solche lange Zeit von der Schwelle der Kirche abhalten." Chrysostomus gibt sogar die Psalmen an, welche gesungen werden: Ps. 114, 7; Ps. 22, 4; Ps. 31, 7.[14])

---

[1]) Matth. 9, 23. [2]) Ilias 23, 9. [3]) Guhl, Leben der Griechen und Römer. Berlin, 1876, S. 359.
[4]) Schreiber, Th., Kulturhistorischer Atlas. Leipzig, 1885, I. 94, n. 4. 5.
[5]) Virgil. Aeneid. VIII. 285. [6]) Virgil. Aeneid. VI. 739 sequ. [7]) Plato, Phaidon § 143.
[8]) Ovid., met. 10, 1 ff. [9]) Hieron. vit. Paul c. 16. Migne lat. 23, p. 27. [10]) Cons. S. Apost. VI. 30.
[11]) Greg. Naz. in laud. Basil. c. 80. Migne gr. 36, p. 602.
[12]) Greg. Naz. in Caes. c. 15. Migne gr. 35, p. 774. [13]) Greg. Nyss. de vit. Macr. Migne gr. 46, p. 994.
[14]) Chrys. hom. 4 in Hebr. Migne gr. 63, p. 44.

Aus dem Abendlande haben wir einen bewährten Zeugen des vierten Jahrhunderts am heil. Hieronymus. Am 26. Januar starb zu Bethlehem die heil. Paula. Da war — bemerkt der Heilige — kein Heulen, keine Trauer, wie es bei den Weltmenschen Mode ist, sondern Psalmen in großer Anzahl erschollen in verschiedenen Zungen. Der Reihe nach sang man Psalmen in griechischer, lateinischer und syrischer Sprache.[1]) Bei dem Begräbnis der Fabiola ertönten Psalmengesänge und das Echo des nach oben dringenden *Alleluja* schlug an die vergoldeten Decken der Tempel.[2])

3. Mit Recht läßt sich die Frage stellen: Passen denn Gesänge zu einer Leichenfeier? Sie scheinen gegen das Naturgefühl zu verstossen; dann der heil. Apostel Jakobus schreibt: Ist jemand unter euch traurig, so bete er; ist jemand guten Mutes, so singe er Loblieder.[3]) Es ist nicht zu leugnen, daß bei der Katastrophe eines erschütternden Trauerfalles die menschliche Natur mit der christlichen Übernatur in einen leichten Konflikt gerät. Bei der heidnischen Anschauung des Todes lag es nahe, bei dem unsichern Blick in die Zukunft über den Verlust eines teuren Familiengliedes zu klagen und zu heulen; allein ein Christ hält fest an dem Worte des Herrn: Ich bin die Auferstehung und das Leben und kann in dieser Zuversicht mit Unterdrückung des natürlichen Gefühls selbst in ein *Alleluja* einstimmen. Darum ermahnt der Apostel: Seid nicht betrübt wie die übrigen, welche keine Hoffnung haben.[4]) Leichengesänge sind daher nur vom christlichen Standpunkte aus zu rechtfertigen; doch müssen die Melodien eine gewisse Grenze einhalten. Die höchste Freude und die tiefste Trauer kennt keine Lieder; die Melodien dürfen also nicht Töne heidnischer Ausgelassenheit und nicht Rufe der Verzweiflung sein. Man darf wohl mit Recht sagen, daß gerade die Choralmelodien dem Gefühle menschlichen Schmerzes und christlicher Hoffnung ausgezeichnet Rechnung tragen. Mit Vorliebe bewegen sie sich im zweiten hypodorischen Tone, von dem 1490 Adam von Fulda sagt: *Tristibus aptus* — für Trauer geeignet.

(Schluß folgt in Nr. 5.)

## Kirchenmusikalisches aus den Vereinigten Staaten Nordamerikas.[5])

### I. Zeitschriften, Verleger, Komponisten kirchlicher Musik.

Wir besitzen hierzulande nur zwei kirchenmusikalische Zeitschriften: „Cäcilia“ und „*Church Music*“. Einige Worte vorerst über die ältere, die „Cäcilia“ und andere ähnliche Unternehmungen ihres Schriftleiters. Die erwähnte in deutscher Sprache erscheinende Monatschrift wurde als offizielles Organ des amerikanischen Cäcilienvereins von J. B. Singenberger im Jahre 1874 gegründet. Das Banner echter Kirchenmusik jetzt noch unentwegt führend, hat sie stets ein sorgen- und mühevolles Dasein gefristet. Vom Wunsche erfüllt, nicht nur die Deutschen sondern alle Katholiken für die Interessen der Liturgie zu gewinnen, ließ Singenberger 1882 in englischer Sprache ein zweites Blatt erscheinen. Das Unternehmen scheiterte leider bald an der Gleichgültigkeit des nur englisch sprechenden Teiles der Bevölkerung. Diese Ursache hat bisher auch die Gründung einer in dieser Sprache täglich erscheinenden politischen Zeitung mit katholischen Grundsätzen verhindert, während unsere Religionsgenossen deutscher und polnischer Nationalität, die einzeln genommen weniger zahlreich sind, hierzulande mehrere tägliche Blätter in ihrem Idiom besitzen. Die auffallende Tatsache sei noch erwähnt, daß es überhaupt auf der ganzen Welt keine einzige derartige englische Zeitung gibt.

Das nach dem *Motu proprio* Pius' X. neuerwachende Interesse für Kirchenmusik benützte Singenberger, um einen zweiten Versuch zu wagen; aber auch seine „*Review of Church Music*“ mußte von der Bildfläche verschwinden, nachdem sie sich zwei Jahre lang mühsam dahingeschleppt hatte.

In ihrem dritten Jahre erscheint jedoch eine andere englische Zeitschrift, die „*Church Music*“. Auch sie kann ein Lied singen von der Apathie, welcher die in derselben Sprache verfaßten Singenbergerschen Monatsschriften zum Opfer gefallen sind. Von Dr. Heuser, Herausgeber der „*Ecclesiastical Review*“ gegründet und der Leitung des Dr. H. Henry anvertraut, wurde die Zeitschrift nach einem mit beträchtlichem Fehlbetrag endigenden Jahre das Eigentum des Verlegers J. Fischer in New York. Dieser hoffte im Vertrauen auf seine geschäftlichen Beziehungen das Unternehmen mit

[1]) Hier. vit. Paul. Migne lat. 22 p. 906. [2]) L. c. Epist. 77. Fabiolae c. 11. Migu. lat. 22, p. 697.
[3]) Jac. 5, 13. [4]) I. Thess. 4, 12.
[5]) Zu diesem Berichte benütze ich teilweise einen Artikel, den ich vor einigen Monaten für eine französische Zeitschrift geschrieben habe.

besserem finanziellen Erfolge leiten zu können; aber nach sechs Monaten schon gestand er, den Kampf aufgeben zu müssen, worauf Dr. Heuser diesen heldenmütig wieder aufnahm, indem er erklärte, er werde, koste es was es wolle, das Unternehmen zum Wohle der Kirche und ihrer Liturgie weiterführen.

Seit dem Beginn der Zeitschrift veröffentlicht Dom Mocquereau in jeder Nummer derselben ein Stück seines theoretischen und praktischen Lehrgangs des gregorianischen Rhythmus. Wir haben so den Vorteil, aus reinster Quelle, authentisch und in aller Verständlichkeit das vielbesprochene Neusolesmer System in seiner neuesten Entwicklung kennen zu lernen. Eine Anzahl Fachmänner und Dilettanten derselben Schule aus verschiedenen Ländern führen mit ihm, seitdem der einzige Anhänger des musikalischen Rhythmus sich von der Mitarbeit zurückgezogen hat, nunmehr ohne Widerspruch das Fahrzeug auf äqualistische Gewässer; kein Wort mehr verlautet über die Arbeiten der Musiker, welche, gestützt auf die Geschichte, die alten Texte und den natürlichen Musiksinn, dem Choral den aller Musik gemeinsamen Rhythmus wiedergeben wollen. Nicht einmal eine Widerlegung der entgegenstehenden Argumente wird versucht. *„Church Music"* befolgt also die von seiten der Schule meistens beliebte Methode des Totschweigens. Bei der fast gänzlichen Beherrschung der musikalischen Presse aller Länder ist diese Methode, sich im Felde zu behaupten, allerdings ebenso klug als wenig ritterlich.

Zur Vervollständigung sei erwähnt, daß eine nicht spezifisch musikalische Monatsschrift, *„The Messenger"* in New York, mehrere Artikel über Kirchenmusikreform und über Choral im Sinne des musikalischen Rhythmus veröffentlicht und zwei davon zu einer Broschüre vereinigt hat.

Verleger kirchlicher Musik gibt es sehr wenige und nur einer aus ihnen ist von Bedeutung: J. Fischer & Bro., New York. Diese Firma hat seit einigen Jahren ihre besseren Verlagswerke auch in deutschen Blättern angezeigt und in den Cäcilienvereins-Katalog aufnehmen lassen. Sie erwarb sich das Recht, den vatikanischen Choral nachzudrucken und hat in der Tat schöne Ausgaben desselben hergestellt.

Seit kurzem hat sich in Boston eine Verlagsgesellschaft gebildet: *„The Catholic Music Publishing Co."*, welche einige passende Werke veröffentlicht hat. Die sogenannte Kirchenmusik aber, die gelegentlich bei G. Schirmer und anderen Firmen erscheint, kann nicht empfohlen werden.

Im Gegensatz zur Überproduktion anderer Länder sind Komponisten kirchlicher Werke, namentlich solcher, die diesen Namen verdienen, bei uns dünn gesät. Es sei an erster Stelle der Veteran unter denselben angeführt, J. B. Singenberger, dessen Kompositionen ja auch in Deutschland Verbreitung gefunden haben; sie erscheinen teilweise als Beilagen zu seiner Zeitschrift und tragen größtenteils den praktischen Bedürfnissen unserer Chöre Rechnung.

Ferner ist zu nennen der Covingtoner Pfarrer und Dirigent Heinrich Tappert, welcher bekanntlich einige Werke sehr guten Stils veröffentlicht hat: 2 Messen, Marienlieder, *Cantus eucharistici;* dann ein anderer Priester, Karl Becker, am Seminar zu St. Francis bei Milwaukee: 1 Messe, 1 Motett, 1 *Te Deum.* Ihre Werke sind im deutschen Cäcilienvereins-Katalog verzeichnet. — Mit einem würdig gehaltenen sechsstimmigen Ostermotett a capella trat neuerdings auch Dr. N. Elsenheimer, Pianist und Theorielehrer an einer New Yorker Musikschule unter die Kirchenkomponisten. Hiemit habe ich alle Namen aufgezählt, die mein Gedächtnis mir bietet.

Den obigen kann, nicht zwar als Komponist, wohl aber als Choralbearbeiter, der Priester Leo Manzetti beigefügt werden. Vor einigen Jahren uns aus Italien zugekommen, veröffentlichte er hier Orgelbegleitungen zum *Requiem* (Solesmer Lesart), zum vatikanischen Kyriale und zur Muttergottesvesper (Solesmes). Sowohl die Verbreitung dieser Arbeiten, als die lebhaften Kontroversen, die sie hervorgerufen haben und die dabei in Mitleidenschaft gezogenen Kunstprinzipien lassen einige Bemerkungen als gerechtfertigt erscheinen. Trotz des Lobes, das diesen Harmonisationen von Solesmer Seite gespendet wurde, fühlen sich bei ihrem Anblick Aug und Rhythmussinn beleidigt. Alles hinkt darin, die Musik sowohl als der Text. Wo der Musiker eine rhythmisch betonte Note und einen Harmoniewechsel erwartet, sieht er sich enttäuscht, indem er nur auf rhythmische Schwäche, ausgehaltene Akkorde oder gar auf völlige Leere trifft, und umgekehrt stößt ihn dort ein rhythmisch und harmonisch hervorgehobener Ton, wo sein Musikgefühl derartiges abweist. Und was den Text und seine Akzente angeht, die das System des sogenannten oratorischen Rhythmus doch nach aller Logik mehr als alle anderen achten sollte, so möchte man glauben, daß es für den Autor eine wahre Freude ist, sie zu mißhandeln, die schwachen Silben musikalisch zu betonen und die starken dagegen zu entkräften. Selbst da, wo das der historischen Begründung bare System der rhythmischen Einheiten zu zwei und drei Noten gestattet hätte, den musikalischen Iktus mit dem des Textes in Übereinstimmung zu bringen, vermeidet Manzetti aus freien Stücken, dieses zu tun. Er rühmt sich selbst dieser Gewalttat und des gezeigten Mutes einem Haufen eingebildeter Kritiker zum Trotze, die da unfähig sind, irgend ein eigenes Werk zu schaffen." (Manzetti. Vorwort zur Muttergottesvesper.)

Ebenfalls nach Solesmer Regel behandelt Ign. Müller die Choralmelodien der Marienvesper und des vatikanischen Requiems. Wir können uns da, z. B. bei *Dies irae, dies illa* etc. an der thetischen Auffassung der auf die jedesmalige letzte Wortsilbe fallenden Noten erbauen.

Selbst Singenberger ist zu den Oratoristen übergegangen, wenn auch nur halben Herzens. In seiner *Requiem*-Bearbeitung (1906) und seinen *Vesperae B. M. V.* (1907) schlägt er einen Mittelweg ein, indem er, so gut es eben geht, die in Solesmes beliebte Rhythmusauffassung mit den Forderungen der Musik und des Textes in Übereinstimmung zu setzen sucht. Im *Ave maris stella (Vesp. de Beata)*, diesem Prüfstein des Vollblutsolesmisten, bezeichnet er wohl die ewigen Achtelnoten der Melodie mit solesmistischen Iktuspunkten, in der harmonischen Einkleidung aber trägt er denselben vielfach keine Rechnung. Das musikalische Ergebnis ist dabei allerdings befriedigender; aber wozu denn, sagt man sich, eine rhythmische Auffassung andeuten, die man doch nicht befolgt, ja praktisch mißbilligt?

## II. Organisation.

Auf Witts Empfehlung nach den Vereinigten Staaten berufen, gründete J. B. Singenberger im Jahre 1873 einen Cäcilienverein zum Zwecke, hier, wie es in Deutschland geschehen, die Kirchenmusik nach dem Willen der Kirche einzurichten. In unseren ungünstigeren Verhältnissen vermochte der Verein jedoch nicht, sich in der praktischen Weise zu organisieren, die ihm in Deutschland den Erfolg gebracht hat. Immerhin setzte er sich in mancher Stadt und manchem Flecken, namentlich im Westen des Landes, fest, und veranstaltete, wenn möglich, jedes Jahr eine Generalversammlung mit wohlvorbereiteten musikalischen Aufführungen.

Leider konnte die gute Saat nur in deutschsprechenden Pfarreien Wurzel fassen; und auch dort schoß sie nicht sehr üppig auf. Seit Ende 1903 hat der Verein praktisch aufgehört, Lebenszeichen von sich zu geben. Kurz vor dem *Motu proprio* vom 22. Nov. 1903 war noch beschlossen worden, in der ersten Hälfte des Monats Juli 1904 eine Generalversammlung in St. Louis, Mo. abzuhalten; der vorzügliche Chor der Muttergotteskirche zu Covington, welcher unter der Leitung des Hochwürd. Herrn H. Tappert mit Vorliebe die altklassischen Meister des 16. Jahrhunderts pflegt, hatte den Hauptteil der Festaufführungen übernommen. Alles war vorbereitet; da erinnerte man sich, daß Pius X. in seinem *Motu proprio* die Frauen aus dem liturgischen Chore ausgeschlossen hatte, der Covingtoner Chor aber bestand aus Sänger und Sängerinnen. Dem Präses und anderen wurde bang; sie bildeten sich ein, der Heilige Vater könnte durch Aufführungen seitens solcher Stimmen beleidigt werden. Diese Furcht war wohl unbegründet, denn der Papst hat sicher nie daran gedacht, mittels seines *Motu proprio* das Wunder plötzlich mit ganz neuen Kräften ausgestatteter, aus dem Schoß der Erde erstehender Chöre zu wirken. Seit dieser Zeit herrscht Totenstille im amerikanischen Cäcilienverein.

## III. Reform der Kirchenmusik. Choralfrage.

a) Reform. — Wie steht es seit dem *Motu proprio?* Halte ich Umschau und erkundige ich mich bei vorüberreisenden musikalischen Freunden, so lautet die Antwort auf die gestellte Frage wenig tröstlich. Man schien anfangs viel Interesse und guten Willen an den Tag zu legen; Zeitungen und Zeitschriften, selbst politische, beschäftigten sich mit der Reformfrage. Leider faßte man aber die Reform am verkehrten Ende, warf sich auf Nebensachen oder Dinge, die gar nicht gefordert sind, und vernachlässigte dabei die Hauptsache. Vor allem hätte man ernstlich an die Bekämpfung der an heiliger Stätte sich breitmachenden verweltlichten Musik denken, dieselbe unerbittlich aus unseren Kirchen verbannen und durch wahrhaft kirchliche Kompositionen ersetzen sollen.[1]) Zugleich wäre gehöriges Gewicht auf die Beobachtung der liturgischen Vorschriften, z. B. des treffenden Textes und seiner Vollständigkeit zu legen gewesen. Um sicherer, schneller und dauernder das Ziel zu erreichen, hätte man gut daran getan, an die Gründung einer praktischen Organisation der Chorregenten und Chöre heranzutreten. Vereint gewinnt man an Kraft, Erfahrung und Einfluß. Das Unglück wollte es aber, daß vielfach Dilettanten oder solche, die bisher wenig oder nichts geleistet oder gar nur Unkirchliches aufgeführt hatten, nun plötzlich sich als Wortführer, Lehrer und Reformatoren aufwarfen und den bewährten, jahrelang nach dem Willen der Kirche tätig gewesenen Kräften durch Extravaganzen und dilettantenhafte Schiefheiten die Mitwirkung beinah verleideten.[2])

Was die Verbannung unkirchlicher Musik betrifft, so haben allerdings einige Diözesen in der Theorie zu einem Radikalmittel gegriffen: man dekretierte, es sei in Zukunft keinem Chorregenten erlaubt, andere Musik aufzuführen als solche, welche die von der Diözesankommission veröffentlichten oder gebilligten Verzeichnisse enthalten. Ganz gut, aber die Ausführung? Die Beschlüsse sind ein toter Buchstabe. Das lehren mich sowohl die eigene Beobachtung, als die Berichte derer, die mehr reisen als ich.

Statt vorerst und ernstlich den Musikbestand der Chöre zu reinigen, verlor man seine Zeit durch Disputieren über den Platz, den die Sänger einzunehmen haben. Nach dem Sinne gewisser Enthusiasten muß man sie um jeden Preis im Sanctuarium selbst, beim Altar aufstellen. Und in der Tat, eine Anzahl Chöre haben sich dorthin begeben. Singen sie dort besser, können sie dort vom Chorleiter dirigiert werden ohne ein Anlaß der Zerstreuung zu sein für die Gläubigen, deren Blicken sie und der Dirigent fortwährend ausgesetzt sind? Die „Sanctuariumchöre", die ich kenne, müssen meistens der Direktion entbehren, denn der Dirigent, der mit dem Organisten eine und dieselbe Person ist, befindet sich am entgegengesetzten Ende der Kirche. Begünstigen etwa solche Umstände ein harmonisches Zusammenwirken?

Man hat ferner viel über die Zulassung der Frauenstimme im Kirchenchor diskutiert.[3]) Das *Motu proprio* erklärt sie als nicht liturgisch. Zugestanden, antwortet

---

[1]) Daß ein Herkules Reinigungsarbeit in Hülle und Fülle hätte, beweist folgende „Kirchenmusik" (!), die am vergangenen Weihnachtsfeste zu Cleveland, O. aufgeführt wurde. Ich entnehme die Programme der mir zufällig in die Hände gefallenen Zeitung *„Catholic Universe"* vom 20. Dezember 1907, in welcher eine Anzahl katholischer Kirchen durch Anzeige solcher Musik und theatralischer Namenangabe des Sängerpersonals sich selbst an den Pranger stellen. Unter anderen wurden ganz oder teilweise folgende Kompositionen gesungen: Die Mozart fälschlich zugeschriebene sogenannte 12. Messe in 2 Kirchen. Messen von Paolo Giorza in 4, von Mercadante in 2, von Millard in 4, von Marzo in 2, von Jos. Haydn in 2, von La Hache in 2, Schubert in 1, C. M. Weber in 1. Lambillottes *Pastores* als Offertorium in 1. Dasselbe Stück und eine Messe Haydns (laut *„Church Music"*, Jahrgang III n. 2) in einer New Yorker Kirche. Im *„Cathol. Columbian"*, vol. XXXII, n. 49 liest man, daß ein Herr Cleary, zur Vesper in einer Kirche in Washington D. C. ein *Salve Regina* sang, das nach einer Arie aus Meyerbeers Oper „Dinorah" bearbeitet ist, usw.

[2]) Welche Folgen eine verkehrt angefaßte Reform haben kann, deutet zur Genüge folgender Auszug aus einem temperamentvollen Briefe an, den mir vor kurzem einer unserer besten Kirchenmusiker bezüglich der Zustände in einer der größeren Städte schrieb: „Die Musikreform in . . . ist eine höchst traurige. Choral im Solesmer Kindergarten-Buchstabierrhythmus und grobstimmige Männerchöre mit schlechter Aussprache und ebensolcher Stimmbildung treiben die Leute aus den Hochämtern. Diese sind leer. Kompositionen werden dabei verübt, deren sich der selige Lambillotte geschämt hätte. Keine Rücksicht auf Liturgie; nur dürfen keine Frauenstimmen mehr singen! Soll man da sich wundern, daß die Hochämter leer sind? Und das soll die Intention des Heiligen Vaters sein!"

[3]) In gewissen Kreisen wird der Ausschluß der Frauen vom Kirchenchor als Kern und Wesen der Reform angesehen. Es ist dort dieser Gegenstand zur alles überwiegenden fixen Idee geworden; gelegen und ungelegen rufen neue Catone aus: *„Coeterum censeo chorum mixtum (sic) esse delendum"*. Eine charakteristische Illustration hiefür kam mir wieder vor kurzem zu Gesicht. In einer mit Recht

man, aber unsere oberhalb des Kircheneingangs gestellten Sänger bilden nicht den eigentlichen „liturgischen“ (Kleriker-) Chor. Die Gläubigen im Schiff der Kirche können liturgische Gesänge ausführen ohne deshalb der eigentliche liturgische Chor zu sein. Dort dürfen Frauen an diesem Gesange teilnehmen; warum nicht bei der Orgel?“ — Unsere Chöre auf der Orgelempore, liest man in „*Church Music*“ II, S. 205, sind eher was man „*congregational choirs*“ nennen kann, der Chor der Pfarrgemeinde, d. h. einfach ein Bruchteil der Pfarrei, der sich zusammensetzt aus Männern und Frauen, die wegen ihres guten Willens und ihrer guten Stimmen ausgewählt wurden zur Ausführung derjenigen Meßteile, welche der übrige Teil der Pfarrgemeinde nicht singen kann oder will.“ Das Gleiche konnte man letzten Sommer in den Spalten des „New York Freemans Journal“ (3. Aug. 1907) lesen, und so wurde dort hinzugefügt: „Rom hat diesen Punkt nie authentisch entschieden.“

Es ist nicht meine Sache zu sagen, welche dieser entgegengesetzten Ansichten die bessere ist. Im Falle einer obrigkeitlichen Entscheidung, welche die Frauenstimmen selbst für die „Chöre auf der Orgelempore“ verbietet, wüßte man wenigstens, woran man sich zu halten hätte, und man würde sich so gut oder so schlecht es eben geht darnach einrichten. Dagegen wäre ein dem gemischten Sängerpersonal günstiger Entscheid zweifellos eine wahre Erleichterung für unsere Dirigenten, welche jetzt schon Mühe genug haben, genügende Chorkräfte zu rekrutieren und die musikalischen Aufführungen auf einer dem Gottesdienste einigermaßen würdigen Stufe zu erhalten. Ihre Sorgen werden sich mehren, falls sie sich in Zukunft mit Tenören und Bässen begnügen sollen, die schwer in genügender Zahl aufzutreiben sind, und zudem geringe Abwechslung bezüglich der vokalen Klangfarbe und der Auswahl von nur für sie geschriebenen Kompositionen bieten.

Will man bei Bildung gemischter Chöre die Frauen durch Knaben ersetzen, so gesellt sich zur Schwierigkeit, solche zu finden, noch die so schwer aufrechtzuhaltende Disziplin, deren Geheimnis nur wenige Chordirigenten besitzen. Ferner ist die Aussicht auf fortwährenden durch den unvermeidlichen Stimmbruch nach kurzem Dienst bedingten Wechsel in diesem Personal wenig geeignet, unsere Chordirigenten zu ermutigen. Man darf zudem nicht vergessen, dass der Einführung von Chören mit nur männlichen Stimmen ein besonderes Hindernis aus dem Umstand erwächst, daß bei uns an vielen Kirchen, sowohl in Städten als auf dem Lande, die Chorleitung und das Orgelspiel Frauen anvertraut sind und zuweilen einem ganz jungen Mädchen, das in einem Dorfe oft die einzige Person ist, welche einige Musikkenntnisse besitzt. Selbst Städte befinden sich in ähnlicher Lage; die Organistenstellen sind gewöhnlich schlecht bezahlt und die Männer wünschen sich einen besseren Verdienst. Die vielen Kirchenandachten — in manchen Pfarreien finden solche ganze Monate hindurch jeden Abend statt — hindern unsere Chorleiter, in einem Orchester eine Stelle anzunehmen, deren Ertrag ihnen für den Unterhalt ihrer Familie sehr zustatten käme; vormittags zwingen die zahlreichen Totenämter sie zur Unregelmäßigkeit in ihren etwaigen Musikstunden. Kein Wunder, daß viele Musiker eine solche Stellung ausschlagen und sie jungen Personen überlassen, die, weil sie keine Familie zu ernähren haben, sich mit dem angebotenen Salär leichter zufrieden geben.

P. L. Bonvin.

(Schluß folgt in Nr. 5.)

---

sehr angesehenen nichtmusikalischen Zeitschrift, deren Namen ich bei vorliegender Gelegenheit aus Rücksicht auf den verdienten und eifrigen Schriftleiter nicht nenne, bespricht dieser das Dekret der Ritenkongregation vom 7. August 1907, welches bekanntlich das Vatikanische Gradualbuch als authentisch und typisch erklärt. Also, lautet die aus den Wolken fallende Schlußfolgerung, fort müssen die Frauen! Zur Bekräftigung dieses Verbannungsurteils folgt dann aus einer römischen Zeitschrift ein Zitat, das sich aber mit keiner Silbe auf Frauengesang bezieht, sondern wieder nur die Vatikanische Choralausgabe betrifft. Und — merkwürdiges Zusammentreffen — in demselben Hefte steht ein Aufsatz, dessen Verfasser nicht Worte genug finden kann, um seinem Entzücken über liturgischen Frauengesang Ausdruck zu geben: nie sei ihm der Abgrund zwischen wahrem Kirchengesang und verweltlichter Musik mehr zum Bewußtsein gekommen, nie habe er einen so tiefen Eindruck erhalten, als gelegentlich eines Choralamtes, das gesungen wurde — ausschließlich von Frauenstimmen in einem Nonnenkloster in England.

## Vom Musikalien- und Büchermarkte.

Das Vaterunser und Der Englische Gruß für zweistimmigen Knaben- oder Frauenchor mit Orgel oder Harmoniumbegleitung, komponiert von **P. Bernhard Auer**, O. S. B., Gesanglehrer am Konvikte zu Fiecht (Tirol). Auch vom einen zweistimmigen Männerchor oder von einer Sopran-, Tenor- oder Baritonstimme allein ausführbar. Selbstverlag des Komponisten und Kommissionsverlag der Vereinsbuchhandlung Innsbruck. Preis 1 ℳ, Stimme 20 ₰. Eine andächtige, weihevolle Komposition, in welcher das Gebet des Herrn bis „Gib uns heute unser tägliches Brot" von einer Altstimme und von diesen Worten ab zweistimmig unter einfacher Begleitung der Orgel oder des Harmoniums singend gebetet wird. Daran schließt sich das „Gegrüßt seist Du, Maria!" für ein Sopransolo; bei „Heilige Maria" verbinden sich wieder die zwei Stimmen.

Zwei Lieder (Gedichte von Martin Greif) für eine hohe Stimme mit Klavierbegleitung von **Ludw. Bonvin**. Op. 85. Nr. 1, Mai. „Wieder blüht der duft'ge Flieder". Nr. 2. Die verschneite Bank. „Da steht die Bank rings eingeschneit". Leipzig, F. E. C. Leukart. Preis à Heft 1 ℳ 20 ₰. Die zwei Lieder sind sehr dankbar (englischer und deutscher Text); die Deklamation muß rhythmisch biegsam sein. Die Melodie fordert eine gute Sopran- oder Tenorstimme, die mit Leichtigkeit und Ausdruck von $c^1$—$a^2$ schön zu sprechen vermag und von einem gewandten Klavierspieler begleitet wird.

Bei Friedrich Pustet in Regensburg sind erschienen:

a) Hoch, Pius, hoch! Hymne für einstimmigen Gesang. Gedicht von F. Muckermann, S. J., Musik von **P. A. Braun**, S. J. Klavierpartitur 20 ₰, das Dutzend 1 ℳ 80 ₰. Für Massenaufführungen sei dieses schwungvolle vierstrophige Festlied zum goldenen Priesterjubiläum Sr. Heiligkeit Papst Pius' X. aufs beste empfohlen.

b) Zum goldenen Priesterjubiläum Sr. Heiligkeit Papst Pius' X. Gedicht von P. J. Hopfner, **Musik von P. A. Braun**, S. J. Partitur 20 ₰, das Dutzend 1 ℳ 80 ₰. Für Männerchor wird die zweite Hymne über das Gedicht von P. J. Hopfner bei Festversammlungen zum Priesterjubiläum sehr wirksam und erwünscht sein.

In 2. Auflage erschien: Op. 53 von **Heinrich Götze**, vier Marienlieder für vierstimmigen Männerchor. Im Cäcilienvereins-Katalog fanden diese Marienlieder unter Nr. 2565 Aufnahme. Regensburg, Eugen Feuchtinger. Partitur 80 ₰, 4 Stimmen à 20 ₰.

Op. 30 von **Karl Greith**, zehn Marienlieder für Sopran- und Altstimmen mit Begleitung der Orgel oder des Harmoniums, Cäc.-Ver.-Kat. Nr. 290 und 2413, ist in 4. Auflage erschienen. Regensburg, Eugen Feuchtinger. Partitur 2 ℳ, 2 Stimmen à 50 ₰.

Bei A. Coppenrath (H. Pawelek) in Regensburg sind nachfolgende religiöse Werke mit deutschen Texten von **Peter Griesbacher** veröffentlicht:

a) Op. 105, Herz Jesulieder für zwei bis vier Oberstimmen mit Orgel- oder Harmoniumbegleitung. 1908. Partitur 6 ℳ, Stimmen à 1 ℳ 20 ₰. Die 20 Nummern sind für Frauenklöster oder Institute berechnet, die Texte von P. Hatter, F. Heitemeier, B. Preis. Der religiöse Ton ist gut getroffen und entwickelt sich am Schlusse der Strophenlieder zu einer glanzvollen Drei- und Vierstimmigkeit, die durch eine selbständige, geistreiche Begleitung zur Begeisterung hinreißt. Den eigentlichen Herz Jesuliedern ist als Nr. 18 ein Kommunionlied, Nr. 19 „Danksagung", Nr. 20 „Brautchor" zur Einkleidungsfeier beigegeben. Das Chroma findet reichliche Verwendung, mehr in Form von Modulationen, so daß die Singstimmen meist reine Intervalle zu beherrschen haben. Ohne gute Proben wage man es nicht an die Aufführung dieser Gesänge zu denken.

b) Feuerflammen göttlicher Liebe. Kantate mit Deklamation und lebenden Bildern gedichtet von Bernardine Preis für Frauenchor und Soli mit Klavierbegleitung. Op. 109. Ihrer Wohlehrwürden Frau Präfektin Wenefrieda Reiser in Osterhofen-Stift zum 25jährigen Amtsjubiläum in aller Verehrung gewidmet. Partitur 4 ℳ 50 ₰, Stimmen à 1 ℳ. Nach einem für Deklamation bestimmten Prolog stellt das 1. Bild Maria mit dem Jesuskinde vor, von den Engeln umgeben, das 2. Bild Das Abendmahl, Johannes an der Brust Jesu ruhend, das 3. Christus am Kreuze, Longinus dessen Herz durchbohrend, das 4. Jesus der Erstandene und Thomas der Apostel, das 5. Jesus der Erlöser, St. Margareta dessen Herz enthüllend. Diesen Bildern entsprechend sind dreistimmige Chorgesänge, Soli für Sopran und Alt, Duos und Terzetten mit Klavierbegleitung von großer Wirkung eingeschaltet. Für größere katholische Fräuleinpensionate und klösterliche Institute bietet diese Kantate reichlich Gelegenheit, die Gesangskräfte zu erproben, sich im modernen Stile auszuzeichnen und auch die andächtigen Zuhörer hinzureißen.

c) Es ist der Herr! Kantate, gedichtet von Regina Alde, für Frauenchor und Solo mit Klavierbegleitung (Harmonium ad lib.). Op. 118. Partitur 4 ℳ 50 ₰, Stimmen à 80 ₰. Zwei dreistimmige Frauenchöre, sehr oft unisoni geführt, schildern eingangs „Morgenstille, Morgenfrieden auf junger Frühlingsflur; da, weich ein Zittern, frohes Erbeben, andächtig Flüstern, erklingen jubelnde Hymnen: „Es ist der Herr!" Laßt uns anbeten all!" Im zweiten Satz offenbart sich der Herr auch im „zürnenden Wetter" und in „zuckenden Blitzen". In einem dritten Satz zeigt er sich „im Abendrauschen, am Sternenhimmel"; überall sehen Dichter und Komponist gläubig den Herrn, ihn anbetend, ihm Lob- und Dankeslieder singend, seinen Ruhm, seine Allmacht und Güte preisend mit voller Brust. Auch diese Komposition gibt glänzendes Zeugnis von der Schaffensfreude des Komponisten, der sich ganz in den schwungvollen Text versenkt hat und mit den reichen Mitteln seiner Phantasie, seiner harmonischen und kontrapunktischen Kenntnisse den Frauenstimmen hohe Aufgaben stellt, deren Überwindung ein dankbares Publikum finden wird. Wenn auch das Harmonium nicht obligat ist, so wird es zur Stütze für die Sängerinnen bei dem häufigen überraschenden Akkordwechsel und zur Volltönigkeit in den Chorsätzen wesentliche Dienste leisten und die ihrem Charakter nach beweglichere Pianofortebegleitung instrumental ergänzen.

d) Heil dir, Heil'ger Vater du! Dichtung von B. Preis. Kantate mit verbindender Deklamation für gemischten Chor, Soli und Klavierbegleitung, Op. 121. Partitur 4 ℳ, 2 Stimmen à 50 ₰, 2 Stimmen à 40 ₰. Die Jubiläumsfeier des Heiligen Vaters wird im Laufe dieses Jahres von allen katholischen Vereinen Deutschlands, in Instituten, Seminarien und von Kirchenchören bei festlichen Versammlungen auch durch Musik begangen werden. Für diese Gelegenheiten ist diese Kantate Griesbachers bis heute die umfangreichste und schönste Gabe. Der Einleitungschor *D*-dur fesselt durch Frische und packenden Rhythmus; schon mittelmäßige Sängerscharen gemischter Chöre dürfen sich an den Vortrag wagen. Die folgende Deklamation feiert in 4 Strophen den Papst als König der Christenheit. Als Nr. 2 folgt die Huldigung (*A*-dur), dargebracht von einem gemischten Chor mit Klavierbegleitung, an welchen sich ein Sopran- und Tenorsolo, das bald zum Duo wird, anschließt. Die Deklamation ehrt in 4 Strophen den Papst als Hohenpriester. Die 3. Nummer (*F*-dur) bringt Dank und Gruß des gemischten Chores mit einer vierstrophigen Deklamation, die den Papst als Lehrer schildert. Im 4. Chor (*As*-dur) wird ein „Gelöbnis" abgelegt, das (in der vierstrophigen Deklamation) dem Papste als Hirten gilt. Der 5. Satz (*G*-dur) beginnt mit einem Sopransolo, untermischt vom vierstimmigen Chor; die Deklamation preist den Papst als Vater. Das ganze Werk gipfelt in einem Schlußchor (*Es*-dur), der bald in einen achtstimmigen Doppelchor übergeht. Die beiden Chöre vereinigen sich zu einem vollklingenden Jubelruf: „Heil dir, Heil'ger Vater du! Heil Pius! Heil! Für gute Chöre bietet keine der 6 Nummern weder nach Seite des Gesanges, noch der Klavierbegleitung nennenswerte Schwierigkeiten, mit Ausnahme etwa von Nr. 5 und vom Mittelsatz des Schlußchores. Über das ganze Werk ist Feststimmung ausgegossen, und es darf die Hoffnung ausgesprochen werden, daß diese Kantate von vielen Hunderten deutscher Katholiken mit Begeisterung vorgetragen und gehört werden wird.

**Johann Imahorn**, Rektor und Chordirektor in Lenk (Kt. Wallis). Osterlied: „Christus ist erstanden" für einstimmigen Chor mit Orgel. Mit Genehmigung des Hochwürd. Bischofs von Sitten. Selbstverlag des Komponisten. Ohne Jahreszahl. Partitur 60 Cts., 6 Einzelstimmen 50 Cts. Die kräftige Ostermelodie mit 4 Strophen hat einen Refrain, bei dem die Unterstimmen (Alt oder Tenor I, II und Baß) wirkungsvoll die Hauptmelodie begleiten. Dieses Osterlied eignet sich vortrefflich für eine vollzählige Kirchengemeinde; die Orgelbegleitung ist einfach und erhebend.

Geistlicher Liederkranz, aus den Blumen unserer vlämischen Ton- und Liederkundigen zusammengestellt von **Alfons Moortgat**. 1904. Brüssel, Nationale Musikdruckerei Kruisvaartenstraat 6. Partitur 5 Fr., Textbuch mit Noten 1 Fr. 25 cent. Wenn auch diese große Sammlung (224 Seiten in Groß 8°, resp. 116 Nummern) für den deutschen Leser weniger Interesse hat, da die Texte in flämischer Sprache gedichtet sind, so verdienen doch die Melodien der 17 Weihnachtslieder, Kommuniongesänge und der Kompositionen zu Ehren des heiligsten Herzens und Namens Jesu, der Passions- und Muttergotteslieder und der Gesänge zu Ehren einzelner Heiliger, die von einer Menge einheimischer Komponisten verfaßt sind, und deren Harmonisierung alle Beachtung. In einem Anhang sind 10 lateinische eins-, zwei- und dreistimmige Motetten vom Herausgeber Moortgat beigegeben.

Geistlicher Liederkranz, flandrisch, französisch und lateinisch mit Orgelbegleitung von **A. Moortgat**. 1907. Selbstverlag, auch zu beziehen für Belgien: Vlämische Musikhandlung Antwerpen, St. Jakobsmarkt 12; für Frankreich: *Arras, Procure Generale de Musique Religieuse rue Jeanne d'Arc, 22.* Für Holland: W. Bergmanns, Tilburg. Partitur 5 Fr. Auch zu dieser Sammlung haben verschiedene neuere Komponisten Beiträge geliefert, so z. B. A. Ponten, W. Ph. Jansen, J. A. S. van Schaik, F. Koenen, Aug. Wiltberger, O. Depuydt, J. Haagh, Van Durme, J. Quadflieg, sowie der Herausgeber. Die Sammlung ist besonders für jene Kirchen der Niederlande bestimmt, an denen die Nachmittagsandachten (*Saluts*) sehr beliebt und besucht sind. Die meisten Texte sind nicht der Liturgie entnommen, sondern Dichtungen aus älterer und neuerer Zeit. Der Band füllt 211 Seiten in Folio und enthält 87 Nummern, meist für eine, zwei und drei gleiche Stimmen mit guter Orgelbegleitung. In einem Anhang befinden sich noch 5 Motetten vom Herausgeber A. Moortgat. Ein ausführliches Inhaltsregister orientiert über die Verwendbarkeit der einzelnen Nummern.

Dem Papste! Zum goldenen Priesterjubiläum. Gedicht von J. Noë, Pfarrer an St. Andreas in Düsseldorf, komponiert von **Joh. Plag**, Op. 54. Ausgabe A: für einstimmigen Volksgesang mit Klavier- oder Harmoniumbegleitung oder vierstimmige Blechbegleitung. Ausgabe B: für vierstimmig gemischten Chor mit vierstimmiger Blechbegleitung ad lib. Ausgabe C: für vierstimmigen Männerchor mit vierstimmiger Blechbegleitung ad lib. Preis jeder Partitur 25 ₰, jeder Gesangsstimme 5 ₰, von 100 Exemplaren ab je 3 ₰, von 200 Exemplaren ab je 2 ₰ (für Ausgabe B oder C sind die zwei Oberstimmen zusammen und die zwei Unterstimmen zusammen auf einem Blatt). Orchesterstimmen 15 ₰. Düsseldorf, L. Schwann. 1908. Die vier schwungvollen Textstrophen sind in dreifacher Weise musikalisch wirkungsvoll und populär erfunden und kräftig harmonisiert. Ausgabe A in *G*-dur, B in *As*-dur, C in *H*-dur. Zu den bevorstehenden Jubiläumsfestlichkeiten des Heiligen Vaters sei diese Gelegenheitskomposition aufs beste empfohlen.

**J. Quadflieg**, Op. 36. Acht Marienlieder zum kirchlichen Gebrauche an Marienfesten, sowie bei Marianischen- und Maiandachten. a) für vierstimmigen gemischten Chor; b) für vierstimmigen Männerchor; c) für vierstimmigen Kinder- oder Frauenchor. Düsseldorf, L. Schwann. 1908. Jede Ausgabe: Partitur 1 ℳ 60 ₰, 4 Stimmen à 20 ₰. Der gewiegte Komponist bemerkt zu Op. 36A, „daß er in der Partitur nur die erste Strophe eines jeden Liedes den vier selbständig geführten Stimmen unterlegt habe; die übrigen sind zwischen den Partiturzeilen untergebracht. Zu Ausgabe B und C erklärt er, daß dieselben eine eigene Bearbeitung, also nicht blosses Arrangement oder gar nur Transposition der Tonsätze des Op. 36A sind." Ergänzend fügt Referent bei, daß die Motive aus 36A in B und C beibehalten sind, aber in der Führung der Männer-, bezw. Kinderstimmen eine geistvolle Abwechslung und Mannigfaltigkeit bieten. Das sind nicht „Lieder" in landläufigem

Sinne, sondern geistliche Madrigale von überraschender Mannigfaltigkeit, rhythmischer Beweglichkeit und feinem Geschmacke. Die Aufführung derselben soll guten Chören eine Ehrensache werden, und erfordert von seiten des Dirigenten und der Sänger feinen Vortrag, viel Ausdruck und Beobachtung der vom Komponisten hinreichend angegebenen dynamischen Zeichen.

Dr. **Karl Reisert** in Würzburg, der Redakteur des „Deutschen Kommersbuches" stellte unter dem Titel „**Freiburger Gaudeamus**" ein Taschenliederbuch für die deutsche Jugend zusammen, das 212 unserer schönsten Lieder, zumeist mit Melodie, enthält. Format ist 12°; XVI bilden Vorwort, Inhaltsübersicht und alphabetisches Register, 222 und 8 leere Seiten für Nachträge. Freiburg, Herdersche Verlagshandlung. 1908. Gebunden in Originalleinwand 1 ℳ 20 ₰. Als besonderer Vorzug des Büchleins ist zu begrüßen die große Sorgfalt, die auf korrekte Wiedergabe der Texte und Melodien, auf Bezeichnung der Dichter und Komponisten, der Quellen usw. verwendet wurde.

Zehn Herz Jesulieder für zweistimmigen Kinderchor mit Orgel- oder Harmoniumbegleitung von **Aug. Wiltberger**, Op. 121. Den ehrwürdigen Ursulinenschwestern von St. Salvator in Brühl gewidmet. Düsseldorf, L. Schwann. 1907. Partitur 1 ℳ 20 ₰. Stimmen-Heftchen 20 ₰. Einfache, sinnige Lieder, die aus dem Kindermunde ergreifend klingen werden und mit passenden Vor- und Nachspielen zu den einzelnen Strophen versehen sind.

*Ave Maria* für eine mittlere Singstimme mit Klavier- oder Harmoniumbegleitung (Violine ad libitum), komponiert von **Hugo Zuschneid**. Offenburg (Baden), Verlag von Hugo Zuschneid. Partitur 50 ₰, Singstimme (in Gebetbuchformat) 2 ₰. Ausdrucksvoll und einfach sind die Worte des englischen Grußes mit *Sancta Maria* bis *Amen* syllabisch deklamiert. Die Violine wird den Eindruck durch ihre einfache, selbständige Kantilene erhöhen; diese Besetzung empfiehlt sich aber nur für häusliche Andacht.

(Schluß in Nr. 5.)

F. X. H.

---

Der Bitte in *Mus. sacra*, S. 36 um ein Porträt von Monsignore **M. J. A. Lans** haben 8 Herren und Redaktionen illustrierter Zeitschriften aufs freundlichste entsprochen. Ich war auf das Tiefste gerührt, die große Pietät und Verehrung, welche der am 3. Februar 1908 verstorbene Erzdekan in Amsterdam in seinem Vaterlande genossen hat, aus den Artikeln, Illustrationen und Schilderungen der katholischen Presse in Holland zu ersehen und zu bewundern. Das beistehende Porträt ist nach einer der letzten Photographien hergestellt. Ein kurzer Nekrolog stand im Cäcilienvereinsorgan, Seite 24. Aus demselben sei hier wiederholt:

Mons. M. J. A. Lans, geb. 18. Juli 1845, gest. 3. Febr. 1908.

„Dreißig Jahre lang war der Verstorbene die Seele der kirchenmusikalischen Reformtätigkeit in Holland gewesen. Sein begeisterndes Wort, seine geschickte Feder, sein leutseliger Umgang, seine bewunderungswürdige Arbeitskraft, sein nie rastender Eifer, sein feiner Takt gegenüber Gegnern von außen und lästigen Brüdern von innen haben für das Emporblühen der *Musica sacra* in Holland mehr getan als alle anderen Förderer zusammen."

R. I. P.

F. X. H.

## Vermischte Nachrichten und Mitteilungen.

1. * Als **Musikbeilage** erhalten die verehrlichen Abonnenten die Passionschöre für Palmsonntag und Charfreitag in einer sehr leichten, falsobordoneartigen Komposition von P. Peter Habets, O. M. I. in Regina, Sask. Canada. Der Hochwürd. Herr hat auch eine Bearbeitung für gemischten Chor zur Verfügung gestellt, die aber einstweilen (wegen der Gleichförmigkeit) von der Redaktion zurückgestellt worden ist. Da der Cäcilienvereins-Katalog nur wenige Passionschöre für Männerstimmen enthält, so dürfte diese Beilage, von welcher Einzelstimmen nicht erscheinen werden, vielen Chören schon in diesem Jahre erwünscht sein. Bis heute stehen zur Auswahl für Männerstimmen: a) Braun-Haberl (Cäc.-Ver.-Kat. Nr. 2745) für Charfreitag; b) Nekes Franz, Op. 29 (Cäc.-Ver.-Kat. Nr. 2088) für Palmsonntag; c) Quadflieg, Op. 21a, drei Männerstimmen (Palmsonntag) Op. 22a, drei Männerstimmen (Charfreitag) und in Witts *Cantus sacri*, Op. 5, 2. Abteilung (Cäc.-Ver.-Kat. Nr. 228) die einfachen Chöre von C. Ett zur Passion nach Matthäus und Johannes.

2. ♃ **Feldkirch**, 4. März. (Pensionat *Stella matutina*.) Die drei letzten Fastnachtstage brachten uns, wie alljährlich, so auch heuer wieder im Pensionate herrliche Kunstgenüsse mit Konzert und Theater. Am Fastnachtssonntag abends war Aufführung des großen Oratoriums „Judas Makkabäus" von Georg Friedrich Händel. Die herrlichen, gewaltigen Chöre, die den verzweifelten, aber auch erfolgreichen Kampf der Israeliten unter Führung ihres großen Nationalhelden Judas Makkabäus gegen die großen heidnischen Reiche zeigten, waren dramatisch belebt. Chöre und Soli wechseln in den drei Teilen des Oratoriums reichlich ab. Die oft sehr schwierigen Chöre wurden mit Glanz und Sicherheit gesungen, daß wir den Pensionatschor mit dieser großartigen Leistung nur bewundern konnten. Knabenstimmen eignen sich auch ganz besonders für Händelsche Chöre. Klarheit, Kraft und Größe des Ausdrucks, scharfe Rhythmik, individuelle Melodienbildung sind Kennzeichen seines meisterhaft beherrschten Tonsatzes. Da ist keine Sentimentalität oder Verschwommenheit im Ausdruck, da sind die Formen klar und scharf gezeichnet. Sebastian Bach war der große Zeitgenosse Händels. Bach und Händel ragen wie Riesen in unsere musikalisch arg verschwommene Zeit herein. Deshalb freuen wir uns, daß der ausgezeichnete Pensionatschor uns seit vielen Jahren in den Fastnachtstagen mit einem großen Oratorium erfreut. Diejenigen Chöre, welche das ganze Jahr hindurch strenge, kirchliche Musik üben, sind besonders befähigt dazu, klassische Oratorien in möglichster Vollendung vorzutragen. Ich erinnere nur an P. Link, P. Schmid, und in demselben Geiste arbeitet auch der jetzige Dirigent, P. Alf. Braun, dem wir auch von Herzen gratulieren zu dem letzten schönen Erfolge, und ein mutiges „Voran, auf dieser Bahn" zurufen möchten.

3. × **Unmittelbar vor Redaktionsschluß** können nachfolgende Notizen in aller Kürze untergebracht werden:

a) Herr Musikprofessor **Anton Seydler** in Graz, früher Domorganist dortselbst, Mitglied des Referentenkollegiums für den Cäcilienvereins-Katalog ist am 21. März nach kurzem Unwohlsein plötzlich verschieden. R. I. P.

b) Der Hochwürd. Herr Bischof von **Eichstätt** hat auf die Zuschrift und Bitte des derzeitigen Generalpräses, die 18. Generalversammlung des Allgemeinen Deutschen Cäcilienvereins in der zweiten Hälfte des Monat Juli in seiner Bischofsstadt abhalten zu dürfen, unter dem 22. März huldvollst persönlich geantwortet. Seine Zuschrift, sowie Einladung und Programm zu dieser 18. Generalversammlung (die 17. fand am 21. August 1904 in Regensburg statt) wird in Nr. 4 des Cäcilienvereinsorgans bekannt gegeben werden.

c) Sicheren Nachrichten aus **Rom** zufolge wird der Heilige Vater Se. Eminenz den Kardinal Peter Gasparri zum Protektor des Allgemeinen Deutschen Cäcilienvereins als Nachfolger des † Kardinals Andreas Steinhuber ernennen. Der Unterzeichnete wird die Ehre haben, in der Osterwoche dieses Jahres dem neuen Kardinal-Protektor sich persönlich vorzustellen. F. X. H.

4. **Inhaltsübersicht von Nr. 3 des Cäcilienvereinsorgans:** Vale carne — Ave crux! (Von —b—.) — Vereins-Chronik: Bericht über den Diözesan-Cäcilienverein des Bistums St. Gallen pro 1907; Bericht des Domchores in Graz (Steiermark); Salzburg; Generalbericht über die 25jährige Wirksamkeit des Cäcilienvereins der Diözese Straßburg (1882—1907). — Die heilige Fastenzeit. (Von P. A. M. W.) (Fortsetzung.) Zur vatikanischen Choralausgabe des Graduale Romanum. — Vermischte Nachrichten und Notizen: Leipzig; Beilagen, General- und Sachregister betr.; Kevelaer, Die größte Orgel Deutschlands; Tinels „Franziskus" in Regensburg; Inhaltsübersicht der *Musica sacra* Nr. 3. — Anzeigenblatt Nr. 3. Sachregister zum Generalregister W. Ambergers S. 77*—84*, sowie Sachregister S. IX—XVI zu den 3500 Nummern des Cäcilienvereins-Katalogs.

---

Druck und Verlag von **Friedrich Pustet** in Regensburg, Gesandtenstraße.

**Nebst Anzeigenblatt, sowie Musikbeilage: Turbae Passionis D. N. J. Chr. sec. Matthaeum et sec. Joannem.**

# Turbæ Passionis D. N. J. Chr. sec. Matthæum et sec. Joannem.

Ad 4 voces æquales.

# Chöre zur Passion nach Matthæus und nach Joannes.

Für 4 gleiche Stimmen.

Herausgegeben von **P. Peter Habets**, O. M. J.

## Turbæ Passionis Domini Nostri Jesu Christi secundum Matthæum.

**Vorbemerkung.** Umstehende Passionschöre sind nach einer Vorlage aus einem ältern französischen Sammelwerke gearbeitet. Den Titel dieser Sammlung kann ich leider nicht angeben, da sie mir vor mehreren Jahren nur vorübergehend zu Gesicht kam; damals habe ich nicht auf den Titel geachtet. — Diese Chöre dürften in Deutschland wohl kaum bekannt sein. Da dieselben aber sehr leicht und zugleich sehr wirkungsvoll sind, so habe ich sie wert erachtet, sie in verbesserter Form herauszugeben und auch für 4 gleiche Stimmen zu bearbeiten. — Um den Einsatz zu erleichtern, habe ich vor jeder Nummer den Endton des Chronista, sowie dessen letzte Worte angemerkt. — Nach Bedürfnis kann das Ganze auch etwas höher oder tiefer gesungen werden.

P. P. Habets, O. M. J.

1

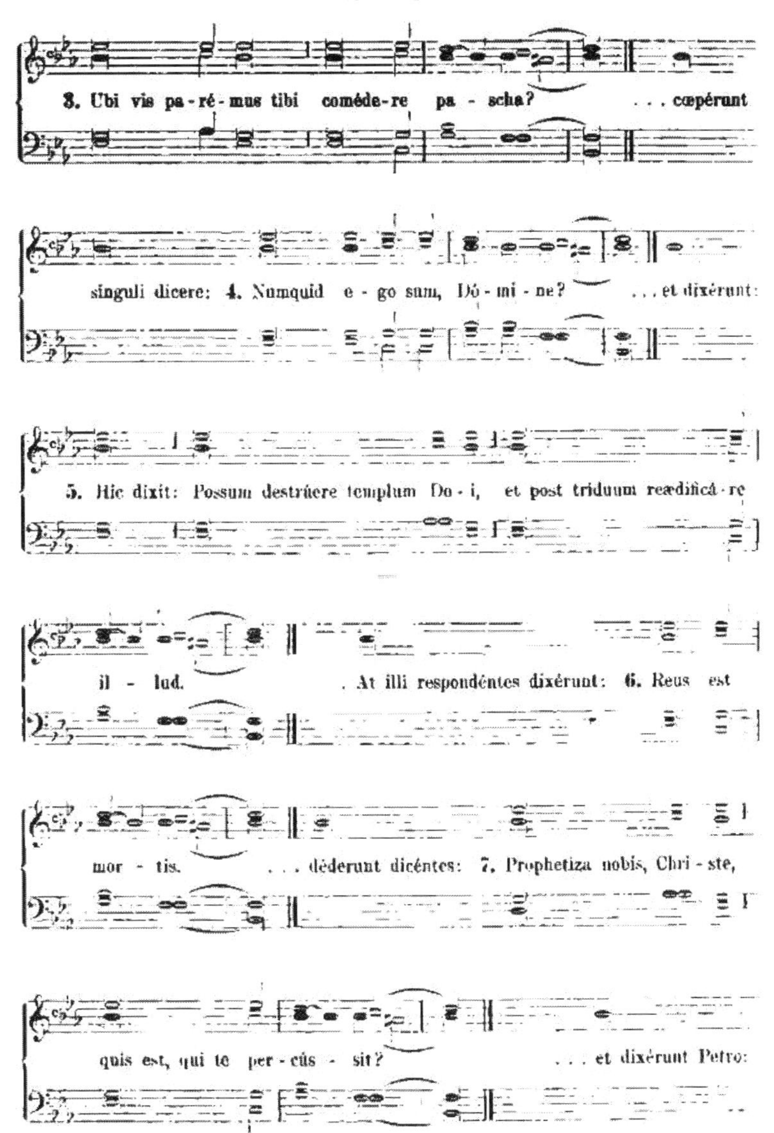
3. Ubi vis pa - ré - mus tibi coméde-re pa - scha? . . . cœpérunt
singuli dicere: 4. Numquid e - go sum, Dó - mi - ne? . . . et dixérunt:
5. Hic dixit: Possum destrúere templum De - i, et post triduum reædificá - re
il - lud. . At illi respondéntes dixérunt: 6. Reus est
mor - tis. . . . dédérunt dicéntes: 7. Prophetiza nobis, Chri - ste,
quis est, qui te per - cús - sit? . . . et dixérunt Petro:

8. Vere et tu ex illis es: nam et loquéla tua manifestum te fa - cit.
. . . At illi dixérunt: 9. Quid ad nos? tu vi - de - ris.
. . . dixérunt:
10. Non licet eos mittere in cór-bonam: quia prétium sán-gui - nis est?
. . . At illi dixérunt: 11. Ba - ráb - bam.
12. . . . Dicant omnes:
13. . . . dicéntes:
12. et 13. Cruci - fi - gá - tur.
. . . pópulus dixit: 14. Sanguis ejus super nos
et super Fili - os no - stros.
. . . illudébant ei dicéntes:

1*

15. A - ve, Rex Ju - dæ - ó - rum. ... movéntes cápita sua et dicéntes:
16. Vah, qui déstruis templum De - i, et in tríduo illud reædifi - cas:
salva temet - ip - - - sum. Si Filius Dei es, descénde de
cru - ce. ... cum scribis et senióribus, dicébant: 17. Alios sal - vos fecit,
seipsum non potest sal - vum fa - ce - re: si Rex Israël est,
descéndat nunc de cru - - - - ce, et crédimus e - - - - i:

**Turbæ Passionis Domini Nostri Jesu Christi secundum Joannem.**

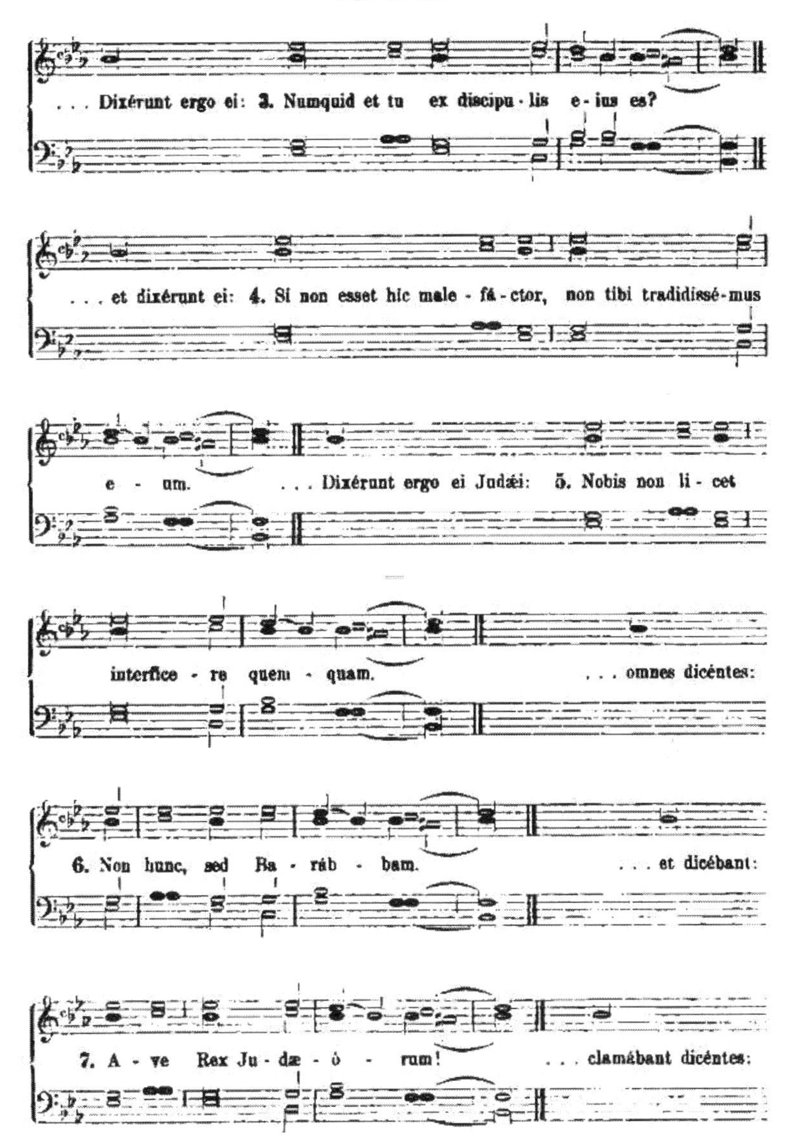
. . . Dixérunt ergo ei: 3. Numquid et tu ex discipu - lis e - ius es?
. . . et dixérunt ei: 4. Si non esset hic male - fá - ctor, non tibi tradidissé-mus
e - um.
. . . Dixérunt ergo ei Judǽi: 5. Nobis non li - cet
interfice - re quem - quam.
. . . omnes dicéntes:
6. Non hunc, sed Ba - ráb - bam.
. . . et dicébant:
7. A - ve Rex Ju - dæ - ó - rum!
. . . clamábant dicéntes:

8. Cruci - fi - ge, crucifi - ge e - um. . . . Respondérunt ei Judæi:
9. Nos le - gem habémus, et secúndum legem debet mo - ri,
quia Filium Dei se fe - cit. . . . clamábant dicéntes:
10. Si hunc di - mit - tis, non es amicus Cǽ - sa - ris. Omnis enim,
qui se re - gem facit, contradi - cit Cǽ - sa - ri. . . . clamábant:
11. Tolle, tol - le, crucifi - ge e - um! . . . Respondérunt Pontífices:

Druck und Verlag von Friedrich Pustet in Regensburg und Rom.

1908. Regensburg, am 1. Mai 1908. Nro 5.

# MUSICA SACRA.

Gegründet von Dr. Franz Xaver Witt († 1888).

**Monatschrift für Hebung und Förderung der kathol. Kirchenmusik.**

Herausgegeben von Dr. Franz Xaver Haberl, Direktor der Kirchenmusikschule in Regensburg.

Neue Folge XX., als Fortsetzung XXXXI. Jahrgang. Mit 12 Musikbeilagen.

Die „*Musica sacra*" wird am 1. jeden Monats ausgegeben, jede der 12 Nummern umfaßt 16 Seiten Text. Die 12 Musikbeilagen werden im ersten Semester versendet. Der Abonnementpreis des 41. Jahrganges 1908 beträgt 3 Mark; Einzelnummern ohne Musikbeilagen kosten 30 Pfennige. Die Bestellung kann bei jeder Postanstalt oder Buchhandlung erfolgen.



## Neu und früher erschienene Kirchen- und Orgelkompositionen.

I. Von der *Missa* Op. 12 für vierstimmigen Männerchor von **Jos. Deschermeier**, ist eine zweite Auflage erschienen. Die erste ist im Cäc.-Ver.-Kat. unter Nr. 2073 aufgenommen.[1])

Der Priester **Stef. Ferro** komponierte 17 zweistimmige Introitustexte mit Orgelbegleitung für jene Chöre, welche den Vortrag im gregorianischen Choral scheuen oder nicht würdig ausführen können. Dieselben können von 2 Knaben- oder 2 Männerstimmen gesungen werden und sind gut deklamiert und sehr leicht auszuführen. Bei jedem sind die Verse *Gloria Patri* und *Sicut erat* der Tonart entsprechend vollständig durchkomponiert. Die Texte berücksichtigen das ganze *Commune Sanctorum* mit dem Kirchweihfest, und den Votivmessen der Mutter Gottes, sind fast durchwegs syllabisch gehalten, imitatorisch abwechslungsreich und melodisch würdig.[2])

Die 4 *Tantum ergo* für vierstimmigen Männerchor (Nr. 1—3 a capella, Nr. 4 mit Orgel) von **Heinrich Götze**, Op. 55, liegen in 2. Auflage vor;[3]) die erste steht unter Nr. 2562 im Cäc.-Ver.-Kat.

In 4. Auflage erschien das *Ave Maria*[4]) für 4 gemischte Stimmen mit Orgel oder mit Begleitung von Streichquartett, Klarinett, Flöte und Hörner, Op. 10 von **K. Greith.** Im Cäc.-Ver.-Kat. findet sich dieses Opus 10 unter Nr. 1937.

Eine sehr erwünschte Gabe für die Charwoche sind sicher, auch für kleinere gemischte Chöre, die drei Lamentationen, welche **Mich. Haller** als Op. 97[5]) teilweise

[1]) *Missa: Domine, amorem tuum*, leicht ausführbar. Regensburg, Eugen Feuchtinger. Partitur 1 ℳ 50 ₰, 4 Stimmen à 25 ₰.

[2]) Op. 5. *XVII Introitus facillimi pro Communi Sanctorum, Dedicationis Ecclesiae et pro festis B. M. V., Omnium Sanctorum, S. Josaphat, S. Agathae, S. Annae Matris B. M. V.*, ad chorum duarum vocum aequalium (C., A. vel T., B.) harmonio vel organo comitante. Turin, Marcello Capra, für Deutschland: Leipzig, Breitkopf & Härtel. Partitur 2 ℳ 80 ₰, 2 Stimmen à 65 ₰.

[3]) Regensburg, Eugen Feuchtinger. Partitur 80 ₰, 4 Stimmen à 15 ₰.

[4]) Quatuor voces inaequales et Organum sive comitantibus Violinis, Viola, Bassis, Flauto et Cornibus. Regensburg, Eugen Feuchtinger. Partitur 60 ₰, 4 Singstimmen à 10 ₰, Instrumentalstimmen komplett 1 ℳ.

[5]) Op. 97. *III Lamentationes Jeremiae Prophetae*, ad 4 et 5 voces inaequales. Regensburg, Friedrich Pustet. 1908. Partitur 1 ℳ 20 ₰, Sopran-, Alt-, Tenorstimme à 30 ₰, Bariton- und Baßstimmen (vereinigt) 40 ₰.

schon vor Dezennien (1870 und 1875) als Stiftskapellmeister der Kollegiatkirche zur Alten Kapelle dahier komponiert und aufgeführt hat. Für die drei Tage wählte er die Texte der dritten Lektion, und zwar die erste Hälfte derselben, schlägt für den Rest die gregorianische Melodie vor und fügt das *Jerusalem* an den drei Tagen im fünfstimmigen Satze bei. Die Lamentation des Charfreitags und des Charsamstages ist überhaupt fünfstimmig (Bariton und Baß), die des Gründonnerstags vierstimmig. Die meisterhafte Melodiebildung und Stimmführung trotz aller Einfachheit ist der stetige Grundzug von Hallers Kirchenkompositionen; in diesen 3 Lamentationen aber kann ein Kirchenchor, an dessen Spitze ein feinfühliger Dirigent steht, der das Tempo durch eindringliche Textesdeklamation zu beschleunigen oder zurückzuhalten versteht, zur Andacht und Betrachtung anregen, ja hinreißen. Lasse sich kein Kirchenchor diese 3 Lamentationen entgehen, sondern führe wenigstens eine derselben im Geiste des Komponisten auf!

**Max Hohnerleins** Op. 18, Messe zu Ehren des heil. Antonius[1]) von Padua, für eine Singstimme mit Orgelbegleitung, erschien in 2. Auflage. Die Messe steht unter Nr. 1737 im Cäc.-Ver.-Kat.

**A. Tonizzo** hat den Hymnus *Jesu, Corona Virginum* einstimmig, die letzte Strophe desselben zwei- und dreistimmig für den Vortrag durch die „Marienkinder" mit Orgelbegleitung durchkomponiert, d. h. jede Strophe mit neuer Melodie versehen. Die Harmonisierung ist manchmal sehr hart und unfreundlich, auch nicht ohne unschöne Quintenparallelen.[2])

II. Eine wohlklingende Orgelkomposition für sanfte Register ist die Anrufung an die heil. Cäcilia von **C. S. Calegari.**[3]) Sie läßt sich im Bedarfsfalle leicht abkürzen und eignet sich vortrefflich auch für den Vortrag auf dem Harmonium.

Der katholische Organist im Hochamt und Requiem. 25 größere und kleinere Orgelstücke im engen Anschlusse an die katholische Liturgie unter gütiger Mitwirkung bewährter Fachmänner herausgegeben von **Joh. Diebold.** Diese Sammlung ist Fortsetzung von Op. 54, das im gleichen Verlag vor Jahren erschienen ist und unter Nr. 1991 im Cäc.-Ver.-Kat. Aufnahme gefunden hat. Das Heft enthält Prä- und Postludien zu den *Ite missa est, Asperges me, Vidi aquam, Veni Creator* und *Veni Sancte Spiritus, Te Deum, Tantum ergo* und ähnlichen liturgischen Gesängen. Außer Diebold (13) sind noch Sychra (3), J. J. Veith (5), A. J. Monar (2), Frenzl und R. Hoff mit Originalbeiträgen vertreten. Das Heft ist außerordentlich instruktiv, die einzelnen Sätze sind mit Finger- und Fußsatz und Registrierungsangaben versehen und auch für bessere Organisten sehr brauchbar und empfehlenswert.[4])

Zwanzig Orgelstücke (Präludien, Interludien, Postludien usw.) zum Gebrauch beim Gottesdienst von **M. J. Erb.**[5]) Diese leichten bis mittelschweren Orgelstücke, größtenteils für zweimanualige Instrumente berechnet, und mit zahlreichen Registerangaben versehen, sind eine wirkliche Bereicherung des Repertoires katholischer Organisten. Die Themate sind für *O salutaris, Pange lingua,* deutsche Kirchenlieder und auch als kürzere Interludien gedacht und fein ausgearbeitet, besonders nach rhythmischer Seite interessant gestaltet. Die meisten Nummern sind auch auf dem Harmonium ausführbar. Die gediegenen Originalkompositionen seien allen Organisten, auch den Meistern, aufs beste empfohlen!

**L. Huber** bietet auf 3 Notensystemen ein frisches, geistreiches und mittelschweres Postludium zum österlichen *Ite missa est* mit *Alleluja.*[6])

[1]) Regensburg, Eugen Feuchtinger. Partitur 1 ℳ 20 ₰, Singstimme 25 ₰.

[2]) Op. 152. *Jesu Corona Virginum. Inno delle Figlie di Maria.* Musicato per voci bianche all' unisono e divise con accompagnamento di armonio dal Mons. Angelo Tonizzo. Preis 1 Lira.

[3]) Op. 255. *A Sancta Cecilia.* Invocazione per organo od armonio. Turin, Marcello Capra; für Deutschland bei Breitkopf & Härtel in Leipzig. Preis 80 ₰.

[4]) Op. 54b. Regensburg, Friedrich Pustet. 1908. Preis 2 ℳ.

[5]) Op. 73. Düsseldorf, L. Schwann. 1908. Preis 2 ℳ 40 ₰. Sr. Hochwürd. Herrn Fr. X. Mathias, Domorganisten und Dozenten für Kirchenmusik an der Universität Straßburg, gewidmet.

[6]) *Postludium in Sabbato Sancto super Ite missa est et Alleluja.* Turin, Marcello Capra; für Deutschland bei Breitkopf & Härtel in Leipzig. Preis 80 ₰. Hochwürd. Herrn Dr. Mathias dediziert.

Zehn Orgelstücke zum Gebrauch beim Gottesdienste, bei geistlichen Musikaufführungen und beim Studium von **Viktor Kotalla**, Kgl. Seminar- und Musiklehrer, Op. 13.[1]) Ergänzungsband zu des Verfassers: „Systematisches Lehr- und Übungsbuch für den Orgelunterricht an den katholischen Lehrerbildungsanstalten". Op. 12. In *Mus. s.* 1907, Seite 34, wurde das Lehr- und Übungsbuch für den Orgelunterricht gut empfohlen. Die 10 Orgelstücke sind eine treffliche Erweiterung des Op. 12 und geben lautes Zeugnis von der Tüchtigkeit des Komponisten Kotalla im strengen, schulmäßigen Satz.[2]) Gegenüber dem Modernismus neuerer Orgelliteratur bieten diese 10 mittelschweren, auf drei Notensystemen mit schönem Druck ausgestatteten Orgelsätze ein wahres Labsal als Resultat tiefen Wissens und tüchtigen Könnens und seien den katholischen Organisten aufs wärmste empfohlen.

Die neuen Originalkompositionen für die Orgel von **A. Jos. Monar** werden mit dem 7. und 8. Hefte fortgesetzt.[3]) Über die ersten 6 Faszikel wurde in *Mus. s.* 1907, S. 53 und 95 berichtet. Außer W. und A. Jos. Monar lieferten Beiträge: Kl. Breitenbach, W. Dahn, L. Boslet, Br. Stein, P. Walde, F. Skop, Jod. Kehrer im 7., im 8. Hefte überdies V. Engel, P. Esser, J. Plag. Unsere katholischen Organisten können sich nun nicht mehr über Mangel an brauchbaren und guten Kompositionen für die Orgel beklagen.

Hymnus für Orgel, nach Worten der Heiligen Schrift (Hiob 30, 31. — Ps. 62, 1. Ps. 22, 24) von **Gustav F. Selle**, Op. 21.[4]) Auf 3 Systemen ist ein Hymnus ohne Worte über Worte der Heiligen Schrift in sehr kunstvoller und anregender Weise entworfen. Die thematische Arbeit, die Figuration ist künstlerisch durchgeführt, die Ausführung für etwas gewandte Orgelspieler, die über 2 Manuale verfügen, ohne große Schwierigkeiten. Referent lernt dieses Op. 21 erst in der zweiten Auflage kennen und empfiehlt dasselbe wegen seiner klassischen Haltung aufs wärmste.

Die kurze, praktische Pedalschule von **J. Singenberger**[5]) konnte in 2. Auflage erscheinen und ist gegenüber der ersten vermehrt durch ein großes Postludium von Jak. Quadflieg und die *B*-dur-Fuge mit Einleitung über *b, a, c, h* von Joh. Seb. Bach. Die Regeln für das Pedalspiel (Fußwechsel, Unter- und Übersetzen der Füße, Wechsel von Spitz, Ferse und den Seiten des Vorderfußes usw.) sind durch zahlreiche Beispiele erläutert und genügen auch für die fortgeschrittene moderne Orgelspieltechnik. Die erste Auflage fand im Cäc.-Ver.-Kat. unter Nr. 960 Aufnahme.

Ein altbewährter Schüler des unvergeßlichen Professors Jos. v. Rheinberger in München, **Gius. Terrabugio** in Mailand, schuf eine Orgelsonate in drei Teilen, die Referent aufs wärmste fortgeschrittenen Organisten zum Vortrage empfiehlt.[6]) Der erste Satz in *H*-moll (die ganze Sonate ist auf 3 Systemen notiert) bringt nach einer stimmungsvollen Einleitung einen ernsten homophonen Choralsatz mit Interludien — man könnte sie Variationen nennen — in mannigfachstem rhythmischem Wechsel. Der zweite Satz ist ein würdiges *Adagio* in Form eines Trauermarsches (*G*-moll); der dritte Satz (*D*-dur) ist *Finale*, d. h. Einleitung zu einer interessant phrasierten Fuge. Das Werk verlangt einen Meister — Organisten und ein modernes Instrument.

Klassisches *Prima-vista* Album. 120 leicht ausführbare Tonstücke für Orgel oder Harmonium. Zum Gebrauche beim Gottesdienste, herausgegeben von **Wilh. Wilden**.

[1]) Breslau, Franz Görlich. Preis 3 *M*.

[2]) Dieses Op. 18 widmete der Autor seinem ehemaligen Lehrer, Professor Rob. Radecke, Direktor des Kgl. akademischen Institute für Kirchenmusik in Berlin. Den Inhalt bilden: 1 Fuge in *D*-moll, 6 Präludien, 1 Prädium mit Fuge, 1 Postludium und 1 Trio.

[3]) Op. 25. *Laudate eum in chordis et organo.* Sammlung neuer Originalkompositionen für die Orgel. Heft 7. 20 Festspiele, meist kurze. Fortsetzung von Heft 3 u. 5. — Heft 8. 20 Orgelstücke über deutsche Lieder. Fortsetzung von Heft 2, 4 und 6. Marienlieder. Paderborn, Junfermann (A. Pape). Preis à Heft 2 *M*.

[4]) Herrn Kgl. Musikdirektor Bernh. Irrgang in Berlin zugeeignet. 2. Auflage. Berlin, Leipzig und Falkenberg (Mark), Paul Fischer. Preis 1 *M* 50 ₰.

[5]) Regensburg, Friedrich Pustet. 1908. Broschiert 3 *M*, gebunden 4 *M* 40 ₰.

[6]) Op. 21. *Seconda Sonata in tre tempi per Organo. Lux aeterna (Allegro Corale) — Requiem aeternam (Adagio funebre) — In paradisum (Finale, Introduzione e Fuga). In memoriam del suo Maestro l'Illustre Prof. Gius. v. Rheinberger. Milano, Stabilimento Pontificio d' Arti Grafiche Sacre A. Bertarelli et C.* Preis 2 Lire.

Der Herausgeber stellte aus dem reichen Schatze der herrlichen Schöpfungen unserer älteren Meister auf dem Gebiete der Orgelmusik solche Tonstücke zusammen, die bei mäßigem Umfang nie zu hohe Anforderungen an die Technik des Spielers stellen und auch auf dem Harmonium ausführbar sind.[1]) Die 120 Nummern auf 84 Seiten in Quer-4° sind nach Tonarten (*C—E*-dur; *F—As*-dur, *A—Fis*-moll, *D—F*-moll) geordnet. Finger-, Fußsatz und Registrierungsangaben wurden unterlassen. Der Herausgeber scheint durch den Titel andeuten zu wollen, daß die gebotenen Orgelstücke (manchmal drei Nummern auf einer Seite) schon vom Blatte gespielt werden können. Möge er sich nicht täuschen![2]) F. X. H.

# Liturgica.

## Die Leichengesänge in Vergangenheit und Gegenwart.

(Schluß aus Nr. 4.)

4. Dem praktischen Interesse entspricht es mehr, an Stelle der historischen Erörterungen die noch bestehenden Leichengesänge zu besprechen. Die Schwierigkeit dieser Aufgabe aber liegt in der Verschiedenheit der vor- und nachtridentinischen Diözesanritualien.

Das *Officium defunctorum* ist von mir behandelt in Dr. Thalhofer, Liturgik, II., Seite 502—508. An erster Stelle begegnet uns derzeit im römischen Rituale der Psalm *De profundis* mit der Antiphon *Si iniquitates*. In einem von Dr. Franz Adolph herausgegebenen Rituale des zwölften Jahrhunderts aus dem Augustinerchorherrenstift St. Florian (Freiburg, 1904) ersieht man, daß dieser Psalm in dem *ritus elationis* noch ganz fehlte; dasselbe ist noch der Fall in einem Rituale der Augsburger Diözese 1588, erst 1688 findet er sich aufgenommen; aber noch derzeit wird er nicht gesungen und kann von uns aus diesem Grunde umgangen werden.

Viel länger scheint der Ps. 50 *Miserere* im Gebrauch zu sein; denn er ist schon in einem Kodex des neunten Jahrhundert aus dem Benediktinerkloster Fleury unter den Leichengebeten verzeichnet.[3]) Die Absingung dieses Psalmes auf dem Wege zur Kirche (Friedhof) ist nach dem römischen Rituale nicht verboten, da die Rubrik sagt „es beginnen die Sänger“; jedoch ein Psalmton ist nicht angemerkt. Diözesanritualien geben den ersten Psalmton an, offenbar, weil dieser Ton in dem *Officium defunctorum* in den *Laudes*, dem *Miserere* zugeschrieben ist. Daß der Text im Gebete für eine arme Seele, welche dem Gottesgerichte unterliegt, sehr passend ausgewählt ist, unterliegt keinem Zweifel.

Das römische Rituale setzt noch voraus, daß die Leiche nach altchristlichem Gebrauche, wie es jetzt in Italien und Frankreich noch Sitte ist, in die Kirche getragen wird und während des ganzen Trauergottesdienstes dort verbleibt. Beim Eintritt in die Kirche läßt sie das Responsorium *Subvenite* singen. Auch dieses Motett wird im neunten Jahrhundert in dem soeben genannten Kodex erwähnt. Wie kommt die Kirche doch dazu, die Engel und die Heiligen anzurufen, die Seele des Verstorbenen vor das Angesicht Gottes zu tragen? Aus dem einfachen Grunde, weil nach Luk. 16, 22 die Seele des armen Lazarus von Engeln in den Schoß Abrahams getragen wurde und weil die Gerechten „Mitbürger der Heiligen und Hausgenossen Gottes“ sind.[4]) Dazu kommt, daß die Heiden den Glauben hatten, Dämonen umkreisten die Gräber, um sie zu beunruhigen.[5]) Nun lag nahe, die guten Geister um so mehr um ihre Hilfe anzurufen, als ein schlimmer Geist das erste Menschenpaar ins Unglück gestürzt hatte. Sollten die Engel nicht eine Ehre dareinsetzen, diesen Schaden ihrerseits wieder gutzumachen.“

Der Text muß, wie schon das Wort Responsorium sagt, teilweise wiederholt werden. Diese Einrichtung findet sich schon in babylonischen Gedichten,[6]) in den griechischen Chören und war in altchristlicher Zeit sehr üblich. Die Melodie bewegt sich im vierten Tone und erfordert der reichen Neumen wegen einen treffsicheren, gewandten Sänger und frisches Tempo. Modernem Geschmacke entspricht sie wenig.

Verwandt mit dem *Subvenite* ist *In paradisum*, welches auf dem Gange zum Grabe gesungen werden soll. Auch dieser Text wurde schon im neunten Jahrhundert nach einzelnen Ritualien beim Begräbnis gesungen.[7]) Die Melodie im 8. Tone ist mehr syllabisch als die vorangehende und trägt ganz den Charakter des Sprachtones an sich.

Das *Benedictus* mit der Antiphon *Ego sum* . . . fehlt noch in ältern Ritualien und steht im zehnten *Ordo romanus*, welcher etwa dem elften Jahrhundert angehört.[8]) Was kann dem Christen mehr Trost am Grabe einflößen als die Versicherung des Herrn: „Ich bin die Auferstehung, wer an mich glaubt, wird in Ewigkeit nicht sterben.“ Lobpreis und Dank ist nunmehr am Platze für die wunderbare Erlösung. Selbst Johannes der Täufer soll einen Vorläufer für die arme Seele machen und am Throne Gottes für sie einen einflußreichen Fürbitter machen. In wunderbarem Einklang steht die Melodie des *Ego sum* zum Texte; Dichtung und Komposition fließen zusammen.

[1]) Op. 7. Paderborn, Junfermann (A. Pape). 1907. Preis 5 *M*.
[2]) Als Autoren seien genannt: G. F. Händel, Buxtehude, Jos. Haydn, Rembt, Rinck, Eberlin, Ett, Führer, Sechter, Knecht, Bach, Hesse, Vierling, Pachelbel, Albrechtsberger u. a.
[3]) Martene de ant. eccl. rit. II., p. 1068. [4]) Ephes. 2, 19. [5]) Syn. Elvir. 305 c. 34.
[6]) Fastrow, Religion Babyloniens. Gießen, 1905, I., Seite 469.
[7]) Martene l. c. II. p. 1067. [8]) Mabillon, mus. ital. II. p. 117.

Noch sei das Responsorium *Libera* erwähnt. Text und Melodie steht schon in einem Codex des zehnten Jahrhunderts in der Stiftsbibliothek zu St. Gallen. Unschwer erblickt man in der Form des Textes Anklänge an das Klagelied des Königs David über Saul und seinen Bruder Jonathan. Wie sich dort zweimal der Klageruf wiederholt: Wie sind doch die Helden gefallen — so ist im *Libera* das *Quando* und *Dum veneris* zu repetieren. Es ist eine furchtbar ernste Situation, wenn nach vollbrachtem Opfer der Priester und der Klerus vor das *castrum doloris* tritt und im Angesichte des Richters an Stelle des Verstorbenen *Libera me Domine*, ich bebe und zittere betet. — Kann Gott einen solchen Klageruf aus dem Munde teilnehmender Mitchristen unerhört lassen?

Die Melodie findet sich in neumierter Form in einem Codex der Nationalbibliothek zu Rom aus dem elften Jahrhundert und abermals aus dem zwölften Jahrhundert in der Bibliothek Vallicella[1]) daselbst. Die reichere Fassung wurde 1888 mehr vereinfacht, damit die Ausführung für einen Massenchor leichter werde. Sehr wohl paßt die erste dorische Tonart. In dem Wechsel der Chöre und in der responsorischen Einrichtung spricht sich noch deutlich der oben von Virgil und Gregor von Nyssa erwähnte Doppelchor aus.

Es ist nur zu bedauern, daß die Gläubigen die lateinischen Texte der Grabgesänge zu wenig oder gar nicht verstehen und daß Klerus und Musiker den Choralmelodien nicht jenes Verständnis und jene Sympathie entgegenbringen, welche zu einer erbaulichen Ausführung notwendig ist. Es ist gewiß nicht zu mißbilligen, daß an offenem Grabe an die Hinterbliebenen Worte des Trostes gerichtet werden; allein das ehrwürdige, inhaltsreiche Zeremoniell des römischen Begräbnisritus könnte in Verbindung mit Gesang den Wunsch nach den homiletischen Seligpreisungen am Grabe abschwächen und die katholischen Priester vor der Klippe bewahren, in welche die protestantische Grabrede schon geraten ist. Man kann freilich sagen, nicht jeder Priester habe Musiktalent und eine schöne Stimme; allein ein Fehler ist es immer, wenn Diözesanritualien herausgegeben werden, welche für den Begräbnisritus keine einzige Note enthalten. Wenn unter solchen Verhältnissen das katholische Volk in die Gefahr kommt, der katholischen Kirche untreu zu werden und die Augen einer anderen Konfession zuzuwenden, so darf man sich nicht wundern.

Es könnte zum Schlusse noch ein Wort beigefügt werden, über die Grabgesänge, welche von einem Sängerchore im Hintergrund des Grabes ausgeführt werden und ein Heilmittel gegen den namenlosen Schmerz der Hinterbliebenen sein sollen; allein sie gehören nur zum religiösen Genre und stehen dem Weihrauchduft der Kirche ferne. Selbstverständlich ist, daß auch sie christlichen Geist aussprechen sollen. Es fehlt nicht an passenden Kompositionen; siehe Generalregister und Sachregister W. Ambergers zum Cäcilienvereinskatalog II, 8.

München. Dr. Schmid Andreas, Universitätsprofessor.

## Kirchenmusikalisches aus den Vereinigten Staaten Nordamerikas.

(Schluß aus Nr. 4.)

b) Choralfrage. — Vor dem *Motu proprio* vom 22. Nov. 1903 gab es hier zu Lande kaum andere choralsingende Chöre als die cäcilianischen; nunmehr haben sich ihnen weitere beigesellt. Es finden sich jetzt selbst Geistliche und Musiker, die sich einbilden, von nun an sei der gregorianische Gesang die von der Kirche einzig zugelassene Musik. Man könnte glauben, sie hätten nie das päpstliche Dokument gelesen, das doch so klar das Gegenteil sagt.

Die Neugewonnenen singen die gregorianischen Melodien in gleichlangen Noten nach Solesmer Weise oder ungefähr so. Es wäre ihnen übrigens schwer, anders zu verfahren, da der vatikanische Choral nur das rhythmuslose melodische Material bietet, und Solesmes allein, in seiner oder in gemilderter Form, sogenannte rhythmisierte Ausgaben veröffentlicht.

Die Dirigenten, welche bis jetzt nie Choralgesang gepflegt haben und deshalb keine andere Ausführungsweise kennen, wähnen, es müsse wohl so sein, und ergeben sich in ihr Schicksal. Es gibt selbst solche, denen es gelingt, sich einzureden, daß die Sache schließlich gar nicht so übel sei. Und in der Tat, nehmen wir z. B. die Bearbeitungen des Dr. Mathias, der mit anderen die *ritardandos* der *mora ultimae vocis* in eine oder zwei Noten von doppelter Dauer verwandelt, die *notas repercussae*, welche ursprünglich — wie ihr Name es übrigens andeutet — als getrennte Töne ausgeführt werden, in eine einzige lange Note zusammenzieht, und die Strenge des Systems der zwei- und dreigliedrigen rhythmischen Fragmente namentlich durch eine gewandte Orgelbegleitung mildert, so muß man gestehen, daß so einigermaßen die Illusion eines

[1]) Paléographie musicale. Solesmes 1889, I. p. 153 pl. 24. 25.

musikalischen Rhythmus hervorgebracht wird. „Was hat es schließlich auf sich, schreibt mir denn auch ein Organist, daß dieses System der zu 2 und 3 im Gleichmaß einherschreitenden Noten ungeschichtlich und eine pure Erfindung unserer Tage ist, wenn nur ein befriedigendes Resultat dabei herauskommt?" Aber — um nur eines zu erwähnen — hat nicht der Rhythmus, der dem Choral ureigentümlich ist, den die Komponisten selbst ihm gegeben haben, sei es in der Gestalt, in der er vorliegt, oder mit den Vervollkommnungen, die man nach einer nunmehr tausendjährigen Erfahrung anbringen kann, weit größere Aussicht auf ein viel befriedigenderes Ergebnis, als ein System, das dem Choral grundsätzlich Fremdartiges aufdrängt? Und sollte nicht ein ausgebildeter Rhythmus, der frank und frei als musikalische Bewegung aufzutreten wagt, einem embryonenartigen Rhythmus, einem nur spärliche Rhythmuselemente aufweisenden Gehversuch vorzuziehen sein?

Wäre es nicht an der Zeit, Ausgaben der Vatikana in moderner Notation, aber nach musikalischem Rhythmus, d. h. in wohlgeordneter Folge von verhältnismäßigen Längen und Kürzen herauszugeben? Man braucht hiebei nicht an moderne Takte zu denken; dem Choral sind solche ja nicht eigentümlich und Mensuralismus ist nicht gleichbedeutend mit modernem Taktwesen. Würde Rom Einspruch erheben? Aber Rom hat — bis jetzt wenigstens — die modernen Notationen der deutschen, französischen und amerikanischen Verleger nicht verboten, obwohl diese Ausgaben, die einen mehr, die anderen weniger, nicht nur verschiedene Dauerwerte aufweisen, dort, wo die Vatikana nicht unterscheidet, sondern selbst zahlreiche Noten verschwinden machen, indem sie dieselben zu einem einzigen langen Tone vereinigen. Sie rühren allerdings weder an den offiziellen Gruppierungen noch an der Verteilung des Textes unter die Noten. Wenn also die Schule des musikalischen Rhythmus dieses ebenfalls beobachtet, so ist nicht einzusehen, wie man ihr ohne Inkonsequenz verbieten könnte, auch ihre Längen und Kürzen einzuführen.

Noch etwas mehr Freiheit wäre manchem allerdings lieber. Liegt z. B. ein Hindernis vor, zu diesem Behufe aus guten alten Handschriften unabhängig von der Vatikana gregorianische Melodien zu veröffentlichen? Man könnte dann manchmal den Text in etwas anderer Weise als im Original verteilen und sonstige Änderungen anbringen, welche die Kompositionen vollkommener gestalten würden; denn man darf doch ohne sich einer Freveltat schuldig zu machen, der Ansicht sein, daß die Choralmelodien, wie jedes andere Menschenwerk, weiterer Vervollkommnung fähig sind. Auch stehen wir im Gottesdienste — um hier anderswo Gesagtes zu wiederholen — nicht einfach der objektiven Vorführung eines historischen Dokumentes gegenüber, dessen Textbehandlung den Gebräuchen früherer Menschen entsprochen haben mag; es ist vielmehr unser eigener aktueller Gottesdienst, in welchem wir selbst mittätig sind, und dessen liturgische Sprache uns um so leichter zu Herzen gehen und um so natürlicher erscheinen wird, je mehr sie nach unseren Gewohnheiten betont und behandelt wird. Im Kirchengesang erbauen wir uns und nicht unsere Altvordern. Natürlich würden derartige Veröffentlichungen nicht den Anspruch erheben, offizieller Choral, noch die unveränderte Urmelodien zu sein; aber sie wären doch der gregorianischen Gattung angehörige Gesänge; sie wären jedenfalls echt kirchliche Musik, welche man beim Gottesdienste mit derselben Berechtigung als die Kompositionen dieses oder jenes Stadt- oder Dorforganisten aufführen könnte.[1])

Mehrere amerikanische Musiker teilten mir ihre Befürchtung mit, daß im System der verhältnismäßig abgemessenen Längen und Kürzen der Choral Gefahr laufe, den natürlichen, leichten Fluß und die dem Sprechen sich nähernde musikalische Deklamation, an welche uns die medizäische Ausgabe gewöhnt hatte, zu verlieren. In der Tat, was immer man ihr in anderer Rücksicht vorwerfen mag, als Deklamation, und gesungene Sprache hat die Medizäa mit ihren (unbestimmten) Längen und Kürzen, ihrer korrekten Textbehandlung, ihrer Koloraturenkürzung usw. ein unbestreitbares Verdienst; und

[1]) Diesen Gedanken hat der Verfasser des Artikels in die Tat umzusetzen versucht und die Redaktion der *Musica sacra* hat im Cäcilienvereinsorgan vom 15. April die *Missa Gregoriana prima* als Op. 88 von L. Bonvin als Musikbeilage versendet. F. X. H.

gerade dieses Ziel hatte man bei der bekannten Ummodelung im 16. Jahrhundert angestrebt. Aber, um auf die Bedenken der erwähnten Musiker zu antworten, so steht vorerst fest, daß die neue offizielle Ausgabe nicht nach den Normen eingerichtet ist, welche bei der Medicäa als Regel galten. Sie müssen sich also wohl darein schicken. Andererseits, bietet ihnen etwa Solesmes das Gewünschte in höherem Maße? Dieses System nennt sich allerdings das oratorische; aber ist es dies in Wirklichkeit? Man sehe genau zu und man wird bald enttäuscht werden. Dann, ist es uns modernen Komponisten, die wir verschiedene und proportionale Dauerwerte anwenden, etwa unmöglich, mittelst dieser Noten Melodien zu bilden, welche den Text natürlich und fließend deklamieren? Warum sollte denn dasselbe Verfahren unter den Händen der gregorianischen Komponisten und modernen Wiederhersteller der alten Gesänge notwendigerweise ein anderes Ergebnis zu Tage fördern?

Canisius-Kolleg, Buffalo, N. Y. — Ludwig Bonvin, S. J.

## Vom Musikalien- und Büchermarkte.

(Schluß aus Nr. 4.)

II. Bücher und Broschüren. Die Lehre von der vokalen Ornamentik. Erster Band: Das 17. und 18. Jahrhundert bis in die Zeit Glucks von **Hugo Goldschmidt.** Charlottenburg, Verlag von Paul Lehsten. 1907. Der Name des Verfassers bietet schon gute Gewähr für den neuen, auf selbständigen Studien beruhenden und lehrreich zusammengestellten Inhalt des erwähnten Werkes. Die Angabe des Inhalts belehrt über die wichtigen Materien von denen die Rede ist: Nach Vorwort und Einführung in das interessante Thema behandelt Goldschmidt im I. Teil: Die geschichtliche Entwicklung des Verzierungswesens bis zum Erscheinen von Tosis *Opinioni de cantori antichi e moderni, o sieno osservazioni sopra il canto figurato,* 1723, unter reichlicher Angabe diesbezüglicher neuerer Literatur. Er spricht im 1. Kapitel von der melodischen Verzierungskunst der Italiener, im 2. Kapitel von der französischen Kunst und Praxis, im 3. Kapitel von der deutschen Theorie und Praxis. Der II. Teil handelt von der Ornamentik des 18. Jahrhunderts seit dem Erscheinen von Tosis *opinioni* von 1723, und zwar im 1. Kapitel von der deutschen Theorie, im 2. Kapitel von G. F. Händel in den Oratorien Samson und Josua, im 3. Kapitel von J. S. Bach, Die Passionsmusiken, im 4. Kapitel Ch. W. Gluck, Orfeo, Iphigenie in Aulis. Ein Nachtrag würdigt die Lennardsammlung des Fitzwilliam-Museums zu Cambridge (Händelscher Einzelgesänge). Die Notenbeispiele sind im Anhang auf 92 Seiten zusammengefaßt und illustrieren in belehrender Weise den geschichtlichen Text. Diese Spezialstudie darf in keiner größeren Musikbibliothek fehlen.

Kirchenmusikalisches Jahrbuch. Gegründet von Dr. F. X. Haberl, herausgegeben von **Dr. Karl Weinmann.** 21. Jahrgang. Regensburg, Fr. Pustet. 1908. Preis gebunden 4 ℳ. Die Inhaltsangabe des 21. Jahrganges vom Kirchenmusikalischen Jahrbuch ist im Anzeigenblatt der *Musica sacra* und des Cäcilienvereinsorgans eingehend und wiederholt als Beilage erschienen, und der unterzeichnete Referent kann nur seiner ungemischten Herzensfreude Ausdruck geben, daß es einer jüngeren Kraft *„labore et constantia"* gelungen ist, unter Mithilfe berühmter musikalischer Autoren der Gegenwart in größeren Aufsätzen und kleineren Beiträgen, in Kritiken und Referaten über musikalische Bücher und Schriften so reiche und gediegene Resultate zu veröffentlichen. Die Ausstattung des Jahrbuches ist trefflich und nur zu wünschen, daß die fleißige und gediegene Publikation mehr Verbreitung finde als es 20 Jahre lang dem Unterzeichneten vergönnt war. Eine Zierde des Buches ist die Reproduktion des Titelbildes zum *Liber Gradualis* der *Editio Vaticana,* das Fr. M. Schmalzl, C. Ss. R. gezeichnet hat. Die Mitarbeiter sind den Lesern dieser Blätter größtenteils bekannt, aber auch neue Namen sind mit Freude zu begrüßen. Die Aufsätze stammen von Dr. F. X. Mathias, Dr. Pet. Wagner, Dr. J. Wolf, Dr. Fr. Ludwig, Dr. W. Widmann, Dr. H. Müller, E. Kurth, Mich. Haller, K. Walter, Dr. A. Schering und vom Herausgeber; bei den kleineren Beiträgen, Kritiken und Referaten beteiligten sich außerdem Dr. Th. Krojer, Dr. V. Lederer, Dr. E. Schmitz, H. Bewerunge, Dr. W. Scherer, Dr. H. Kretzschmar u. a. Frisch voran auf dieser Bahn!

Durch die Sendung der Hefte 13—30 ist die Illustrierte Musikgeschichte von **Naumann,** neue Ausgabe bearbeitet von **Dr. Eugen Schmitz,** Union, Deutsche Verlagsgesellschaft in Stuttgart, Berlin, Leipzig, 2. Auflage, abgeschlossen worden. Jede Lieferung 50 ₰. Mit der 29. Lieferung hat das Namensverzeichnis begonnen, das in der 30. abgeschlossen und durch ein Sachregister, ein Verzeichnis der zahlreichen Kunst- und Notenbeilagen, der Briefe usw. vermehrt ist. Ein Verzeichnis für den Buchbinder belehrt über die Verwendung und Einfügung der prächtigen und zahlreichen Kunstbeilagen und Illustrationen. Das Werk hat 264 Textabbildungen, 30 Kunst- und 32 Notenbeilagen auf 810 Seiten prächtiger Ausstattung. Auf Details einzugehen, verbietet der Raum dieser Monatschrift; der Unterzeichnete kann aber mit Freude konstatieren, daß diese zweite Auflage der Naumannschen Musikgeschichte eine Zierde jeder Bibliothek bilden wird und mit Berücksichtigung der neuesten Forschungen als ein populäres Werk zur Belehrung Musikbeflissener behilflich ist, ja auch zur weiteren Ausbildung, zum Quellenstudium anregt. Eine stilvolle Einbanddecke wird vom Verlag für den Preis von 1 ℳ 50 ₰ angekündigt.

*Psautier-Vespéral d'après les formules et règles d'adaptation traditionnelles Romaines et Vaticanes. Séméiographie nouvelle complète et unique pour toutes les formules par l'Abbé* **Jos. Ant. Pierard,** *Curé de Sommerain (Houffalize Belgique). Société de S. Jean L'Evangéliste, Desclée & Cie. Imprimeurs du Saint-Siège et de la S. Congregation des Rites. Rome-Tournai.* 1908. Die Ziffern und fettgedruckten Silben werden nach den im Vorwort gegebenen Regeln für sämtliche Vesperpsalmen, auch für die Totenvesper, für *Miserere* und *Benedictus* und *Benedic anima mea*, auf die Melodieformeln der Solesmenser Lesart so verteilt, daß eine Einigkeit, auch bei großem Chor, unschwer erzielt werden kann, — ähnlich wie bei den bisherigen in Deutschland verbreiteten Anleitungen im *Psalterium Vespertinum.*

Führer durch das *Graduale Romanum* zunächst für den katholischen Kirchensänger. Die liturgischen Chorgesänge des sonn- und festtäglichen Hochamtes, übersetzt und erläutert von **W. Schönen,** Pfarrer in Lennep. Zweite Hälfte. *Commune Sanctorum* und *Proprium Sanctorum.* Düsseldorf, L. Schwann. 1907. Preis gebunden 1 ℳ 70 ₰; I. und II. Teil zusammen 3 ℳ. Der erste Teil dieses Führers wurde in *Musica sacra* 1907, Seite 69, warm empfohlen. Der II. Teil enthält, außer dem *Ordinarium Missae* aus dem I. Teil, die wechselnden Gesänge des *Commune* und *Proprium Sanctorum* vom *Graduale Romanum* lateinisch und deutsch, mit kurzen trefflichen Bemerkungen und Erläuterungen der liturgischen Texte und ist jedem Kirchensänger und Teilnehmer an der Liturgie des heiligen Meßopfers warm zu empfehlen.

Richard Wagner in seinen Briefen. Auswahl und Einleitung von **Erich Kloß.** Gebunden 2 ℳ 50 ₰. Stuttgart, Greiner & Pfeiffer. Zum 25. Todestage (13. Febr. d. J.) erschien dieses Buch in der Sammlung der „Bücher der Weisheit und Schönheit". Kloß hat aus Wagners Briefen mehrere Hundert von kleineren und größeren Ausschnitten zusammengestellt und diese in der Reihenfolge ihrer geschichtlichen Entstehung in geistig zusammenhängende Gruppen geordnet: Dichter und Dichtung; Über Musik, Musiker und Theater; Politik; Über eigene Werke; Über Zeitgenossen; Familie; Über die Frauen; Natur- und Tierwelt; Festspielgedanken und Bayreuth; Leben und Welt; Kunst und Künstlerberuf; Humor. Das Buch will nicht Richard Wagner als Briefschreiber zeigen, sondern es will die Briefe nutzbar machen für das Verständnis der Kunst und des Menschentums Richard Wagners.

Trutznachtigall. Von **P. Friedrich Spee,** S. J. Nebst den Liedern aus dem Güldenen Tugendbuch desselben Dichters. Nach der Ausgabe von Klemens Brentano kritisch neu herausgegeben von **Alfons Weinrich.** Mit den Titelbildern der Originalausgabe und der Ausgabe von Brentano. Freiburg i. B., Herdersche Buchhandlung. Diese Neuausgabe der Trutznachtigall von Fr. Spee wird die Freunde des berühmten Dichters Klemens Brentano, der 1877 einen Abdruck des Originals von 1649 veranstaltet hat, und des ehrwürdigen P. Spee hoch erfreuen, obwohl nur die Texte und die Lieder aus dem Güldenen Tugendbuch abgedruckt sind, und von den musikalischen Schicksalen des „Geistlich poetischen Lustwäldleins" nicht die Rede ist. F. X. H.

---

## Aus Archiven und Bibliotheken.

### Doppelweisen für ältere Lieder.

Eine neue Ansicht wird uns eröffnet, wenn wir nach Doppelmelodien ausschauen. Das deutlichste Beispiel erscheint in „Kranzsingen": nach Nr. 55 Liliencron, Deutsches Leben im Volkslied um 1530. Darin ist „Ich kumm auß frembden Landen her" (Anfang: *f c c c a (b g) a)* mit „Vom Himmel hoch da komm ich her" *(f e d e c d e f)* verbunden. Dazu stellen wir Nr. 63, „Zwei Wasser", da sind „Ach Elslein, liebes Elselein" *(g g b a g (a b) c d)* und „Es taget vor dem walde" *(d d d d d f b)* verbunden. Solche Beispiele ermutigen uns, weitere Schlüsse zu wagen. Den Namen Els trägt in den Versanfängen das bekannte „Entlaubet ist der walde" (Nr. 59) an sich, aber auch Hansers „Erweckt hat mir das Herz zu Dir", in Schoeberlein Schatz, Bd. III, Nr. 239. Wir ahnen die Verwandtschaft der Oberstimme in jenem Tonsatz mit der Melodie des Hanserschen Liedes, verknüpfen damit noch „Freuntlich begir hab ich zu Dir", siehe Kirchenmusikalisches Jahrbuch, 1897, Seite 20, und Psalm 64 der Souterliedekens. Diese vier lauten:

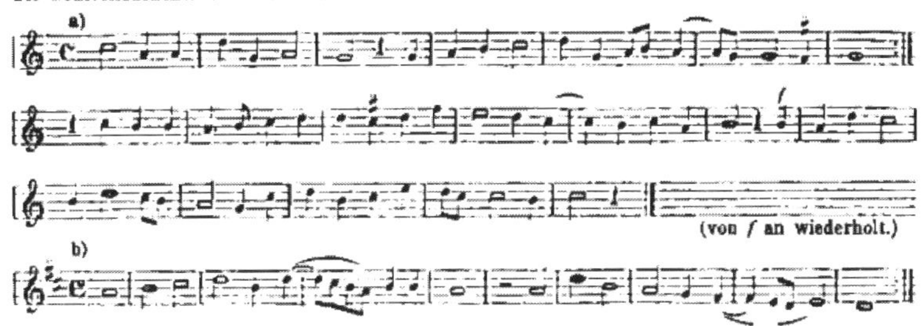

Die 1. Zeile der Weise a) ist bei b) zur letzten geworden, die 2. Zeile von a) bildet bei b) den Anfang. Sonst geht jede ihren eignen Weg.

c) $\bar{d}$ $\bar{d}$ | $\bar{c}$. $\bar{d}$ $\bar{c}$ | $\bar{h}$ $\bar{h}$ | c. $\bar{h}$ | $\bar{a}$ $\bar{h}$ | $\bar{a}$ $\bar{d}$.

Das stimmt fast genau mit dem Abgesang in a), Takt 3–7, überein.

d)

(von *f* an wiederholt.)

Dies Souterliedeken bezw. die Weise ist benannt: „Die rijm enschaet den bloemen niet, al daer die“. (Die Bindung mehrerer, auf eine Silbe fallender Noten ist dort nicht im Druck bezeichnet.)

In Nr. 62 bei Liliencron, „Die Blumen“, heißt es (Vers 5): „Der rif mit seinem zeichen verderbt mengs blümli zart, kan sich dem klaffer schmeichen mit ungetrewer Art“.

Der Zusammenhang beider Lieder, des niederländischen und dieses Blumenlieds, ist unverkennbar, das aber ist besonders auffällig, daß wir hier einen Anklang an „Entlaubet etc.“, finden, dort steht im 3. Vers: „Sei weis, laß Dich nit affen, der klaffer seind so viel. Wackernagel, Kirchenlied III., Nr. 839, gibt das Lied A. Kitners von 1533 („Entlaubet ist der walde Gaistlich“); „Belaubet ist der walde“. Es trägt den Leistennamen Elsa, im Vers 3 sind die „klaffer“ nicht ausdrücklich benannt, aber dafür beibehalten: „Hüt Dich vor falschen (statt dessen ist nur: „menschen“ eingesetzt) zungen“. Ähnlich wie in dieser geistlichen Umdichtung mag die Doppelweise den weltlichen und kirchlichen Ton zueinander gesellt haben. Über die Verbindung zweier Weisen schreibt auch Reißmann, Geschichte des deutschen Liedes, 5. Kapitel (Das Kunstlied im 16. Jahrhundert); so erwähnt er Seite 69 A. von Brucks Tonsatz in Forsters Sammlung, dasselbe „Es taget vor dem Walde“ mit „Kein Adler in der Welt“ verbunden. Die Melodie steht auf dem Hintergrund der begleitenden Stimmen wie ein eigentümlich gestaltetes Bild, so sagt Liliencron von den kunstvollen Sätzen Forsters u. a., — und die Doppelweisen fügen zu diesem Kunstgeflecht eine wirksame Ausprägung des reichen Sinnes hinzu. Ähnlich wie bei a) und b) die 1. Zeile zur letzten, die 2. zur 1. geworden ist, scheinen durch Nr. 96 bei Liliencron, „Im Mai“, bestimmt zu sein die Nr. 6089 (a—c, drei Abwandlungen einer Weise), 4758 und 7039 bei Zahn. „Wenn meine Seel den Tag bedenket“, der Anfang des ersten dieser drei Lieder, erinnert schon von selbst an die Worte des Mailieds „Wenn ich an sie gedenke“. Dessen beide erste Zeilen sind in 6089 bei Zahn umstellt, wie hier angegeben:

Der Schwung des alten und neuen Tones in Weise und Worten, den wir in beiden Liedern bewundern, hat auch den Gesang samt den Worten erhoben, der (Zahn, 4758) aus Freylinghausen 1714 vorliegt.

Ganz derselbe Gang ist im Mailied und im soeben angeführten zu finden, der hier mit ⌐¬ hervorgehobene, ihm ist ein gleichartiger in jenem und ein gleichlaufender in diesem verwandt. Der Anklang der Weise 7039 (deren Gestalt b) aus Freylinghausen 1708 Zahn eine Umbildung derjenigen bei a) aus Darmstadt 1698 nennt) ist auffällig.

Noch zwei Weisen klingen wie Erinnerung an die Oberstimme von „Entlaubet etc.“, die zu „Mein Gott, der wahre Gottessohn“ bei Freylinghausen 1714 und die von Bachofen 1727 zu „Jesus nimmt die Sünder an, drum etc.“ Diese würden uns, wenn die Fäden weiter geschlungen werden sollten, zu 4757 und 6090 bei Zahn (also in unmittelbarer Nähe bereits behandelter Weisen) führen. Die festliche Kraft des Tones zum Weihnachtslied Leichners mag uns hier erquicken.

Das Lied des J. Scheffler (Angelus Silesius): „Amor, das werte Jesulein" ist wahrscheinlich eine Nachahmung des hier aufgezeichneten.

### Das geistliche Zeitglöcklein.

Der Psalm (Hebr.) 119, v. 164 spricht von siebenmaligem Lob, und daher sind die sieben Tagzeiten. Noch ist die Ordnung des Geläutes zu bestimmten Stunden bewahrt, auch der Nachtwächterruf. Das Zeitglöcklein wird vernommen in „Christlich Uhrglöckle", Seite 465 f. der „Cath. Gesänge", Würzburg, 1667. Hier steht das Lied: So oft ich schlagen hör die Stund, segne ich mein Stirne, Herz und Mund, 13 Gesätze, im Ton O himmlische (nämlich „Frau Königin", d. i. „Vater unser im Himmelreich). Auf das Lied folgt: „Wachglöckle wider die Todsünd". Im ungarischen Zöngedező Mennyei Kar, Leutschau 1696, ist das Lied auf die 12 Stunden enthalten: „Minden orát gondoldmeg jól, eine Übersetzung von „O Mensch mit Fleiß bedenk all Stund" (1597 gedruckt, 14 Gesätze, in Z. M. K. fehlt der letzte Vers). Das Lied steht auch in Svenska Psalmbok 1704.

Fünf von den sieben Tagzeiten erwähnt Fr. Spe (Spee) in dem Lied: „Oft morgens in der Kühle."

O Gott, was Freud im Herzen,
Was Lust ich schöpfen tät,
Wann heut zur Prim und Terzen,
Sext, Non und Vesper spät
Zuwegen ich könnt bringen
Dem lieben Gottessohn,
Vor ihm daß möcht erklingen
So stark gemischter Ton!

Von einer andern frommen Übung redet das „geistlich Uhrwerk, ein Lied in 24 Gesätzen, dem je eins als Prologus und Epilogus voransteht und folgt. Es hat in der 2. Auflage des Gesangbuch „Geistliches Waldvögelein", Würzburg, 1664, Seite 114 f., vierstimmigen Tonsatz über sich. „Ich hör ein Glöcklein in weitem Feld, ich möcht's wohl hören in meiner Zeit, es schlägt mich (wird zu lesen sein: mir) Sünder der Stündlein viel, von Herzen gern ich sie hören will." So klingt es im ersten Vers. Die freudenreichen, die schmerzlichen und die glorwürdigen Geheimnisse sind, wie üblich, behandelt, von *Matris annuntiatio* bis *Patrona morientium*. Die drittletzte Strophe lautet: „Die Uhrwerk hat nun geschlagen Dir auf dreimal acht oder zwanzig vier, ach, stell es in Dein Schlafkämmerlein, es wird Dir allzeit ein Wecker sein". Die Singweise verdient bekannt zu werden, hier also der Cantus:

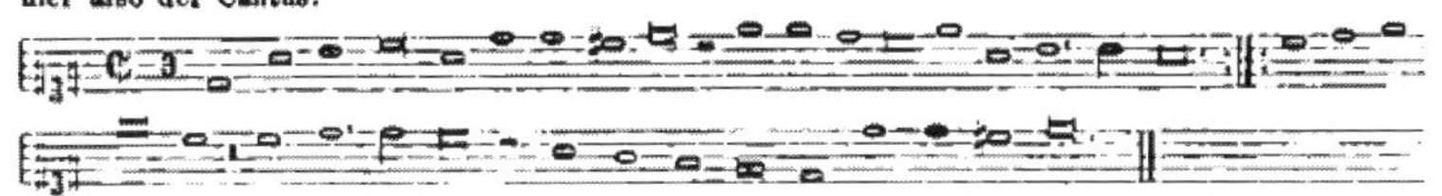

Berichtigung. In Nr. 3 der *Musica sacra*, Seite 30, steht die Weise „Nun lob mein Seel den Herrn" in ₵, diese Taktart ist sicher unrichtig, es muß, wie Schoeberlein, Wolfrum u. a. setzen, Dreitakt sein. Die erste Note auf Her- (ren) muß *b*, nicht *g* sein. Ein paarmal müssen die Zeilenschlüsse strenger in das Taktmaß eingefügt werden, Kugelmann hat an einigen Stellen Pausen, die nur für den mehrstimmigen Satz notwendig waren, und bei Leben u. a. muß der Takt berichtigt werden.

Großneundorf, Aschermittwoch 1908. V. Hertel.

---

## Vermischte Nachrichten und Mitteilungen.

1. + Kirchenkonzert in der Heiliggeistkirche zu Landshut anläßlich der Übergabe der neuen Orgel am Sonntag, den 22. März 1908 nachmittags 3½ Uhr. A. Mitwirkende: 1. Sopransolo: Betty Freiin v. Andrian-Werburg. 2. Orgelsolo: Herr Hofkapellmeister Joseph Becht, Kgl. Professor der Akademie der Tonkunst in München. 3. Baßsolo: Herr Hofrat Marschall, Oberbürgermeister. Orgelbegleitung: Herr Laske, Choralist und Musiklehrer. 4. Knaben- und gemischter Chor: Die Gesangsschüler der Kgl. Realschule unter Direktion ihres Musiklehrers Herrn Arnold. Orgelbegleitung: Herr Krieger, Lehrer. B. Vortragsordnung: 1. Introduktion und Passacaglia für Orgel von M. Reger. 2. „Ich und mein Haus". Geistliches Lied für Sopran und Orgel von J. Schmid. 3. a) „O Jesus, all mein Leben". Einstimmiger Knabenchor mit Orgel von Chr. von Gluck; b) „Hoch tut euch auf!"

Gemischter Chor mit Orgel von Chr. von Gluck. 4. a) Choralvorspiel: „O Welt, ich muß dich lassen" für Orgel von J. Brahms; b) *Cantabile* für Orgel von J. Rheinberger; c) Choral aus „Die Meistersinger" für Orgel von R. Wagner. 5. „Die Bitte". Lied für Baß und Orgel von Beethoven. 6. Präludium und Fuge über den Namen Bach für Orgel von F. Liszt. 7. *Gloria* aus der Preismesse *Salve Regina* für gemischten Chor und Orgel von Ed. Stehle. 8. *Grand Offertoire* für Orgel von C. Batiste.

Eine Zeitungs-Korrespondenz lautet u. a.

⊙ Kirchenkonzert in der Heiliggeistkirche. Am Sonntag nachmittags 3¼ Uhr fand die Vorführung der von der berühmten Hoforgelfabrik Steinmeyer in Öttingen erbauten Orgel in der dichtgefüllten Heiliggeistkirche statt, mit welcher unsere Stadt in den Besitz des 12. Werkes dieser Firma kam. Diese 12 Orgeln zeigen recht anschaulich den Fortschritt, der im Orgelbau seit Erbauung der ersten Steinmeyer-Orgel in St. Nikola 1888 erfolgt ist. Auch die Heiliggeist-Orgel ist ein Kunstwerk, was Einrichtung, Intonation und Charakteristik der einzelnen Stimmen betrifft. Die Schönheit und der Glanzreiz der prächtigen Solo-Stimmen, unter denen die Seraphon-Flöte geradezu dominiert, und die nach Klangfarben und Tonumfang außerordentlich große Ausdrucksfähigkeit des Instrumentes kam sowohl bei den Orgel-Solos als bei den Gesangsvorträgen zur vollsten Wirkung. Das Kunstwerk hatte in Herrn Hofkapellmeister J. Becht seinen Meister gefunden, der in einem feinsinnig gewählten Programm 6 der schönsten Konzertstücke der neueren Orgelliteratur mit einer Meisterschaft in bezug auf Technik des Spiels und Kunst des Registrierens zum Vortrag brachte, durch die er schon bei seinem letzten Konzert in der Dominikanerkirche das Entzücken und die Bewunderung der Zuhörer erregte. Die Fülle der Eindrücke des Orgelkonzertes im einzelnen zu schildern, geht über Raum, Zeit und Kraft des Berichterstatters. — Angenehme Abwechslung brachten in das Orgelkonzert die Gesangsvorträge. Freiin von Andrian-Werburg erfreute durch ein sehr schönes im Rheinberger Stil komponiertes Lied „Ich und mein Haus" von J. Schmid, das sie mit ungemein sympathischer Stimme und seelenvollem Ausdruck zum Vortrag brachte. Herr Oberbürgermeister Hofrat Marschall machte in dem Lied „Die Bitte" von Beethoven mit seiner wohlklingenden, volltönenden Baßstimme und deutlichen Textaussprache den denkbar besten Eindruck. Mit geschmackvoller Registrierung verstand es Herr Laske, ein Schüler des Herrn Hofkapellmeisters Becht, die Begleitung den beiden Liedervorträgen anzupassen. Die 2 bekannten Kirchenlieder für Knaben- und gemischten Chor, welche von dem Sängerchor der Kgl. Realschule unter Direktion ihres Musiklehrers Herrn Arnold gesungen wurden, zeigten, welche Wirkung die schlichtesten Liedern erzielen können, wenn sie von gut geschulten Stimmen mit Ausdruck vorgetragen werden. Prächtig erklang das *Gloria* aus der Preismesse von Stehle, getragen und gehoben von der Orgel, die den markigen Chorklang durch die verständnisvolle Begleitung, welche Herr Lehrer Krieger spielte, zur vollen Wirkung brachte. Mit dieser herrlichen Orgel ist die Restauration der Heiliggeistkirche zum glücklichsten Abschluß gelangt. Wie die Restauration der Bürgerkirche nach den Plänen eines Landshuter Bürgers, des Künstlers Herrn Paul Weiß begonnen und durchgeführt ward, so wurde der Schlußstein durch die rühmenswerte Initiative und eifrige Mitwirkung des kunstbegeisterten Herrn Magistratsrates und Spitalkommissärs Ludw. Koller eingesetzt. Zum Schluß noch einen Herzenswunsch: Möge uns die Kunst des Herrn Hofkapellmeisters Becht wieder erfreuen, wenn einst die Krone aller hiesigen Orgeln im Martinsdom zum erstenmal erklingen wird — zur Freude der Gläubigen, zum Ruhm und Stolz unserer Stadt!

(Die Firma Steinmeyer wurde in Landshut 1888 durch die unvergeßlichen H. H. Dr. Witt und Walter eingeführt und baut seitdem ein Werk schöner und vollkommener als das andere.)

Disposition der neuen Orgel in der Heiliggeistkirche zu Landshut. Erbaut von der Kgl. Bayr. Hof-Orgel- und Harmoniumfabrik G. F. Steinmeyer & Co., Öttingen a. Rh. (Op. 970 und 12. Werk dieser Firma in Landshut.) I. Manual $C—g^4$ (68 Töne). 1. Bordun 16'; 2. Prinzipal 8'; 3. Viola di Gamba 8'; 4. Seraphonflöte 8'; 5. Gedeckt 8'; 6. Gemshorn 8'; 7. Dolce 8'; 8. Oktav 4'; 9. Soloflöte 4'; 10. Kornett-Mixtur 4'; 11. Oktav 2'. II. Manual $_1C—g^4$ (80 Töne). 12. Geigenprinzipal 8'; 13. Orchesterflöte 8'; 14. Lieblich-Gedeckt 8'; 15. Salicional 8'; 16. Äoline 8'; 17. Vox celeste 8'; 18. Fugara 4'; 19. Traversflöte 4'. Pedal $C—d^1$ (27 Töne). 20. Violon 16'; 21. Subbaß 16'; 22. Bourdonbaß 16'; 23. Oktavbaß 8'; 24. Violoncello 8'. Nebenzüge: Manual-Copula. Pedal-Copula I. Manual. Pedal-Copula II. Manual. Superoktav-Copula I. Manual durchgeführt bis $g^4$. Superoktav-Copula II. zu I. Manual durchgeführt bis $g^4$. Suboktav-Copula II. zu I. Manual durchgeführt bis $_1C$. 4 feste Kombinationen. 3 freie Kombinationen, welche mit den Handregistern vorbereitet werden. 3 Einstellungen, durch welche die freien Kombinationen fixiert werden. Handregistrierung, durch welche die freien Kombinationen ausgeschaltet und die Handregister wieder zur Wirkung gebracht werden. Automatische Zeigervorrichtung für Handregister, feste und freie Kombinationen und für den Registerschweller. Automatisches Pianopedal für das II. Manual. Schwellwerk für das II. Manual. Registerschweller für das ganze Werk. Schwellwerkzeiger. Windstandzeiger. Das Magazingebläse wird durch einen mit Elektromotor direkt gekuppelten Hochdruckventilator gespeist.

2. × Am letzten Bußtage (18. März) führte der **Leipziger Riedelverein** den Messias von Fr. Händel auf.

Dieses Oratorium, dessen ungekürzte Aufführung annähernd 2½ Stunden beansprucht, wurde s. Z. von dem genialen Tonsetzer in 24 Tagen komponiert, vom 22. August bis 14. September 1741 in Doublin, wo es am 13. April 1742 seine Neuaufführung erlebte. Seit der Zeit hat diese Musik Freunde gefunden bis heute und wird sie finden — wer weiß es, wie lange?

Da stehen wir vor einer seltsamen Sache, wenn wir die Eigenart der Händelschen Musik betrachten. Die Chöre wogen auf und nieder und ergreifen den, der zuzuhören versteht — und gleichwohl baut sich die Musik auf ohne Großmanns Sucht und moderne Empfindelei — einfache

Akkorde, übersichtliche melodische Linien — und selbst der anspruchvollere Kenner kommt dabei innerlich auf seine Kosten.

Und nun erst die starke Seite des Werkes — der Passionsteil. Eine einzelne Solostimme spricht die einfachen Leidensworte aus; einfaches zweistimmiges Violinspiel wiederholt die kurzen Ausrufe und Klagen des Mitleids. Und bei diesem schlichten Zwiegesang senkt sich eine feierliche Stille auf die Zuhörer, daß man geschlossenen Auges glaubt, man wäre trotz der weit über Tausend zählenden Zuhörerschar ganz allein in der schönen, großen Kirche.

Woher diese Wirkung des Einfachen? — Sie kommt daher, daß diese „Alten“ voll Wahrheit schrieben. Ihr Herz glaubte, was die Zunge sprach; glaubte, was der Mund sang, das Herz diktierte, was die Notenfeder schrieb.

Warum ist momentan so große Unfruchtbarkeit eingetreten in der Produktion wahrhaft großer künstlerischer Werke, nicht etwa bloß auf dem Gebiete der Tonkunst? — Die Gegenwart ist so bitter arm an einer wahrhaft tiefen, vertieften, großen, klaren Weltanschauung. Wir haben bald keine Weltanschauung mehr; unsere tonangebenden Größen pflegen fast nur die eigene, die als Individuen ach so beschränkte Persönlichkeit des Einzelnen. Die heutige Zeit gebt in der Ichverhimmlung auf.

Vor lauter Subjektskultus hat die Gegenwart fast das Maß verloren für die Erfassung einer objektiven Größe, die sich über dem Persönlichkeitshorizonte ausspannt und die Seele zu weiterem Flügelschlage zwingt.

Was sind wir doch für Menschlein geworden, wo wir Menschen sein sollten.

Begegnen einem dann solche Kraftnaturen wie Händel eine war, so fällt die Kleinlichkeit unserer Tage doppelt schmerzlich auf.

Die Aufführung war gut. Besonders angenehm machte sich die dynamische Verfeinerung einiger Fugensätze geltend. Das Ganze zeugt von tüchtiger Einstudierung. Nur raten wir dringend zu Kürzungen. Die Stimmkraft der Chöre, nahm nach und nach doch ab, besonders bemerkbar bei den Tenören.

Auch zeigte das Orchester nicht immer das erwünschte Mitgehen, obwohl es der Dirigent an entsprechender äußerer Nötigung nicht hatte fehlen lassen.

Ein Stab auserlesener Solokräfte verschönte das Ganze: Frau Elis Blodgett, Herr und Frau Professor Dr. von Kraus und Herr Emil Pinks stritten um den Vorrang. Sie alle bekundeten großen Geschmack, besonders in der Wiedergabe der Koloraturen, wobei sie Licht und Schatten — *crescendo* und *decrescendo* gut zu verteilen wußten.

Für diese Stunden der inneren Erhebung schulden gewiß alle Zuhörer dem Vereine und seinem in Wahrheit ernst strebenden Dirigenten, Herrn Joseph Pembaur, herzlichen Dank. —b—

3. ◯ **St. Gallen.** Über die Aufführung von Diebolds „Meer“ (gemischter Chor, Baritonsolo, Klavier und Harmonium) durch den Domchor St. Gallen (130 S.) schreibt die „Ostschweiz“: „Diese Komposition voll Tiefe und Feinheit des musikalischen Empfindens und voll hinreißender Gewalt der Töne gehörte zu den hervorragendsten Darbietungen des Abends, die rauschenden Beifall erntete“.

Gemischte Chöre, namentlich größere, seien nachdrücklichst auf diese ebenso interessante, als wirkungsvolle und dankbare Novität aufmerksam gemacht.

Die Begeisterung der Sänger fand ihren Ausdruck auf einer Postkarte, die an den Komponisten von St. Gallen aus mit folgenden Versen versehen und den Autographen der Sänger bedeckt am 22. Januar nach Freiburg i. B. gesendet wurde. Die Verse lauteten:

Ries'ges Meer!
Großartig, hehr!
Bist zwar schwer,
Doch dankbar sehr!

Mit feurigem Schwunge gesungen
Hat's überwält'gend geklungen.
Der Chor, er ruft mit Feuer noch,
Der Meister Diebold, lebe hoch!“

**4. * Die Redaktion der *Musica sacra* bietet als letzte Musikbeilage die von Dr. Wilhelm Widmann redigierte und bei der 18. Generalversammlung des Allgemeinen Cäcilienvereins in Eichstätt am 22. Juli d. J. zur Aufführung gelangende Messe von Orlando di Lasso für sechsstimmig gemischten Chor samt dem Motett *Beatus vir qui intelligit* aus dem die Messe gebildet ist. Erklärungen dazu wird Dr. Widmann in Nr. 6 der *Musica sacra* veröffentlichen.**

5. **Inhaltsübersicht von Nr. 4 des Cäcilienvereinsorgans:** Die Kunst als Führerin zu Gott. (Von E. Ritter.) — Die heilige Fastenzeit und Victimae Paschali laudes. (Von P. A. M. W.) (Schluß.) — M. J. A. Lans, ein Vorkämpfer des kathol. Kirchengesanges in den Niederlanden. (Mit Porträt.) (Von P. H. Schwethelm.) — Vereins-Chronik: Neuer Kardinal-Protektor; 18. Generalversammlung des Allgemeinen Cäcilienvereins in Eichstätt; Regensburg, Bischöfl. Hirtenbrief zur Einführung des neuen Diözesan-Gesang- und Gebetbuches und Berichterstattung über den Diözesan-Cäcilienverein; Pilsen, Aufführung von Griesbachers *Stabat mater*; † A. Seydler. — Edgar Tinels „Franziskus“ in Regensburg. — Inhaltsübersicht der *Musica sacra* Nr. 4. — Anzeigenblatt Nr. 4. — Musikbeilage: *Missa Gregoriana I.* von L. Bonvin, S. J.

Druck und Verlag von **Friedrich Pustet in Regensburg**, Gesandtenstraße.

**Nebst Anzeigenblatt, sowie Musikbeilage: „Partitur der sechstimmigen Messe *Beatus vir qui intelligit*“ von Orlando di Lasso-Dr. W. Widmann.**

1908. Regensburg, am 1. Juni 1908. Nro 6.

# MUSICA SACRA.

Gegründet von Dr. Franz Xaver Witt († 1888).

**Monatschrift für Hebung und Förderung der kathol. Kirchenmusik.**

Herausgegeben von Dr. Franz Xaver Haberl, Direktor der Kirchenmusikschule in Regensburg.

**Neue Folge XX., als Fortsetzung XXXXI. Jahrgang. Mit 12 Musikbeilagen.**

Die „*Musica sacra*" wird am 1. jeden Monats ausgegeben, jede der 12 Nummern umfaßt 12 Seiten Text. Die 12 Musikbeilagen wurden mit Nr. 6 (Motett und Messe *Beatus vir qui intelligit*, 6stimm. von Orl. Lassus) versendet. Der Abonnementpreis des 41. Jahrganges 1908 beträgt 3 Mark; Einzelnummern ohne Musikbeilagen kosten 30 Pfennige. Die Bestellung kann bei jeder Postanstalt oder Buchhandlung erfolgen.



## Neu und früher erschienene Kirchenkompositionen.

**L. Bonvin**, S. J., Op. 49, Messe zu Ehren der allerseligsten Jungfrau Maria, für 4 gemischte Stimmen mit Orgelbegleitung.[1]) Die Messe bezeichnet der Autor als Umarbeitung eines früheren Werkes, die mit Genehmigung des Original-Verlegers vorgenommen wurde; da jedoch nähere Angaben fehlen, kann nicht beurteilt werden, ob die vorliegende Bearbeitung eine Bereicherung sei oder worin etwa eine Verbesserung bestehe. Das Werk ist fast durchgängig diatonisch (*Kyrie* und *Agnus* in *F*-dur, *Gloria* und *Credo* in *Es*-dur, *Sanctus* in *B*-dur; *Benedictus* beginnt in *H*-dur mit einem Chor *Tutti* für die Tenöre, moduliert aber rasch nach *A*-moll und schließt mit *Hosanna* in *B*-dur). Die Einzelstimmen sind selbständig geführt, ohne Chroma. Durch Modulation jedoch entstehen überraschende Akkordfolgen und Melodiebildungen; als Beispiel großer Härte sei das *Largo* im *Qui tollis* hervorgehoben. Die Orgel hilft den Singstimmen zur Überwindung der Schwierigkeiten beim Treffen unvermittelter Akkorde. Als Kuriosität ist das unbegleitete Unisono der vier Stimmen in *Cujus regni* zu erwähnen. Bisher sind nur Bedenken ausgesprochen; dieselben sind jedoch nicht imstande, den ernsten Charakter der Komposition, die Technik, über welche der Komponist gebietet, die stramme Rhythmik und feierliche Deklamation des Textes abzuschwächen. Der Sängerchor, welcher die Messe entsprechend ausführen will, muß sehr gut geschult sein, sonst wird eben aus den bereits aufgeführten Gründen trotz diatonischer Melodiebildung und aller Vermeidung chromatischer Tonfolgen große Unsicherheit zutage treten. Auch guten Chören sind tüchtige Proben unerläßlich; der Organist muß überaus sattelfest sein. Unter diesen Voraussetzungen ist die Komposition als Festmesse warm zu empfehlen und der Dirigent kann sich Lorbeeren holen.

*Gloria Deo.* Sammlung lateinischer Kirchengesänge für Männerchor, herausgegeben von **Jos. Dobler**, ist in 3. Auflage erschienen.[2]) Im Cäc.-Ver.-Kat. steht das Werk unter Nr. 2185.

[1]) *Missa in hon. Beatae Mariae Virginis*, 4 vocibus inaequalibus comitante organo concinenda. Düsseldorf, L. Schwann. 1908. Partitur 3 ℳ, 4 Stimmen à 20 ₰.

[2]) Op. 2a. 45 Hymnen, Offertorien, Antiphonen, Psalmen etc. von M. Dobler (1), P. Haas (1), B. Kühne (3), D. Pfyl (5), F. Schell (8), J. Schildknecht (4) und vom Herausgeber (23). Regensburg, Eugen Feuchtinger. Partitur 1 ℳ 50 ₰, von 10 Exemplaren ab à 1 ℳ. Einzelstimmen sind nicht erschienen.

Von **P. Viktor Eder**, O. S. B., wurde die Messe zu Ehren des heil. Erzengels Michael[1]) für vereinigte Ober- und Unterstimmen, Op. 17, komponiert. Für jene Chöre, welchen ausgeprägte Soprane oder Tenore mangeln, ist diese Messe, kurz und einfach deklamiert, *(Credo* ist choraliter mit 2stimmigen Sätzen für *Et incarnatus est, Simul adoratur* und den Schlußvers mit *Amen)* sehr geeignet und gut zu empfehlen.

— — Vom gleichen Autor erschien eine Messe zu Ehren des heil. Stanislaus für gemischten vierstimmigen Chor, eine sehr liebliche, leicht ausführbare, in Melodiebildung und Rhythmus geschmackvoll und natürlich durchgeführte Komposition.[2])

In Spanien hat das *Motu proprio* Sr. Heiligkeit Pius X. schöne Blüten gezeitigt. Früchte derselben finden sich in der Reform der Kirchenchöre, besonders an Bischofsitzen und auch in passenden, würdigen Kompositionen. Der Priester **Vinc. Goicoechia**, Kapellmeister an der Metropolitankirche in Valladolid, sendete vier kleinere Kompositionen zur Begutachtung an die Redaktion der *Musica sacra*: 1. *Ave Maria* mit *Sancta Maria* und *Amen* für 4 Männerstimmen und obligater Orgel.[3]) Eine gute, innige Komposition des Englischen Grußes, bei welcher der 1. Tenor Gelegenheit hat, das hohe *b*, jedoch nur einmal, auf dem Vokale a schön wiederzugeben. 2. Eine Messe, *Kyrie, Sanctus, Benedictus* und *Agnus Dei (Credo* choraliter mit 4stimmigen Einsatz des *Et incarnatus est)* für die Sonntage der Advent- und Fastenzeit, ist 4stimmig für gemischten Chor. Die 2. Stimme ist als *Tenor acutus* bezeichnet und entspricht unserm Alt. Die Motive sind choralartig erfunden und schön imitiert. Die Fertigkeit im Kontrapunkt guckt aus jedem Takte heraus; in der Textunterlage müßte sich der spanische Priester seinen alten Kollegen Victoria zum Vorbilde nehmen, dann würden die rhythmischen Unebenheiten, welche beim Einsatz neuer Silben nach Gruppen von Viertelnoten hervortreten, nicht stören. Die Messe ist ernst und würdig, setzt aber Sänger voraus, welche in der Polyphonie geübt sind.[4]) 3. Nr. 3 ist ein 5stimmiger Satz (2 Cant., Ten., 2 Bäße) über den Text *Christus factus est* für die 3 letzten Tage der Charwoche.[5]) Das Chroma ist mit gutem Effekt angewendet und der Zusatz *Propter quod et Deus* äußerst wirksam. Ein guter Chor findet eine dankbare Aufgabe. 4. Im Psalm *Miserere*,[6]) dessen 1., 5., 9., 15. und 19. Vers für 6 Stimmen (je 2 Cant., Ten. und Baß), dessen 2., 6., 8., 10., 12., 14., 16., 18. und 20. Vers in choralartiger Rezitation, 3. und 13. für Cant., Alt, Ten., Baß, dessen 7. und 17. für 4 Männerstimmen, 11. für Sopran, Alt und Ten. eingerichtet sind, ist ein auf Gesangseffekte gut berechnetes Prunkstück von durchaus ernstem, wenn auch teilweise konzertmäßigem Charakter und setzt einen wohlbesetzten und gut geschulten Chor voraus. Wenn die Betonung von Endsilben, wie sie die Romanen in der lateinischen Sprache lieben, durch veränderte Textunterlage manchmal gemildert wäre, so dürften die germanischen Ohren weniger unangenehm berührt werden; meist ist die Ursache dieser Wirkung unrichtige, der richtigen Deklamation nicht entsprechende, auf instrumentalen Prinzipien beruhende Textunterlage.

Von der *Missa brevis secunda, in hon. S. Gerardi Majella, C.*, ad quatuor voces inaequales comitante Organo[7]) von **Vinz. Goller**, Op. 53, ist sehr bald die 2. Auflage erschienen. Die erste findet sich im Cäc.-Ver.-Kat. unter Nr. 3463a.

[1]) *Missa in hon. S. Michaelis Archangeli*. Regensburg, Eugen Feuchtinger. 1908. Partitur 1 ℳ 50 ₰, 2 Stimmen à 20 ₰.

[2]) *Missa in hon S. Stanislai Kostkae* ad quatuor voces inaequales. Reverendissimo ac illustrissimo Domino D^o. P. Willibaldo Adam, O. S. B., Abbati Monasterii Mettensis humillime devotissimeque dedicata ab auctore P. Victore Eder, O. S. B., Op. 33. Regensburg, Fr. Pustet. 1908. Partitur 1 ℳ 20 ₰, 4 Stimmen à 20 ₰.

[3]) *Ave Maria, Salutatio Angelica*, quatuor aequalibus vocibus concinenda organo comitante. Partitur 1 Pes. 50 cts, 4 Stimmen à 10 cts. (1 Pes. = 67 ₰).

[4]) *Missa pro Dominicis Adventus et Quadragesimae* ad quatuor inaequales voces. Partitur 2 Pes. 50 cts, 4 Stimmen à 30 cts.

[5]) *Christus factus est, ad triduum Hebdomadae Majoris.* Antiphona quinque inaequalibus et solis vocibus canenda. Partitur 1 Pes. 25 cts., 5 Stimmen à 10 cts.

[6]) *Miserere mei Deus.* Ps. 50, nunc quatuor, nunc sex vocibus ornatus Gregorianis etiam modulis interpositis. Die Ausstattung, der Stich sind sehr sauber und lobenswert. Die Jahreszahl der Publikation fehlt in allen vier Nummern. Partitur 3 Pes., 6 Stimmen à 30 cts. Verlag, Lazcano y Mar. Bilbao, Plaza Nueva 7, Libertad 2.

[7]) Regensburg, Fr. Pustet. 1908. Partitur 2 ℳ 40 ₰, 4 Stimmen à 30 ₰.

Von der *Missa Tertia*, ad duas voces aequales comitante Organo von **M. Haller**, Op. 7 a, ist die 31. Auflage erschienen.[1]) Cäc.-Ver.-Kat. Nr. 312.

**W. Hohns** Messe zu Ehren des heil. Antonius, Op. 5, ist für 4 Männerstimmen mit Orgel komponiert. Das Werk ist sehr empfehlenswert, mittelschwer, vorzüglich durchgearbeitet und packend. Die Führung der Stimmen muß rühmend hervorgehoben, die Deklamation als musterhaft, die Orgelbegleitung als selbständig gelobt werden. Ich empfehle die Messe allen Klerikal- und Lehrerseminarien und unsern zahlreichen Männerchören als gediegene und schöne Festmesse.[2])

Zwei Motetten[3]) für vierstimmigen gemischten Chor a capella von **Alex. Kunert**, Op. 16, sind zweckentsprechend und würdig. Den reinen Vokalsatz beeinträchtigen an vielen Stellen Stimmenteilungen auf einem oder zwei Akkorden, sie wirken wie Knoten im Gewebe, sowie das Zusammenbalken von Achteln, z. B.: et glo - ri - fi - ca - - bo nacheinander in allen vier Stimmen.

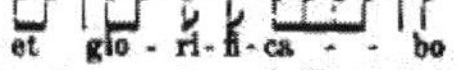

Messe zu Ehren des heil. Aloysius von Gonzaga für Alt, Tenor, I. und II. Baß[4]) von **A. Löhle**, Op. 12, ist fließend gehalten, ohne besondere Schwierigkeiten und besonders jenen Chören recht zu empfehlen, welche nicht über ausgeprägte Soprane gebieten, z. B. in Präparandenschulen oder Knabenseminarien.

Messe zu Ehren der heil. Cäcilia für vierstimmigen gemischten Chor a capella von **A. Müller**, Kgl. Seminar-Musiklehrer in Boppard a. Rh. Der Nachfolger des seligen Peter Piel stellt sich in dieser Messe als tüchtiger Kontrapunktist und geübter Meister des imitatorischen Stiles und schöner Klangwirkungen im Vokalsatz vor. Für das *Credo* ist die 3. Choralmelodie vorausgesetzt und ein sehr zarter Satz für *Et incarnatus est* komponiert.[5]) Jedenfalls werden wir dem tüchtigen Manne noch öfter auf dem Gebiete der kirchenmusikalischen Literatur begegnen.

Das *Christus factus est* und der Psalm *Miserere*[6]) sind von dem Jesuiten **Otaño** nur für drei Stimmen (Sopran, Tenor, Baß) (die Bemerkung Organum ad lib. kann sich nicht auf die Charwoche beziehen) komponiert und zwar in den ungeraden Versen; die geraden sind zu rezitieren. Es ist dem Komponisten gelungen, jeden Vers verschieden zu gestalten und so Abwechslung zu schaffen und weniger zu ermüden.

Messe zu Ehren der heil. Apostel Petrus und Paulus für vierstimmigen Männerchor[7]) von **Peter Schäfer**, Op. 2. Diese Messe stellt keine großen Anforderungen an den Männerchor, setzt den Vortrag des *Credo* im Choralgesang voraus und gibt nur *Et incarnatus est* vierstimmig in *A*-dur. Nach rhythmischer Seite ist sie in gemäßigter Deklamation lebensvoll und anregend und verurteilt die Mittelstimmen nicht zum Ausfüllmaterial, sondern verleiht ihnen selbständige Bewegung und Tätigkeit.

Die Messe in *C*-dur für 4 Männerstimmen[8]) von **Joh. Schweitzer**, Op. 11, ist in 7. Auflage erschienen. Im Cäc.-Ver.-Kat. steht die Messe unter Nr. 168.

Von einer früheren Messe, welche der verstorbene Dompräbendar und Domkapellmeister **Joh. Schweitzer** als Op. 13 zu Ehren des heiligen Aloysius für gemischten vierstimmigen Chor mit oder ohne Begleitung der Orgel komponiert hat, die jedoch nicht

---

[1]) Regensburg, Fr. Pustet. 1908. Partitur 1 *M*, 2 Stimmen à 20 *Pf*.

[2]) *Missa secunda in hon. S. Antonii*, ad quatuor voces aequales cum Organo. H. H. Primizianten Ant. Halst gewidmet. Regensburg, Fr. Pustet. 1908. Partitur 2 *M*, 4 Stimmen à 15 *Pf*.

[3]) *Confitebor tibi Domine*. (Offertorium am Feste des hhl. Namens Jesu.) *Benedic anima mea Domino*. (Offertorium am Feste des hhl. Herzens Jesu.) Berlin, W., W. Sulzbach (Pet. Limbach). 1907. Partitur 1 *M*, 4 Stimmen à 20 *Pf*.

[4]) Der Alt kann auch mit Sopranstimmen besetzt und eventuell kann die Messe statt in *A*-dur in *As*-dur gesungen werden. Regensburg, Eugen Feuchtinger. Ohne Jahreszahl. Part. 1 *M* 60 *Pf*, 4 St. à 30 *Pf*.

[5]) Berlin, W., W. Sulzbach (Peter Limbach). 1907. Partitur 1 *M* 50 *Pf*, 4 Stimmen à 25 *Pf*.

[6]) *Christus factus est* ad Majoris hebdomadae triduum Antiphona tribus solis vocibus accommodata *Miserere*, Psalm 50, ad chorum trium vocum inaequalium facillimis modulis ductus organo vel harmonio ad libitum comitante. Auctore N. Otaño S. J. Rev. P. Antonio Dechevrens, S. J. gregorianorum studiorum praeclaro cultori. Bilbao, Lascano y Mar, Plaza Nueva, 7, Libertad 2. Partitur 2 Pes. 25 cts., Stimmen à 25 cts.

[7]) Düsseldorf, L. Schwann. 1908. Partitur 1 *M* 20 *Pf*, 4 Stimmen à 15 *Pf*.

[8]) Freiburg i. B., Herdersche Verlagshandlung. Partitur 1 *M* 30 *Pf*, 4 Stimmen à 20 *Pf*.

im Cäcilienvereins-Kataloge steht, ist eine dritte Auflage erschienen.[1]) Sie war ursprünglich für einen kleinen Chor komponiert und fand in mehreren Kirchen Eingang, weil sie der Aufführung keine Schwierigkeiten bietet. Sie enthält nichts der Kirche Unwürdiges und wird besonders jene Sänger anheimeln, welche an Instrumentalmessen gewöhnt sind, sich gerne in den Umkehrungen von Haupt- und Nebenseptimenakkorden bewegen und in Gefahr sind zu entgleisen, wenn größere Selbständigkeit in der Bewegung der einzelnen Stimmen verlangt würde. Die Orgel hilft unter allen Umständen, wenn der Chor nicht selbständig genug sein sollte, diese Gefahr zu beseitigen.

Der Lobgesang der seligsten Jungfrau für drei gleiche Stimmen mit Orgelbegleitung von **J. G. Ed. Stehle** ist als Primizgabe für den Organisten P. A. Locher S. Ss. gedacht und sehr festlich, dramatisch bewegt und überaus ausdrucksvoll komponiert.[2]) Am besten wird die Ausführung durch drei Männerstimmen wirken. Die selbständige Orgelbegleitung ist geistreich erfunden und gibt den einfachen Gesangssatz mannigfaltige Tonfärbung und viele Abwechslung.

**Palestrinas** *Stabat mater* (achtstimmig, 2 Chöre a capella), für den heutigen Chorgebrauch eingerichtet von **Karl Thiel.**[3]) Bekanntlich hat auch Richard Wagner das zweichörige *Stabat mater* Palestrinas mit Vortragsbezeichnungen für Kirchen- und Konzertaufführungen eingerichtet. Dasselbe steht im Các.-Ver.-Kat. unter Nr. 437 mit Referaten von Fr. Koenen, F. X. Haberl und Franz Witt; es wird viele Leser interessieren, besonders das Referat Witts nach mehr als 30 Jahren nachzulesen. Die Bearbeitung Thiels nimmt keinerlei Veränderungen an dem Original des Pränestiners vor (s. VI. Bd., Seite 96 der Gesamtausgabe) und geht mit Liebe und Verständnis nach dynamischer Seite dem wunderbaren Originale nach. Die Reduktion der alten Schlüssel durch Violin- und Baßschlüssel und die Transposition in die Unterterz und im 4/4 Takt statt des großen alla breve, die Angabe der Tempi und der Tonfarben *p, mp, mf* usw. ist sorgfältig und verständnisvoll ausgeführt, so daß auch Chöre, welche mit dem Vortrag der Alten weniger vertraut sind, mit gutem Glücke sich an die Aufführung dieser herrlichen kirchlichen Sequenz nicht nur im Konzertsaal, wohin sie weniger paßt, sondern besonders in der Kirche wagen dürften und sollten.

Zwei Motetten[4]) für gemischten Chor a capella von **Vincent. Wheeler**, Op. 2. Die beiden Nummern sind andächtig empfunden. Die Antiphon *Tota pulchra est* (es muß jedoch *es* heißen) *Maria* ist für gemischten vierstimmigen Chor komponiert; der Reinheit des Satzes tun jedoch geteilte Tenor-, Baß- und Sopranstimmen Eintrag, die nur der Volltönigkeit halber eingefügt sind. Sehr stimmungsvoll ist der Hymnus *Ave maris stella* für drei Ober- und vier Männerstimmen. Es sind nur 3 Strophen desselben unterlegt, von denen auch die deutsche Übersetzung, statt des lateinischen Textes, singbar ist.

— — Vom gleichen Komponisten stammen fünf Offertorien aus dem *Commune Sanctorum*[5]) für vierstimmigen Männerchor a capella, Op. 5.[6]) Die Kompositionen sind sehr gut gemacht, von mittlerer Schwierigkeit, nicht weit ausgedehnt, trefflich deklamiert und auch mit den *Alleluja* für die Osterzeit versehen. F. X. H.

---

[1]) Herder, Freiburg i. B. Orgel- und Direktionsstimme 1 ℳ 50 ₰, Stimmen à 25 ₰. Ohne Jahreszahl.

[2]) *Magnificat*, ad tres voces aequales comitante organo. Düsseldorf, L. Schwann. 1908. Part. 80 ₰, 3 Stimmen à 8 ₰.

[3]) W. Sulzbach (Peter Limbach). Berlin, W. 1907. Partitur 2 ℳ, 4 Doppelstimmen à 30 ₰.

[4]) *Tota pulchra est; Ave maris stella.* W. Sulzbach (Pet. Limbach), Berlin, W. 1907. Part. 75 ₰, 4 Stimmen à 60 ₰. Dem Verein für klassische Kirchenmusik zu Berlin und seinem Dirigenten Herrn Prof. Karl Thiel gewidmet.

[5]) *Veritas mea; Laetamini in Domino; Justus ut palma; Afferentur regi; Diffusa est gratia.* Dem St. Sebastiankirchenchor in Berlin gewidmet.

[6]) W. Sulzbach (Peter Limbach), Berlin, W. Partitur 75 ₰, 4 Stimmen à 15 ₰.

# Liturgica.

## Frauen auf dem Kirchenchore.

Die Frage, ob Frauen und Mädchen bei dem liturgischen Kirchengesange mitwirken dürfen, ist wieder um einen Schritt näher gerückt. Am 17. September 1897 decr. auth. n. 3964 erklärte die Ritenkongregation, es sei ein Mißbrauch, welcher klug abzustellen sei, daß Frauen und Mädchen in einer Kirche innerhalb oder außerhalb des Chorraumes bei Hochämtern, besonders an den höchsten Festtagen singen.

Wiederum legte Pius X. in seiner Enzyklika *Motu proprio* 22. November 1903 n. 13 dar, weil die Sänger in der Kirche ein wirkliches liturgisches Amt bekleiden, so seien Frauen als untauglich zu einem solchen Amte, zur Chorteilnahme oder zum Musikchore nicht zuzulassen.

Werden diese letzteren Worte unmittelbar auf unsere deutschen Musikchöre angewendet, so liegt der Schluß nahe, alle Sängerinnen seien von dem liturgischen Gesange in einem Amte oder beim feierlichen *Officium divinum* z. B. Vespern auszuschließen. Indes geben die *Ephemerides liturgicae* in ihrer neuesten Nummer (vol. 22 p. 140) eine mildere Auslegung, indem sie dafür halten, ein liturgischer Dienst der Sänger sei nur jener, welcher im Chore oder an einem noch heiligeren Orte der Kirche von Leviten ausgeübt werde. Daß zu diesem Dienste Frauenspersonen nicht befähigt sind, ist selbstverständlich. Dagegen, wenn solche Personen außerhalb des Chorraumes in irgend einem Nebenraume getrennt vom Altare und nach Möglichkeit auch von Männern getrennt am Gesange sich beteiligen wollten, so verbiete weder das *Motu proprio* Pius X. noch ein anderes Gesetz diesen Gesang.

Diese milde Auffassung wird jetzt durch die neueste Erklärung der Heil. Ritenkongregation v. 17. Januar 1908 amtlich bekräftigt, indem auf die Anfrage des Erzbischofs Ibarra von La Puebla in Mexiko, ob es nicht erlaubt sei, daß Frauen und Mädchen in eigenen, von den Männern getrennten Bänken die stehenden Gesänge der Messe ausführen oder wenigstens bei nicht strenge liturgischen Funktionen Hymnen und Lieder in der Volkssprache singen dürften, die Kongregation auf beide Fragen mit ja antwortete (l. c. 22 p. 138) und beifügte: Es sollten unter den Gläubigen Männer und Knaben, soweit es möglich sei, die gottesdienstlichen Gesänge ausführen, aber besonders in deren Ermanglung sollten Frauen und Mädchen nicht ausgeschlossen sein; wo eine *officiatura choralis* (ein bestellter Sängerchor aus Klerikern?) bestehe, sollte der ausschließliche Gesang der Frauen, besonders in Kathedralkirchen nicht zugelassen werden, außer der Bischof gestatte ihn aus wichtiger Ursache. Immerhin solle man darauf bedacht sein, daß keine Unordnung entstehe.

Nach dieser Entscheidung ist also der Gesang von Frauen und Mädchen auf unseren Kirchenchören fernerhin nicht mehr zu beanstanden.

München. Dr. Andreas Schmid, Universitätsprofessor.

# Organaria.

## Die elektropneumatische Doppelorgel in der Stiftskirche der Benediktinerabtei Scheyern.

Das altehrwürdige Kloster Scheyern, über welchem in Hinsicht auf Neuerwerbungen seit Jahren ein glücklicher Stern waltet, hat wiederum eine überaus wertvolle Akquisition gemacht und zwar diesmal nicht draußen in weiter Ferne, sondern in seinem eigenen Heiligtume; ich meine die von der rühmlichst bekannten Augsburger Firma H. Koulen & Co. in der Stiftskirche der Abtei erbaute elektropneumatische Doppelorgel. Dieses großartige und hochinteressante Werk, wie man hört ein Geschenk des hohen edlen Gönners des Benediktinerordens, besteht aus zwei räumlich weit voneinander getrennten aber auf elektrischem Wege miteinander verbundenen Orgeln; das kleinere Werk, die „Chororgel", zählt 19 klingende Stimmen und ist teils hinter dem Hochaltar teils in einer Nische auf der Epistelseite untergebracht; 80 Meter davon entfernt steht die „Hauptorgel" mit ihren 30 Registern auf der großen Orgelempore.

Die Chororgel hat zwei Manuale mit pneumatischer Traktur und ein elektrisch angelegtes Pedal und ist, teilweise in den Boden eingesenkt, ganz als Schwellwerk gebaut. Auf der ersten Manuallade mit 56 Tönen stehen 6 Register: Prinzipal 8', Gemshorn 8', Dulziana 8', Harmonieflöte 8', Bourdon 8' und Oktave 4'. Das zweite Manuale, wegen der durchgeführten Ober- und Unteroktavkoppel mit 80 Tönen, zählt 10 klingende Stimmen: Flötenprinzipal 8', Salizional 8', Viola di Gamba 8', Äoline 8', Fernflöte 8', Rohrflöte 8', Cor anglais 8' (Zungenstimme), Traversflöte 4', Sesquialtera $2\frac{2}{3}$' und $1\frac{3}{5}$' und Pikkolo 2'. Das Pedal umfaßt 30 Töne und ist mit einem Stillgedeckt 16', Subbaß 16' und Oktavbaß 8' besetzt. Die Eigenart dieser Disposition besonders für die beiden Manuale kann nicht befremden, wenn man sich erinnert, daß diese Chororgel vor allem zur Begleitung des liturgischen Choralgesanges dient; darum war es gewiß angezeigt, den Achtfußton in solcher Weise vorherrschen zu lassen. Und daß dieses Werk durch seine zweckentsprechende glückliche Disposition wie durch seine zarte Intonation in Verbindung mit dem dynamisch belebenden Jalousieschweller, der den Harmonien den Charakter des Geheimnisvollen verleiht, in der Tat ganz vorzüglich zur Begleitung des Choralgesanges sich eignet, davon konnte man gelegentlich der Pontifikalvesper am Prüfungstage sich überzeugen. Koulen geht nie den ausgetretenen Fabrikweg der Schablone; seine Registerauswahl und Intonierung offenbart selbst in den kleinsten Werken erfinderischen Geist und künstlerischen Geschmack.

Die Hauptorgel auf der Empore repräsentiert sich mit ihren 39 klingenden Stimmen als ein selbständiges komplettes Werk. Das I. Manuale mit 56 Tönen hat pneumatische Traktur; auf seiner Lade stehen 16 Register: Prinzipal 16', Bourdon 16', Fagott 16' (Zungenstimme), Prinzipal 8', Gamba 8', Flauto major 8', Gedeckt 8', Dolce 8', Alphorn 8', Quintatön 8', Trompete 8' (Zungenstimme), Praestant 4', Harmonieflöte 4', Fugara 4', Cornet $2^2/_3$' dreifach, Mixtur $2^2/_3$'–$5^1/_3$' vier- bis sechsfach. Das II. Manuale mit 68 Tönen und elektrischer Traktur ist ein Schwellwerk mit folgender Disposition: Quintatön 16', Geigenprinzipal 8', Salicional 8', Vox coelestis 8', Lieblich Gedeckt 8', Konzertflöte 8', Oboe 8' (Zungenstimme), Gemshorn 4', Violine 4', Hohlflöte 4', dazu eine aufgelöste Mixtur mit Quinte $2^2/_3$', Terz $1^3/_5$' und Flageolet 2'. In dem elektrisch angelegten Pedale mit 30 Tönen finden wir vertreten: Prinzipalbaß 16', Großbourdon 16', Dolcebaß 16', Violon 16', Posaune 16' (Zungenstimme), Quintbaß $10^2/_3$' (von großartiger akustischer Wirkung), Flötenbaß 8', Gedecktbaß 8', Violoncello 8' und Oktavflöte 4'.

Das Hauptwerk hat seinen eigenen Spieltisch, dessen verschlossenes Innere gegen einen pneumatischen Spieltisch infolge seiner elektrischen Anlage verblüffend einfach aussieht; dagegen ist er bei den Klaviaturen selbstredend mit allem modernen Komfort ausgestattet und hat einen Jalousieschweller für das II. Manuale und einen elektrischen Rollschweller mit Zeiger für das ganze Hauptwerk. Weit komplizierter ist der bei der Chororgel in der Epistelnische angebrachte Hauptspieltisch, von dem aus die ganze Doppelorgel beherrscht werden kann. Er hat 3 Klaviaturen; die erste hat pneumatische Traktur für die Chororgel und elektrische Leitung für das erste Manuale der Hauptorgel; die zweite mit pneumatischer Einrichtung steht zunächst mit der Lade des II. Manuale der Chororgel in Verbindung; auf der dritten Klaviatur wird mittelst elektrischer Verbindung direkt das zweite Manuale der Hauptorgel gespielt. Das Pedal wird für beide Orgeln durch elektrische Kraft regiert. Außer den 58 Registertasten für die sämtlichen Stimmen beider Werke und den zahlreichen Manubrien für eine dreifache freie Kombination nebst den entsprechenden Druckknöpfen sind als weitere 22 Spielhilfen anzuführen: 5 Pedalkoppeln, darunter auch eine Superoktavkoppel zum II. Manuale der Hauptorgel; 9 Manualkoppeln einschließlich der verschiedenen Unter- und Oberoktavkoppeln; eine Koppeltaste für Pianopedal I und ein Druckknopf für Pianopedal II samt Auslösung; je ein Tritt für den Jalousieschweller der Chor- und der Hauptorgel sowie der Tritt für das in 20 Graden einstellbare General-*Crescendo* des Gesamtwerkes; der Hebel zum elektrischen Anschluß der Hauptorgel mit all ihren Stimmen und Koppelungen an die Chororgel und endlich der Hebel zur Zuleitung und Regulierung der elektrischen Kraft. Es gehört tatsächlich ein förmliches Studium dazu, um auf diesem ebenso herrlich als reich ausgestatteten Spieltisch heimisch zu werden. Übrigens wundert es mich doch etwas, daß Koulen, der erfahrungsreiche Praktiker, bei diesem Spieltische es verschmähte, durch Anwendung verschiedener Farben für die einzelnen Werke, deren Manuale und Pedale wie ihre zahlreichen Register und Nebenzüge größere Übersicht in die Spieltischeinrichtung zu bringen. Der ständige Organist hat diese Unterstützung für Auge und Hand weniger nötig, zumal die Anordnung der Registerdrücker und Spielhilfen eine konsequente und handliche ist; aber fremde Organisten würden sich in diesem Walde von Klipptasten leichter und rascher orientieren, wenn letztere mit farbigen Titelplatten versehen wären.

Das Schwierigste am ganzen Werke nach der rein technischen Seite — abgesehen von der schwerzulösenden Platzfrage bezüglich Unterbringung der Chororgel hinter und unter dem Hochaltare — war die Verbindung der beiden 80 Meter entfernten Orgeln; da konnte nur die Blitzesschnelle des elektrischen Funkens zu Hilfe gezogen werden. Meister Koulen hat die überaus schwierige Aufgabe, welche diesbezüglich seiner harrte, wahrhaft glänzend gelöst. Sämtliche Schaltbretter und Schalttafeln sind höchst übersichtlich und leicht zugänglich angebracht; die verschiedenen Oktavgattungen und Koppelungen sind durch verschieden gefärbte Leitungsdrähte erkenntlich gemacht, was bei etwaigen Störungen, die bei einem solch komplizierten Werk nicht überraschen dürften, von großem Vorteile ist. Große Schwierigkeiten verursachte auch der Anschluß an die elektrische Zentrale; da nämlich letztere 220 Volt Spannung hat, die Elektromagnete der Orgel aber nur 12–14 Volt benötigen, durfte der Hauptkraft nur ein Strom von 10 Elementen entnommen werden. Die Erhaltung der Normalspannung von 12 Volt wird durch einen eigenen Regulator besorgt, hergestellt nach den speziellen Angaben des elektrotechnischen Revisors Hochwürden Herrn Martin Raith, Pfarrer in Unterhausen bei Weilheim — eine anerkannte Autorität auf diesem Gebiete, um das Scheyerer Werk ebenso verdient wie um die Riesenorgel von St. Ulrich zu Augsburg. Die Kontakte der Traktur sind in Scheyern durch „Schleifen" gebildet; um Störungen und unnötige Funkenerzeugung bei den Elektromagneten zu vermeiden, sind die Kontakte geteilt und nur einmal unterbrochen.

Die elektrische Zentrale selbst, der sich selbst regulierende Elektroventilator, welcher mittelst eines Motors von $4^1/_2$ Pferdekräften das Gebläse mit dem nötigen Winde speist, sowie die elektrische Beleuchtung der Orgel sind von der Firma Neumüller in München in mustergültiger Weise hergestellt.

Was nun vom musikalischen Standpunkte aus die Hauptsache an der Orgel, nämlich Intonation und Charakter der Register anlangt, würde es zu weit führen, Stimme für Stimme eigens würdigen zu wollen. Meister Koulen wird ja gerade als Intonator von all seinen süddeutschen Kollegen zu den Ersten gerechnet und von vielen Orgelbauern zum Vorbilde gewählt. Bezüglich der Zungenstimmen steht er in weitem Umkreise immer noch unerreicht da; und daß er auf eine charakteristische und farbenreiche Intonation des Labialpfeifenwerkes sich nicht weniger gut versteht, das hat er in Scheyern wiederum überzeugend nachgewiesen. Denn je größer die Anzahl der Register ist, um so schwieriger ist es, die vielen gleichnamigen und gleichartigen Stimmen in Mensur, Aufschnitt und Windzufluß gehörig auseinander zu halten, so daß jede einzelne Stimme durch eine ganz individuell ausgeprägte Physiognomie von ihren Schwestern sich unterscheidet. Man vergleiche die zahlreich vertretenen Repräsentanten des Prinzipalchores im Scheyerer Werke, und man wird das Intonierungstalent Koulens bewundern müssen; dasselbe an spezifischen Nuancen reiche Kolorit eignet den Charakterstimmen des Geigen- und Flötenchores, und die den Grundton so sicher unterstützenden gedeckten Stimmen geben den reichgestaltigen und sympathischen Klangbildern die nötige Schattierung. Die Möglichkeit der verschiedenartigsten Stimmenkombinationen und Farbentöne ist bei einer Doppelorgel mit 58 Registern und so mannigfaltigen Spielhilfen geradezu eine unbegrenzte und unerschöpfliche: angefangen von dem geheimnisvollen Geisterhauch der kaum hörbaren Fernflöte bis zur erschütternden Majestät des vollen Werkes liegen unendlich viele stimmungsvolle Klangbilder sie auszustudieren und ihrem Wohllaut zu lauschen ist ein Doppelgenuß, um den man den Organisten von Kloster Scheyern beneiden möchte. Und zu diesem Farbenreichtume kommt noch die überraschend schöne Tonbelebung und lebendige Ausdrucksfähigkeit des Werkes durch die genial angelegten Schwellvorrichtungen; ein so stetiges, von allem ruckweise wirkenden Mechanismus losgelöstes und wirklich seelenvolles *Crescendo* und *Diminuendo* wird man nicht leicht anderswo vernehmen können. Daß bei zwei räumlich so weit getrennt liegenden Werken das Zusammenspiel der beiden Orgeln nicht an allen Punkten der langgestreckten dreischiffigen Kirche ein in gleicher Weise vollständig ausgeglichenes sein kann, ist jedem Verständigen einleuchtend; bei leiserem Spiele auf beiden Orgeln zugleich ist gegen die Mitte der Kirche natürlich wohl zu bemerken, daß die zwei tonerzeugenden Körper voneinander getrennt sind; aber gerade da muß man staunen über die Schnelligkeit und Präzision der elektrischen Leitung, denn eine zeitliche Differenz ist nicht wahrzunehmen. Und daß im *Pleno* die Chororgel, je weiter man von ihr entfernt ist, in dem allgewaltigen Brausen ihrer physisch stärkeren Schwester unterzugehen scheint, ist ebenso eine natürliche Konsequenz der notwendigen Anlage wie tatsächlich nur eine akustische Täuschung. Meister Koulen verdient mit Recht für dieses neueste Opus die vollste Anerkennung und wärmste Empfehlung; unter solch schwierigen Verhältnissen besonders in ausgleichender Intonation so hervorragendes zu leisten, ist ein Meisterstück neidlosen Lobes wert. Es darf auch nicht wundernehmen, wenn Herr Koulen ein volles Jahr zum Baue, zur Aufstellung und Intonation des prächtigen Werkes benötigte; wer sich, in keineswegs gerechter Beurteilung der Sachlage, hieran stoßen sollte, der erinnere sich an das Sprich- und Wahrwort: „Gut Ding will Weile haben!"

Zum Schlusse noch ein Wort über die festliche Vorführung der Doppelorgel am Dienstag den 12. Mai. Die Feier wurde eingeleitet durch eine Pontifikalvesper, gehalten von dem Hochwürd. Herrn Abte Willibald von Metten unter Assistenz des Hochwürd. Herrn Abtes von Scheyern. Ich konstatiere mit Freuden, daß die diskrete Orgelbegleitung, vom Hochwürd. Herrn P. Salvator so geschmackvoll ausgeführt, auf das Innigste mit dem frommen Choralgesange der Mönche zu einem überaus erbaulichen Gesamtkunstwerke sich amalgamierte — zugleich ein Beweis, daß Koulen bezüglich der Registerauswahl und Intonation der Chororgel das Richtige getroffen hat. Wie die mit verschiedenartiger Stimmenbesetzung — für vereinigte Ober- und Unterstimmen, für Oberstimmen allein und für gemischten Chor — vorgetragenen Gesänge überzeugend nachwiesen, eignet sich auch die Hauptorgel ganz vorzüglich zur Begleitung des mehrstimmigen Gesanges. Und wenn selbst einer so warmen Kantilene gegenüber, wie sie Hochwürd. Herr Alois Behr, Pfarrer in Seeshaupt, in der stimmungsvollen Arie für Violine und Orgel von G. Tartini seiner Geige entlockte, der Orgelton nichts an Interesse verlor, so ist das für die Ausdrucksfähigkeit einer Orgel gewiß ein hohes Lob. Als Solo- und Konzertinstrument wurde das Gesamtwerk vorgeführt durch die von souveräner Beherrschung des Instrumentes zeugenden Meisterdarbietungen der beiden Revisoren. Hochwürd. Herr Domkapellmeister Dr. Widmann von Eichstätt, als Orgelexperte weit hinaus über die Grenzen unseres Vaterlandes rühmlichst bekannt, spielte die nach Technik und Vortrag gleich schwierige „Konzertphantasie für Orgel über die österreichische Hymne" von Stehle Op. 47, während der Virtuos der Ulrichsorgel in Augsburg, Herr Thaddä Hofmiller, mit dem Vortrage der dreisätzigen Sonate Nr. 14 in C-dur von Jos. Rheinberger Op. 165 die künstlerische Weihe des herrlichen Werkes abschloß. Nicht unerwähnt darf bleiben, daß der 19jährige Eleve der Kgl. Akademie der Tonkunst in München, Herr Joh. Schindler aus Eichstätt, auf der Hauptorgel die berühmte *Passacaglia* in C-moll von Joh. Seb. Bach mit sicherer und ruhiger Technik des Spiels und tiefem Verständnis der Komposition meisterlich wiedergab. So reichhaltig das Programm war, so vermißte ich doch eine Hauptnummer auf demselben; ich glaube, das ganze zahlreich versammelte Auditorium wäre sehr dankbar dafür gewesen, wenn das großartige Werk in ausgewählten Einzelstimmen und Registerkombinationen wie nach seiner dynamischen Ausdrucksfähigkeit mittelst des Rollschwellers usw. in Form einer freien Phantasie vorgeführt worden wäre. Nicht bloß der Fachmann, auch der musikverständige Laie möchte neben dem Künstlerischen auch das Künstliche an einem solchen Werke kennen lernen; gerne läßt er das fertige musikalische Kunstwerk auf sich wirken, aber es verlangt ihn auch, die Geheimnisse der Kunstwerkstätte zu ergründen. Gewiß wären viele durch eine derartige Vorführung noch lebhafter davon überzeugt worden, daß es sich hier um ein im Großen wie im Kleinen eminent geistvoll angelegtes Werk handelt, das seinen Meister lobt und warm empfiehlt.

Möge nun diese herrliche Doppelorgel in der Abteikirche zu Scheyern bis in die fernsten Zeiten erzählen von der Meisterschaft ihres Schöpfers, von der sichtlich gesegneten Regierung des Abtes Rupertus III. und von dem Edelsinne seines hochherzigen Gönners; mögen diese weihevollen Töne stets erklingen zur Würde der Liturgie und Erbauung der Gläubigen als Hymnus zum Lobpreise des Allerhöchsten — möchten alle in diesen reinen Klängen erkennen das Echo und Vorgefühl der ewigen Harmonie in Gott! H. M.

## Der Umbau der großen Domorgel in Pelplin Diözese Culm (Westpreußen).

Im Jahre 1845 erbaute Karl Buchholz aus Berlin, eine der berühmtesten Firmen in Preußen damaliger Zeit, die Orgel in der Kathedrale zu Pelplin. Sie hatte auf drei Manualen 54 klingende Stimmen und die allernotwendigsten Koppeln; die Windladen waren Schleifladen und Traktur mechanisch. Die Orgel war im Osten eines der berühmtesten Werke seiner Zeit, vielleicht im allgemeinen sogar zu wenig bekannt. Im Laufe der Zeit wurde sie durch den fortwährenden Gebrauch und durch den Einfluß der Witterung so abgenutzt, daß ein Umbau sich durchaus als notwendig erwies. Dieser Sache nahm sich die Prüfungskommission der Organisten unserer Diözese an, bestehend aus dem Domkapitular und Regens Schwanitz, dem Domchordirigenten Lewandowski und Domchororganisten Herrmanczyk. Das Hochwürd. Domkapitel nahm den Antrag und die Proposition, die Orgel vollständig umzubauen, sofort an und die Arbeiten wurden der Königsberger Firma Bruno Goebel (Terletzkis Nachfolger) übergeben. Außer dieser kamen noch Walcker & Cie.-Ludwigsburg und die sonst bei uns bekannte Firma Wittek-Terletzki aus Elbing in Betracht; aber die Vorschläge des Herrn Goebel waren die günstigsten und deshalb wurde ihm das Werk anvertraut.

Am 11. Februar d. J. fand nach längerer und eingehender Prüfung die Abnahme der von Herrn Goebel neu umgebauten großen Domorgel durch das oben erwähnte Orgelbaukomitee statt. Das Resultat der Prüfung fiel zur vollsten Zufriedenheit des Komitees aus.

Im besonderen wird folgendes festgestellt:

1. Das System ist durchweg rein pneumatisch.

2. Disposition der Orgel: Das Werk besitzt auf 3 Manualen und Pedal 60 in Anschlag und Nachtrag angegebene Register, darunter 10 Hochdruckluftstimmen; 13 verschiedenartige Koppeln, Pedalausschalter, 9 Kollektivdruckknöpfe, 1 Auslöserknopf, 144 Register- und Koppeltaster für freie Kombination, Rollschweller für das ganze Werk, Jalousieschweller für das III. Manual, einen uhrenartigen Windanzeiger, ähnlichen Registeranzeiger für den Rollschweller und Kalkantenglocke.

Register des I. Manuals: 1. Prinzipal 16'; 2. Bordun 16'; 3. Schalmei 8'; 4. Prinzipal 8'; 5. Gemshorn 8'; 6. Rohrflöte 8'*;[1]) 7. Trompete 8'*; 8. Oktave 4'; 9. Spitzflöte 4'; 10. Nasard 5 1/3'; 11. Quinte 2 2/3'; 12. Superoktave 2'; 13. Cornett 5fach; 14. Scharf 5fach; 15. Zimbel 3fach; 16. Flauto traverso 8'. Register des II. Manuals: 17. Gamba 16'*; 18. Lieblich Gedeckt 16'; 19. Prinzipal amabile 8'; 20. Salicional 8'; 21. Fugara 8'; 22. Quintatön 8'; 23. Piffaro 8'; 24. Gedeckt 8'; 25. Englisch Horn 8'; 26. Oktave 4'; 27. Rohrflöte 4'; 28. Rauschquinte 2 2/3' und 2'; 29. Mixtur 4fach; 30. Progressiv-harm. 3–5fach. Register des III. Manuals: 31. Quintatön 16'; 32. Praestant 8'; 33. Viola di Gamba 8'; 34. Äoline 8'; 35. Vox coelestis 8'; 36. Konzertflöte 8'*; 37. Lieblich Gedeckt 8'; 38. Oboe 8'*; 39. Vox angelica 8'; 40. Oktave 4'; 41. Rohrflöte 4'; 42. Rauschquinte 2 2/3' und 2'; 43. Harmonia aether. 2–4fach. Pedal: 44. Posaune 32'; 45. Kontrabaß 32'; 46. Prinzipal 16'*; 47. Violon 16'; 48. Subbaß 16; 49. Posaune 16'*; 50. Prinzipal 8'; 51. Violoncello 8'; 52. Baßflöte 8'; 53. Trompete 8'*; 54. Nasard 10 2/3'; 55. Flöte 4'; 56. Oktave 4'; 57. Clarino 4'*; 58. Tertia 6 2/5'; 59. Mixtur 5fach; 60. Salicetbaß 16'. Koppeln: 1. Suboktavkoppel II. zum I.; 2. Suboktavkoppel III. zum II.; 3. Suboktavkoppel III. zum I.; 4. Suboktavkoppel III. zum II. (durchgehend); 5. Superoktavkoppel III. zum I. (durchgehend); 6. Superoktavkoppel II. zum I. (durchgehend); 7. Superoktavkoppel zum III. (durchgehend); 8. Manualkoppel II.–I.; 9. Manualkoppel III.–II.; 10. Manualkoppel III.–I; 11. Pedalkoppel zum I.; 12. Pedalkoppel zum II.; 13. Pedalkoppel zum III. Kollektivdruckknöpfe: 1. Auslöser; 2. *Pianissimo*; 3. *Piano*; 4. *Mezzoforte*; 5. *Forte*; 6. *Fortissimo*; 7. *Tutti*; 8. Zungenregister auf dem I. Manual spielbar; 9. Freie Kombination; 10. Rollschweller. Alle diese Teile sind sichtbar an dem sehr exakt gearbeiteten, ja sogar kunstvoll und bequem angelegten Spieltisch, welcher in das Orgelgehäuse hineingerückt ist. Das pneumatische System bewirkt, daß alle Spielregister und Koppeltasten ganz geräuschlos, sofort und selbst beim vollen Werk sehr leicht funktionieren.

3. Windbehältnisse: Zu den schon vorhandenen 3 Magazinbälgen kamen wegen der pneumatischen Traktur und der reinpneumatischen Windladen noch 2 Keilbälge mit 120 mm und ein besonderer Magazinbalg für die Hochdruckluftstimmen mit 200 mm Windstärke. Der voll, ruhig, ohne jede Schwankung dahinfließende Ton des vollen Werkes beweist zur Genüge, daß die Windbehältnisse tadellos sind.

4. Das Pfeifenwerk: Ein wahres Labyrinth von Pfeifen und doch in schönster Ordnung bietet das Innere der Orgel; angefangen von den riesenhaften 32-Füßlern bis herab zu den zwerghaften Zinnpfeifen sind ihrer 4500 und alle entsprechend restauriert, umgearbeitet oder ganz neu hergestellt. In diesem Punkte war Herr Goebel sehr gewissenhaft und zeigte gleichzeitig einen sehr praktischen Sinn in der ganzen Anlage, da man trotz der Unmenge von Pfeifen zu jedem Register bequem hinzukommen kann. Da die ganze Orgel auf den jetzigen Kammerton *a* herabgestimmt ist, so mußten alle *C*- und *Cis*-Pfeifen ergänzt werden. Sämtliche Pfeifen sind mit Stimmrollen bezw. Stimmschlitzen versehen, so daß ein Nachstimmen mit der größten Leichtigkeit bewirkt werden kann.

5. Stimmung: Das Werk ist in gleichschwebender Temperatur in dem normalen, amtlich vorgeschriebenen Kammerton richtig und oktavrein gestimmt.

6. Intonation: Das umfangreiche Werk erforderte im Punkte der Intonation einen höchst fachmännischen, sicheren und feinfühlenden Meister und als solcher hat sich Herr Goebel bewährt.

[1]) Die mit * bezeichneten Register sind Hochdruckluftstimmen.

Im allgemeinen ist das Hauptmanual stark, das II. Manual schwächer, das III. orchestral intoniert. Der Übergang von Holz- zu Metallpfeifen fällt nicht im geringsten auf. Jede Stimme weist den ihr zukommenden Charakter auf. Möge hier nur einiges im besonderen angeführt werden. Dadurch, daß die Prinzipalregister direkten Wind aus den Windladen und nicht wie früher durch Kondukte bekamen und mit Rollen an der Kernspalte versehen wurden, haben sie jetzt eine Fülle, die eine sichere Grundlage des ganzen Werkes bildet. Gamba 8′ klingt beinahe wie ein Zungenregister. Wunderbar hell ist die Konzertflöte, Gedeckt sanftklingend aber dicht; ganz eigenartig ist Piffaro 8′, welches aus Gedeckt 8′ und Dolce 4′ zusammengesetzt und schwebend intoniert ist. Ätherisch schön sind Äoline und Vox coelestis. Eine Oboe und Trompete können im Orchester als Soloinstrumente nicht besser klingen als unsere Register gleichen Namens. Entsprechend charakteristisch ist das Pedal.

7. Das Orgelgehäuse ist das alte geblieben.

Gesamturteil: Die alte, im Jahre 1845 von Karl Buchholz-Berlin, dem damaligen größten Orgelbaumeister Preußens erbaute Domorgel wurde vom Musikdirektor Otto Bach-Berlin in seinem Abnahme-Gutachten als vollständig gelungen bezeichnet. Mit einem viel größeren Rechte können wir dieses Prädikat der heutigen von Herrn Goebel eingebauten Orgel beilegen. Wie aus den oben angeführten Einzelausführungen ersichtlich ist, sind alle Erfordernisse gegeben, die die Orgel zu einem Werke ersten Ranges konstituieren, welche ihresgleichen im ganzen Osten Preußens sucht. Durch die geschickte Zusammenstellung der oben angeführten Register und durch ihre durchweg charakteristische Intonation ist glücklich die Klippe überstanden, das Werk zu einer Cotageorgel herabzuwürdigen. Sie besitzt die Fülle des Prinzipalchores, die Schneidigkeit des Gambenchores, die helle und deutliche Farbe des Flötenchores, den Glanz der wunderbar schönen Zungenregister und die Durchdringlichkeit der Hochdruckluftstimmen. Die verschiedenartigsten Koppeln verstärken das Werk um die doppelte Registerzahl. Daher wälzt sich das Plenum wie ein mächtiger Strom durch den weiten Raum der Kathedrale und macht denselben Eindruck an jeder Stelle des ungeheueren Gebäudes. Der Rollschweller gibt dem Spielenden die Möglichkeit, vom säuselnden echohaften *Pianissimo* angefangen allmählich ein himmelstürmendes *Fortissimo* vorzubringen. Der Schwellkasten bewirkt ein angenehmes und deutlich vernehmbares *Crescendo* und *Decrescendo* des III. Manuals. Da verschiedene Stimmen ganz orchestral intoniert sind, so könnte neben unserer Orgel ein mittleres Orchester nicht bedeutend den Effekt heben, ein kleineres würde ganz verschwinden. Zählt ja das Werk überhaupt viel mehr charakterverschiedene Register als ein Orchester aufweisen kann; aber ebendeshalb, weil es eben wie in einem Schachspiel beinahe unzählbare Kombinationen gibt, könnte ein Orgelspieler, der sich nicht zu zügeln weiß und fortwährend nur kombiniert und koppelt, leicht versucht sein, aus dem Gotteshause einen Konzert- oder Opernsaal zu machen und die Register in ihrem Grundcharakter nicht auftreten zu lassen. Immerhin bleibt jedoch das Werk, wie es jetzt ist, ein Meisterwerk und gereicht zur Ehre seinem Erbauer, der an ihm seine Gewissenhaftigkeit und sein großes, fachmännisches Wissen an den Tag gelegt und somit den Ruhm seiner Firma begründet hat.

W. Lewandowski, Domchordirigent.

---

## Zur 18. Generalversammlung in Eichstätt

sendet Dr. Widmann nachfolgenden Artikel: „Im „Kirchenchor“, 1906 Nr. 8 habe ich eine Studie über die Motette und Messe *Beatus qui intelligit* von Orlando di Lasso veröffentlicht. Da nun Motette und Messe auch als Beilage zur *Musica sacra* erschienen sind, mag auch die analytische Studie darüber in *Musica sacra* ein Plätzchen finden.“

„Ich habe die Messe seit 7. Juli 1894 sehr oft aufgeführt; sie ist von großartiger Klangwirkung, voll Jubel, eine Festmesse allerersten Ranges, dabei sehr kurz und knapp, gerade in ihrer Gedrängtheit, in ihrer oft vollständigen Sprengung der Taktfesseln, in der durchaus ungleichzeitigen Behandlung des Textes in den einzelnen Stimmen, in der Charakteristik einzelner Worte und Wörter (namentlich *resurr. mort.*, *qui tollis peccata mundi* und *Agnus Dei)*, in ihrem fast ununterbrochenen Stürmen und Vorwärtsdrängen echt orlandisch, eine Ausweitung und Steigerung der *Missa Qual donna*, mit der sie auch die Tonart gemeinsam hat. Sie ist aber nicht wie diese über ein einstimmiges Lied geschrieben, sondern über eine Motette desselben Komponisten. Ich habe die Motette der Messe vorausgehen lassen, damit der Interessent die Quelle oder wenigstens die Bächlein kennen lernen kann, aus denen die Messe geflossen ist, oder vielleicht besser, die sich in die Messe ergossen haben. Freilich werden wir bei dieser Untersuchung, sobald wir zur Förderung des Resultates eine Messe von Palestrina hereinziehen, die dieser Meister auch über eine Motette geschrieben hat, z. B. dessen *Missa Dies sanctificatus*,[1]) sogleich eine nicht unbedeutende Verschiedenheit in der Faktur gewahr. Palestrina

[1]) Vergl. meine Analyse der Motette und Messe *Dies sanctificatus* von Palestrina im „Kirchenmusikalischen Jahrbuch“, 21. Jahrgang 1908, Seite 72 ff.

nimmt zunächst ein ganzes Thema aus der Motette her, und wie er es in der Motette verarbeitet und durchgearbeitet hat, bevor er ein anderes Thema aufgreift und ebenfalls durcharbeitet, so auch in der Messe; z. B. *Dies sanctificatus illuxit nobis* — 1. *Kyrie*-Satz; *venite gentes* — 2. *Kyrie*-Satz; *et adorate Dominum* — 3. *Kyrie*-Satz. Das *Gloria* bis *Glorificamus te* ist wieder *Dies sanctificatus illuxit nobis*, nur in anderer Verarbeitung; *propter magnam* — *omnipotens* ist *descendit lux magna in terris* (mit einigen neuen, d. h. in der Motette nicht vorhandenen Seitenthemen); *Domine Fili unig.* ist in derselben Weise *venite gentes; Jesu Christe* — *haec dies; Domine Deus* — *Filius Patris* ist frei erfunden.

So leicht sind nun die Themen in der Messe von Orlando nicht zu erkennen und herauszuschälen. Wer die Motette kennt, findet ja immerhin Anklänge an sie, sogar ganze Satztrümmer in der Messe wieder; aber ich selbst habe mich bei wie ich glaube eingehender Beschäftigung mit der Motette und Messe davon überzeugen müssen, daß man mit dem Seziermesser da nicht so leicht beikommt.

Der erste Satz der Motette (I) *Beatus* bis *pauperem* zerfällt in 4 Partien: 1. *Beatus*, 2. *qui intelligit*, 3. *super egenum*, 4. *et pauperem*. Da hat nun Orlando nicht etwa im 1. *Kyrie*-Satz das ganze I 1—4 ausgekramt, sondern er nimmt nur I 1 als Anfang der Messe und bildet dann das Weitere frei und neu, bis er bei T. 9 ff. wieder auf die Motette zu sprechen kommt, wobei ich aber nicht zu entscheiden wage, ob er an *in animam* (I. pars T. 40—42) oder an *quia peccavi tibi* (II. pars T. 47—50) denkt. Dasselbe bei *Filius Patris* beim ersten Hauptabschnitt im *Gloria* und bei *de Spiritu Sancto* und *et homo factus est*, TT. 66 f. und 72—74 im *Credo* (Cant. II), vergl. *Dñs Deus Sabaoth* (I, II). I 1 finden wir ferner bei *Et in terra pax* (1. Ten.), bei *omnipotentem*, in TT. 4—6 des *Sanctus* und wenn wir recht scharf sehen, bei *resurrectionem* und bei *qui tollis peccata mundi* (C. II im *Agnus*). Doch haben wir hier rhythmische Umbildungen, die das Urbild kaum mehr erkennen lassen. Verwandt mit I 1 ist auch der Anfang und der Schluß des *Osanna*. Das Motiv *Beatus* ist wörtlich in C II, der Tonsatz aber ist ein anderer. Merkwürdig ist, daß in der Messe I 1 manchmal einige einleitende Takte sind, die selbstverständlich ganz aus dem Geiste des Themas geboren und doch frei erfunden sind, vergl. Anfang des *Credo* und des *Sanctus*.

I 2 (*qui intelligit*) hören wir heraus aus *hominibus*, aus *factorem coeli* (*de Spiritu* T. 66 C. II?; *Dñs Deus* TT. 6—9 in C. I, II und T.). Klein ist die Verwendung *et pauperem* (I 4): nur *et iterum venturus est;* I 3 (*super egenum*) s. *bonae voluntatis* und *gloria tua* T. 21 f. in C. II, T. 12 f. in C. I.

Der 2. Satz der Motette heißt: *in die mala* (II 1) *liberabit eum Dominus* (II 2). Davon ist sehr klar und augenfällig verwertet II 1 als *Christe eleison*; als Nachbildung läßt sich *puer quem omnia* ansehen.

II a) *Dominus conservet eum*, b) *et vivificet eum*, c) *et beatum faciat in terra*. III a) finde ich in *Domine Fili u-(nigeniti)*, *Domine Deus Agnus* (C II). vergl. *Et ascendit*. Zu III b) s. *Kyrie* T. 25—29; deutlicher in *deprecationem nostram* (C. II): dem Gehalte nach *ad dexteram Patris*, *Credo* T. 2—3 (C. I); *qui ex Patre Fi-(lioque)* (C. II); *et apostolicam* (C. II); *in remiss. peccatorum* (C. I); *Sanctus* T. 2—4 (C. II). T. 4—6 (T. II); *Agnus Dei* T. 1, 3 f. in C. II, T. 3, 5 f. in T. II. *Et beatum faciat* (C.) ist selbst verwandt mit *et vivificet*.

IV a) *et non tradat eum*, b) *in animam*, c) *inimicorum ejus*. Zu a) vergl. *Dñe Deus A-(gnus)* in C I, *cum Sancto Spiritu* in allen Stimmen; zur Altst. *et non tradat*, vergl. *Kyrie* T. 5 und 33 in C. II. *In animam* ist schon oben (bei I) erwähnt und bezogen worden.

Das V. Thema der Motette heißt: a) *Dominus opem ferat illi*, b) *super lectum doloris ejus* c) *universum stratum ejus*, d) *versasti in infirmitate ejus*. Davon begegnen wir einem Anlauf zu V a im *Kyrie* T. 23 ff.; *Pleni sunt coeli;* der rollenden Figur zu *universum stratum* bei *magnam gloriam tuam* in den 3 Männerstimmen.

Das ist so ziemlich das ganze Material, das aus der Motette benützt ist; vieles, was sich sehr wohl hätte verwerten lassen und von einem dürftigeren Komponisten sicherlich mit Wonne bis auf den letzten Tropfen wäre ausgequetscht worden, hat bei Orlando keine weitere Beachtung in der Messe gefunden, und vieles, was in der Messe vorkommt, steht nicht, wenigstens nicht wörtlich in der Motette: aber wie gesagt, ist trotzdem die Messe ein in sich geschlossenes einheitliches Ganzes, alle Sätze der Messe stehen in geistigem Zusammenhange miteinander und dadurch direkt oder indirekt auch mit der Motette. Der Zusammenhang zwischen Motette und Messe ist ungefähr derselbe wie zwischen der Ouverture zum Don Giovanni und der folgenden Oper: sie passen vorzüglich zusammen, ohne voneinander direkt zu entlehnen; der Zusammenhang ist mit wenig Ausnahmen nur geistig.

Was die Verwendung der Motettenmotive in der Messe betrifft, so zeigt sich hier wohl der elementarste, stilistische Unterschied zwischen Palestrina und Orlando. Bringt nämlich jener mit dem Thema immer wieder auch thematische Arbeiten, so ist unserm Orlando das „Thema" vielfach nur ein Zitat, das nicht weiter verarbeitet wird; jener wirkt mit breiten Imitationen eines Themas; infolge davon geht er regelmäßig von der

Einstimmigkeit aus, auch in der Mitte des Satzes zu Beginn eines neuen Themas; zwar wird die Einstimmigkeit oft maskiert durch Ausläufer des vorhergehenden Satzes in anderen Stimmen; aber das neue Thema tritt im Grunde doch einstimmig auf; diesem Grundsatze wird Palestrina selbst in „chorisch" gearbeiteten 6stimmigen Messen nicht untreu. Orlando dagegen ist schon beim zweiten Takt in der vollen Sechsstimmigkeit, er springt wie ein kouragierter Schwimmer sogleich mit dem ganzen Körper, ja kopfüber, ins Wasser, die volle Sechsstimmigkeit ist das *Corpus* der ganzen Komposition, und dabei ist schulgerechte thematische Durchführung nicht die Regel, sondern die Ausnahme. Wenn Palestrina 6stimmig arbeitet, wird er breit, umfangreich. Das scheint in der Natur der Sache zu liegen. Denn bis sich die sechs Stimmen entfalten, muß Zeit vergehen; ein groß angelegtes Gemälde braucht ja auch mehr Raum als ein kleines Bild. Vittoria ist in der *Missa Vidi speciosam* kurz; und ich muß sagen, ich halte die Messe, namentlich im *Kyrie*, für zu 6stimmig im Verhältnis zu ihrer Kürze oder umgekehrt. Orlando ist 6stimmig und kurz, und doch sind beide Eigenschaften in glücklicher Weise vereinigt. Die Messe ist im Gegensatz zu Palestrinas Werken ein aus Zyklopensteinen aufgetürmter Bau. Nur ein Geist von der Größe eines Lassus kann meines Erachtens so komponieren, ohne durch Tonschwall und gleichzeitig durch Inhaltslosigkeit zu ermüden. Ich aber und mein Chor mit mir, die wir doch schon viele Meisterwerke zusammen studiert und aufgeführt haben, uns ist die *Missa Beatus qui int.* eine Lieblings-, eine wahre Festmesse. Eine der größten Steigerungen und Spannungen ist im *Credo* von *Et ex Patre* an; und bei *lumen de lumine*, wo man meinen könnte, nun seien wir auf der Höhe angelangt, bewirkt Orlando noch immer gewaltige Steigerung, indem er (ohne die geringste Unterbrechung!) in den Tripeltakt übergeht. — Bei der Sechsstimmigkeit vermeidet Palestrina bloß 2stimmige Sätze; Orlando bringt in unserer Messe deren zwei: der erste, *Crucifixus*, (nach einer langen Pause!) wirkt wunderbar; der andere, *Et expecto*, ist konventionell. Eines der anziehendsten Stücke ist das 4stimmige *Benedictus*; eine Parallele mit dem *Benedictus* der *Qual donna*-Messe ist so naheliegend, daß sie jeder selbst sehen kann, der die beiden Messen kennt. Höchst interessant, fast geheimnisvoll, wie Geistergesang ist der Schluß der Messe im *Dona nobis*; und das gibt mir Veranlassung ein Wort über meine Bearbeitung zu sagen. Daß ich die Messe mit großer Liebe und Hingebung bearbeitet habe, wird man mir wohl nicht bestreiten. Ich habe aus Koloritrücksichten, namentlich um manchmal die Wirkung eines reinen Männerchores zu erzielen, das *Domine Deus rex coelestis* und das zweite *qui tollis* für Männerstimmen eingerichtet; damit lag im zweiten Falle nahe, den Satz durch Vertauschung der Töne in den einzelnen Stimmen etwas umzumodeln und so einen modernen „1. Tenor" herzustellen. Aus dem gleichen Grunde habe ich *consubstant. Patri* aus dem Alt für Tenor umgeschrieben, und umgekehrt *qui propter nos — salutem* für Frauenquartett eingerichtet (ohne den Satz zu ändern). Klangliche Rücksichten haben mich auch veranlaßt, das *Descendit de coelis* im 1. Sopran durch Altstimmen zu verstärken. Ich glaube, daß diese Arrangements nicht übel klingen. Endlich habe ich zwei *Agnus Dei* dazu komponiert, damit nicht durch Wiederholung des originalen *Agnus Dei* das herrliche *Dona nobis* verbraucht werde. Wem meine Zutaten und Änderungen nicht gefallen, der kann ja das Original leicht aufführen; in den zwei Fällen, wo es im Kontext keinen Platz mehr finden konnte, habe ich es als „Anhang" (Seite 44) beigegeben.

Noch bemerke ich, daß ich nicht zu behaupten wage, mit den vorstehenden Bemerkungen den Stil Orlandos überhaupt oder auch nur seinen Messenstil charakterisiert zu haben, da ich zu wenig Messen dieses Meisters kenne. Ich will also nur von der vorliegenden Messe gesprochen haben. Um ein abschließendes Urteil zu bilden, müssen wir wohl das Erscheinen der Messen in der Gesamtausgabe Orlandos abwarten.

Eichstätt. Dr. W. Widmann.

NB. Über die nachmittägige Vorführung am 21. Juli werde ich nächstens berichten; es stehen *Kyrie*, *Sanctus* und *Benedictus* aus der Messe *VIII. Toni* 4 voc. von Lassus, einige Verse der von mir bearbeiteten Improperien von Palestrina-Bernabei in Aussicht. — Als *Requiem* wurde das 5stimmige Opus 124 von Ign. Mitterer bestimmt. D. O.

## Vermischte Nachrichten und Mitteilungen.

1. § **Kirchenmusikalisches aus Ägypten.** Während meines fast dreijährigen Aufenthaltes in Alexandrien, Kairo und Heluan hatte ich reichlich Gelegenheit die kirchenmusikalischen Verhältnisse der genannten Städte und somit Ägyptens kennen zu lernen. Es ist Wüste ringsum, in die noch kein Hall der Reform gedrungen. Die verschiedenen orientalischen Kirchen mit ihrem näselnden Gesang will ich hier nicht in Betracht ziehen, sondern lediglich die Missionskirchen italienischer und französischer Nationalität. Die kirchliche Erneuerung, die in deren Heimatländern bereits mehr oder weniger stark eingesetzt, hat ihren Weg über das Meer bis hierher noch nicht genommen, und der Choral, der in den Kathedralen von Kairo und Alexandrien an gewöhnlichen Sonntagen gesungen wird, nimmt sich in seiner Umgebung wie ein armer Verirrter aus, der keine Liebe und keinen Beifall findet. Er will sogar nicht passen zur Opernmusik, die sich selbst bei der Passion *(Turba)* und in der ganzen Charwoche mit lautem Orchesterspektakel breit macht. Bei der fast ausnahmslos süßlich faden und oft recht ausgelassenen Musik war es mir dann fast eine Erbauung wie in Heluan als Offertorium das schöne deutsche Lied: „Wo Mut und Kraft in deutscher Seele flammet . . . ." mit italienischem Text, oder die „österreichische Kaiserhymne", und „Rinaldini, edler Räuber" oder auch „Leise zieht durch mein Gemüt" als *Regina coeli* zu hören. —

Und doch fand ich in der weiten Wüste eine liebliche Oase, nach der ich, hatte ich sie einmal entdeckt, recht oft meine Schritte lenkte. Es ist dies die stattliche Kirche der französischen Lazaristen und der benachbarten Vinzenzschwestern, gewissermaßen die französische Nationalkirche. Hier waltet ein Mann deutscher Abkunft, als Sohn eines ehemaligen österreichischen Lloydbeamten, Herr Hans Schwindl im Geiste der Kirche und St. Cäcilias. Da mögen sich die Verzagten und Mutlosen ein Beispiel nehmen, was Klugheit und ideale Tatkraft selbst unter den hiesigen schwierigen Verhältnissen vermögen. Während vor vier Jahren französischer Geschmack, Battmann, Concone usw. hier tonangebend waren, singen heute die Meister des Cäcilienvereins, Witt, Haller, Stehle, Piel, Griesbacher, Ravanello, Perosi usw. das Lob Gottes. Und das ist heute der französischen Patres und Schwestern wirkliche Überzeugung, und sie sind dafür begeistert. Als beispielsweise in einer Abwesenheit des Herrn Schwindl ein ihn vertretendes Fräulein wieder eine Messe von Battmann, die sich früher so großer Beliebtheit erfreut hatte, hervorholte, kam das sofortige Verbot vom übrigens durchaus nicht musikalischen Superior, so etwas je wieder aufzuführen. Wiederholt las ich nach größeren Aufführungen an Festtagen Herrn Schwindls begeistertes Lob in hiesigen Tagesblättern, ein Beweis, daß wahrhaft Gutes sich immer Bahn bricht. Der genannte Herr wußte auch dem Choral seinen Ehrenplatz zu verschaffen, und sonntäglich ertönen teils gesungen, teils rezitiert die vollständigen Gesänge der Medicaea sowie neuestens die des Kyriale Vaticanum. Stets werde ich mich gerne der Zeremonien und Gesänge der Charwoche in dieser Kirche erinnern. Herrn Schwindl steht eine dreimanualige deutsche Orgel mit 42 klingenden Stimmen, deren Erbauung er angeregt und die er selbst disponiert hat, zur Verfügung. Es ist wohl daß größte Werk dieser Art in ganz Afrika. Leider aber ist er in den ihm zur Verfügung stehenden Gesangskräften und damit in der Wahl der aufzuführenden Werke sehr beschränkt, da keine Männerstimmen ins Kloster zugelassen werden, und er lediglich auf die Knaben- und Mädchenstimmen der Anstalt angewiesen ist. Seine Meisterschaft hat er vorigen Sommer auch durch Veranstaltung eines großangelegten Kirchenkonzertes zu wohltätigen Zwecken, das allgemeinen Beifall fand, bewiesen. Ihm endlich ist es auch zu verdanken, daß man an größeren Festtagen, an denen die französischen Schulbrüder in der Kathedrale den Kirchengesang besorgen, gute meist deutsche Musik hört, die sie in ihrer Anstaltskapelle fleißig pflegen, sowie sie „deutsche Musik" und „kirchliche Musik" als identisch nehmen, wie ich es aus dem Munde ihres Chormeisters selbst hörte. Lobend erwähnen möchte ich zum Schluß die deutschen Borromäerinnen, die in den Kapellen ihrer blühenden Anstalten sich bemühen, wie es ja selbstverständlich ist, mit nur edler von jeder französischen Süßlichkeit freien Musik Gott zu verherrlichen. Dies gibt mir Anlaß in dankbarer Erinnerung eines Mannes zu gedenken, des seligen P. Piel, der auf Vermittelung des obengenannten Herrn Schwindl die erwähnten Schwestern reichlich mit Musikalien bedachte und so der heiligen Musik hier die Wege bahnte. M.

2. **Inhaltsübersicht von Nr. 5 des Cäcilienvereinsorgans:** Vereins-Chronik: Augsburg, Diözesan-Cäcilienvereinsversammlung in Memmingen; Solothurn, A. Walther, Dompropst; Eichstätt, Programm zur 18. Generalversammlung des Allgemeinen Cäcilienvereins; Greisaner Kirchenchor; Stuhlfelden, † L. Palfner. — Charwochen-Programme des Jahres 1908: Brixen, Graz, Jerusalem, Innsbruck, Meran, Osterhofen, Institutschor und Stadtpfarrkirchenchor. (Fortsetzung folgt.) — Christi Himmelfahrt. (Von P. A. W.) — Ein wunder Punkt in der Reform der Kirchenmusik. (Von Pet. Babets, O. M. J.) — Rundschau der deutschen kirchenmusikalischen Zeitschriften von Januar mit März 1908. — Vermischte Nachrichten und Notizen: Tournai, Tinels „Franziskus"; Amsterdam, Averkamp-Konzert; Leipzig, Enthüllung des Bachdenkmals; Ellwangen, Aufführungen des Stiftschores; Harlem, Red. des „Gregoriusblades"; Karl Locher; Neustadt a. D., Mendelssohns Elias; Dr. Fr. X. Mathias, Seminarregens; Inhaltsübersicht der *Musica sacra* Nr. 5. — Anzeigenblatt Nr. 5. — Cäcilienvereins-Katalog, 5. Band, Seite 145—152, Nr. 3578a—3598.

Druck und Verlag von Friedrich Pustet in Regensburg, Gesandtenstraße.
Nebst Anzeigenblatt.

1908. Regensburg, am 1. Juli 1908. Nro 7.

# MUSICA SACRA.

Gegründet von Dr. Franz Xaver Witt († 1888).

**Monatschrift für Hebung und Förderung der kathol. Kirchenmusik.**

Herausgegeben von Dr. Franz Xaver Haberl, Direktor der Kirchenmusikschule in Regensburg.

**Neue Folge XX., als Fortsetzung XXXXI. Jahrgang. Mit 12 Musikbeilagen.**

Die „*Musica sacra*" wird am 1. jeden Monats ausgegeben, jede der 12 Nummern umfaßt 12 Seiten Text. Die 12 Musikbeilagen wurden mit Nr. 5 (Motett und Messe *Beatus vir qui intelligit*, 6 stimm. von Orl. Lassus) versendet. Der Abonnementpreis des 41. Jahrgangs 1908 beträgt 3 Mark; Einzelnummern ohne Musikbeilagen kosten 30 Pfennige. Die Bestellung kann bei jeder Postanstalt oder Buchhandlung erfolgen.



## Neu und früher erschienene Kirchenkompositionen.

Die 6 Sakramentsgesänge[1]) von **Julius Bas** sind wohl nur für zwei, am besten Männerstimmen geschrieben, jedoch so voll von Härten und Reibungen melodischer und harmonischer Natur, daß auch die besten Treffer in Zweifel kommen, ob sie sich bei der Intonation nicht geirrt haben. Die Orgelbegleitung ist hier keine Stütze, sondern meist irreführend durch dissonierende Vorhalte, alterierte Akkorde und unvermutete Fortschreitungen. Besonders häßlich ist beim Vortrag durch Männerstimmen das *laudatio* im 2. *Tantum ergo*. *O salutaris hostia* klingt wie eine harte Traumerzählung. In den 6 Nummern wird nach einem neuen Stil gesucht, jedoch nur das Ungewöhnliche erreicht; es ist ein Fischen im Trüben.

Die herrliche *Missa de Spiritu Sancto* für vierstimmigen gemischten Chor mit Orgelbegleitung, Op. 41, von **Ludwig Ebner**, Cäc.-Ver.-Kat. Nr. 2196, konnte in 3. Auflage erscheinen.[2])

Das Op. 16 von **Raim. Henler** enthält acht leichte Gesänge zu Ehren des allerheiligsten Altarssakramentes[3]) für Sopran und Alt, Orgel- oder Harmoniumbegleitung und mit Zwischenspielen für die einzelnen Strophen. Die ersten 2 und das 4. *Pange lingua* bringen den Text der 1., 5. und 6. und das 3. sämtliche Strophen. Vom Hymnus *Jesu dulcis memoria*, *Lauda Sion* und *O Salutaris hostia*, der eine Reduktion des 6stimmigen Originals vom gleichen Komponisten ist, sind je 2 Strophen abgedruckt, vom *Adoro* die sieben. Die musikalische Fassung ist edel und ernst. Sehr dankenswert sind die stilvollen Zwischenspiele.

Opus 15 von **Paul Kindler** ist eine vierstimmige, für einfache Chorverhältnisse komponierte Messe, in deren *Credo* abwechselnd mit Choralgesang nach Nr. 1 der vatikanischen Ausgabe, auf Ober- und Unterstimmen verteilt, für die Verse *Deum de Deo*, *Et incarnatus est*, *Et in Spiritum Sanctum* und *Et vitam venturi saeculi* vier-

[1]) *Cantus in honorem Ss. Sacramenti* ad 2 voces aequales organo comitante. Texte sind: *Tantum ergo* (3); *O salutaris hostia; O quam suavis; Pinguis est panis Christi.* Düsseldorf, L. Schwann. 1908. Partitur 1 M 20 ₰, Stimmen à 15 ₰.

[2]) Regensburg, Eugen Feuchtinger. Partitur 2 M, 4 Stimmen à 30 ₰.

[3]) *Laudes sacramentales: Pange lingua* (4); *Jesu, dulcis memoria; Adoro te; Lauda Sion; O salutaris hostia.* Regensburg, Eugen Feuchtinger. 1908. Partitur 2 M, 2 Stimmen à 20 ₰.

stimmige Sätze eingelegt sind. Da die Messe für die Sonntage der Advent- und Fastenzeit bestimmt ist, so ist auch das *Gloria* weggeblieben. Die überaus einfache Komposition ist würdig und zu empfehlen. Die Messe hat bereits unter Nr. 3582a Aufnahme im Vereins-Katalog gefunden.[1])

Die *Missa XII.* für 2 gleiche Stimmen mit Orgelbegleitung[2]) von **Bruno Stein**, Op. 41, ist ohne Zweifel für Sopran und Alt gedacht und wirkt auch in dieser Besetzung viel besser als mit Unterstimmen. Sie ist gewandt und gut deklamiert. Die Orgelbegleitung ist sehr einfach, ohne Monotonie, mit Registerangaben. Knaben- und Frauenchören sei diese wohlklingende, einfache Messe aufs beste empfohlen.

— — Acht Offertorien für Marienfeste für 2 gleiche Stimmen und Orgelbegleitung, Op. 42, sind in ähnlichem Stile gehalten und behandeln die Texte vom 8. Dez., 2. Febr., 25. März, Schmerzensfest, 2. Juli, 15. Aug., 8. Sept. und Rosenkranzfest, also der Haupt-Muttergottesfeste.[3]) Die Orgelbegleitung ist äußerst gewandt, immer noch mittelschwer. Die 2 Singstimmen imitieren die schön erfundenen Motive und geben den Texten andächtigen und sinnentsprechenden Ausdruck. Schwache und gute Chöre werden an diesen Offertorien Freude haben.

Die Verlagshandlung von Anton Böhm & Sohn in Augsburg und Wien sendete der Redaktion eine Menge von Novitäten zu, die hoffentlich im Laufe dieses Jahres teils unter obiger Überschrift, teils in der Abteilung „Vom Bücher- und Musikalienmarkte“ angezeigt und besprochen werden können. Von den 21 Werken, welche liturgische lateinische Texte behandeln, seien für diese Nummer nachfolgende acht in alphabetischer Ordnung aufgeführt:

1. Messe für dreistimmigen Frauenchor (2 Sopran, 1 Alt) mit Orgelbegleitung von **Karl Attenkofer**,[4]) Op. 138. Ohne nach dem *Quis?* des Komponisten weiter zu forschen, sagt das *Quid* dieses Opus 138, einer Messe für dreistimmigen Frauenchor mit Orgelbegleitung, daß die Komposition vielleicht vor 60 Jahren beliebt gewesen ist, mit kleinem Orchester versehen war, leicht ausgeführt werden konnte, angenehme Unterhaltung während des Hochamtes verschaffte und keine geistige Anstrengung in Anspruch nahm. Vielleicht hat damals manches Textwort gefehlt, das jetzt bei dieser Ausgabe für drei Frauenstimmen eingeflickt wurde. Für die Art der Deklamation mag folgende Stelle aus dem *Credo* angeführt sein:

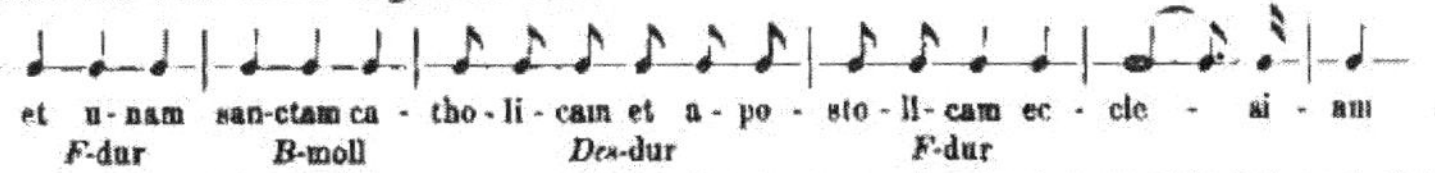


Die drei Stimmen singen den Ton *f* unisono und schwingen sich bei *ecclesiam* zum *c* empor, das *siam* mit *f* endigend. Im *Kyrie* wird das Wort *eleison* zuerst viermal, dann zehnmal, bei *Christe* zweimal und die ganze Invokation fünfmal wiederholt, so ganz die längst versunkene Zeit schablonenmäßiger Perioden, besser „Schachteln“, die mit Text ausgefüllt werden. Referent braucht unsere gegenwärtigen Frauenchöre vor solcher Ware nicht zu warnen. Sollte jemand diese Kritik zu scharf oder gar ungerecht finden, so kann dieselbe leicht eingehender begründet werden; aus Barmherzigkeit ist sie kurz geworden.

2. Vom Zyklus lateinischer Kirchengesänge von **Karl Deigendesch** enthält Nr. 7 ein *Ave Maria* für vierstimmigen Männerchor mit Orgelbegleitung,[5]) eine überaus würdige, innig deklamierte, mit selbständiger Begleitung versehene Komposition, die an Muttergottesfesten, auch nach dem rezitierten Tagesoffertorium vorgetragen werden kann.

[1]) *Missa brevis in Dom. Adventus et Quadragesimae* ad 4 voces inaequales. Leobschütz, C. Kothes Erben. 1907. Partitur 1 ℳ 50 ₰, 4 Stimmen à 30 ₰.

[2]) Leobschütz, C. Kothes Erben. 1907. Partitur 2 ℳ 50 ₰, 2 Stimmen à 30 ₰.

[3]) Leobschütz, C. Kothes Erben. 1907. Partitur 2 ℳ, 2 Stimmen à 30 ₰.

[4]) 1908. Partitur 4 ℳ, 3 Stimmen à 50 ₰.

[5]) Op. 90. 1908. Partitur 60 ₰, 4 Stimmen à 15 ₰.

3. Was die liturgische Behandlung des Textes anlangt, so sind bei der Festmesse in *B*-dur von **Rudolf Glickh**,[1]) Op. 56, die zu oft wiederholten Anrufungen des *Kyrie* und *Christe* zu beanstanden. Auch die überaus kompresse Deklamation des *Gloria*- und *Credo*-Textes macht den Eindruck, als fürchtete der Komponist, irgend jemandem lästig zu fallen, wegen der sogenannten Längen der erwähnten Meßteile. Der Stil ist durchaus modern, aber jedes Übermaß rein instrumentaler Effekte mit einer gewissen Sorgfalt vermieden. An enharmonischen Verwechslungen fehlt es wahrlich nicht und Stellen wie folgende im Sopran:

su-sci-pe de-pre-ca-ti-o - nem no-stram

werden nur mit Hilfe der Instrumente erträglich herauskommen. Zu einer Aufführung mit separater Orgelstimme und Streichinstrumenten ohne Bläser möchte Referent nicht raten, denn die Schwächen des Vokalsatzes treten dann um so auffallender zutage. Thematische Arbeit oder Durchführung vermißt man unangenehm; es ist eben keine Zeit, weil der Text rasch abgewickelt werden will und fast keiner Stimme Ruhe gegönnt wird. Wo man ohne Instrumentalmessen sich einen Festtag nicht vorstellen kann, wird die Messe eine angenehme Abwechslung bieten.

4. Die vier *Pange lingua* für Sopran, Alt, Tenor und Baß von **Hans Greipel**, Chordirektor in M. Schönberg,[2]) sind mit der ersten, vorletzten und letzten Textstrophe versehen. Ziemlich melodiearm, durchaus homophon suchen sie Abwechslung auf modulatorischem und chromatischem Wege.[3])

5. Die fruchtbare Feder von **Jos. Gruber** bietet vier Nummern. Herz Jesu-Litanei, Op. 136.[4]) Referent hält instrumentierte Litaneien mehr oder weniger für eine musikalische Nachmittagsunterhaltung, bei welcher der Komponist dafür zu sorgen hat, daß die „andächtigen Zuhörer“ nicht einschlafen. Der überaus umfangreiche und schwierige Text der Herz Jesu-Litanei ist übrigens eine heikle Aufgabe, die vielleicht am besten durch falsobordoneartige Behandlung und Zusammenfassung mehrerer Invokationen gelöst zu werden scheint. An Abwechslung läßt es Jos. Gruber nicht fehlen und deklamiert auch den liturgischen Text andächtig und würdig, bald 4stimmig, auch 2- und 3stimmig und unisono. Die Instrumente sind äußerst diskret verwendet und polychromieren die einfachen Melodien der Singstimmen. Das Werk ist demnach prinzipiell nicht zu verwerfen, unter Umständen sogar zu empfehlen, wo man „musikalische“ Litaneien verlangt.

6. — — Vier *Pange lingua* für 4 Männerstimmen, im leichten Stile komponiert von **Jos. Gruber**.[5]) Höhere Anforderungen dürfen an diese gar zu leichten dreistrophigen (erste, vorletzte und letzte) Hymnen nicht gestellt werden, denn der musikalische Inhalt ist äußerst gering, jedoch nicht unwürdig.[6])

7. — — Neun Fronleichnamsgesänge[7]) für Sopran, Alt, Tenor und Baß mit beliebiger Begleitung von 2 Klarinetten (oder Flügelhörnern), Tenorhorn (oder Baß-

[1]) Kirchenmusikwerke von Rud. Glickh, Kapellmeister an der Votivkirche in Wien. *Missa solemnis* (*B*-dur), für Soli, Chor (Sopran, Alt, Tenor, Baß) und Orchester (Streichquintett, Flöte ad lib., je 2 Klarinetten, Hörner und Trompeten, Posaune ad lib. und Pauken) oder für Streichinstrumente und Orgel. Auch für Singstimmen und Orgelbegleitung allein. 1907. Komplett 14 ℳ. Orgel- und zugleich Direktionsstimme 3 ℳ. Separate Orgelstimme zur Aufführung mit Streichinstrumenten ohne Bläser 1 ℳ 50 ₰, jede Einzelstimme 60 ₰.

[2]) 1907. Partitur 50 ₰, 4 Stimmen à 20 ₰.

[3]) Daß *Pange lingua* zwei Wörter sind, muß eigens betont werden, denn der Komponist hat in der Überschrift und in den 4 Nummern diese beiden Worte als eines dargestellt!

[4]) *Litaniae de sacro corde Jesu* Nr. 2 für Sopran, Alt, Tenor, Baß mit Begleitung von Streichquintett, 2 Klarinetten, 2 Hörner, Baßtrombone und Orgel oder 4 Singstimmen mit Orgel allein. 1908. Partitur 2 ℳ 50 ₰, 4 Singstimmen à 50 ₰, Orchesterstimmen 3 ℳ 50 ₰.

[5]) 1908. Partitur 60 ₰, 4 Stimmen à 20 ₰.

[6]) Auch hier ist *Pange lingua* fälschlich als ein Wort behandelt.

[7]) *Pange lingua; O sacrum convivium; Sacris solemniis; Da pacem Domine; Verbum supernum; Adjuva nos; Deus salutaris noster; Salutis humanae sator; O salutaris hostia; Aeterne Rex altissime.* 1908. Partitur 1 ℳ 50 ₰, 4 Singstimmen à 30 ₰, Instrumentalstimmen 1 ℳ 20 ₰.

flügelhorn), Posaune und zwei Hörnern (als Füllstimmen) oder der Orgel, leicht ausführbar komponiert von **Jos. Gruber,** Op. 178. Den Bedürfnissen unserer kleineren Land- und Marktchöre kommen diese 9 Hymnen und Antiphonen in dankenswerter Weise entgegen. Bei *Pange lingua* sind 6, bei den übrigen Hymnen je 4 Strophen unterlegt, so daß bei Prozessionen Wiederholungen der Gesänge stattfinden können. Die Kompositionen sind populär, würdig und andächtig gehalten.

8. — — *Asperges me* und *Vidi aquam* für 1 Singstimme (Unisonochor) und Orgel von **Jos. Gruber.**[1]) Unendlich einfach und sehr brauchbar mit Anlehnung an den gregorianischen Choral. F. X. H.

(Fortsetzung folgt.)

---

## Der IV. musikpädagogische Kongreß zu Berlin

dauerte diesmal etwas lange, von Pfingstmontag, den 8. Juni, bis mit Donnerstag darauf, den 11. Juni Die Tagung des Kongresses in den prächtigen Räumen des Reichstagsgebäudes bezeugt äußerlich die hohe Einschätzung der diesbezüglichen Verbandsarbeit an hoher und höchster Stelle, und die Teilnehmerzahl beweist das große Interesse an den Verhandlungen in Fachkreisen: 1200 Karten waren ausgestellt worden. 400 Anträge auf solche konnten wegen Raummangel keine Berücksichtigung finden.

Abgesehen von der Erledigung der üblichen Geschäfte eines Verbandes sprach Pfingstmontag Herr Karl Roeder aus Herford über die gesangliche Ausbildung auf den Lehrerbildungsanstalten. Er fand die Ursache der nachweisbaren Mängel in verschiedenen Hemmungen: in der niedrigen Einschätzung dieses Teiles der Lehrervorbildung von seiten maßgebender Kreise und in mangelhafter Vorbildung der Seminaristen auf den Volksschulen.

Es sei gestattet zu erwähnen, wie im Königreiche Sachsen für Abhilfe gesorgt wird. Es finden in diesem Jahre mehrere sechswöchige Kurse statt zur gesanglichen Nachbildung für Seminar-Musiklehrer. Das Ministerium verfügt die periodische Anstellung der Teilnehmer, die in Gruppen sich zusammenfinden, an einem der zwei Lehrerseminare zu Dresden, wo die Kurse stattfinden, und zahlt noch einen bedeutenden Geldzuschuß für diese sechs Wochen an die Teilnehmer. Auch erfreut sich die Gesangspflege in den sächsischen Schulen besonderer Aufmerksamkeit von seiten der Kgl. Schulaufsichtsbehörde. Nur liegt die Gefahr nahe, daß die Singunterweisung zu sehr zur bloßen Trefftechnik umschlägt. Hoffen wir von den Kursen das beste. — — —

Im folgenden einhalbstündigen Vortrage des Herrn Schulrektors Max Ast über „die Fortbildung der Gesangslehrer an Volksschulen" trat die Idee dieser oben erwähnten Kurse in den Vordergrund. Dann aber noch das eine: Übertragung des Gesangunterrichts an weibliche Lehrpersonen; aber nur dann, wenn ihnen in dieser Hinsicht eine bessere Ausbildung geboten worden ist.

Auch wir vertreten die Hereinbeziehung der Lehrerin zu diesem Unterrichtsfach und erblicken in der gesanglich geschulten Lehrerin einen vollen Ersatz des nicht besser geschulten Lehrers. Aber diese Fachbildung muß auf einer zulangenden musikalischen Allgemeinbildung ruhen. Sonst reibt sich die Lehrerin erfolglos auf in dem Dienste an Kindern, denen sie ein wertvolles Bildungsgut — das Tonschöne und das Schöne überhaupt — zu deren Schaden vorenthalten muß. Ein rechter Gesanglehrer darf kein trockener Durchschnittslehrer sein.

Das eine Gute dieser Verhandlungen war straffe Kürze. In dieser Beziehung gebührt der Leitung, insbesondere Herrn Professor und Senatsmitglied Xav. Scharwenka, unser aufrichtiger Dank.

Wir übergehen die zahlreichen Kommissionssitzungen der diesjährigen Tagung und berichten über den zweiten Tag. Er galt der Methode von Jaques Dalcroze.

Herr Julius Steger aus Flensburg sprach über die Frage: „Welche Bedeutung hat die Methode Jaques-Dalcroze für die musikalische Erziehung unserer deutschen Jugend? und behandelte das Gebiet der Rhythmik.

Im zweiten Vortrag erläuterte Herr Dr. Ferdinand Krome aus Saarbrücken die Solfège-Methode dieses Genfer Konservatoriums-Professors.

Im Anschlusse hieran folgten Demonstrationen der Dalcroze-Klasse des Herrn Direktors Friedrich Färber aus Altona.

Leider vermißten wir im Programm nähere Angaben über die Art der Schule dieser Klasse, sowie über die Stellung der beiden Redner in den Schulen ihrer Tätigkeit.

Herr Steger machte die Versammlung bekannt mit den Grundsätzen von Dalcroze: musikalische Erziehung zum Rhythmus, und durch den Rhythmus. Also das Prinzip der Kraftbildung durch das Element des Rhythmus. Je auffälliger der Rhythmus in die Erscheinung trete, desto lebhafter präge er sich dem Zöglinge ein. Daher erfährt die Darstellung des Rhythmischen — das Taktschlagen — eine Erweiterung bis zur Pantomimik.

[1]) Op. 191. Komplett 1 ℳ.

Zusammenschließender, übersichtlicher, markanter sprach Dr. Krome. Er hat selbst einen Kursus in Genf mitgemacht. Seine Ausführung über Dalcrozes Trefflehrart schufen ein klares Bild dieser Methode. Dalcroze läßt alle Tonarten vom eingestrichenen „c" aus — eventuell von *cis* aus — beginnen mit nachgeschlagener Tonika. *Des*-dur wird also nach Dalcroze gesungen auf die Tonstufen: *c-des-es-f-ges-as-b-c* und nachgeschlagen wird *des*. Gesungen werden die Silben: *do-re-mi-fa-sol-la-si-do*. Nachgeschlagen wird *re*. Dieses Schluß-„*des*" aber als eingestrichenes „*des*" — als Prim gedacht.

Die kleinen acht- bis elfjährigen Knaben und Mädchen zeigten im Vereine mit sechzehn und mehrjährigen Mitschülerinnen große Sicherheit in der Darstellung der Taktarten mit Arm, Bein und Kopf. Man konnte die größeren Zöglinge das Unglaubliche leisten sehen: ³/₄ Takt markieren mit den Füßen durch Schwertritt; rechte Hand ⁴/₄ Takt, die linke schlägt ²/₄ Takt; der Kopf macht Bewegung im ³/₄ Takt.

Leider lag kein Bericht vor, wie viel Stunden Unterricht in der Woche stattgefunden hatten, ehe diese Resultate in einem und einem halben Jahre Unterricht gezeitigt worden sind.

Es wird nachgerade Zeit, daß sich die Interessentenkreise darüber klar werden, was von dieser Methode zu halten ist. Schicken wir das Gute voraus: Die Betonung des Rhythmischen in der Erziehung zur Tonkunst. Daß Dalcroze dem Rhythmus seine Bedeutung gesichert wissen will, das muß ihm jeder Musikpädagoge danken. Daß er diese rhythmische Schulung durch eine geradezu raffinierte Methode erreicht, zeigt von der Begabung dieses bedeutsamen Musikpädagogen und von einer frappierenden Kenntnis der Psycho-Physiologie des Zöglings.

Hiezu kommt die belebende Kraft seiner Persönlichkeit, wie sie uns Dr. Krome anschaulich schilderte. Ein Mann mit einem warmen Herzen für die Jugend, insbesondere für die Kinder, mit einer hinreißenden Lebendigkeit der Phantasie, der den scheinbar trockensten Übungsstoff in seltener pädagogischer Geschicklichkeit zu meistern verstehe. Ein Reformator, der, durch die Erfolge seines Lehrens und Anleitens beglückt, an den vollen objektiven Erfolg seiner Methode glaubt und von der Wahrheit seiner neuen Ideen durchdrungen ist.

Mit einem Worte: ein durchaus ernst zu nehmender Reformator des musikalischen Erziehungswesens.

Aber — zunächst muß festgelegt werden, daß Dalcroze die Urheberschaft der Reformidee nicht für sich in Anspruch nehmen darf. Es ist und bleibt das große Verdienst des vielverkannten und so jammervoll vergessenen Hans Georg Nägeli, des Landsmannes von Dalcroze, daß dieser Züricher Musikästhetiker und Musikpädagoge als erstes der musikalischen Erziehung den Rhythmus betrachtete. Ihn hielt Nägeli, dieser Mann mit dem feinen Spürsinn für das Psychologische, für das eigentliche, für das absolute Element der Musik. In seiner „kunstwissenschaftlichen Darstellung der Gesangbildungslehre nach Pestalozzischen Grundsätzen" entwickelt er 1809 das Wesen der Musik aus der Form des klassischen Tanzes. Ihm ist die Tanzkunst der mimische Ausdruck des Lebens; die Tonkunst aber regelt diesen Lebensausdruck durch den Rhythmus; seine Verschönerung erfährt er durch die Melodie, die die Zeiten des Rhythmus ausschmückt. Trotz dieser Hinneigung Nägelis zu einer rein formalistischen Auffassung der Tonkunst hat sich dieser musikalisch wie philosophisch stark veranlagte Züricher Musikpädagoge doch in glücklicher Scheu gehütet, das Unfaßbare der Kunst in ein Schema zu pressen, diese formalistische Auffassung der Tonkunst in ihren Konsequenzen zu verfolgen. Dadurch allein ist Nägeli ein echter Künstler und Kunstkenner geworden und geblieben.

Dalcroze selbst wird gewiß Nägeli den Vorrang unter den Verfechtern des Rhythmus als der Grundlage aller Musik nicht streitig machen; darum sollten auch die Freunde von Dalcroze ihren Meister nicht zu mehr stempeln wollen, als er bei einiger Kenntnis der Geschichte sich uns darstellt: als einer, der die Idee Nägelis ausgebaut hat durch die rhythmische Mimik, die Dalcroze systematisch ausgebaut hat.

In dieser Steigerung der Rhythmik liegt aber zugleich das Gefährliche dieser Bewegung für die Tonkunst selbst. Sie ist uns und jedem Kunstfreund eben mehr als nur ein körperlich gewordener Rhythmus, mehr als die Begleitungsform zu Leibesformen und Gliedbewegungen. Darum liegt in der so großen Betonung des Rhythmus die Gefahr, den Geist der Tonkunst nur halb zu fassen und uns mit ihr zu begnügen, wenn sie uns angenehm unterhält beim Spiel der Glieder. Die Sachen fangen an, sich zu verschieben: was erst Begleitungsform war, das Taktschlagen, wird ausgeweitet zur Mimik, zur gestikulierten Darstellung des Lebens. Die Gebärde wird Lebensausdruck, der ehemalige Taktschläger zum Modell, zum Abbilde des Lebens, zu einer Art Lebensbild — und die Musik, die die Trägerin des eigentlichen Lebens genannt werden muß — sie wird zur Dienerin einer mehr oder weniger verhüllten Tanzkunst. Und dieser Umsturz von rechts nach links will uns ohne Einschränkung als eine Förderung der Tonkunst nicht erscheinen.

Noch ein paar Worte über die Solfège Methode von Dalcroze.

Der Lehrgang auf diesem Gebiete ist unstreitig ein wohldurchdachter und verrät die hohe Begabung des Genfer Professors für die Vorgänge beim geistigen Erfassen der Tonverhältnisse. Für den Psychologen ein interessantes Kapitel.

Aber wo bleibt das Gefühl für die Tonalität? Beruht nicht unser musikalisches Empfinden — soweit es den Durchschnitt der Musikfreunde betrifft — darauf, daß wir die Töne der Melodie in Beziehung setzen auf die drei Grundbegriffe jeglicher Tonkunst: auf die Empfindung der Tonica, der Dominante und der Subdominante? Dalcroze erkennt das — ob bewußt oder unbewußt, ist ohne

Belang — auch an, indem er nach jeder „Tonleiter“ die Tonica angeben läßt. Aber die Art, wie er zur absoluten Treffsicherheit hinführen will, verstößt vielfach gegen das normale Musikempfinden, wenn das, was uns geboten wurde, auch wirklich der Lehrart des Genfer Meisters entspricht. So hatte man auf dem Kongresse Noten, ein Tonstück in *C*♯ (wenn ich nicht irre), an die Tafel geschrieben. Die großen Schülerinnen sangen es rasch und ziemlich gut ab. Darauf kam die Aufgabe: das Stück in *G*♯ zu singen; das heißt: nicht etwa nach *G*♯ zu transponieren, sondern mit „*c*“ wieder anzufangen und nur statt „*f*“ stets „*fis*“ zu singen.

Daß dadurch der Tritonus schritt- und sprungweise auftreten mußte, liegt auf der Hand. Und zu unserer Freude schreckte der gesunde Sinn der Zöglinge vor solchen musikalischen Härten zurück und ließ die Aufgabe, weil zu schwer und weil widernatürlich, als unerledigt zurück.

Es liegt uns durchaus fern, von den unleugbaren, großen Verdiensten des Genfer Musikprofessors auch nur den kleinsten Teil ableugnen zu wollen. Wir freuen uns, daß seine geistvolle Unterrichtsart die Aufmerksamkeit der Musikpädagogen wieder mehr auf die Pflege des Rhythmus hingelenkt hat. Auch anerkennen wir mit besonderem Nachdruck seine Kompositionskunst, mit der er Kinderlieder schuf, reizend und originell nach Melodie und Rhythmus. Und wer einmal gesehen hat, wie anmutig diese Liedchen mit Pantomimik sich dem Zuschauer darstellen, wenn etwa „Das Häuschen im Garten“ singend und gestikulierend beschrieben wird, der wird sich herzlich freuen über den Gedanken: den Rhythmus auf so lebensvolle Weise verkörpert zu sehen.

Aber man vertausche die Rollen nicht.

Vom Standpunkte des Zuschauers wird man diese Verbindung von Ton und Gebärde fesselnd finden. Mit Recht. Aber eine andere Frage ist damit noch nicht gelöst, ob dadurch auch die Kunst, den Sington richtig zu bilden, in genügender Weise gelehrt wird. Es kommt uns manchmal vor, als setze die Darstellung Dalcrozischer Lieder genügende Kenntnis in der Tonbildung voraus, anstatt diese Kenntnisse zu vermitteln.

Das Einzige, was wir nach dieser Richtung der Tonbildung erfuhren, war: Dalcroze läßt die Kinder nur natürlich singen, mit ihrer feinen, zarten Stimme, so daß der Gesang leise erscheint. Diese Auffassung von Kinderstimmenbehandlung hat uns ungemein sympathisch berührt. Wenn doch diese Anschauung Dalcrozes recht bald weithin bekannt und anerkannt würde als eines der wertvollsten Stücke seiner Methode.

Aber mit dieser mehr vorbeugenden Methode ist das Positive der Stimmbildung durchaus noch nicht erschöpft. Die Grundlage jeglicher Singlehrkunst: die Lautbildung, bleibt so gut wie ganz unberührt. Der lose Ton, die Einstellung der Stimmbänder für biegsame Kehlführung, die Ausgleichung der Bruchstelle zwischen Kopf- und Bruststimme, die Erreichung des Legato, des portamentofreien Melodiesprunges — das alles bleibt unerörtert.

Wohl schafft Dalcroze durch rhythmische Atemübungen die physische Vorbedingung zu jeglicher Gesangskunst. Aber damit ist die Hauptfrage nach der Überleitung dieser Stimm-Zeugungskraft in Singresultate noch nicht einmal berührt. Wir sagen auch nicht, daß dies der Zweck der Berliner Vorführung gewesen sei. Aber, damit jene Vorführungen nicht überschätzt werden für die Ziele der Ton- und Sprechbildung, mußten wir auf eine Scheidung der Sachen hinwirken.

Und noch eines: die Anzahl der vorgeführten Zöglinge konnte naturgemäß eine nur geringe sein. Inwieweit all diese an sich geistvollen Ideen sich für Bildungszwecke großer Schülermassen eignen, das müßte erst noch ausgeprobt werden. Hiemit kommen wir auf den Punkt der neuen Methode, der uns nicht gefallen hat: die Zöglinge sollen gesiebt werden, so daß drei Klassen entstehen: Minder-, Mittel- (die Hauptmasse) und Gutbegabte. Der Schöpfer dieses neuen Lehrsystems scheint damit zuzugestehen, daß nur einzelne wenige das letzte — das Ziel überhaupt — erreichen. Das ist im tiefsten Grunde das moderne Prinzip der Rassenzucht, ins Gebiet der musikalischen Erziehung übertragen. Wir erblicken vielmehr das schönste Ziel aller Volksbelehrung darin, gerade den Unmündigen und Schwachen zu helfen; denen, die sich vernachlässigt von der Tafel des Lebens zurückgedrängt fühlen, mit doppelter Liebe entgegenzukommen. Durch diesen Zug der neuen Methode nach der geistigen plutokratischen Seite hin scheidet die ganze Bewegung doch mehr oder weniger für die Bildungszwecke des Volkes — durchschnittlich gerechnet — aus.

Das gute an dieser Methode ist auch hier wieder der Geist des Erfinders, der alles lebendig macht. In dieser Hinsicht bewahrheitet sich auch hier die alte pädagogische Erfahrung: das Wesenhafte jeder Methode ist die Persönlichkeit, die individuelle Tüchtigkeit ihres Erfinders . . .

Was sonst der Verband noch bot, waren Erörterungen von Fragen, die sich mehr auf die Technik des Klavier- und Violinspiels bezogen und darum eines allgemein musikalischen Interesses entbehren. Der Berliner Verband arbeitet rüstig weiter. Seine führenden Geister — an der Spitze die bedeutsame Persönlichkeit der Frau Anna Morsch[1]) und die künstlerisch stark veranlagte und rhetorisch meisterhaft geschulte Frau Cornelie van Zanten[1]) — greifen die treibenden Zeit- und Tagesfragen der musikpädagogischen Bewegung glücklich auf, um sie auf ihren erzieherischen Bildungswert hin zu prüfen und zu verwerten. Alles, was getan wird, um die Bedeutung dieses Verbandes zu verringern, es ist vergebliches Mühn: seine Ideen auf materielle Sicherstellung seiner Mitglieder, auf allgemein geistige Hebung und künstlerische Durch- und Ausbildung seiner Anhänger, das ist wert weitgehendster Beachtung, redlicher Nachahmung und aufrichtiger Dankbarkeit.

Dr. Hugo Löbmann.

[1]) Siehe Riemanns Lexikon.

## Vom Bücher- und Musikalienmarkte.

Ein in bibliographischer, typographischer und musikgeschichtlicher Beziehung hochinteressantes, ja wertvolles Buch ist Katalog III, Seite 277—581 von **Martin Breslauer** in Berlin, unter den Linden 16. 1908. Preis 8 ℳ. Dasselbe bietet unter dem Titel: Dokumente frühen deutschen Lebens. Erste Reihe, das deutsche Lied, geistlich und weltlich bis zum 18. Jahrhundert eine mit Notenbeispielen und Illustrationen nach den ältesten Ausgaben reich geschmückte Literaturangabe und stellt sich als eine hervorragende Leistung dar, die weit über den Rahmen eines Buchhändlerkataloges hinausgeht. Der Katalog beschreibt auf über 300 Seiten 550 Drucke älterer Zeit. Fast jeder Nummer ist eine Anmerkung beigegeben, in der ausführlich über das jeweilig aufgeführte Werk berichtet wird. Einhundert Nachbildungen aus alten Drucken — Holzschnitte, Lieder und Notenbeispiele — sind in den Text verstreut. Vier Register von 22 Seiten mit über 2000 Nummern machen das Beschriebene nutzbar, und zwar: Register der Liederanfänge, der Melodien, der benutzten bibliographischen Quellenwerke und Namen- und Sachregister. Die typographische Ausführung des Kataloges ist meisterhaft. Die Sammlung selbst, zum Teil aus dem Besitz des bekannten Hymnologen **Karl Bilz**, dessen Porträt beigegeben ist, ist die bedeutendste Liedersammlung, die seit über 30 Jahren — seit Meusebach, Heyse und Maltzahn — öffentlich angeboten wurde. Man darf sagen, daß sie in ihrer ungewöhnlichen Reichhaltigkeit, mit ihren vielen unbekannten Drucken und Liedern geradezu ein Ereignis für den Musiker, Literarhistoriker und Reformationsforscher bildet. Bei der Fülle der Seltenheiten ist es nicht möglich, einzelnes hier hervorzuheben. Nur die Hauptgruppen des Kataloges seien genannt: „Vom Liedersingen und Psalmieren" bietet eine ungewöhnlich reiche Zahl von Originaldokumenten zum Kampf um das Singen geistlicher und weltlicher Lieder im 15. und 16. Jahrhundert. Die „Einzeldrucke von Liedern und Liedersammlungen" in Originaldrucken erreichen die stattliche Zahl von 400. Hierin die Unterabteilungen: „Die Liederbücher der böhmischen Brüder und Herrenhuter. Die Liederbücher der Wiedertäufer. Luthers Liedersammlungen. Seine „Operationes", Psalmenübersetzung und -Auslegung". Von Luther verzeichnet der Katalog übrigens über 70 Originaldrucke der Zeit. Den Schluß bildet eine Sammlung von Liedern, in denen Murner und Stiefel sowie ihre Gefolgschaft ihre Religionsstreitigkeiten ausfochten. Eine Anzahl Prosaschriften, die zu diesem Streit gehört, ist den Liedern angegliedert, so daß gleichzeitig ein abgerundetes Bild des Sakramentenstreites zutage tritt. Eine Betrachtung zum Schluß: Es ist jammerschade, daß eine so ungewöhnliche Sammlung nicht als geschlossenes Ganzes in Deutschland verbleibt. Bedenkt man, daß für ein einziges Gemälde eines großen Meisters häufig das Vielfache dessen bezahlt wird, was diese Sammlung hier kostet, so kann man nur wünschen, daß auch für Büchersammlungen von solch hohem Kulturwert, die neue wertvolle Beiträge zur Kulturgeschichte des deutschen Volkes bringen, die Mittel zum Ankauf sich finden.

Gymnastik der Stimme, gestützt auf physiologische Gesetze. Eine Anweisung zum Selbstunterricht in der Übung und im richtigen Gebrauche der Sprach- und Gesangsorgane. Von **Oskar Guttmann**. 7., vermehrte und verbesserte Auflage. Mit 26 Abbildungen. In Originalleinenband 3 ℳ 50 ₰. Verlag von J. J. Weber in Leipzig. Diese beliebte Anweisung zum Selbstunterricht in der Übung und dem richtigen Gebrauch der Sprach- und Gesangsorgane, die schon in siebenter Auflage erscheint, stützt sich durchaus auf physiologische Gesetze. Der erste Abschnitt hat es deshalb auch ausschließlich mit den Atmungsorganen und dem Kehlkopf zu tun. Der zweite Abschnitt wendet sich der Stimme, der Erzeugung des Tones und der Erhaltung und Befestigung des Stimmorganes zu. Der dritte Abschnitt, der die richtige Aussprache des Alphabets behandelt, hat nicht nur für den Sänger und Schauspieler, sondern auch für jeden Redner großen Wert. Das Atmen, das in der Rede und im Gesang eine Hauptrolle spielt, wird im vierten Abschnitt eingehend erörtert. Bei genauer und gewissenhafter Befolgung alles dessen, was in diesem Buche über das Atmen und die Fundamentalgesetze der Tonbildung gesagt ist, wird der Sänger wie der Schauspieler und Redner sichere Erfolge zu verzeichnen haben.

Die Pflege der Musik im Stifte Kremsmünster. Kulturhistorischer Beitrag zur elften Säkularfeier von **Georg Huemer**, Kapitular des Stiftes und Musikdirektor. Wels, Druck und Verlag von Joh. Haas. 1877. Ein Büchlein, das vor mehr als 30 Jahren erschienen ist und eine Spezialmusikgeschichte der berühmten seit 1100 Jahren bestehenden Benediktinerabtei, wenn auch nur im Abriß, in 14 Kapiteln enthält. Besonders interessant sind die Nachrichten über **Georg Pasterwiz**, der sich auch in der allgemeinen Musikgeschichte bekannt gemacht hat. Der Verfasser ist im Januar dieses Jahres gestorben und dessen Amtsnachfolger als Musikdirektor, P. Benno Feyrer, hatte die Güte, die 140 Seiten umfassende Spezialstudie der Redaktion in dankenswerter Weise zuzusenden. In diesem Kloster wurde die Musik nicht nur im Dienste Gottes gepflegt, sondern auch der weltlichen Musik in Oper, Singspiel, Kammermusik und im Oratorium eine Stätte bereitet.

In der Sammlung Göschen, Leipzig, erschien unter Nr. 121 und 347 in elegantem Leinwandband zum geringen Preis von je 80 ₰ Geschichte der alten und mittelalterlichen Musik. I. Das Altertum. II. Das zweite christliche Jahrtausend (von zirka 1000—1600) von **Dr. A. Möhler**, zweite, vielfach verbesserte und erweiterte Auflage, mit zahlreichen Abbildungen und Musikbeilagen. Über die erste Auflage wurde in *Musica sacra* 1900, Seite 96 referiert. Nun sind aus dem einen Bändchen zwei geworden. Für die Verteilung des Stoffes war der Gesichtspunkt maßgebend, daß bis etwa zum Ende des 1. Jahrtausends die Musik größtenteils einstimmigen Charakter trägt und erst vom 2. Jahrtausend ab von einer eigentlichen Mehrstimmigkeit die Rede sein kann. Das zweite Bändchen führt uns also vom Beginn des 2. Jahrtausends bis zum Ende des 16. Jahrhunderts. Jedem der beiden Bändchen ist ein möglichst genaues Namen- und Sachregister beigegeben. Durch

Angabe einer ziemlich reichen Literatur ist die Möglichkeit geboten, ausführlichere Studien über die verschiedenen Materien zu machen.

*Sull' accompagnamento delle Melodie Gregoriane. Relazione letta all' VIII Congresso Regionale Veneto di Musica sacra Padova Giugno.* **Oreste Ravanello.** 1908. *Padua, Tipografia dei Fratelli Salmin.* 1908. (31 Seiten.) Beim achten kirchenmusikalischen Kongreß für die Kirchenprovinz Venedig in Padua (Juni 1907) trug der erprobte Meister Oreste Ravanello in Padua eine Abhandlung über die Begleitung der gregorianischen Melodien vor, die nun im Drucke erschienen ist. Er spricht über die französischen Anschauungen inbetreff des Choralrhythmus, die von den deutschen und italienischen grundverschieden sind, z. B. *Bella premúnt; da robúr, bonaé voluntatis* usw. und legt dann seine Anschauungen über die Begleitung vor. Referent vermeidet es mit Absicht über die grundverschiedenen Anschauungen von Arsis und Thesis sich eingehender zu äußern, denn diese Streitigkeit baut nicht auf, sondern zerstört. Wirkliche, praktische Musiker, wenn sie überhaupt gleich dem Referenten die Begleitung neumenreicher Melodien nicht für einen Anachronismus und musikalischen Nonsens halten, werden im großen ganzen den Grundsätzen Ravanellos zustimmen müssen.

Würde und Pflichten des katholischen Kirchensängers. Winke und Belehrungen von **Benno Rutz.** Innsbruck, Innrain 29, Druck und Verlag der Kinderfreundanstalt. Preis 40 Heller. Ein populäres, auch für die kleineren Singschüler nützliches, ja für sie berechnetes Büchlein. Der 1. Teil spricht von der Würde des katholischen Kirchensängers, der 2. von den Pflichten desselben in warmem, gläubigem, kindlichem Tone. Am Schlusse bemerkt der Autor: „Alle anderen Künste vergehen, die Kunst der Töne allein wird dauern in Ewigkeit. Das Farbenspiel der Malerei wird einst verschwinden vor dem Glanze des göttlichen Lichtes, und mit dem Stoffe wird gleichzeitig verschwinden die Kunst des Bauens und der Skulptur; aber Gesang, Melodie und Harmonie schreibt selbst die Offenbarung, das prophetische Buch des Neuen Bundes, den Seligen noch zu."

Die großen deutschen Tondichter. Für unsere musikliebende Jugend. Lebenserzählungen in Bildern von **A. Richard Scheumann.** Band I: Joseph Haydn. W. A. Mozart. L. v. Beethoven. Mit 3 Porträts und mehreren Notenbeispielen. Preis 1 ℳ. Band II: Fr. Schubert. K. M. von Weber. Mendelssohn-Bartholdy. Robert Schumann. Mit 4 Porträts und 8 Notenbeispielen. Kommissionsverlag von Friedrich Hofmeister in Leipzig. 1908. Preis 1 ℳ 20 ₰. In kurzen, durch Literaturangaben in der Einleitung für wißbegierige Musikjünglinge noch erweiterungsfähigen, schlicht und einfach geschriebenen Monographien wird der Lebens- und Schaffensgang der genannten deutschen Tondichter entworfen.

Jahrbuch der Musikbibliothek Peters für 1907. Vierzehnter Jahrgang. Herausgegeben von **Rud. Schwartz.** Leipzig, C. F. Peters. 1908. Preis 4 ℳ. (Entsprechend wurde auch der Preis der früheren Jahrbücher auf 4 ℳ erhöht.) Inhalt: 1. Jahresbericht. 2. Max Friedlaender: Über die Herausgabe musikalischer Kunstwerke. 3. Aus Edvard Griegs Briefen an Dr. Max Abraham, den verstorbenen Stifter der Musikbibliothek Peters. 4. Max Seiffert: Händels Verhältnis zu Tonwerken älterer deutscher Meister. 5. Rudolf Schwartz: Zur Geschichte des Taktschlagens. 6. Hermann Kretzschmar: Beiträge zur Geschichte der venetianischen Oper. 7. Hermann Kretzschmar: Kurze Betrachtungen über den Zweck, die Entwicklung und die nächsten Zukunftsaufgaben der Musikhistorie. 8. Kritischer Anhang: Johannes Wolf: Neue Beiträge zur mittelalterlichen Musik. 9. Rudolf Schwartz: Verzeichnis der in allen Kulturstaaten im Jahre 1907 erschienenen Bücher und Schriften über Musik mit Einschluß der Neuauflagen und Übersetzungen. Es ist für einen ernst forschenden Musiker jährlich eine Freude, das Peters-Jahrbuch nicht etwa nur zu lesen, sondern dessen gediegenen und mannigfaltigen Inhalt zu studieren und das Buch öfter in die Hand zu nehmen. Leider kann hier nicht in Details eingegangen werden. Besonders aber seien hervorgehoben der Aufsatz über die Herausgabe musikalischer Kunstwerke von Max Friedlaender, die beiden Artikel von H. Kretzschmar, die kurze aber interessante Studie über das Taktschlagen von R. Schwartz, sowie dessen Verzeichnis der im Jahre 1907 erschienenen Bücher und Schriften über Musik.

Physikalische Musiklehre. Eine Einführung in das Wesen und die Bildung der Töne. Von **Prof. Dr. Starke.** gr. 8°. 240 Seiten. Mit zahlreichen Abbildungen. Geheftet 3 ℳ 80 ₰, in Originalleinenband 4 ℳ 20 ₰. Verlag von Quelle & Meyer in Leipzig. Das vorliegende Buch ist eine Vereinigung der naturwissenschaftlichen wie ästhetischen Musiklehre. Der Stoff gliedert sich in 5 Abschnitte. Die ersten beiden geben die physikalische Beschreibung der verschiedenartigen Schwingungsbewegungen und ihrer Fortpflanzung im Raume sowie die Anwendung der Ergebnisse auf die akustischen Schwingungen und die Schallwellen. Im 3. Abschnitte wird die musikalische Verwertung der Töne, ihre Vereinigung zu Akkorden und die Entwicklung der verschiedenen Tonleitern besprochen. Im folgenden 4. Abschnitt lernen wir die charakteristischen Eigenheiten der musikalischen Klänge und ihre physiologische Begründung durch die physikalisch bereits aus den ersten Kapiteln bekannten Obertöne kennen. Die Saiten- und Blasinstrumente, die Instrumente mit unharmonischen Obertönen sowie die menschliche Stimme, insbesondere die Technik des Gesanges finden hier ihre Behandlung. Im letzten Teil endlich finden die musiktheoretischen Ausführungen besonders des 3. Abschnittes, welche im wesentlichen die auf ästhetischer Grundlage basierende Musiktheorie wiedergeben, ihre naturwissenschaftliche Begründung durch die Helmholtzsche Theorie der Konsonanz und Dissonanz. Eine große Anzahl von Abbildungen beleben die Lektüre und erleichtert das Verständnis dieses auch äußerlich gefälligen und empfehlenswerten Buches, das jedem Gebildeten und Musikfreund willkommen sein wird.

Führer für den katholischen Organisten durch dessen gesamte kirchliche Verrichtungen von **Hans Steiner,** Kapellmeister. München. 1908. J. J. Lentnersche Buchhandlung (Ernst Stahl).

Preis 1 ℳ 80 ₰. Wem das Buch nützen soll, ist schwer zu enträtseln. Von Orgel oder Begleitung durch die Orgel ist keine Rede. Eine Skizze der Horen mit Vesper und Komplet, für Hochamt, *Requiem*, Litaneien und verschiedene Intonationen, die im Laufe des Kirchenjahres vorkommen können, mit modernen Noten im Violinschlüssel umgeschrieben und transponiert, kann den „Wissensdurst" unmöglich stillen. Dennoch glaubt der Autor durch das Büchlein von 103 Seiten in 8° „einem wirklichen Bedürfnis entgegengekommen zu sein und eine längst bestandene Lücke ausgefüllt zu haben, da sich der katholische Kirchenorganist bisher das vorschriftliche Notenmaterial zu seinen dienstlichen Obliegenheiten aus den verschiedensten liturgischen Büchern mühselig zusammensuchen mußte". Das ist aber eine starke Behauptung gegenüber der überreichen theoretischen und praktischen Literatur seit mehr als dreißig Jahren!

Kurzer Leitfaden für den kirchenmusikalischen Unterricht in theologischen Lehranstalten von **Karl Wiltberger.** Bonn, Hanstein. Preis elegant kartoniert 1 ℳ 20 ₰. Das Büchlein wendet sich an den Kandidaten des geistlichen Standes. Die wissenschaftlichen Anforderungen, welche heutzutage an den Geistlichen gestellt werden, sind so große und vielseitige, daß der Kandidat der Theologie während seiner Studienjahre keine Zeit findet, sich eingehender mit der Kirchenmusik zu befassen. Und doch sollte er auch auf diesem Gebiete ein gewisses Maß von Kenntnissen besitzen. Der Verfasser hat daher in seinem Büchlein in kurzer, klarer und übersichtlicher Form alles zusammengestellt, was an theoretischem kirchenmusikalischem Wissen für die spätere Tätigkeit von praktischer Bedeutung ist. Der Stoff wird in drei Abschnitten behandelt. Der erste Abschnitt, Kirchenmusik und Liturgie, bespricht die Beziehungen zwischen Liturgie und Kirchenmusik, speziell die kirchenmusikalischen Vorschriften, die den liturgischen Text, die Musik und die Sänger betreffen. Daneben sind praktische Bemerkungen eingeflochten über Orgel, Organist, Kirchenchor, Dirigent, Stellung des Pfarrers und der Gemeinde zum Kirchenchor usw. Der Anhang des ersten Abschnittes bringt das Notwendigste über die Glocken. — Der zweite Abschnitt ist dem Choralgesang gewidmet. Im ersten Kapitel werden gesangstechnische Vorbemerkungen geboten; das zweite Kapitel erörtert die Theorie des Choralgesanges in einfacher, leicht verständlicher Fassung. — Der dritte Abschnitt behandelt das deutsche Kirchenlied, seine Geschichte, seine Stellung im Gottesdienst und seine Pflege in der Gemeinde. Als Anhang sind dem Büchlein beigefügt das *Motu proprio* des Papstes Pius X. über die Kirchenmusik (in deutscher Übersetzung) und die Statuten des Allgemeinen Cäcilienvereins; ferner wird denjenigen Theologen, welche die gewonnenen Kenntnisse erweitern und vertiefen wollen, geeignete Literatur angegeben. Wenn auch das Werkchen in erster Linie für die Kandidaten des geistlichen Standes bestimmt ist, so wird es gleichwohl in anderen Anstalten (kirchlichen Musikschulen, Lehrerseminaren etc.) mit Nutzen gebraucht werden können. Auch den Dirigenten der Kirchenchöre wird es gute Dienste leisten.

An **Katalogen**, die sich auf **Musik** beziehen, seien nachfolgende aufgeführt:

**Breitkopf & Härtel** in Leipzig setzen ihre Musikverlagsberichte regelmäßig fort, brachten für 1907: a) ein alphabetisch geordnetes, b) ein nach Gruppen eingeteiltes Verzeichnis ihrer Publikationen und Verlagswerke. — Sie edierten auch ein Verzeichnis sämtlicher Kompositionen von Ludwig Bonvin bis 1907.

**Rudolf Glickh** veröffentlichte einen Katalog der Bibliothek des Vereins katholischer Chorregenten in Wien, der seit 1905 vierhundert Nummern umfaßt.

**K. W. Hiersemann** in Leipzig bietet im Katalog 352 ältere Druckwerke an, so z. B. Glareans Dodekachordon um den Preis 325 ℳ.

**Hofmeisters** (Leipzig) musikalisch-literarische Monatsberichte stehen im 80. Jahrgang und kosten jährlich 8 ℳ.

**Leo Liepmannsohn**, Berlin S.-W. 11, Bernburgerstr. 14, versendet in Katalog 167 und 169 eine reiche antiquarische Literatur für Instrumentalmusik vom Anfange des 16. bis zur Mitte des 19. Jahrhundert, u. a. das berühmte spanische Werk des Fra Thomas de Sancta Maria von 1565 um den Preis von 700 ℳ.

**Leo S. Olschki** in Florenz, Lungarno Acciaioli, 4, bietet in Katalog 66 verschiedene ältere Drucke an, u. a. die *Flores Musicae*, Straßburg, 1488 um 2000 Lire.

**Ludwig Rosenthals** Katalog zeichnen sich, wie immer, durch ihre musterhafte Redaktion und echt bibliographische Ausstattung aus. Den Glarean verkauft er um 300 ℳ. München, Hildegardstr. 14.

Die Musikalienverzeichnisse 334 von **C. F. Schmidt** in Heilbronn a. N. geben reiche Auswahl von Musik für Klavier, Orgel und Harmonium; die Nummer 340 Literatur für Streichinstrumente ohne Pianoforte.

**Chr. Fr. Vieweg**, Berlin, Groß Lichterfelde, macht in Nr. 18 von 1907 Mitteilungen von Max Battke „Der Weg zur Harmonie" und bringt Lehr- und Lernmittel für den Gesangunterricht; in Nr. 20 „Studien über das polyphone Hören" und musiktheoretische Schriften von Hövker; in Nr. 21 „Wegweiser zu J. S. Bach" von Blaß und Werke für den Klavierunterricht. F. X. H.

(Fortsetzung folgt.)

## Vermischte Nachrichten und Mitteilungen.

1. ⊙ **Jahresbericht der kirchenmusikalischen Kurse an der St. Gregoriusakademie zu Beuron.** Am 17. Oktober 1907 begannen die ersten achtmonatlichen kirchenmusikalischen Kurse an der St. Gregoriusakademie. Nach dem Resultate der tags zuvor abgelegten Aufnahmeprüfungen und unter Zugrundelegung besonderer Wünsche der Herren Teilnehmer fand die Verteilung der einzelnen Fächer und Unterrichtsstunden statt. Als Kursisten waren neun Herren zugelassen worden, denen sich bald ein zehnter aus Amerika zugesellte. Soweit dieselben nicht Ordensmitglieder oder -Kandidaten waren, bewohnten sie das St. Gregoriushaus als Externe teils in Einzelzimmern, teils in gemeinschaftlichen Räumen. Leider mußte nach Verlauf einiger Wochen ein Herr ausscheiden. Stark geschwächtes Augenlicht und nicht ausgesprochenes musikalisches Talent hatten die Unmöglichkeit ergeben, dem Unterrichte mit Erfolg anzuwohnen. Als Ersatz fanden sich verschiedene Externe wöchentlich mehrmals zu den Lehrstunden theoretischer und praktischer Fächer ein.

Die Kurse wurden von vier Konventualen des Klosters und drei weiteren Herren geleitet. Die Direktion des St. Gregoriushauses unterstand Herrn Ernst von Werra.

Als Lehrgegenstände wurden dem Programm gemäß von den Herren Teilnehmern belegt:

I. In gemeinsamen Kursen: a) Liturgik wöchentlich 2 Stunden; b) Harmonielehre 2 Stunden; c) Kontrapunkt 1, Choralbegleitung 2 Stunden; d) Neumenkunde 1, Choralgesang 2 Stunden; außerdem wurden in letzterem Fache auch Privatissima erteilt; e) Orgelkunde 1 Stunde; f) Musikgeschichte 1 Stunde.

II. In Sonderlektionen: Orgel-, Klavier- und Violinunterricht. Von der anfänglichen Praxis, je zwei Herren zu einer vollen Stunde zu vereinigen, wurde bald abgegangen, so daß jeder der Herren seine individuelle Ausbildung fand.

Allen Herren war ausreichend Gelegenheit zum Privatstudium geboten. Es standen im Gregoriushaus vierzehn gute, zum Teil ganz neue Klaviere zur freien Verfügung. Außer den beiden Orgeln zu 14 und 3 Registern mit je 2 Manualen und freiem Pedale, welche schon bei Eröffnung der Kurse vorhanden waren, wurde in den ersten Monaten ein weiteres Werk mit 24 auf 3 Manuale und 1 Pedal disponierten Registern aufgestellt. Dasselbe zeichnet sich durch vorzügliche Intonation und die neuesten orgeltechnischen Hilfsmittel aus und bietet fortgeschritteneren Kursisten beste Gelegenheit zu kunstvollerem Spiele und größerer Registrierfähigkeit. Sämtliche Orgeln werden durch einen Elektromotor mit Wind versehen. Die Herren Teilnehmer konnten daher die ganze zur Verfügung stehende Zeit ausschließlich ihrer Übung widmen, ohne durch die Sorge für Beschaffung des Windes sich hingehalten zu sehen.

An der Hand verschiedener Orgelmodelle wurden die Herren bei dem Unterricht in der Orgelkunde in den Stand gesetzt, den Bau älterer und modernster Orgelwerke, sowie auftretende Mängel kennen zu lernen, deren Abhilfe dem Organisten selbst ermöglicht werden sollte.

Um den Kursisten ein Gesamtbild des heutigen Orgelbaues zu geben, wurde im April eine gemeinsame Studienfahrt in die Orgelbauanstalt der Gebrüder Späth in Mengen-Ennetach, aus der zwei unserer Orgeln hervorgegangen sind, unternommen.

Dem Studium der Neumenkunde dienten u. a. eine große Anzahl photographischer Reproduktionen alter und ältester Handschriften. Eine reichhaltige Bibliothek, die zumeist sehr seltene Werke aufweist, stand unter Leitung des Herrn Direktors von Werra zur Verfügung. Im Laufe des Jahres wurden der Bibliothek die großen Sammelwerke von J. S. Bach und Orlando di Lasso einverleibt. Besonderen Dank verdient die hochherzige Förderung, welche unsere Bestrebungen durch die Herdersche Verlagshandlung, die H. H. Pustet, Feuchtinger in Regensburg, den Verlag Styria in Graz durch verschiedene Überweisungen zu teil wurde. In hervorragender Weise sind wir dem Kaiserl. Musikdirektor in Straßburg, Herrn Professor Adolf Gessner, verpflichtet, der durch wiederholte wertvolle Büchersendungen sein hohes Interesse an der Entwicklung unserer Kurse betätigte.

Am Patroziniumsfeste der Anstalt, 12. März, fand im großen Saale ein Konzert mit sehr gewähltem Programm statt. Es kamen dabei Werke von J. S. Bach für zwei Klaviere, für Orgel, Kompositionen für Orgel, Orgel und Klavier von Widor, Guilmant und César Franck zur Aufführung. Die Veranstaltung, welche vor einem gewählten Publikum, namentlich auch aus geistlichen Kreisen, geboten wurde, fand ungeteilten Beifall und volle Anerkennung in öffentlichen Tages- und Fachblättern.

Zu Beginn des Sommersemesters trat ein Schüler des Kgl. Konservatoriums in Stuttgart in die Anstalt ein, um sich, soweit dies in der ihm nur knapp zugemessenen Zeit möglich war, eine spezielle Ausbildung in der katholischen Kirchenmusik anzueignen.

Gegen Ende Mai fanden die schriftlichen Prüfungen unter Klausur statt. In der Harmonielehre mußten bezifferte Bässe in ausgesetzter vierstimmiger Harmonie wiedergegeben werden, ferner waren verschiedene zum Teil schwierige Modulationen schriftlich auszuführen. Für Choralharmonisation wurden der Hymnus *Ave maris stella*, die Communio *passer invenit sibi domum* und das Graduale *os iusti* in transponierten schwierigen Tonlagen schriftlich ausgeführt. Die Herren, welche sich in den Privatvorlesungen über Choralgeschichte und Neumenkunde beteiligten, bearbeiteten in einem schriftlichen Examen folgende Themata:

1. Wie verhält sich die Communio vom Feste des heil. Stephanus nach der Leseart des *Graduale Vaticanum* zu der Leseart folgender Handschriften:

a) Kodex 47 (40) von Chartres, b) Kodex 121 Einsidlensis, c) Kodex h 159 von Montpellier.

2. Die Eigenart dieser Handschriften ist näher anzugeben.

3. Welche Bedeutung hatte die Cheironomie?

Die mündlichen Prüfungen wurden am 10. und 11. Juni in folgender Ordnung vorgenommen:

Während die Gesangklasse unter Leitung des Hochwürd. P. **Johner** eine Anzahl von Choralgesängen: Introitus von Pfingsten, Graduale vom 8. Dezember, *Alleluja* vom 2. Juli und verschiedene Stücke aus dem *Ordinarium Missae* der Vatikana, sowie einige Kirchenlieder aus dem Diözesan-Gesangbuch ausführte, brachten die Schüler der Mittelstufe im Orgelspiel ein gewähltes Programm von Orgelkompositionen zum Vortrag, darunter Präludium und Fuge c-moll und *g*-moll (die kleine) von J. S. Bach, dann schwierige Kompositionen von Guilmant, César Franck und Rheinberger (Agitato der Sonate Op. 148).

Zu denselben wurde der Zutritt einer beschränkten Zahl von Interessenten, meist geistlichen Standes gestattet.

Zu besonderer Ehre gereichte uns die Anwesenheit des Hochwürd. Herrn Domkapitulars und Geistl. Rates **Brettle** von Freiburg. Derselbe wurde von Sr. Exzellenz, dem Hochwürd. Herrn Erzbischof, zur Teilnahme an den Schlußprüfungen eigens entsandt. Der Hochwürd. Herr äußerte sich über die Resultate derselben in höchst anerkennender Weise und versicherte uns wiederholt, daß die sämtlichen Ergebnisse seine vollste Zufriedenheit erworben hätten.

Die Kurse schlossen am Nachmittag des 12. Juni mit einem Konzert. Dasselbe sollte auch weiteren Kreisen Zeugnis von den erworbenen Kenntnissen und Fertigkeiten ablegen. Deshalb fiel der Hauptteil: Begleitung deutscher Kirchenlieder, Choralgesang und -Begleitung, Zwischenspiele usw. den Schülern zu, während nur Eingang und Schluß durch Orgelvorträge des Herrn Direktors **von Werra** und Herrn J. J. **Nater** ausgezeichnet wurden.

Hatten die ersten Achtmonatkurse unter der Ungunst der Verhältnisse auch mit manchen Schwierigkeiten zu kämpfen, so erlitten sie doch in ihrer inneren Ausgestaltung keine Einbuße und führten zum vorgesteckten Ziele. Um wertvolle Erfahrungen reicher, sehen die Direktion und Lehrer den Kursen 1908/09 vertrauensvoll entgegen.

Beginn des Wintersemesters am 15. Oktober 1908. Aufnahmeprüfung tags zuvor. Anmeldungen nimmt entgegen und versendet auf Verlangen kostenlos Prospekte

Die Direktion der kirchenmusikalischen Kurse:

Beuron (Hohenzollern) Erzabtei St. Martin. P. Leo Sattler, O. S. B.

2. * Der berühmte Orgelspieler **Wilhelm Gottschalg**, geboren 1827, ist in Weimar am 31. Mai und (laut vor Druck der Nummer eingetroffenem Telegramm) Herr Domkapellmeister und Diözesanpräses **Joseph Niedhammer** in Speyer am 29. Juni, verschieden. Mögen sie ruhen im Frieden! — Herr **Karl Walter**, Seminar-Musiklehrer in Montabaur erhielt im Monat Mai ds. J. vom Heiligen Vater das Päpstliche Kreuz *Pro Ecclesia et Pontifice*. — Die 38. Generalversammlung des Cäcilienvereins der Erzdiözese Cöln fand dortselbst am 11. Juni statt. — Einen Originalbericht über die Diözesan-Versammlung Augsburg in Memmingen muß die Redaktion wegen Raummangel für das Cäcilienvereinsorgan vom 15. Juli zurücklegen. — **Korrektur:** In *Musica sacra* Nr. 4, S. 45, 8. Zeile, muß es „Vollständigkeit“ (statt „Verständigkeit“) heißen; S. 48, 11. Zeile muß (statt „so“) „es“ stehen; in Nr. 5, S. 57, 12. Zeile von unten ist „reiner“ (statt „seiner“) zu lesen.

---

## Programm für die 18. Generalversammlung des Allgemeinen Cäcilienvereins in Eichstätt vom 20.—22. Juli 1908.

**Montag**, den 20. Juli, abends 6 Uhr im Dom musikalische Andacht: 1. *Terribilis est locus iste,* Motette für 5st. gemischten Chor von Gottfr. Rüdinger. 2. *Adoramus te Jesu Christe,* 5st. von Raim. Heuler, Op. 10, Nr. 2. (Langensalza, Schulbuchhandlung von F. G. L. Greßler.) 3. *Ave Maria,* 4st. von T. L. da Vittoria. *(Mus. div.* Ann. 1, tom. IV; Wüllner, Chorübungen, III. St., Nr. 32.) 4. *Tantum ergo,* 4st. von A. Bruckner. *(Mus. sacra* 1885.) Abends 8 Uhr Begrüßungsfeier im Gesellenhause. (Vorträge der „Eichstätter Liedertafel“.)

**Dienstag**, den 21. Juli, früh 6 ½ Uhr Choralamt in der Schutzengelkirche (bischöfl. Seminar): Messe vom Tage *(S. Camilli de Lellis Conf.)* nach der Editio Medicaea. 9 Uhr im Dome *Veni Creator,* 5st. von J. N. Ahle; Predigt; *Ecce Sacerdos,* 4st. von F. X. Hacker; Pontifikalamt: *Missa vot. de Trinitate,* Wechselgesänge choraliter nach *Lib. Grad.* von Dom Pothier (Orgelbegleitung zum Graduale von W. Widmann); *Missa Beatus qui intelligit,* 6st. von Orlando di Lasso (Beil. zu *Mus. sacra* 1908 und zum „Kirchenchor“ 1905 und 1906); nach dem Choraloffertorium Motette *Tibi laus* für Alt und 3 Männerstimmen von Orlando di Lasso.[1]) Dann Festversammlung in der

[1]) Diese Motette, sämtliche mehrstimmige Gesänge der nachmittägigen Produktion und die Gesänge für die instruktiven Proben sind redigiert von W. Widmann, in 1 Faszikel vereinigt und in beiden Eichstätter Buchhandlungen [A. Amberger (Gebr. Bögl) und Ph. Brönner (P. Seitz)] erhältlich. Preis *M* 2.50.

Kgl. Aula; nachmittags 2 1/2 Uhr im Dome Aufführung kirchlicher Tonwerke von „alten“ Meistern: 1. Aus *Missa VIII. Toni*, 4st. von Orlando di Lasso, a) *Kyrie*, b) *Sanctus*, c) *Benedictus*. 2. *Gloria* aus *Missa L'homme armé*, 5st. von Palestrina. 2a. Zweites Choral-*Credo*. (Ausgabe Dom Pothier, Orgelbegleitung von W. Widmann.) 3. Drei 4st. Responsorien aus den Charwochenmetten, a) 5. Respons. in der Gründonnerstags-Mette, *Judas mercator pessimus* von A. Zoilo, b) (c) 4. Respons. in der Charsamstags-Mette, *Recessit pastor noster*, 4st. von J. Handl, c) (d) 7. Respons. in der Charsamstags-Mette, *Astiterunt reges terrae* von M. A. Ingegneri. 4. *Improperia* und *Adoratio Crucis* nach Palestrina-Bernabei. 5. Ostermotette für 8st. Chor *Angelus Domini* von Cl. Casciolini. 6. Motette für das Fest Mariä Verkündigung *Dixit Maria*, 4st. von H. L. Hasler. 7. Aus drei 4st. Motetten von Orlando di Lasso, a) dasselbe für Alt und 3 Männerstimmen, b) *Domine convertere* für Sopran, Alt, Tenor und Baß. 8. Offert. am 2. Adventsonntage *Deus tu conversus*, 5st. von Palestrina. 9. Zwei Motetten für das heil. Fronleichnamsfest, a) *O sacrum convivium*, 4st. von Giov. Croce, b) *Lauda Sion*, 8st. von Palestrina. Nachmittags 5 Uhr: Geschlossene Versammlung (s. Cäcilienvereinsorgan Nr. 4, Seite 46). 7 1/2 Uhr abends: Konzert des Domchores in der Kgl. Aula: „Frithjofs Heimkehr“ für Soli, Chor und Orchester von G. Ed. Stehle.

**Mittwoch**, den 22. Juli, früh 8 Uhr *Requiem* für die verstorbenen Vereinsmitglieder oder *Missa pro defunctis — in piam mem. Leonis XIII. gloriosae record.*, 5st. von Ign. Mitterer, Op. 124 (Regensburg, Pustet); Sequenz choraliter (Ed. Med.). Nach demselben geschlossene Versammlung und instruktive Proben (in der Kgl. Aula oder im Probelokal des Domchores): a) *Gloria* aus *Missa de Angelis* (*Kyriale Vaticanum* Nr. 8), b) *Caligaverunt oculi mei*, 4st. von M. A. Ingegneri. Nachmittags 2 Uhr im Dome Vesper: Choralverse (bischöfl. Seminar) im Wechsel mit 4- und 5st. Falsibordoni von C. de Zachariis und L. Viadana (Domchor); (die Falsibordoni sind der *Mus. div.* Ann. I. tom. 3. entnommen); Hymnus choraliter; *Salve Regina*, 4st. von J. B. Diebold.

Sodann Vorführung neuerer Kirchenkompositionen: a) Seitens des Dompfarrkirchenchores (Herr Kgl. Seminaroberlehrer J. Pilland). 1. Lauret. Litanei in *C* für gemischten Chor mit Instrumentalbegleitung, Op. 53 (Regensburg, Pawelek). 2. Zwei 6st. Motetten von Joh. B. Tresch: a) *Ave Maria*, b) *Beata es* (aus Enchiridion von J. B. Tresch, Op. 10, Regensburg, Pustet). 3. Offert. *Veritas mea*, 5st. von M. Haller. 4. Offert. *Constitues eos*, 4st. mit Instrumentalbegleitung von P. Piel (Nr. 3 und 4 aus zehn Original-Kompositionen, redigiert von F. X. Engelhart, Regensburg, Pawelek). — b) Seitens des bischöfl. Alumnates (H. H. Musikpräfekt Gottfr. Wittmann): 1. *Credo* aus der Messe in *D* zu Ehren der unbefleckt empfangenen Gottesmutter für 2 Tenöre und Baß mit Orgelbegleitung von J. Ev. Habert, Op. 20. 2. *Domine non sum dignus* für Männerchor von Mich. Haller (aus dessen Op. 39). 3. Kirchweih-Offert. *Domine Deus* für Männer-Doppelchor und Orgel von Fr. Koenen. c) Seitens des Domchores. *Te Deum* für 6st. Chor und Orgel von Edg. Tinel, Op. 46 (Leipzig, Breitkopf & Härtel). Abschiedszusammenkunft.

Vom Eichstätter Lokalkomitee werden ausgegeben a) Mitgliederkarten zu 2 *M*; b) Teilnehmerkarten zu 3 *M*. Die Mitgliederkarten berechtigen zu allen Produktionen in den Kirchen sowie zu den öffentlichen und geschlossenen Versammlungen; die Teilnehmerkarten berechtigen ebenfalls zu den Produktionen in den Kirchen und zu den öffentlichen, nicht aber zu den geschlossenen Versammlungen; die Karten zum Domchor-Konzerte in der Aula am 21. Juli („Frithjofs Heimkehr“) müssen eigens gelöst werden. Wer sich seine Karte zuschicken lassen will, hat zu dem Preise für die Karte noch 10 ₰ zuzulegen. Für Quartiere und Verköstigung sorgt der „Fremdenverkehrsverein Eichstätt“. Alle Anmeldungen und Anfragen wolle man gefälligst an Herrn Buchhändler Fritz Bögl in Eichstätt richten. Es empfiehlt sich die Anmeldungen bald zu machen, damit ein Überblick über die in Anspruch zu nehmenden Wohnungen etc. gewonnen werden kann.

Druck und Verlag von **Friedrich Pustet** in Regensburg, Gesandtenstraße.
**Nebst Anzeigenblatt.**

1908. Regensburg, am 1. August 1908. Nr. 8.

# MUSICA SACRA.

Gegründet von Dr. Franz Xaver Witt († 1888).

**Monatschrift für Hebung und Förderung der kathol. Kirchenmusik.**

Herausgegeben von Dr. Franz Xaver Haberl, Direktor der Kirchenmusikschule in Regensburg.

**Neue Folge XX., als Fortsetzung XXXXI. Jahrgang. Mit 12 Musikbeilagen.**

Die „Musica sacra" wird am 1. jeden Monats ausgegeben, jede der 12 Nummern umfaßt 12 Seiten Text. Die 12 Musikbeilagen wurden mit Nr. 5 (Motett und Messe *Beatus vir qui intelligit*, 6stimm. von Orl. Lassus) versendet. Der Abonnementpreis des 41. Jahrganges 1908 beträgt 3 Mark; Einzelnummern ohne Musikbeilagen kosten 30 Pfennige. Die Bestellung kann bei jeder Postanstalt oder Buchhandlung erfolgen.

**Inhaltsübersicht:** 

## Einführung in das Tondiktat und Verbindung der Ziffer mit der Note.

Wer ohne viel Umwege die Kinder seiner Klasse oder seines Kirchenchores in die Treffkunst einführen will, der benutze hiezu das Tondiktat. Je eher die Schüler mit diesem prächtigen Hilfsmittel bekannt gemacht werden, desto besser für sie und ihren Singlehrmeister.

Um das Wichtigste vorweg zu nehmen, sei gleich hier gesagt: dieses Tondiktat kann nur von einem einzelnen Schüler auf einmal geleistet werden; also: nur ein Schüler schreibt das Vorgesungene an die Tafel. Die übrigen Schüler sehen zu, ob das Anschreiben auch richtig besorgt wird. Sie verharren in Spannung, wobei sie vergleichen, zuschauen, zuhören mit größter Aufmerksamkeit. Also kein Klassendiktat. Die Durchsicht der Niederschriften ist zu zeitraubend — die Hand des Durchschnittschülers zu unbeholfen.

Schon hier drängt sich uns die Erfahrungstatsache auf, daß nämlich die Schüler durch gespanntes Zuhören rascher in der musikalischen Unterscheidungskraft geübt werden, als durch ununterbrochenes Mittönen, Mitsingen. Die „Enge des Bewußtseins" gestattet dem Zögling nur schwer, mit gleicher Schärfe zwei Vorgängen geistig gespannt, urteilend, kritisch zu folgen, als nur dem einen Vorgange. Die Stärke der Beeinflussung bei nur einerlei Geistestätigkeit — also beim bloßen Zuhören — ist größer, tiefer, stärker. Und das ist entscheidend für die Bevorzugung dieser Unterrichtsform, des bloßen Zuhörens.

Mit dem Tondiktat kann schon innerhalb des zweiten Schuljahres begonnen werden, ohne demjenigen Singlehrer Einhalt bieten zu wollen, der damit etwa nach Ablauf der ersten drei Vierteljahre Unterrichtszeit anzufangen versucht. Im Punkte der musikalischen, der singtechnischen Veranlagung sind die einzelnen Jahrgänge mehr verschieden, als in anderen Unterrichtsfächern.

Die Ziffer — nicht die „Zahl" — bietet bequemen Stoff zum Diktieren. Man singt den Kleinen die Tonreihe vor: „1 — 2 — 3 — 4 — 5" und sagt: man benennt die Töne der Reihe nach, wie sie aufeinanderfolgen. Eigentlich müßte man sagen: der erste Ton, der zweite, der dritte etc. Aber man macht es kürzer und spricht beim Singen: eins, zwei, drei usf."

Keinem Kinde wird einfallen zu denken, die „Zwei“ ist noch einmal so groß als die „Eins“ etc., wie dies beim elementaren Rechnen geschieht. Also man habe keine Bangigkeit vor Ideenverwicklung. Man wage den ersten Ziffernversuch — und der Erfolg wird jeden Zweifler zum Anhänger des beschränkten Ziffernsingens umwandeln.

Darauf hebt man die Endpunkte heraus „1 — 5“. Des klanglichen Gegensatzes wegen werden in der Regel diese zwei Intervalle rasch aufgefaßt. Schlägt diese Übung fehl, so werde rasch die Reihe gesungen, der fragliche Ton lang ausgehalten, und der Lehrer hat das Kind bald auf dem gewünschten Standpunkte.

Es empfiehlt sich die Töne des Dreiklangs herauszuheben: 1 — 3 — 5; denn diese Intervalle klingen als Obertöne nach der Helmholtzschen Theorie mit; sie liegen also gleichsam schon im Ohr und sind darum leichter rein zu singen, als die Zwischenintervalle.

Die „2“ und die „4“ sollten nur als Zwischentöne vorkommen, was sie ja auch in der Tat sind: Gleittöne, um die Intervalle des Dreiklanges, die sonst nur sprungweise zu erreichen sind, zu überbrücken.

Also empfehlen sich Übungen etwa wie folgt: 1 1 2 | 1 2 3 3 3 2 2 2 1 2 3 3 ‖ 2 3 1 etc. Oder 1 3 3 4 | 5 5 5 4 4 | 3 3 2 3 4 3 4 3 2 3 | 1 etc.

Die Bevorzugung der Töne „1 — 3 — 5“ hat den Vorteil, daß sie von drei Kindern so gesungen werden können, daß je eines der vornstehenden Kinder je eines der drei Intervalle festhält und anhaltend weitersingt, bis die drei Kinder zusammen ihre Töne als kleine Orgel singen zum Staunen und Entzücken der Mitschüler.

Man hat nun keine Mühe, weitere „Soloterzette“ zusammenzubekommen. Und wer bis dahin etwa gemeint haben sollte, daß die Schüchternheit der Kinder dem Einzelbetriebe des Gesangunterrichtes hindernd entgegenstünde, dem raten wir, nach unserer Anweisung einen Versuch zu unternehmen: er wird bald sehen zu seiner Freude, wie rasch die Kinder ihre anfängliche Zurückhaltung, die wir zugeben und nicht etwa tadeln wollen, aufgeben und fröhlich sich zum „Tönen“ melden.

Mit der Gewinnung des ausgehaltenen Dreiklanges hat der Lehrer den ersten Schritt getan zur Mehrstimmigkeit. Jeder Singlehrer weiß, wie schwer es hält, den Neuling in der zweiten Stimme so zu schulen, daß er nicht mehr stimmenscheu wird. Der schönste Alt ist dann nicht im Alt zu gebrauchen, weil er die erste Stimme singt, sobald sie mittönt. Unser Dreiklangsingen beugt dieser Unsicherheit langsam, weise vor. Den Vorteil hat der Singlehrer der Oberklasse. Wenn nur mancher Singlehrer die Verantwortung trüge, für Lieder zu den üblichen Schulfeierlichkeiten sorgen zu müssen, er würde wohl die Zügel, die die Kinder zu schärferem Zufassen musikalischer Aufgaben antreiben, manchmal etwas straffer anziehen. So aber denkt wohl mancher Singlehrer der Mittel- und Unterklassen: „Auf ein bißchen mehr oder weniger in der musikalischen Belehrung und Übung kommt es nicht an. Ich gebe die Klasse nächstes Jahr sowieso wieder weiter. Was soll ich mich für andere plagen.“ Wer aber das Tondiktat zeitig treibt, sichert sich den Dank jedes einsichtsvollen Musik- und Kinderfreundes.

Noch einen Vorteil zeitigt dieses Akkordsingen, sei es im gleichzeitigen Akkordklange von drei Stimmen ausgeführt, sei es im Erklingen der drei Töne nacheinander, im gebrochenen Akkord. Das Reinsingen wird gefestigt. Rein singen heißt doch nichts anderes, als den eigenen neuen Kehlton einstellen in den Klang der Obertöne, daß diese sich mit dem gesungenen Tone in eine Tonwelle, in eine im geraden Verhältnis zum Grundton stehende Tonwelle verschmelzen.

Singen also zwei Kinder je eines die Eins und die Fünf, so gilt es nun, das dritte Kind anzuleiten, daß es den latenten, d. h. die schon auf der Eins und auf der Fünf mittönenden Klänge der Drei erfaßt, sein Kehlorgan auf dieses Intervall einstellt und den schon vorhandenen Schwingungen der Drei Unterstützung durch seinen Mund leiht, so daß die Drei gleichstark der Eins und Fünf mittönt. Das naturreine Singen wird angebahnt.

Ein Wink sei gestattet: der geübte Musiker, der Fachlehrer des Gesanges wird beim An- und Einstimmen des Intervalles der „Drei“ das Gefühl haben, als sänge der

Schüler seine „Drei“ nicht hoch genug. Er verschone das Kind mit viel Nachhilfe. Gelingt dem Kinde die Drei nicht, so singe er mit schwacher Brummfistel selbst die Drei. Im übrigen aber bedenke er, daß sein Ohr durch das viele Musizieren auf temperierten Instrumenten das Gefühl für die Normalhöhe der Drei sicher etwas eingebüßt hat. Denn die Tasteninstrumente haben alle eine geschärfte Drei und eine etwas matt gehaltene Fünf.

Hat der Lehrer nun so einige Sicherheit in der Wiedergabe des Diktierten von seiten der Kinder erreicht — das Kind notiere singend — so geht er nun einen Schritt weiter: er schreibt die Ziffern nicht mehr neben sondern übereinander. Je höher der Ton, desto höher die Zahl, desto mehr entfernt sich die Tonziffer von der Eins. Also sieht das neue Tonbild folgendermaßen aus: 5 3 1 wobei von unten an notiert und gelesen worden ist, weil die Reihenfolge lautete 1-3-5. Um nun dem Übelstande zu begegnen, daß man die Reihenfolge nicht erkennt, in der die Töne gesungen wurden, empfiehlt es sich, die Töne in schräger Lage zu schreiben, also etwa in dieser Art:

Auf dieser Stufe halte man sich möglichst kurz auf; sie hat nur Wert als Übergangsstufe zu dem folgenden, das darin besteht, daß man die Ziffern nicht mehr schreibt sondern ihre Lage nur mit Punkten bezeichnet, etwa so:

Wie man sieht, kommt man auf diese Weise dazu, die ehrwürdigen Choralnoten in Gebrauch zu nehmen, ein Verfahren, das rasches Anschreiben ermöglicht und eine gute Vorschule für die kleinen Sänger des Kirchenchores abgibt.

Nach zwei bis drei Beispielen schreite man zur Fixierung des Notenbildes, indem man die Noten zunächst auf Linien setzt:

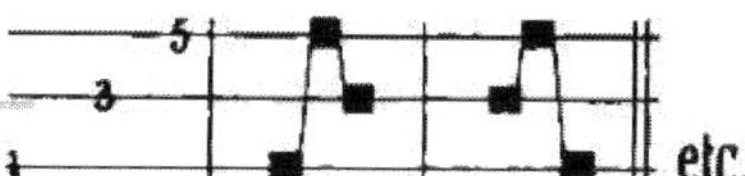


Als letzte Stufe empfiehlt es sich, die Zwischenstufen „2 und 4“ einzuzeichnen in die Zwischenräume. Damit haben die Schüler den Kreis der Erfahrungen und Erfindungen durchlaufen, der zu seiner Vollendung in unserer heutigen Notenschrift über ein Tausend Jahre gebraucht hat, der aber in seiner genetischen Reihenfolge die beste Anschauung für die Kinder bietet, ihnen nicht unnötigerweise etwas zu glauben befiehlt, was sie mit ein wenig Mühe und Anleitung sehr gut und sehr bald einsehen lernen. Dieses geschichtliche Werden, dieses Geschehenlassen und Entstehensehen, das ist's, was die Kinder fesselt, und wer ihr Interesse hat, besitzt auch ihr Herz.

Man könnte vielleicht all diese Wegweiser für Hinweise zu „Umwegen“ halten. Wem dies zu tun beliebt, wir wollen mit ihm nicht rechten. Er gehe seinen Weg. Nur haben wir gefunden, daß die Kinder viel intensiver mitarbeiten, wenn der Lehrer nach Goethes weisem Erfahrungsgrundsatze handelt: „Wohl dem Herrn, der überzeugt, indem er befiehlt.“

Den nächsten, besten Übungsstoff zu solchem Diktatbetriebe bilden einfache, kurze, bekannte Lieder. Im Notfalle nur das Anfangsmotiv oder sonst ein Melodieglied aus der Kette des Liedes. Immer halte man daran fest, daß das Kind, das schreibt, zugleich singt; es geht so alles leichter.

Nun wollen wir aber auf den größten Vorteil solcher Übungen hinweisen, auf das Notendeuten. Die Klasse wird angehalten, die Noten an der Tafel mit dem Finger in der Luft zu verfolgen. Also Notenluftschreiben. Es ist nicht nötig, daß dabei die Klasse singt. Es kann auch so sein: der Lehrer singt oder spielt, oder zeigt die Töne auf der Violine an, die in kleinen Sätzen an der Tafel stehen. Läßt die Fassungskraft der Klasse zu wünschen übrig, so schreibe der Lehrer die Ziffern ohne langes Besinnen unter die Noten, die das Kind mit dem dicken Ende der Kreide in Form der Choralnoten angeschrieben hat — ohne Stil — flott, bloß hergestellt mit einem kurzen

Drucke der Hand. — Es genügt auch, wenn ein einzelnes Kind oder eine Gruppe singt und die übrigen „deuten". Und umgekehrt. Der Variationen sind viele. Sie erhalten die Kleinen bei Laune, versetzen sie in echten Lerneifer, und die Musik, die Tonkunst, die Erziehung hat den Vorteil daran. Von dem Augenblicke an hat der Lehrer ein zuverlässiges Mittel, die Klasse zu strenger Mitarbeit anzuhalten.

Es gehört ein gutes Maß Selbstzucht von seiten des Kindes dazu, den gehörten Ton aufzufassen, ihn unverrückt festzuhalten, ihn vor Trübung bei etwaigem falschem Nachsingen anderer zu bewahren, ihn an seine richtige Stelle zu setzen und singend im äußeren Zeichen festzulegen. Das ist ernste Arbeit des Tongedächtnisses.

Aber der Erfolg ist auch ein großer: Das Kind wird angeleitet, die Noten für Augenzeichen zu halten, die innere Vorgänge des Seelenlebens markieren und bezeichnen. Die angeschaute Note mit ihrer Ziffer — und ohne sie — wird zum Träger einer Vorstellungswelt, die wiederum tiefere Gemütszustände berührt, sie zum Leben bringt und so das Notenbild zum Ausdrucke einer bis dahin unsichtbaren Gefühlswelt erhebt. Die bisher bevorzugte Art des Notentreffens, womöglich von dem ganzen unkontrollierten Chor der Klasse, artete hie und da zum Treffdrill aus, zur Geißel für das feiner fühlige Kind. Die letzthin erfolgte Umfrage unter Kindern der Mannheimer Schulen nach ihren Lieblingsfächern hat manchem Singfreunde arge Enttäuschung bereitet. In den meisten Fällen hatte keines der Kinder das Singen auch nur „gern", geschweige denn „sehr gern", nur bei ganz wenig Prozenten — ich glaube 5 % waren es — kam das Singen überhaupt in Betracht, aber auch erst an dritter Stelle. Wir haben nirgends gelesen, daß dies Bekenntnis irgendwie zu einem Rückschluß auf die verfehlte Unterrichtsart die Veranlassung abgegeben hatte. In dieser Beziehung haben wir es nicht gerade „herrlich weit gebracht".

Wer aber im Singunterrichte wünscht, das Interesse der Kinder zu wecken, es zu verknüpfen an die Gemütskraft der Seele, die losgebunden wird durch die Befähigung der Kinder zum Verständnis, zum Genusse und zur Widergabe des Schönen, der prüfe, der probiere, ob der von uns angedeutete Weg auch unter seinen Verhältnissen zum Ziele führt. Bei uns hat er sich so ziemlich bewährt in jahrelanger Arbeit, und wenn nach fünf Jahren die einstmaligen Elementaristen des ersten Schuljahres, die mit diesen Übungen vorsichtig und in Geduld bekannt gemacht worden waren, als zwölfjährige Schüler wieder den Singunterricht in der bezeichneten Weise erhielten: die Freude, das Verlangen, der Eifer, die Lust, womit alte Erinnerungen an frühere „Siege" aufgefrischt wurden, bezeugten, daß unser mutmaßlicher Weg über die Gefilde und Gebilde des mit Maß betriebenen Tondiktats doch der rechte Weg war zu den Herzen der Jugend — zur Kunst.

—b—

## Aus Archiven und Bibliotheken.

### Die Vorsänger (primicerius cantorum) in vorchristlicher und christlicher Zeit.

1. Durch diese wenigen Zeilen möchte ich ein Versprechen einlösen, welches ich vor 27 Jahren einem längst Verstorbenen gegeben habe. Am 31. Januar 1881 schrieb mir Herr Generalpräses Dr. Witt, es erscheine ihm angezeigt, über die Stellung, Aufgabe und Bedeutung des Primizerius einen belehrenden Artikel für seine Blätter zu erhalten und stellte an mich die Anfrage, wer dieses Thema wohl übernehmen möchte? Mir war klar, daß diese Frage von einem Professor des kanonischen Rechtes bearbeitet werden sollte; aber welcher Kanonist will diese Arbeit leisten? Obwohl ich mir bewußt war, daß ich nicht Fachmann sei, erklärte ich mich zur Übernahme des Artikels für bereit und Dr. Witt war darüber sehr erfreut. Wie aber kann ein Seminarvorstand, welcher noch dazu eine Menge akademischer Lehrfächer vorzutragen hat, ein solches Versprechen abgeben? Die inzwischen verflossene Zeit gibt genügende Antwort und mahnt, nun endlich an die Lösung des Versprechens zu geben.

In der Dekretensammlung Gratians c. 1150 (dist. 21 c. 1.) wird aus Isid. Hisp. etym. 7 c. 12.[1]) eine Definition der einzelnen Sänger gegeben. „Kantor wird genannt, wer seine Stimme im Gesange moduliert. Es sind in der Musikkunst zwei Arten zu unterscheiden, der Präzentor und der Succentor. Präzentor heißt derjenige, welcher im Gesange voraus erhebt; der Succentor antwortet auf den vorausgehenden Gesang. Konzentor wird genannt, wer mitsingt; wer aber nicht mitsingt und

[1]) Migne lat. 82 p. 292.

sich nicht beteiligt, heißt weder Kantor noch Konzentor". Der Präzentor heißt auch Primizerius, weil sein Name auf der Wachstafel, welche die Sänger verzeichnete, an erster, der Name als Sekundizerius an zweiter Stelle stand. Vergl. Du Cange v. primicerius. Ein mittelalterlicher *Ordo romanus* gibt eine andere Auffassung, welche der angeführten nicht widerspricht: Der Primizerius stand im Chore auf der rechten Seite und sang mit seiner Abteilung *Kyrie;* der Sekundizerius mit seinem Flügel hatte seinen Platz links und respondierte.[1])

Das Wort Primizerius bezeichnet in seiner ursprünglichen Bedeutung nur den Ersten einer besonderen Klasse, z. B. nennt der heil. Augustinus den heil. Stephanus den Primizerius der Martyrer; in Gallien nannte man so die Vorsteher der Lektorenschulen, in Spanien jene des niederen Klerus.[2]) Unter den päpstlichen Beamten unterschied man einen *primicerius defensorum* (Advokaten), *notariorum* und *cantorum.* Die Notare spielten eine sehr wichtige Rolle auf den Konzilien und unterzeichneten die Akten gleich den Bischöfen und Kardinälen, z. B. in Ephesus 431, Chalcedon 451, Konstantinopel 553, Jerusalem 1672; auf einem römischen Konzil 963 ist unter den übrigen Würdenträgern *Bonfilius cardinalis diaconus primicerius* und *Georgius secundicerius* verzeichnet. Mit Rücksicht auf den Charakter dieser Zeitschrift sehen wir davon ab und fassen nur den *primicerius cantorum* ins Auge. Andere Bezeichnungen für den Präzentor (Vorsänger) waren *prior scholae* (Vorstand der Sängerschule), *magister cantus, major capellae magister, episcopus chori, archicantor;* bisweilen kurzweg Kantor.

Schon im Salomonischen Tempel waren einzelne ausgezeichnete Sänger als Vorsänger aufgestellt. Es waren nach den Büchern der Chronik Asaf, Idithun und Heman.

Bei den Griechen machten die Chorgesänge in den Tragödien dieselbe Einrichtung nötig. In dem gefesselten Prometheus von Äschylus (gest. 456 v. Chr.) treten zwei Chöre auf. Jeder Chor zerfällt wieder in zwei Halbchöre und wird von einer Chorführerin an der Spitze der Tochter des Okeanos geleitet. Dagegen im Agamemnon besteht nur ein Chor in zwei Abteilungen mit einem Chorführer *(choragos).* Solche Vorsänger oder Vorsängerinnen waren notwendig, weil der Gesang einstimmig sich bewegte und daher von einem kundigen Meister die Tonhöhe in Ermangelung begleitender Instrumente angegeben werden mußte.

Derselbe Grund bestand auch im Christentum und blieb selbst in Geltung, obwohl vom 9. bis 10. Jahrhundert an die Orgeln allmählich in die Kirchen eingeführt wurden. Schon der heil. Apostel Paulus deutet I Kor. 14, 16 an, daß ein ekstatischer Sänger einen Gesang vortrage und daß Zuhörer ein Amen beisetzen. Einige Jahrzehnte später berichtet der Geschichtschreiber Philo, bei den Therapeuten (einer jüdischen Sekte) bestehe der Gebrauch, daß einer aufstehe und einen an Gott gerichteten Lobgesang anstimme, und daß am Schlusse Männer und Frauen ihre Stimme erheben.[3]) Nach *Ordo rom.* I n. 7 (c. 6. Jahrh.) mußte in Rom, wenn der Papst zelebrierte, eigens ein Subdiakon vor Beginn des Amtes zu den Sängern und sich erkundigen, wer den Psalm singe und dem Papste melden „dieser oder jener" und nach dieser Meldung war eine Änderung der Rollen ausgeschlossen. Eine besondere Auszeichnung der beiden Sänger Primi- und Sekundizerius war es, daß der Papst von ihnen die kirchlichen Gewänder empfing[4]) und nach Entgegennahme der Oblationen von seite des Volkes eigens zu diesen zwei Sängern ging und ihre Opfergabe entgegennahm. Diese Opfergabe bestand im Gallischen Ritus in Wasser, welches die Sänger zu opfern hatten.[5]) Wiederholt wurden zwei Hauptsänger in Missionsländer gesendet, um den römischen Kirchengesang dortselbst einzuführen. So kamen unter Gregor dem Gr. um 604 neben dem Missionär Augustin auch Sänger nach Britannien.[6]) Einige Jahrzehnte später hatte dieselbe Mission der Archikantor von St. Peter, namens Johannes.[7]) Nach Gallien schickte 758 Paul I. den Sekundizerius Simeon, rief ihn aber bald wieder zurück unter der Entschuldigung, weil der Primizerius gestorben sei.[8]) Die Aufgabe war eine furchtbar schwere, weil die Völker in Gallien und Britannien nach dem Berichte des Diakon Johannes „von Natur aus leichtsinnig, wild und dem Trunke ergeben waren".[9]) Daher mußte Hadrian I. auf Bitten Karl des Gr. 780 noch zwei Sänger Theodor und Benedikt mit Antiphonar nach Metz und Soissons senden und um 790 brachte der Sänger Petrus ein Antiphonar nach Metz und Romanus nach St. Gallen, um auch an diesen Orten Sängerschulen zu gründen. Es liegt kein Grund vor, weil Papst Hadrian nach dem Gesagten zweimal Sänger nach Gallien sendete, mit Ambros eine Verwechslung anzunehmen, weil dieser Papst 772—795 regierte und also leicht in die Notlage kam, eine doppelte Sendung vorzunehmen und weil auch in jedem Falle die Namen der Sänger verschieden angegeben sind. Zudem wird die Tatsache beglaubigt durch die um 805 von Karl dem Gr. gegebene Verordnung: Der Gesang soll erlernt werden, und zwar geschehe es nach der Ordnung und Sitte der römischen Kirche; die Sänger sollen aus Metz zurückkehren.[10])

2. War der Kirchengesang durch römische Vorsänger in den Missionsländern einmal begründet, so erhielten die einheimisch gebildeten Nachfolger in den einzelnen Orden und Diözesen eine so verschiedene Stellung und Aufgabe, daß es unmöglich ist, dieselbe im einzelnen anzugeben, weil jedes Domkapitel und jeder Orden bis auf den heutigen Tag seine besondere Geschichte hat und zuerst Detailforschungen an den Tag treten müssen.[11])

[1]) Ordo rom. Bibl. max. Paris 1644 X. p. 83. [2]) Tübinger Quartalschrift 1885, S. 434.
[3]) Eus. hist. eccl. II. 17. Migne gr. 20 p. 184. [4]) Ordo vulg. Hitorp. Rom. 1591 p. 12.
[5]) Mab., mus. it. I. p. 11. [6]) Greg. vit. aut. Joan. II. c. 8. Migne lat. 75 p. 91.
[7]) Beda hist. angl. IV. 18. Migne 95 p. 199. [8]) Gerbert de cantu I. p. 267.
[9]) Vit. II. c. 7 l. c. p. 91. [10]) Hard. conc. IV. p. 962.
[11]) Vgl. Hinschius, Kirchenrecht I., I. S. 98. Archiv für Kirchenrecht 1881 S. 192.

Nach einer Verordnung des Bischofs Evrard von Amiens 1219 hatte der Präzentor mit dem Kantor die Knaben für den Chor aufzunehmen und konnte sie auch wieder entlassen; bei Weihen und anderen kirchlichen Funktionen hatte er den Chor zu leiten, die Sänger zum Dienste aufzuschreiben, sogar die Kanoniker der oberen Reihe zu installieren usf.[1])

Noch besteht jetzt beim Chorgesange die Aufgabe der Vorsänger, daß ein Presbyter, mit Pluviale angetan, dem Bischof die Antiphon leise vorsingt.[2]) Das Zeremoniale hat eben in dieser Vorschrift noch jene Zeiten im Auge, in welchen es nicht möglich war, durch die Orgel die Tonhöhe und die Melodie anzugeben.

3. Welches Ansehen und welch hohe Stellung die Vorsänger hatten, ersieht man aus dem Umstande, daß der Primizerius, wenn der Papst außer dem Vatikan in einer römischen Kirche pontifizieren wollte, der Primizerius ihm voranritt.[3]) In den Chorstühlen hatte er seinen Platz nach dem Dekan; links neben ihm saß der Kantor. Mitunter gelangte der Primizerius sogar zu bischöflicher Würde und erfreute sich eines großen Einflusses, wie die Protokolle einzelner Papstwahlen dies bestätigen. So unterschreibt jenes Protokoll der Kardinäle und des römischen Klerus, durch welches die Wahl Calixt II. zum Papste 1119 bezeugt wird, der Primizerius der Sängerschule nach dem letzten Kardinaldiakon. Man möchte vielleicht bei dieser Unterschrift an einen Primizerius der Notare denken; allein die Unterschrift besagt klar und unzweideutig: *Primicerius scholae cantorum.*[4])

4. Die Sänger waren mit Chorrock und Almutium bekleidet;[5]) der Primizerius trug zur Auszeichnung einen Stab, welcher oben in ein T endete und verschieden verziert war. Berühmt ist ein solcher Stab in der Sammlung des Belgiers Crasmir (12. Jahrhundert) in der Sammlung Soltikoff mit einem Löwen geziert (13. Jahrhundert).[6]) Auch im Kölner Domschatz wird noch ein Sängerstab verwahrt aus dem Jahre 1178, welcher auf der Spitze ein Madonnenbild nebst den heil. drei Königen trägt.[7]) In den letzten Jahren ist in Maria antiqua, der ältesten (4. Jahrhundert) Marienkirche in Rom, sogar das Bildnis eines Primizerius ausgegraben worden. Er hieß Theodatus, war Onkel und Erzieher Hadrians I. (772—795), ist mit Kasula angezogen, fungierte aber als *primicerius defensorum.*[8])

München. Dr. Schmid Andreas, Universitätsprofessor.

## Vom Bücher- und Musikalienmarkte.

(Fortsetzung aus Nr. 7, Seite 83.)

II. Geistliche und weltliche Gesänge: **Bach, Joh. Seb.**, Passionsgesang: „Brich entzwei, mein armes Herze". Nach dem Schemellischen Gesangbuch bearbeitet von **Karl Thiel**. W. Sulzbach (Peter Limbach), Berlin, W. 57, Bülowstraße 10. Partitur 60 ₰, 4 Stimmen à 10 ₰. Ein ergreifender, ausdrucksvoller Passionsgesang für gemischten vierstimmigen Chor, die zwei Strophen stehen unter einer Melodie und eignen sich bei Fasten- oder Kreuzwegandachten als Einleitung oder Abschluß. Das Schemellische Gesangbuch wurde 1736 mit 954 „geistreichen, sowohl alten als neuen Liedern und Arien" veröffentlicht. Den musikalischen Teil hat J. S. Bach bearbeitet.

Im gleichen Verlage erschien: *Angelus* für 3 Solostimmen (Sopran I, II, Alt) und vierstimmigen gemischten Chor a capella von **Hermann Buchal**, Op. 1. Dem Chor der *Ss. Corpus Christi*-Kirche in Berlin gewidmet. 1908. Partitur 75 ₰, 4 Stimmen à 15 ₰. Der Gedanke, welchen F. X. Engelhart in einfacher und kindlicher Weise zum *Angelus Domini* angeregt hat, veranlaßte auch diese Komposition. Die drei Invokationen: *Angelus*, *Ecce ancilla* und *Et verbum* sind für 3 Oberstimmen, das jedesmalige *Ave Maria* für gemischten vierstimmigen Chor komponiert und verlangen feinen, dynamisch und rhythmisch gut schattierten Vortrag. Nach der dritten Invokation schließen sich auch die 3 Solostimmen dem vierstimmigen Chore an und bewirken dadurch eine bedeutende Steigerung des Ausdruckes. Beim letzten *Sancta Maria* jedoch scheint der Komponist die Schönheitsgrenze zu überschreiten, denn das *ff* auf *bus* bei *peccatoribus* mit dem folgenden *p* auf *nunc* wird auch nach wiederholten Proben unrein klingen. Das *Amen* wäre einfacher schöner gewesen. Bei streng liturgischen Gottesdiensten ist die Komposition nicht am Platz; sie hat jedoch im Cäcilienvereins-Katalog unter Nr. 3604 Aufnahme gefunden.

Der gleiche Verlag bringt den Festgesang: „Das ist der Tag, den der Herr gemacht" für gemischten Chor a capella (mit Begleitung von 2 Trompeten *(B)*, 2 Hörnern *(F)*, 3 Posaunen und Orgel ad lib.) von **Franz Büning**, Op. 19. 1907. Orgelpartitur 1 ℳ 50 ₰, 4 Chorstimmen à 20 ₰, Instrumentalstimmen 1 ℳ. Die kräftige, frisch erfundene Komposition eignet sich für die verschiedensten festlichen Gelegenheiten außerliturgischer Art und wird auch bei dem in diesem Jahre stattfindenden Papstjubiläum mit Erfolg aufgeführt werden können.

Festhymne zum goldenen Priesterjubiläum Sr. Heiligkeit des Papstes Pius X (Gedicht von J. Bante, Pfarrer in Messingen), komponiert von **Msgr. Karl Cohen**, Domkapellmeister, Op. 18a, b, c. Ausgabe A: Für vierstimmigen gemischten Chor. B: Für vierstimmigen Männerchor. C: Ein- oder

[1]) D'Achery spicil. III. p. 589. [2]) Caer. ep. II. 3. n. 6. [3]) Ordo rom. I. n. 2.
[4]) Cäcilienkalender 1879, S. 59. [5]) Vgl. Dr. Bock lit. Gewänder II, Taf. 46.
[6]) Mainzer Katholik 1881, II. S. 60. [7]) Abg. Dr. Bock, hl. Köln. Leipzig 1858, Taf. IX, 36. Andere Abb. bei Pugin glossary. London 1846, p. 215. [8]) Röm. Quartalschrift 1907, S. 97. Abb.

zweistimmig. Jede Ausgabe mit Klavierbegleitung oder Bläserchor. L. Schwann, Düsseldorf. 1908. Preis jeder Ausgabe: Partitur 25 ₰, jede Gesangstimme von 10 Exemplaren ab je 2 ₰ (die 2 Stimmen der Ausgabe C sind zusammen auf ein Blatt gedruckt). Die Hymne von Baute besteht aus drei lateinischen Strophen, unter welchen drei deutsche als freie poetische Übersetzung gelegt sind. Die drei Bearbeitungen tragen sehr festlichen Charakter; ihre Wirkung wird wachsen mit der Größe der Sängerschar.

Zwei Marianische Wallfahrtslieder (Gedicht von Maria Graf) für 1 Singstimme oder vierstimmigen gemischten Chor von **Jos. Deschermeier**, Op. 78. Regensburg, Eugen Feuchtinger. Ohne Jahreszahl. Partitur 40 ₰, 4 Stimmen à 10 ₰. Andächtige, wohlklingende und einfache Muttergotteslieder mit je drei Strophen, deren Texte jedoch keine kirchliche Approbation haben.

Die 25 Jesus-, Maria-, Joseph- und Aloysiuslieder mit deutschen Texten, ein- oder zweistimmig mit Orgel (Harmonium) oder für vierstimmigen gemischten Chor für Kirche, Schule und Haus, leicht ausführbar komponiert von **Joh. Diebold**, Op. 53, sind in zweiter Auflage erschienen. Im Cäcilienvereins-Katalog stehen dieselben unter Nr. 1502. Regensburg, Fr. Pustet. 1908. Partitur 1 *M* 20 ₰, 4 Stimmen à 40 ₰.

Davids 126. Psalm, komponiert für eine mittlere Singstimme, Orgel oder Piano mit obligatem Violoncello von **Jakob Fabricius**. Herrn Kgl. Musikdirektor Bernhard Irrgang, Organist an der Marienkirche in Berlin zugeeignet. Kopenhagen und Leipzig, Wilhelm Hansen. Für eine religiöse Hausandacht oder auch im Konzertsaal wird die Komposition für Mezzosopran-Solo religiöse Stimmung erwecken und ein dankbares Publikum finden. Der Text ist in deutscher und dänischer Sprache abgedruckt, die Klavierbegleitung mittelschwer, das obligate Violoncello bringt für sich oder in Verbindung mit der Singstimme schöne Effekte zutage.

**Mich. Haller**, Op. 35. *Coram tabernaculo*, Gesänge zum allerheiligsten Sakrament, ein- und zweistimmig mit Begleitung der Orgel oder des Harmoniums. Regensburg, Fr. Pustet. 1908. Partitur 1 *M* 40 ₰, 2 Stimmen à 40 ₰. Die 14 Gesänge mit deutschen Texten und das zweistimmige *Ave verum corpus* haben sich so beliebt gemacht, daß eine 3. Auflage erscheinen konnte. Im Cäcilienvereins-Katalog steht die Sammlung unter Nr. 1319.

Die deutschen Kirchengesänge aus dem ehemaligen Diözesangesangbuch des Bistums Würzburg von Sebastian Pörtner, neu bearbeitet und mit Vor- und Nachspielen für Orgel oder Harmonium versehen von **Raimund Heuler**, Op. 2. 2. Auflage. Würzburg, Raimund Heuler, Harfenstraße 2. Preis 6 *M* 50 ₰. In einem Vorwort rechtfertigt der neue Bearbeiter Raimund Heuler die 2. Auflage mehrerer Gesänge (31) aus dem früheren Würzburger Diözesangesangbuch, das im Jahre 1831 erschienen ist und dem jetzigen Gesangbuch, *Ave Maria*, Platz machen mußte. Übrigens finden sich die vollständigen Texte als Anhang des derzeitigen Gebet- und Gesangbuches der Diözese Würzburg. R. Heuler sind gut geschriebene Präludien, in denen die Liedmotive schön verarbeitet sind, zu verdanken. Immerhin ist sowohl die Harmonisierung der 4 Meßgesänge (I. Teil), sowie der 16 Lieder (II. Teil) in musikalischer Beziehung vollkommener als die im Jahre 1879 vom † Joseph Lutz veröffentlichte Orgelbegleitung zum Pörtnerschen alten Diözesangesangbuch. Ganz richtig ist der Satz: „Organisten, welche sich meiner Bearbeitung beim Gottesdienste bedienen, wollen nicht vergessen, daß ein nach reiflicher Überlegung niedergeschriebenes Präludium doch wohl besser und vor allem sachlicher ist als ein extemporiertes."

— — Vier Marienlieder für 1 und 2 Oberstimmen mit Begleitung von Orgel oder Harmonium, Op. 26. Düsseldorf, L. Schwann. Partitur 1 *M*, 2 Stimmen à 15 ₰. Eine kirchliche Approbation der Texte fehlt. Als Lieder scheinen die Melodien zu wenig natürlich und werden durch die Orgelbegleitung fast unruhig. Die Zwischenspiele sind stilgerecht und kunstvoll, jedoch zu lange geraten, besonders wenn alle Strophen, von denen das erste 4, das zweite 5, das dritte und vierte je 6 Strophen enthalten, gesungen werden wollen.

Geist der Wahrheit, Geist der Liebe (Gedicht von Alban Knapp), Hymnen für gemischten Chor von **E. A. Hoffmann**. Eigentum und Verlag von E. A. Hoffmann-Fröhlich, Aarau, Schweiz. Partitur 1—5 Exemplare à 30 Cent., in Partien à 15 Cent. Weder im Text noch im Tonsatze anregend.

Zwei Marienlieder zur Maiandacht für ein- oder vierstimmigen gemischten Chor von **Paul Kindler**, Op. 16. 1908. Leobschütz, C. Kothes Erben. Partitur 50 ₰, 4 Stimmen 50 ₰. Den deutschen Texten fehlt die oberhirtliche Approbation; der Tonsatz ist frisch, anregend und klangvoll.

Zwölf deutsche Sakramentslieder für 2 Kinder- oder Frauenstimmen mit Begleitung der Orgel oder des Harmoniums, in Musik gesetzt von **Paul Manderscheid**, Op. 6. Düsseldorf, L. Schwann. 1908. Partitur 2 *M*, Stimmenheftchen 20 ₰. Anschließend an die Referate von F. X. Engelhart und Jak. Quadflieg im Cäcilienvereins-Katalog Nr. 3600, qualifiziert der Unterzeichnete diese zwölf in ihren deutschen Texten kirchlich approbierten Lieder als gut, und besonders die stilschönen Vor- und Zwischenspiele für praktisch und sehr brauchbar.

Hymne an das Papsttum. Text und Musik von **Rudolph Nowowiejski**. Für das diesjährige Papstjubiläum kann auch der obige Chor, der über das Motiv der feierlichen *Gloria*-Intonation komponiert ist, und zwar zweistimmig, für gemischten Chor und für Männerchor, passende Verwendung finden. Text und Melodie sind vom Bruder des in der musikalischen Welt durch das Oratorium *Domine quo vadis* gut eingeführten Felix Nowowiejski erfunden. Diese Papsthymne ist für alle Gelegenheiten brauchbar und sowohl in lateinischer als deutscher, polnischer, französischer und ungarischer Sprache ediert. Obige Hymne in Quartformat mit prächtigem Titelbild für zwei

Stimmen und Pianoforte- (oder Harmonium-) Begleitung, zugleich mit beigefügter Bearbeitung für gemischten und für Männerchor, zusammen: In Österreich 1 Kr, in Deutschland 1 ℳ. Preis der zweistimmigen Volksausgabe: in Österreich 10 Heller, 100 Exemplare 8 Kr, in Deutschland 10 ₰, 100 Exemplare 7 ℳ. Zu beziehen bei Gubrinowicz & Schmidt, Buchhandlung in Lemberg oder beim Verfasser: Hochwürd. Herrn Rudolf Nowowiejski, Erzbischöfl. Hofkaplan, Czarnieckigasse 32.

Lieder für eine Singstimme mit Begleitung des Pianoforte von **Max Pracher.** Leipzig, P. Pabst. Op. 18. „Wenn der Morgen früht“ (Gedicht von Nataly Eschstrut). Preis 1 ℳ. Op. 20a. Vision: „Durch des Frühlings schimmernde Blütenpracht“ (Gedicht von Prof. Weidenbach). Preis 1 ℳ 20 ₰. Op. 22. Geborgen. „Ich trieb dahin im Wirbelwind“. (Gedicht von J. Schiff.) Für Bariton (Baß), Preis 1 ℳ 20 ₰. Einfache und gefällige Gesänge für eine mittlere Stimme mit mäßig schwerer Klavierbegleitung.

Singmesse für Marienfeste mit Orgelbegleitung. (Volksgesang.) Text von Jul. Pohl, Kanonikus. Komposition von **P. Teresius**, unbeschuhter Karmelit. Op. 22. Mit Druckerlaubnis des Hochwürdigen Bischöfl. Ordinariates in Regensburg. Regensburg, Eugen Feuchtinger. 1908. Partitur 80 ₰, Stimmheft 20 ₰, von 20 Exemplaren ab je 15 ₰. Der approbierte Text enthält deutsche Gesänge zum Introitus, *Gloria*, *Credo*, Offertorium, *Sanctus*, Nach der Wandlung, Zum *Agnus Dei* bis zum Schluß, ein Predigtlied, ein Segenlied und das lateinische *Pange lingua* mit den beiden letzten Strophen. Die Weisen und die Harmonisierung sind einfach, sehr sanglich und aus Kindermund besonders lieblich.

Papsthymne. Für Unisonochor mit Pianoforte- oder Orchesterbegleitung. Zum goldenen Priesterjubiläum Sr. Heiligkeit Papst Pius X. Dichtung von Hans Hönig. Komponiert von **Alexander Seiffert.** Op. 56. Volksverein für das katholische Deutschland, Ortsgruppe Glogau. 1908. Partitur 50 ₰, Stimme 5 ₰. Orchesterpartitur und Stimmen in Abschrift. Die 5 Textstrophen sind unter einer, mit Begeisterung erfundenen, durchaus populären und kräftig harmonisierten Melodie packend komponiert.

Weihnachtslied von **Leonhard Schröter** (1587) für vierstimmigen Männerchor, sowie für Alt, Tenor, Bariton und Baß bearbeitet von **K. Walter.** Herrn Heinrich Voutz, Kgl. Seminar- und Musiklehrer in Siegburg gewidmet. Partitur 60 ₰, 4 Stimmen à 15 ₰. Montabaur, Wilh. Kalb. Das Schrötersche Lied hat in K. Walter einen trefflichen Harmonisator gefunden. Die zwei Strophen sind zart und lieblich gefaßt und eignen sich zur Weihnachtsfeier in Familie, Schule und Kirche.

— — Vom gleichen Bearbeiter (K. Walter im gleichen Verlag) ist erschienen: Finnländischer Reitermarsch. Melodie aus dem Jahre 1630, für vierstimmigen Männerchor. Partitur 60 ₰, 4 Stimmen à 15 ₰. Herrn Peter Esser, Kgl. Seminar- und Musiklehrer in Münstermaifeld gewidmet. Ein rhythmisch frisch und packend geschriebener Gesangsmarsch mit lieblichem Trio. F. X. H.

(Fortsetzung folgt.)

## Bei St. Willibald und St. Walburga zu Gaste.

Zwanglose Plauderei über die 18. Generalversammlung von J. N. Salveni.

„*Terribile est locus iste!*“ Es war des redegewandten Bürgermeisters von Eichstätt Wunsch, daß diese Worte nicht etwa am Schlusse der Generalversammlung auf die schöngelegene Hauptstadt des Altmühltales Anwendung finden möchten. Auch mir waren diese Worte schon viele Wochen vorher wie ein böses Omen erschienen. Warum mußte gerade diese Motette das Programm eröffnen? *Terribilis est locus iste!* Schwer hatte es sich mir wie eine böse Vorahnung aufs Herz gelegt. Diese Worte wollten mir nicht mehr aus dem Sinn. *Terribilis est locus iste!* Man hatte mir mündlich und schriftlich versichert: Eichstätt zieht nicht! Da würden die treuen Anhänger des Vereins, die bei der letzten Versammlung herbeigeströmt waren nach Regensburg, der kirchenmusikalischen Metropole, auf ein kleines Häuflein zusammenschmelzen. Welch eine glänzende Versammlung war das gewesen! Und heuer mußten wir an den wohlbekannten Domtürmen vorübersausen und weiter in eine *terra incognita* — und vielleicht gar auch *inaquosa* — in das entlegene Eichstätt. *Terribile dictu!* Der Eichstätter Domchor — so hatte man mir gesagt — hätte keine Knabenstimmen, wir müßten uns mit Frauenstimmen traktieren lassen. *Terribile auditu!* Und erst das Programm! Wir sollten uns mit lauter „Alten“ abfüttern lassen: *Terribile esu!* Wir hätten ja gerne das 18. Jahrhundert hergeschenkt. Aber wo blieb das 19. Jahrhundert und das 20.? Haben diejenigen, die an der Wiederbelebung der Alten und dem Wiederaufleben der Kirchenmusik mitgearbeitet durch Schaffung schöner brauchbarer Werke im Geiste der Alten, haben diese umsonst gearbeitet? Und wenn sie als Kinder ihrer Zeit einen Schritt weiter gegangen sind in Ausnutzung moderner Mittel, ist das zum Schaden gewesen? Sonst und anderwo und in anderen Vereinen und in anderen Versammlungen — man vergleiche nur die diesjährige Tonkünstlerversammlung in München — läßt man die Schöpfungen der abgelaufenen Periode Revue passieren: Es ist ja das im Interesse des Vereins, der Komponisten, die ihr ganzes Können in den Dienst der heiligen Sache stellen, wie der Mitglieder, die sich im Gros mehr für die Neueren als für die Alten interessieren. Es wird doch niemand behaupten, daß unsere Durchschnittschöre jahraus jahrein mit den Schöpfungen der Alten zurechtkommen! Wir haben ja selbst in der Versammlung einem P. Johandl zugestimmt, als er die stark zweifelnde Frage stellte: Ist Palestrina populär geworden? Es sind in den letzten Jahrzehnten einer gewaltigen Schaffensperiode mit notorischer Überproduktion doch Komponisten erstanden, deren Namen einen Klang haben durch die ganze kirchenmusikalische Welt. Außer einem Mitterer, dessen *Requiem* neben den „Alten" und einigen Eichstätter Komponisten auf dem Domchorprogramm glänzte, gäbe es noch einen Witt, für den doppelte Gründe der Pietät in Eichstätt gesprochen hätten, gibt es noch einen Haller, dessen Ehre von einem anderen Chore durch das von der 17. Generalversammlung herübergenommene Motett *Veritas* gerettet werden mußte, gibt es noch einen Griesbacher, der es versteht, moderne Harmonien mit der Kontrapunktik der Alten zu vereinen, der bei der letzten Versammlung mit einer zweistimmigen Litanei das allgemeine Interesse zu fesseln verstand — es gibt einen Goller, der durch Kompositionen von populärer Färbung sich einen Namen gemacht, und einen Quadflieg, einen Auer, die beide mit großem Geschick in den Fußstapfen der Alten wandeln und viel Schönes, Brauchbares geschaffen haben; auch ein Meuerer könnte hier genannt werden, der sich mit Kompositionen von modernem Geschmacke eines stets wachsenden Rufes erfreut. Manche werden auch den Namen eines Wiltberger vermissen, die Österreicher namentlich einen Gruber, Filke und Weirich. Und bei einem Edenhofer, einem Thielen — gilt da der Grundsatz: *opera eorum sequentur illos?* Fürwahr eine Reihe stattlicher Namen, die auf dem Eichstätter Programm übergangen waren. Sind das lauter *dii minorum gentium?* Sind das alle „Akkordarbeiter" minderen Grades, gerade recht als Mauerblümchen an der Ecke?

Man könnte einwenden, daß unmöglich all diese Namen berücksichtigt werden konnten; es ist etwas Wahres daran — aber bei etwas mehr Eklektik und bei einigem Trachten nach Abwechslung hätte das Programm sicher an allgemeinem Interesse gewonnen. Denn darüber ist man sich einig geworden, daß das Nachmittagsprogramm des Haupttages stark an Interesse gewonnen hätte, — es ist ja auch ein Palestrina schlecht weggekommen — wie dadurch sicher auch die Aufführung erleichtert worden wäre, und ich bin der Ansicht, daß das Programm einer Generalversammlung auch das Spiegelbild des Lebens sein soll, das im Vereinskörper pulsiert von der Herzkammer aus, was der Domchor sein mag, bis in die Fingerspitzen — die kleinsten Landchöre.

Unter dem Eindrucke all dieser Gedanken schwebte mir immer das *Terribilis* vor Augen und dieser Eindruck wurde noch verschärft durch einen Blick auf den Fahrplan, der keinen Schnellzug verzeichnete, durch einen Blick auf den Himmel, von dem graue Regenwolken bleischwer herniederhingen, als ich am Montag, den 20. Juli den Zug bestieg — wo? sagt die Expedition!

Ein Zufall hatte mir zur Vermeidung der Langeweile auf der langen Fahrt ein hochphilosophisches Buch „Das Rätsel des Menschen" von Dr. Du Prel in die Hand gespielt, der mich nachdem er dem Pantheismus, wie dem Materialismus kräftige und gutsitzende Hiebe versetzt hatte, in die Geheimnisse der Mystik einzuweihen versprach; freilich faßte er in seinem kleinen Reclambändchen die Sache etwas anders auf, als der große Görres in seinem großen siebenbändigen Werke. Was braucht es auch weiter eine Religion? Ich dachte mir: Du Prel, Du prellst mich nicht und statt ins Reich der Mystik gelangte ich ohne weiteres in des Morpheus unterweltliche Gefilde. Wie lange ich mit dem eine recht interessante Unterhaltung gepflogen, das weiß ich nicht mehr. Auf einmal hörte ich des Schaffners Ruf „Regensburg" und fuhr elektrisiert aus tiefen Träumen auf. Nun war's mit der Langeweile vorbei. Hier bewährte sich bereits die Zugkraft der 18. Generalversammlung. Während der Generalpräses schon in Eichstätt weilte, erschienen die übrigen Koryphäen der Kirchenmusikmetropole auf dem Plane: ein Engelhart, ein Dr. Weinmann und auch Goller tauchte auf, der Direktor von

St. Emmeram und viele, die ihr Interesse an der Sache durch persönliche Anwesenheit bekunden wollten.[1])

Das Coupé wurde zum „Platzen" voll und kaum war die „Platz"-Frage glücklich gelöst, da befanden wir uns in voller Fahrt und mit vollen Segeln auch im musikalischen Fahrwasser. In lebhafter Debatte wurde so manches, vor allem die Hauptfrage, deren Lösung der Versammlung oblag, im voraus gründlich erörtert. Begreiflicherweise waren wir alle auf die Leistungen des Eichstätter Domchores unter der Leitung seines rührigen Kapellmeisters vollauf gespannt, und war uns derselbe allen noch in lebhafter Erinnerung, wie er auf allen Versammlungen stets mit der gefährlichen Waffe seines doppelt spitzigen Bleistiftes in der Hand Aug und Ohr anstrengte, um ja keinen Fehler sich entgehen zu lassen, so hatten wir ihm jetzt blutige Rache geschworen: Jeder erklärte es laut, seinen Bleistift bereits gespitzt zu haben, und ich — ich hatte deren eine Menge in Vorrat und wollte mich lieber noch um einen eigenen „Spitz"-Buben umsehen zur Erleichterung meiner Kritikertätigkeit.

Meine Stimmung hatte sich gehoben und da lag auch schon, mit vielem „Ah" begrüßt, die schöne, alte Bischofstadt vor uns, da wehten uns schon die Festesflaggen zum Willkommgruß entgegen . . . . Die Wolken hatten sich geteilt . . . . freundlich strahlte jetzt die Sonne hernieder . . . . am Bahnhofe tauchte manch bekanntes Gesicht auf, vor allen unser Mitterer, eine der liebenswürdigsten und populärsten Erscheinungen des Kongresses.

In der glücklichsten Weise war bald auch meine Quartierfrage gelöst: ich erhielt (wo? sagt die Expedition) ein großes Zimmer mit fünf Betten — das gab eine prächtige Aussicht! Und am Brunnen im Hofe stand es gedruckt zu lesen: „Wasser gesundheitsschädlich!" Das gab eine noch prächtigere Aussicht. Welcher von unseren Universitätsstudenten möchte nicht auf diesen Grundsatz — promovieren? An illustrer Gesellschaft und geistiger Anregung sollte es mir auch nicht fehlen. Wir hatten Gastfreunde, die ich mit niemand anderem in Eichstätt hätte vertauschen mögen. Hoffentlich werden ihnen diese meine Zeilen als ein Zeichen meiner Dankbarkeit zu Gesicht kommen. Ich vergaß allmählich das *Terribilis est locus iste* und sollte es immer mehr vergessen.

Kaum hatte man sich ein bißchen umsehen können in seinem Quartier, da läuteten schon die Glocken zur Abendandacht, die das Fest einleiten sollte. Ja so war es! Rast gab es nie; Hast war die Signatur beider Tage! Ich schrieb auf einer Ansichtskarte: Eichstätt ist sehr schön. Wenn man es erst auch sehen könnte!

Und nun kniete ich bereits im Dome und ließ meine Blicke hinschweifen über die prächtigen gotischen Formen, die sich da in wohltuender Stilreinheit dem Auge boten. Zuletzt blieb es an den Fresken vis-à-vis von mir auf der Evangelienseite des Presbyteriums haften. Welch erhabene Gestalten von Künstlerhand! . . . Plötzlich brachen die Fresken ab und was sich daran reihte, richtig, das waren Silhouetten allerart: hinter dem kunstvollen Brüstungsgitter tauchten Männerköpfe auf und eine Reihe von Damenhüten, eine Lorgnette fuhr da droben ans Auge, die Riesenmenge zu schauen, die die weiten Hallen gefüllt hatte: Da plötzlich blitzte ein Taktstock durch die Luft und vom Start gings. Der Domchor hatte seinen Siegeslauf angetreten. Ich vergaß auf meinen Bleistift, ich saß nur da und horchte. Das waren ja prächtige Stimmen! Ein hellglänzender Sopran, der das Timbre der Frauenstimmen glücklich zu verdecken schien, ein Alt von knabenhafter Färbung, der es beinahe den Regensburger Domspatzen abgeguckt hatte, schöne sonore Männerstimmen, namentlich einen Baß voll gewaltiger Allkraft und Tiefe, zusammen ein schön ausgeglichenes Quartett, ein Chor, dem man die Lust zu singen schon von weitem ansah und der — mochten auch die Herzen heute höher schlagen — doch nicht die geringste Befangenheit verriet. Ein wenig Müdigkeit, ja, das ließ sich nicht leugnen, trat da und dort zutage. War es ja kein Wunder, wie man erfuhr, daß der Domchor soeben 5 Stunden geprobt hatte! Die Terz, dieser Prüfstein einer reinen Intonation, unterlag bald in der einen, bald in der anderen Stimme

[1]) Altmeister Haller war leider zu unserem und wohl der ganzen Versammlung Bedauern aus Gesundheitsrücksichten am Erscheinen verhindert.

einer geringen Schwankung, aus der das Streben nach Ruhe hervorleuchtete. Einzig der Baß hielt kräftig stand, der Altvater in der Familie der Singstimmen. Mit großem Behagen ließ er sich in das tiefe *E* nieder, mit dem fast alle Nummern dieses Abendprogrammes ausklangen und dehnte und streckte sich in langer, italienisch langer Fermate, seine Familie auf dem Schoße, hier den Sopran, dort den Alt, während der Tenor ihm über die Schulter guckte. Ein schönes Familienbild. Ich vergaß ganz auf den Bleistift und wollte das *Terribilis* in ein *Amabilis* umändern, nachdem die von ganz respektablem Talente zeigende Komposition verklungen war — — da halt! Was war das. Hatte nicht aber der Chor das *Tantum ergo* gesungen und nun ergriff der Priester die Monstranz und intonierte mit lauter, feierlicher Stimme dieselbe Strophe, während der Chor aufs neue einsetzte, um sie zu wiederholen. Das war mir neu und ich murmelte ganz leise ein *Terribilis est ritus iste* vor mich hin, da hatte ich schon vom Nachbar meinen Rippenstoß in der Seite. Ich schwieg und würde auch jetzt noch schweigen, wenn ich nicht erfahren hätte, daß man ohnehin an maßgebender Stelle diesen Ritus perhorresziert und an eine Änderung denkt.

Am Abende fand man sich voll gehobener Stimmung im großen Saale des Gesellenhauses zusammen, der sich aber viel zu klein erwies.[1]) Es wurden herzliche Begrüssungsreden gehalten; dazwischen boten die wohlgeschulte Liedertafel unter der Direktion des Herrn Gymnasialmusiklehrers Kugler und die Kapelle des 3. Bataillons des Kgl. Bayerischen 21. Infanterie-Regiments unter der Direktion des Herrn Musikleiters Lingl vorzügliche Leistungen. Es war ein erhebender Abend, und voll schöner Gefühle konnten wir uns des Morpheus Armen überlassen in dem Bewußtsein, daß die 18. Generalversammlung eine Stätte gefunden hatte, die nach jeder Richtung den schönsten Erfolg versprach. Auf dem Heimweg vernahm ich allerdings eine unheilverkündende Prophezeiung, die mir nicht mehr aus dem Sinne wollte und mich düster drohend bis in die seligen Gefilde des Traumlandes verfolgte: *Eystadii nix nox nebulaeque et examina semper.*

Die Examina fürchtete ich zwar weniger: die ließen eben die Herren Alumnen über sich ergehen am Schlusse des Schuljahres — dafür aber graute mir vor den drei anderen Dingen, den 3 n: *nix, nox nebulaeque.* Und sieh, als ich mir am Morgen die Augen rieb, standen die Nebelwolken düster vor dem Fenster und die ganze Nacht hatte es gestürmt und geregnet. Sollte das ein Omen sein für den kommenden Tag und speziell für die Versammlung?

Zunächst ging es ganz ruhig her, als sich ein großer Teil der Gäste, speziell diejenigen, die für den Choral Interesse hatten, in der Schutzengelkirche versammelten, wo der Chor der Alumnen eine Choralmesse sang nach der Medicaea. Der Vortrag schien gut einstudiert und bewies, was Alumnen bei einigem Fleiße unter sicherer Direktion zu leisten vermögen. Es war ein richtiger Fluß in der Sache und eine vorzügliche Deklamation mit sinngerechten Wort- und Satzakzenten. Ich weiß nicht, wie es herging, daß mir da auf einmal die Methode wieder einfiel, die der hochverdiente P. Ambrosius Kienle auf der Brixener Versammlung im Jahre 1889 zur Beachtung empfohlen hatte; er wollte zunächst jeder Note gleiche Zeitdauer und gleich scharfe Betonung zugemessen wissen und der sich daraus ergebende Gesang sollte den Grundstock bilden, aus dem sich nach den Grundsätzen der Wort- und Satzdeklamation durch Abschleifung und Abrundung das eigentliche Gebilde eines schönen Choralvortrages heraushauen ließ — eine richtige Skandier- und Hackmethode, die im Grunde dasselbe Ideal von einer anderen Seite aus zu erreichen suchte. Da gäbe es natürlich viel zu schleifen, manch scharfe Ecke abzurunden, manche Unebenheiten zu glätten . . . und nach dieser Richtung hätte auch der Eichstätter Choral noch eine Nuance vortragen können: das war der Eindruck, den ich davontragen mußte sowohl vom Choralamt in der Schutzengelkirche, wie auch von dem Hauptgottesdienste im Dome, wo die *Editio* Dom Pothiers (nicht die *Vaticana)* auf dem Programm stand und das Graduale reich-

[1]) Eichstätt hatte doch Zugkraft besessen! Man sieht, daß der Eifer für die Sache der heil. Cäcilia noch immer nicht im Erlöschen ist.

lich so lang dauerte, wie das *Gloria*, nämlich 5½ Minuten. Es mögen hier gleich die übrigen Notizen folgen, die ich mir als alter Praktiker über die Zeitdauer der einzelnen Nummern machte: *Kyrie* 5 Minuten, *Credo* 10 Minuten, Choraloffertorium 2½ Minuten, *Sanctus* 2½ Minuten, *Benedictus* 2 Minuten, *Agnus* 5 Minuten.

Im Vortrage der vielbesprochenen *Missa: Beatus qui intelligit* von Orlando di Lasso entfaltete der Domchor den Glanz seiner Soprane bis zu blendendem Lichte. Man merkte es wirklich: er war hier in seinem ureigensten Fahrwasser! Und er gondelte auch mit einer Sicherheit und Beweglichkeit darin herum, daß es eine Lust war, ihm zu folgen bis in alle Nuancen einer wechselreichen Vortragskunst. Manchem etwas moderner veranlagten Ohre wollte obligate und gar oft wiederkehrende Stimmenkreuzung zumal in den Oberstimmen nicht gefallen . . . und in der Tat liegt hier eine Klippe verborgen, zumal wenn der II. Sopran, dem eigentlich die Hauptaufgabe zufällt, klanglich zurücktritt. Dr. Widmann kennt seine Favoritmesse, wie sein Chor aus langjähriger Praxis und er kennt sie durch und durch: das hat er in seinem Kommentar erwiesen, indem er die klassische Messe bis in ihre verborgensten Tiefen eingehend beleuchtet und ebenso in der von ihm redigierten Ausgabe, die leider noch immer an den alten Schlüsseln festhält. Sie strotzt von Zeichen allerart, die glücklicherweise bei der Aufführung nicht sklavisch eingehalten wurden; an manchen *p* und *f* gings achtlos vorüber und von den *pp* gelang einzig und allein das prächtig verklingende *Dona nobis pacem*, mit dem die Messe in gelungenster Weise abschloß. Ende gut — alles gut! Auf mich hat die Messe den besten Eindruck gemacht. Manchem erschien das Tempo zu rasch — mir nicht.

In der nun folgenden Versammlung wurde die Choralfrage mit aller Ruhe und ohne aufregende Debatte in glatter und für Freund und Feind unantastbarer Weise rasch erledigt. Ein Verein, der die Liturgie hochhält und der Gehorsam gegen Rom als Devise auf sein Banner geschrieben hat, der ist sich einig darüber, daß nunmehr die *Editio Vaticana* als das liturgische Choralbuch zu betrachten ist, und einzig und allein das Bestreben, derselben auch allenthalben die Wege zu ebnen, hat einige Debatte hervorgerufen. Von den Hauptrednern der Versammlung sprach Herr Pfarrer Käfer in begeisterter und anregender Weise über das Kirchenlied und P. Johandl stocherte ¾ Stunden lang in einem Wespenneste herum, so daß ich mich wunderte, daß er noch ohne Stich und geschwollene Backen davonkam; das kann übrigens noch nachkommen. Daß er viel Wahres gesprochen, ist gewiß; das sah man auch stellenweise am Beifall der Versammlung.

Bei der nachmittägigen Produktion schwamm der Domchor wieder in nahezu ermüdender Weise im gewohnten Fahrwasser der Alten: dieselbe Besetzung, derselbe Charakter, und fast durchweg dieselbe Tonart mit den vielen *b*: alles war betoniert! Einzig und allein die Soloquartetten brachten Abwechselung und gerade bei diesen machte sich das Gefühl der Müdigkeit geradezu auffallend geltend, wenn man auch sonst alles Lob aussprechen muß. Im allgemeinen blieben die Improperien um Ellenlänge hinter den übrigen Leistungen zurück und sicher trug das hastige Tempo und die drängende Deklamation dabei die Hauptschuld! War es das Bestreben endlich fertig zu werden?

Und noch gab es am Abend des „Frithof Heimkehr" zu singen, diese geniale Tonschöpfung unseres Stehle, über die sich die Kritik einig ist in Lob und Anerkennung. Der Reichtum an Melodien, der Farbenschmelz der Harmonien, der Glanz der Instrumentation: all das läßt über etwaige Mängel hinwegsehen und auch diejenigen zum vollen Genusse gelangen, die über einen gewissen Mangel an Originalität Klage führen zu müssen glauben. Die Aufführung gelang trotz der Übermüdung des Chorpersonals und trotz einiger Schwerfälligkeit des aus verschiedenen Elementen rasch zusammengewürfelten, teilweise zu wenig ausgeglichenen und stellenweise zu wenig diskreten Orchesters unter der zielbewußten Leitung des Domkapellmeisters ganz vorzüglich, und gebührt der Hauptanteil an dem Erfolge des Abends den hervorragenden Leistungen der Solokräfte.

Es war 12 Uhr geworden, bis ich in mein fünfbettriges Schlafgemach gelangte, und nach schweren Träumen lachte mir am Morgen des zweiten Festtages freundlicher Sonnenschein bis ins Bett entgegen.

Der heutige Tag galt dem Memento der Verstorbenen.

Mitterers fünfstimmiges Requiem stand auf dem Programm, eine edle Komposition, die den Mollcharakter ständig festhält und nur zuweilen eine textentsprechend freudige Stimmung aufkommen läßt, wie bei der Communio *Lux aeterna*, eine Komposition, die sich im Stile ganz an die alten Klassiker anlehnt und nur zuweilen, wie bei *quam olim Abrahae* einer weicheren Stimmung Raum gibt. Gewisse Härten, die in das Bereich des Tritonus fallen, geben ihr durchweg einen herben Anstrich. — —

Der Chor hatte am vorhergehenden Abend den Zenit des Ruhmes erreicht und so mußte naturgemäß eine retrograde Bewegung erfolgen. Die Paradestimmung von gestern, das souveräne Siegesgefühl schien erstorben. Dazu ein unglücklicher Anfang und — — Nun muß ich etwas weiter ausholen. Ich bin nämlich ein lebhafter Anhänger der Suggestionstheorie. Der erste Tag stand nämlich vollständig im Banne der *As*-dur-Tonart. Schon die Glocken hatten uns in feierlichem *As*-dur-Klange begrüßt. Die Messe war ein förmliches Schwelgen in der feierlich satten Tonart. Selbst der Hochwürdigste Herr am Altare schien von der feierlichen *As*-dur-Stimmung ergriffen und intonierte die Präfation in der Paralleltonart *F*-moll. Dem Diakon erschien freilich das hohe *As* zu hoch und so intonierte er das *Ite missa est* in einem feierlichen *Es*, der Dominantetonart: auch die Choraltonarten schmiegten sich stimmungsvoll an. Selbst beim Angelusgebet, das die vormittägige Versammlung unterbrach, herrschte die Stimmung noch an. Denn als der Hochwürdigste Herr Bischof in feierlich ernstem *C* vorzubeten begann, da antwortete die Versammlung in einem wohlklingenden *As*-dur-Akkord. Und so sehr hatte sich der Domchor in diesen *As*-durien festgeankert, daß ihm die ernste *H*-moll-Tonart der schönen *Requiems*-Komposition wie eine *Terra incognita* erschien, die ihm selbst die unliturgische Einleitung durch ein längeres Orgelspiel und die oft auffallende und meistens den Einsatz verzögernde Nachhilfe mit der Violine nicht näher bringen konnte. Dauerten ja die Schwankungen reichlich bis zum *Sanctus! Voilà* die Macht der Suggestion! Und warum teilte sich die Unsicherheit, die anfangs nur den Sopran erfaßt hatte, sofort auch den übrigen Stimmen mit? *Voilà la suggestion!* Wenn man hier die Folgen einer ängstlichen Stimmung so auffallend beobachten kann, wie sehr haben wir Grund, in der Kirche auf eine andächtige Stimmung zu dringen, deren Einfluß durch nichts ersetzt und erreicht werden kann. Und noch etwas! Mitterer hat stets eine stark persönliche Note; der Chor aber kennt nur die Alten und war vom Vortage her noch vom Hauche der Alten umweht! *Voilà la suggestion!*

Im übrigen aber raffte sich derselbe jedoch zuletzt noch zu voller Höhe auf. Vorzüglich gelang ihm das freudige *E*-dur des *Lux aeterna* und in der Schlußbitte des *Agnus* gestaltete sich das prächtig verklingende *pp* zu einem voll entsprechenden Pendant des *Dona nobis* am Vortage.

Am darauffolgenden Nachmittage teilten sich mit dem Domchore in die Arbeit der Chor der Alumnen, die unter des Hochwürd. Herrn Präfekten Wittmann zielbewußter Leitung namentlich in der Koenenschen Motette *Domine Deus* eine vorzügliche Leistung boten, und der Dompfarrchor unter der Direktion des hochverdienten Herrn Präparandenoberlehrers Pilland, und zuletzt raffte sich — die Berichterstattung muß sich nun leider kürzer fassen aus Raumrücksichten! — der Domchor nochmals zu einer glänzenden Leistung empor durch Aufführung des alle Kräfte herausfordernden *Te Deum* von Tinel, einer mit modernen Effekten allerart arbeitenden und für Massenwirkung berechneten Komposition, in der die Aufführungen der 18. Generalversammlung jubelnd ausklangen.

In den Versammlungen dieses letzten Tages wurden noch allerlei interne Anliegen erörtert, dem Kassier Decharge erteilt, neue Referenten aufgestellt (Bachsteffel in Passau, Jos. Frei in Sursee, Geßner in Straßburg, Vinz. Goller in Deggendorf, Lohmiller in Rottenburg, Pet. Griesbacher in Osterhofen, Meuerer in Graz, W. Osburg in Breslau, Wilh. Stockhausen in Trier, Dr. W. Widmann in Eichstätt) und als sich der Diözesanpräses Dompropst Walther in Solothurn erhob, um dem hochverdienten Generalpräses Dr. Fr. X. Haberl den Dank der Versammlung auszusprechen für seine unentwegte Hingabe und rastlose Tätigkeit, mit der er seit Jahren die Geschicke des Vereins leitet, und mit der dringenden Bitte zu schließen, er möchte auch in der kommenden Periode auf seinem Posten beharren, da erklang dröhnender Beifall durch die Reihen der Versammlung. Ein sicheres Versprechen hat uns aber der Generalpräses nicht gegeben. Möchten auch diese Zeilen beitragen, ihn zum Ausharren zu bewegen! Dann können wir ruhig kommenden Stürmen entgegenschauen!

Und wenn ich in Kürze nochmal einen Rückblick werfe, so muß ich wiederholt auf die allgemein empfundene Lücke im Programme zu sprechen kommen. Wir haben die alten Klassiker gehört und daneben das äußerste Extrem eines kirchenmusikalischen Modernismus. Wir konnten einen Orlando mit einem Bruckner vergleichen und der ernste feierliche Choral erhielt sporadisch — warum nicht gleich konsequent? — eine Unterlage, die direkt wie eine Zwangsjacke erschien. Als nach dem *Et incarnatus est* des Choral-*Credo*, feierlich ernst das *Crucifixus* erklang, da tat sich unter demselben plötzlich eine wahre Kluft von zusammengesuchten, zerrissenen, alterierten oder doch fremdartigen Akkorden auf, die den Choral vollständig zu verschlingen drohte! Oben der Choral und unter ihm moderne Tonmalerei — hier das düstere Dunkel altklassischer Musik und dort auf einmal das grelle Blitzlicht eines Hypermodernismus: das tat unseren Augen wehe! Und die Brücke, welche die beiden Gegensätze einander nähergebracht hätte — sie fehlte!

Doch sollte diese Kritik die wohlverdiente Anerkennung, welche die Leistungen der Eichstätter Chöre in höchstem Maße verdienen, in keiner Weise beeinträchtigen. Wenn man das Riesenprogramm betrachtet, das in Eichstätt erledigt wurde, dann entsinkt der Hand das kritische Blei und man greift lieber nach dem Hute, um ihn zu ziehen in Anerkennung vor dem großen Fleiße, der unendlichen Ausdauer, der Tüchtigkeit, Leistungsfähigkeit, die hier zu tage getreten, und ich kann nur noch ausrufen: *Vivant sequentes!*

Damit schließe ich meine zwanglose Plauderei und gebe der Hoffnung Raum, daß wir bei der nächstjährigen Generalversammlung ebenso schöne und noch bessere Erfolge erleben werden. Unterdessen aber wollen wir unentwegt weiter arbeiten, jeder an seiner Stelle und wollen in allen Stürmen zäh am Ziele festhalten: dann sind wir doppelt Cäcilianer!

---

## Chor des Bischöflichen Knabenseminares „Kollegium Petrinum", Urfahr-Linz, Oberösterreich.

Es sei mir gestattet, auch über das heurige Schuljahr einen Bericht einzusenden. „Liturgische Korrektheit über alles" und *„omnia digne, attente ac devote"* waren auch heuer die Leitsterne des Chores. Unterricht wird in 3 Kursen erteilt an etwa 140 Schüler. Der 3. Kurs ist der eigentliche Kirchenchor, bestehend aus 27 Sopranen, 27 Alten, 14 Tenören, 22 Bässen. Zahl der wöchentlichen Proben: 3. Introitus und Communio werden bei jedem Hochamte choraliter gesungen.

September, 18.: Heiliges Geistamt. *Veni Sancte*, 4 g von Dr. Frey. Messe: *Regina angelorum* für 2 g o von L. Ebner, Op. 29 (neu); Grad.: *Domine praevenisti eum*, 4 g von P. M. Ortwein (neu); Offert.: *Ego autem*, 4 g von Dr. Fr. X. Witt (neu). 23.: *Requiem* für zwei während der Ferien verstorbene Schüler; *Requiem*, 4 go von Ign. Mitterer, Op. 69b (neu). Das fehlende Graduale wurde rezitiert, Sequenz choraliter.

Oktober, 4.: Kaisers Namensfest. Messe: Aloysiusmesse, 4 go von V. Goller, Op. 34; Grad.: *Os justi*, 4 g von P. M. Ortwein; Offert.: *Veritas*, 4 g von Dr. Witt (neu); *Tantum ergo*, 4 g von Ign. Mitterer, Op. 42, 3 (neu); *Te Deum*, 4 go von Ign. Mitterer, Op. 114 (neu), eine Strophe, Volkshymne. 20.: Kirchweihfest. Messe: Franz Xaver-Messe, 4 go von Dr. Fr. X. Witt, Op. 8b; Grad.: *Locus iste*, 5 g von P. M. Ortwein (neu); Offert.: *Domine Deus*, 4 g von Stehle; zum Segen: *Tantum ergo*, 6 g von Ign. Mitterer, Op. 42, 7 (neu); *Litaniae Lauret.*, 4 go von Joh. Evang. Habert, Op. 43. 30.: Heil. Exerzitien. *Veni Creator*, choraliter; *Tantum ergo*, Alt und 3 m von Ign. Mitterer (neu). 31. Oktober—2. November: Abends: *Miserere* von Dr. Fr. X. Witt, 10, 3 m.

November, 3.: Zur Generalkommunion: 1) „Jesus, dir leb ich", 4 g; 2) „Wie lieblich", 4 g von Gg. Höller (neu); 3) *O esca viatorum*, 4 go von Ign. Mitterer, Op. 73, 4; 4) „Jesu, Jesu", 4 g von Gg. Höller (neu); 5) „O sei uns gnädig", 4 g; 6) „Großer Gott", 2 Str. (gemeinsamer Gesang der Zöglinge). 5.: *Requiem* wie am 23. September. 10.: Kongregationsfeier des heiligen Stanislaus. Zur Kommunion: Haller, Op. 35, 7 2 kn o (neu); Brunner, Ed., Op. 18, Nr. 1 u. 2, kn o (neu). Abends: *Veni creator*, choraliter; Brunner Ed., Op. 18, 3 (neu): *Tantum ergo*, Lauretanische Litanei, choraliter; Kongregationslied 2 Str. (gemeinsam). 15.: Fest des heil. Leopold. Messe: Meuerer,

Op. 34 4 go (neu); Grad.: *Justus ut palma*, 4 g von Dr. Fr. Witt; Offert.: *Veritas*, choraliter (neu); zum Segen: *Tantum ergo*, 4 go von Ign. Mitterer (neu); Lauretanische Litanei, 2 go von J. Auer. 28.: Fest der heil. Cäcilia. Während der stillen Messe: *Cantantibus organis* von Haller, für 4 g arrangiert von Fr. Bubendorfer aus *Laetitia* (neu).

Dezember, 8.: Fest der Unbefleckten Empfängnis Mariä. Messe: *O salutaris hostia*, 4 g von Haller; Grad.: *Benedicta* von Dr. Fr. X. Witt, 4 g; Offert.: *Ave Maria*, 4 go von Ignaz Mitterer, Op. 122. Kongregationsfeier. Zur Kommunion: Haller, Op. 17a, 8 4 g; Höller, „Blick ...", 4 g (neu). Abends: *Veni Creator*, 4 g von Dr. Fr. X. Witt; zur Aufnahme Hallers Op. 17c, 4, 4 g; zur Lichterprozession: Kongregationslied 6 Str. (gemeinsamer Gesang); Fahnenlied 3 Str.; zum Segen: *Tantum ergo* von Ign. Mitterer 6 g; Lauretanische Litanei in *G*, 4 go von Fr. X. Engelhart; „Großer Gott", 2 Str. Weihnachtsferien.

1908. Jänner, 6.: Heil. drei König. Messe: Wie am 15. November; Grad.: *Omnes de Saba*, 4 g von Ign. Mitterer (neu); Offert.: *Reges Tharsis*, 4 g von Dr. Fr. X. Witt; zum Segen: *Tantum ergo*, 4 go von Ign. Mitterer; Lauretanische Litanei in *G*, 4 go von Fr. X. Engelhart; „Die Hirten bei der Krippe", 2 Soli und 4 go von Fr. X. Engelhart (neu).

Februar, 2.: Mariä Lichtmeß. Zur Kerzenweihe alles choraliter; Messe 2 go von L. Ebner. Grad.: *Suscepimus*, 4 g von Ign. Mitterer (neu); Offert.: *Diffusa*, 4 g von L. Ebner (neu). Kongregationsfeier. Zur Kommunion: Brunner, Op. 18, 8, 2 kn o (neu); Haller, Op. 35, 5, 2 kn o (neu). Abends: *Veni Creator*, 4 g von Dr. Fr. X. Witt; zur Aufnahme: „O Königin", 4 g von Fr. Bubendorfer; *Tantum ergo*, 4 g von Ign. Mitterer; Lauretanische Litanei, 4 go von Joh. Ev. Habert, Op. 43; Kongregationslied, 2 Str.

März, 27.: Mariä Verkündigung. Das Hochamt entfiel, gewöhnliche Segenmesse, bei der alle Zöglinge sangen. Kongregationsfeier. Zur Kommunion: Kommunionlied, 4 g von Gg. Höller; „Sei edle Königin", 4 g von Haller, Op. 17a, 10. Abends: *Veni Creator*, 5 g von Ign. Mitterer; zur Aufnahme: Haller, Op. 17b, 6 und 7 4 g; zur Prozession Kongregationslied, Fahnenlied; zum Segen: *Tantum ergo*, 4 go von L. Ebner; Lauretanische Litanei, 4 go von Jos. Gruber, Op. 6; Großer Gott", 2 Str.

April, 1.: *Requiem*, 4 go von J. Schildknecht, Op. 25 (neu); Sequenz choraliter. 12.: Palmsonntag. Zur Palmweihe: *Hosanna*, choraliter; *In monte Oliveti*, 4 g von Haller, Op. 45b (neu); *Sanctus, Benedictus, Pueri Hebr.*, choraliter; zur Prozession: *Cum angelis, Gloria, laus et honor*, choraliter; *Ingrediente Domino*, 4 g von Haller, Op. 45b (neu); Messe: *Kyrie, Sanctus, Benedictus, Agnus*, choraliter *(in Dom. Quadrag.)* (neu). I. *Credo*, *Et incarnatus*, 4 g von Schmidt (neu); Grad.: *Tenuisti*, 4 g von Dr. Fr. X. Witt; Traktus, 4 g von Fr. Bubendorfer (neu); Passion, 4 g von Soriano (neu); Offert.: *Improperium*, 4 g von Dr. Fr. Witt. Osterferien.

Fr. X. Bubendorfer, Musikpräfekt und Regenschori.

(Schluß folgt.)

## Vermischte Nachrichten und Mitteilungen.

1. ⊙ Die Redaktion der *Musica sacra* bedauert lebhaft, erst nach mehreren Monaten über eine zweimalige Aufführung einer geistlichen Oper in 4 Akten berichten zu können, welche in **Trier** am 19. Januar und 9. Februar, jedesmal im großen Saale des katholischen Vereinshauses „Treviris" bei ausverkauftem Hause, stattgefunden hat. Das Werk hat den Titel: „Parzival". Dichtung von P. Bailly, S. J., Musik von P. von Doß, S. J., Übersetzung und Instrumentation vom † Domkapellmeister Ph. Lenz. Die „Trierer Landeszeitung" berichtete unter dem 19. Januar d. J.: „Die Oper folgt mit unwesentlichen Abweichungen dem herrlichen höfischen Epos von Wolfram von Eschenbach und versetzt uns mit einem Schlage in die an hohen Idealen, an religiösem Sinn und edlen Taten so reiche Zeit des Mittelalters. Andere Zwecke wie Richard Wagner, der zu seinem Parzival ebenfalls die Sagen vom heiligen Gral, Parzival und Titurel benützte, verfolgten Bailly und von Doß. Das Werk kann daher auch nicht in diesem Sinne als Oper beurteilt werden, weil es mit einfachen Mitteln arbeitet und unter Benutzung der mittelalterlichen Sagen eine Verherrlichung des heiligsten Altarssakramentes bildet und die Stärkung des religiösen Sinnes erstrebt. Der Domchor unter Leitung seines Kapellmeisters, Herrn Stockhausen, hatte sich mit der Aufführung dieses mysteriösen Werkes eine ebenso schwierige wie dankbare Aufgabe gestellt, die er, um es von vornherein anzudeuten, glänzend gelöst hat. Ist auch der vortrefflich geschulte Domchor den musikalisch gebotenen Schwierigkeiten vollauf gewachsen, so bleibt doch immer die besondere Schwierigkeit der Entwicklung auf der Bühne, die von vielen Nebenumständen und Zufällen beeinflußt wird. Aber auch hier fanden sich die Darsteller bald jeder in seiner Rolle zurecht und ließen überall die wohldurchdachte und sorgfältige Vorbereitung erkennen.

Musikalisch wird das Werk durch eine wirksame Ouvertüre für kleines Orchester eingeleitet; das Orchester hatte, da die ganze Bühne zur Handlung erforderlich war, vor dem Podium Aufstellung nehmen müssen. Der 1. Akt spielt in dem geheimnisvollen Walde von Montsalvat und wird durch einen frischen, schwungvollen Morgenchor, der als Wechselgesang zwischen Pagen, Knappen und Gralsrittern ertönt, eröffnet. Der Akt schließt mit einer Romanze Parzivals, der aus der Ferne herannaht. Der Chor hat überaus dankbare Partien, wenn er singt: „Geheimnisreichen Bechers Schale ergreift der Herr beim letzten Mahle." Ebenso in dem Chore: „So flutet mächtig Jesu Blut, ein Ozean des Heils dahin, zu sühnen Schuld und Frevelmut, in Jesu Arme uns zu zieh'n." Die Melodien muten uns so natürlich an, wie der klare, frischsprudelnde Bergesquell. Da deckt sich die Musik mit den hehren Worten der Dichtung, da ist nichts Gesuchtes, überall Einheit der Stimmungen und Ideen und leichter Melodienfluß.

Im 2. Akte treten Großmeister Titurel, Anfortas, König der Gralritter, der Chor und Ritter auf. Es erschallt eine Stimme aus der Höhe, worauf die Gralszene folgt. Ein farbenprächtiges Gesamtbild bietet sich hier dem Auge dar in der Gralszene, beim Kreuzen der Klingen, wenn alle Aufführenden auf der Bühne sind und der Chor in weichen Harmonien singt: „O, Wunderkelch, zum hehren Mahle, mit Himmelsschöne hold geschmückt, du birgst in goldgesäumter Schale den Wein, der Engel selbst entzückt." Ebenso dankbar ist der Chor: *Sursum estes, corda sursum.* Mit einem recht charakteristischen Marsch, der ab und zu an Wagnermusik erinnert, schließt der Akt.

Es folgt nun die Haupthandlung und dramatische Entwicklung im 3. Akt, der sich im Schlosse Archibals, des Königs der Ritter vom goldenen Becher, abspielt. Parzival, der nach dem höchsten Gut Suchende, tritt auf, verspottet und verhöhnt von Stimmen, die ihm von draußen zurufen. Mit spannender Steigerung wird diese schönste und packendste Szene dramatisch durchgeführt bis zur Lösung des Konfliktes, so daß die Unschuld über die sie umgebende, lauernde Versuchung triumphiert. Nicht endenwollender Beifall löste sich im Publikum nach dieser Szene, bei der alle Mitwirkenden mit größter Hingabe gespielt hatten. Besonders eindringlich und ergreifend waren auch hier die Deklamationen mit Begleitung des Orchesters oder des Flügels.

Der Schlußakt, der wieder in der Burg Montsalvat spielt, bot wieder besonders dankbare Chorgesänge. Nach kurzem Vorspiel beginnen Gralsritter und Pagen das Bittgebet, welches durch seine warm empfundenen Melodien und schönen Harmonien zum Herzen spricht. Es folgt dann eine Szene zwischen Archibal und einem Gralsritter in der das Melodrama vorteilhaft verwertet ist. Sehr wirkungsvoll waren auch Melodrama und Romanze von Parzival.

Der Schlußchor gibt dem Ganzen einen mächtigen Abschluß von nachhaltiger Wirkung. Die ganze Aufführung nahm flotten Verlauf und dauerte drei Stunden. Das Publikum gab am Schlusse seine freudig bewegte Stimmung durch rauschenden Beifall kund. Alle Mitwirkenden, besonders aber der musikalische Leiter, Herr Domkapellmeister Stockhausen, können befriedigt auf den glänzenden Erfolg zurückblicken. Die Begleitung am Mandschen Flügel, aus dem Lager der Firma Pfeiffer, besorgte mit zuverlässigem Anpassungsgeschick Herr Kapellmeister Werding. Erwähnt sei, daß von den Konzertbesuchern mehrfach der Wunsch geäußert wurde, Parzival möge doch wiederholt werden. Vielleicht ließe sich dann für den großen Trevirissaal das Orchester etwas verstärken."

2. + Auszeichnung. Se. M. der Kaiser Franz Joseph I. hat ein Exemplar der vom Kapellmeister an der Votivkirche in Wien, Herrn **Rudolf Glickh**, komponierten *Missa solemnis* für die K. und K. Hof-Musikkapelle zur Annahme gewürdigt und dem Komponisten bei diesem Anlasse den allerhöchsten Dank bekannt geben lassen.

3. Z Der Freiburger Organist **Johann Diebold**, bekannt durch seine große Orgelsammlung, zu welcher die namhaftesten Organisten des In- und Auslandes Beiträge spendeten, bereitet eine neue Sammlung liturgischer Orgelstücke über die Intonationen des Priesters nach der neuen vatikanischen Leseart vor. Dieses Unternehmen verdient die volle Würdigung der bernfenen Kreise. Schon lange wurde es von katholischer Seite als Mangel empfunden, daß, während die protestantischen Organisten von verschiedenen Meistern über ihre Choräle, Choralfigurationen, Fugen u. dgl. hatten, dies im katholischen Gottesdienste selten anzutreffen war, wo doch der gregorianische Choral, der Urquell der katholischen Kirchenmusik, Motive in Menge bot. Im gregorianischen Choral sind es ganz besonders die Intonationen des Priesters, welche sich auch beim Volke einer gewissen Popularität erfreuen und deren *cantus firmus* deswegen Interesse erweckt und leicht verfolgt werden kann. Diebold und seine Mitarbeiter wollen nun durch die neue Sammlung diesem Bedürfnisse abhelfen. In Wien wurde vor einiger Zeit Diebolds *Miserere* in der Votivkirche aufgeführt.

Decker, C. M.

4. O Der Hochwürd. Bischof Adolf von **Straßburg** schrieb unterm 20. Juni d. J.: „Gehorsam dem Befehle des Heiligen Vaters haben Wir seit dem Dreifaltigkeitssonntag die Vatikanische Ausgabe des Graduale in Unserer Kathedralkirche eingeführt. Wir wünschen, daß die übrigen Kirchen Unserer Diözese sobald als möglich diesem Beispiele folgen mögen."

5. ✠ **Trier.** Domkapitular, Professor **Dr. Einig**, der am 21. Juli unerwartet in die Ewigkeit abberufen wurde, war nicht bloß ein ganz hervorragender Theologe, sondern auch ein warmer Freund und eifriger Förderer der Kirchenmusik. In der von ihm geleiteten Zeitschrift *Pastor bonus* sind im Laufe der Jahre eine ganze Reihe vortrefflicher Abhandlungen über kirchenmusikalische Fragen erschienen. R. I. P.

6. × Der **kirchenmusikalische Verlagskatalog** der Firma Friedrich Pustet in Regensburg ist nun auch in polnischer Sprache erschienen und wird auf Wunsch gerne gratis und franko versandt.

7. **Inhaltsübersicht von Nr. 7 des Cäcilienvereinsorgans:** Programm für die 18. Generalversammlung in Eichstätt. — Charwochen-Programme des Jahres 1908: Padova; Rownoje; Wien (Votivkirche, Lazaristenkirche, Universitätskirche.) — St. Cäcilia und St. Wenzeslaus im Bunde. (Von Pet. Griesbacher.) — Vereins-Chronik: Die 18. Diözesanversammlung Augsburg in Memmingen; † Joseph Niedhammer in Speyer; Chor des Marienkolleges Hamberg bei Passau; P. Alban Schachleitner, neugewählter Abt in Emaus-Prag. — Rundschau der deutschen kirchenmusikalischen Zeitschriften von April mit Juni 1908. — Inhaltsübersicht von Nr. 7 der *Musica sacra*. — Anzeigenblatt Nr. 7. — Sachregister Seite XVII—XXIV zu den 3500 Nummern des Cäcilienvereins-Kataloges.

Druck und Verlag von **Friedrich Pustet** in **Regensburg**, Gesandtenstraße.
**Nebst Anzeigenblatt.**

**Doppel-Nummer.**

1908. Regensburg, am 1. September und 1. Oktober 1908. Nr. 9 & 10.

# MUSICA SACRA.

Gegründet von Dr. Franz Xaver Witt († 1888).

**Monatschrift für Hebung und Förderung der kathol. Kirchenmusik.**

Herausgegeben von Dr. Franz Xaver Haberl, Direktor der Kirchenmusikschule in Regensburg.

**Neue Folge XX., als Fortsetzung XXXXI. Jahrgang. Mit 12 Musikbeilagen.**

Die „*Musica sacra*" wird am 1. jeden Monats ausgegeben, jede der 12 Nummern umfaßt 12 Seiten Text. Die 12 Musikbeilagen wurden mit Nr. 5 (Motett und Messe *Beatus vir qui intelligit*, 6stimm. von Orl. Lassus) versendet. Der Abonnementpreis des 41. Jahrganges 1908 beträgt 3 Mark; Einzelnummern ohne Musikbeilagen kosten 90 Pfennige. Die Bestellung kann bei jeder Postanstalt oder Buchhandlung erfolgen.



## Neu und früher erschienene Kirchenkompositionen.

In Italien versucht man den gregorianischen Melodien der Vatikanischen Ausgabe dadurch aus dem Wege zu gehen, daß man über die wechselnden Texte der Meßformularien einstimmige mensurierte Melodien mit Orgelbegleitung komponiert und auf diese leichte und praktische Weise den liturgischen Anforderungen zu entsprechen bestrebt ist. Der Unterzeichnete hat auch aus Deutschland öfters die Aufforderung erhalten, besonders für die Gradualien mit den *Alleluja*-Versen und den Traktus, sowie für die Offertorien eine ganze Sammlung zu veranstalten, allein es scheint auf diese Weise der Choralgesang noch mehr in den Hintergrund gedrängt werden zu wollen, als es sich geziemt; er will seine Hand nicht dazu bieten. **Paul Amatucci** komponierte für das Rosenkranzfest Introitus, Graduale mit *Alleluja*-Vers, Offertorium und Communio für eine mittlere Singstimme mit Orgelbegleitung[1]) unter Beachtung der Wortdeklamation in würdiger, fast durchweg syllabischer Melodie mit Rezitation des Psalmverses und *Gloria Patri* beim Introitus. Ohne Zweifel ist dieser Ausweg musikalisch weitaus der blanken Rezitation oder einem leider meist recht schlechten Vortrag dieser Meßteile aus dem *Graduale Vaticanum* vorzuziehen. Die melodische Erfindung, die Harmonisierung, die dynamischen Angaben sind anerkennenswert, die Verbindung von Text und Melodie läßt ersterem den Vorrang und ermöglicht einen andächtigen, sinnvollen Vortrag. (Vergl. *Musica sacra* 1907, Seite 137 und die zweistimmigen 17 Introitus von Ferro, *Musica sacra* 1908, Seite 53.)

Ein dreistimmiges *Requiem* für 2 Tenöre und Baß von **Angelo Balladori**[2]) bringt den vollständigen Text der Totenmesse (auch *Dies irae* ist mit allen Versen durch-

[1]) *In festo Ss. Rosarii B. M. V. Proprium Missae* ad chorum unius vocis mediae comitante organo vel harmonio. Turin, Marcello Capra. Partitur und Stimme 90 ₰, Stimme 10 ₰.

[2]) *Messa da Requiem* a 3 voci virili (2 T. e B.) con accompagnamento d'Organo od Harmonio (ad lib.). Mailand, A. Bertarelli & Cie. Partitur 3 Lire, 3 Stimmen à 50 Cent.

komponiert und das Respons. *Libera*). Zu beanstanden sind die Vor- und Zwischenspiele der Orgel, welche nach Vorschrift nur als begleitendes Instrument gebraucht werden darf. Wohl ist die Begleitung ad lib., sie überwuchert jedoch die drei Gesangstimmen; läßt man sie weg, so wirkt der dreistimmige Satz öde und der Vortrag wird sehr schwierig, da die Textverteilung außerordentlich viel zu wünschen übrig läßt und die Chromatik manchmal stört. Übrigens muß dem Komponisten über sein musikalisches Können alle Anerkennung gezollt werden. Das einstimmige *Benedictus* kann man ebensowenig billigen als die Beigabe des Porträts der Mutter des Komponisten, welcher er das *Requiem* gewidmet hat.

— — Ein dreistimmiges Motett (Mezzosopran, Tenor, Baß) über den Text *Tota pulchra es Maria* mit Orgel- oder Harmoniumbegleitung[1]) ist gar zu theoretisch geraten und kann weder durch melodische Erfindung, noch durch rhythmische Bewegung befriedigen.

Eine dreistimmige Messe für Mezzosopran und Baß von **L. Bonvin**, S. J., als Op. 83 mit obligater Orgelbegleitung komponiert, ist über die Choralmelodie gleichen Namens im St. Gallener Kodex Nr. 484 geschrieben. Die Melodie des *Kyrie* ist beinahe ganz, natürlich mensuriert, dem genannten Kodex entnommen und auch in den anderen Sätzen teilweise verwendet. Die Messe ist sehr polyphon und schwer auszuführen. Auch für die Orgelbegleitung wird ein tüchtiger Mann gefordert. Die Arbeit überwiegt die Natur.[2])

Die Herz-Jesu-Litanei für zwei gleiche Stimmen mit Orgel- oder Harmoniumbegleitung von **Jos. Deschermeier**[3]), Op. 82, weiß mit dem ausgedehnten Text gut zurecht zu kommen und durch Rezitation beider oder der einen und anderen Stimme, durch Abwechslung zwischen Invokation und Responsorium und eine leichte, angenehme Orgelbegleitung die schwierige Aufgabe, welche die Herz-Jesu-Litanei stellt, gut zu lösen, ohne in Mechanismus, Monotonie und ungeordnete Modulation zu verfallen.

In neuer Auflage sind erschienen:

a) Die Herz-Jesu-Messe von **Ebner**,[4]) zweistimmig (für Cantus, Alt oder Tenor, Baß), Op. 20, zum 4. Male (s. Cäc.-Ver.-Kat. Nr. 1543).

b) Die Messe zu Ehren des heil. Joseph mit dem Offertorium *Veritas mea*, einstimmig mit Orgel von **Jos. Groiß**,[5]) zum 5. Male (s. Cäc.-Ver.-Kat. Nr. 863).

c) Die lateinischen Gesänge zu Ehren der Mutter Gottes für 2 Stimmen mit Orgelbegleitung, Op. 14 von **Mich. Haller**,[6]) zum 9. Male (Cäc.-Ver.-Kat. Nr. 369).

d) Die zweistimmige Messe zu Ehren des heil. Aloysius (Cantus und Alt) mit Orgel, Op. 87 von **Mich. Haller** zum 2. Male[7]) (Cäc.-Ver.-Kat. Nr. 3112).

Als Op. 98 von **Mich. Haller** erschienen 5 Motetten für Weihnachten[8]) für 3 gleiche Stimmen (2 Sopran und Alt) mit Orgelbegleitung. Die Texte, 3 Offertorien für die drei Messen, ein *Quem vidistis pastores* und ein *Parvulus filius*, sind in dem bekannten, faßlichen und fließenden Stile komponiert und atmen kindliche Freude und selige Weihnachtslust.

---

[1]) Mailand, Bertarelli. Partitur 1 Lire 50 Cent.

[2]) *Missa Te Christe supplices* ad chorum trium vocum inaequalium (Mezzosopran, Tenor, Baß) Organo comitante concinenda. Turin, Marcello Capra. Partitur und Stimmen 3 ℳ 15 ₰, 3 Stimmen à 25 ₰.

[3]) *Litaniae de Sacro Corde Jesu* ad duas voces aequales cum organo. Regensburg, Fritz Gleichauf. Ohne Jahreszahl. Partitur 2 ℳ, 2 Stimmen à 20 ₰.

[4]) *Missa in hon. Ss. Cordis Jesu* pro 2 vocibus comitante organo. Regensburg, Fr. Pustet. Partitur 1 ℳ 20 ₰, 2 Stimmen à 15 ₰.

[5]) *Missa in hon. S. Patris Josephi* una cum Offertorio pro ejusdem festo *Veritas mea* pro una voce et Organo. Regensburg, Fr. Pustet. Partitur 80 ₰, Stimme 10 ₰.

[6]) *Cantica in hon. Beatae Mariae Virginis* ad duas voces organo comitante. Regensburg, Fr. Pustet. Partitur 1 ℳ 20 ₰, 2 Stimmen à 30 ₰.

[7]) *Missa XXI in hon. S. Aloysii Gonzagae C.* ad duas voces aequales cum Organo. Regensburg, Fr. Pustet. Partitur 1 ℳ 20 ₰, 2 Stimmen à 20 ₰.

[8]) *In Nativitate Domini.* 5 Motetta ad 3 voces aequales cum Organo. Regensburg, Fr. Pustet. 1908. Partitur 1 ℳ 20 ₰, 3 Stimmen à 20 ₰.

— — Vier Festmotetten für 6, 7 und 8 gemischte Stimmen bilden den Inhalt von Op. 99 des gleichen Komponisten.[1]) Die Gegenüberstellung eines vierstimmigen Männerchores und dreistimmigen Knaben- oder Frauenchores, die sich gegenseitig ablösen, und bei den musikalischen Gipfelpunkten vereinigen, verleihen dem Weihnachtsgesang *Hodie Christus natus est* jubelnden Charakter und tröstlichen Frieden. Das achtstimmige *Terra tremuit* für Ostern besteht aus zwei gemischten Chören, die besonders im *Alleluja* beim Wechsel des Rhythmus festlichen Jubel ausströmen. Das Pfingstoffertorium *Confirma hoc Deus* setzt sich aus zwei dreistimmigen Chören zusammen (Knaben- und Männerchor) und wirkt besonders im *Alleluja* durch zierliche Rhythmik und Melodik der sechs Stimmen. Der Offertoriumtext *Ave Maria* für das Muttergottesfest am 8. Dez., für zwei vierstimmige gemischte Chöre gesetzt, strahlt von Anmut und Zartheit. Keine der 4 Festmotetten stellt an die Sänger irgendwelche Schwierigkeiten, vorausgesetzt, daß dieselben die Grundprinzipien der Imitation und einfacher, durchaus nicht verwickelter Polyphonie zu beherrschen gelernt haben.

Die Messe *Salve Regina* für Sopran, Alt und Baß mit Orgelbegleitung, leicht ausführbar von **Max Hohnerlein**,[2]) Op. 48, ist im edlen Sinne des Wortes einfach, sehr sangbar und auch für die kleinsten Verhältnisse brauchbar und empfehlenswert.

— — Auch das Op. 50 des nämlichen Komponisten, eine Messe zu Ehren der heil. Walburga für zwei gleiche oder drei oder vier gemischte Singstimmen mit Orgelbegleitung, sehr leicht ausführbar, ist für Land- und Marktchöre bestimmt und empfehlenswert.[3]) Die Orgelbegleitung ist reicher als in Op. 48, jedoch nur von mittlerer Schwierigkeit, die Textesdeklamation natürlich und fließend, das *Credo* abwechslungsreich durchgeführt.

— — *Requiem* und *Libera*[4]) mit vollständigem Text für eine Singstimme mit Orgel- oder Harmoniumbegleitung, Op. 54 desselben Autors. Durch Rezitation auf dem Tone *f* bei der Wiederholung des Introitus, im ganzen Graduale und Traktus und der 3.—5., 8.—10., 13.—15. Strophe des *Dies irae*, des *Hostias* im Offertorium und des ℣. *Tremens* im *Libera* mit einfacher Begleitung der Orgel ist es dem Komponisten gelungen, den liturgischen Text in einfache und würdige Melodien zu fassen, so daß auch eine einzige Persönlichkeit (als Sänger und Organist) ohne alle Anstrengung den Anforderungen der Kirche bei der Totenmesse entsprechen kann.

Das Op. 5 von **Adolf Kaim**, die vielgesungene Messe *Jesu Redemptor*, die seinerzeit dem † Franz Witt dediziert war, und im Cäc.-Ver.-Kat. unter Nr. 69 Aufnahme gefunden hat, liegt in 9. Auflage vor.[5])

Das Op. 21 des † Domkapellmeisters **Jos. Niedhammer**[6]) war zur Feier des ersten heiligen Meßopfers seines Vetters bestimmt, und ist für Chöre mit bescheidenen Verhältnissen geschrieben. Die Homophonie herrscht vor; wo die Stimmen selbständig geführt sind, kann bei einiger Gewohnheit keine Schwierigkeit entstehen. Im *Credo* können auch die Melodien des 2. Choral-*Credo* verwendet werden; übrigens ist es durchkomponiert. Das einfache Werk macht einen sehr guten und bescheidenen Eindruck.

Ein neues Werk von **Pagella** (Op. 54), die Messe zu Ehren der seligsten Jungfrau für gemischten vierstimmigen Chor mit Orgel,[7]) wird modernen Chören, welche über

[1]) IV Motetta festiva, 6, 7 et 8 vocibus mixtis concinenda. Nr. 1. *Hodie Christus natus est*, 7 voc. *(in Nativitate Domini)*. Nr. 2. *Terra tremuit*, 8 voc. (Offert. *in Resurrectione Domini)*. Nr. 3. *Confirma hoc*, 6 voc. (Offert. *in festo Pentecostes*). Nr. 4. *Ave Maria*, 8 voc. (Offert. *in festo Immaculatae Concept. B. M. V.)*. Regensburg Fr. Pustet. 1908. Partitur 2 ℳ, 4 Stimmen à 24 ₰.

[2]) Regensburg, Fritz Gleichauf. Ohne Jahreszahl. Partitur 2 ℳ, 3 Stimmen à 25 ₰.

[3]) *Missa in hon. S. Walburgae* ad duas, tres vel quatuor voces inaequales cum Organo. Regensburg, Fritz Gleichauf. Ohne Jahreszahl. Partitur 2 ℳ, 4 Stimmen à 25 ₰.

[4]) *Missa pro defunctis*. Regensburg, Fritz Gleichauf. Ohne Jahreszahl. Partitur 2 ℳ, Stimme 25 ₰.

[5]) *Missa Jesu Redemptor* ad quatuor voces inaequales (Cantus, Alt, Tenor, Baß). Regensburg, Fr. Pustet. Partitur 1 ℳ, 4 Stimmen à 15 ₰.

[6]) *Missa decima* ad quatuor voces inaequales. Düsseldorf, L. Schwann. 1908. Partitur 1 ℳ 20 ₰, 4 Stimmen à 20 ₰.

[7]) *Messa IX in onore di Maria Ss. Ausiliatrice Incoronata* a 4 voci miste (Sopran, Alt, Tenor, Baß) con accompagnamento d' organo. Turin, Via Madama Cristina 1, Libreria San Giovanni Evangelista. 1908. Partitur 3 Lire 50 Cent., 4 Stimmen à 40 Cent.

gutes Stimmenmaterial verfügen, neue Gesichtspunkte, besonders in rhythmischer Beziehung und nach polyphoner Seite, darbieten. Der Komponist hat diese 9. Messe seinem Generalobern Don Mich. Rua in Turin, dem Nachfolger Don Boskos des Gründers der Salesianer, gewidmet. Jede Stimme singt innig und trotz aller Selbständigkeit in schöner Unterordnung zum Ganzen den liturgischen Text mit großem Ausdruck; die Orgelbegleitung als Vor- und Zwischenspiel ist selbständig, hält aber die vier Singstimmen fest zusammen. Eine besondere Wucht und Majestät zeichnet das *Credo* aus, ein vollständig neuer Versuch, das Glaubensbekenntnis in Lapidarschrift musikalisch darzustellen. Die Chromatik ist nur selten angewendet, durch dissonierende Vorhalte weiß aber der Komponist überraschende Wirkungen zu erzielen. Eine Neuheit ist auch der Übergang vom *Sanctus* zum *Benedictus*. Wer die Formen des strengen Satzes als Maßstab anlegt, wird die Messe ablehnen; sie neigt mehr zum Orgelstile hin, bewahrt aber einheitlichen Charakter in den Motiven und Nachahmungen. Sie verdient ernstliches Studium und wird guten Dirigenten, deren Organisten sich den Singstimmen anzuschmiegen verstehen, und deren Sängerchöre biegsames Stimmenmaterial enthalten, schöne Gelegenheit bieten, diese Muttergottes-Messe mit großem Erfolg zu leiten und die andächtigen Zuhörer zu fesseln.

Unter dem Titel: „Denkmäler der Tonkunst in Österreich“ hat der † **Joh. Evang. Habert** im Jahre 1896 die Hymnen von **Johann Stadlmayr** (1560—1648) in Original-Ausgabe ediert. **Jakob Quadflieg** bearbeitet dieselben als Fortsetzung der „Meisterwerke deutscher Tonkunst“ in moderner Ausgabe auf 2 Notensystemen, Violin- und Baßschlüssel, mit rhythmischen und dynamischen Angaben und in praktischer Transposition. Über diese 36 Hymnen hat er ein alphabetisches und ein Inhaltsverzeichnis nach den Festzeiten beigefügt und die „geraden“ Strophen mit Text versehen in der Voraussetzung, daß die „ungeraden“ choraliter oder unter Rezitation mit Orgelspiel vorgetragen werden. Nähere Vorbemerkungen des Herausgebers sind in deutscher, englischer und französischer Sprache beigegeben. Einige bei Stadlmayr fehlende *Amen* sind stilgerechte Zusätze des Herausgebers.[1])

Die Preismesse „Salve Regina“ für Sopran und Alt (obligat), Tenor und Baß (ad lib.) mit Begleitung der Orgel von **G. E. Stehle**[2]) ist in 18. verbesserter Auflage erschienen. Sie steht unter Nr. 272 im Cäc.-Ver.-Kat.

*Ave Maria* für Sopran, Alt, Tenor, Bariton, Baß und Orgel von **J. Verheyen**,[3]) Op. 8. Sehr wirkungsvoll ist das fünfstimmige *Ave Maria* als Offertoriumstext komponiert und auch mit Berücksichtigung des Festes vom 8. Dezember (Mariä Empfängnis) eingerichtet. Die Orgelbegleitung ist selbständig und sehr diskret, die dynamischen Angaben erleichtern das Verständnis der mittelschweren Komposition.

*Missa in hon. S. Elisabeth* für zweistimmigen gemischten Chor mit Orgelbegleitung Op. 120, von **Aug. Wiltberger**.[4]) Sopran und Alt bilden vereint die Oberstimme und reichen nicht über $d^2$ hinaus, ebenso verhalten sich Tenor und Baß als Unterstimme. Die Orgelbegleitung ist sorgfältig dynamisiert und füllt den zweistimmigen imitatorischen Satz in abgerundeter Weise aus. Diese Gattung der Messen hat Referent von jeher gut empfohlen, besonders jenen Chören, welche noch kein ausgeglichenes Material für 4 Stimmen besitzen, aber auch besseren zur Abwechslung und bei großem Bedarf mehrstimmiger Messen. Durch diese Gattung zweistimmiger Kompositionen werden unsere Kirchenchöre im imitatorischen und polyphonen Stile gut geübt.

— — Vom gleichen Komponisten erschien das *Te Deum* (beginnt gleich mit *Te Dominum)* für zweistimmigen Frauen- oder Kinderchor mit Orgel- oder Harmoniumbegleitung,[5]) Op. 125, ohne Zwischen-Choralverse durchkomponiert. Dasselbe ist harmonisch und modulatorisch ziemlich reich gestaltet, ohne in unmäßige Chromatik zu verfallen,

[1]) Leipzig, Breitkopf & Härtel. Partitur 3 ℳ.
[2]) Regensburg, Fr. Pustet. Partitur 1 ℳ 40 ₰, 4 Stimmen à 15 ₰.
[3]) Düsseldorf, L. Schwann. 1908. Partitur 80 ₰, von 10 Exemplaren ab je 40 ₰.
[4]) Düsseldorf, L. Schwann. 1908. Partitur 2 ℳ, 2 Stimmen à 15 ₰.
[5]) *Te Deum laudamus* ad duas voces mulierum comitante Organo. Den Ehrwürd. Ursulinenschwestern zu Weltevreden-Batavia gewidmet. Düsseldorf, L. Schwann. 1908. Partitur 1 ℳ, 2 Stimmen à 15 ₰.

läßt der einen oder andern Stimme teils durch Unisoni, teils durch Abwechslung zwischen erster und zweiter Stimme die nötige Ruhe und fesselt durch prägnante Deklamation und kräftige Rhythmik.

Von den Novitäten der Verlagshandlung Anton Böhm & Sohn in Augsburg und Wien wurden in Nummer 7 der *Musica sacra* acht Werke besprochen. Hier folgen die übrigen Novitäten in fortlaufender Nummerierung:

9. Acht neue lateinische Gesänge[1]) für gemischten Chor zum Gebrauche bei der heiligen Messe, bei Sakramentsandachten und Prozessionen von **Aug. Gälker**, Op. 46. Gleichzeitige, leichte und kurze lateinische Gesänge, von denen nur Nr. 5, 7 und 8 streng liturgische Texte haben.

10. Vier eucharistische Gesänge[2]) für Sopran und Alt mit Orgelbegleitung von **P. Fr. Raym. Hekking**, Op. 6. Die Kompositionen sind würdig, andächtig und mittelschwer.

11. Eine Lauretanische Litanei von **Raimund Heuler**, Op. 19,[3]) entspricht nach liturgischer Seite nicht genau den neuesten Vorschriften, denn die Wiederholung von *Kyrie, Christe* usw. soll unterbleiben und die Zusammenziehung von 3 Anrufungen, denen dann die Antwort folgt, ist nur Ortsgewohnheit. Wenn die Anrufungen vom Chor gesungen werden (als Soli), so antwortet nach der Intention des Komponisten das Volk; letzteres wird aber mit Schwierigkeiten verbunden sein, und sind daher die Antworten durch einen zweiten Chor, der nur einstimmig ist, vorzuziehen. Die Kantilene ist unendlich einfach, auch die Orgelbegleitung leicht. Der Litanei ist *Pange lingua* und *Tantum ergo* mit *Genitori* im zweistimmigen Satz gleichen Stiles angefügt.

12. Als 11. Lieferung einstimmiger Kirchenkompositionen liegt eine Messe in *G*-dur von **Ed. Krégczy** vor.[4]) Auch die Abwechslung zwischen Tutti und Solo bringt in die mechanische, ausschließlich syllabische Deklamation des Textes kein rechtes Leben. Das Orgelvorspiel zum *Et incarnatus est* kann man sehr gut entbehren; Wiederholung einzelner Worte in *Kyrie, Christe* und *Dona nobis* erinnert an die Zopfzeit der Kirchenmusik.

13. Marienmesse, sehr leicht ausführbar, für Sopran, Alt, Tenor und Baß von **A. Löhle**, Musikdirektor in Biberach.[5]) Tief ist die Messe nicht empfunden, aber doch nicht seicht. Schwierigkeiten keinerlei Art sind vorhanden, und darum ist das liturgisch untadelhafte und wohlklingende Werk den schwächeren Chören zu empfehlen.

14. — — Vom gleichen Autor stammen zehn leicht ausführbare Kirchengesänge[6]) für Sopran, Alt, Tenor und Baß. Was die Landchorregenten am öftesten brauchen, ist hier in kurzen, trotz leichter Ausführung korrekt und würdig erfundenen Sätzen zusammengestellt. Das *Ave Maria* ist als englischer Gruß komponiert.

15. **Julius Polzer**, Op. 140—145. Sämtliche Chorgesänge für den heiligen Charfreitag für einen ein- oder vierstimmigen Chor[7]) mit oder ohne Orgelbegleitung. Die Orgelbegleitung ist jedenfalls nur im äußersten Notfall zulässig. Übrigens sind die Gesänge so leicht, gleichzeitig und harmonisch einfach, daß auch schwache Chöre dieselben würdig vortragen können. Das *Ecce quomodo* erinnert sehr stark an die Komposition von Gallus (Handl).

---

[1]) Die Texte sind: 1. *Contrita cordo tundimus* (2 Strophen). 2. *Creator summe rerum* (3 Strophen). 3. *Sanctus Deus Sabaoth*. 4. *O Deus ego amo te* (3 Strophen). 5. *O salutaris hostia* (2 Strophen). 6. *O esca viatorum* (3 Strophen). 7. *Pange lingua* (4 Strophen). 8. *Tantum ergo* mit *Genitori*. 1908. Partitur 60 ₰.

[2]) *O salutaris hostia; O sacrum convivium; Panis angelicus; O bone Jesu*. 1908. Partitur 80 ₰, 4 Stimmen à 20 ₰.

[3]) *Litaniae Lauretanae* für Sopran und Alt, Chor oder Solo- und einstimmigen Volks- oder Chorgesang mit Orgel- oder Harmoniumbegleitung. 1908. Partitur 1 ℳ 20 ₰, Stimmen à 20 ₰.

[4]) *Missa in hon. S. Augustini*. 1908. Partitur 1 ℳ 50 ₰, Stimme 30 ₰.

[5]) *Missa in hon. Ss. Nominis Mariae*. 1908. Partitur 1 ℳ 60 ₰, 4 Stimmen à 30 ₰.

[6]) *Pange lingua* (2). *Veni Creator* (2). *Adoro te*. *O salutaris*. *Ave Maria*. *Offertorium* der Hochzeitsmesse. *Stabat mater*. Grablied (deutsch). Partitur 1 ℳ, 4 Stimmen à 30 ₰.

[7]) Traktus *Domine* und *Eripe; Venite adoremus*. *Popule meus*, *Vexilla regis* und *Ecce quomodo*. 1908. Partitur 1 ℳ 40 ₰, 4 Stimmen à 25 ₰.

16. — — Op. 150—153. Chorgesänge für den Charsamstag und Pfingstsamstag, für einen ein- oder vierstimmigen Chor mit oder ohne Orgel.[1]) Diese Nummern bilden gleichsam eine Fortsetzung der eben besprochenen Charfreitagsgesänge. Es muß bemerkt werden, daß bei den vier Traktus nur der Anfang in Noten gesetzt, der übrige Text aber ausgelassen ist.

17. — — Op. 162—164. Chorgesänge zur Messe am Charsamstag.[2]) Das dreimalige *Alleluja* ist Choral, das *Magnificat* im Ettschen Stil als mensurierter Choral behandelt. *Kyrie, Gloria, Sanctus* und *Benedictus* müssen aus einer anderen Messe genommen werden.

18. — — Op. 156—157. Zwei *Asperges me*, in *F* und *C*, für einstimmigen Chor mit Begleitung der Orgel.[3]) Es ist zu begreifen, daß der Autor eine so große Opuszahl aufzuweisen hat, nachdem er jede, auch die kleinste Komposition, eigens aufzählt.

19. Das zweistimmige *Te Deum* von **Joh. Schuh**[4]) ist äußerst anspruchslos. Die Anmerkung, „daß an Tagen, bei denen ein *Te Deum* im Officium nicht vorgeschrieben ist, z. B. an Königsfesten, oder wenn eine längere Andacht vorausging, von *Te gloriosus* bis *Te ergo quaesumus* gesprungen werden könne“, muß zurückgewiesen werden.

20. Die Messe zu Ehren des heil. Ludwig von **August Weirich**[5]) Domkapellmeister zu St. Stephan in Wien, ist allen Chören, welche Instrumentalmusik zu pflegen gewohnt sind, gut zu empfehlen. Sie ist einheitlich entworfen, ohne unmäßige Längen, kräftig durchgeführt; den Singstimmen bleibt die Oberhoheit gewahrt, der Text ist schön deklamiert. Das Werk ist in dreifacher Besetzung erschienen; die volle dritte Orchestrierung gestattet den Singstimmen ebenfalls, ohne Überanstrengung oder Geschrei sich geltend zu machen. Die Tonart *G*-moll ist strenge festgehalten; Referent hätte wenigstens am Schluß des *Gloria, Credo* und *Agnus* den *G*-dur-Akkord oder auch das verwandte *B*-dur, das am Schluß des *Sanctus* angewendet ist, gewünscht.

21. Eine Sammlung mit dem Titel: Der Psalmist von **W. Wilden** wird bereits in 4. Auflage vorgelegt.[6]) Sie ist vor Jahren im Selbstverlag des Herausgebers (Bessenich-Zülpich) erschienen und enthält 25 leicht ausführbare Psalmen und Cantica für vierstimmigen Männerchor zum Gebrauch bei Prozessionen, bei Vesper und Complet, sowie bei Begräbnissen nebst einem Anhang von 3 *Tantum ergo*. Ein gewisser K. Zores hat ebenfalls einige Falsibordoni dazu komponiert. Der Psalm *Coeli enarrant* ist nach Guidetti, ein *Tantum ergo* von C. Ett. Die 22 Falsibordoni sind einfache Akkorde in Mittel- und Schlußkadenz über die 8 Psalmtöne mit den Tönen der Vesperantiphonen. Die *Magnificat* sind nur über den 8., 5., 1. und 6. Ton komponiert. Einen Kunstwert hat die Sammlung nicht, dient aber als Übung in Seminarien und für Männerchöre zum Erlernen gleichmäßiger, schöner Aussprache der üblichsten Psalmentexte. F. X. H.

---

## Aus Archiven und Bibliotheken.

### Choralrhythmus nach den mittelalterlichen Quellen.

Dieser Artikel beabsichtigt nicht neue Forschungsergebnisse zu bieten, er will nur das schon von anderen Vorgebrachte in Erinnerung bringen und namentlich solchen, die keine Muße oder Gelegenheit haben, gelehrte Bücher und ausführliche Abhandlungen zu studieren, in einfacher Weise und ohne Eingehen auf Spitzfindigkeiten die wichtigsten Grundlagen des gregorianischen Rhythmus vorlegen.

Das Hauptelement beim Aufbau des Rhythmus in der Musik ist der wohlgeordnete Wechsel von verhältnismäßigen langen und kurzen Tönen. Ein geordnetes Dauerverhältnis der Textsilben war auch die Grundlage des Rhythmus in der altklassischen griechischen und lateinischen Poesie,

[1]) Traktus *Cantemus, Vinea, Attende* und *Sicut cervus*. 1908. Partitur 1 ℳ, 4 Stimmen à 20 ₰.

[2]) *Alleluja, Confitemini*, Traktus *Laudate Dominum*, Psalm 116, *Laudate Dominum* und *Magnificat*. 1908. Partitur 1 ℳ 40 ₰, 4 Stimmen à 25 ₰.

[3]) 1908. Partitur 80 ₰, 4 Stimmen à 20 ₰.

[4]) *Te Deum laudamus* ad duas voces aequales comitante Organo. 1908. Partitur 1 ℳ, 2 Stimmen à 25 ₰.

[5]) 1908. Besetzung I: für Sopran, Alt, Tenor und Baß mit Orgel. Dazu bei Besetzung II: 2 Violinen, Viola, Cello und Kontrabaß, bei Besetzung III: 2 Klarinetten und 2 Hörner. Direktionsstimme 3 ℳ, die vier Singstimmen à 60 ₰, Orchesterstimmen komplett 5 ℳ 60 ₰.

[6]) 1907. Partitur 1 ℳ 50 ₰, 4 Stimmen à 50 ₰.

und selbst einigermaßen in der oratorischen Prosa eines Cicero. Obwohl die Orgel dynamische Akzente nicht wiederzugeben vermag, wird der Rhythmus einer Komposition beim Orgelspiel nichtsdestoweniger wahrgenommen, eben weil in demselben das Hauptelement des Rhythmus, d. h. der verschiedene Dauerwert der Töne, zur Geltung kommt.

Läßt man dieselbe wohlgeordnete Melodie, welche soeben akzentlos auf der Orgel erklang, von einem musikalisch Empfindenden singen oder auf einem der dynamischen Betonung fähigen Instrumente vortragen, so kommen unwillkürlich an gewissen Stellen dieser Melodie stärkere Betonungen zum Vorschein.[1]) Diese dynamische Akzentuierung ist das zweite und vervollkommnende Element des musikalischen Rhythmus; letzterer wird mittels dieses Elementes viel leichter aufgefaßt und wahrnehmbarer gemacht. Ordnung in der Akzentuierung kann für sich allein schon einen allerdings auf niedrigerer Stufe stehenden Rhythmus erzeugen. Der Rhythmus unserer modernen Poesie beruht auf der Akzentordnung, wenn auch zum Wohlklang der Verse die verschiedenen Dehnungen und Kürzungen der Wortsilben das ihrige beitragen.

Obgleich nun eine wohlgeordnete Akzentuierung einen Rhythmus aufbauen kann, so würde doch die Musik, sollte sie sich zu rhythmischen Zwecken auf das Akzentelement beschränken, hinter ihrem naturgemäßen Leistungsvermögen zurückstehen und sich bei ihrem Fluge selbst die Flügel beschneiden; denn sie ist ihrer Natur nach auf einen vollkommeneren Rhythmus angewiesen; wie schon der heil. Augustin bemerkt und nach ihm die mittelalterlichen Schriftsteller hervorheben, „kommt gerade der Musik die gesetzmäßige Abmessung der Töne eigentlich zu".

Es gibt zwar noch anderes, das in entfernterer Weise zum Rhythmus gehört und ihn vervollkommnet; die Gruppen und Teile einer schon rhythmisierten Melodie noch mehr ordnet und faßbarer macht, so z. B. die Zusammenfassung und Abgrenzung der enger zueinander gehörenden Noten, die Symmetrie der Sätze usw. Ähnliches geschieht auch in der Poesie durch Zäsuren, Versabgrenzung usw. Aber dieses alles setzt das oben besprochene Hauptelement des musikalischen Rhythmus voraus und trägt dem Gemälde nur den letzten Pinselstrich auf. Ganz zutreffend bemerkt Dom Mocquereau (in Nr. 63 und 64 seiner Abhandlung über den gregorianischen Rhythmus in „Church Musik". Bd. I): „Ein wohlgeordnetes Verhältnis zwischen langen und kurzen Noten beim Absingen einer Folge von ungleichen Noten erzeugt den Rhythmus in seinem Grundbegriff".

Und in der Tat, wenn wir uns in der musikalischen Welt umsehen, so treffen wir bei allen Völkern, bei den zivilisierten wie bei den unzivilisierten, im Osten und im Westen, im Altertum und in der neueren Zeit, eine Musikübung, die sich auf Länge und Kürze der Noten gründet. Sollte der Choral allein in gleichlangen Noten komponiert und von jeher dergestalt ausgeführt worden sein? Das ist schon im vorhinein sehr unwahrscheinlich, und zwar umsomehr, als der Choral keine musikalische Akzentordnung, namentlich wenn man seine Noten als alle gleichlang annimmt, äußerlich erkennen läßt, und er so doppelt dürftig erschiene.

Es sind uns aber geschichtliche Dokumente genug aufbewahrt worden, welche dartun, daß der gregorianische Gesang tatsächlich keine Ausnahme von der allgemeinen Regel bildet. Vorliegender Aufsatz setzt sich zum Ziele, einige der Hauptbeweise hiefür kurz zusammenzustellen. Wer ausführlichere Erörterungen und im besonderen den Originaltext (nebst Übersetzung) der Beweisstellen aus den mittelalterlichen Choralautoren im Zusammenhang einzusehen wünscht, den verweise ich auf Fleury-Bonvins Schrift „Über Choralrhythmus".[2]) Diese Beweise liegen übrigens in Ant. Dechevrens Werken und G. Gietmanns Aufsätzen schon längst vor; sie sind aber leider von der Mehrheit der Choralbeflissenen entweder gar nicht oder nur obenhin beachtet worden.

Es ist allerdings Tatsache, daß von einer gewissen Periode, sagen wir, vom 12. Jahrhundert an, der Choral den Anblick der Rhythmuslosigkeit, des Gleichmaßes der Noten darbietet. Diese Erscheinung könnte den Verdacht aufkommen lassen, daß es wohl immer so gewesen sei. Welche ungünstigen Umstände hätten denn der Musik eine solch radikale und unnatürliche Umwandlung aufgenötigt? Könnten wir uns aber diese befremdende Verwandlung auch nicht erklären, so würde dieser Umstand an den positiven Zeugnissen für den früheren musikalischen Rhythmus der Längen und Kürzen doch nichts ändern. Wir müßten dann eben annehmen, die Geschichte habe uns die zur Erklärung nötigen Urkunden aus diesen fernabliegenden Zeiten nicht überliefert. Glücklicher-

---

[1]) Durch eine bestimmte Ordnung und Wiederkehr von langen und kurzen Tönen kann man die Stelle der Akzente fixieren und erzwingen. Lauter gleichlange Noten dagegen tun dieses aus sich nicht; es müssen hier hervortretende Melodieschritte — und Wendungen, die in einer gewissen Ordnung erfolgen, zu Hilfe kommen, um die Schwerpunkte zu bedingen.

[2]) Bei Breitkopf & Härtel, Leipzig, erschienen. Preis 2 M.

weise ist letzteres jedoch nicht der Fall. Wir kennen die Ursachen, welche den Verlust des Rhythmus herbeigeführt haben. Aus verschiedenen Aussprüchen der alten Schriftsteller geht nämlich hervor, daß das Organum, (wie die unbeholfenen Anfänge der Mehrstimmigkeit hießen), die Schuld daran trägt.

Man fing am Ende des 9. Jahrhunderts an, den Choral mehrstimmig zu singen und zwar, — wie ein dem Mönch Hucbald zugeschriebenes, von de Coussemaker aufgefundenes altes Schriftstück uns lehrt, — so langsam, daß die rhythmischen Dauerverhältnisse der Noten nicht mehr beobachtet werden konnten; man sang in langen, gleichwertigen Noten. Die Neuheit der Zusammenklänge gefiel, diese Singweise verbreitete sich immer mehr, man gewöhnte sich nach und nach, den Choral, den man als Teil des Organums im Gleichmaß sang, auch unabhängig vom Organum dergestalt vorzutragen und vergaß schließlich, daß es früher mit ihm anders bestellt war. Wir können in den Aussprüchen der alten Autoren den Fortschritt des Verfalles verfolgen. Die für den Rhythmus verhängnisvolle Langsamkeit des Organums und die Freude an dem Wohlklang der aufkommenden Vielstimmigkeit finden wir außer in dem oben angezogenen Fragment, noch mehrmals in den dem Mönche Hucbald (9. und 10. Jahrhundert) zugeschriebenen Werken erwähnt. Im Anfange des 11. Jahrhunderts sehen wir dann Berno von Reichenau gegen diejenigen auftreten, welche die rhythmischen Dauerverhältnisse nicht mehr beobachteten. Ende desselben Jahrhunders hören wir schließlich Aribo darüber klagen, daß der frühere Rhythmus nun ganz begraben sei und man statt dessen nur mehr an dem Wohllaut des Zusammenklanges seine Freude habe. Einige Reste der früheren rhythmischen Tradition retteten sich übrigens in einigen Ländern noch in spätere Jahrhunderte hinein, wie die Schriften der beiden Engländer Walter Odington und J. Hothby bezeugen. Der erstere lebte im 13. Jahrhundert in England, der zweite in Florenz im 15. Jahrhundert.

Merkwürdig! Es würde wohl niemand für eine andere Musikgattung das Gleichmaß der Noten als künstlerisch annehmbar und erwünscht hinstellen; für den gregorianischen Gesang aber schreibt eine gegenwärtig mächtige Richtung dasselbe auf ihr Panier und weist den sonst aller Musik gemeinsamen Rhythmus der verhältnismäßigen Längen und Kürzen mit aller Entschiedenheit von sich. Und doch sind die Beweise für diesen Rhythmus derart, daß man meinen sollte, sie müßten einen jeden überzeugen. Man urteile selbst.

Die mittelalterlichen kirchenmusikalischen Schriftsteller, besonders Hucbald, Guido von Arezzo, Berno von Reichenau, Aribo der Scholastikus, sprechen in unzweifelhafter Weise von langen und kurzen Tönen. So schreibt z. B. Hucbald (9. und 10. Jahrhundert) in seiner *Musica enchiriadis:* „Was nennt man rhythmisch singen? Rhythmisch singen heißt die langen und kurzen Dauerwerte beachten. Wie man nämlich lange und kurze Wortsilben beachtet, so unterscheidet man auch lange und kurze Töne, so daß die langen und kurzen gesetzmäßig sich zusammenordnen, und die Melodie wie nach Versfüßen taktiert werden könne." Nachdem er hiefür ein Notenbeispiel aus der Liturgie angeführt hat, sagt er nochmals: „Rhythmisch singen heißt also langen und kurzen Tönen die gehörige Dauer zuweisen."

Ebenfalls betont dies der Zeitgenosse Guidos von Arezzo, der Benediktinerabt Berno von Reichenau (1. Hälfte des 11. Jahrhunderts): „Es ist bei den Neumen mit aller Sorgfalt darauf zu achten, wo den Tönen eine gesetzmäßige Kürze, wo ihnen dagegen eine längere Dauer zugemessen ist . . . Wie man also in der Poesie den Vers durch genaue Abmessung der Füße aufbaut, so bildet man auch einen Gesang durch geeignete und übereinstimmende Zusammenfügung von langen und kurzen Tönen; und es wird dann, wie beim Hexameter, wenn er sich gesetzmäßig fortbewegt, die Seele allein schon durch den Klangrhythmus ergötzt."

Wodurch wurden nun in der damaligen Notation, in der Neumenschrift, die Längen und Kürzen kenntlich gemacht und welcher Art waren diese Längen und Kürzen? Ich muß mich hier auf zwei Arten von rhythmischen Bezeichnungen beschränken, deren Bedeutung von den mittelalterlichen Autoren am deutlichsten angegeben sind; es sind dies: das Strichlein (virgula, episema) und die Romanus-Buchstaben *t, c, m.* In den alten St. Galler Handschriften finden sich diese Zeichen den Neumen zahlreich beigeschrieben.

Die Bedeutung des Strichleins lehren uns Guido von Arezzo und Aribo. Im 15. Kapitel seines Micrologus[1]) sagt Guido: „Es muß also die Melodie gleichsam nach metrischen Füßen taktiert

---

[1]) Da ich mich auf das 15. Kapitel aus Guidos Micrologus berufe, ist es angebracht, hier über die im neuesten Kirchenmusikalischen Jahrbuch 1906, (S. 134) von P. Vivell, O. S. B., ausgesprochene Ansicht ein Wort zu sagen. Nach derselben soll hinfort das betreffende Kapitel nicht mehr für den Choralmensuralismus ins Feld geführt werden können, weil es nicht vom Choral, sondern von der mehrstimmigen Mensuralmusik handle. Ein unedierter Kommentar zum Micrologus, der bruchstückweise

werden und es muß der eine Ton im Verhältnis zum andern die doppelte Länge oder die doppelte Kürze oder einen schwankenden (mittleren)[1] Wert haben, d. h. von verschiedener Dauer[2]) sein, wobei die Länge des öfteren durch ein der Note beigefügtes Strichlein bezeichnet wird."

Auch Dom Mocquereau[3]) erwähnt das St. Galler Strichlein als Längezeichen und betont, es stelle sich bei näherem Studium der Handschriften der verschiedenen Länder heraus, daß der in den St. Galler Kodizes enthaltene Rhythmus der allgemeine gewesen sei, daß im besonderen die Handschriften der Metzer Schule zu demselben Zwecke das Strichlein durch Ummodelung der Neumenfigur selbst ersetzt und zudem rhythmische Buchstaben haben, die denen in St. Gallen entsprechen. Leider berücksichtigt er aber weder die Anfangsnote der Guidoschen Stelle, die ihn die Bedeutung des Strichleins lehrte, noch gelegentlich der Romanusbuchstaben, die klassische Stelle Aribos, die ich bald zitieren werde; Dom Mocquereau beachtet nur die unbestimmteren Erklärungen Notkers und so bedeuten für ihn alle diese Zeichen nur vage, nicht genau abgemessene und in genauen Proportionen zueinander stehende Dauerwerte. Die gregorianischen Schriftsteller lassen uns aber betreffs des genauen Maßverhältnisses der Noten zueinander nicht im Unklaren; das obige Zitat aus Guidos Micrologus gibt uns in demselben Satze, in welchem das Strichlein als Längezeichen angeführt wird, zugleich das Dauerverhältnis der Noten: „der eine Ton muß im Verhältnis zum andern die doppelte Länge oder die doppelte Kürze haben.

Dasselbe betont auch Aribo, indem er sagt: „Die Tremula-Note, wenn sie das Strichlein trägt, ist lang und zwar von der Länge, die Guido doppelt so lang als die kurze Note nennt; ohne das Strichlein ist sie nach Guidos Lehre zweimal kürzer".

Daß es sich nicht um unbestimmte Verlangsamungen und Beschleunigungen handelt, folgt ferner aus der wiederholten Versicherung der alten Choralschriftsteller, die Melodien seien rhythmisch so eingerichtet, daß man sie nach Art der altklassischen Poesie taktieren könne; nun ist es aber bekannt, daß die Skansion dieser Poesie sich auf genau abgemessene Längen und Kürzen stützte, daß in derselben die Länge zwei Kürzen gleichkam, wie unsere halbe Note zwei Vierteln entspricht. Gleich die Anfangsnote der zitierten Guidonischen Stelle erinnern an dieses metrische Taktieren. Aus ihnen ergibt sich unzweifelhaft ein Skandieren im altklassischen Sinne und nicht etwa in dem-

---

angeführt wird, erklärt nämlich, daß die Regeln des 15. Kapitels — wie wir übrigens schon lange wußten, weil Guido ja es selbst sagt — sich auf die Gesänge beziehen, welche Guido metrische nennt. Daß nun der Ausdruck „metrische Gesänge" die mehrstimmige Mensuralmusik des Mittelalters bedeutet, beweist P. Vivell mit keinem Wort, wenn nicht etwa seine Übersetzung von „*cant. metrici*" mit „mensurierte Gesänge" die Brücke zu einem Beweis schlagen soll. Er nimmt die Sache einfach als selbstverständlich an. Im Kapitel 15 des Micrologus finden wir aber die mehrstimmige Mensuralmusik mit keiner Andeutung erwähnt. Desgleichen sagt der anonyme Kommentator in den von P. Vivell angeführten Stellen nirgends, die metrischen Gesänge seien eine solche Musik; gleich Aribo bedient er sich zur Veranschaulichung der im 15. Kapitel enthaltenen Regeln im Gegenteil gerade der Choralbeispiele. Daß der Name „metrisch" von Guido und seinen Auslegern den betreffenden Choralgesängen gegeben wurde wegen der Ähnlichkeit *(per similitudinem)*, die diese Gesänge in ihren symmetrischen Sätzen und ihrem wohlgeordneten Aufbau etc. mit der altklassischen metrischen Poesie *(more metrorum)* aufweisen, legt schon Guido im Kapitel 15 durch die Gegenüberstellung der „metrischen" und der „gleichsam prosaischen" Gesänge nahe. Klar sagen dieses übrigens J. Cotto und Aribo. *(Cantus autem hujus modi musici accuratos vocant, quod in eorum compositione cura adhibeatur. Hos etiam metricos per similitudinem appellant, quod more metrorum certis legibus dimetiantur, ut sunt Ambrosiani.* (J. Cotto, *De Musica XIX.* Migne 150, col. 1420.) *Item ut more versuum distinctiones aequales sint, sicut in bene procuratis cantibus invenimus, quos metricos dicere possumus, ut: Non vos relinquam orphanos etc. Talis consideratio similis est rhetorico colori, qui compar dicitur, qui constat fere ex pari numero syllabarum.")* Aribo. (Migne 150, col. 1342.)

Aber die ganze Annahme Vivells ist in ihrer Voraussetzung hinfällig; P. Vivell vergißt nämlich, daß die rhythmische Mehrstimmigkeit, die mehrstimmige Mensuralmusik zur Zeit Guidos von Arezzo noch gar nicht existierte; sie trat erst über hundert Jahre später auf. Guido, der kein Prophet war, konnte also diese Kompositionsweise gar nicht im Sinne gehabt haben; er kannte nur das keine rhythmischen Verhältnisse beobachtende Organum, wie der Micrologus selbst im 18. und 19. Kapitel es beweist. Aribo und Cotto, Ende desselben Jahrhunderts, kannten ebenfalls nur die Diaphonie (Organum).

[1]) Der hier von Guido gebrauchte Ausdruck ist uns nicht mehr klar.

[2]) *Tenorem*, Dauer. Tenor wird von Guido definiert als „die Dauer eines jeden Tones, welche die Grammatiker über kurzen und langen Silben als deren Zeitmaß schreiben."

[3]) Siehe z. B. in „Church Music" Jahrgang II Dom Mocquereaus Abhandlung „Gregorian. Rhythmen", n° 80 sq. und n° 115 sq.

jenigen der akzentuierenden Poesie; zudem spricht Guido anderswo von daktylischem, spondäischem, jambischem Metrum in der Musik, und Aribo von asklepiadischem, sapphischem etc. Lang vorher hatte schon Hucbald geschrieben: „Diese Regelmäßigkeit im Singen heißt griechisch Rhythmus, lateinisch Numerus, weil ja jede Melodie nach Art eines metrischen Textes sorgfältig mensuriert werden muß". Auch die oben angeführten Worte Bernos sagen dasselbe: „Wie man in der Poesie den Vers durch genaue Abmessung der Füße aufbaut, so bildet man auch einen Gesang durch . . . Längen und Kürzen, und wie beim Hexameter usw."

Der Choral enthielt also ursprünglich nicht lauter gleichlange Noten, sondern solche von verschiedener und zwar genau abgemessener und proportionaler Dauer, wie in jeder andern Musikgattung.

Ein anderes Mittel, die Länge und Kürze der Noten anzugeben, bestand in der Beifügung der früher erwähnten Romanusbuchstaben *t, c, m.*

Die Bedeutung dieser Buchstaben erklärt uns zuerst der ehrwürdige Notker (9. Jahrhundert). Von einem Freunde darüber gefragt, schreibt er ihm: *C ut cito vel celeriter dicatur certificat.* (*C* bedeutet, daß schnell vorgetragen werden soll). *T trahere vel tenere debere testatur.* (*T* bezeugt, daß angehalten werden soll). *M mediocriter.* (*M* = mittelmäßig).

Diese und die sogleich zu erwähnenden Ausdrücke Aribos: *celeritas, tarditas* werden im römischen Altertum von Cicero, Quintilian, Horaz zur Bezeichnung von prosodisch kurzer oder langer Zeitdauer gebraucht; es liegt deshalb nahe, anzunehmen, daß sie auch von Notker im Sinne genau abgemessener Dauerwerte verstanden werden; jedoch strikt beweisen läßt sich dies aus seinen zu knappen Worten nicht. Hätten wir nichts anderes, müßten wir uns vielleicht, wie Dom Mocquereau, mit unbestimmten Zeitwerten begnügen; allein schon der auch von Dom Mocquereau hervorgehobene Umstand, daß in den verschiedenen alten Kodizes zur Rhythmisierung derselben Melodiestellen der Buchstabe *t* oft das Strichlein vertritt und umgekehrt, daß aber die beiden Zeichen vertauschbar und gleichbedeutend sind, führt zur Annahme, daß *t* eine genau abgemessene Länge bedeutet; denn dieses ist ja beim Strichlein der Fall.

Aribo aber läßt uns vollends keinen vernünftigen Zweifel über die rhythmische Bedeutung der Buchstaben *t, c, m,* indem er gelegentlich der Erklärung einer Stelle Guidos folgendes schreibt: „Dauer heißt das Zeitmaß des Tones; bei gleichwertigen Neumen, die im Verhältnisse von 4 zu 2 Tönen stehen, muß diese Dauer für die um die Hälfte kleinere Zweizahl eine um ebensoviel längere sein. Daher finden wir in beiden älteren Antiphonarien oft die Buchstaben *c, t, m,* welche Kürze, Länge und mittlere Dauer anzeigen. Vor alters war es eine angelegentliche Sorge nicht nur der Komponisten, sondern auch der Sänger, daß jeder die Proportionen beobachtete. Diese Kunst ist nun geraume Zeit ausgestorben, ja begraben. Heutzutage genügt es, einige süße Klänge zusammenzustellen; auf die süßere Wonne, die aus der Ebenmäßigkeit fließt, wird nicht mehr geachtet."

Aribo gibt uns hier zuerst das genaue Dauerverhältnis (1 : 2 bezw. 2 : 4) der Noten zueinander an und bringt dann mit demselben sogleich in Verbindung („daher") die Buchstaben *c, t, m,* welche er als das Mittel bezeichnet, welches man früher anwandte, um den in Rede stehenden Notenwert anzuzeigen. Das von Notker noch knapper und unbestimmter als die übrigen Buchsaben besprochene „*m*" nennt Aribo in einem Atemzuge mit den anderen Buchstaben; es ist also dieses „*m*" („*mediocritatem*") ein rhythmisches Zeichen für den mittleren Notenwert.

Ich möchte bei dieser Gelegenheit bemerken, daß die von den Äqualisten in ihren sogenannten rhythmisierten Ausgaben eingeführten gelegentlichen Längen den im Obigen nachgewiesenen Längen nicht entsprechen. Die ersteren werden künstlich gebildet durch Vereinigung der Noten des Strophikus[1]) und der Reperkussionstöne[1]) zu einer einzigen Note. Gesetzt, auch diese heutzutage aus praktischen Gründen verschmolzenen Tonwiederholungen wären ursprüngliche Längen, so könnte man sie doch nicht als die den Choralrhythmus eigentlich aufbauenden Dauerwerte ansehen, von denen Guido und Aribo sprechen; denn sie verdanken ihr Dasein nicht dem Strichlein und den Romanusbuchstaben, auf welche diese Autoren zu rhythmischen Zwecken hinweisen. Sie sind jedoch keine ursprünglichen Längen, sondern wurden früher als mehrere getrennte Töne vorgetragen.[2])

---

[1]) Es sind dies mehrere über einer Wortsilbe auf derselben Stufe sich wiederholende Töne.

[2]) Zum Beweise diene folgendes nach Dechevrens und Gietmann: 1. Man müßte doch Beweise vorbringen können für die Behauptung, daß im Choral die Länge durch Verdoppelung (Addierung) des Notenzeichens angedeutet wird; denn die Sache ist doch nicht weniger als selbstverständlich. Diese Lehre findet sich aber nirgends in den alten Schriftstellern. 2. Die Bivirga und Trivirga wurden *notae*

Mittelst derselben bringt man allerdings einige Abwechselung in die eintönige Reihe gleichlanger Noten; man mag so bei der bekannten Vieldeutigkeit und Dehnbarkeit einer Melodie stellenweise eine einigermaßen befriedigende Wirkung hervorbringen; durch grundsätzliches Vorenthalten der eigentlichen Länge und durch Aufdrängen fremder Dauerwerte wird man aber dem Choral nicht den ihm gebührenden wohlgeordneten Rhythmus geben können.

Eine viel zu wenig berücksichtigte Bestätigung des bisher über den musikalischen Rhythmus des Chorals Gesagten ist die in unserer Frage lichtbringende Praxis des liturgischen Gesanges in den orientalischen Kirchen.

Der orientalische Kirchengesang bewegt sich nämlich jetzt noch in abgemessenen proportionalen Noten verschiedener Dauer; diesen Rhythmus hatte er von jeher, wie wir dies aus Gründen, die sogleich beigebracht werden sollen, annehmen müssen. Andererseits weisen geschichtliche und musikalische Erwägungen mit Bestimmtheit auf die Herkunft der gregorianischen Musik aus dem christlichen Orient hin, mit dessen Musik der abendländische Choral bis zum 11. Jahrhundert theoretisch und praktisch gleichartig war. Im orientalischen Kirchengesang werden wir also im Prinzip den verloren gegangenen Choralrhythmus finden.

Daß die Gleichförmigkeit bezüglich des Rhythmus, die jetzt in den orientalischen Kirchen herrscht, in denselben immer bestanden hat, ergibt sich aus der gegenwärtigen Übereinstimmung. Diese einerseits so zähen und konservativen, andererseits sich gegenseitig bekämpfenden und seit Jahrhunderten getrennten Kirchen haben diesen Rhythmus sicher nicht voneinander entlehnt; sie hätten daher jetzt kein gemeinsames Rhythmussystem, wenn sie dasselbe nicht schon vor den Kirchenspaltungen, also von altersher, als gemeinsames Eigentum besessen hätten.

Für die Herkunft der abendländischen Kirchenmusik aus dem Orient sprechen u. a. folgende Tatsachen: der abendländische Choral beruht auf der Theorie der orientalischen Oktoechos (8 *modi*), welche die Lateiner des Mittelalters nur etwas umgemodelt haben; die Namen dieser Choralmodi sind griechisch, ebenfalls größtenteils diejenigen der Neumenzeichen; diese Neumenzeichen sind in

---

*repercussae* (d. h. Notenfiguren mit mehrmaligem Anschlage desselben Tones) genannt; ihr Name schon bezeugt also, daß sie nicht ein einziger verlängerter Ton waren. 3. In den Guidonischen Handschriften wird der Strophikus der Neumenkodizes oft durch zwei um einen Halbton voneinander abstehende Töne wiedergegeben, was gegen die Auffassung einer Verschmelzung der Töne zu einem einzigen langen spricht. — Dasselbe besagt die Silbenverteilung der Tropen und Sequenzen, die im Mittelalter bekanntlich manchen melismatischen Melodien nachträglich unterlegt wurden: jede der *notae repercussae* etc. (auch die zwei des Pressus) erhielt eine eigene Silbe. Das deutet doch klar an, daß man die Noten als mehrere getrennt vorzutragende Töne auffaßte. 4. Die liquessierende Form der Bi- und Tristropha in den Neumenkodizes deutet, wie bei jeder anderen Fließnote, für jede der Wiederholungsnoten auf eine Hauptnote mit einer kurzen, auf tieferer Tonstufe erklingenden Ziernote hin: ein Vortrag, der ein Verschmelzen der Hauptnoten zu einer einzigen unmöglich macht. 5. Die einzelnen Virgae der Bi- und Trivirga sind in den Neumenkodizes oft mit dem Längezeichen, dem Strichlein, versehen. Das würde kaum geschehen, wenn schon die Zusammenstellung dieser Virgae eine Länge bedeutete. Diese zu einem Tone vereinigten 2, 3, 6 bis 7, zum Teil noch durch das Strichlein lang gewordenen Noten würden zudem so unbeholfene, plötzliche Stockungen im Rhythmus der einstimmigen, also nicht durch Bewegung anderer Stimmen in Fluß erhaltenen Melodie verursachen, daß die Unwahrscheinlichkeit eines solchen Verfahrens in die Augen springt. 6. Wir besitzen übrigens Texte eines Choralschriftstellers aus dem 9. Jahrhundert, die bei der Tristropha ausdrücklich drei voneinander unterschiedene Noten vorschreiben: Aurelian von Réomé spricht von einem dreimaligen Anschlagen des Tones (*trina vocis repercussione*). 7. Der getrennte Vortrag der Wiederholungsnoten wird durch die Praxis im orientalischen Choral bestätigt. 8. Die spätere mehrstimmige Musik (15. Jahrhundert) bestätigt die getrennte Aufführung der Reperkussionstöne. So z. B. das *Sanctus* einer über die Chanson

O ro - sa bel - la

gearbeiteten Messe.

Vgl. Riemann, Handbuch der Musikgeschichte II, 1. S 151.

ihren Grundformen beinahe identisch mit den orientalischen[1]; die liturgische Sprache in den ersten Jahrhunderten war im Abendlande griechisch; die musikalischen Beziehungen der östlichen und westlichen Schwesterkirchen waren bis zum 11. Jahrhundert sehr innig, die alten abendländischen Kodizes enthalten teilweise griechische Melodien und Texte; Aurelian von Réomé (9. Jahrhundert) bezeugt denn auch, daß das Abendland sowohl die musikalischen Grundlagen als manche kirchliche Gesänge von Byzanz erhalten hat, usw.

Im Abendlande unterlag der ursprüngliche Rhythmus dem anfangs verderblichen Einfluß der aufkeimenden Mehrstimmigkeit in ihrem unbeholfenen Organum; der konservative Orient dagegen entging einer solchen Einwirkung, indem dort der Kirchengesang stets einstimmig vorgetragen wurde; der Orient hat deshalb dem Wesen nach bis heute den ursprünglich der Gesamtkirche gemeinsamen Rhythmus beibehalten. Im Lichte einer musikalischen Praxis werden in der Tat die Rhythmuslehren der lateinischen Choralschriftsteller viel verständlicher: orientalische Praxis und mittelalterliche Lehre decken sich.

Wie stellt sich uns nun die Kirchenmusik des Orients in rhythmischer Beziehung dar? Ich antworte mit einem Auszug aus meinem Nachwort zur (anfangs dieses Artikels erwähnten) Fleuryschen Schrift.

Die orientalische Kirchenmusik ist ein abgemessener Gesang mit Noten von verschiedener und genau verhältnismäßiger Dauer. Als Maßeinheit, die den melodischen Satz abmißt und rhythmisch zusammenhält, dient ihr der sogenannte „Chronos". Dieser Chronos (Zeitmaß) wird mit einem Schlag der sich senkenden und hebenden Hand begrenzt und taktiert; er kann eine oder mehrere proportionale Noten enthalten.

Der kurze Ton, sagt ein griechischer Schriftsteller, ist derjenige, der den Zeitraum eines Chronos dauert; die langen Töne sind diejenigen, welche zwei oder mehrere Chronoi beanspruchen. Aber der Autor setzt bei, daß sehr oft ein einziger Chronos mehrere Töne enthält. Daher eine ziemlich große Mannigfaltigkeit von Dauerwerten, welche sich in lange, kurze (oder mittlere) und kürzeste (eigentlich kurze) Noten teilen.

Der Chronos ist kein moderner Takt, sondern ein Taktteil, oder besser — um die Vorstellung des modernen Taktes fernzuhalten — eine einfache Zählzeit. Man taktiert also im Orient nicht nach Gruppen, bezw. Takten im modernem Sinne, sondern einfach jede Zählzeit für sich mit einem Schlage nach unten, ohne damit die Angehörigkeit dieser Zählzeit zu einem größeren metrischen Ganzen, zu einer Gruppe oder Takt (in modernem Sinne) anzudeuten. Unsere modernen Takte sind und waren weder im orientalischen noch im gregorianischen Choral gebräuchlich.

Nach diesem System gibt es also verschiedenwertige, aber stets in genauem Dauerverhältnis zueinander stehende Noten, die mithin regelmäßig taktiert werden können, und die je nach der Zusammenordnung, wie Guido von Arezzo und andere mittelalterliche Schriftsteller versichern, das Äquivalent der Versfüße der altklassischen Poesie bieten. Nehmen wir z. B. die Viertelnote als Maß des Chronos, so gibt eine Note, die zwei Chronoi dauert, gefolgt von zwei Noten von je einem Chronos eine daktylische Form (𝅗𝅥 ♩ ♩). Im kleineren Maßstab gibt ein ganzer Chronos gefolgt von einem in zwei geteilten ebenfalls eine Art Daktylus (♩ ♫).

Dieses orientalische primitive Taktiersystem war also aller Wahrscheinlichkeit nach auch das gregorianische. Ich gebe hier als Beispiel eine nach den Neumen rhythmisierte Melodie des Hartkerschen Antiphonars (10. Jahrhundert):

Man nehme die Viertelnote als Zählzeit (Chronos) an und taktiere im bewegten Tempo. Der sich ergebende Rhythmus ist ein ganz befriedigender.

Nun einige praktische Bemerkungen als Schlußfolgerung aus all dem Gesagten. Ist also der Choral in

[1] Siehe J. Thibauts Werk: *Origine byzantine de la notation neumatique de l'Eglise latine.* Vergl. *Musica sacra* 1908 n. 1.

abgemessenen, genau proportionalen langen und kurzen Noten komponiert worden, so haben die späteren Jahrhunderte seinem Wesen Gewalt angetan, indem sie ihn in Noten gleicher Dauer vortrugen; sie haben ihm Fremdartiges aufgenötigt, ihn verunstaltet und zur Langweiligkeit verurteilt. Indem wir ihn nach dem Prinzip des musikalischen Rhythmus der proportionalen Längen und Kürzen einrichten und vortragen, geben wir ihm nur wieder was ihm gehört und handeln in seinem Geiste selbst da, wo wir seinen Rhythmus nicht genau herstellen, sei es, weil wir dies nicht können oder aus ästhetischen und sprachlichen Gründen nicht wollen. Man erlaube mir anderswo Gesagtes zu wiederholen: Nehmen wir den absurden Fall, Schuberts Lieder verlören ihren Rhythmus und lägen uns, gleich den Choralmelodien der späteren Kodizes, nur mehr in rhythmisch abwechslungslosen Notenreihen vor. Was wäre da befriedigender und den Absichten Schuberts entsprechender: ein Vortrag dieser Lieder nach einer rhythmischen Neubearbeitung seitens eines guten Komponisten, oder die Vorführung des melodischen Rohmaterials in gleich langen Noten, wobei man etwa hie und da einige auf gleicher Stufe angetroffenen Noten zu einer längeren zusammenzöge und zum Ersatz der Schlußritardandos die letzte Note eines Satzes oder eines Satzteiles in ihrer Dauer verdoppelte?

Wenn hier dem Mensuralismus im Choral das Wort geredet wird, so wird nach den im Verlauf dieser Abhandlung gegebenen Erklärungen hoffentlich keiner an das moderne Taktsystem denken, mit dem man den Mensuralismus schon oft zu verwechseln beliebte, mit dem aber letzterer keineswegs gleichbedeutend ist. Eine Melodie kann aus abgemessenen Längen und Kürzen bestehen, ohne deshab in moderne Takte eingeteilt zu sein.

Der musikalische Rhythmus kann dem Choral in zweifacher Weise wiedergegeben werden, in archäologisch-historischen Ausgaben und in solchen, welche für die Praxis bestimmt sind. In den archäologisch-kritischen Ausgaben müßte der ursprüngliche Rhythmus so genau wie möglich wiedergegeben werden, ob er für die Praxis sich brauchbar erweist oder nicht. Es wird da neben Sicherstehendem auch manches Wahrscheinliche aufgezeichnet werden müssen. Dechevrens hat in rhythmischer Beziehung den historisch-archäologischen Choralausgaben schon viel vorgearbeitet.

Was wir aber vor allem benötigen sind für die Praxis bestimmte Ausgaben. In denselben braucht vom erkennbar ursprünglichen Rythmus nur das Praktische, Geschmackvolle, Ästhetisch-Wertvolle beibehalten zu werden. Auch darf dabei die verbessernde Hand angelegt werden; denn unser Kirchengesang ist keine Vorführung historischer Dokumente, sondern dient ganz praktischen gottesdienstlichen Zwecken und wird von und für uns Menschen des 20. Jahrhunderts gesungen. Aber dann bekommen wir ja nicht genau und in allen Einzelheiten den ursprünglichen Rhythmus zu hören. Gewiß nicht; aber zu diesem Zwecke gehen wir auch nicht in den Gottesdienst. Zudem, ist etwa der äqualistische Vortrag den Choralkomponisten gegenüber pietätvoller? Derselbe bewahrt ja nicht einmal die wesentliche Grundlage des ursprünglichen Rhythmus. Und die zusammengezogenen Reperkussionstöne und Strophici, sind die etwa dem Originale gemäß?

Aber dürfen denn die Dauerwerte des musikalischen Rhythmus dem Vatikanischen Choral eingefügt werden? Die sogenannten rhythmisierten Ausgaben in moderner Notation bringen ungehindert ihre Schlußlängen und zusammengezogenen *notae repercussae* usw. an; was dem einen recht ist, ist dem andern billig.

Eigentlicher Freiheit in der Bearbeitung erfreut man sich allerdings nur, wenn man unabhängig von der Vatikanischen Ausgabe Melodien aus den alten Handschriften benutzt und sie als allgemein kirchliche Musik herausgibt. Da könnte man manches textgemäßer gestalten, z. B. in der Melodie dem Wortakzent mehr Rechnung tragen, als es die mittelalterlichen Komponisten getan haben. Unter dem Titel: *Missa gregoriana Ia* (Op. 88 n. 1) habe ich eine Messe dieser Art bearbeitet. Sie erschien als Beilage zum „Cäcilienvereinsorgan" 1908, Nr. 4 und bildet auch die Nr. 19 der Cäcilienvereins-Bibliothek. Eine ähnliche Rhythmisierung (und Orgelbegleitung) des *Requiem* mit *Libera* nach der Vatikanischen Ausgabe liegt trotz der Schwierigkeiten, welche die Unantastbarkeit der offiziellen Textunterlage, Notenzahl usw. bereitete, wird nächstens bei Pustet im Druck erscheinen. Diese Veröffentlichungen möchten das in diesen Zeilen Gesagte veranschaulichen und andere, die es besser machen können, zu ähnlichen Arbeiten anregen; sie dürften auch beweisen, daß der Mensuralismus den leichten Fluß und natürlichen Vortrag des Chorals nicht zerstört und dabei die richtige Auffassung und das einträchtige Zusammensingen sehr erleichtert.

Canisius-College, Buffalo N.-Y. Ludwig Bonvin, S. J.

---

# Predigt von Dr. Joh. Nep. Ahle,

Domkapitular und Diözesanpräses in Augsburg,

bei der 18. Generalversammlung des allgemeinen Cäcilienvereins gehalten im hohen Dome zu Eichstätt am 21. Juli 1908.

„*Laudate Dominum, quoniam bonus est Psalmus; Deo nostro sit jucunda decoraque laudatio. Ps. 146, 1.*

„Lobet den Herrn, denn gut ist Psalmengesang; lieblich sei unserm Gott und schön der Lobgesang!"

**Andächtige, zur hohen Festfeier versammelte Zuhörer!**

Der hohe Dom der altehrwürdigen Bischofsstadt Eichstätt, die Kathedrale des heil. Willibald, hat heute ihre Tore einer stattlichen Schar von Gästen geöffnet, einer stattlichen Schar von Gästen, die von nah und fern gekommen sind aus Anlaß der 18. Generalversammlung des allgemeinen Cäcilienvereins für alle Diözesen Deutschlands, Österreichs und der Schweiz, um hier die Interessen ihres Vereines nach allen Richtungen hin zu fördern, um in brüderlicher Eintracht und gehorsamer Unterwerfung unter die Lehren und Vorschriften ihrer heiligen Mutter, der katholischen Kirche, die katholische Kirchenmusik zu heben und zu verbessern und diese Hebung und Verbesserung hinauszutragen in alle Diözesen und hineinzutragen in alle katholischen Kirchenchöre, die einer Reform bedürftig und derselben zugänglich sind. Bei einer solchen Veranlassung das Wort Gottes von der Kanzel aus zu verkündigen, ist eine leichte und zugleich schwierige Aufgabe, leicht, weil das Thema sich von selbst ergibt, das uns der Psalmist ja in den Mund legt, wenn er singt: „Lobet den Herrn, denn gut ist Psalmengesang!" Schwierig aber ist auch diese Aufgabe, weil dem Prediger gar leicht die Worte fehlen können, um zum Lobe Gottes im Gesang in gebührender Weise anzueifern und die Stimmung und Gefühle der Anwesenden zum entsprechenden Ausdruck zu bringen.

Cäcilienverein nennt sich der große katholische Musik-Verein, der seit dem Jahre 1868 in Deutschland besteht, also im heurigem Jahr das vierzigjährige Jubiläum seines Bestandes feiern kann, der im Jahre 1870 vom Heiligen Vater Papst Pius IX. die höchste kirchliche Approbation erhalten hat, der in den Tagen des 4. bis 6. September 1871 dahier in Eichstätt seine epochemachende dritte, von den ersten kirchenmusikalischen Autoritäten Deutschlands und der umliegenden Länder besuchte und von seinem genialen Gründer, dem höchsverdienten und unvergeßlichen, als Schriftsteller, Komponist, Dirigent, Redner und Agitator gleich ausgezeichneten Regensburger Priester Dr. Franz Witt geleitete Generalversammlung abgehalten und seitdem gleichsam im Sturmlauf, wie auch unter vielen Kämpfen und Schwierigkeiten die kirchenmusikalische Welt erobert hat. Cäcilienverein nennt sich dieser große Kirchenmusik-Verein, von seiner Patronin, der heil. Martyrin Cäcilia, aber nicht deshalb, weil diese große Heilige selbst etwa bedeutende Kenntnisse in der Kirchenmusik besessen hätte, oder selbst eine berühmte Sängerin gewesen wäre, was ja durchaus nicht der Fall war, sondern einzig deshalb, weil sie, während die Klänge weltlicher Musik sie zum Sinnengenuß einluden, während heidnischer Hochzeitsgesang an ihr Ohr drang, in ihrem Herzen einen ganz anderen Gesang, einen himmelweit vom weltlichen verschiedenen Gesang anstimmte, nämlich das Gebet einer reinen, sich ihrem göttlichen Bräutigam ganz hingebenden und deshalb die Welt und ihre Lüste verachtenden Seele, das Gebet einer vollendeten christlichen Opferseele, die aus dem Opferleben und Opfertode unseres göttlichen Heilandes die Sehnsucht und zugleich die Kraft schöpfte, ein Opferleben zu führen und den Opfertod zu sterben, wie das große Vorbild auf Golgathas Höhen. Ja, Gebet war der Gesang der heil. Cäcilia und Gesang war ihr Gebet. Und so ist es in der Kirche Gottes auf Erden von jeher gewesen und geblieben: das feierliche Gebet der Kirche ist Gesang und der Gesang der Kirche ist Gebet in unzertrennbarem Zusammenhang. Ich darf es, glaube ich, heute bei dieser feierlichen Veranlassung wagen, die illustre Versammlung in diesem hohen Gotteshause darauf hinzuweisen, welch innige Beziehungen zwischen Gesang in der Kirche bestehen, wie Gebet und Gesang sich gegenseitig zueinander erhalten und welche Bedeutung dem Gebetsgesange bei der Feier des heiligen Meßopfers zukommt.

Das Gebet ist der Verkehr der menschlichen Seele mit Gott, ihrem Schöpfer, Erlöser und Heiligmacher, und dieser Verkehr ist der menschlichen Seele so notwendig, wie Licht, Luft und Nahrung dem menschlichen Leibe notwendig ist. Wie der Leib ohne die Seele natürlich tot ist, so ist die Seele ohne Gebet, ohne Verkehr und Zusammenhang mit Gott einfach übernatürlich tot! Wollen wir also leben in Gott der Rede nach, so müssen wir verkehren mit Gott im Gebete. Das Gebet des Christen aber ist eine starke und weittragende Waffe, es ist von solcher Kraft und Wirksamkeit, daß der heil. Bernhard sagen konnte: „Brüder, das Gebet ist stärker als Gott selbst, es überwindet Gott und fesselt, wenn ich so sagen soll, den Allmächtigen!" Eine ganz besondere Kraft und Wirksamkeit aber hat jenes Gebet, bei welchem viele mit vereinten Kräften als ein Chor von Betern auftreten. Denn gleichwie eine Menge von Tönen zu gleicher Zeit erklingend, eine größere Wirkung ausübt, als ein einzelner Ton, so ist auch das gemeinsame, das gemeinschaftliche Gebet stärker, gewaltiger in seiner Wirkung, als das Gebet eines einzelnen. Darum sprach der göttliche Heiland zu seinen Jüngern (Matth. 18, 19.): „Wo zwei oder drei in meinem Namen versammelt sind, da bin ich mitten unter ihnen, und sie werden in jeder Sache, um die sie bitten, Erhörung finden bei meinem himmlischen Vater!" Wo sollte aber dieses gemeinschaftliche Gebet eine größere Wirkung ausüben, als wenn es angewendet wird bei der Feier des heiligen Meßopfers, jenes Opfers, bei welchem ja unser gemeinschaftliches Gebet vereinigt wird mit dem Gebete und Opfer des Sohnes Gottes selbst, wo der Sohn des Allerhöchsten herniedersteigt auf den Altar zu dem ausgesprochenen Zwecke, damit durch ihn, dem Sohn, unsere Gebete dem himmlischen Vater übermittelt und dargebracht werden sollen, wo unsere Gebete eingetaucht werden in das Opferblut des göttlichen Lammes und so dem himmlischen Vater als die Bitte seines eigenen Sohnes erscheinen? Nein, geliebte Zuhörer, dieses Gebet kann seine Wirkung nie verfehlen, mag es nun Sühngebet, oder mag es Dank-, Lob- oder Bittgebet sein!

Und hier nun, bei der feierlichen Darbringung des heiligen Meßopfers ist es, wo die Kirche befiehlt, daß die gemeinschaftlichen Gebete in der Form des Gesanges dargebracht werden müssen. Und warum befiehlt dies die Kirche, warum muß sich hier das Gebet zum Gesang steigern? Warum muß hier gleichsam der Gesang dem Gebete unter die Arme greifen, warum muß hier die Kunst des Gesanges helfend eintreten? Dies geschieht nicht deshalb, weil etwa die Kirche vor der Kunst des Gesanges die Segel streicht, vor ihr in den Staub sinkt und bekennt: „Du bist alles und ich bin nichts im Vergleich zu dir". Das geschieht nicht deshalb, weil die Kirche etwa die Kunst als Religion und die Religion als Kunst betrachtet, nein, das geschieht deshalb, weil die Kirche im Gesang und in der Musik ein vorzügliches Mittel erkennt, um die Verherrlichung Gottes und die Andacht der Gläubigen bei der Feier der heiligen Geheimnisse in wirksamster Weise zu betätigen und zu fördern, also die Zwecke der heiligen Liturgie in möglichster Vollkommenheit zu erreichen. Andächtige Zuhörer! Einer unserer Deutsch-Dichter sagt so wahr als schön: „Es schläft ein Lied in allen Dingen!" Ja, gewiß, es schläft ein Lied in allen Dingen, und dieses Lied braucht nur geweckt zu werden, um hinauszutönen in alle Welt und das Lob und die Herrlichkeit dessen zu verkünden, der dieses Lied geschaffen hat.

Um dies recht klar zu erkennen, wollen wir uns im Geiste zurückversetzen in jenen ersten Schöpfungssabbat, wo Gott der Herr ausruhte von seinem Schöpfungswerk, wie die Schrift sagt, wo er sah, daß alles gut war, wo er die Huldigung aller seiner Geschöpfe im Himmel und auf Erden sitzend auf seinem Thron entgegennahm! O welch großer, gewaltiger, majestätischer Lob- und Preisgesang wird das gewesen sein! Und in diesen Lobgesang stimmte ein das Rauschen der Gewässer und Wälder, die Stimmen der Tiere, der Gesang der Vögel! „Die Himmel erzählten die Ehre Gottes und seiner Hände Werk verkündigte das Firmament!" Gott zur Ehre kam hervor die Sonne wie ein Held, um zu rennen ihre Bahn, Gott zur Ehre wandelte der Mond seine Pfade, Gott zur Ehre blühte am nächtlichen Himmel das Heer der unzählbaren Sterne! Und über den Sternen, da ertönte erst der rechte, der schönste und herrlichste Lob- und Preisgesang! Denn vor dem Throne Gottes stehend in heiliger Entzückung schaute der Prophet Isaias (6, 3.) die Cherubim und Seraphin, die Scharen der Engel, welche Gott lobten und priesen, sodaß es in gewaltigen Chören durch den Himmel brauste: *„Sanctus, Sanctus, Sanctus Dominus Deus Exercituum! Plena est omnis terra Gloria ejus!* Heilig, Heilig, Heilig ist Gott der Herr der Heerscharen! Die ganze Erde ist seiner Herrlichkeit voll!" Andächtige Zuhörer! Vertiefen wir uns betrachtend in diesen einzig großartigen Hymnus, der seit dem letzten Schöpfungstage nicht mehr verklungen ist und nie mehr verklingen sondern fortdauern wird in alle Ewigkeit, und fragen wir uns dann: Wenn alles, was Odem hat, Gott lobt und preist, angefangen vom schimmernden Metall, das der Erde Tiefen entsteigt, bis hinauf zum felsigen Berg, der sein Riesenhaupt in den Wolken birgt, angefangen vom Gräslein auf dem Wiesenplan, dessen Tauperlen dem Schöpfer anbetend entgegenwinken, bis hinauf zur riesigen Eiche, in deren Wipfeln es geheimnisvoll dem Schöpfer entgegenrauscht, angefangen vom Würmlein, das im Staube kriecht, bis hinauf zum König der Tiere, dessen Gebrüll die Wüste erfüllt; wie also die ganze Schöpfung im Lob und Preis wetteifert, und soll dann der Mensch, die Krone der sichtbaren Schöpfung, soll er allein dastehen, stumm und verschlossen, und nicht wissend, was er seinem Herrn und Schöpfer, der ihn mit Ehre und Herrlichkeit gekrönt und über die Werke seiner Hände gesetzt hat, der ihn nur um etwas geringer als die Engel gemacht hat, soll er nicht wissen, was er seinem Schöpfer und Herrn zu sagen hat? Ja, er könnte schweigen mitten im Jubel der ganzen Schöpfung, weil er die Freiheit seines Willens besitzt! Aber wäre es nicht ein frevelhafter Mißbrauch dieser Freiheit, wenn er da verstummte, wo selbst die Steine reden?

Und erst der Christ, der noch hundert Gründe mehr hat, Gott zu loben und zu preisen nicht bloß wegen der natürlichen Gnade der Erschaffung, sondern wegen der übernatürlichen Gnade der Erlösung und Heiligung, er sollte verstummen können? Nein, in der christlichen Seele, die im Lichte des Glaubens all' die Wohltaten des dreieinigen Gottes erkennt, schlafen viele Lieder, und wie muß sie sich angetrieben fühlen, diese Lieder hervorquellen zu lassen, ihren Jubel, ihre Freude, ihren Dank in hörbarem Liede zum Ausdruck zu bringen, nicht in einfach gesprochenem Worte, sondern in der schöneren, feierlicheren, erhebenderen Form des Gesanges! Und erst der Priester, der noch hundert Gründe mehr hat zum Lobe Gottes als der einfache Christ, er sollte schweigen können beim Jubel aller Wesen? Nein auch er, und gerade er muß Gott loben und preisen, auch er und gerade er muß einstimmen in den Preisgesang der Engel im Himmel — und das kann er am besten in den von der Kirche vorgeschriebenen heiligen Gesängen des Altars, in denen er mit dem Chore abwechselnd Psalmen, Hymnen und geistliche Gesänge vorzutragen hat. „Die irdische Psalmodie," sagt der heil. Bonaventura, „ist eine Nachahmung des himmlischen Chorgesanges". Und der heil. Johannes Chrysostomus ruft aus: „O wunderbare Gnade Jesu Christi! Droben in der Höhe singen die Scharen der heiligen Engel *„Gloria in excelsis Deo"* und drunten auf Erden singen das nämliche die Priester und Kirchenchöre bei der Feier der heiligen Geheimnisse!" Ja, der irdische Chor vereinigt sich mit dem himmlischen Chor zu einem Chorgesang, auf dessen Harmonien und Melodien das Wohlgefallen des himmlischen Vaters ruht.

Andächtige Zuhörer! Mit Rücksicht auf die mir vorgeschriebene Zeit kann ich und will ich nicht alle Beziehungen hervorheben, welche zwischen Gebet und Gesang in der Kirche bestehen; es möge mir nur noch gestattet sein, die praktischen Folgerungen daraus zu ziehen, die sich notwendigerweise für die Kirchensänger ergeben. Und da muß ich hervorheben, daß der Kirchenmusiker, der Kirchensänger, welcher die doppelte Wirkung der Verherrlichung Gottes und der Erbauung der Gläubigen hervorbringen soll, ein Künstler sein soll, daß er aber ein Beter sein muß. Wäre er kein Künstler, so würde ihm die Erbauung des Volkes wenig oder gar nicht gelingen. Wäre er kein Beter, so würde ihm die Verherrlichung Gottes, der erste Zweck der Liturgie, vollständig mißlingen. Daß und warum er Künstler sein soll, daß und warum er die Kunst des Gesanges bis zu einem gewissen Grade innehaben soll, will ich nicht weiter ausführen. Daß er aber ein Beter sein muß, daß er aus innersten Herzensgrunde seine Gesänge als Gebete zum Himmel richten muß, daß er von lebendigem

Glauben durchdrungen sein muß, das kann nicht genug betont und hervorgehoben werden. Wenn er aber ein wahrer Beter ist, dann ist er auch ein gläubiger Christ und ein sittenreiner Charakter, eine schöne, aber auch unentbehrliche Zierde für einen Künstler, der berufen ist, bei der Feier der heiligen Geheimnisse seine herrliche Gottesgabe in Tätigkeit zu setzen.

Glücklich seid ihr darum zu preisen, ihr Sänger der katholischen Kirche, Priester und Chor, wenn ihr Künstler und Beter zugleich seid! Infolge eures von Gott geschenkten Talentes seid ihr auserwählt, das Lob Gottes in herrlicher kunstvoller Form und Weise zu verkünden und durch den Zauber dieses Gesanges die Herzen der anwesenden Gläubigen zum Gebete, zur Teilnahme am heiligen Opfer gleichsam zu nötigen! Welche hohe Würde ist euch dadurch zuteil geworden. Freilich habt ihr damit auch die Pflicht übernommen, nur wahrhaft würdige, erbauende, von der Kirche vorgeschriebene oder gutgeheißene Gesänge vorzutragen und — euer Leben nach dem Inhalt eurer Gesänge einzurichten, eure Sitten mit euren Gebeten in Einklang zu bringen! O möget ihr dieser eurer Würde, Aufgabe und Pflicht stets eingedenk sein und bleiben!

Aber auch ihr, geliebte Zuhörer, die ihr nicht am Kirchengesange beteiliget, die ihr die Kunst des Gesanges nicht erlernt habt und nicht erlernen konntet, auch ihr seid glücklich zu preisen, wenn ihr beim Gottesdienste immer nur wahrhaft erhebenden Gesang höret, wenn ihr die herrlichen Opfergebete der Kirche im Feierkleide der heiligen Musik kennen lernet. Ihr habet dabei nicht bloß einen natürlichen Kunstgenuß, sondern ihr erhebet euch von der natürlichen Freude zur übernatürlichen Freude, vom natürlichen Genuß zum übernatürlichen Genuß und lasset euch dadurch noch mehr als durch das einfache Wort zur innigsten Teilnahme am heiligen Opfer, zum regsten Anschluß an die auf dem Altare sich vollziehenden Geheimnisse bewegen und begeistern. Freilich übernehmet auch ihr damit eine Pflicht, die Pflicht nämlich, den wahren Kirchengesang mit allen euch zu Gebote stehenden Mitteln zu fördern, den Bestrebungen jener Männer, die den Kirchengesang zu besorgen und zu leiten haben, freudigst in die Hände zu arbeiten, die Kirchenchöre auch materiell zu unterstützen, wo dies notwendig ist, und so bei jeder Gelegenheit euere Teilnahme, euer Interesse für einen guten Kirchengesang an den Tag zu legen. Das ist euere Pflicht, geliebte Zuhörer! O möget ihr derselben eingedenk sein und bleiben!

Doch eure Anwesenheit, geliebte Zuhörer, bei dieser feierlichen Gelegenheit in diesem Gotteshause beweist mir ja schon eure rege Teilnahme für die Bestrebungen der Männer des allgemeinen Cäcilienvereins! Ihr habt darum eine besondere Aufforderung und Mahnung an eure Pflicht nicht notwendig, und darum schließe ich mit dem Herzenswunsche: Möge die 18. Generalversammlung des allgemeinen Cäcilienvereins von Gottes Segen begleitet sein, mögen die Jünger der heil. Cäcilia mit neuem Mut und neuem Eifer, wie vor 37 Jahren, aus den Mauern der schönen Stadt Eichstätt scheiden und die Begeisterung für ächte Kirchenmusik hinaustragen in alle Diözesen Deutschlands, Österreichs und der Schweiz, mögen sie immer bereit sein, Opfer zu bringen für ihre idealen Zwecke, mögen sie immer nach dem Höchsten und Vollkommensten in ihrer Kunst streben und — Glaube und Tugend bewahren, denn das geziemet vor allem Cäcilias Scharen! Amen.

---

## Vom Bücher- und Musikalienmarkte.

(Schluß aus Nr. 8, Seite 96.)

Geistliche und weltliche Gesänge. *Cantuarium sacrum.* Gesänge für Herz-Jesu- und Marianische Andachten von verschiedenen Komponisten für gemischten Chor. Herausgegeben von **F. J. Breitenbach**, Stiftsorganist. Düsseldorf, L. Schwann. 1908. Partitur 1 *M* 80 *ℌ*, 4 Stimmen à 30 *ℌ*. Es sind, meist mit deutschen Texten, 13 Herz-Jesulieder und 7 Marienlieder von P. L. Bonvin (7), F. J. Breitenbach (2), K. Engler (3), P. J. Kreitmaier (1), Joh. Plag (4), Jak. Quadflieg, J. G. E. Stehle, P. H. Thielen und Aug. Wiltberger (je 1). Die kirchliche Approbation der Texte wird vermißt. Die Strophenlieder sind sehr ausdrucksvoll und innig gehalten, Melodie und Harmonisierung von ernst kirchlichem Charakter.

*„La Grazia — Die Gnade"*. Gedicht von Marcus de Rubris, freie Übersetzung von G. S., komponiert von **Paolo Copasso** für vier gemischte Stimmen (Sopran, Alt, Tenor und Baß). Turin, Marcello Capra. Partitur und Stimmen 1 ℳ 20 ₰, 4 Stimmen à 10 ₰. Der italienische Text und dessen gute, wenn auch freie deutsche Übersetzung dieses geistlichen Madrigals im modernen Stil wird gut geschulten gemischten Chören diesseits und jenseits der Alpen großen Genuß gewähren, wenn die rhythmischen Schwierigkeiten desselben sicher beherrscht werden.

Über die „Sechs g'spassigen Liadln" für eine Mittelstimme mit Pianofortebegleitung, Op. 88 (Preis 1 ℳ 50 ₰) und das humoristische Potpourri „Zeitungslektüre", Op. 99 (Partitur 1 ℳ 50 ₰, 4 Stimmen à 20 ₰), deren Text und musikalische Bearbeitung von **Jos. Deschermeier** stammen, geht Referent zur wohlmotivierten Tagesordnung über. Die Sachen gehören der Posse an! — und sind bei Fritz Gleichauf in Regensburg verlegt.

— Die fünf geistlichen Männerchöre mit deutschen Texten jedoch, Op. 85 des gleichen Autors, im nämlichen Verlag, (Preis Partitur 60 ₰, von 4 Exemplaren ab à 30 ₰) sind ernste, ja feierliche, schöne und wirksame Kompositionen, welche bei verschiedenen Anlässen gute Dienste leisten werden.

**Joh. Diebold**, Kgl. Musikdirektor in Freiburg i. B. hat unter dem Titel Cäcilia II eine neue Folge der Sammlung vier- und mehrstimmiger gemischter Chöre, größtenteils Originalkompositionen deutscher Tonsetzer der Gegenwart, nebst einem Anhang der schönsten Volkslieder herausgegeben. Op. 99. Regensburg, Fritz Gleichauf. 1908. Partitur gebunden 2 ℳ 40 ₰. Abschrift und Stimmenausschreiben verboten. Cäcilienvereine, höhere Lehranstalten und gemischte Chorgesangvereine sollten diese prächtige Sammlung (137 Nummern auf 472 Seiten in 8°) zu ihrem eisernen Bestand für Unterhaltung erwerben, denn der Inhalt bietet: religiöse und Festgesänge, Trauungs- und Grablieder, Lieder ans Vaterland, an die Heimat und zum Abschied, über Morgen und Abend, an Frühling, Sommer, Herbst und Winter, an Wald, Berg und See, Lieder vermischten Inhalts und in heiterer Gesellschaft, sowie im Anhang die beliebtesten Volklieder. Das alphabetische Verzeichnis der Komponisten (den Löwenanteil, 31 neue und 18 arrangierte Volkslieder, lieferte der Herausgeber) und ein alphabetisches Verzeichnis der Textanfänge erleichtert die Übersicht. Das erotische Element ist vollkommen ausgeschlossen. Sehr lobenswert ist die Trennung von 12 Gesängen für mehrstimmig gemischten Chor zum ausschließlichen Gebrauch in Cäcilien- und katholischen Gesangvereinen. Wir wünschen der „Cäcilia II" jene Verbreitung und Benützung, welche die „Cäcilia I" sich erworben hat.

Zwölf Lieder zur Verehrung des Jesukindes, der Mutter Gottes, der heil. Familie und des heil. Schutzengels in Kirche und Haus für zwei bis drei Oberstimmen mit Orgel- oder Harmoniumbegleitung von **Franz Xaver Engelhart**, Domkapellmeister. Regensburg, Fr. Pustet. 1908. Partitur 1 ℳ 20 ₰, 2 Stimmen à 60 ₰. Herzig und kindlich sind Texte und Weisen dieser 12 Lieder, die besonders durch Knaben- oder Kinderstimmen vorgetragen (auch der „Engel des Herrn" ist darunter), mit einfachster Begleitung ohne alle Prätension, in Familien, Instituten und am Schlusse kirchlicher Volksandachten einschmeichelnde, doch nicht sentimentale Töne anschlagen und Jung und Alt durch ihre populäre Form freundlich anregen werden.

Die 1. Sammlung der Maiengrüße, zehn Gesänge zur seligsten Jungfrau und Gottesmutter Maria für vierstimmigen gemischten Chor von **Mich. Haller**, Op. 17a, konnte in 9. Auflage erscheinen. Im Cäcilienvereins-Katalog steht diese Ausgabe unter Nr. 459. Regensburg, Fr. Pustet. 1908. Partitur 1 ℳ, 4 Stimmen à 20 ₰.

Vier Marienlieder für 1 und 2 Oberstimmen mit Begleitung von Orgel oder Harmonium von **Raimund Heuler**, Op. 26. Düsseldorf, L. Schwann. 1908. Partitur 1 ℳ, 2 Stimmen à 15 ₰. Für die Texte dieser Strophenlieder fehlt die kirchliche Approbation. Für Melodien und Harmonisierung derselben sind zarte Farben verwendet, und die liedmäßige Haltung ist gut gewahrt.

**Max Hohnerlein**, Op. 47a, b, c. Sieben deutsche Meßgesänge, leicht ausführbar. Ausgabe A: für vierstimmigen Männerchor. Partitur 60 ₰, von vier Exemplaren ab à 30 ₰. Ausgabe B: für vierstimmigen gemischten Chor. Preis wie Ausgabe A. Ausgabe C: für zweistimmigen Kinder- oder Frauenchor mit Orgelbegleitung. Partitur 1 ℳ 20 ₰, zwei Stimmen à 20 ₰. Regensburg, Fritz Gleichauf. Ohne Jahreszahl. Die Texte sind größtenteils dem Rottenburger Gesangbuch entnommen und können bei der stillen Messe zum Eingang, *Gloria*, Offertorium und *Sanctus* verwendet werden; nach der heiligen Wandlung paßt ein Sakraments- und ein Kommunionlied, zum Schlusse ein Marienlied. Melodieführung und Harmonisierung sind gut und in den drei Ausgaben entsprechend transponiert.

Der Kirchenchor. Eine Sammlung leicht ausführbarer Motetten, Festgesänge und geistlicher Lieder aus alter und neuer Zeit für dreistimmigen gemischten Chor (Sopran, Alt und eine Männerstimme) zusammengestellt und zum Teil bearbeitet von **Fritz Lubrich**, Kgl. Musikdirektor, Op. 90. Mit einem Vorwort von D. Kawerau, Propst zu St. Petri, Berlin. Bunzlau, G. Kreuschmer. 1908. Preis der 94 Nummern auf 167 Seiten nicht angegeben. Das Vorwort des evangelischen Propstes zu St. Petri in Berlin begrüßt diese Sammlung, welche „namentlich bei kirchlichen Festen, Missions-, Gustav Adolfs-, Bibelfesten etc. dem Kantor Gelegenheit gibt, die Festgottesdienste nicht ohne Sangesschmuck zu lassen". Doch bieten die Gesänge (natürlich mit deutschen Texten) Chören mit beschränkten Stimmitteln Sätze von geringer Schwierigkeit, aber von selbständiger Erfindung im Kirchenstil der Motette. Außer einem aus 19 Abteilungen bestehenden Inhaltsverzeichnis für die Zeit vom Advent, Weihnachten, Neujahr, Konfirmation, Trauung, Begräbnis usw. ist ein alphabetisches Inhaltsverzeichnis der Textanfänge beigefügt. Für katholische Chöre ist diese Sammlung natürlich nicht brauchbar.

Gius. Terrabugio bietet 26 dreistimmige Kompositionen mit lateinischen, aus den Festlichkeiten des Kirchenjahres stammenden Texten von **Claudio Monteverdi**[1]) in moderner, mit dynamischen Zeichen versehener, auf drei Liniensystemen verteilter Ausgabe. Die 26 Nummern können auch einzeln bezogen werden, da jede derselben nur eine Stichseite in Folio einnimmt. Sie sind meist für Sopran, Alt und Baß komponiert, bei einigen steht der Tenor statt des Altes. Der verdiente Herausgeber hat dieselben in der Propsteikirche Castellarquato bei Piacenza gefunden, und die Musikgeschichte hat ihm zu danken für diese interessanten Proben des berühmten klassischen Meisters Monteverdi (1567–1648), der bekanntlich als Begründer der Oper gilt und als Schüler von Marc. Antonio Ingegneri hohen Ruf genießt.

**Jos. Zimmermann**, Op. 22. Viel Glück! Sieben Lieder für vierstimmigen Männerchor zu Geburts- und Namenstagen. Regensburg, Fritz Gleichauf. Partitur 60 ₰, von 4 Exemplaren ab à 30 ₰. Diese Sammlung wird bei den genannten Anlässen (auch als „Ständchen") sehr willkommen sein und aus manchen Verlegenheiten bei solchen Gelegenheiten helfen können.

Das Jugendtrio von **Max Burger**, Op. 66 für Violine, Violoncello und Klavier, Leipzig, Steingräber, ist von mittlerer Schwierigkeit. Die 4 Sätze *Allegro-Moderato*, *Andante*, *Menuett* und *Rondo)* sind sehr gefällig erfunden und durchgeführt und dienen zur Vorübung für das bildende Triospiel.

III. Verschiedene Novitäten aus dem Verlage von Anton Böhm & Sohn in Augsburg und Wien. Aus der Sammlung „Beliebte **Chorgesänge**" für Sopran, Alt, Tenor und Baß (jede Nummer: Partitur und Stimmen 1 ℳ, 4 Stimmen à 15 ₰) liegen vor: Nr. 20, **H. Hauck**, Op. 7, Begrüßungslied bei Einführung eines Pfarrherrn. Sehr brauchbar zu genanntem Zwecke. — Nr. 21 und 22, **Aug. Gülker**, Op. 41, Nr. 1, „Heideglück" (Gedicht von W. Dallmayer). Nr. 2. „Das Sternlein" (Gedicht von W. Dallmayer). Stimmungsvolle, süßduftende Lieder für Unterhaltungszwecke.

In der Serie „Beliebte **Männerchöre**" steht als Nr. 37, **Aug. Gülker**, Op. 42, Nr. 1, „Wanderlied" (Gedicht von W. Dallmayer.) Partitur und Stimmen 1 ℳ, 4 Stimmen à 15 ₰. Das vierstrophige, leichte Lied ist gefällig, der Text aber nicht für jedermanns Ohren.

Im Zyklus religiöser deutscher Gesänge von **Karl Deigendesch**, ist unter Nr. 21 und 22 (Op. 93, Nr. 1) für gemischten Chor und Nr. 2 für Männerchor „Du lobwürdige Jungfrau" (Gedicht von Fr. H. Leher) Marienlied. Nr. 23 (Op. 93, Nr. 3), „Herz Jesu, meine Heimat" ist für Männerchor. Jede Nummer: Partitur und Stimmen 1 ℳ, 4 Stimmen à 15 ₰. Die drei Kompositionen sind andächtig und zart empfunden und eignen sich gut zum Vortrag bei Nachmittagsandachten in der Kirche; auch ist die Druckgenehmigung des Bischöfl. Ordinariates Augsburg erfolgt.

Unter dem Titel: **Trauungslieder** liegen vor:

a) für gemischten Chor, Nr. 4 und 5 von **Max Welcker**, „An ein Brautpaar" (Gedicht von F. Schellhorn) und „Trauungslied" (Gedicht von B. Weigert). Jede Nummer: Partitur und Stimmen 1 ℳ, 4 Stimmen à 15 ₰. Religiösen Charakter tragen die Melodien nicht, sind jedoch gefällig und leicht.

b) für Männerchor, Op. 112 von **Julius Polzer**, „Trauungschor" (Gedicht von C. Fittig). Partitur und Stimmen 1 ℳ, 4 Stimmen à 15 ₰. Einfach und wirkungsvoll; wenigstens im Schlußrefrain: „Zu Gott empor".

Für eine Singstimme mit Begleitung des Pianoforte komponierte **Ferd. Maria Benl** ein inniges Lied im Dialekt mit einem dreistimmigen Refrain unter dem Titel: „Der bayrische Himmel" (Op. 18, Preis 1 ℳ 20 ₰) und als Op. 30 ein gefälliges und nettes über den Text „Singst Du für mich Dein Lied?" (Gedicht von E. v. Houwald). Preis 60 ₰.

Vier Hefte mit dem Titel: *„Bozetti per Pianoforte"* komponierte **Renzo Rossi**, als Op. 3: Nr. 1. *Invito*. Nr. 2. *Bagatella*. Nr. 3. *Romanza*. Nr. 4. *Tempo di Danza*. Preis jeder Nummer 1 ℳ 25 ₰. Diese Klavierstücke sind zierlich und sinnig erfunden und werden bei feinem und mittlere Technik voraussetzendem Vortrag vielen Beifall finden.

„Hör Du lustiger Gesell!" (Text von Jos. Fischer.) Marsch für Männerchor mit Pianofortebegleitung (Streichquintett ad lib.) von **Karl Deigendesch**, Op. 70. Partitur 1 ℳ 20 ₰, 4 Singstimmen à 30 ₰, Streichquintett 1 ℳ 25 ₰. Ein sehr unterhaltender, in rhythmischer Beziehung packender Fastnachtssang.

Lateinische und deutsche religiöse Gesänge von **P. Viktor Eder**, O. S. B. 1908. Op. 10. Primizlied für Sopran, Alt, Tenor und Baß. Partitur und Stimmen 1 ℳ, 4 Stimmen à 15 ₰. Die 1. und 2. Strophe kann beim Empfang des Priesters, die 3. unmittelbar vor dem Gang zum heiligen Meßopfer gesungen werden. Auch eignet sich das Lied für Empfang eines Pfarrers. Melodie und Harmonie sind einfach und würdig und von keinerlei Schwierigkeit.

— — Op. 11. 6 Kreuzweglieder für Sopran, Alt, Tenor und Baß. Partitur und Stimmen 3 ℳ, 4 Stimmen à 40 ₰. Texte zur Abwechslung für jede Station. Da jede Nummer wenigstens vier,

[1]) *XXVI Canzoni Sacre (Sacrae Cantiunculae)* a tre voci ridotte nella scrittura moderna e aggiuntivi i segni dinamici convenzionali pel colorito musicale de Giuseppe Terrabugio, Op. 103. Mailand, Stabilimento Pontificio d'Arti Grafiche Sacre A. Bertarelli & Cie.

manche sogar sechs und sieben Strophen enthält, so ist eventuell für die 14 Stationen Auswahl möglich; die Texte freilich enthalten wenig Poesie, haben jedoch das Imprimatur des Generalvikariates Augsburg erhalten.

— — Op. 13. Herz-Jesu-Lied für 1 Singstimme und Orgel. Partitur und Stimmen 1 ℳ, Stimme 15 ₰. Die 3 Textstrophen sind mit zwei verschiedenen Melodien versehen, von denen Referent der zweiten den Vorzug gibt.

— — Op. 14. Maria: „Bayerns Schutzfrau". Altöttinger Wallfahrtslied (Gedicht von P. Cölestin Schweighofer, O. Cap.) für 1 Singstimme und Orgel. Partitur und Stimmen 1 ℳ, Stimme 15 ₰. Die kernige Melodie eignet sich trefflich zum Massenvortrag, ist würdig und kräftig.

— — Op. 15. Geistliches Lied für Missionen und ähnliche kirchliche Andachten für Sopran, Alt, Tenor und Baß. Partitur und Stimmen 1 ℳ, 4 Stimmen à 15 ₰. Ein andächtiger Weihechor, dessen milde Stimmung bei einigermaßen gutem Vortrag die Gläubigen erbauen wird.

Unter dem Titel: „Gesänge für Schule und Haus" befinden sich als Op. 10 von **Jos. Gastberger** vier dreistimmige Gesänge für Frauen- oder Kinderchor. (Nr. 1. Engelchor, Nr. 2. Frühlingslied, Nr. 3. Plauderschwälbchen, Nr. 4. Altes Volkslied. Partitur und Stimmen 2 ℳ 10 ₰, 3 Stimmen à 30 ₰. Wo diese vier Chöre den Angaben und Intentionen des Komponisten gemäß vorgetragen werden, muß große Freude bei jung und alt die Wirkung sein.

Zwölf Begräbnisgesänge für drei und vier gemischte Singstimmen von **H. Greipel** (Chorregent) und **D. Klier** (Organist) in Mährisch-Schönberg. 1907. Partitur und Stimmen 3 ℳ, 4 Stimmen à 40 ₰. Die beiden Kollegen verfaßten über deutsche Texte, die übrigens dogmatisch nicht alle einwandfrei sind und poetisch minderwertig eingeschätzt werden müssen, auch nicht die kirchliche Approbation haben, Melodien und Harmonien im gleichzeitigen Rhythmus mit ernstem Charakter, mäßiger Modulation und chromatischen Einschlägen. Man prüfe jede Nummer, ehe man sie vorträgt, denn ohne Proben werden weder die dreistimmigen noch vierstimmigen Sätze gelingen.

**Jos. Gruber**, Op. 195. Sechs Marienlieder: „Maria, Maienkönigin"; „Jungfrau, wir dich grüßen"; „Die Helferin in der Not"; „O Maria, sei gegrüßt!"; „Die Himmelskönigin"; „Die liebliche Mutter der Gnaden". Ausgabe A: für vierstimmigen Männerchor. Ausgabe B: für vierstimmigen Frauenchor. Jede Ausgabe Partitur 1 ℳ 20 ₰, 4 Stimmen à 30 ₰. 1908. Mit oberhirtlicher Druckgenehmigung. Die Lieder sind einfach und zart. Es fällt auf, daß der gewandte Komponist nicht eine Ausgabe für gemischten Chor veranstaltet hat, zumal die Edition für vierstimmigen Frauenchor wahrscheinlich wenig Verwendung finden wird. Für Mai- und Muttergottesandachten sind die volkstümlichen und nicht zu sentimentalen Weisen gut zu empfehlen.

Leicht ausführbares Auferstehungslied für vierstimmigen Männerchor und vierstimmiger Blechmusikbegleitung (Tromba in *F*, Tromba in *C* und *B*, Basso und Posaune) von **Alban Lipp**, Op. 90. Partitur und Singstimmen 1 ℳ, 4 Blechstimmen 40 ₰. 1908. Der Chor hat drei deutsche Strophen, klingt majestätisch und wirkt festlich.

— — Vom gleichen Autor ist ein zweites Marschalbum für Pianoforte zu zwei Händen (Preis 2 ℳ) mit Beiträgen verschiedener neuerer Komponisten gesammelt worden. Die 20 Nummern, unter denen auch ein Faschingsmarsch für Männerchor mit deutschem Text, in welchem „des Blödsinns Blume blüht", enthalten ist, sind Unterhaltungsmusik für Dilettanten. In Nr. 3, 8 und 20 sind im Trio einstimmige Sätze mit Text eingeschaltet.

**Peter Meurers**, Op. 13. Ave Maria, Gesänge zu Ehren der seligsten Gottesmutter Maria für dreistimmigen Frauenchor mit Begleitung der Orgel. Neue Folge. Mit oberhirtlicher Druckgenehmigung. Partitur 1 ℳ 80 ₰, 3 Stimmen à 30 ₰. Diese sechs deutschen Gesänge sind edel erdacht und erheben sich in Melodie und Begleitung über den gewöhnlichen Marienliederstil. Frauenchören in Klöstern seien sie warm empfohlen.

„Frühling im Isartal". Lied für eine Singstimme mit Pianofortebegleitung von **Toni Pfeiffer**. Preis 1 ℳ. Ein niedliches, anmutiges Lied für eine Bariton- besser Mezzosopranstimme, in welchem „Der schönste Mai, so weit die Welt auch sei" nur im Isartal blüht.

Vier Muttergotteslieder für 3 oder 4 Frauenstimmen von **Karl Preinfalk** (Benefiziat), Op. 1. — „O Stern aus Jakob (*O stella Jacob fulgida*, übersetzt von Pachtler), für dreistimmigen Frauenchor mit Orgelbegleitung. — „Der Maienkönigin" für vierstimmigen Frauenchor mit Orgel. — „O Königin im Sternenzelt", Gedicht von C. Wöhler), für dreistimmigen Frauenchor a capella. — *Salve Regina*, für vierstimmigen Frauenchor a capella. Mit oberhirtl. Druckgenehmigung. 1908. Jede Nummer: Partitur 60 ₰, jede Stimme 20 ₰. Die ersten drei Nummern haben deutschen Text, das *Salve Regina* lateinischen. Sie sind gut populär gehalten und rhythmisch unter guter Deklamation des Textes ausdrucksvoll empfunden.

**Joh. Slunicko**, Op. 62. Vorschule für den Violinunterricht. Preis 2 ℳ. Der tüchtige Meister hilft durch diese Vorübungen den mühsamen Weg für die Erlernung des Violinspieles ebnen. Er wünscht, daß der Schüler, ohne sich mahnen zu lassen, täglich möglichst viel und gern übe. Die 50 Vorübungen sind trotz ihrer Einfachheit doch musikalisch anregend, nicht bloßer Trill.

Zwanzig ein- und zweistimmige Kinderlieder mit Begleitung des Pianoforte. Zum Haus- und Schulgebrauch komponiert von **W. Volkmann**, Op. 68. 4. Auflage. Preis 1 ℳ 50 ₰. Schon von Jugend auf muß der musikalische Sinn geweckt werden. Das können vorliegende nette, in Text und Melodie anregende Liedchen erreichen.

Unter den Kompositionen von **Karl Friedrich Weinberger**, liegen uns vor: 1) Op. 77. „Im deutschen und im fremden Wald" (Gedicht von Dr. H. Behr) für Männerchor. Partitur und

Stimmen 1 ℳ 60 ₰, 4 Stimmen à 20 ₰. 2) Op. 79. „Weihnachtslied" (Gedicht von A. Muth) für Männerchor. Partitur und Stimmen 1 ℳ, 4 Stimmen à 15 ₰. 3) für gemischten Chor: Op. 80. „Weihnachtslied" (Gedicht von Ludwig Bauer). Partitur und Stimmen 1 ℳ, 4 Stimmen à 15 ₰. Die drei Nummern empfehlen sich durch guten Satz, mittlere Schwierigkeit und schöne Deklamation.

— — Vom gleichen Autor stammen: Zwei Märsche, Op. 69. „Mutig voran"; Op. 70. „Mit fliegenden Fahnen". Ausgabe B: für Pianoforte zu 2 Händen mit Begleitung von 2 Violinen. Jede Nummer: Partitur und Stimmen 1 ℳ 60 ₰, jede Violinstimme 30 ₰. Für Institute einfache und gefällige Unterhaltungsmusik.

Zwei Kommunionlieder. „Nun ist die selige Stunde". „O Herr, ich bin nicht würdig". Für Sopran, Alt, Tenor und Baß, von **Max Welcker**. 1908. Partitur und Stimmen 1 ℳ 40 ₰, 4 Stimmen à 20 ₰. Jedes der beiden Lieder hat 4 Strophen, deren Vertonung stimmungsvoll, andächtig und würdig gelungen ist. F. X. H.

## Liturgica.

### Ist der Choralvortrag der Oratorianerschule nunmehr verpflichtend?

Nicht wenige glauben oder lehren in der Praxis, daß seit der Herausgabe des offiziellen vatikanischen Chorals, der uns die gregorianischen Melodien in ihren traditionellen Notenfolgen bietet, nun auch die sogenannte „oratorische" Vortragsweise, die als die traditionelle angesehen werden möchte, eingeführt werden müsse. Die angesehene römische Zeitschrift für Liturgie „*Ephemerides liturgicae*" behandelt diesen Gegenstand in gründlicher Weise. Sie bringt in der zweiten Nummer des laufenden Jahrganges eine „*Consultatio super cantus liturgici modulatione rhythmica*", welche folgende Frage beantwortet: „Ist man bei Ausführung des liturgischen Gesanges in der Kirche laut dem *Motu proprio* verpflichtet, diesen Gesang im Rhythmus zu singen, den die Benediktinerschule[1]) lehrt."

Die „Konsultation" ist schon ihrem Inhalte nach beherzigenswert; sie erhält aber ein besonderes Interesse und ein immerhin nicht zu unterschätzendes Gewicht durch die Umstände des Ortes und des Kreises, aus dem sie stammt. Ich gebe deshalb einen Auszug aus derselben mit gelegentlichen eigenen vom Text der Konsultation leicht zu unterscheidenden Bemerkungen. Das Gutachten trägt keine Namensunterschrift, es fließt aber aller Wahrscheinlichkeit nach aus der Feder C. Manicis, *P(resbyt.) C(ongregationis) M(issionis)*, der in dem folgenden Heft die Dissertation über den Frauengesang mit vollem Namen und Beifügung seiner Eigenschaft als Vorsitzenden der liturgischen Kommission,[2]) sowie den Einleitungsartikel im ersten Heft mit den Initialen C. M. unterschreibt. Die öftere Wiederkehr gewisser Ausdrücke und Wendungen und der ganze Stil dieser Abhandlungen lassen kaum einen Zweifel über die Identität des Autors übrig.

Die Frage der Verpflichtung des in Rede stehenden Choralvortrages wird in der Konsultation verneinend beantwortet. Die Sache hängt endgültig von positiven Gesetzesbestimmungen ab; eine Prüfung dieser Bestimmungen muß daher die entscheidendste Begründung der erfolgten Antwort ergeben; deshalb teile ich sie schon hier mit, obwohl sie erst im Schlußabschnitt (IV) der Konsultation vorgenommen wird. Sie ergibt, daß in den offiziellen Aktenstücken jede Erwähnung einer Verpflichtung fehlt. Manici schreibt: „Im *Motu proprio* (22. Nov. 1903), das gleichsam ein Rechtsbuch für die Kirchenmusik bildet, in welchem Pius X. die Wiedereinführung der traditionellen Melodien eindringlich betont, wird über die Beschaffenheit des Choralrhythmus gänzliches Schweigen beobachtet. Bezüglich dieses Gesanges erschienen in der Folge weitere Dekrete, aber kein Wort über dessen rhythmischen Vortrag. Das zweite derartige Aktenstück, oder vielmehr ein Brief, erwähnt zwar den Rhythmus, aber nur im allgemeinen; und auch da wird über eine diesbezügliche Verpflichtung geschwiegen. Übrigens ist selbst die Benediktinerschule, welche den oratorischen Rhythmus lehrt, nicht in allem einig; mag sie es immerhin im wesentlichen sein, in vielen Punkten gehen in ihr die Meinungen sowohl bezüglich der Theorie als der Praxis auseinander. Auch werden von anderen, die dem *Motu proprio* doch treu anhangen, wieder voneinander abweichende Rhythmusarten vorgeschlagen, so von dem Bischof von Saint-Dié, von Dechevrens, S. J. und noch anderen.

Diesen Ausführungen Manicis füge ich bei, daß es selbst Aktenstücke gibt, welche ausdrücklich jede Sorge um den Rhythmus ablehnen, z. B. jenes einigen Spezialisten seitens der päpstlichen

[1]) D. h. die jetzige sog. Benediktinerschule; die Benediktiner des Mittelalters lehrten ganz anderes; die meisten alten Musikschriftsteller waren Benediktiner und aus ihren Traktaten schöpfen wir großenteils die Kenntnis des ursprünglich musikalischen Rhythmus des Chorals. — Übrigens sind auch heute nicht alle Benediktiner Anhänger des ihren Namen tragenden Systems.

[2]) Wenigstens ist es so im Abdruck des St. Louiser „Pastoralblatt", der allein mir augenblicklich vorliegt.

Choralkommission zugeschickte Zirkular, in welchem man liest: „Zur Vermeidung nutzloser Auseinandersetzungen benachrichtigen wir Sie, daß die Vatikanische Ausgabe die traditionellen gregorianischen Melodien ohne andere rhythmische Andeutungen bringen wird, als diejenigen, welche aus den Notengruppierungen und Satzeinteilungen sich von selbst ergeben".[1])

In Abschnitt I, II, III tut Manici dar, daß der oratorische Rhythmus auch aus inneren Gründen keinen Anspruch erheben kann, als verpflichtende Norm aufgestellt, zu werden. Seine Untersuchungen beziehen sich auf diesen Rhythmus, wie er von den beiden Häuptern der genannten Schule dargelegt wird, von Dom Pothier „*Melodies grégoriennes*", von Dom Mocquereau im „*Liber gradualis*". Dieser Rhythmus stützt sich auf das Gleichmaß aller Noten. Die Gründe für die Annahme dieses Gleichmaßes sind aber dem Urteile Manicis zufolge nicht stichhaltig. „Man sagt", so führt er aus: „Die lateinische Sprache, die im Altertum eine quantitierende [rhythmisch auf dem Prinzip der langen und kurzen Silben beruhende] gewesen ist, hat sich im Verlaufe der Zeit [im 4. und 5. Jahrh.] in eine akzentuierende verwandelt, [d. h. in eine Sprache, deren Wortsilben sich durch Akzente verschiedener Intensität unterscheiden]. Infolge des Verlustes ihrer Quantität wurden die Silben alle gleich lang oder vielmehr gleich kurz, nur daß sich diese Silben durch den Wortakzent voneinander unterschieden. Der Rhythmus der Rede hat sich dadurch notwendigerweise geändert. Was ist aber der Gesang anderes, als ein Reden, eine feierliche Deklamation? Die Veränderung in der Rede zog also eine ebensolche im Gesang nach sich; nun aber hat die Sprachumwandlung die Gleichdauer der Wortsilben bedingt, also auch die Gleichdauer der Noten im Gesang. So entstand der Choralrhythmus, den man den oratorischen nennt".

Dieser Begründung des oratorischen Systems gegenüber bemerkt der Verfasser der Consultatio, erstens, daß, selbst in der Voraussetzung des wirklichen Gleichmaßes aller Wortsilben, es schwer zu verstehen sei, wie diese Gleichdauer auch diejenige der Gesangsnoten notwendigerweise bewirkt habe; er deutet an, daß die Redensart: „Der Gesang ist nur eine feierliche Deklamation" eben nur eine Redensart, eine poetische Übertreibung ist, auf der man keine neue Theorie aufbauen kann. Er bemerkt, daß, wie die Poesie ihren eigenen Rhythmus hat, der sich unterscheidet von dem anders gearteten (wenig geordneten sogenannten) Rhythmus der Prosa, so auch die Musik den ihrigen hat, ohne es nötig zu haben, denselben der Prosa zu entlehnen. Er hätte hinzufügen können, daß gerade der Musik, wie schon der heil. Augustin (de Musica II, 1) sagt, die gesetzmäßige Abmessung und rhythmische Bewegung der Töne eigen ist. Sie dehnt, fügt derselbe Kirchenlehrer und Musikschriftsteller bei, sie dehnt und kürzt die Wortsilben nur nach eigenen Maßen.

Ohne weiteres vom Rhythmus der Sprache auf denjenigen der Musik schließen ist nichts anderes, als sich des verpönten Trugschlusses des *transitus de genere ad genus* bedienen, der bekanntlich von einer Gattung etwas aussagt, was einer anderen von ihr verschiedenen eigentümlich zukommt.

Aber wäre auch die behauptete Wechselbeziehung zwischen Sprache und Musik überhaupt erwiesen, so müßten konsequenterweise wenigstens die vor der Sprachummodelung entstandenen Choralmelodien — und man sang in der Kirche auch vor dem 4. und 5. Jahrhundert — quantitierend gewesen sein, d. h. proportionell lange und kurze Noten gehabt haben. Die Behauptung aber, daß eine akzentuierende Sprache notwendigerweise eine Musik mit Noten von verschiedenem, proportionellem Dauerwert ausschließt, wird sowohl durch unsere gesamte moderne europäische Gesangsmusik als durch die liturgische Musik des Orients öffentlich widerlegt: alle betreffenden Sprachen sind akzentuierend, der Gesang dagegen erklingt überall in proporzionell langen und kurzen Tönen.

Der Autor des Gutachtens macht dann aufmerksam, daß die Ansicht betreffs durchgängiger Abhängigkeit der Choralmelodien von den Wortsilben unannehmbar ist, da ja der gregorianische Gesang selbst auf lange Strecken hin und sehr oft sich jeglichen Textes entschlägt, wie es in den notenreichen Melismen geschieht.

„Übrigens entspricht die Behauptung, alle Wortsilben seien gleich kurz, nicht der Wahrheit, da es in jedem Wort eine Silbe gibt, welche den Akzent trägt und nunmehr in der Aussprache gedehnt wird und von welcher die übrigen unbetonten Silben beherrscht werden." Daß es früher, — wohl bemerkt, seit dem Zeitalter des Intensitätsakzents,[2]) — mit dieser so natürlichen Dehnung

---

[1]) Siehe *H. Valeur-Lettre à un ami sur la question grégorienne*, S. 8, wo auf die Turiner *Santa Cecilia*, Sept. 1908 verwiesen wird.

[2]) Der altklassische „melodische" Akzent *(acutus)* drängte allerdings nicht dazu: wir werden, so scheint mir, bei einem höheren Ton nicht mehr als bei einem tieferen, versucht, auf demselben länger zu verweilen.

der betonten Silbe etwa anders bestellt gewesen sei, hiefür kann Manici wohl in aller Gemütsruhe die Beweiserbringung abwarten. Er hätte übrigens mit noch größerer Zuversicht bemerken können, daß in den akzentuierenden Sprachen die Verschiedenheit der Silbendauer zwar nicht das in der Poesie rhythmusbestimmende Prinzip bildet, daß aber nichtsdestoweniger eine Dauerverschiedenheit der Silben tatsächlich vorhanden ist. Ich schlage das enzyklopädische deutsch-englische Wörterbuch von Muret-Sanders aufs Geratewohl auf; da steht gleich: „geräumig" und daneben ◡ — ◡ in der Tat wird jeder die zweite Silbe dieses Wortes gedehnter aussprechen als dessen erste und letzte; im soeben niedergeschriebenen Worte „gedehnter" geschieht dies gleichfalls, und so ist es der Fall mit unzähligen Wörtern unserer schönen deutschen Sprache. Sollte es etwa im Latein anders sein oder gewesen sein? Wer kann das beweisen? Und ist dies auch nur wahrscheinlich? Von unseren heutigen Sprachen wissen wir nichts davon, daß sie je quantitierend im altklassischen Sinne gewesen seien, und doch haben wir gedehnte und nicht gedehnte Silben; und das einst doch quantitierende Latein sollte im Mittelalter im Munde der in ihren eigenen Muttersprachen an verschiedene Silbendehnungen gewohnten Deutschen, Italienern, Spaniern usw. jeglichen Dauerunterschieds der Silben beraubt worden sein?

Im Hinblick auf die auch in der griechischen Sprache mit dem 4. und 5. Jahrhundert beginnende Akzentherrschaft fragt Manici, warum denn, bei der behaupteten Naturnotwendigkeit nicht auch im Bereich dieses Idioms der sogenannte oratorische Rhythmus eingeführt worden sei, umsomehr als bezüglich des Gesanges noch mehrere Jahrhunderte nachher die innigsten Wechselbeziehungen zwischen den griechischen und den lateinischen Ländern bestanden haben und so von den letzteren her noch ein natürlicher Anstoß hinzugekommen sein mußte. Man könne sich ferner das angebliche, nur im Abendlande erfolgende Auftreten dieses Rhythmus um so schwerer erklären, als neuere Forschungen beweisen, daß unsere Choralneumen ihren Ursprung im Orient haben; daß letztere Ansicht ihre Richtigkeit habe, täten schon die griechischen Namen vieler Neumenzeichen zur Genüge dar.

„Was muß man erst sagen, wenn man bedenkt, daß diese Neumenzeichen dem Gleichmaß der Noten offenbar widersprechen? Wozu denn die rhythmischen Buchstaben in den alten Handschriften? Wozu die mehrfachen Formen einer ganzen Anzahl neumatischer Zeichen? . . . Hat es denn nichts auf sich, daß bis zum zehnten Jahrhundert keine Spur vom Gleichmaß der Noten aufzufinden ist? Und lehren denn nicht die mittelalterlichen Autoren (bis Ende des 11. Jahrhunderts), ein Hucbald, ein Berno, ein Guido von Arezzo, ein Aribo, gerade das Gegenteil von einem solchen Rhythmus? Diese Tatsachen beweisen, daß die Gleichdauer der Noten und der Rhythmus, der sich auf sie stützt, im Choral relativ neuen Datums sind." Ja der eigentliche oratorische Rhythmus ist noch viel jünger als die angeführten Worte der „Ephemerides" es direkt sagen, er ist ganz modern. Die gleichmäßig langsam sich hinschleppenden Noten des mehrstimmig gesungenen Chorals. wie sie das Organalsystem im 10. Jahrhundert zu bieten anfängt und wie sie sich in seinem Gefolge zur Zeit des Verfalls des Rhythmus nach und nach auch im einstimmig vorgetragenen Choral als rhythmuslosen *Cantus planus* festsetzten, machen noch nicht den eigentlichen oratorischen Rhythmus aus. Dieser will mit seinem Gleichmaß der Noten ein der Sprache entnommenes musikalisches Rezitativ sein, dessen kurzatmig einhertrippelnde Achtelnötlein ihre sie voneinander unterscheidenden Akzente nicht aus sich selbst haben, sondern vom Text erborgen. Von diesem angeblichen Einfluß der Textakzente vernehmen wir in all den Jahrhunderten, die dem siebzehnten vorangingen, nichts. Eine schwache erste Spur zeigt sich zwar, wie Dechevrens ausführt, im letztgenannten Jahrhundert bei D. Jumilhac in der Vortragsvorschrift, welche dieser für diejenigen Choralstücke gibt, die er *chants rythmiques* nennt; die eigentlichen Väter des oratorischen Rhythmus treffen wir aber erst im 19. Jahrhundert; es sind dies Baini und namentlich Léonard Poisson. Dem ersteren zufolge muß der Choral allerdings einen Rhythmus besitzen, denn der Rhythmus sei die Seele des Gesanges; da aber der Choral großenteils auf Prosatexte komponiert ist, könne er nicht Noten von abgemessenem, proportionellem Dauerwert haben, er müsse deshalb dem Rhythmus der Rede gleichen. Poisson spinnt dann diesen Gedanken Bainis theoretisch weiter aus. Nicht uninteressant und vom Standpunkt des Systems ganz logisch und konsequent ist die Schlußfolgerung, die dieser älteste Theoretiker des oratorischen Rhythmus zieht: da die Akzente des Textes den Rhythmus des Gesanges bestimmen, so sei dieser Rhythmus nur in den syllabischen Gesängen möglich, derselbe gehe nicht an in den langen Neumen der melismatischen Gesänge. Diese langen Notenreihen ohne Worte, meint Poisson, — allerdings gegen die geschichtlichen Tatsachen — widersprechen dem Wesen des Chorals; sie seien eine neuere Erfindung, man finde sie nicht in den ältesten gregorianischen Büchern und müsse sie deshalb in den neueren Ausgaben ausmerzen, um so zu einem beinahe syllabischen Gesange zurückzukehren.

Bezüglich der Melismen sind also, wie jeder sofort bemerkt haben wird, unsere modernsten Oratoristen weniger konsequent, aber vom geschichtlichen Standpunkt aus korrekter; denn gerade die melismenreichsten, wahrscheinlich dem schnörkelliebenden Orient entstammenden Melodien gehören zum ältesten Bestand des Chorals.

Mag nun die trippelnde Monotonie des neuzeitlichen oratorischen Vortrags immerhin als ein gewisser Fortschritt und eine Wohltat im Vergleich zu dem Pfundnotengang des Organums und der Choralausführung der Verfallzeit gelten, auf den Ehrennamen „traditionell" kann dieser Vortrag nach all dem Gesagten keinen Anspruch erheben. Von einem Vortrag im Gleichmaß aller Noten haben die ersten neun Jahrhunderte nichts gewußt, und von dem spezifisch oratorischen System schweigt die Geschichte sogar 17 oder 18 Jahrhunderte lang; bei einem so weit gähnenden dazwischen liegenden Abgrund fehlen doch gar zu sehr die Anknüpfungspunkte mit der Vorzeit. Und wäre uns auch der oratorische Vortrag von einem früheren Zeitabschnitt her überliefert, traditionell im Sinne, der hier allein in Betracht kommt, könnte er doch nicht genannt werden, denn die wahre, rechtmäßige Tradition muß — das besagt auch das Schreiben Kardinals Merry del Val vom 3. April 1905 an den Vorsitzenden der päpstlichen Choralkommission — eine solche sein, welche die wesentlichen Merkmale der gregorianischen Musik bewahrt und die ursprüngliche Reinheit nicht verloren gehen läßt. Nun gehört aber zum Wesen des Chorals, wie überhaupt einer jeden Musik, der Rhythmus mit dem ihn konstituierenden Hauptelement des wohlgeordneten verschiedenen Dauerwertes der Noten; und die Geschichte des Chorals lehrt, daß vor der Verfallzeit diese Längen und Kürzen genau abgemessen und proportionell waren; dieser Rhythmus wird aber prinzipiell vom Oratorismus über Bord geworfen. Der sogenannte oratorische Rhythmus, auch abgesehen von seinem zu modernen Ursprung, trägt also nicht das Merkmal wahrer und rechtmäßiger Tradition an sich.

Dies Gutachten in den *Ephemerides liturgicae* hebt dann noch die Ungeeignetheit des oratorischen Systems für die Praxis hervor. Ich deute hier nur an. Zur Begründung werden angeführt: zahlreiche für Hörende und Ausführende in gleichem Maße ohrenquälende, durch das System bedingte Akzentuierungen, wie *angéli, auxilium, confirmata* usw.; ferner die durch die Dehnung der sogenannten *mora ultimae vocis* hervortretende Schlußsilbe der Wörter am Ende der Sätze und Satzteile, so daß man nicht Latein, sondern französisch zu hören glaubt. Wie stimme das zu dem Grundsatz, daß man singen soll, wie man spricht? *„Num latine loquendum, cantandum barbare?"* Die besondere Kunst, die bei den Sängern erforderlich sei, um die Monotonie der ewigen Achtelbewegung einigermaßen zu vertuschen usw.

Man sieht, auch in Rom mundet der Oratorismus nicht allseitig. Kein Wunder, daß er außerhalb der ewigen Stadt vielen, ja, wohl den meisten eigentlichen Musikern ganz und gar wider den Strich geht.

Canisius-College, Buffalo N.-Y. Ludwig Bonvin, S. J.

---

## Chor des Bischöflichen Knabenseminares „Kollegium Petrinum", Urfahr-Linz, Oberösterreich.

(Fortsetzung und Schluß.)

Zu den Maiandachten: Mai, 1. *Tantum ergo*, 4 g von Mitterer; Haller, Op. 17b, 1. 4 g. 3. (Herz-Jesu-Sonntag): „Jesu Herz", 4 kn von Jaspers (neu). 5. Haller, Op. 17b, 2. 7. Haller, Op. 17b, 4. 10. Haller, Op. 17b, 3. 12. Brunner, 2 kn o, Op. 18, 6 (neu). 14. Haller, Op. 17a, 5. 17. Haller, Op. 17b, 10. 21. Haller, Op. 17b, 7. 24. Mitterer, 4 m. Op. 138, 6. 26. Haller, Op. 17b, 6. 31. *Tantum ergo* 4 g von Mitterer; Haller, Op. 17c, 14. Mai, 24.: Christi Himmelfahrt. Messe: *Iste Confessor*, 4 g von P. Palestrina (neu); Grad.: *Alleluja, Ascendit*, 4 g von Ign. Mitterer (neu); Offert.: *Ascendit*, 4 g o von Ign. Mitterer (neu).

Juni 1.: *Requiem* wie am 1. April. 7.: Pfingstsonntag. Messe: Loretomesse, 4 g o von V. Goller, Op. 25 (neu); Grad.: *Alleluja, Emitte Sp.*, 4 g o von Joh. E. Habert; Sequenz, choral, teilweise 4 g, rezit.; Offert.: *Confirma hoc*, 4 g o von Ign. Mitterer (neu); zum Segen: *Tantum ergo*, 6 g von Ign. Mitterer; Herz-Jesu-Litanei 4 g o von Haller, Op. 76 (neu); 8.: Pfingstmontag. Marienmyrthen Nr. 1, 4—7 g von J. Gruber; *O sacrum convivium*, 4 g von Giov. Croce (neu); *O salutaris hostia*, 4 g von Haller. 18.: Fronleichnamsfest. Der Chor besorgte den Gesang bei der Prozession in Linz. 1) *O sacrum convivium*, 4 g von Haller; 2) *Da pacem*, 4 g von Fr. Weber; 3) *Adjuva nos*, 4 g von Haller; 4) *O salutaris hostia*, 4 g von Haller; *Pange lingua*, 6 g von Mitterer; *Tantum ergo*, 4 g von Mitterer; *Genitori*, 8 g von Mitterer. 21.: Prozession in Urfahr wie am 18. Juni. Kongregationsfeier des heil. Aloysius. Früh: „Maria zu lieben", 4 m von Ign. Mitterer, Op. 138, 10. Abends: *Veni sancte*, 4 m von Thielen; *Tantum ergo*, 4 g, *Genitori*, 8 g von Ign. Mitterer; Lauretanische Litanei in *G*, 4 go von Fr. X. Engelhart; Kongregationslied 2 Str. 28.: Herz Jesu-Fest. Messe: Aloysiusmesse, 4 go von V. Goller; *Credo*, choraliter; Grad.: *O vos omnes*, 5 g von Dr. Fr. Witt; Offert.: rezit.; hierauf: *O salutaris hostia*, 4 g von Haller; *Tantum ergo*, 5 g von J. Renner jun.; zum Segen: *Tantum ergo*, 4 g von Mitterer; Herz Jesu-Litanei, 4 go von Haller; Herz Jesu-Bundeslied von Mitterer. 29.: Peter und Paul. Messe: *Iste Confessor*, 4 g von Palestrina; *Credo*, choraliter; Grad.: *Constitues*, 4 g von Ign. Mitterer (neu); Offert.: *Constitues*, 4 g von Dr. Fr. X. Witt; zur Prozession: 1) Allerheiligenlitanei, choraliter; 2) Predigtlied, Volksgesang mit Begleitung; 3) *Pange lingua*, choraliter; 4) Litaneigebete, Psalmen, Versikel; 5) *Tantum ergo*, 6 g von Ign. Mitterer; 6) „Deinem Heiland", Volksgesang mit Orgelbegleitung; 7) Piuslied von Katschthaler, Volksgesang mit Begleitung; 8) „Großer Gott", Volksgesang mit Begleitung.

Juli, 4.: Dankamt (Fest des heil. Ulrich). Messe: *Iste Confessor*, 4 g von Palestrina; *Credo*, choraliter; Grad.: *Sacerdotes*, 4 g von Dr. Fr. Witt (neu); Offert.: *Veritas*, 4 g von Haller, Op. 2 (neu); *Te Deum*, 4 go von Ign. Mitterer, Op. 114; *Tantum ergo*, 4 g, *Genitori*, 8 g von Ign. Mitterer.

Bei den außerkirchlichen Festlichkeiten wurden folgende Werke aufgeführt, die zeigen, daß auch die weltliche Musik nicht vernachlässigt wird.

Jänner, 28.: Namensfest Sr. Exzellenz des Hochwürd. Herrn Bischofes. 1) „Kriegsmarsch der Priester" aus „Athalia" von F. Mendelssohn Bartholdy für Orchester, zirka 50 Mitwirkende (neu); 2) „Komm, holder Lenz", gemischter Chor mit Klavier aus den „Jahreszeiten" von J. Haydn (neu); 3) „Reiters Morgenlied", Volkslied für gemischten Chor (neu); 4) „Der Soldat", gemischter Chor von Fr. Silcher (neu); 5) „Österreichs Söhne soll man ehren", gemischter Chor von Th. Koschat (neu); 6) a) „Frühlingsgruß, 3st. Knabenchor mit Klavier von M. Koch, Op. 16, 1 (neu), b) „Elfenreigen, 3st. Knabenchor mit Klavier von M. Koch, Op. 16, 2 (neu), sehr zu empfehlen für Knabenseminare; 7) „Scherzo" aus der Klaviersonate, Op. 28 von L. v. Beethoven, Streichquintett (neu).

Februar, 16.: 1. Theater während der Semestralferien. 1) „Erzherzog Albrecht-Marsch" für Orchester von J. Schneider (neu); 2) Harmonisches Glockengeläute des Klosters Benediktbeuren", 6st. gemischter Chor von Fr. X. Engelhart (neu); 3) „Romanze, Klaviertrio von Marschner (neu); 4) „Touristen auf der Alm", Walzer-Idylle für gemischten Chor mit Klavier von Th. Koschat (neu); 5) „Studentenmarsch" für Blechmusik von Alb. Pfändtner (neu); 6) Ungarische Tänze Nr. 5 und 6, Trio von J. Brahms (neu); 7) „Eine fidele Gerichtssitzung", komisches Terzett mit Klavier von Heinze (neu). 17.: 2. Theater. 1) „Erzherzog Friedrich-Marsch" für Blechmusik von Czibulka; 2) „Der faule Steffel", gemischter Chor mit Baßsolo von Ed. Brunner (neu); 3) „Das Hahnengeschrei" von J. Haydn, gemischter Chor (neu); 4) „Eine fidele Gerichtssitzung".

Juni, 9.: Akademie zu Ehren des neuernannten Landeshauptmann Hochwürd. Herrn Joh. Hauser. 1) „Mein Österreich", Marsch für Blechmusik von Preis; 2) „Auf den Bergen", gemischter Chor von Fr. Abt; 3) 2 Ungarische Tänze von J. Brahms; 4) „Österreichs Söhne soll man ehren", gemischter Chor von Th. Koschat; 5) „Mein Oberösterreich" von E. Klinger (alle Studenten) mit Blechbegleitung; 6) „Schwert Österreichs", Marsch für Blechmusik von Wagner. 11.: Sängerausflug. Das Programm enthielt 14 Nummern für Gesang und Blechmusik. Teils wurden bekannte Werke aufgeführt, teils neue: 1) „Grüße an die Heimat", Soloquartett und 4st. Männerchor von K. Kromer; 2) „Waldkirche", 4st. Männerchor von Aug. Tangl; 3) „Anklang", 4st. Männerchor mit Bariton- und Pistonsolo von J. Gruber. 23.: Zum Valet der Maturanten 3 bekannte Chöre.

Juli, 3.: Konzert im Garten anläßlich des Schulschlusses 6 Nummern für Blechmusik, 5 Nummern für Gesang. 4.: Schlußfeier: Marsch für Blechmusik; „Wanderlied", gemischter Chor von Niels-W. Gade.

Gott und St. Cäcilia mögen unsern Chor stets mit ihrem Segen begleiten!

Fr. X. Bubendorfer, Musikpräfekt und Regenschori.

## Biographie von † Joseph Niedhammer, Domkapellmeister in Speyer.

Verfaßt von Ludwig Boslet, als Schüler und Freund.

In dem herrlich gelegenen Wachenheim (Rheinpfalz) wurde Niedhammer am 8. März 1851 geboren. Welch reiche Veranlagung ihm Gott verliehen, verrät die eine Tatsache, daß er im 18. Lebensjahre (1869) zum Seminarhilfslehrer am Lehrerseminar in Speyer ernannt wurde. Das Jahr 1872—1873 führte ihn nach München zu weiterem Studium. 1874 begann für Niedhammer eine vielseitige Tätigkeit als Präparandenlehrer in Blieskastel. Sein bedeutendes Wissen in der Geschichte, sein begeisterter Unterricht in der deutschen Sprache flößten seinem Schülerkreis Respekt ein. Er war auf der Violine wohlgeübt, am Klavier beschlagen, auf der Orgel ein Meister: Will man sich da noch wundern, wenn seine Jünger ihn anstaunten! In der Lehranstalt, im Konzertsaal, in der Kirche: überall war Niedhammer mit Leistungen dienstbereit. Mit schöner Tenorstimme begabt, ließ er es sich nicht nehmen, an den Feiertagen in der lateinischen Vesper die Führung zu übernehmen. Gar manches Schlußkonzert (Schulfeier) der Präparandenschule paradierte mit einem Programm, das den Zuhörer eher an eine Musikschule denken ließ. Schon damals erklang manches schöne Chorlied eigener Komposition. Trotzdem hatte Niedhammer nebenbei noch fremdsprachlichen

Unterricht. Nach 13 Jahren (1887) erfolgte seine Übersiedelung nach Speyer und zwar in gleicher Eigenschaft an die dortige Lehrerbildungsanstalt, welche Stellung anzustreben ihm schon längst vorher der selige Bischof Ehrler angeraten hatte. Dienstbereit sang Niedhammer sofort im Domchor mit, damit seine Begeisterung für die Kirchenmusik beweisend, sich gleichsam wappnend für die Tat. Und siehe da der kranke Domkapellmeister Haefele legt das Amt nieder und Niedhammer bleibt Sieger bei Vergebung dieser so ruhmvollen Position auf der hohen Empore in dem einzigartigen Kaiserdom zu Speyer. (2. Aug. 1888.) Überraschend schnell fand Niedhammer sich zurecht. Die kirchenmusikalischen Resultate im Dom stiegen zu einem Ansehen, wie kaum zuvor. Die Energie und der noble Kunstsinn des neuen Domkapellmeisters erzielten hinreißende Erfolge. Seine Naturanlage zum Improvisieren bildete er auf der herrlichen Domorgel weiter und bot eminente Leistungen, mitunter wahre Meistertaten. Es müßte jedoch sehr bedauert werden, wenn Niedhammer nicht einige seiner glänzenden Phantasien zu Papier gebracht hätte. Einen diesbezüglichen Wunsch hatte er früher bescheiden abgelehnt. Zweifellos hat Niedhammer auch den Domchor in seinen Leistungen gehoben und durch ihn sich reizen lassen, wertvolle Kompositionen zu veröffentlichen, die ihm einen guten Namen als Kirchenmusiker dauernd sichern. Anläßlich der 300jährigen Gedenkfeier Palestrinas führte der Domchor unter Niedhammers Leitung die achtstimmige *Missa Hodie Christus natus est* bei einem Pontifikalamte im Dome aus, auf Pfingstsonntag am 13. Mai 1894. (Für diesen Tag war Schreiber dieser Zeilen aufgefordert, eine glänzende Komposition für Orgel zu schaffen und selbst zu spielen, während der Bischof und sein Gefolge den Dom verließen. Dieses Werk mit einer Fuge (6st.) über das erste *Sanctus* der Duplexmesse erschien sofort als Op. 13 bei Gebrüder Reinecke in Leipzig.) Genanntes Wunderwerk des genannten großen Italieners im Bereiche altklassischer Kirchenmusik klang in seiner zweiten Hälfte am 26. Mai 1896 nochmals zu Ohr bei einem Cäcilienfeste im Dome. An diesem Tage war am Vormittag ein Hochamt, das wiederum Palestrina allein gewidmet sein sollte. *Kyrie, Gloria* und *Credo* aus dessen *Papae Marcelli*, 6st. wurden herrlich dargestellt. Die Einlagen blieben Choral und wirkten prächtig; die zarte Orgelbegleitung empfand man besonders wohltuend. Der Nachmittag galt einem mächtigen Programme von vier- bis zwölfstimmigen antiken Werken und ebenso modernen Piecen. Dazwischen glänzte Niedhammer mit *Pro gloria et Patria* von Stehle auf der Domorgel. Ein begeisterter protestantischer Künstler rühmte damals mit Recht die Leistungen des Domchores und des energischen, feinsinnigen Domkapellmeisters. Ende des Jahres 1900 wurde Niedhammer zum Seminarlehrer ernannt. Leider konnte er das Fach eines Seminarmusiklehrers nur kurz behaupten; denn dieser scheinbare Herkules von Person und Gesundheit kam ins Wanken; eine Krankheit zwang ihn in Urlaub und schon 1905 ging er in Pension. Nur am Dom und als Orgelexperte sah man ihn noch tätig, ebenso als hochgeschätzten Diözesanpräses aller Cäcilienvereine der Diözese Speyer. Seine kluge, sachliche Art könnte manchem ein Wink sein für friedliches, öffentliches Wirken. Mit welcher Selbstbeherrschung er auftrat, läßt sein sanguinisches Temperament und der ihm eigene Feuerkopf erkennen. Sein nobler Charakter, durchdrungen von tiefer Religiosität, half immer die Pfade nobler Persönlichkeit finden. Das Lied vom braven Mann erklinge auch ihm.

Die Firma Pustet in Regensburg hat die meisten Kompositionen von Niedhammer in Druck und Verlag, zumeist Messen: 1. *In hon. S. Georgii;* 2. *In hon. S. Josephi;* 3. *In hon. S. Mariae Patronae Bavariae;* 4. *In hon. S. Ludovici;* 5. *Laudate pueri;* 6. Jubiläumsmesse; 7. *Pax vobis* (diese Messe ist bei Schwann in Düsseldorf zu haben und ging dem Komponisten besonders zu Herzen). Gerade das *Benedictus* in diesem Werke wirkt erhebend. Trotz thematischer Engführungen erfreut durchgehends harmonischer und melodischer Wohlklang das Ohr. Dem Cäcilienvereins-Katalog hat man sämtliche Opera von Niedhammer lobend einverleibt. Die Dirigenten der Pfarr-Cäcilienvereine mögen nun den Meister ehren durch Einführung seiner Werke!

Sogar zehn Messen soll Niedhammer komponiert haben. Ein Heft leichterer Sachen erschien bei Schwann. Etliche *Veni Creator, Pange lingua* usw.

Während seiner Leidenszeit (der letzten drei Jahre) komponierte Niedhammer das Wertvollste seiner ganzen Wirksamkeit, seinen Schwanengesang: *Tu es Petrus*, 8st.; *Requiem*, 8st. bei Pustet. Das sind in der Tat großartige Kompositionen, an welche leider nur ganz tüchtige Chöre sich wagen werden. Das durchkomponierte *Requiem* bedeutet wohl ein Unikum in der ganzen Musikliteratur. Am 12. Juli 1906 — (Einweihung der Kaisergruft im Dome) — hat Niedhammer sein Werk mit Glanz aufgeführt. Mit einem großen, glänzenden Feste (Generalversammlung der deutschen Cäcilienvereine) wollte dieses oder nächstes Jahr Niedhammer seine Tätigkeit am Dom krönen, aber in der Nacht vom 28. auf 29. Juni starb der wackere Meister, nicht ganz 58 Jahre alt. Viele Hunderte ehemaliger Schüler, als Lehrer nach allen Winden zerstreut, viele Freunde und Verehrer trauern um ihn. Seine geistigen Kinder sichern ihm einen geehrten Platz in der Geschichte der Kirchenmusik.

Von der Leichenhalle des alten Friedhofes aus bewegte sich am 1. Juli nachmittag um 3 Uhr ein überaus großer Trauerkondukt zum neuen Friedhof. Es galt die Leiche eines Mannes zu Grabe zu tragen, der sich in der ganzen katholischen Pfalz und darüber hinaus durch seine Tätigkeit und seine Werke ein unvergängliches Denkmal gesetzt hat. Joseph Niedhammer, der hochverehrte und gefeierte Domkapellmeister wurde zur letzten Ruhe bestattet. Und zu diesem Trauergange fanden sich neben zahlreichen Angehörigen aller Stände aus unserer Stadt auch viele auswärtige Freunde und Verehrer des Meisters ein. Das war ein erhebendes Gefühl und ein Trost für die Angehörigen, zu sehen, welch innigen Anteil man an dem Hinscheiden dieses Mannes nimmt. Die kirchlichen Funktionen verrichtete Herr Dompfarrer Bettinger unter Assistenz zweier Herren Kapläne. Bevor der Trauerzug sich in Bewegung setzte, sangen ihm die hiesigen Herren Lehrer den Abschiedsgruß. „Schlaf wohl, nun darfst du zieh'n", riefen sie ihm in dem ergreifenden Lützelschen Chore zu und dann setzte sich der Zug in Bewegung. Die Schüler der hiesigen Lehrerbildungsanstalt, an welcher der Verstorbene seit dem Jahre 1887 bis 1905 segensreich wirkte, gingen vor dem Leichenwagen, ihnen folgten die Fahnendeputationen der rührigen Cäcilienvereine von Erfenbach und Otterbach, dann kam der mit herrlichen Blumenspenden geschmückte Leichenwagen, dem die Angehörigen und das übrige zahlreiche Leichengefolge sich anschloß. Auf dem Friedhofe sang der Domchor nach der kirchlichen Einsegnung des Grabes einen letzten Gruß dem Manne, der so häufig an dem Dirigentenpult die Mitglieder für das heilige Lied begeistert hat. Offert.: *Justorum animae*, 4st. von Witt. Herr Seminarlehrer Hornbach widmete dem verstorbenen früheren Kollegen im Namen des Kollegiums, das durch die Prüfungsgeschäfte an der Teilnahme verhindert war, herzliche und aufrichtige Worte des Dankes und der Anerkennung. Im Auftrag des Domchores sprach Herr Domvikar und Domchordirigent Endres den Scheidegruß. In vielen Augen stahl sich still eine Träne der Wehmut und Rührung bei den ergreifenden Worten, die hier im Namen des Chores gesprochen wurden. Dieser Träne braucht man sich nicht zu schämen, wenn man bedenkt, daß Niedhammer in der Arbeit für und mit dem Domchor zur Ehre Gottes förmlich aufging. Die pfälzischen Cäcilienvereine ließen ihrem Diözesanpräses durch Herrn Stadtpfarrer Breitling von Homburg den innigsten Dank in das Grab nachrufen, und wie die übrigen Redner einen Kranz niederlegen, dem einer des Cäcilienvereins Homburg folgte. Schließlich sprach noch Herr Hauptlehrer Joachimbauer im Namen der Präparandenschule zu Blieskastel, an welcher der Verstorbene lange Jahre segensreich gewirkt hatte, den letzten Gruß. Dann wurde Erde in das Grab geworfen, die Trauerversammlung verlief sich allmählich und damit hatte ein ernster Akt sein Ende für einen Mann, der sich ein bleibendes Denkmal durch seine Werke setzte. Möge der gerechte Gott ihm alles lohnen, was er im Dienste der heiligen Sache wirkte. Organist Boslet-St. Ingbert ehrte den ihm befreundeten Meister als Vertreter des Pfarr-Cäcilienvereins durch persönliche Teilnahme an dem so erhebenden Akt. Am 2. Juli wurde das feierliche *Requiem* im Kaiserdom gehalten durch Vortrag eines mehrstimmigen *Requiems* von Ett.

St. Ingbert, den 8. Juli 1908. L. Boslet.

## Vermischte Nachrichten und Mitteilungen.

1. 1. Landshut. Die vom Preßausschuß redigierte Festzeitung für die 17. Hauptversammlung des Bayerischen Volksschullehrervereins in Landshut (August 1908) enthält einen Artikel vom Kgl. Präparanden-Oberlehrer Joseph Salisko, den die Redaktion auch in den Leserkreisen der Cäcilianer bekannt machen will, um das Andenken an den Gründer des Cäcilienvereins nach zwanzig Jahren aufzufrischen:

„Dr. Franz Witt, Reformator der Kirchenmusik, Gründer und Generalpräses des Cäcilienvereins für alle Länder deutscher Zunge, berühmter Tonsetzer und Musikschriftsteller. In den letzten 13 Jahren seines reichbewegten Lebens lebte Dr. Witt zurückgezogen wie ein Einsiedler in dem trauten Häuschen des Mariengäßchens (neben der Realschule) und pflog nur persönlichen Verkehr mit dem ihm kongenialen Freund Professor Dr. Walter und mit den Kindern (Doppelwaisen) der Marienanstalt, die den liebenswürdigen Kinderfreund wie einen Vater verehrten und liebten und in deren Kreis er sich am wohlsten fühlte. So lebte der Mann, der durch sein Wissen und Können, durch die Energie seines Willens und die Macht seiner Rede für das öffentliche Leben geboren zu sein schien und der sich auch in der Tat in seinen gesunden Tagen um so wohler fühlte, je größer die Versammlung war, in der er seine Geistesblitze sprühen ließ, infolge seiner Nervosität, die er sich in aufreibendem Geisteskampfe vor der Zeit zugezogen hatte. Daher kam es, daß Dr. Witt in Landshut nur als schlichter Landpfarrer bekannt war und daß erst die Nekrologe, welche aus Anlaß seines am 2. Dezember 1888 erfolgten plötzlichen Todes in den Zeitungen erschienen, die Einwohner Landshuts belehrten, welch eine Celebrität seit 13 Jahren unter ihnen gelebt habe.

Dieses sonst so stille, bescheidene und bedürfnislose Männlein stand im regsten brieflichen Verkehr mit den Koryphäen der Musik, wovon viele tausende interessanter Briefe Zeugnis geben, die in seinem Nachlaß von Dr. Walter gesammelt wurden. Besonders waren es R. Wagner, Liszt, von Bülow, Kretschmer, Herzog u. a., die sich für die kunstfördernden Reformideen und auch für die charakteristischen Kompositionen Dr. Witts begeistert äußerten.

Der deutsche Cäcilienverein errichtete seinem Schöpfer über dessen Grabeshügel dahier ein seiner Bedeutung würdiges Denkmal; sein treuester Freund Professor Walter widmete dem kühnen Organisator und Reformator ein edel und warm geschriebenes „Lebensbild".

Cyrill Kistler schrieb eine Studie mit dem Titel „Dr. Franz Witt, ein großer deutscher Meister" und die Stadt Landshut ehrte den berühmten Toten dadurch, daß sie Witt zu Ehren eine Straße benannte.

Die Wiege Witts stand in dem Schulhause zu Walderbach (Oberpfalz), wo er als der Sohn eines tüchtigen Schulmannes von strengem, unbeugsamem Charakter das Licht der Welt erblickte — Eigenschaften, die voll und ganz auf seinen Sohn Franz übergingen und diesen später zu dem genialen, aber auch rücksichtslosen und gefürchteten Organisator und Reformator machten.

Während seiner Studienzeit in Regensburg hatte er sich jene intensive ästhetische, historische und kirchenmusikalische Bildung angeeignet, die ihn in Verbindung mit seinen Charaktereigenschaften wie keinen zweiten zum Reformator befähigte. Regensburg war damals unter der berühmten Trias — Proske, Schrems, Mettenleiter — die erste kirchenmusikalische Stadt Deutschlands, der Dom die zweite Sixtinische Kapelle der Christenheit, der Sitz der altklassischen Musik des Palestrina-Stils. Hier hatte Witt, der als Präses und Prediger an der Dominikanerkirche und dann als Seminardirektor in St. Emmeram tätig war, Gelegenheit die herrlichen Schöpfungen des Palestrina-Stils zu hören und auf sich wirken zu lassen. Hier reifte in ihm der Entschluß die völlig entartete Kirchenmusik, welche an den meisten Orten durch ihre Trivialität, Frivolität, Sinnlichkeit und vor allem Kunstlosigkeit zum Ärgernis geworden war, von Grund aus zu reformieren.

Mit der Schrift „Zustand der katholischen Kirchenmusik, zunächst in Altbayern", griff er in das Wespennest und mit einem Schlag war er zum berühmten, aber auch zum gefürchteten und viel angefeindeten Reformator geworden. Weitere aufsehenerregende Schriften und die Gründung der zwei Monatsschriften „Fliegende Blätter" und *Musica sacra* folgten, in denen er sein Programm: „Erbauung, Veredlung, Erziehung des Volkes durch ernste, würdige Musik von den Domen bis in das kleinste Filialkirchlein hinab" mit der ihm eigenen Festigkeit und Entschiedenheit und mit gewandter von eminentem Wissen zeugender Feder proklamierte. Dann schritt Witt zur Gründung des Cäcilienvereins, dessen tatkräftiger Generalpräses er von 1868—1888 war und der seinen Namen in allen Weltteilen, wo es Kirchenmusik gab, berühmt machte. In dieser organisatorischen, reformatorischen und agitatorischen rastlosen Tätigkeit liegt seine Hauptbedeutung. Großes leistete Witt auch als Kirchenkomponist. In seinen Tonschöpfungen pulsiert ein außerordentlich reiches Leben; sie glänzen durch eine gewisse Farbenpracht, sind geistreich, voll Fantasie und Kunst und wirken ergreifend durch die tiefempfundene Auffassung und Wiedergabe des Textes. Sein erschütterndes *Te Deum* mit Posaunen und Bombardon, seine herrliche Lucienmesse, seine innigen ergreifenden Kreuzwegstationen sind und bleiben für alle Zeiten Perlen der Kirchenmusik.

Witt war auch ein Dirigent von Gottes Gnaden, voll Feuer und Energie und feinstem Tongefühl; jeder Blick seines feurigen Auges wirkte wie ein elektrischer Funke auf seine Sängerschar, mit der er viel bewunderte Effekte in bezug auf Präzision, Ausdrucksfähigkeit, dynamische Schattierung, erschütternde Wucht des Marcatos und krystallene Klarheit des Vortrages zu erzielen wußte.

Im Jahre 1894 wurde in Regensburg die durch den jetzigen Generalpräses des Cäcilienvereins Dr. Fr. X. Haberl, einem Lehrerssohn gleich Witt und dessen würdigen Nachfolger, inszenierte dritte Zentenarfeier zu Ehren der zwei Tonfürsten des Mittelalters Palestrina und Orlando und zugleich die silberne Jubelfeier des Cäcilienvereins in großartiger Weise begangen. „Eine weihevolle, gehobene Feststimmung" hieß es damals in einem Festberichte, „bemächtigte sich der imposanten Festversammlung, die viele Hunderte von Lehrern zählte, als der Festredner Professor Dr. Walter aus Landshut farbenreiche glänzende Bilder aus dem 25jährigen Leben des Cäcilienvereins entrollte; donnernder Beifall aber durchbrauste den Saal, als der Redner, ein aufrichtiger Freund des Lehrerstandes, den Gründer und langjährigen Bannerträger des weltumspannenden Cäcilienvereins Dr. Witt als einen Lehrerssohn feierte, was er zum Ruhm und zur Ehre dieses Hochachtbaren und von ihm, dem Redner, so hochgeschätzten Standes in diesem feierlichen Augenblick besonders betonen wolle, eines Standes, der als Erzieher des Volkes zur Kunst diese hinausträgt bis in das letzte Dorf, wo noch die deutsche Zunge zum Lobe Gottes erklingt."

Die kunstbegeisterten Dr. Witt und Dr. Walter waren es auch, welche 1888 die Anregung dazu gaben, daß fast in sämtlichen Kirchen Landshuts prächtige Orgelwerke aus der berühmten Orgelfabrik von Steinmeyer in Öttingen erbaut wurden. Die zuletzt erstellten Orgeln in der Jodokskirche, Ursulinenkirche, Universitätskirche und Hl. Geistkirche, einem herrlichen Schmuckkästchen der Gotik, sind Meisterwerke der Orgelbaukunst. Während der Lehrerversammlung wird Gelegenheit geboten, eine der beiden letztgenannten hochmodernen Orgeln zu hören."

2. ⊙ **Herr Johann Baptist Singenberger** von Kirchberg (Kt. St. Gallen), Musikprofessor in Milwaukee, Präsident des von ihm 1873 gegründeten amerikanischen Cäcilienvereins, ist in Würdigung seiner großen Bemühungen und Verdienste um die katholische Kirchenmusik in Amerika von Pius X. mit dem Kommendatorkreuz des Silvesterordens ausgezeichnet worden und zwar durch *Motu proprio*-Dekret. Der Scholadirektor Monsignore Dr. Peter Müller in Rom, ebenfalls ein St. Galler, hatte die Ehre, das *Motu proprio*-Dekret dem Geehrten zu überreichen. Schon im Jahre 1882 war Herr Singenberger von Leo XIII. zum Ritter des Ordens vom heil. Gregor d. Gr. ernannt worden. Unsere herzlichsten Glückwünsche!

3. **Inhaltsübersicht von Nr. 8 und 9 des Cäcilienvereinsorgans:** Vereins-Chronik: Jahresbericht des Diözesan-Cäcilienvereins Basel-Solothurn. — Offizieller Bericht über die 18. Generalversammlung des Allgemeinen Cäcilienvereins in Eichstätt vom 20.—22. Juli. Vorabend; Pontifikalamt; Festversammlung mit den Vorträgen von P. Johandl und Hochwürd. Herr Käfer; 1. geschlossene Versammlung: Nachmittagsaufführung; Frithjofs Heimkehr von Stehle; *Requiem* von Mitterer; 2. geschlossene Versammlung; Referentenwahl, Rechenschaftsbericht; Teilnehmerliste. — Zum Feste Kreuzerhöhung von P. A. W. — Vermischte Nachrichten und Mitteilungen: Bericht aus Trier über die 18. Generalversammlung; Ems-Montabaur; Osterhofen; Mainz, Papstjubiläum; Salzburg-Stuhlfelden. — Inhaltsübersicht von Nr. 8 der *Musica sacra*. — Anzeigenblatt Nr. 8. — Sachregister zum Generalregister W. Ambergers Seite 85*—92* über die 3500 Nummern des Cäcilienvereins-Kataloges.

---

Druck und Verlag von **Friedrich Pustet** in Regensburg, Gesandtenstraße.
**Nebst Anzeigenblatt.**

1908. Regensburg, am 1. November 1908. Nro 11.

# MUSICA SACRA.

Gegründet von Dr. Franz Xaver Witt († 1888).

## Monatschrift für Hebung und Förderung der kathol. Kirchenmusik.

Herausgegeben von Dr. Franz Xaver Haberl, Direktor der Kirchenmusikschule in Regensburg.

Neue Folge XX., als Fortsetzung XXXXI. Jahrgang. Mit 12 Musikbeilagen.

Die „*Musica sacra*" wird am 1. jeden Monats ausgegeben, jede der 12 Nummern umfaßt 12 Seiten Text. Die 12 Musikbeilagen wurden mit Nr. 5 (Motett und Messe *Beatus vir qui intelligit*, 6stimm. von Orl. Lassus) versendet. Der Abonnementpreis des 41. Jahrgangs 1908 beträgt 3 Mark; Einzelnummern ohne Musikbeilagen kosten 30 Pfennige. Die Bestellung kann bei jeder Postanstalt oder Buchhandlung erfolgen.



## Welche Anforderungen stellt die katholische Kirchenmusik an den Vokalkomponisten?

Von Alfred Gebauer, Liebenthal, Bezirk Liegnitz.

Motto: „Was du bist, das strebe ganz zu sein." (Wickenburg.)

„Die Musik im Gotteshause sei kirchlich". (Kornmüller.) Was versteht man darunter? Sie soll ernst, würdevoll, andächtig, fromm und verständlich sein; sie ist diejenige, welche den bei jeder mit Musik begleiteten gottesdienstlichen Handlung herrschenden kirchlichen Geist ausdrückt; in subjektiver Fassung der möglichst treffende musikalische Ausdruck der Gefühle und Herzensstimmungen, zu denen ein katholischer Christ nach dem Geiste der Kirche bei dem aufmerksamen und verständnisvollen Aussprechen des kirchlichen Textes in dieser oder jener liturgischen Beziehung, beziehungsweise Stellung sich angeregt fühlt. Die Kirchenmusik muß somit der Dolmetsch der kirchlichen Stimmung sein, in ihrer Melodie, Harmonie und dem Rhythmus, den Charakter der Keuschheit, Demut und heiligen Ruhe an sich tragen. Eine solche Musik zu komponieren ist gewiß nicht jedermanns Sache; denn groß und schwierig sind die Anforderungen, die eine gute kirchliche Komposition an den Tondichter stellt.

Die Kirchenkompositionen müssen einen kirchlichen Charakter aufweisen. „Die Melodie ist die Seele der Musik." (Stein.) Die Melodie einer jeden Komposition birgt die Empfindung und Gemütsstimmung des Menschen, wie sie gerade durch irgend eine Situation hervorgerufen wird. Wie aber jede Empfindung wechselt, so muß auch der melodische Ausdruck verschieden, anders gehalten die Melodie sein, je nachdem die Gelegenheit beschaffen ist, wobei diese Stimmung des Gemütes ausgesprochen werden soll. Die Melodie einer Kirchenkomposition hat demnach eine ganz andere Beschaffenheit als andere Gattungen unserer Tonkunst, selbst wenn hier ebenfalls fromme Empfindungen auszudrücken wären. Meines Erachtens spricht der Kirchentondichter niemals für sich allein, sondern als Wortführer einer versammelten Kirchengemeinde. Darf er deshalb in seinen Melodien bloß musikalisch dasjenige ausdrücken, in Tönen bringen, was er persönlich empfindet? Nein, das befriedigt nicht; er muß als Sprecher der Parochie derjenigen Stimmung Ausdruck verleihen, die bei dieser Gelegenheit alle Kirchenbesucher beseelt, welche die Kirche bei den Gläubigen wecken und beleben will. Demnach fordern wir Cäcilianer Kirchenkompositionen, welche der ganzen versammelten Gemeinde möglichst angemessen und leicht verständlich in der Melodie die allgemeine Empfindung und Stimmung ausdrücken. Der Kirchenkomponist darf nie eine leidenschaftliche Gemütserregung, sei es tiefer Schmerz oder aufjubelnde Freude in seine Melodien bringen. Daß die Melodie klar und einfach in ihren Wendungen sein muß, somit den Charakter der Demut an sich trägt, liegt offenbar auf der Hand. Künstlerische Wendungen suche man niemals, sie sind wohl Gebildeten leicht faßlich, aber der Allgemeinheit dürften sie fremd, durchaus unverständlich bleiben. Man meide daher den beständigen Wechsel der Affekte, welche die Gemüter durch starke Kontraste aufregen. Das Streben eines katholischen Kirchenkomponisten gehe einzig und allein dahin, daß sich in seinem *Cantus firmus* eine gleichmäßige Stimmung bei ein und derselben Feier hindurchziehe. Nicht die Textworte sind hierfür allein maßgebend, sondern nicht zum wenigsten der Charakter der kirchlichen Feier, aus deren Anlaß diese Komposition erklingen soll; zudem verdient der Inhalt dieser Feier nebst der Stellung zum kirchlichen Jahre eingehende Berücksichtigung. Treffend sagt Thibaut in seiner Schrift „Über Reinheit der Tonkunst“ über diesen Gegenstand: „Die Kirche ist nicht der Ort, wo alles Genießbare gegeben und genossen werden soll. — Wer in voller Freude des Herzens Gott danken und ihn loben will, der wird seinen Dank nicht mit ungebundenem Jubel, sondern mit bescheidener Inbrunst aussprechen; und wer, durch Leiden gebeugt, außer der Kirche sich in Schwermut und Jammer auflösen könnte; der wird vor Gottes Augen wieder getrost werden. — — Man kann sich das, was der Kirche angehört, am leichtesten verdeutlichen, wenn man nur etwas über die Pflichten eines Kanzelredners nachdenkt. Ein Priester auf der Kanzel soll nicht jubeln, wie ein Herold, welcher das Volk durch Siegesnachricht freudetrunken machen will; nicht süß und lieblich sein, wie die weltliche Zärtlichkeit; nicht wimmern und klagen, wie die schwache Menschheit, welche sich von Gott und der Welt verlassen glaubt. Dieses Ideal, welches einem Priester stets vorschweben soll, muß auch das Ideal tüchtiger Tonkünstler sein, wenn sie der Kirche zu ihrem Zwecke dienen, nicht das Kirchengebäude als Ort behandeln wollen, wo sich alles hören lassen kann, was den Ohren schmeichelt.“ Welch ein Kern von Wahrheit! Möchten doch alle Tonsetzer, die sich mit katholischer Kirchenmusik befassen, über diese im allgemeinen derselben Ansicht sein. Betreff der Modulationsweise muß sich der Kirchentonkünstler einer ganz anderen bedienen, als der Oratorienkomponist und der von weltlichen Stücken. Was bei den letzteren ein Verdienst wäre, möglichst getreue Anpassung und anschmiegenden Ausdruck der eigenen Gemütsstimmung, wie sie eben die Textworte ergeben, sei es Schmerz oder Jubel, das wäre beim Kirchenkomponisten entschieden ein großer Fehler. Sein Modulieren bleibe ruhig und einfach, bewege sich hauptsächlich in der natürlichen diatonischen Tonleiter, wende die so moderne Chromatik wenig oder gar nicht an, nur dann, wenn man ihrer dringend bedarf, um gewisse Härten in den einzelnen Tonfortschreitungen der verschiedenen Stimmen zu beseitigen. Wie wird aber dagegen in unserer Zeit von modernen Komponisten für die Kirche gefehlt! Mit Willkür bringt man die Chromatik, sie dient zur Erzielung besonderer Effekte, um frappante Ausweichungen nach fern liegenden Tonarten zu bewirken, gewissen bildlichen, den Inhalt der einzelnen Phrasen des Textes in Tönen malenden Ausdruck zu erstreben. Mehr Diatonik, mehr Diatonik! Sie, die diatonische Tonleiter bietet so recht eine natürliche Tonfolge. Die Kirchenmelodien, die sich in ihr bewegen, haben erst den Charakter von Einfachheit, Natürlichkeit; sie sind zweifelsohne auch dem weniger Gebildeten in jeder Hinsicht leicht verständlich, während die Chromatik alles gesucht, gekünstelt erscheinen läßt, daher sie für das Gemüt des Ungebildeten unwirksam macht.

Der echte Kirchenkomponist gebe seinen Melodien auch eine kirchliche Harmonie; auch sie soll Reinheit und Ruhe atmen. „darf nicht an menschliche Leidenschaften anklingen, kein einseitig aufgefaßtes Spiegelbild der Gemütsstimmung seiner Person sein, nein, sie muß vor allem heiligen Frieden ausdrücken, welchen unsere heilige Kirche durch den Kultus über die Gemüter der Gläubigen ausbreiten will.“ Wie erzielt das der Komponist der Kirche? Dadurch, daß die Harmonie vorherrschend in einfachen Dreiklängen besteht, Dissonanzen nur wenig angewendet werden. Der reine Dreiklang ist meiner Ansicht nach der getreue, unverfälschte Ausdruck für das Element aller Ruhe im menschlichen Gemüte; er ist das reine Bild des inneren Friedens, den die Kirche befestigen will, wo er bereits vorhanden, zurückführen, wo er bereits verloren war. Eine dissonierende Harmonie wirkt in mancher Hinsicht unruhig, ist das Bild der Zwietracht. Freilich sollen dissonierende Akkorde gebracht werden, müssen aber in der Kirchenmusik eine ebenso untergeordnete Stellung einnehmen, wie alle Regungen und Leidenschaften dem Gewissen untergeordnet und dessen Forderungen dienstbar sein müssen. „Eine Kirchenkomposition ohne alle Mischung dissonierender Töne wäre gleich einem Bilde ohne Schattenpartien.“ Dem kirchlichen Tondichter seien die dissonierenden Akkorde nur untergeordnete Mittel zu höherem Zwecke, er brauche sie aber nur zur besseren Verbindung, Ergänzung und Belebung konsonierender Klänge. Ein treffendes Beispiel hiefür geben uns die alten Meister Palestrina, Handl, Vittoria, Orlandus Lassus usw. In der profanen Musik haben die Dissonanzen eine viel höhere Geltung. Hier muß und kann sich der Tondichter der Dissonanzen vollständig frei bedienen, ja, er wird sie bei Tonmalereien direkt anhäufen, natürlich kunstgerecht, um eine große begeisternde Wirkung zu erzielen. In die Kirche gehört aber eine derartige Sprache für keinen Fall. Wer etwa des Glaubens ist, den Druck der Sündenschuld und die Seelenqualen mit schrillen dissonierenden Akkorden ausdrücken zu müssen, wo vielleicht der Text von Schmerz, Sünde und Strafe spricht, der dürfte den Geist unserer Kirche arg verkennen und ihre Absicht erst recht. „In den Harmonien soll niemals der physische Schmerz ausgemalt, nicht die innere Beängstigung musikalisch ausgedrückt werden, sondern eine fromme heilige Ruhe, verbunden mit tiefem Ernste soll in den Klängen weben.“ Trost und Trauer sollen hier miteinander verbunden sein, eins muß das andere nach Möglichkeit mildern, verklären. Wie oft habe ich als Rezensent Messen neuerer Tondichter, mitunter von hochklingendem Namen unter der Feder gehabt, bei denen beim *Crucifixus etiam pro nobis* usw. eine Dissonanz die andere treibt; die armen Dissonanzen müssen grell herhalten, um den Schmerz der Seele bei Erwägung des bitteren Leidens und Sterbens unseres Heilandes möglichst düster auszumalen. Ist das nicht eine Verkennung der gestellten Aufgabe? Wieder andere lassen das *Te Deum laudamus* mit rein kriegerischem Jubel über einen errungenen Sieg unter Paukenwirbel und Trompeten-, Hörner- und Posaunengeschmetter beginnen, dann bei den Worten *Judex crederis esse venturus* mit allen Schrecknissen des Gerichtes die erschütterndsten und gewagtesten Dissonanzen auf die Gläubigen losstürmen. Bei enthusiastischen Kunstjüngern und -Kennern und solchen, welche dem Kunstgenuß nachjagen, wird eine derartige zweifelsohne genial zu nennende Tonmalerei, wie sie Oratorien so oft in großartig, vollendetster Weise bringen, durchaus ungeteilten Beifall finden. — Ist das aber echte Kirchenmusik? Wie verhält sich die Kirche zu derartigen Kirchenkompositionen? Es ist kaum glaublich, daß die Kirche ein solches Verfahren gutheißen, fördern sollte; denn ihr Hauptzweck, die andächtig versammelten Gläubigen zu erbauen, dürfte dadurch nur vereitelt werden, wenig Förderung erfahren. Darum: Mehr kirchliche Harmonien!

Nichts ist für den kirchlichen Tonsetzer gefährlicher, als der musikalische Rhythmus oder Takt. Behandelt er ihn nicht streng genug, so kann dieses wesentliche Element der Musik dem ganzen kirchlichen Tonstücke schnell ein profanes Gepräge geben. Nie darf die knappe Gliederung einer Melodie nach Sätzen und Takten, die gleichmäßige Abteilung der Takte und ihrer Teile in gerader und ungerader Zahl fehlen; das Zusammenfassen dieser Takte in Perioden von gleicher Dauer, ihr gleich- und ebenmäßiger, kunstgerechter Bau; zuletzt die einzelnen „Tempo“ der so geordneten und genau abgemessenen Takte und ihre Teile — alles schließt einerseits ein Element der Ordnung ein, andererseits liegt aber darin die Gefahr verborgen, daß die Melodie einen flüchtigen Charakter annimmt, der mit dem Ernst der Kirche schwer in Einklang zu bringen ist, — die Melodie den Text vollständig erdrückt. In der Kirchenmusik bleibt der Text die Hauptsache. „Deutlich müssen die Textworte hervortreten. Dieses Verlangen stellen zahlreiche Synodalbeschlüsse älterer und auch neuerer Zeit, und ihre Berechtigung ist kaum anzuzweifeln. Dieser Forderung kann aber nur unter den Umständen nachgekommen werden, daß der musikalische Rhythmus zur Hervorbringung eines besonderen Effekts herangezogen wird, einzelne Taktteile nicht zu viel zerstückelt werden, jedes schnelle Tempo vermieden und für den Gesang eine gleichmäßig langsame Bewegung festgehalten wird. So kann die verwandtschaftliche Beziehung der Figuralmusik zum gregorianischen Chorale bewahrt und der kirchliche Charakter entschieden gesichert werden. Und nun frage ich: Wird eine solch rhythmische Einfachheit, Ruhe und Mäßigung im Zeitmaße den Kirchengesang nicht schleppend, schläfrig, schlaff, mit einem Worte, langweilig machen? **Nein.** Beweis: Die zahlreichen Meisterwerke der kirchlichen Kunst aus der älteren und ältesten Zeit, darunter auch solche, welche schon nach dem 16. und 17. Jahrhundert unter Anwendung der neueren Harmonie und Kompositionslehre gesetzt worden sind, in welchen der Rhythmus für den Zuhörer ganz und gar zurücktritt und doch seine volle Wirkung zur schönen Gliederung nach der Melodie und zur deutlichen Hervorhebung des Textes voll und ganz hervorbringt, wo gerade bei langsamem Tempo die alten Sätze so herrlich, ergreifend wirken. Darum: Kirchlichen Rhythmus sollen die Kirchenkompositionen besitzen.

(Schluß folgt in Nr. 12.)

## Geheime Korrespondenz.

Sch . . . ., 4. Januar 1904.

Lieber Herr Kollege und Freund!

Zunächst meinen herzlichen, aufrichtigen Dank für Ihr freundliches Gedenken am Jahresschlusse. Alle Ihre lieben Wünsche erwidere ich auf das herzlichste. Sie schrieben mir ferner, daß Sie als Chorleiter sehr zu klagen hätten über das unpünktliche Eintreffen Ihrer Chorsänger zu den Aufführungen an den Sonn- und Feiertagen. Wenn ich Sie recht verstanden habe, so pflegen Chormitglieder sich regelmäßig die Predigt zu schenken, die dem Hochamte vorangeht. — Sie wollen von mir wissen, wie dem abzuhelfen sei. Ja, lieber Freund, Sie haben da eine Frage gestellt, deren Beantwortung gar nicht so leicht ist, als es vielleicht für manche den Anschein hat.

In erster Linie dreht es sich bei aller Abhilfe, bei Heilung all solcher Fleckenkrankheiten eines Kirchenchores, um die eine Frage: „Worin beruht das Wesen dieser Krankheitserscheinung?" Dann kommt man auch von selbst auf die Heilmittel.

*„Qui bene distinguit, bene docet."* Wer gut unterscheidet, lehrt gut. Unterscheiden Sie also, bitte, auch hier im vorliegenden Falle. Fragen Sie sich vor allem darnach: „1. Wer kommt ausnahmsweise zu spät. 2. Wer tut dies regelmäßig!"

Ferner: „Welches sind die besonderen häuslichen, die individuellen Verhältnisse jedes einzelnen Chormitgliedes?

Um dies zu erfahren, stellen Sie sich vielleicht an der Chortreppe im Turme auf und zeigen über das Zuspätkommen des Einzelnen aufrichtige Teilnahme. Gehen Sie bei all diesen Maßnahmen von der Voraussetzung aus, daß zunächst kein böser Wille vorhanden sei in den Spätlingen, sondern daß sie ein Opfer der Verhältnisse geworden sind. Es gibt ja soviele ernste und wirkliche Abhaltungsgründe für das Zuspätkommen, daß nur der Neuling als Chordirigent den guten Glauben verliert, ja ihn nicht erst einmal annimmt.

Bei vielen Mitgliedern genügt diese aufrichtige, ungeheuchelte, vertrauliche Erkundigung vollkommen, um sie vor dem Schlendrian zu bewahren. Nun kann aber der Fall eintreten, daß man entweder schnippische oder grobe Antworten oder Bemerkungen erhält, wenn man sich teilnahmsvoll erkundigt. In allen diesen Fällen verleugne sich der Chorleiter selbst, so wird er zum Chormeister. Nur geistige Überlegenheit, nur der höhere sittliche Gehalt im Chorleiter vermag es, die Chormitglieder auf die Dauer zu binden.

Also, Sie werden, lieber Freund, stechende Widerrede erfahren. Machen Sie sich darauf gefaßt. Da hilft nur eins: Klarheit der Lage. In solchen Fällen pflege ich bei einigen zu sagen: „Sie wollten mir jetzt gewiß wehe tun. Was habe ich Ihnen getan? — Bloß meine Pflicht habe ich zu erfüllen gesucht. Es darf mir als dem verantwortlichen Leiter nicht gleichgültig sein, wie das einzelne Chormitglied seine Pflicht, Gott zu dienen, auffaßt. Der Chordirigent ist einst über diesen Punkt dem lieben Gott ernste Rechenschaft schuldig und diese Rechenschaft machen Sie, liebes Chormitglied, mir schwer, sehr schwer. Und dann — ich will doch bloß wissen, daß Sie nicht ohne Grund zu spät kommen. Ich will durchaus Ihnen die Hochachtung nicht verkümmert wissen, auf die Sie Anspruch haben als Chormitglied von seiten der Mitglieder und des Chorregenten. Es kann und darf Ihnen doch nicht gleichgültig sein, was Ihre Umgebung in diesem Punkte über Sie denkt.

Und schließlich werden Sie von den anderen Sängern im stillen beobachtet und scharf verurteilt. Gar leicht setzt sich da im geheimen ein Urteil über Sie fest, das, von niemand ausgesprochen, doch unverrückbar fest haftet und unaufhörlich gegen Sie Zeugnis ablegt. Seien Sie überzeugt, sehr geehrtes Fräulein, daß ich es im letzten Grunde nur gut mit Ihnen meine. Sie sagen ja selbst, daß Sie die fünf Minuten sich eher auf den Weg zur Kirche begeben wollen. Ich werde Ihnen sehr dankbar dafür sein, in Ihrem eigenen Interesse.

Das war eine Dame, die „gern" ein bißchen später erscheint. Es ist die reine Unachtsamkeit und eine gewisse Gedankenlosigkeit, die sie zur Unpünktlichkeit verleiten. Und mit diesem einen Male ist es bei solchen auch noch nicht getan. „Steter Tropfen höhlt den Stein" heißt es hier.

Schlimmer als diese Spätlinge aus einer gewissen Energielosigkeit sind jene Mitglieder, die aus „Grundsatz" sich die Predigt schenken — einen Sonntag, wie den andern. Ihnen ist in der Regel nicht beizukommen. Aber einiges kann man tun, um ihrer Sonderstellung etwas Licht zu entziehen. Besonders schlimm ist der Dirigent daran, wenn diese Mitglieder — zumeist trifft es Damen nicht — die sogenannten Stützen des Chores sind. Ihr Verhalten ist ein stetes Kreuzzimmern für den Chorleiter, der zudem noch die stille Sorge hat, daß mancher mit dem Fernbleiben vom Chore nur auf Umwegen den Gang zur Erfüllung seiner Sonntagspflicht einschläge. Hier heißt es stiller Ernst, ernste Geduld, geduldige Liebe. Mit Worten ist es schwer, etwas zu erreichen. Das Beispiel ist hier das beste, oft das einzige Gegenmittel.

Die Alten prägten den Erfahrungssatz: *ve soli!* Wenden Sie ihn an auf die, die Ihnen innere Sorgen bereiten, und Sie werden sehen, daß Sie schließlich doch auch diesen spröden Stoff formen.

Für heute Schluß. Ich fürchte, Ihre Geduld zu ermüden oder den Eindruck zu erwecken, daß ich mich mit meinen Ratschlägen Ihnen aufdränge. Es hat mich gefreut, daß Sie zu Ihrem ehemaligen Musiklehrer soviel Vertrauen haben. Es ist das ein Ansporn für mich, mit Vertrauen zu meinen Seminaristen weiter zu arbeiten zu ihrem Heile und zum Wohle der *Musica sacra*.

In vorzüglicher Wertschätzung

Ihr Kollege

J. Grünwald.

Antwort.

B . . . ., 10. Januar 1904.

Sehr geehrter Herr Musikdirektor!

Empfangen Sie meinen aufrichtigen, ergebenen Dank für Ihren Brief. Mit großem Interesse habe ich ihn gelesen. Eine Genugtuung hat er mir gebracht, für die ich Ihnen besonders danke: ich ersehe aus Ihrem liebenswürdigen Schreiben, daß auch Ihnen der von mir zur Besprechung gebrachte „Gegenstand" ernst und eines tieferen Nachdenkens würdig erscheint. Es tut mir das um so wohler, als ich in meiner Umgebung unter meinen Amtsgenossen niemanden habe, mit dem ich mich vertraulich aussprechen könnte. Ich habe einen musikalisch außerordentlich tüchtigen Kollegen in nächster Nähe: an der Hauptkirche hiesiger Stadt. Aber er hat so seine eigenen Gedanken und Ansichten. So meinte er, als ich ihn neulich frug, ob er über den mangelhaften Besuch der Predigt nicht zu klagen hätte: Ach, was geht das mich an. Das ist dem Pfarrer seine Sache. Wozu ist er denn Präses? Ich bin froh, daß die Mitglieder überhaupt kommen. Na — und wenn man weiß, wer manchmal predigt — ich kann es ihnen nicht ganz verdenken, wenn sie der Langweile aus dem Wege gehen wollen."

Mich hat diese Stellungnahme sehr verdrossen. Denn die Predigt gehört nun einmal zum Hochamte. Ich bin es anders nicht gewohnt von Jugend auf. Und dann will es mir durchaus nicht gefallen, daß sich nach Meinung dieses Herrn Kollegen der Dirigent nur um das Musikalische allein bekümmern soll. Das gibt dem Kirchenchore einen starken weltlichen, einen sogenannten Gesangvereinsanstrich. Ein Cäcilienchor ist doch mehr als ein reiner Sängerchor. Ich urteile hiebei mehr nach einem gewissen Gefühle heraus, wonach mir diese rein musikalische Auffassung des Kirchenchores nicht das ist, was ich mir so im stillen darunter denke. Der erwähnte Herr Kollege leistet Großes in musikalischer Beziehung und doch möchte ich nicht unter gleichbleibenden Verhältnissen Mitglied oder Dirigent jenes Chores sein.

Allerdings, in dem Urteile des erwähnten Herrn über die Art mancher Priester als Prediger liegt etwas Wahres darin, wie sehr mir auch die Schärfe seiner Worte widerstrebt. Es ist nicht zu leugnen, daß man mitunter recht wenig von der Kanzel aus ergriffen wird. Wenn eben einfach nur das wieder gesagt wird, was im Katechismus steht, ohne direkten und mannigfachen Bezug zum Leben, so stellt der Priester — zumal in einer Großstadtgemeinde — die gebildeteren Zuhörer auf eine harte Probe. Aber bei gutem Willen holt sich der einzelne schon sein Krümchen heraus. Vor allem aber mißbillige ich, daß der Herr Kollege seine abfällige Meinung über diese Predigtweise öffentlich kund tut beim Frühschoppen, den er mit seinen Herren gewissenhaft hält. Es ist seine Sache, wie er darüber denkt. Und wenn er, weil er einen besonderen Organisten hat, regelmäßig, ich sage regelmäßig erst ¾10 Uhr statt zum *Asperges me* um 9 Uhr auf dem Chore erscheint, so wird er von der Predigt doch wohl nicht zu sehr angegriffen — und er sollte es damit genug sein lassen.

Sie sehen, hochgeehrter Herr Musikdirektor, daß es manche Fragen gäbe, die ich gern mit Ihnen mündlich verhandelt hätte. Mir kommt es vor, als hinge an all diesen „Nebensachen" doch mehr als es den ersten Anschein hat. Wie groß meine Freude ist, wenn von Ihrer gütigen Hand ein lieber Brief einläuft, kann ich schwer in ruhige, einfache Worte fassen. Für all Ihre Güte und Ihr Wohlwollen in bezug auf meine schwache, stille Arbeit an Chor und Schulkindern meinen innigsten, aufrichtigsten Dank.

In treuer Ergebenheit des Herzens

Ihr dankschuldiger ehemaliger Schüler

H. Eberlein.

Sch . . . ., 24. März 1904.

Mein lieber Herr Kollege und Freund!

Mit herzlichem Interesse habe ich Ihre Zeilen erhalten und in Rücksicht auf die Wichtigkeit und Bedeutung so mancher von Ihnen angeregten Punkte konnte ich trotz vieler Arbeit im Seminare gerade vor Ostern — nicht länger mit einer Antwort warten.

Eines gefällt mir von Ihnen: Sie fassen die Aufgabe des Kirchendirigenten nicht als eine bloße musikalische, als eine rein „ästhetische" auf, sondern als eine ethische, als eine Erziehungsaufgabe. Und das ist sie auch, ihrem ganzen Wesen nach, in jeder Übungs- und in jeder Aufführungsstunde. Daran halten Sie fest, mag da eine andere Meinung haben, wer da wolle; er wird keine bleibenden Resultate erreichen. Richten Sie Ihr Augenmerk auf die rechte, fruchtbringende Ausnützung der Zeit, besonders nach höheren Gesichtspunkten. Gerade die heutige Zeit verlangt starke Geister, die es fertig zu bringen wissen, ihr Leben so einzurichten und auszugestalten, daß als Lebensgrund, als Welthintergrund der Glaube leuchtet; daß der Glaube ihrem Tun und Lassen voranleuchte, es begleite, es mit höherem Geiste erfülle und mit dem Himmel verbinde. Nur in diesen Reflexen von oben bestrahlt erscheint uns das Leben bedeutungsvoll.

Ihre „Einsamkeit" begreife ich. Bleiben Sie lieber einsam, als daß sie Anschluß suchen, der Ihnen Opfer der Überzeugung und des inneren Friedens kostet. Hüten Sie Ihre Weltansicht um jeden Preis. Suchen Sie geistigen Anschluß mit Gleichgesinnten; vermeiden Sie, lieber Freund, in der Einsamkeit, sich selbst zu bespiegeln; dann kann Ihnen das Fürsichbleiben nichts antun. Werden Sie nicht menschenscheu und ein Menschenverächter mit dem üblichen Schusse von Eitelkeit und weltschmerzlicher Schwärmerei; aber opfern Sie kein Jota von dem, was Sie Ihre Überzeugung nennen, was Ihnen gegen Ihre Natur, gegen den Strich ist.

Nun kennen Sie hiemit auch schon mein Urteil über den mir bekannten Herrn Kollegen als Chordirigent. Er hat eine etwas holperige Natur. In dieser Hinsicht kommt bei ihm vieles stoßweise, heftig heraus, und klingt manches hart und absprechend. Es ist ihm aber nicht so gemeint. Er ist ein fleißiger, und — wie Sie sagen — in seinem Fache begabter, tüchtiger Mensch, dem man leicht unrecht tun kann, wenn man ihn nur nach seiner rauhen Außenseite beurteilt. Allerdings, ein Mensch ist nicht wie der andere. Und es läßt sich wohl nicht leugnen, daß er einen Stich ins Materialistische erhalten hat, der, bei nicht genügender Gegenarbeit an sich, leicht auf Abwege führen kann. Er gehört eben nicht zu den innerlichen, sinnenden Naturen, und ich verstehe recht wohl, daß Sie beide einander innerlich nicht viel angehen.

Er mag seine Ansichten haben über den Pflichtenkreis eines Chordirigenten wie er will, das ist seine eigene Sache. Aber er tut entschieden unrecht, wie Sie schon ganz richtig sagten, wenn er seine Meinung über die Predigtkunst zu allgemeiner Kenntnis bringt. Er soll immer bedenken, daß er eine Autorität darstellt, deren Aussprüche eine größere Tragweite besitzen, als wenn er als Privatmann sich äußerte.

Und dann: wenn er als seelsorgender Laie die geistige Führung seines Chores übernähme, so würde das viel Gutes stiften. Denn den Bemühungen des Geistlichen, als des Präses des Vereines, entgegnet derjenige, der sich getroffen fühlt: „Ja, dieser Herr spricht für seine eigene Sache. Das ist so seines geistlichen Amtes!" Das aber kann man dem Dirigenten nicht vorhalten. Darum kann ein Laienwort in geistlichen Dingen oft mehr wirken als geistliche Zusprache.

Es ist wahr, daß es unter den geistlichen Herren welche gibt, denen die Gabe der Rede versagt ist. Lieber Freund — die Redekunst ist eine Kunst; als solche ist sie zu einem großen Teil an Begabung gebunden. Sie setzt einen schnellen, scharfen, sichern psychologischen Blick für die Bedürfnisse und die Art der Zuhörer im Prediger voraus. Studium hilft nicht dagegen.

Aber — unter uns gesagt — gibt es nicht auch „langweilige" Herren in unserm Stande?

Und dann: seien wir gerecht: Sehen Sie einmal schärfer zu. Welche Summe geistig körperlicher Arbeit hat der Priester in der Großstadt zu leisten, ehe er die Kanzel besteigt? Wochentags die dreiundzwanzig Unterrichtsstunden, die Krankengänge etc., und Sonnabends seine drei Stunden Beichtstuhl. Und Sonntag in vielen Fällen wieder im Beichtstuhl sitzen von früh sechs Uhr an bis gegen 10 Uhr. Dazwischen nur die Ablösung durch die Schulmesse mit Ansprache. Wo bleibt da die Zeit über zur Vorbereitung. Mancher ernst strebende Priester seufzt im stillen, daß er Sonntag wieder „blechen" müsse. Aber gerade diese lassen nichts davon spüren, daß sie aus dem Stegreif vortragen. Das Leben strömt in voller Breite um den Priestersessel. Dort heraus greifen sie: aus dem Leben für das Leben, und in ihrem geübten Rednermunde erhält die einfachste Tatsache Leben und Bedeutung.

Eines sei allerdings nicht verschwiegen: es will mir scheinen, als würde auf so manchen katholischen Priestervorbildungsanstalten nicht die Zeit der Vortragskunst gewidmet, die sie verlangt. Der Spruch: „Nicht auf die Röhre kommt es an, wodurch das Wasser des göttlichen Wortes fließt" — wird mancherorts zu sehr benützt, um Arbeiten an den Kandidaten aus dem Wege zu gehen, für die es an geeigneten Lehrkräften zu fehlen scheint. An den Theologieanstalten nichtkatholischerseits hat man Stimmbildungskurse für die angehenden Prediger schon längst und mit Erfolg eingerichtet. Und wenn wir auch zugeben müssen, daß bei den Protestanten „der Dienst am Worte" eine ganz andere, die wesentliche Seite des „Geistlichenstandes" ausmacht, so ist doch damit nicht gesagt, daß die sprachästhetische Seite des katholischen Geistlichen als Lehrer und Prediger nicht auch eine besondere Ausbildung benötigte. Gerade die Diaspora bedarf einer diesbezüglichen Berücksichtigung ihrer besonderen Ansprüche. Denn hier finden wir oft auf der andern Seite ausgesuchte Schulung bei großer rethorischer Veranlagung.

Es ist eine eigene Sache um das Schönsprechen. Nehmen Sie, lieber Freund, den Fall an, aller geistige Verkehr vollzöge sich — wie vor Erfindung der Buchdruckerkunst — nur in den Formen des schriftlichen Ausdrucks. Wie manches schöne Buch bliebe ungelesen, wie manch ein wirksamer Gedanke unbeachtet, wenn er in einer Handschrift niedergelegt wäre, deren Züge mehr Rätsel aufgeben, als wie solche lösen. Sie sehen an diesem einen Hinweis, daß manche bildliche Redensart, und wenn es die vom neutralen Brunnenrohre ist, recht hinkt.

An und für sich steht „das Predigen" in dem Rufe, dem Sünder lästig zu fallen. Wenn nun zu dieser seelischen Bedrängung noch die Beängstigung des Feingefühls durch Verletzung der Form tritt, so sucht der doppelt beeinflußte Mensch nach einer Abwehr. Der schlechte äußere Zustand der Predigt nun bietet gleichsam einen Henkel, woran man die lästig fallende gute Belehrung anfaßt und beiseite stellt. Die mangelhafte Form baut die fliegende Brücke der Ausrede, auf der sich der wenig Gutgewillte still beiseite drückt. Das sollten alle die recht im Herzen bedenken, die in diesem Punkte der Priesterausbildung mitzureden haben. — — —

Mir aus dem Herzen gesprochen ist Ihre Ansicht, daß Predigt und Hochamt zusammengehören. Wie Sie es schon tun, muß man eben in allem einen Unterschied machen. Und es ist ein Unterschied, ein sehr großer Unterschied meine ich, ob ein Sänger im einzelnen Falle, ob er einmal zu spät kommt, oder regelmäßig. Der Katechismus und mit ihm das Gewissen verpflichten nicht unter einer schweren Sünde, überhaupt nicht unter einer Sünde zum Anhören der Predigt. Aber, wer in der Regel zu spät zur Predigt kommt oder in der Regel sie ganz vernachlässigt, der läßt in sich aufkommen die Verachtung des göttlichen Wortes. Und damit ist die Sache gegeben, die an sich eine schwere Verfehlung — ein *peccatum* — eine Todsünde enthält. Das gelegentliche Zuspätkommen ist ein Mangel — ein *deficiens*, ein Defekt, aber die dauernde Vernachlässigung ist ein *malum* — ein *malum coram publico* — eine Dienstverweigerung „vor versammelter Mannschaft" wie die Kriegsartikel des Deutschen Heeres sich ausdrücken. Dem muß der Dirigent begegnen mit der Ruhe seines guten Gewissens, mit dem Ernste seines getroffenen Gewissens, mit dem ganzen Gewichte seiner gesamten Autorität. Ich stehe nicht an, zu sagen, daß der Dirigent dann lieber auf solch ein Mitglied verzichten soll, daß er selbst die Existenz des vierstimmigen Gesanges lieber in Frage stellen soll, als solch ein innerlich verirrtes Mitglied zu dulden; denn es ist solch ein halber Katholik eine schwere Gefahr für den ganzen Chor.

Sehen Sie, mein teurer Freund, das Wesen jedes katholischen Kirchenchores ist sein Gehorsam gegen seinen Herrn, gegen seinen Gott. Und dieser selbe Gott ist wirklich, wahrhaft und wesentlich in dem katholischen Gotteshause zugegen mit Gottheit und Menschheit, mit Leib und Seele, mit Fleisch und Blut: Jesus Christus, der Richter über die Lebendigen und Toten. Er ist allwissend und kennt jeden aus uns, auch den, der sein göttliches Wort verachtet.

Und nun hinein ins wirkliche Leben. Was spielt sich da in nächster Viertelstunde ab? — Einer ist da, der in seinem Herzen sich auflehnt gegen Gott und sein heiligstes Wort und sagt: „Ich mag dein Wort nicht" und dieser eine tritt unter die Zahl der andern und ruft: „Herr, erbarme dich meiner, Christus, Christus, erbarme dich meiner!" Ist das nicht ein toller Widerspruch? — Entweder der Predigtignorant singt ohne Gedanken — dann gleicht er der bekannten „klingenden, leeren Schelle"; oder er versucht, den Sinn der Worte um Erbarmung zu fassen. Nur — dann soll er den Gott nicht beleidigen, den er um Hilfe anfleht. — — —

Lieber Freund, wie Sie sehen, bin ich etwas in die Hitze geraten. Verzeihen Sie. Aber wer soll bei solchem Katholischseinwollen auch ruhig bleiben?

Gott sei Dank, dürfte es solcher Gottesdienstsänger nicht zuviele geben. Und auch hier heißt es: *Fortiter in re, suaviter in modo*; das will sagen: streng im Prinzip; aber versöhnlich im Umgange. Glauben Sie, lieber Herr Eberlein, in Liebe geht schließlich alles. *Vae solis* rief ich Ihnen neulich zu. Das will heißen: „Isolieren Sie den Herrn". Sorgen Sie, daß Ihnen der übrige Chor treu zur Seite steht. Diesen besseren Teil bitten Sie, zeitig zu kommen, damit jener sich als Letzter sieht. Beispiele beschämen stärker als Worte. Glauben Sie mir. Seien Sie recht freundlich zu ihm; aber halten Sie sich möglichst weit ab von der Grenze, jenseits deren das Gebiet der Ironie liegt. Um alles in der Welt nur das nicht: einem Fehlenden mit der Distel der Ironie die Wunde streicheln zu wollen. Leider leiden viele Dirigenten daran. Es ist dies das verkehrteste „Heilmittel", das sich denken läßt und verrät den Unfähigen und den Erziehungsstümper.

Aber sagen Sie jenem Ignoranten immer wieder unter vier Augen — lassen Sie Sich es gesagt sein: unter vier Augen — und reden Sie etwa so: „Lieber Herr, ich wäre Ihnen vom ganzem Herzen dankbar, wenn Sie mir die große Freude bereiteten und schon zum *Asperges me* Ihre Kraft in den Dienst des lieben Gottes stellten." Wenn er dann unangenehm wird und sagt: „Herr Dirigent, ich hab es Ihnen schon oft gesagt: Darin laß ich mir nichts befehlen" — dann sagen Sie: „Lieber Herr, ich habe Ihnen nichts zu befehlen und habe auch nichts befohlen. Ich habe Sie bloß herzlich und im geheimen gebeten. Wenn es Ihnen schwer fällt, meine herzliche Bitte zu erfüllen, so will ich nicht weiter bitten. Sehen Sie, wenn ich nicht die Verantwortung für Ihre Stellung zum Kirchenchore mittrüge, würde ich schweigen, sehr gern schweigen. Glauben Sie mir, es fällt mir sehr schwer, mit Ihnen über diesen Punkt zu verhandeln. Ich muß mir Ihre Heftigkeit gefallen lassen und habe nichts als meine Pflicht getan."

„Herr Dirigent," wird jener vielleicht sagen, „ich tu meine Pflicht auch!" — Darauf sagen Sie in aller Ruhe: „Lieber Herr, das tun Sie nicht! Schweigen wir jetzt und hoffen wir, daß es mir in Ihrem Interesse gelingen mag, Sie zu Einsicht in die Wahrheit zu bringen."

Dann gehen Sie mutig ans Werk und lassen gegen niemand auch nur ein Wort verlauten. Glauben Sie, die Liebe überwindet alles.

Die Liebe — die Liebe — darüber ließe sich ein ganzes Buch schreiben. Was Sie, lieber Freund, in Liebe und Frieden nicht zwingen, das gelingt Ihnen anders nicht. Lassen Sie sich das gesagt sein.

Setzen Sie all Ihre Arbeit um in Gottesdienst. Dann erhält ihr Arbeiten und der Ihrigen Mühe die rechte Weihe. Dann wird Ihr Gesang der Widerhall einer höheren Stimmung, der äußere Ausklang der Harmonie Ihres Wirkens mit dem göttlichen Willen. Dann wird Ihre Lebensarbeit die Erfüllung des schönen Wahrspruches unseres Herrn und Heilandes: „Geheiligt werde Dein Name!"

In alter Lehrertreue

Ihr ergebener

J. Grünwald.

---

# Organaria.

I. Die neue Orgel in der katholischen Pfarrkirche zu **Schreckendorf** in der Grafschaft Glatz von Orgelbaumeister Lux-Landeck.

In unserer lieblichen, bergumkränzten Grafschaft Glatz wird seit Jahrzehnten ein erfreulicher Eifer in der Erbauung stattlicher Gotteshäuser, in der würdigen Ausschmückung derselben, in der Aufstellung prächtiger neuer Orgelwerke entfaltet, jedenfalls ein Beweis, daß der Opfersinn der frommen Bewohner unserer Berglandschaften noch nicht nachgelassen hat. So kamen in den letzten Jahren neue, schöne Orgelwerke zur Aufstellung in Niederhannsdorf, Niedersteine, Thanndorf, Marienthal, Sackisch, Habelschwerdt, Schreckendorf, zumeist Werke des heimischen sehr strebsamen und rührigen Orgelbaumeisters Franz Lux zu Landeck. Das durch den Unterzeichneten am 10. Oktober d. J. zur Abnahme gelangte Werk in dem freundlich gelegenen Kirchspielorte Schreckendorf an der Biele ist das Op. 65 des Meisters Lux.

Die Disposition des Werkes ist folgende: Manual I: 1. Bordun 16'; 2. Prinzipal 8; 3. Gambe 8'; 4. Gemshorn 8'; 5. Doppellabiges Gedackt 8'; 6. Hohlflöte 4'; 7. Oktave 4'; 8. Quinte $2^2/_3$; 9. Oktave 2'; 10. Mixtur 4fach; 11. Trompete 8'.

Manual II: 12. Lieblich Gedackt 16'; 13. Geigenprinzipal 8'; 14. Salicional 8'; 15. Äoline 8'; 16. Konzertflöte 8'; 17. Fugara 4'; 18. Flauto traverso 4'; 19. Progressiv harm. 2—3fach.

Pedal: 20. Posaune 16'; 21. Violon 16'; 22. Subbaß 16'; 23. Oktavbaß 8'; 24. Flötenbaß 8'; 25. Violoncello 8'.

Nebenzüge: Manualkoppel; Pedalkoppel zu Manualkoppel I; Pedalkoppel zu Manualkoppel II; Suboktavkoppel; Freie Kombinationen für alle Register; Tuttizug; Einschalter und Ausschalter für die freien Kombinationen. Automatischer Pedalumschalter; Schwellvorrichtung mit automatischer Anzeigertafel.

Die Prüfung der einzelnen Stimmen ergab, daß sie durchweg korrekt anschlaggemäß ausgeführt waren. Als besonders gelungen müssen bezeichnet werden: die dem betreffenden Orchesterinstrumente täuschend nachgeahmte Viola di Gamba 8', das zu Mischungen mit hellen Charakterstimmungen sich vorzüglich eignende doppellabige Gedackt 8', die klar und glänzend intonierte Trompete 8', das leicht ansprechende, weich und doch frisch klingende Salicional 8', die ätherische Äoline 8', die zu Mischungen mit Streichern sich vortrefflich eignende Konzertflöte 8', der in der Intonation runde und volle Violon 16', das dem entsprechenden Orchesterinstrumente getreu nachgeahmte Violoncello 8'.

Der Gesamtklang des vollen Werkes ist bei der guten Akustik der hohen, gewölbten Dorfkirche ein überaus mächtiger; auch ohne die Rohrwerke klingt die Orgel brausend durch die Hallen des Gotteshauses, voll, abgerundet.

Von den eingestellten Nebenzügen ist besonders die Suboktavkoppel zu begrüßen. Die Wirkung der Suboktavkoppel ist die, daß beim Niederdrücken einer Taste der um eine Oktave tiefere Ton derselben Stimme gleichzeitig miterklingt. Der Effekt ist der eines recht vollgriffigen Spieles.

Diese Suboktavkoppel ist zurückzuführen auf den Orgelgelehrten P. Kolumban, Prior des Stiftes Einsiedeln. Er konstruierte eine Suboktavkoppel derart, daß beim Niederdrücken einer Taste des Hauptmanuals ein um eine Oktave tieferer Ton aus einer Stimme des Obermanuals gleichzeitig zum Erklingen kam. So konnte er z. B. in eine Flöte 8' des ersten Manuals den 16'-Charakter einer Äoline 8', eines Salicional 8', einer Viola 8' aus einem Obermanual mit hineinbringen und demgemäß eine ganze Skala neuer, eigenartiger Klangeffekte erzielen.

Eine andere, recht praktische Neuerung ist die Einschaltung einer automatischen Pedalumschaltung. Diese bewirkt, daß das Pedal beim Übergang vom Spiel mit vollem Werke auf dem Untermanual auf das Obermanual sich sofort selbständig der Stärke des Obermanuals anpaßt.

Dagegen kann ich mich für die Anbringung eines *Crescendo-* und *Decrescendo-*Zuges, bezw. -Trittes ebensowenig wie für die Rollschweller begeistern. Bei aller sorgfältigen, geschickten Behandlung dieser Vorrichtungen geschieht die Zunahme des Tones doch immer nur ruckweise und entspricht im ganzen doch wenig dem Grundcharakter der Orgel.

Die Zufuhr des Windes erfolgt durch ein Magazingebläse, das durch einen auf dem Kirchenboden unter Verschlag aufgestellten Motor in Betrieb gesetzt wird. Alle bezüglich der Windstärke, der Winddichtigkeit und gleichmäßigen Zufuhr des Windes gemachten Proben ergaben das günstige Resultat, daß der Wind reichlich, gleichmäßig zufloß.

Die pneumatischen Kegelwindladen für beide Manuale ermöglichen ein fast geräuschloses, leichtes Handhaben der Tastatur.

Die über den Manualen angebrachten, durch verschiedenfarbige Aufschriften und sorgfältige Eingliederungen sofort auffindbaren Register bestehen aus Drucktasten, welche durch Metallfänger ausgelöst werden.

Die Kosten des Orgelwerkes belaufen sich samt Aufstellung, Intonation und Stimmung der Pfeifen auf zirka 8700 M, ein Preis, der bei der augenblicklichen Steigerung des Wertes der Rohmaterialien ein recht mäßiger genannt werden muß.

Der Unterzeichnete empfahl dem bei der Abnahme des schönen Werkes anwesenden Kirchenvorstande von Schreckendorf dringend alljährlich einen bestimmten Betrag aus der Kirchenkasse, für die jährliche Wartung und Pflege des Instrumentes auszusetzen.

Habelschwerdt. Georg Amft.

**Sigmaringen**, 8. Oktober. Am letzten Sonntag nachmittag fand die Weihe der neuerstellten Orgel statt. Die Weihezeremonien waren umrahmt durch die Aufführung der vorgeschriebenen Gesänge von seiten des Kirchenchores, nämlich des Psalmes 150 und der Antiphon: *Jubilate deo*. In herrlichen Worten rufen diese Gesänge die ganze Musik und jede atmende Brust zum Lobe Gottes auf, und der Komponist (Allmendinger) hat es verstanden, diesen Text auch in ein recht passendes musikalisches Gewand zu kleiden.

Zur Einweihung der Orgel war ein Konzert veranstaltet, bestehend aus gemischten Chorwerken, Soli und Orgelvorträgen. Die geschickte Auswahl der einzelnen Programmnummern hat schon mit dazu beigetragen, daß das Konzert einen recht günstigen Verlauf nahm.

Die mit Orgelbegleitung aufgeführten Chorwerke waren: Psalm 37 von J. Diebold und aus der Schöpfung von Haydn der Chor: „Die Himmel erzählen die Ehre Gottes." Der erstere Chor war wohl die Glanznummer des vokalen Teils des Programms. Diese Komposition unseres Landsmannes, des Herrn Musikdirektors Diebold in Freiburg, ist ein hervorragend schönes, wirkungsvolles und dankbares Werk. Die beiden ersten Chorsätze sind sehr pathetisch und von herrlicher Wirkung. Die Soli, von edler Einfachheit, großem Melodienreichtum und hohem Klangreiz, sind nicht minder wirkungsvoll. Den Höhepunkt der Komposition bezeichnet der Schlußchor in Form einer herrlichen Fuge voll Feuer und Kraft. Die Aufführung dieses Werkes durch den hiesigen Kirchenchor zeigte tadellose Durchführung und Auffassung von seiten der Sänger und des Dirigenten und erzielte daher auch eine geradezu überwältigende Wirkung. Das Altsolo hatte Frau Sanitätsrat Longard in dankenswerter Weise übernommen und mustergültig zum Vortrage gebracht. — Für Interessenten sei Opuszahl und Verlag des Werkes beigefügt: „Diebold op. 29; C. Kothe, Leobschütz." — Der Chor aus der Schöpfung war durch frühere Aufführungen des Kirchenchores schon bekannt; aber durch die Begleitung mit der neuen Orgel übte er doch einen ganz neuen Reiz aus. Die Orgel vertrat hier das Orchester und es zeigte sich, daß das neue Orgelwerk, das mit den bedeutendsten Errungenschaften der modernen Orgelbaukunst ausgestattet ist, wohl geeignet ist, orchestrale Klangwirkungen zu erzielen und so als Ersatz für ein größeres Orchester zu dienen. Besonders wirkungsvoll zeigte sich die Begleitung bei dem Terzett dieses Chores. — Aus dem gesanglichen Teil des Programms wäre noch zu erwähnen: eine Hymne für Altsolo und Orgel von Merkel und ein Duett für Sopran und Alt von W. Kienzel.

Eine Reihe ganz erlesener Genüsse boten auch die Orgelvorträge des Herrn Chordirektors Hoff. Das interessante Programm enthielt Werke des Altmeisters Bach und hervorragender Orgelkomponisten der Gegenwart. Als Eingangsnummer waren zwei Werke von J. S. Bach gewählt, Präludium und Fuge in *G*-moll, die mit gutem Gelingen und dem Bachschen Stil angemessen zum Vortrag kamen. — In dem Pastorale von J. Jongen hat der belgische Komponist den pastoralen Charakter vortrefflich getroffen und Herr Hoff wußte die Wirkung dieses Stückes durch eine recht geschickt gewählte Registrierung noch zu erhöhen. — Auch durch eine Perle der Rheinbergerschen Muse, dieses geschätzten Orgelkomponisten, hat Herr Hoff seine zahlreichen Zuhörer erfreut; es war dies ein Intermezzo aus der Sonate Op. 161 für Orgel. — Der italienische Komponist Luigi Bottazzo war in dem reichhaltigen Programm mit einem *Allegretto* für Orgel vertreten. Die der italienischen Musik eigenen Vorzüge: Klarheit, leichte Verständlichkeit und Melodienreichtum zeichnen auch diese Komposition aus und machen sie zu einer recht geeigneten Konzertnummer für eine moderne Orgel. — Die Schlußnummer des Konzerts bildete eine Toccata für Orgel von Joseph Callaerts, Organist an der Kathedrale und Professor am Kgl. Konservatorium in Antwerpen. Durch sein reiches Figurenwerk war dieses Tonstück vorzüglich dazu geeignet, die Leistungsfähigkeit der neuen Orgel zu erproben. Das neue Werk hat sich dabei vorzüglich bewährt; trotz des schnellen Tempos kamen die Läufe und gebrochenen Akkorde recht deutlich zu Gehör.

Herr Chordirektor Hoff zeigte sich durch den Vortrag dieser schwierigen Tonstücke für Orgel als ein Meister nicht nur in der Technik, sondern auch in der kunstvollen feinsinnigen Behandlung der Register.

Die neue Orgel hat sich bei dem Konzert den Zuhörern als ein Meisterwerk von großartiger Klangfülle und Tonschönheit präsentiert; das volle Werk ist von ganz majestätischer Wirkung. Die Herren Späth von Ennetach, aus deren Werkstätte die neue Orgel hervorgegangen ist, haben sich auch bei diesem Werke als ganz hervorragende Meister des modernen Orgelbaues erwiesen.

Die Disposition der Orgel ist folgende:

I. Manual, 56 Tasten: 1. Bourdon 16′; 2. Prinzipal 8′; 3. Gamba 8′; 4. Gedeckt 8′; 5. Flöte dolce 8′; 6. Trompete 8′; 7. Oktave 4′; 8. Rohrflöte 4′; 9. Oktave 2′; 10. Mixtur 4′, 3 und 4fach.

II. Manual, 56 Tasten, 68 Töne: 1. Lieblich Gedeckt 16′; 2. Geigenprinzipal 8′; 3. Salicional 8′; 4. Flute oktaviante 8′; 5. Klarinette 8′ im Schwellkasten des III. Manuals; 6. Fugara 4′; 7. Flute travers 4′; 8. Kornett 2⅔′; 9. Quintflöte aus Kornett allein spielbar.

III. Manual im Schwellkasten, 56 Tasten: 1. Viola 8′; 2. Äoline 8′; 3. Echo Bourdon 8′; 4. Quintatön 8′; 5. Vox coelestis 8′; 6. Oboe 8′; 7. Hohlflöte 4′.

Pedal, 30 Tasten: 1. Prinzipalbaß 16′; 2. Violonbaß 16′; 3. Subbaß 16′; 4. Echobaß 16′; 5. Posaune 16′; 6. Oktavbaß 8′; 7. Cellobaß 8′.

Weitere Züge: Kopp. I. zum II.; Kopp. I. zum III.; Kopp. II. zum III.; Kopp. I. zum Pedal; Kopp. II. zum Pedal; Kopp. III. zum Pedal; Superoktavkopp. II. zum I.; Suboktavkopp. II. zum I.; Superoktavkopp. I. Manual; Superoktavkopp. I. Manual zum Pedal.

Feste Kombinationen: *pp, p, mezzoforte, forte Tutti*, Auslöser, Flötenchor, Streicherchor.

Für zwei freie Kombinationen: Druckknöpfe I. II.; Rollschweller einstellbar mit Druckknopf und für den Fall, daß die Zungenstimmen nicht mehr rein sind in der Stimmung: Zungen ab. Der Rollschweller ist für Hand- und Fußbetrieb eingerichtet.

II. Orgelliteratur. *Cantate Domino omnis terra. Biblioteca dell' Organista. Dodici pezzi facili e progressivi per Organo od Armonio di* **Angelo Balladori.**[1]) Die zwölf kurzen, gefälligen Tonsätze für Orgel oder Harmonium zeigen schöne Erfindungsgabe und sind gut durchgeführt.

**Pietro Branchina**, Op. 8, Nr. 1. *Tre pezzi per Organo.* 1. *Preludio*, 2. *Communione*, 3. *Sortita.* Angenehme, leichte und ernst gehaltene Sätze.[2])

Orgelfuge in *B*-dur über das Thema:

„Das ist der Tag des Herrn, das ist“ usw.,

Refrain des Kreutzerschen Männerchores „Das ist der Tag des Herrn“. Als Konzertstück bei festlichen Anlässen und mit genauer Analyse versehen, als Anschauungsmittel für den Unterricht von **Max Burger**, Op. 69. Seinem Vetter, Herrn Joseph Burger in Bad Tölz, gewidmet.[3]) Diese Arbeit des Kgl. Seminaroberlehrers in Bamberg ist als Lehrmittel durch die Analyse der Fuge über das Kreutzersche Thema sehr lehrreich und als Komposition bei festlichen Gelegenheiten ein Prachtstück für vorgeschrittene Organisten.

Auswahl kirchlicher Orgelkompositionen älterer und neuerer Meister. Nach der Schwierigkeit der Ausführung geordnet und mit Vortragsangaben versehen von Professor **Adolf Gessner**,[4]) Kaiserl. Musikdirektor. Eine Prachtsammlung für den praktischen Gebrauch und für ernstliches Studium. Das 1. Heft bietet 49 Orgelsätze von Frescobaldi, Fasolo, Rinck, Eberlin, G. Muffat, J. S. Bach, Froberger, J. Seeger u. a., deren Ausführung weniger schwierig ist. Drei Liniensysteme und mäßige Vortragsangaben erleichtern Auffassung und Ausführung. Beachtenswert sind die Grundsätze, welche der Herausgeber im Vorwort darlegt: „Mit vorliegender Sammlung möchte der Herausgeber dem angehenden Orgelspieler Material zu geistiger Anregung und Fortbildung bieten mit besonderer Rücksichtnahme auf den katholischen Organisten und den liturgischen Gottesdienst. Deshalb schließt sich die weitaus größte Mehrzahl der Stücke in ihrer Grundstimmung an den gregorianischen Choral an; die wenigen Nummern von mehr moderner Schreibweise mögen neben dem Studium außerliturgischen Anlässen dienen.“

„Es ist kein Zweifel, daß die Aufgabe des katholischen Organisten nicht in einem kunstgerechten Spiel schlechthin aufgehen darf, sondern eine würdige Auffassung der

[1]) Mailand, A. Bertarelli & Cie. Preis 4 Lire. [2]) Turin, Marcello Capra. Preis 1 ℳ 20 ₰.
[3]) Düsseldorf, L. Schwann. 1908. Preis 80 ₰.
[4]) Langensalza, Hermann Beyer & Söhne (Beyer & Mann). Preis 12 ℳ, auch in 6 Heften à 2 ℳ 40 ₰.

gottesdienstlichen Handlung und Versenkung in ihre erhabene Bedeutung mit umfassen muß. Nicht das Gefühl eines musikalischen Genusses soll ja in der Seele der Gläubigen hervorgerufen werden, sondern eine Steigerung der religiösen Empfindung und die innigste Teilnahme an der heiligen Handlung. Wer diese Grundsätze zu befolgen sucht, wird mit Vorliebe zu den älteren Meistern greifen und besonders von ihnen sich anregen und begeistern lassen. Jedoch auch die moderne Kunst kann der Kirche dienen, wenn sie auch nach ihrer materiellen (inhaltlichen) Seite hin den Vorschriften der Kirche, wie den Traditionen der Kunst entspricht."

Das 2. Heft bringt zu den vorigen Namen Tonsätze von J. Hanisch, Gottlieb Muffat, Murschhauser, Knecht, G. F. Händel u. a. Die älteren Meister sind trefflich vertreten. Vom 4. Hefte ab steigert sich die Schwierigkeit der Orgelsätze, aber nicht bis zum Konzertmäßigen, sondern stets innerhalb der Grenzen, die guten Organisten unschwer erreichbar sind. Besonders dankenswert sind die sorgfältigen Applikaturangaben für Pedal. Zirka 80 Komponisten, von Swellinck bis Reger, sind vertreten. Am meisten J. S. Bach mit 15, J. Eberlin mit 12, Frescobaldi mit 16, Froberger mit 11, Murschhauser mit 7, Pachelbel mit 11, Rinck mit 9, Seeger Jos. mit 8 Kompositionen. Stich und Ausstattung sind deutlich, schön und genau.

Harmoniealbum. Eine Sammlung von Originalstücken für Harmonium unter Mitwirkung verschiedener Autoren herausgegeben von **Alban Lipp.** Heft II.[1]) Über das erste wurde in *Musica sacra* 1902, S. 105, referiert. Das vorliegende zweite Heft (Nr. 36—77) bringt gefällige, kürzere, aber auch größere und effektvolle, moderne und modernste Nummern neuerer Komponisten, wie J. Pilland, Aug. Wiltberger, M. Filke, Jos. Gruber, V. Goller, J. Conze, Pet. Griesbacher u. a.

**Johann Georg Meuerer,** Op. 48.[2]) Zehn Unterhaltungsstücke für Harmonium. Den Freunden des Harmoniumspieles seien diese 10 mittelschweren bis leichten, freundlichen, melodiösen und unterhaltenden Nummern aufs beste empfohlen.

**A. Jos. Monar,**[3]) Op. 25, Heft 9 und 10. *Laudate eum in chordis et Organo.* Sammlung neuer Originalkompositionen für die Orgel. Über die ersten 2 Hefte wurde in *Musica sacra* 1907, S. 53, über Heft 3—6 ebenda, S. 95, über Heft 7 und 8 *Musica sacra* 1908, S. 55, empfehlend referiert. — Das 9. Heft dieses Opus 25 bringt als Fortsetzung von Heft 1, 3, 5 und 7 zwanzig Festvorspiele von V. Engel, A. J. Monar, A. Hoffmann. L. Bosiet, V. F. Skop, Joh. Plag, Bruno Stein, Kl. Breitenbach, F. Steinhart und Em. Adler — lauter würdige Originalkompositionen. — Das 10. Heft, Fortsetzung von Heft 2, 4, 6 und 8, enthält 20 Orgelstücke über deutsche Lieder von Jod. Kehrer, Jos. Sychra, P. Walde, K. Schnee, V. Goller und vier Phantasien über „Großer Gott, wir loben dich!" Die gesunde Orgelliteratur möge auch den besseren Organisten als Vorlage dienen.

**G. P. Pollerl.** *Preludio e Fuga sul tema Fede A Bach dato da Arrigo Boito*[4]) *in re min.* Eine achtunggebietende Arbeit über das von Arrigo Boito gegebene Thema veröffentlichte der tüchtige, in Genua wirkende Meister über die Töne: *f, e, d, e, a, b, a, c, h.* Das Präludium dazu ist lieblich und kurz angelegt, die Fuge selbst nicht nur schulmäßig, sondern auch genial durchgeführt, das Ganze von mittlerer Schwierigkeit.

— — *Preludio e fuga in do.*[5]) Diese Fuge in *C*-dur ist durch ein größeres Präludium eingeleitet, und hat 2 Themate. Eines derselben besteht aus der reinen, aufsteigenden *C*-dur-Tonleiter. Das Werk erhielt beim Konkurs der Kgl. Musikakademie in Florenz den ersten Preis und verdient, von besseren Organisten recht fleißig gespielt zu werden. Es ist nur von mittlerer Schwierigkeit, überaus klar angelegt und von schöner Wirkung.

Paraphrase[6]) *(over: „Kaemp alvorlig — nu Guds Naade") for Orgel af* **Alfred Rasmussen,** Op. 15. Ein Konzertstück von mittlerer Schwierigkeit, für das jedoch im Rahmen der katholischen Liturgie keine Verwendung sein wird.

[1]) Anton Böhm & Sohn in Augsburg und Wien. Preis 3 M.
[2]) Regensburg, Fritz Gleichauf. Preis 2 M. [3]) Paderborn, Junfermann. Preis à Heft 2 M.
[4]) Turin, Marcello Capra. Preis 80 ₰. [5]) Turin, Marcello Capra. Preis 1 M.
[6]) Kopenhagen (Gothergade 11) und Leipzig (Rabensteinplatz 3), Wilhelm Hansen.

60 leichte Tonstücke in den leichtesten Dur- und Molltonarten für Orgel- oder Harmonium von **J. Spanke.**[1]) Den vielen Freunden des Harmoniumspieles, welche ohne Phantasie und größere technische Fertigkeit sich üben und schulen wollen, können diese 60, meistens nur eine Druckseite in bequemem Kleinquer-Folio umfassenden Originalkompositionen aufs beste empfohlen werden.

„*Ubi Petrus — ibi Ecclesia. In memoriam Sacerdotalis Jubilaei Beatissimi Patris Pii X. 60 Praeludia organo vel harmonio pulsanda fecit* **Franziskus Walczynski.**[2]) *Ecclesiae Cathedralis Canonicus.* Op. 91. Reiche Phantasie, geschmeidige Harmonie und würdiger Rhythmus zeichnen die fünfzig Präludien aus. Dieselben sind in den Dur- und Molltonarten bis zu 3 ♯ und 4 ♭ geschrieben und umfassen meist nur eine Seite in Querquart. Auch in der Kirche sind sie als Vor- oder Nachspiele gut verwendbar, von mittlerer Schwierigkeit, die meisten sogar sehr leicht und auch ohne Pedal vortragsfähig. Die Themate sind den römischen Choralbüchern entnommen, natürlich mensuriert und rhythmisch mannigfaltig. F. X. H.

(Schluß folgt.)

---

## Vermischte Nachrichten und Mitteilungen.

1. ✠ Am 13. September 1908 starb in **Beuron** der Hochwürd. Erzabt **Plazidus Wolter**, 81 Jahre alt, durch 57 Jahre Priester, 53 Jahre im Orden und 19 Jahre Erzabt. R. I. P.

Als Nachfolger wurde **P. Ildephons Schober**, bisher Abt in **Seckau** gewählt. *Ad multos annos!*

2. = In den Artikeln von **L. Bonvin** (Nr. 9 und 10 der *Musica sacra*) sind leider nachfolgende zum Teil sinnstörende oder erschwerende Druckfehler stehen geblieben, welche die Redaktion dringend zu verbessern bittet: Seite 113, Zeile 10, „Anfangsworte" (statt: Anfangsnote). — Seite 114, Zeile 24, „daß also" (statt: „daß aber") und Anmerkung 2, vorletzte Zeile, „nichts weniger" (statt: „nicht weniger"). — Seite 116, Zeile 11, „seiner musikal." (statt: „einer") — Seite 117, Zeile 24, „manches nur wahrscheinliche". — Seite 117, Zeile 6 (von unten gezählt) fehlen zwischen „bereitete" und „wird" die Worte: „im Manuskript fertig vor" und. — Seite 126, Zeile 10 (von unten gezählt) „offensichtlich" (statt: „öffentlich"). — Seite 128, vorletzter Absatz, erstes Wort „Das" (statt: „Dies"). — Da dem Verfasser bei dem Artikel der Text des St. Louiser Pastoralblattes vorlag, das fälschlich „Manici" statt: „Mancini" abdruckte, so wolle man (Seite 125) ebenfalls den Namen richtigstellen. Eine Karte aus Konstantinopel-Galata hat schon im September der Redaktion mitgeteilt, daß der Gründer und Redakteur der *Ephemerides* in Rom C. M. nicht Manici, sondern C. (Calcedonius) Mancini heiße, geboren 1843, seit 1860 Mitglied der Kongregation der Missionen (Lazaristen).

3. * Die Redaktion stellt die höfliche Bitte um Angabe des **Verlegers** eines im Jahre 1888 erschienenen Artikels von **Cyrill Kistler** über **Franz Witt.**

4. * **Die Aufnahmen für den 35. Kurs an der Regensburger Kirchenmusikschule vom 15. Januar bis 15. Juli 1909 sind bereits seit 1. Oktober definitiv abgeschlossen. F. X. H.**

5. **Inhaltsübersicht von Nr. 10 des Cäcilienvereinsorgans:** Das Referentenkollegium und die Geschäftsordnung bei Herstellung des Cäcilienvereins-Kataloges. — Die Frauenfrage in der Kirchenmusik. (Von L. Bonvin, S. J.) (Schluß folgt.) — Laudate Dominum in Sanctis eius! (Von P. A. W.) — Vereins-Chronik: Bericht des Diözesan-Cäcilienvereins Freiburg i. Br.; Bezirksfest der Cäcilienvereine des Dekanates Coesfeld in Buldern; Generalversammlung des Cäcilienvereins der Diözese Trient (d. A.) in Mais; † Franz Moll in Brixen und Edmund Langer in Tetschen; Generalversammlung in Trier; Redaktionsnotitz. — Inhaltsübersicht von Nr. 9 und 10 der *Musica sacra.* — Anzeigenblatt Nr. 9 und 10. — Cäcilienvereins-Katalog, 5. Bd., Seite 161—168, Nr. 3611—3625, sowie Sachregister Seite XXV—XXXII über die 3500 Nummern des Cäcilienvereins-Kataloges.

---

[1]) Paderborn, Junfermann. Preis 2 ℳ 40 ₰.
[2]) Tarnowa, 1908. Preis 3 K, zu beziehen beim Autor, Monsignore Franz Walczynski, Domherr in Tarnow.

---

Druck und Verlag von **Friedrich Pustet in Regensburg**, Gesandtenstraße.
**Nebst Anzeigenblatt.**

1908. Regensburg, am 1. Dezember 1908. Nr. 12.

# MUSICA SACRA.

Gegründet von Dr. Franz Xaver Witt († 1888).

**Monatschrift für Hebung und Förderung der kathol. Kirchenmusik.**

Herausgegeben von Dr. Franz Xaver Haberl, Direktor der Kirchenmusikschule in Regensburg.

**Neue Folge XX., als Fortsetzung XXXXI. Jahrgang. Mit 12 Musikbeilagen.**

Die „*Musica sacra*“ wird am 1. jeden Monats ausgegeben, jede der 12 Nummern umfaßt 12 Seiten Text. Die 12 Musikbeilagen wurden mit Nr. 5 (Motett und Messe *Beatus vir qui intelligit*, 6stimm. von Orl. Lassus) versendet. Der Abonnementpreis des 41. Jahrgangs 1908 beträgt 3 Mark; Einzelnummern ohne Musikbeilagen kosten 30 Pfennige. Die Bestellung kann bei jeder Postanstalt oder Buchhandlung erfolgen.



## Welche Anforderungen stellt die katholische Kirchenmusik an den Vokalkomponisten?

Von Alfred Gebauer, Liebenthal, Bezirk Liegnitz.

(Schluß.)

„Soll der Kirchengesang erbauen, so muß er diejenigen Gefühle, welche dem heiligen Orte und der Feier der heiligen Geheimnisse angemessen sind, der Natur wahr und edel ausdrücken.“ Der katholische Tonsetzer hat demnach in seiner Komposition die Stimmung wiederzugeben, bei welcher die Tonsprache zur Erhebung und Erbauung der Parochianen mitwirken soll; er darf daher niemals vollständig subjektiv zu Werke gehen. Meines Dafürhaltens kann sich die rechte Stimmung nur der aneignen, welcher sich mit frommem Gemüte in die heiligen Handlungen unseres erhabenen Kultus vertieft, sich zu ihm in das richtige Verhältnis setzt und rege am kirchlichen Leben beteiligt. Nur wer diese Bedingungen erfüllen kann, wird rechte, edle Kirchenkompositionen schaffen, Gesangstücke liefern, welche zur Sammlung des Geistes, aber nicht zur Zerstreuung dienen. Hieraus folgt, der katholische Kirchenkomponist muß 1. ein guter Katholik, 2. ein kirchlich gebildeter Mann, 3. ein freudig frommer, am kirchlichen Leben gern teilnehmender Christ sein. Wie sollte jemand eine Musik liefern für den, dessen Geist und Inhalt ihm vollständig fremd ist? Wie kann jemand den richtigen musikalischen Ausdruck finden, wofür er absolut kein Interesse, keinen Sinn, keine Sympathie empfindet? der nach seiner religiösen Anschauung diesem Kultus seinen wahren Inhalt absprechen will oder muß? — Ein nichtkatholischer Tondichter wird schwer zum vollen Verständnis der katholischen Liturgie gelangen, weil eben alles auf dem Glauben beruht: „Kirchlich gebildet muß der katholische Tonsetzer sein.“ Die Kenntnis der liturgischen Sprache, d. i. die lateinische, ist eine unbedingte Notwendigkeit, will er den Inhalt der Texte in jeder Hinsicht musikalisch treffend ausdrücken, auch den Zusammenhang mit der liturgischen Handlung wahren. Übersetzungen und andere Hilfsmittel dürften ihm nur sehr allgemein den richtigen Sinn erschließen, selbst ist der Mann. — Ferner muß er alle gottesdienstlichen Handlungen, für die er Gesänge schaffen will, in ihrer hohen, erhabenen Bedeutung kennen, welchen Sinn sie in sich fassen, wie sie mit der Festzeit oder Feierlichkeit übereinstimmen, kurz er wird den ganzen Festkreis des katholischen Kirchenjahres auch innerlich durchleben.

Diese äußere Teilnahme ist das Ausstrahlen des inneren Mitlebens und besonders **für ihn Pflicht**, „da er in seiner Tonsprache, wie eingangs erwähnt, der Dolmetsch dieses inneren Lebens an andere, Herold der kirchlichen Stimmung, ein zu gleichem Leben, zu gleicher Stimmung anregendes Organ sein soll.“ Wie vermag aber ein Tonsetzer diese Stimmung in Tönen auszudrücken, wenn er sie nicht zuvor mit seinem Gemüte vollständig erfaßt hat, mit den kirchlichen Einrichtungen wenig oder gar nicht vertraut ist, an dem kirchlichen Leben freudig und mit richtigem Verständnisse teilnimmt? Man werfe nur einen Blick in die reiche Literatur der neueren modernen Kirchenmusik, sehe sich nach den persönlichen Verhältnissen einzelner genannter Tonsetzer um — man wird die Überzeugung gewinnen, daß es durchaus nicht überflüssig ist, die obige Forderung geltend zu machen. Nicht nur Katholiken, sondern Protestanten, auch Juden haben versucht, katholische liturgische Kirchenmusik zu komponieren, und manche Versuche haben, zumal der Name des Komponisten sonst einen guten Klang hatte, auch **vorübergehend** in unsere Kirche Eingang gefunden. Da merkte man allerdings, daß die Künstler auf falschen Bahnen wandelten, eine Sprache in Tönen reden wollten, die ihnen selbst fremd war, von der nur dunkle Reminiszenzen ihrem schöpferischen Geiste vorschwebten. Doch noch in unserer Zeit kann man sehr häufig die Meinung vertreten sehen, daß die katholische Kirchenmusik eine Sache sei, die jeder Musiker — Streicher, Pianist, Bläser, Gesanglehrer, Konzertsänger — **von selbst verstehe** und keiner besonderen kirchlichen Qualifikation bedarf. Man blicke doch einmal ins Leben! Der Geschichtsmaler studiert zuvor eifrig Geschichte, ehe er sein historisches Gemälde beginnt; der Opernkomponist sucht mit hingebender Liebe und regem Eifer erst dramatische Handlung, welche ihm als Libretto dienen soll, genau kennen zu lernen, lebhaft mit seinem Gemüte zu erfassen, sich zu vertiefen — **für den katholischen Kultus glaubt aber jeder komponieren zu können**, wenn er auch davon so gut wie nichts versteht, absolut kein Interesse an demselben nimmt, vielleicht manchmal oder oft darin nur ein leeres, lächerliches Gepränge erblickt. Der Kirchenkomponist unterscheide zudem streng Kirchenmusik von religiöser Musik. Religiöse Musik und Kirchenmusik verhalten sich zueinander wie Religion und Kirche. Das Oratorium, die Kantate, der durchkomponierte Psalm, der Hymnus, das geistliche Lied sind Formen der religiösen Musik, in welche auch die arbeitsame Gegenwart geradezu meisterhafte Werke geschaffen hat. Zur Kirchenmusik rechnet man alle diejenigen Formen, welche sich unmittelbar an den Kultus nach seinen einzelnen Teilen anlehnen sollen und deshalb auf diese Bestimmung besonders berechnet sein müssen, so die Gesänge der heiligen Messe *(Kyrie, Gloria, Credo, Sanctus, Benedictus* und *Agnus Dei)*, dann die Motetten der Wechselgesänge, (Introitus, Graduale, Offertorium und Postkommunion), ferner die musikalisch behandelte und gezierte Psalmodie und das eigentliche Kirchenlied (deutsch und lateinisch).

**Jeder Vokalkomponist richte sein Augenmerk auch auf die Ökonomie der Kirchenmusik.** Das *Kyrie* und *Gloria* einer Messe darf niemals zu weitläufig ausgesponnen werden, sondern muß nach den Vorbildern der venetianischen Schule in einer mäßigen Ausdehnung gehalten sein. Andererseits darf der Text des *Credo* nie gekürzt werden, sondern der ganze von der Kirche vorgeschriebene Text soll verwertet werden; oftmalige Wiederholungen des Textes wenn auch die Reprise immer in einem andern Tongewande erscheint, wirken für die Dauer auf die Gläubigen schleppend, wenig erbauend. Als Regel gelte im allgemeinen: die feststehenden Gesänge müssen in bezug auf ihre Ausdehnung auf ein Maß zurückgeführt werden, welche den wechselnden Gesängen noch genügend Raum läßt, ohne den Gottesdienst über Gebühr auszudehnen. Bei der Vesper und der Komplet läßt man häufig einzelne Psalmverse aus und behandelt den Text unter Weglassung der einzelnen Antiphonen als durchkomponierte feststehende Gesänge. Derjenige, der die Psalmen durchkomponiert und die Antiphonen willkürlich wegläßt, zerstört zweifelsohne den Aufbau dieser kanonischen Tageszeiten und macht aus ihnen ein kirchliches Konzert, bestehend aus fünf oder sechs Kantaten, bei denen leider zu oft weder die Kunst noch die Andacht der Zuhörer auf die volle Rechnung kommen. — Auch beim *Te Deum laudamus* muß der Kirchenvokalkomponist von dem Streben erfüllt sein, den uralten psalmodischen Charakter dieses Gesanges nach Möglichkeit aufrecht zu erhalten, nie den ganzen Ambrosianischen Lobgesang durchkomponieren. Er versuche einen Zwiegesang zwischen Choralsänger und Chor herzustellen. Da ist es doch selbstverständlich, daß die vierstimmigen Chorsätze in der Tonart und im Charakter der Modulationen in der alten Choralmelodie übereinzustimmen haben, um so eine möglichst treffende Verbindung zu bringen. Durchkomponierte *Te Deum laudamus* sind nicht selten richtig langweilige Kantaten ohne jede rechte Wirkung. Das Händelsche „Dettinger *Te Deum*“ ist unstreitig die ausgezeichnetste Komposition über diesen erhabenen Text, doch wird man eine ihrem Zwecke und großen musikalischen Werte entsprechende Wirkung vermissen. Wohl kann sie die Zuhörer stellenweise tief ergreifen, doch wird sie die Seele des Zuhörers zu frommer Begeisterung erheben? niemals Ermüdung und Abspannung eintreten lassen? Auch die Anforderungen, welche die Kirchenmusik in bezug auf Einrichtung und Ökonomie im allgemeinen zu stellen hat, sind nicht zu unterschätzen, wohl einer Beachtung wert.

Der Kirchenkomponist berücksichtige zuletzt in seinen Werken die Begleitung, gleichviel, ob er sein Opus mit Instrumental- oder bloß mit Orgelbegleitung setzt. **„Niemals können musikalische Instrumente in der Kirchenmusik die Singstimme ersetzen.“** Das sei das Motto eines jeden Komponisten. Die Begleitung darf nicht mit den einzelnen Stimmen rivalisieren, vollständig eigenmächtig eigene Bahnen und Wege gehen, sondern ihr Hauptzweck muß stets der sein, den Chor zu stützen, neben den Singstimmen als ein untergeordnetes Element einherschreiten und die im Vokalsatze nicht vollständig gebrauchte Harmonie ergänzen. Unkirchlich direkt und verwerflich ist der konzertierende Stil, wobei die Instrumentalbegleitung selbständige Passagen neben dem Gesange durchführt. Prägnante Präludien der Instrumente zur Einleitung des vierstimmigen Satzes, passende Interludien behufs Verbindung mehrerer Vokalsätze und kurze motivische Nachspiele als Abschluß des Ganzen verlangt die rechte, echte Kirchenmusik, immer und immer jedoch stets sich unterordnend und im gebundenen Stile ihre Instrumentalsätze wie die einzelnen Singstimmen vortragend. Ein anderer Fehler ist oft der, daß die Instrumentalbegleitung bei der Kirchenmusik durch ihren Farbenreichtum den Gesang weit überstrahlt. Der gemischte Chor hat bekanntlich in seinen Stimmen nur zwei Tonfarben, die männliche und weibliche, wovon jede wiederum in zwei verschiedenen Nuancen vorkommt, diese als Sopran und Alt, jene als Tenor und Baß. Was ist aber das gegen den Farbenreichtum der Instrumente? Grell und scharf stechen die charakteristischen Tonfärbungen der einzelnen Streichinstrumente, Flöten, Oboen, Klarinetten, Hörner, Fagotte, Posaunen, Trompeten und Pauken ab. Neben einer so vielseitigen Begleitung erscheint der Chor ärmlich und farblos, selbst dann, wenn nur eine einfache Begleitung vorgesehen wird. Daher ist in diesem Punkte weise Mäßigung, vorteilhafte Anwendung geboten. „In der Beschränkung zeigt sich der Meister.“ Soll die Instrumentalbegleitung den Anforderungen kirchlicher Kunst genügen, dann bevorzuge der Komponist beim Instrumentieren diejenigen Instrumente, welche der menschlichen Stimme am nächsten liegen. In erster Linie gelten als kirchliche Instrumente: Posaune, Horn, Klarinette, Trompete und Streichquintett; in zweiter: Fagott, Pauke, Flöte und Oboe. Alle übrigen Instrumente mögen ausgeschlossen sein. Bei der Anwendung der Instrumente sei noch zu beachten: Die Posaune wirkt prophetisch in Verbindung mit Orgel und Gesang; in der Begleitung trete sie mehr zurück. Das Horn wird am vorteilhaftesten mit Streichquintett und Klarinette vereinigt. Man vermeide beim Hornsatz (Naturharmonie) die Chromatik nach Möglichkeit. Die Klarinetten bringe man am besten in Terzen und Sexten, in obiger Verbindung mit Rücksicht auf den wohltuenden Hornsatz. Bei dem Gebrauche der Trompete fasse der Tonsetzer die Verstärkung des Chores ins Auge und gebe diesem Instrumente keine Figuren zu blasen, die ans Kriegerische, Tusch- und Fanfarenartige erinnern. Oboe und Klarinette Solis zu geben, wäre gesucht, da in einer großen Kirche ihr Ton kläglich, lächerlich erscheinen würde, ihre Aufgabe ist, in der Masse zu wirken oder Melodien und Baßfiguren zu begleiten. Bei der Anwendung der Flöte gebe der Komponist dieser nicht zu hohe Töne, die äußerste Grenze sei $\overline{\overline{d}}$. Der Pauken bediene man sich in Verbindung mit Trompeten und Posaunen im *ff*, aber auch im *pp*, dies ist besonders wirksam. Die cäcilianische Kirchenmusik will keineswegs die Instrumentalbegleitung verdrängt wissen, sondern fordert bloß vom Komponisten, daß er sie würdig, kirchlich gestalte, wenn auch der reine vierstimmige Satz als Ideal zu betrachten ist. — Bei der Orgelbegleitung muß deren Tonstärke so bemessen werden, daß die Singstimmen nicht „untertauchen". Die Orgel bleibt schon das kirchlichste Begleitungsinstrument unserer Kirche, obgleich sie temperierte Stimmung hat. Doch jeder cäcilianische Komponist bevorzugt diese Königin der Instrumente wohl stets als Begleitungsinstrument. Der Komponist richte dabei sein Augenmerk vor allem darauf, daß die Begleitung auch kirchlich, d. h. regelmäßig und nicht instrumental geschrieben sei. Der Orgelton und der Gesang der menschlichen Stimme ergänzen sich vorzüglich zu einem geordneten Ganzen, besonders dann, wenn der Komponist an unisonen Stellen der Orgel die Tonfülle einer herrlichen Harmonie dazu gibt. Bei der Begleitung des mehrstimmigen Figuralgesanges muß stets die Orgel denselben Beschränkungen unterworfen werden wie die übrigen Instrumente. Auch sie darf nur begleiten, niemals konzertierend auftreten und durch ihre charakteristischen Register die Tonfarben der Singstimmen mächtig überstrahlen.

Groß sind die Anforderungen, welche die Kirchenmusik an die Komponisten stellt, schwer ist es daher, eine Musik für die Kirche zu schreiben, die diesen besonderen genannten Anforderungen nach allen Richtungen hin genügt. Und doch hat es zu allen Zeiten Männer in unserer Kirche gegeben, die in der Komposition edler, würdiger Kirchenmusik wahrhaft Großes geleistet haben, aber leider auch solche, welche in ihren Kompositionen sich über jede Forderung hinwegsetzten, durch ihre Werke mehr schadeten als nutzten. Das Gute, Erhabene hat sich bis in unsere Zeit erhalten, dagegen die seichten, unkirchlichen Werke gerieten immermehr in Vergessenheit, sie kamen — und vergingen, das lehrt die Vergangenheit, das tut die Gegenwart und wird auch die Zukunft bringen. Möge die heilige Musik fernerhin viele recht würdige Bearbeiter finden, damit sie ihren gottesdienstlichen Zweck erfülle und ihrer bedeutenden Aufgabe, Gott zu ehren, die Herzen der Gläubigen zu ihm und zu den himmlischen Dingen zu erheben, sie der von oben strömenden Gnaden teilhaftig zu machen, nachkomme; mögen die gottbegnadeten Kirchenkomponisten in unseren Tagen nie in ihrer schöpferischen Kraft erlahmen, stets rastlos vorwärts streben und allezeit fruchtbringend wirken, möge ihr vereintes Streben, der christlichen Musik einen hohen, erhabenen Grad von Vollkommenheit und Ausbildung zu geben, von Erfolg gekrönt sein. Dann wird sich Schillers Wort im vollsten Sinne bewahrheiten:

„Nur aus der Kräfte schön vereintem Streben
Erhebt sich wirkend erst das wahre Leben."

## Organaria.

(Schluß aus Nr. 11, Seite 143.)

Der nämliche Autor, **Franz Walczynski**, schrieb 20 Präludien für Vesper und Messe an Mutter Gottes-Festen.[1]) Dieses Op. 83, auch für Harmonium gut geeignet, bringt wohllautende Versetten, Vor- und Zwischenspiele in den einfachsten Tonarten über Motive aus *Magnificat*-Tönen, dem *Stabat Mater* usw.

Op. 93 von **Robert Remondi** ist eine „Musette" für Orgel.[2]) Die Sackpfeife oder der Dudelsack hatte ja vor Zeiten, besonders um Weihnachten, ihre Liebhaber und man tanzte auch im Trippeltakt darnach. Remondi beobachtet die äußere Struktur dieser Kompositionsgattung, nämlich den ruhenden Baß, eine sanft wiegende harmonische Bildung der drei Mittelstimmen und die trillernde, in lebhaften Rhythmen sich bewegende einstimmige Flötenmelodie auf einem eigenen Manual. Für die Kirche jedoch, auch zu Weihnachten, halte ich diese kindliche Tändelei für unpassend.

Nachfolgende zwei Werke können ebenfalls unter obiger Rubrik angezeigt werden:

*I Sacri Bronzi. Cenni storico-estetici — Teoria — Esercizi — Studi Melodie — Sonate, etc etc. per l' uso delle campane da chiesa e per qualsiasi funzione religiosa, coll' aggiunta di alcuni pezzi per le campane a distesa. Pratico Insegnamento di* **Angelo Balladori**. Mailand, A. Bertarelli. Preis 2 Lire. Diese wunderschön ausgestattete Studie über Glocken- und Glockenspiele verdankt ihre Entstehung den Beschlüssen des 7. Kongresses für Kirchenmusik, der vom 6.—8. Juni 1905 in Turin abgehalten

[1]) Mailand, A. Bertarelli & Cie. Preis 2 Lire. [2]) Turin, Marcello Capra. Preis 80 ₰.

worden ist und den Mißbräuchen und Tändeleien, welche sich von den Kirchentürmen vieler italienischer Städte aus hörbar machen, theoretisch und praktisch zu Leibe gehen will. In der Einleitung wird die Geschichte der Glocken in drei Sprachen (italienisch, lateinisch und französisch), wenn auch nicht mit erschöpfender Vollständigkeit behandelt, da dem Verfasser die neuere Literatur nicht bekannt zu sein scheint. Im theoretischen Teile sind Anleitungen über die diatonischen und rhythmischen Verhältnisse der Töne und Intervalle mitgeteilt. Im praktischen Teile (S. 38—77) folgen Ratschläge für das Glockenspiel bis zu acht Tönen, d. h. für die Anlage von *Carillon*. Diese Einrichtung wird die Leser unserer Blätter weniger interessieren, denn sie ist, Gott sei Dank! nach deutschen Begriffen eine Kinderei, die sich für ein kirchliches Geläute nicht geziemt. Der Verfasser gibt eine Menge von Beispielen in allen möglichen Taktverhältnissen (?), besonders Themate zu Glockenkonzerten für 3, 4, 5, 6, 7, 8, 10, 11 und 12 Glocken, deren Göppel natürlich durch Tastaturen in Bewegung gesetzt werden müssen. Ein Beispiel für 8 Glocken sei der Kuriosität halber hier eingefügt:

Einen Folioband von 234 Seiten mit herrlichen Illustrationen, Autographen, Porträten und Notenbeispielen, zum Preise von nur 10 Lire bietet **Nando Bennati** unter dem Titel: *Ferrara a Gerolamo Frescobaldi nel terzo centenario della sua prima pubblicazione. Raccolta di scritti a cura di N. B. (con 50 illustrazioni). Ferrara Stabilimento Tipo-Litografico Ferrarese*, 1908. Von diesem Prachtwerk wurden nur 500 Exemplare gedruckt. Es hatte sich nämlich in der Vaterstadt des berühmten Organisten Frescobaldi ein Komitee gebildet, welches das Andenken an das erste, im Jahre 1608 gedruckte Musikwerk von Frescobaldi durch größere Festlichkeiten zu ehren beschloß. Das Werk ist zu einem reichen Album geworden, in welchem durch schöne Illustrationen die altberühmte Stadt Ferrara, ihre Bauten, ihre Geschichte und Schicksale, ihre großen Männer (wie Torquato Tasso) und Adelsgeschlechter und auch die lokale Musikgeschichte vor und nach Frescobaldi geschildert werden. Das erste Werk Frescobaldis erschien in Antwerpen am 10. Juni 1608; an dieses Datum knüpft das Prachtwerk an und beginnt auf Seite 33 mit Nachrichten über die Familie Frescobaldi, über die musikalische Akademie dortselbst und die Mäzenaten aus der Familie der Este und deren Beziehungen zu den berühmten Musikern ihrer Zeit. Seite 133 ist die italienische Übersetzung der bio-bibliographischen Studie, welche Schreiber dieser Zeilen 1887 im Kirchenmusikalischen Jahrbuch, S. 67—82 veröffentlicht hat, abgedruckt. Das Album weist Beiträge in Poesie und Prosa verschiedener Schriftsteller Jung-Italiens und die Autographe von musikalischen Kompositionen italienischer und ausländischer Meister des Orgelspieles auf, so von Henry de Leva, Camillo de Nardis, M. E. Bossi usw. Es ist unmöglich in dieser kurzen Anzeige den überreichen kompilatorischen Inhalt des Prachtwerkes zu schildern. Die musikalischen Festlichkeiten wickelten sich in Form von Konzerten, Akademien ab. Zu diesem Zwecke hat der Unterzeichnete eine in seiner Bibliothek befindliche Komposition des achtstimmigen Psalmes *In te Domine speravi* von Frescobaldi in moderne Partitur gebracht und dem Komitee zur Verfügung gestellt. Dieselbe wurde auch unter Leitung des Domkapellmeister Don Ettore Ravegnani aufgeführt und wird nächstens mit meiner Zustimmung auch im Druck veröffentlicht werden. Der Advokat Dr. Bennati hat gezeigt, wie man im unmehrigen Italien die Meister früherer Zeiten zu ehren weiß. Das Feuerwerk ist abgebrannt; die Werke Frescobaldis jedoch werden wahrscheinlich in den Bibliotheken und Archiven weiter ruhen. F. X. H.

Zur Prüfung und Meisterprobe des neuerstellten Orgelwerkes in der Pfarr- und Klosterkirche zu **Habstal** (Hohenzollern) am 28. Juli 1908. Im Herbste vorigen Jahres schuf die auf dem Gebiete der modernen Orgeltechnik durch ganz Oberschwaben rühmlichst bekannte Firma der Herren Gebrüder Späth aus Ennetach bei Mengen (Württemberg) für die kaum zwei Stunden von da auf preußisch-hohenzollernschem Gebiet entlegene Pfarr- und Benediktinerinnen-Klosterkirche zu Habstal eine neue Orgel. Das über 18 Register verfügende Werk, das 154. der seit 1882 bestehenden Offizin, ist pneumatischer Konstruktion und weist überhaupt, was seine Gesamtanlage betrifft, auch alle Vorzüge der neuzeitlichen Orgelbaukunst auf. So möchten wir z. B. den mittelst eines Balanciertrittes das zweite Manual in sich öffnenden und verschließenden Schwellkasten erwähnen. Das zweite Manual ist auch mit einem automatischen Solopedal versehen. Wir finden ferner eine universale Transponiervorrichtung (vier Halbtöne abwärts und zwei Halbtöne aufwärts), welche mit dem Registerschweller für *Crescendo* und *Decrescendo* bekanntlich zu den Eigenerfindungen der Firma gehört. (Deutsches Reichspatent Nr. 161346, Schweizerisches Patent Nr. 31764.) Fünf Koppelungen vollenden die Ausstattung.

Am 28. Juli d. J. unterzog der Kgl. Musikdirektor Herr Diebold von Freiburg als Erzbischöflicher Orgelbauinspektor für Hohenzollern unsere Gottesharfe ihrer ordentlichen Prüfung.

Und sie, die bereits in den zehnten Monat hinein auf ihrem ehrwürdigen Standorte des uralten Nonnenchores, welcher nach Habstals Säkularisation (als Dominikanerfrauenkloster 1806) Empore für das Volk wurde, zu Jehovas Preis sonder Tadel amtierte und seit ihrer Lebensexistenz den im Jahre 1892 sich in Habstal niedergelassenen Chorfrauen aus dem Orden des heil. Benedikt die Klosterfeste verherrlichen half, — sie hat die Prüfung bestens bestanden. Der ganze Vormittag war durch den Herrn Revisor der eingehendsten Musterung des Werkes und dem Studium seiner verschiedenen Klangfarben gewidmet. Die ganze Revue muß den Altmeister im Reiche der Töne nach unserer Wahrnehmung vorzüglich befriedigt haben, und wir sagen wohl kaum zu viel, wenn wir zum Prüfungsrezeß jetzt schon, wo wir diese Zeilen zum Berichte zusammenstellen und sich der Herr Inspektor noch nicht offiziell ausgesprochen hat, der Bemerkung Raum geben, es habe die Späthsche Firma am 28. Juli 1908 im stillen Gottesfrieden der Pfarr- und Nonnenabteikirche von Habstal einen Triumph gefeiert.

Wenn an der prompten Ansprache bei der Intonation etwas zu wünschen übrig ist, so fällt dieser zu bemängelnde Umstand der 10 m betragenden Entfernung des Spieltisches vom Aufbau der Orgel zur Last. Dieses Mißverhältnis ist aber mehr auf die Kosten der beim Aufstellen geäußerten Rücksichtnahme auf den weltlichen Organisten und seinen Kirchenchor, welche den Pfarrgottesdienst immer doch noch besorgen, zu schreiben, um von der ungewöhnlich tiefen Chorbühne aus, wie sie in allen Frauenklöstern älterer Bauanlage zu finden ist, den leichteren Ausblick auf den zelebrierenden Priester am Altare zu haben. Wir hoffen aber, es werde zum großen Vorteile des sonst mit vollendeter Präzision funktionierenden herrlichen Musikwerkes die Orgelbank in absehbarer Zeit unmittelbar aus Gehäuse zurückgesetzt. Diesem sowie dem Spieltische, welche beide in ihrer dekorativen Fassung mit dem vortrefflich in Renaissancestukkatur sich präsentierenden Kirchenplafond übereinstimmen, dürfte in Rücksicht auf das schöne dunkle Chorgestühl auch ein ähnlich gehaltenes Kleid noch zu wünschen sein. Auf die Realisierung besagter Wünsche läßt uns die hochherzige Stifterin der zur Ehre Gottes in seinem Tempel installierten Orgel wohl rechnen, die Hochwürd. Frau Äbtissin des Stiftes Habstal, Maria Benedikta II., eine hochsinnige, für die Zierde des Hauses Gottes und einen würdigen feierlichen Chorgesang hochbegeisterte Dame.

Ebenbürtig der vorzüglich bestandenen Probe vom Vormittag, schloß sich mit der zweiten Nachmittagsstunde beginnend das vom Herrn Revisor engagierte Konzert an, wo vom Meister gespielt, unsere Orgel den sie belauschenden Herrn Chordirigenten, Lehrern und Musikfreunden geistlichen und weltlichen Standes ebenfalls ihr Meisterstück offerierte. Aus dem in 9 Nummern bestehenden Programm, dessen Inhalt wir zum Schlusse unseres Berichtes bekannt geben, sind die mannigfaltigsten Variationen der gewähltesten Stücke kirchlich-liturgischer Kunstmusik ersichtlich, deren komponierende Autorschaft die Namen der besten Tonkünstler unserer Zeit trägt. So konnten wir denn mit wahrem Hochgenuß den wunderbaren Klängen unserer Gottesharfe lauschen. Wie weich bringt sie nicht die feinstreichende Äoline, wie zart die in den verschiedensten Schmelzakkorden spielenden Flöten zum Ausdruck, wie kräftig singt das majestätische Prinzipal! Und als des Meisters Produktion zu Ende war, nun die des Orgelspieles kundigen Herren Ehrengäste auch ihrerseits die tadellose Vortrefflichkeit unseres Werkes erprobt hatten, nahm jedweder wohl das Bewußtsein mit sich nach Hause, einem musikalischen Kunstwerk erster Güte die wohlverdiente Ehrung gezollt zu haben. Im Sprechzimmer des Klosters, wo der schlichte aber vollauf die Erwartungen befriedigende Orgelfesttag seinen Abschluß fand, wurde diesen Stimmungen auch beim Abschiede von der Hochwürd. Frau Äbtissin und ihrer Frau Kapellmeisterin redlichst Ausdruck verliehen.

Um noch eine Erinnerung an die alte durch das besagte neue Werk außer Kurs gesetzte Habstaler Orgel diesen Zeilen beizufügen, sei mitgeteilt, daß sie 14 Register aufwies, über eine Lebensdauer von rund 200 Jahren verfügte und, was Solidität anlangt, keineswegs zu den mindesten ihrer Schwestern in Süddeutschland zählte. Freilich rechtfertigte das nach dem alten Schleifladensystem konstruierte Instrument die modernen Anforderungen lange nicht mehr. Ihr Erbauer war kein geringerer als der seinerzeit durch ganz Oberschwaben bis tief in den Breisgau und in die Schweiz hinein bestgerühmte Meister Joseph Gabler von Ravensburg, der geniale Schöpfer des heute noch angestaunten Orgelwerkes im ehemaligen Abteitempel der Kirche zu Weingarten. Habstals Orgel ward 1707, als Gabler kaum 20 Lebensjahre zählte, aufgestellt unter der würdigen Frau Augustina Linzin, Priorin des Dominikanerfrauenklosters. Einem berechtigten Stolze scheinen die längst ins Grab gestiegenen weißen Ordensfrauen ob ihrer „schenen neien Gottisharpfen" wie sie die Orgel in der alten Habstaler-Chronik nannten, gehuldigt haben. Aber die schwarzen Nonnen des heutigen Habstal sind ob ihrer für einfache abgelegene Landverhältnisse in möglichster Vollendung durchgeführten neuen Stiftsorgel noch weit mehr zu beglückwünschen.

Ihre Analyse stellt sich folgendermaßen zusammen: Pedal: Violonbaß 16', Subbaß 16', Oktavbaß 8'. I. Manual: Mixtur $2^2/_3$', Oktav 4', Flöte 8', Gamba 8', Bourdon 16', Prinzipal 8'. II. Manual: Geigenprinzipal 8', Liebl. gedeckt 8', Flute harmonique 8', Äoline 8', Vox coelest. 8', Viola 8', Flöte travers 4', Quintflöte $2^2/_3$'.

Beim Konzert abgewandeltes Programm: 1. Alex. Guilmant Kommunion-Interludium (J. Diebold, Orgelalbum). 2. Elegie und Erlöst für II. Manual (J. Diebold, Orgelalbum I.) von J. G. E. Stehle. 3. Präludium aus Sonate Op. 142 in *B*-moll von Jos. Rheinberger. 4. Einleitung und Fughetta über das Geläute der Herz-Jesu-Kirche in Freiburg von J. Diebold. 5. Toccata et Fuga (*D*-moll) von J. S. Bach. 6. *Andante religioso* (verschiedene Klangfarben) von Th. Rückert. 7. Nachspiel über das österliche Alleluja von J. Diebold. 8. *Allegro con brio* aus Sonate I von Alph. Mailly (J. Diebold, Orgelalbum). 9. Fantasie in *C*-dur (Prompteste Ansprache) von J. S. Bach. P. B. H.

## Vom Bücher- und Musikalienmarkte.

I. **Musikalien**: „Du bist Petrus!" Lobgesang auf den Vater der Christenheit. Worte und Singweise von **Heinrich Dieter**. Salzburg, K. und K. Hofverlagsbuchhandlung Heinrich Dieter. Singstimme einzeln 10 Heller oder Pfennige. 12 Stimmen 1 Krone oder Mark, 50 Stimmen 3 Kronen oder Mark, 100 Stimmen 5 Kronen oder Mark. Singstimme mit Pianofortebegleitung 40 Heller oder Pfennige, Begleitung für Blasinstrumente 1 Krone oder Mark. Die 6 Strophen sind populär, im Umfange einer Oktave von *c—c* komponiert.

**Filke, Max**, Op. 44. Frühlingsnacht (Gedicht von Anna Esser). Für Männerchor oder gemischten Chor, Sopran- (oder Tenor-) Solo und Soloquartett mit Klavierbegleitung (nebst Streichquintett ad lib.). Leipzig, Otto Forberg. 1908. Jede Ausgabe: Klavierauszug, Solo- und Chorstimme (jede 30 ₰) 4 ℳ, Orchesterpartitur 8 ℳ, Orchesterstimme 6 ℳ. Eine in süßem Wohlaut dahinflutende, ausdrucksvoll deklamierte, romantische Komposition von mittlerer Schwierigkeit. Zu Winterkonzerten für Gesangvereine oder in der Ausgabe für Männerchöre für Liedertafeln sehr geeignetes und durchschlagendes, schon mit Klavierbegleitung nebst Streichquintett wirksames, immer anwachsendes Tonstück.

Von **Mich. Hallers** Mariengarten, 34 Lieder zur Verehrung der seligsten Jungfrau Maria, ein-, zwei- und dreistimmig mit Begleitung des Pianoforte, Harmoniums oder der Orgel. Op. 32. (Cäc.-Ver.-Kat. Nr. 1326) ist die 13. Auflage erschienen. Regensburg, Friedrich Pustet. 1909. Partitur 2 ℳ 40 ₰, 2 Stimmenhefte à 80 ₰.

„Liederborn", eine Sammlung vorzüglicher geistlicher und weltlicher Lieder und Gesänge älterer und neuerer Meister für eine mittlere Singstimme mit Harmoniumbegleitung. Auswahl und Bearbeitung von **Siegfried Karg-Elert**. Leipzig und Zürich, Gebr. Hug & Cie. Preis 3 ℳ. In chronologischer Reihenfolge sind Gesänge von A. Stradella, Bononcini, F. G. Händel, J. S. Bach, Pergolesi, Giordani, Mozart, Beethoven, Spohr, C. M. von Weber, M. Hauptmann, H. Marschner, C. Löwe, Franz Schubert, H. Berlioz, F. Curschmann, F. Mendelssohn, R. Schumann, P. Cornelius und einigen neueren Liederkomponisten (bis 1886), sowie von 5 Volksweisen durch S. Karg-Elert ausgewählt und mit Klavierbegleitung versehen. Die schön ausgestattete Sammlung ist für Familien, in welchen das schöne Lied gepflegt wird, sehr empfehlenswert. Die wenigen, für Kinderohren unpassenden Texte können übergangen werden; die reifere Jugend geht ja in unserer Zeit viel weiter, als manchem Erzieher angenehm sein kann!

Zwei Festchöre. Nr. 1. Festchor (Gedicht von Ferdinand Deugler). Nr. 2. Gruß und Glückwunsch (Gedicht von J. Huggenberger), für gemischten Chor a cappella zum Gebrauche in Vereinen, höheren Schulen, Seminaren, Instituten u. dgl. von **Eduard Koller**, Seminardirektor in Aschaffenburg, Op. 3. Regensburg, Eugen Feuchtinger. Partitur 80 ₰, 4 Stimmen à 20 ₰. Der erste Festchor mit 3 Strophen ist für alle Gelegenheiten gut brauchbar, der 2. Gesang paßt für Glückwünsche bei verschiedenen Anlässen. Die zwei Kompositionen sind mittelschwer bis leicht, harmonisch einfach, der Text rhythmisch gut deklamiert. Jede Stimme bewegt sich in bequemen Tonlagen.

Vier Marienlieder für vierstimmigen gemischten Chor mit Frauenchorsoli von **Rich. Kügele**. Op. 286. Nr. 1. *Ave Maria* (Gegrüßt seist du, Maria). Nr. 2. Der Rosenkranzkönigin (Es blüht ein Röslein wunderschön). Nr. 3. Herz Mariä (Ich lieb ein Herz, das ist gar rein). Nr. 4. *Ave Maria* (Es will das Licht des Tages scheiden). Breslau, A. Kothe. Partitur komplett 2 ℳ. Jede Nummer einzeln 60 ₰. Jede Chorstimme einzeln 15 ₰. In den vier Marienliedern, sind Melodien und Harmonien überaus weich, ja sentimental geraten, besonders in den Zwischensätzen, wo der dreistimmige Frauenchor solistisch auftritt. Man sollte sich nicht angewöhnen, auch nicht bei Verehrung der Mutter Gottes, musikalische Schmeicheleien zu gebrauchen. Der Wohlklang wird gerne zugestanden; die Mittel, denselben zu erreichen, sind indes zu sehr abgenützt und verbraucht.

— — Op. 287. Weihnacht (Was tönt so wundersamer Klang. Gedicht von H. Klaus). Lied für vierstimmigen gemischten Chor mit Frauenchorsolo. Breslau, A. Kothe. Partitur 1 ℳ, Chorstimmen 60 ₰. Dieses Weihnachtslied ist ähnlich wie die Nummern in Op. 286 angelegt, aber für die Zeit und Stimmung passender und besonders für die Feier beim Christbaum in größerem Familienkreis sehr zu empfehlen.

**Adolf Scorra**, Op. 1. Trauungsgesang (Worte der Ruth). Für Sopran I und II, Alt I und II, Tenor I und II, Baß I und II. Graz und Wien, „Styria". 1908. Partitur 50 ₰, 4 Stimmen à 10 ₰. Während der kirchlichen Trauungszeremonie ist die überaus wohlklingende Komposition für 8 Solostimmen weniger zu empfehlen. Man wird sie aber gerne hören im engeren Kreise der Hochzeitsgäste. „Wo du stirbst, da sterbe auch ich, wo du ruhst, will ich begraben sein", sind wohl Worte der Heiligen Schrift, aber in der Liturgie der Kirche werden sie wohlweislich nicht gebraucht.

**Nik. von Wilm**, Op. 228. Sechs kleine Vortragsstücke. Toccatina — Menuetto — Canzonetta — Gavotte — Bluette — Arabeske. Braunschweig, Schondorfs Verlag. Sehr nette und leichte Klavierstücke für die Jugend.

— — Op. 231. Neues Jugendalbum. Zwölf kleine Stücke mit Fingersatz für das Pianoforte in fortschreitender Schwierigkeit. Braunschweig, Schondorfs Verlag. Auch diese Klavierstücke empfehlen sich für die Jugend durch Faktur und musikalischen Wert.

II. **Bücher und Broschüren**: Die rationelle Gesangmethode für Männer- und gemischten Chor und höhere Schulen von **J. Gelhausen**, ehemaliger Seminarmusiklehrer und Organist. Gelsenkirchen (Westfalen). Chr. Gelhausen Nachfolger. 1908. Preis gebunden 2 ℳ. Zu den ungezählten

Gesangschulen, -Übungen, -Methoden gesellt sich auch die eben genannte. Wenn der Verfasser im Vorwort bemerkt: „Nicht mit einer einzigen (der bisher erschienenen Gesangsmethoden) ist das Ziel, Vomblattsänger herangebildet zu haben, erreicht worden; ja bedeutende Musikpädagogen haben dieses Ziel für unerreichbar erklärt", so scheint er wenig in der Welt herumgekommen zu sein! Als unfehlbares Mittel empfiehlt er die Veranschaulichung und wählt die Klaviatur als Treffübungstafel. Er läßt nach den Tasten singen, in zweiter Stufe nach Noten auf den Tasten, in dritter nach freistehenden Noten, fügt die Ziffern bei und verlangt im 1. Kurs die C-dur-Tonart unter Ausschluß der zufälligen Versetzungszeichen und der chromatischen Tonleiter. Für die Treffübungstafel (1,40 m lang und 0,67 m breit in 2 Farben, rot und schwarz, mit 2 Notenliniensystemen in weißer Farbe) verlangt er 25 ℳ und empfiehlt für die Tonarten mit mehreren Versetzungszeichen im 3. Kurs den „Tonanzeiger". Über den Erfolg des dreikursigen Gesangunterrichtes ist der Verfasser so fest überzeugt, daß er im Vorwort behauptet: „Der Weg durch das bewußte Singen nach Noten ist nun gebahnt und das Mittel in den Treffübungstafeln gefunden."

Über musikalische Kultur. Vortrag, gehalten im Arbeiter-Diskussionsklub von **Dr. Gg. Göhler.** Mit einem Nachwort. Leipzig, Breitkopf & Härtel. 1908. Preis 75 ₰. Der unseren Lesern aufs beste bekannte frühere Leiter des Leipziger Riedelvereins, nunmehrige Hofkapellmeister in Karlsruhe, Dr. Georg Göhler, hat in diesem populären Vortrag für jeden Musiker und Musiklehrer eine Menge vorzüglicher Grundsätze entwickelt, deren Zusammenstellung auch den Fachmusiker interessieren und weiterbilden kann.

*Can.* **Michele Haller.** *Trattato della Compositione Musicale Sacra secondo le tradizioni della Polifonia classica con riguardo speziale ai capolavori del Secolo XVI. Traduzione Italiana sulla 2a Edizione Tedesca per cura del Sacerdote* **G. Pagella.** Turin, Marcello Capra. Preis 5 Lire. In prächtiger Ausstattung, großem und bequemem Format ist Michael Hallers „Kompositionslehre für polyphonen Kirchengesang mit besonderer Rücksicht auf die Meisterwerke des 16. Jahrhunderts", das unter den wärmsten Empfehlungen von Fr. Schmidt, Pet. Piel und Ign. Mitterer im Jahre 1891 dem Cäcilienvereins-Katalog einverleibt worden ist (Nr. 1454), unter obigem Titel in italienischer Sprache erschienen. Es ist überraschend, daß der Preis der italienischen Übersetzung trotz prächtigerer Ausstattung billiger ist als der des deutschen Originals, von dem übrigens die 2. Auflage noch nicht erschienen ist. *Habent sua fata libelli!*

Max Hesses **„Deutscher Musikerkalender"** für das Jahr 1909. 24. Jahrgang. Mit Porträt von Wilhelm Bopp. Leipzig, Max Hesses Verlag. Preis in einem Bande 2 ℳ, in 2 Teilen (Notiz- und Adreßbuch getrennt) 2 ℳ. Wilhelm Bopp ist der neue Direktor des Wiener Konservatoriums, geboren 4. Nov. 1863 zu Mannheim. Die Einrichtung des Kalenders ist reichhaltig, besonders in Musikeradressen. Was dem Verleger aus „Regensburg" mitgeteilt worden ist, bedarf mehr als zur Hälfte der Berichtigung, die wir der fleißigen Verlagshandlung persönlich einsenden wollen.

Kirchenmusikalische Schätze der Bibliothek des Abbate **Fortunato Santini.** Ein Beitrag zur Geschichte der katholischen Kirchenmusik in Italien. I. Teil. Das 16. Jahrhundert. Inauguraldissertation zur Erlangung der Doktorwürde, genehmigt von der philosophischen Fakultät der Friedrich-Wilhelms-Universität zu Berlin. Von **Joseph Killing** aus Münster i. W. Münster, Aschendorff. Es ist nur der erste Teil, den der Enkel des bekannten Musikforschers Franz Commer († 17. Aug. 1887 in Berlin) als Dissertation geschrieben hat. Bekanntlich ist der größte Teil des Nachlasses von F. Santini, einem Zeitgenossen Bainis und eifrigen Sammler und Partiturschreiber in Rom, durch die Bemühungen von Bernh. Quante vom Bischöfl. Stuhle in Münster erworben worden. Da der Doktorand als Student von 1893—1902 in Münster die Studienjahre verlebte, hat er die bis heute noch ungeordnete Sammlung kennen gelernt, und es gebührt ihm das Verdienst, den Wert derselben durch vorliegende Schrift weiteren Kreisen bekannt zu geben. Nach biographischer Einleitung über Santini teilt Killing von Seite 30—57 mit, was sich über die Zeit der Niederländer und Franzosen (Seite 57—71), über Italiener und Spanier des 16. Jahrhunderts in der Münsterschen Santini-Bibliothek vorfindet. Möge es dem sachkundigen jungen Gelehrten, der seit 1903 zu München und Berlin musikwissenschaftliche Studien gepflegt hat, recht bald vergönnt sein, das angefangene Werk zu vollenden und durch Veröffentlichung eines Kataloges der Santinischen Sammlung zu Münster der Bibliographie und Musikforschung neues Material zur Verfügung zu stellen.

Geschichte der katholischen Kirchenmusik von **Emil Nikel,** Vizedechant an der Domkirche zu Breslau, Päpstl. Geheimkämmerer. Erster Band. Geschichte des gregorianischen Chorals. Nebst einer Einleitung: Die religiöse Musik der vorchristlichen Völker. Mit zahlreichen Musikbeispielen. Breslau, Franz Görlich. 1908. Geheftet 7 ℳ 50 ₰, gebunden 9 ℳ. 744 Seiten. Schade, daß es bei dem zugemessenen Raum hier nicht möglich ist, diesem Werke eine ausführlichere Besprechung und Würdigung zu schenken. Bisher ist dieses Buch die wertvollste und eingehendste Geschichte der katholischen Kirchenmusik und gibt Zeugnis von der umfangreichen Benützung und Kenntnis der Literatur über die Geschichte dieses wichtigen Zweiges der Musikwissenschaft im allgemeinen. Siehe das eingehende Namen- und Sachregister von Seite 409—474! Abgesehen von den ersten 55 Seiten, auf welchen die religiöse Musik der vorchristlichen Völker (Chinesen, Japaner, der übrigen asiatischen Stämme; der Ägypter, Hebräer, Griechen und Römer) summarisch besprochen wird, finden wir in der Besprechung der Geschichte des gregorianischen Chorals und in der Gruppierung des reichen Materials jene Objektivität, welche den Historiker auszeichnen muß, jene Darstellungsweise, welche nie auf ein vorgefaßtes Ziel oder eine vorgenommene Richtung lossteuert, sondern einfach Tatsachen ohne viele subjektive Reflexionen anführt. Besonders dankenswert sind die Kapitel über die Verbreitung des gregorianischen Gesanges in Deutschland (S. 180), über die

Musikwissenschaft vom 13.—17. Jahrhundert (S. 225—248), über den Choralrhythmus (S. 295), über die nachtridentinische Choralreform (S. 298), und hervorragend über die Erneuerung des Choralgesanges in der 2. Hälfte des 19. Jahrhunderts (S. 328 bis Schluß). Wenn der Verfasser im Vorwort (S. VII) bemerkt: „Was speziell die Frage nach dem archäologischen, ästhetischen und praktischen Wert der *Editio Vaticana* anlangt, so habe ich es, nachdem die Ausgabe zur Einführung gelangt ist, vermieden durch Pointierung einer bestimmten Stellungnahme die augenblickliche, nicht in jeder Hinsicht erfreuliche Situation ungünstig zu beeinflussen", so wird ihm diese Klugheit niemand verargen. Sein Buch aber gibt jedem Forscher und Musiker Gelegenheit, sich über alle Anschauungen und Fragen des gregorianischen Chorals zu unterrichten und ein Gesamtbild der Bestrebungen und Studien zu gewinnen. Möge es dem Verfasser gegönnt sein, auch die übrigen 4 Abschnitte, welche „die polyphone Kirchenmusik, das im Volks- oder Gemeindegesang gepflegte Kirchenlied, die Instrumentalmusik im Dienste der Kirche und endlich das Orgelspiel im Dienste der Kirchenmusik behandeln werden, in gleicher Objektivität und Übersichtlichkeit zu vollenden".

Über das bewußte Singen nach Noten. Ein Beitrag zur Reform des Schulgesangunterrichtes von **Johannes Ostendorf.** Düsseldorf. L. Schwann. Preis 1 ℳ 20 ₰. Man kann es nur mit Freuden begrüßen, wenn sich schon in der Schule bei den Gesanglehrern die Ansicht und die Überzeugung Geltung verschafft, daß nur derjenige den Namen eines Sängers verdient, der schon beim Elementarunterricht gewöhnt wird, nach Noten zu singen, d. h. zu treffen, und zwar mit vollem Bewußtsein, nicht ratend oder zweifelnd.

Das Orgelregistrieren im gottesdienstlichen Gebrauch, sowie bei sonstigen Orgelbegleitungen. Ein Hilfsbuch für Organisten und Schüler des Orgelspiels, ausgearbeitet und herausgegeben von Professor **Rudolph Palme.** Leipzig, Max Hesse. Preis 1 ℳ 50 ₰. 48 Seiten. Wenn auch speziell für den evangelischen Gottesdienst entworfen und durchgeführt, bietet es doch auch dem katholischen Organisten reiches Material für die systematische Zusammenstellung der Orgelregister nach ihrem Charakter beim Choralgesang der Gemeinde, beim Vor- und Zwischenspiel und beim Orgeltrio. Überall erkennt man den erfahrenen und gewiegten Praktiker.

Mozart. Von Professor **Dr. Frhr. v. d. Pfordten.** Mit einem Porträt des Künstlers von Doris Stock. 8°. 151 Seiten. (Wissenschaft und Bildung, Bd. 41.) Geheftet 1 ℳ, in Originalleinenband 1 ℳ 25 ₰. Verlag von Quelle und Meyer in Leipzig. In 9 Kapiteln macht Verfasser seine Leser mit den Hauptwerken unseres Meisters bekannt, überall auf die noch ungehobenen Schätze hinweisend und zur näheren Kenntnisnahme anregend. Das Büchlein ist aus Vorlesungen und Vorträgen entstanden, kann und will nach Otto Jahns Biographie Mozarts nichts Neues bieten, schildert aber mit Liebe und Geschick den unsterblichen Mann als Mensch und Künstler. Was der Verfasser über die kirchenmusikalischen Werke Mozarts zu sagen hat, kann man ruhig unterschreiben.

Lehrbuch des einfachen, doppelten und imitierenden Kontrapunktes von **Dr. phil. et mus. H. Riemann,** Professor der Musikwissenschaft an der Universität zu Leipzig. Zweite, gänzlich durchgearbeitete und erweiterte Auflage. Leipzig, Breitkopf & Härtel. 1908. Geheftet 6 ℳ, gebunden 7 ℳ 50 ₰. Der Verfasser ist berühmt durch seine Lehrbücher über musikalische Materien auf allen Gebieten und als gewissenhafter Historiker, Lehrer und Schriftsteller. Man muß sich in seine neuen Ideen über Harmonielehre, Terminologie, Agogik hineingearbeitet haben, um dieser 2. Auflage (die 1. erschien unter dem Titel: „Entwurf einer Lehre des Kontrapunktes") das richtige Verständnis und die volle Wertschätzung entgegenzubringen. Riemann setzt die Kenntnis der Harmonielehre voraus, verzichtet also auf die herkömmlichen Stimmführungsregeln des Kontrapunktes und behandelt sein Thema in drei Teilen: 1. der einfache Kontrapunkt, S. 1—126; 2. der doppelte Kontrapunkt, S. 126 bis 195; 3. der imitierende Kontrapunkt (Kanon), S. 145—248. Im Anhang werden die Gesetze der Beantwortung des Fugenthemas, als Vorbereitung der Fugenkomposition aufgeführt (S. 249—266) und von 267—272 *Cantus firmi* zum Kontrapunktieren angegeben. Für den Vokalsatz wird der Kirchenmusikschüler keinen Nutzen schöpfen; der Verfasser denkt mehr an die Orgel und das instrumentale Spiel.

Ein Kompendium mit dem Titel: „Grundriß der Musikwissenschaft" veröffentlicht der unermüdliche **H. Riemann** bei Quelle und Meyer in Leipzig. 160 Seiten. 1 ℳ, gebunden 1 ℳ 25 ₰. Er bespricht darin: Akustik, Tonphysiologie, Musikästhetik, musikalische Fachlehre, gibt ein Verzeichnis der wichtigsten Literatur der Musiktheorie, behandelt die Musikgeschichte in 9 Abschnitten und zählt die wichtigsten Musikgeschichtswerke auf. Ein alphabetisches Inhaltsregister überrascht durch die Menge der Materien und den Reichtum des Wissens auf allen Gebieten der Musikwissenschaft. Das Büchlein ist der beste Führer für den nach Wissenschaft und Bildung strebenden Musiker in allerkürzester Form und unter stetem Hinweis auf die beste einschlägige Literatur.

Musiklexikon von **Hugo Riemann.** Siebente, gänzlich umgearbeitete und mit den neuesten Ergebnissen der musikalischen Forschung und Kunstlehre in Einklang gebrachte Auflage. Leipzig, Max Hesse. 1909. Erscheint in 25 bis 28 Lieferungen zu je 50 ₰. Daß ein Werk von solchem Umfang wie das allbekannte, bisher unübertroffene Musiklexikon Riemanns schon nach 4 Jahren eine neue Auflage erlebt, gehört zu den literarischen Seltenheiten und erklärt sich nur durch die Tatsache, daß der emsige Verfasser nicht ermüdet, die überaus zahlreichen jährlichen Ergebnisse historischer Forschung zu benützen und einzutragen. Die erste Lieferung der 6. Auflage brachte beispielsweise den Namen Aubry auf Seite 62, die vorliegende auf Seite 64 und zwar mit wesentlichen und wertvollen Erweiterungen und Berichtigungen. Das Buch ist in englischer, französischer und russischer Übersetzung erschienen. Ob jedoch die „Einbändigkeit" in die Länge gewahrt werden kann, hält Referent für unwahrscheinlich; er hat schon die 6. Auflage in 2 Bände teilen lassen, ohne den Wert als Nachschlagebuch vermindert zu sehen.

**Musikgeschichte der Stadt Berlin bis zum Jahre 1800.** Stadtpfeifer, Kantoren und Organisten an den Kirchen städtischen Patronats, nebst Beiträgen zur allgemeinen Musikgeschichte Berlins, von **Kurt Sachs.** Berlin, Gebrüder Partel. 1908. Geheftet 8 ℳ, in Halbfranz gebunden 10 ℳ. Für Spezialstudien über die Musikgeschichte einzelner Provinzen und Städte hat die Redaktion stets aufgemuntert und Interesse gezeigt und begrüßt daher vorliegendes Buch von 225 Seiten mit Freude. Der Verfasser erzählt uns an der Hand archivalischer Dokumente, Rechnungen, Notizen usw. in farbenreichem Bilde die Musikpflege vom 16. bis in den Anfang des 19. Jahrhunderts hinein. Er stellt die Geschichte der Stadtpfeiferei dar und gibt einen Einblick in das Leben und Treiben der Stadtmusikanten auf dem Turm, in der Gasse, im Saal und in der Kirche, aber auch in ihr häusliches Leben und ihre — meist sehr traurigen — wirtschaftlichen Verhältnisse. Ebenso werden die Kantoren und Organisten behandelt: ihre Vorbildung, ihre Prüfungen, die Tätigkeit in Kirche und Schule und ihre Besoldungen und Akzidenzeinnahmen erfahren eine lebendige, aber aktengetreue Schilderung. Außer diesen allgemeinen Darlegungen enthält das Buch die Biographien aller Stadtpfeifer, städtischen Kantoren und Organisten, soweit sie festgestellt werden konnten. Als Hauptquelle des Werkes sind die Akten des Magistratsarchivs und der einzelnen Kirchen benutzt worden, so daß eine Fülle unverwendeten Materials fruchtbar gemacht werden konnte. Die wichtigsten dieser Urkunden sind im Anhang des Werkes wortgetreu abgedruckt; unter ihnen befinden sich viele, die den eigentlichen Rahmen des Themas überschreiten, vor allem biographische Notizen über verschiedene Musiker, Instrumentenmacher und Orgelbauer.

**Eduard Kretschmer.** Sein Leben, Schaffen und Wirken. Von **Otto Schmid.** Mit einem Bildnisse Kretschmers. Dresden, Ernst H. Meyer, vorm. F. Thomaßsche Buchdruckerei. Preis 3 ℳ. Am 13. September 1908 starb in Dresden der auch in kirchenmusikalischen Kreisen wohlbekannte Hofkapellmeister E. Kretschmer. Das vorliegende Lebensbild ist schon im Jahre 1890 erschienen, gewinnt aber nach dem Tode des Meisters, der auch die Musik in der katholischen Hofkirche zu Dresden leitete, neuerdings an Interesse. Auch ein Verzeichnis sämtlicher Werke Kretschmers ist beigefügt. (Im Cäcilienvereins-Katalog Nr. 70 ist dessen Opus 18 aufgenommen worden.) Sein Wirken als Organist, Dirigent und Lehrer ist Seite 148—155 kurz geschildert.

**Mozart.** Sein Leben und Schaffen. Von **Karl Storck.** Mit einem Bildnis und zwei Schriftproben. 1.—5. Tausend. Stuttgart, Greiner & Pfeiffer. 1908. Preis 6 ℳ 50 ₰, geb. 7 ℳ 50 ₰. 553 Seiten. Der Name des Verfassers ist unseren Lesern aus der Besprechung seiner Musikgeschichte und anderen Monographien gut bekannt. Das vorliegende Werk über Mozart ist nicht eine trockene Aneinanderreihung von Daten und Lebensvorfällen, sondern eine die Zeitverhältnisse, die Musikbildung, den Kulturstand berücksichtigende, geistvolle, durch passende ästhetische Reflexionen durchwebte Schilderung der Kinder-, Lehr-, Wander- und Meisterjahre der lieblichen Persönlichkeit Mozarts. Der Leser wird nicht durch eingestreute Musikbeispiele, philologische oder kritische Anmerkungen beirrt, vielmehr angeregt, das reizend geschriebene Buch in einem Zuge zu lesen und hat das Gefühl auf festem Boden zu stehen. Was Storck Seite 147 über Mozart und die Kirchenmusik schreibt, ist wohl das bekannte Urteil Otto Jahns, wird aber jeden befriedigen, der die Kirchenkompositionen Mozarts, welche sämtlich mit Ausnahme des *Ave verum* und *Requiem* aus seiner Jugendzeit stammen, gehört oder durchgespielt hat. Als Weihnachtsgeschenk für gebildete Leser, auch wenn sie Laien in der Musik sind, sei das schöne Werk aufs beste empfohlen. Sehr wertvoll ist das Präludium: „Vom musikalischen Genie und dem Universalstil der Musik“, sowie auch der „Ausklang“ mit dem Satze: „Solange die Musik Musik, Gold Gold, Kristall Kristall bleiben wird, solange wird Mozarts Musik geliebt und bewundert werden.“

Beethovens *Missa solemnis.* Eine Studie von **Wilhelm Weber.** Kgl. Professor, Offizier d'Academie française. Neue, durch einen Anhang erweiterte Ausgabe. Leipzig F. E. C. Leukart. 1908. Preis unbekannt. 155 Seiten. Über die erste Ausgabe, deren Vorwort zum 70. Todestage Beethovens (26. März 1897) geschrieben wurde, ist in *Musica sacra,* 1897, Seite 102 empfehlend referiert worden. Vorliegende zweite Ausgabe hat der hochverehrte Dirigent des Oratorienvereins an der Musikschule Augsburg vom 81. Todestage Beethovens datiert und außer kleineren redaktionellen Änderungen die statistischen Angaben über Aufführungen der *Missa solemnis* ergänzt. Bei der in Nürnberg (Juni 1908) stattgehabten Aufführung von Beethovens *Missa solemnis* unter Mottels Direktion wurde der Redaktion der *Musica sacra* von einem ehemaligen Schüler die Mitteilung gemacht, daß die einzelnen Teile nachfolgende Zeiten in Anspruch nahmen: das *Kyrie* 13 Minuten, das *Gloria* 20, das *Credo* 22, das *Sanctus* 5, das *Benedictus* 13, das *Agnus Dei* 16, die 6 Teile also 90 Minuten. Die Broschüre Webers ist sehr warm und belehrend geschrieben.

Sammlung, Kirchenmusik, herausgegeben von **Dr. Karl Weinmann.** 1. Bändchen: Karl Proske, der Restaurator der klassischen Kirchenmusik. Regensburg, Fr. Pustet 1909. Preis gebunden 1 ℳ. Das Büchlein sagt nichts Neues, wenn es von den Jugend- und Studienjahren des großen Reformators der katholischen Kirchenmusik (*Musica divina*), von dessen Leben und Schaffen usw. spricht, weiß aber das Lebensbild so interessant, anregend und angenehm zu zeichnen, daß es auch Personen, welche den längst Dahingeschiedenen persönlich gekannt und mit ihm verkehrt haben, gleich dem Referenten, zu fesseln und neuerdings anzuregen vermag. Das Bändchen ist mit den Bildern von Proske und Jos. Hanisch, sowie dem Grabdenkmal Proskes geschmückt, sowie dem Autograph eines Teiles der Proskeschen Partitur von Josquins *Stabat Mater,* sowie den beiden kleinen Kompositionen *De profundis* aus dem Cäcilienkalender 1877 für 4 Männerstimmen und einem *Et incarnatus est* für gemischten Chor von Proske.

**Paul Zschorlich.** Was ist moderne Musik? Aufsatz entnommen der „Patria“, Bücher für Kultur und Freiheit. 1909. Buchverlag der „Hilfe“, Berlin-Schöneberg. 18 Seiten. Der Aufsatz

schließt mit den rätselhaften Worten: „Die moderne Musik, das ist die Musik der Lebendigen. Ob sie gut oder schlecht ist, darüber entscheiden nicht wir allein. Unsere Begeisterung kann uns niemand nehmen, unser Urteil korrigiert vielleicht schon die nächste Generation. Wir kommen aus dem Subjektiven nicht heraus. Byron hat ganz recht: „Unsere Ideale häuten sich wie die Schlangen."
F. X. H.

## Vermischte Nachrichten und Mitteilungen.

1. ✠ Todesnachrichten. Am 17. Aug. 1908 starb auf der Durchreise in Lindau i. B. der Hochwürd. Herr Militärpfarrer des XII. (1. Kgl. Sächs.) Armeekorps zu Dresden, Herr **Jakob Reutsch**. Ein nicht zu unterschätzendes Verdienst erwarb er sich durch die Förderung der Kirchenmusik in der **Dresdener Garnisonskirche**. Schon vor deren Einweihung wurde auf seine Veranlassung aus Mannschaften der Garnison ein Kirchenchor gebildet, der sich jedes Jahr erneuert und in regelmäßigen Proben unter der Leitung des Organisten die Gesänge nach dem Willen der Kirche einübt. Seit der Einweihung des Gotteshauses findet an jedem Feiertage liturgisches Hochamt statt, insbesondere wird dabei der gregorianische Choral gepflegt.

Zum Andenken an zwei frühere Eleven der hiesigen Kirchenmusikschule teilt die Redaktion mit der Bitte an ihre Herren Kollegen um das Gebet für das Seelenheil der Abgeschiedenen mit, daß a) am 8. Oktober d. J. der Musiklehrer **Johann Backes**, 39 Jahre alt, nach längerem, mit großer Geduld ertragenem Leiden, mehrmals gestärkt mit den heiligen Sterbsakramenten zu Herongen in die Ewigkeit abgerufen worden ist.

b) Am 25. Oktober 1908 starb im Hospital zu Goch auf der Reise in die deutsche Heimat Herr **Alfons Haan**, Domorganist an der Kathedrale zu Longforth in Irland und wurde in Calcar, wo er am 25. Juni 1860 geboren war, an der Seite seiner dort schlummernden Eltern beerdigt. Sein Name ist im Cäcilienvereins-Katalog unter Nr. 1138 und 2921 aufgeführt.

*Requiescant in pace!*

2. ◯ **Wien.** Musiksektion des kathol. Jünglingsvereins „Maria Hilf". Programm zum Feste der heil. Cäcilia, Sonntag, 22. November 1908 in der Kirche der PP. Lazaristen, VII Kaiserstraße 5. I. 8 Uhr früh: Choralamt (nach der Vatikanischen Choralausgabe), zelebriert von Hochwürd. Herrn Dr. Herm. Kroboth, Superior C. M., gesungen vom Knabenchor im Presbyterium der Kirche. Fest: Heil. Cäcilia. *Tantum ergo*, Intr.: *Loquebar*, Grad.: *Audi Filia*, Offert.: *Afferentur*, Communio: *Confundantur*; II. Choralmesse (*Fons bonitatis*); III. Choral-*Credo*. II. ³/₄11 Uhr vormittags: I. Festpredigt über das *Motu proprio* Sr. Heiligkeit Papst Pius X., betreffend die kirchliche Musik, gehalten von Hochwürd. Herrn Franz Kubař, C. M.: 11 Uhr vormittags: Pontifikalamt, pontifiziert von Sr. Exzellenz dem Apostol. Nuntius, Erzbischof Januarius Granito di Belmonte. Der Chor sang: Intr., Offert., Communio im greg. Choral (Medic.-Ausg.), Grad.: *Audi Filia* von Dr. Otto Müller; *Missa jubilaei solemnis* (Uraufführung) für Soli, 5st. Chor, großes Orchester. Aus Anlaß der beiden großen Jubiläen komponiert von Dr. Müller. III. ¹/₄5 Uhr nachmittags: *Ecce Sacerdos Magnus*, Empfang Sr. Exzellenz des Hochwürd. Herrn Generalvikar Dr. Godfried Marschall; *Veni Creator Spiritus*, greg. Choral; Festpredigt über das *Motu proprio* Sr. Heiligkeit Papst Pius X., gehalten von Sr. Hochwürd. Herrn Johann Vorhauer, C. M. Hierauf: a) deutsche Kirchenlieder von allen Anwesenden gesungen: 1. „Ich will dich lieben, meine Stärke" von Angelus Silesius; 2. „Mutter, o vergiß mein nicht" von P. Leo König, S. J.; 3. „O süßer Jesu, sei gegrüßt"; b) Gesänge aus der Blütezeit der kirchlichen Polyphonie: 1. *Ave Maria*, 4st. von Arkadelt; 2. *Benedicimus Dominum*, 8st. von Felice Anerio; 3. *Laudate Dominum*, 12st. von Orlando Lasso. Hierauf: Aussetzung des Allerheiligsten: *Pange lingua* von Ett von allen Anwesenden gesungen; *Te Deum* für Soli, Chor, großes Orchester und Orgel von Dr. Anton Bruckner; *Tantum ergo, Genitori*, 7st. von M. Haller; Marienlied, 4st. (Dieses schöne Programm wurde unter Leitung des unermüdlichen Herrn **Peterlini**, der seit Jahren in der österreichischen Hauptstadt opferwillig und bescheiden für die liturgische Kirchenmusik wirkt, zur Durchführung gebracht, und die Redaktion bittet um Zusendung eines Berichtes über den Verlauf dieses Cäcilienfestes an der Lazaristenkirche zu Wien.)

3. × **Zu Dr. Alfred Schnerichs Schrift „Messe und Requiem seit Haydn und Mozart".** Herr V. K. weist im Linzer Volksblatt vom 21. Oktober die Ausführungen des Verfassers über Witt als Komponisten als zu „strenge" zurück. — Witt ist als Komponist schon von andern beurteilt worden. Franz Liszt nennt die *H*-moll-Litanei ein Juwel, stellt die Konzilsmesse an die Seite der Papst Marzellusmesse, nennt das fünfstimmige *O salutaris hostia* Engelmusik, preist die Lucienmesse, das *Te Deum* (Op. 10), das *Stabat Mater*, die *A*-dur-Litanei (die ihm dann dediziert wurde) und wollte Witt mit sich in die Villa d'Este nach Rom mitnehmen, um ihn von der Seelsorge wegzuziehen und schreibt ihm: „Schreiben Sie uns nur zwanzig so schöne Takte, wie Sie uns oft schon geschrieben haben." Richard Wagner und Hans v. Bülow äußern ihre Bewunderung. Der Opernkomponist Cyrill Kistler schrieb eine Broschüre über ihn (bei Siegels Musikalienhandlung, Leipzig) und ist von Witts Musik tief ergriffen. Edgar Tinel nennt Witt als Komponisten einen „Riesen". Bruckner preist Witt als „unsterblich" und rühmt die Rafaelsmesse. — Das nur eine Auslese, die noch bedeutend vergrößert werden könnte, zu zeigen, wie die größten Meister der Musik über den Komponisten Witt dachten. Freilich darf ein solcher Mann nicht bemessen werden aus vielen Sachen, die er für die armen schwachen Chöre schrieb, um auch mit den ärmsten Mitteln eine feierliche Deklamation des Textes zu erreichen.

4. + Die Redaktion der *Musica sacra* erhielt im November nachfolgende anonyme Zuschrift: „Wäre es nicht bald an der Zeit, daß unsere katholischen Zeitschriften, vorab die kirchenmusikalischen, sich einmal zu einer gründlichen Widerlegung der in Elise Polkos 2 Hände „Musikalische Skizzen und Märchen“ enthaltenen zahllosen offenen und versteckten Angriffe gegen die katholische Kirche, und besonders die katholische Kirchenmusik, entschließen würden? — Das Werk, das schon über 20 Auflagen erlebt, zeigt wahrlich die Macht des Vorurteils selbst bei einer sonst rechtlichen Protestantin, wie es auch schon wegen seiner allzu leichten Künstlermoral nicht zu ihren besten Schriften zählt; die poetische Sprache täuscht nicht über alles hinweg!“ Die Redaktion hat dieses Buch der Elise Polko, über welche das Dr. Riemannsche Musiklexikon berichtet, „daß sie eine geborne Vogt und am 13. Januar 1822 zu Leipzig geboren sei, und von welcher er urteilt, daß alle ihre Romane, Novellen etc. besondere Liebe zur Musik und musikalisches Verständnis verraten, aber zur Kategorie der sogenannten Damenlektüre gehören, d. h. „süßlich schwärmerisch sind“ etc. — niemals gelesen. Sollte sich aber jemand finden, der obige Zuschrift einer Dame ins Auge fassen will, so erklärt sich die Redaktion bereit, derselben Aufnahme in der *Musica sacra*, natürlich nach redaktioneller Prüfung, zu gewähren.

5. [] **Amsterdam.** Der freiwillige gemischte Chor unter Leitung von Anton Averkamp brachte am 24. Oktober d. J. als 38. Aufführung in der Westenkirche nachfolgendes, ausschließlich dem Johann Sebastian, Joh. Christ. Bach gewidmete geistliche Musik zustande. 1. Motett: „Jesu meine Freude von Joh. Seb. Bach. 2. Aria's voor Sopran, door mevrouw A. Noordewier-Reddingius, a) „Seufzer, Tränen“, b) „Mein Jesus will es tun“ von Joh. Seb. Bach. 3. Motett: „Ich lasse dich nicht von Joh. Christ. Bach. 4. Geistliche Lieder, voor sopraan door mevrouw A. Noordewier-Reddingius, a) „Jesus unser Trost und Leben“, b) „O Jesulein süß“, c) „Jesu, du bist mein“ von Johann Seb. Bach. 5. Motett: „Lob und Ehre und Weisheit und Dank“ von Joh. Seb. Bach.

6. = Zu P. Bonvins Artikel: „Ist der Choralvortrag der Oratoristenschule nunmehr verpflichtend?“ *Musica sacra* Nr. 9/10. „Verleitet durch die Bemerkung eines Autors, der Poisson eine Theorie Bainis aufgreifen und weiter entwickeln ließ, habe ich Poisson (dessen Lebenszeit ich in meinen Musiklexika nicht finden konnte) und somit den Oratorismus erst im 19. Jahrhundert auftauchen lassen; Baini (1775–1844), den er angeblich benutzt haben sollte, schrieb ja im 19. Jahrhundert. Ich sehe aber soeben, daß Poissons *Traité théorique et pratique du plain-chant grégorien* schon 1750 zu Paris erschien; hat also einer der beiden Autoren den andern benutzt, so ist es Baini, der aus Poisson schöpfte, und letzterer hat schon Mitte des 18. Jahrhunderts im Choral einen vom Texte bedingten Rhythmus gesehen und so den Grundsatz eines der Rede ähnlichen oder oratorischen Rhythmus ausgesprochen. Diese Theorie hat er im oben erwähnten *Traité* genau und zwar viel logischer und sprachgemäßer als die heutigen Oratoristen entwickelt; es ist aber zu bemerken, daß er nur nach einer Seite hin als Vorgänger der modernen gelten kann, denn ihm zufolge werden im Choral, den er als *récit mesuré et animé* definiert, die Noten abgemessen und in der Weise taktiert, daß der langen Note (■) zwei Zählzeiten zukommen, dem Quadrat oder *„note commune“* (■) dagegen eine, und der kurzen, rautenförmigen Note (♦) nur eine halbe Zählzeit, während die neuzeitlichen Oratoristen das Prinzip des Gleichmaßes aller Noten aufstellen.

Ludwig Bonvin, S. J.

7. **Inhaltsübersicht von Nr. 11 des Cäcilienvereinsorgans:** Vereins-Chronik: XV. Generalversammlung der Diözese Trier in Trier; Cäcilienverein Gleiwitz; Generalversammlung des Metzer Diözesan-Cäcilienvereins in Saargemünd; Verbandsfest des Cäcilienvereins Main-Taunus in Homburg v. d. H. — Die Frauenfrage in der Kirchenmusik. (Von L. Bonvin, S. J.) (Schluß.) St. Cäcilia, unsere Patronin. (Von P. A. W.) — Zur 20. Gedächtnisfeier von Dr. Witts Todestag. (Mit Grabdenkmal.) — Vermischte Nachrichten und Mitteilungen: Das nördliche Hauptportal der Cäcilienkirche in Regensburg (mit Abbildung); Richtigstellung; Generalversammlung des Oberösterr. Cäcilienvereins in Kremsmünster; Personalnotizen. — Inhaltsübersicht von Nr. 11 der *Musica sacra*. — Anzeigenblatt Nr. 11. — Cäcilienvereins-Katalog, 5. Band, Seite 169–176, Nr. 3626–3646, sowie Sachregister zum Generalregister Wolfgang Ambergers Seite 93*–100* zu den 3500 Nummern des Cäcilienvereins-Kataloges.

## Offene Korrespondenz.

**Die Redaktion der *Musica sacra* wünscht allen Abonnenten und Lesern schon einen Monat vor der üblichen Zeit fröhliche Weihnachten und Glück und Segen zum Neuen Jahre. Daran knüpft sie die Bitte, nicht nur neuerdings auf den 42. Jahrgang zu abonnieren, sondern auch neue Abnehmer und Leser zu gewinnen. Die *Musica sacra* (Regensburg) ist in bezug auf Textumfang und Inhalt (144 Seiten in Groß 8°, davon Dreifünftel Petitschrift und 48 Seiten Originalmusikbeilagen) die billigste Fachzeitschrift der Welt, da sie jährlich nur drei Mark kostet, wenn bei der nächsten Postanstalt bestellt wird; diese Bezugsart verbürgt auch die prompteste und schnellste Zustellung. Probenummern mit dem Inhaltsregister des 41. Jahrganges 1908 versendet die Verlagshandlung auf Wunsch gratis und franko. Die Redaktion bittet um Beiträge und kurze, aber rasche und kleinere Nachrichten. Je mehr diese Monatschrift Abonnenten gewinnt, desto reicher kann und wird sich ihr Inhalt gestalten.** F. X. H.

Druck und Verlag von **Friedrich Pustet** in Regensburg, Gesandtenstraße.
**Nebst Anzeigenblatt, Inhalts-Verzeichnis des 41. Bandes und Bestellzettel für den 42. Jahrgang 1909 der *Musica sacra*.**

# Motette und Messe „Beatus qui intelligit."

Wird die Motette in F dur gesungen, so ist der Mezzosopran vom Alt, Altus u. Tenor von Tenören zu singen.
Musikbeilage z. Musica sacra 1908.

*Die kleinen Noten sind die originalen Stimmen.

string.
rit.
a tempo
30
vi-vi - fi - cet e - - - um, et be-a - - - tum
et vi-vi - ficet e - - - - um, et be-a - tum
vi-vi-fi-cet e - - um, et be-a - - tum fa-ci-at e -
mit II.Alt
Ten.
et vi - vi - ficet e - - - - um, et be - a - tum fa - ci -
um et vi-vi ficet e - - - um, et be-a - tum fa - ci -
et vi-vi - ficet e - - - um, et be - a - tum fa - ci -
und lasse ihn leben
und mache ihn glücklich auf Erden,
35
mf
cresc.
et non tra - dat e - um, et
et non tradat e - um, et non tra -
- um in ter ra et non tra-dat e -
II Alt
- at e-um in ter - ra et non tra - - - - dat e - -
- at e-um in ter - ra et non tra-dat e - um
- at e-um in ter - ra et non tra - - - - dat
und stelle ihn nicht

4
40
cresc.
non tra - dat e - - - - um in a - ni-mam
dat e - - - um in a - ni-
- - um in a - ni - mam i - -
um, et non tra - dat e - - - um in a - ni-
Ten.
et non tra - dat e - um in a - ni-mam i -
e - um in a - ni-mam
der Lust seiner Feinde

45
allmählich langsamer
i - ni - mi-co-rum e - jus i ni-mi-co-rum e - jus.
mam i - ni-mi-co-rum e - jus i - ni-mi-co-rum e - jus.
ni-mi-co rum e - jus i-ni-mi - co rum e jus.
mam i - ni-mi-co - rum e - - jus.
ni-mi-co - - rum e - jus.
i - ni-mi - co - - rum e - - - - jus.
anheim,

II. PARS.
5
poco rit.
Do - mi-nus o - - - pem fe-rat il - - - li,
Do - minus o - - - pem fe-rat il - li, o - - - pem fe -
Do - minus o - pem ferat il - li,
nus Barit.
Ten.
Do - minus o - - - pem ferat il - li,
Do - minus o - - pem
Barit.
Do - mi-nus o - - pem fe-rat il - li. Do - minus o - -
Der Herr bringe ihm Hilfe
Do - minus o - - -
10
su - per le - - - ctum,super le - ctum do - lo ris e -
rat il - - - li, su - per le-ctum, su-per le - ctum do - lo - ris
su per le - ctum, super le - ctum
mit Alt
fe-rat il - - li, su - per le - - ctum do - lo - ris
pem fe-rat il - li, su - - - per le-ctum do - lo - ris
pem fe-rat il - li, su - - per le - ctum
auf seinem Schmerzens - lager

15
20
f string.
cresc.
- jus u - ni - ver - sum stratum e - -
f string.
e - - - jus u - - ni-ver - sum stra -
Ten. mp
f string.
cresc.
su - per lectum do - lo - ris e - jus u - ni - ver - sum stra - tum e -
Alt mp
f string.
cresc.
e - jus, do lo - ris e - jus u - ni-ver - sum stra - -
mp
f string.
cresc.
e - - jus do - lo - ris e jus u - ni-ver-sum
mp
f string.
cresc.
do - - lo - ris e - - jus u - ni - ver - sum stra - tum
sein ganzes Kranken-lager wende

25
ruhiger
p
jus ver - sa - sti, ver - sa - sti in infir-
ruhiger
p
tum e - - jus ver - sa - sti, versa - sti, versa - sti in infir-
Alt
ruhiger
p
- jus ver - sa - sti, ver - sa - sti in in - fir - mi-
ruhiger
mf Ten.
tum e - jus ver - sa - sti in infir - mi - ta - - te e - jus.
mf ruhiger mf
stra tum e - jus versa - sti in infir - mi - ta - te e - jus.
ruhiger mf
e - - jus ver - sa - sti in in - fir - mi - ta - te e - jus.
ins Gegenteil!

30
rit.
a tempo
35
cresc.
mi-ta - - te e - - jus. E - go di - xi: Do - mi - ne, mi - se-re-re me-
mi-ta - - te e - - jus. E - go di - xi: Do - mi - ne, mi - se - re - re me-
ta - te e - jus. E - go di - xi: Do - mi-ne, mi se-re - re me- -
E - go di - xi: Do - mi - ne, mi - se - re - re me- -
E - go di - xi: Do - mi-ne, mi - se - re - re me- -
E - go di - xi: Do - mi-ne, mi - se - re - re me- -
Ich rufe: Herr erbarm dich meiner
40
vorwärts drängen
- - - - i, mi - se-re-re me - - i, sa - - na a - ni-mam me - -
- se-re - - re me - i, sa - na a - ni - mam meam sa - na a -
i, mi-se-re-re me - - i, sa - na a - ni - mam meam a - nimam me-
- - i, mi-se-re-re me - i, sa - na a - ni-
i, mi - se-re-re me - i, sa - na a - nimam me-am a - ni - mam
i, mi-se-re-re me - i, sa - - na a - nimam me - am
heile meine Seele,

45
50
in allen Stimmen sehr gross und wuchtig!
- - - - - am, qui - a pec-ca-vi ti - bi, qui-a pec-ca -
nimam me - am, qui - a pec-ca - - vi ti - bi, qui-a pec-ca-vi ti -
am, a nimam me - am, qui-a pec-ca-vi, qui - a pec-ca vi ti - bi,
mam me - - - am, qui-a pec-ca-vi ti - bi, qui - - a pec - ca-vi ti-bi, qui-
me - am, qui - a pec-ca - - vi ti - bi, qui-a pec-ca - vi ti - - - bi,
qui - a pec-ca - - - vi ti - - bi, qui-a pec-ca - - vi ti - bi, qui-
denn gegen dich habe ich gesündigt

55 allmälig langsamer
vi ti - - - - - - bi, qui-a pec-ca - - vi ti - - - bi.
bi, qui-a pec-ca-vi ti - - bi, qui - a pec - ca - vi ti - - - bi.
qui - a pec-ca - vi ti - bi, qui-a pec-ca-vi ti - - bi.
a pec-ca - vi ti - bi, qui - - - a pec-ca-vi ti - - - - - - bi.
qui - a pec-ca-vi, qui - a pec - ca - vi ti - - - bi.
a pec-ca - - - vi ti - - - - - - bi, qui-a pec - ca - - - vi ti - - - bi.

# Missa ad imitationem moduli „Beatus qui intelligit."

15
Christe e - lei - son,
Chri-ste e - lei - - - - son,
Chri - ste e - lei-son
Chri - ste e - lei - son,
Chri-ste e - lei-son,
cresc.
Chri - ste e - lei - - son,
Chri-ste e -
Chri-ste e - lei - - son,
Chri - ste e - lei-son, Chri-
Chri - ste e - le - i - son,
Christe e - - - lei - son,
Chri-ste e - lei - - son, Chri-ste e -
20
rit.
a tempo
pp nur gehaucht!
string.
Etwas bewegter
Chri-ste e - lei-son, Chri-ste e - lei - son.
Ky - - ri - e e -
Chri-ste e - lei - son, Chri - ste e - lei - son.
Ky - ri - e e - - - -
lei - - - son,
Chri - ste e - lei - son.
Ky - - ri - e
ste e - lei - son,
Chri - ste e - lei - son.
Ky -
p dolce
Chri-ste e - lei - son.
Ky - - ri - e
lei - son,
Chri-ste e - lei - - - son.
Ky -

25
poco rit.
string.
lei - son, Ky - ri - - - e e lei - - - son, Ky -
lei - son, Ky - ri - e e - - - - - lei - son, Ky - ri -
e - - - - lei - son, Ky - ri - e e - lei - - - - - son, Ky - - ri -
ri - e e lei - son, Ky - ri - e e - lei - - - son, Ky - - ri -
e - lei - - - - son, Ky - ri - e Ky - ri - e e - lei - - - - son, Ky - -
ri - e, Ky - ri - e e - lei - son, Ky - - - ri -
30
rit.
langsam, in allen Stimmen verklingend
35
- - ri - e e - lei - - - son, Ky - ri - e e - lei - son.
e e - lei - - - son, Ky - - - rie e - - - - - lei - - - son.
e e - lei - son, Ky - - - ri - e e - lei - - - son.
e e - lei - son, Ky - ri - e e - lei - son, Ky - ri - e e - lei - - son.
ri - e e - lei - son, Ky - ri - e e - lei - son, e - lei - - - son.
e Ky - - - ri - e e - lei - - - son, Ky - - ri - e e - lei - son.

# Gloria.

Bewegt.
Cantus I.
Cantus II.
Altus.
Tenor I.
Tenor II.
Bassus.
p weich
Et in ter - ra pax ho - mi - ni - bus bo - nae
Et in ter - ra pax ho - mi - ni - bus bo - nae
Et in ter - - - - - ra pax ho - mi - ni - bus bo -
Et in ter - - - - ra pax ho - mi - ni - bus bo -
Et in ter - - - - ra pax ho - mi - ni - bus bo - nae
Et in ter - ra pax ho - mi - ni - bus bo - nae
etwas bewegter
vo - lun - ta - tis. Lau - damus te be - ne - di - ci - mus
vo - lun - ta - - - tis. Lau - damus te, lau - damus te, be - ne - di - ci - mus te.
nae vo - lun - ta - - - tis. Lau - damus te, lau - damus te, be - ne - di - ci - mus te. A -
nae vo - lun - ta - tis. Lau - damus te, be - ne - di - ci - mus te. A -
vo - lun - ta - - - tis. Lau - damus te, be - ne - di - ci - mus te.
vo - lun - ta - - tis. Lau - damus te, be - ne - di - ci - mus te.

15
Ruhig.
rit.
te A - do - ra - mus te. Gra - ti -
A - do - ra - - mus te Gra - - ti -
- - do - ra - - mus te, glo - ri - - - fi - ca - mus te. Gra -
do - ra - mus te, glo - ri - fi - ca - mus te. Gra -
A - do - ra - - mus te, glo - - ri - fi - ca - - - - - mus te.
A - do-ra - - mus te, glo - ri - fi - - ca-mus te.
20
string.
as a - gi-mus ti - - - - - bi, pro - pter magnam glo - - - - - ri -
as a - gi-mus ti - - - - - bi, pro-pter ma - gnam glo-ri - am
- - ti - as a - gi - mus ti - - bi, pro - pter ma - gnam glo - - ri -
ti - as a - gi-mus ti - - bi, pro - pter ma - - - - - gnam
Pro - pter ma - gnam glo - - - - - ri -
Pro - pter ma - gnam glo - - - - ri -

*) Den originalen Satz s. Anhang a vom Ende der Messe.

a tempo
ruhiger
35
mni - potens. Do - mi-ne Fi - li u - ni - ge - - - - ni - te Je - su Chri - -
Do - mi-ne Fi - li u - ni - ge-ni - te Je - - su Chri - ste
tens. Do - mi - ne Fi - - li u - ni-ge-ni - te Je - - - su Chri - - -
mni - potens. Je - - - su
tens. Do - mi - ne Fi - - - li u - - ni - ge-ni-te Je - - su Chri - -
tens. Je - - su Chri - -

40
ste Do-mi-ne De - us A - - gnus De - i, Do - mi-ne De - us A - -
Do-mi-ne De-us A-gnus De-i, Do - mi-ne De-us
- - ste Do - mi-ne De-us Do - mi-ne De - us A - -
Chri - ste Do - mi-ne De - - - us Do-mi-ne
- - - - ste Do - mi-ne De - us A - gnus De - i
- - ste Do - mi-ne De - - us A - gnus De - i

54
molto ritard.
- gnus De - i Fi - - li - us Pa - - tris.
A - gnus De - i Fi - - - li - us Pa - - tris.
- gnus De - i Fi - li - us Pa tris, Fi li - us Pa - tris.
De - us A - gnus De - i Fi - - li - us Pa - - - tris.
Fi - - - - li - us Pa - tris.
Fi - - - li - us Pa - - - tris.
Weniger bewegt.
56 p dolce
sehr gebunden 55
Qui tol - lis pec - ca - - ta mun - - - di, mi - sere - re no - - bis.
p dolce
(Portam.)
Qui tollis pecca - ta mun - - di, mi - se - re - re no - bis.
Qui tollis pec - ca - - - ta mun - - di, mi - sere - re no - bis.
Qui tollis pec - - - ca ta mun - - di, mi - se - re - re no - bis.

17
C.I. p dolciss. 60
su - - sci - pe
C.II. p dolciss.
su - - sci - pe de-
Alt. p dolciss.
su - - - sci - pe
T.I. 2) p dolce
Qui tol - lis pecca - ta mun - - - di
T.II. p dolce
Qui tol - lis pec-ca - - ta mun - - di
B.I. p dolce
Qui tol-lis pec-ca - - ta mun - - di
B.II. p dolce
Qui tol-lis pec - - ca-ta mun - - di
allmählig vorwärtsdrängen.
65
f
de - preca - ti - o - nem no - stram. Qui se - - des ad de -
pre-ca - ti - o - nem no - stram Qui se - des, qui
de - preca - ti - o - nem no - - stram. Qui se -
de - preca - ti - o - nem no - stram. Qui se-des qui
de - pre - ca - ti-o - - nem no - stram.Qui se - des qui se -
de - preca - ti - o - nem no - - stram. Qui se - des
2) Den originalen Satz s. Anhang b. am Ende der Messe.

string.
langsamer und sehr ruhig
allmählig
- xte-ram Pa - tris mi-se-re - re no-bis. Quo-ni-am,
sehr ruhig
se-des ad de-xteram Pa-tris mi-se-re- - re nobis. Quo-ni-
sehr ruhig
des ad de-xterum Pa- - tris mi-se-re-re no- - bis. Quo-ni-
sehr ruhig
se-des ad de-xteram Pa- tris mi-se-re - re no - bis. Quo-
sehr ruhig
des ad dexte-ram Pa - tris mi - se-re - re no - bis. Quo-ni-
sehr ruhig
ad de-xte-ram Pa-tris mi-se-re - re no - bis. Quo-

bewegter
cresc.
quo-ni-am tu so-lus san - ctus, tu so-lus Do - mi - nus, tu so-lus
am tu so-lus san - - ctus, tu so-lus Domi-nus, tu so-lus
am tu so-lus san - ctus, tu so-lus Do - mi - nus, tu so -
- ni - am tu so-lus san - ctus, tu so-lus Do-mi-nus, tu
am tu so-lus sanctus, tu solus san-ctus, tu so -
- ni - am tu so-lus san - - ctus, tu solus Domi-nus, tu so -

80
ritard.
Al - tis - si - mus Je - - - su Chri - - - -
Al - tis - si - mus Je - su Chri - ste. Cum
- - lus Al - tis - si - mus Je - - su Chri - -
so - - lus Al - tis - si - mus Je - su Chri - ste.
lus Al - - tis - si - mus Je - - - - su Chri - -
lus Al - tis - si - mus Je - - su Chri - -
a tempo
Mit Feuer, immer stärker werdend
85
ste. Cum san - cto Spi - - - - ri - tu
Mit Feuer
immer cresc.
san - cto Spi - ri - tu in glo - ri -
ste. Cum san - cto Spi - ri - tu, cum san - cto Spi - ri -
Cum san - cto Spi - ri - tu in glo -
ste. Cum san - cto Spi - ri - tu in
ste. Cum san - cto Spi - ri - - tu in

90
ff
in glo-ri - a De - i Pa - tris in glo-ri - a
a, in glo - ri - a, in glo - ri - a De - i Pa -
tu, in glo-ri - a, in glo - ri - a De - i Pa -
- ri - a De - i Pa-tris A - men, De - i Pa - tris A -
glo-ri - a De - i Pa - tris, in glo - ri - a De - i
glo-ri - a De - i Pa - tris, in glo-ri -

langsamer werdend
95
De - i in glo - ri - a De - i Pa - tris. A - men.
tris De - i Pa - tris. A - men.
tris, De - i Pa - tris. A - men.
men De - i Pa - tris. A - men.
Pa tris De - i Pa-tris. A - men.
a De - i Pa - tris. A - men.

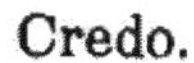

# Credo.

Mässig bewegt.

15
mp
um o-mni - um. Et in u - - num Do - -
mp
um o - - mnium. Et in u - num Do-mi -
mp
um o - - mnium. Et in u - num Do-mi -
p dolce
um o - mni - um, et in vi-si-bi-li-um.
p dolce
et in vi - si - bi - li-um.
p dolce
et in vi-si - bi-li - um.
20
- mi-num Je-sumChri - stum, fi - li-um De - i u-ni-ge - ni-tum.
num Je - sum Chri - stum, fi - li-um De - i u-ni-ge-ni-tum.
f
num Je - sum Chri - stum, fi - li-um De - i u-ni-ge-ni-tum. Et
f
Je - sum Chri - - stum. Et ex
f
Je - sum Chri - stum, fi-lium De-i u-ni - ge-ni-tum. Et ex
f
Je - sum Chri - - stum. Et ex

f
25
string.
rit.
Et ex Patre - na - tum an - te o - mni - a sae - - - cu -
Et ex Patre - na - tum an - te o - mnia sae - - cu - la.
ex Pa - tre - na - - - tum an - te o - mni - a sae - cu - la. De -
Patre - na - tum an - - - te o - mni - a sae - cu -
Pa - tre - na - - - tum an - te o - mni - a sae - cu -
Patre - na - tum an - te o - mni - a sae - cu - la.
a tempo
30
nicht zögern
la De - um de De - o, lumen de lu - mi - ne, De - um ve - - rum
Deum de De - - o, lu - men de lu - mi - ne, De - um ve - - rum
um de De - - o, lu men de lu - mi - ne, De - um ve - - - -
la De - um de De - o, lumen de lu - mi - ne, De - um ve - - rum
la Deum de De - - o, lu men de lu - mi - ne, De - um ve - - rum
Deum de De - o, lumen de lu - mi - ne, De - um ve - - rum

24
35
rit.
a tempo
40
C. I.
de De - o ve - ro. Ge - ni - tum non fa - ctum,
C. II.
de De-o ve - - ro. Ge - ni - tum non fa - ctum,
A.
rum de De - o ve - ro. Ge - ni - tum non fa - ctum,
Tenor I.
T. I.
de De-o ve - ro. Ge-ni-tum non fa - ctum, con - sub-
T. II.
de De - o ve - ro. Ge - ni - tum non fa - ctum, con-sub-stan-ti a
B. I.
de De - o ve - ro. Ge - ni - tum non fa - ctum, con - sub - stan-
B. II.
de De - o ve - ro. Ge - ni - tum non fa - ctum, con-sub-stan - ti - a -
45
ritard.
per quem o-mni-a fa-cta sunt, fa - cta sunt.
per quem o - mni-a fa-cta sunt. Qui pro-
Alt I.
Qui
Alt II.
stan - ti - a - lem Pa - tri, per quem o - mni-a fa-cta sunt, fa - cta sunt. Qui
Alt II.
stan-ti-a-lem Pa-tri, per quem o-mni-a fa-cta sunt. Qui
Barit.
lem Pa - tri, per quem o - mni-a fa-cta sunt
ti-a-lem Pa - tri, per quem o-mni-a fa-cta sunt.
lem Pa - tri, per quem o-mni-a fa - cta sunt.

25
Cant.I. a tempo
50
Et pro - pter no - stram, et pro-pter no - stram
Cant.II. a tempo
-pter nos ho-mi-nes et pro-pter no-stram sa - lu - - tem et pro-pter
Alt I. a tempo
pro-pter nos ho-mi - nes et pro-pter no-stram sa - lu - tem
Alt II. a tempo
pro-pter nos ho-mi - nes et pro-pter no - stram
Tenor I. a tempo
Ten.I.
et
Tenor II.
et pro - pter no-stram sa-lu-tem, et
Bass.
Et pro-pter no-stram

allmälig langsamer.
55
sa-lu - tem de - scen-dit de coe-lis, de - scen-dit de coe - lis.
nostram sa-lu - - tem de - scen - dit de - scen-dit de coe - lis.
mit Sopr. I.
de - scen-dit de coe-lis, de - scen-dit de coe - lis.
no stram sa - lu - tem de - scen - dit de coe - - lis
propter nostram sa - lu - tem de - scen - dit de coe - - lis.
propter nostram sa - lu - tem de - scen-dit de coelis, de - scen-dit de coe - lis.
sa-lu-tem de - scen - dit de coe - - lis.

Nicht sehr langsam, alles sehr gebunden mit sehr viel Ausdruck und Wohlklang.
Cant. I. 60
65
pp
Et in - car-na-tus est, de Spi-ri-tu san-cto, de Spi-ri - tu san-
Cant. II. pp
pp dolce
Et in-car-na - tus est, de Spi-ri-tu san-cto, de Spiri - tu
Alt. pp
pp dolce
Et in - car- - na - tus est, de Spi-ri-tu, de Spiri-tu san -
Tenor I. pp
weich und ausdrucksvoll
mp
Et in - car-na - tus est, de Spi-ri-tu san- - cto, de Spi-ri-tu
Tenor II. pp
pp
Et in-car- - na- - tus est, de Spi-ri-tu sancto
Bass. pp
pp
mp
Et in - car-na - tus est, de Spi-ri-tu, de Spi-ri-tu

Solo. 70
Tutti
p
langsamer
pp
- cto ex Ma-ri - a Vir-gi-ne et ho-mo fa- - ctus est.
Tutti. dolce
pp
- - cto et ho-mo fa- - ctus est.
Solo. mp
Tutti.
p
pp
cto ex Ma-ri-a Vir-gi-ne et ho-mo fa - ctus est.
Solo.
Tutti.
pp
san - cto ex Ma - ri - a Vir-gi-ne et ho-mo fa - ctus est.
Solo.
p Tutti.
pp
ex Ma-ri- - a Vir - gi - ne et ho - mo fa - ctus est.
Tutti.
p
pp
san-cto et ho - mo fa - ctus est.

Cant. I. 75
Solo.
dolce
Cru - ci - fi - xus e - ti - am pro no - - -
Cant. II.
Solo.
dolce
Cru - ci - fi - xus e - ti - am pro no - - - - - - - -
Alt.
Tenor.

80
pp
mp
ruhig und ausdrucksvoll
bis sub Pon - ti - o Pi - la - to pas - sus et
pp mp
ruhig und ausdrucksvoll
bis sub Pon - ti - o Pi - la - to pas - sus et

85
rit.
Bewegter.
mf
se - pul - tus est. Et re - sur - re - xit ter - ti - a di -
rit.
se - pul - tus est.
Solo.
Et re - sur - re - xit ter - ti - a di -
Solo.
mf
Et re - sur - re - xit ter - ti - a di -

90
mf
- - - - - - - e se - cun - - - - dum scri -
mf
se - cun - - dum se - cun - -
mf
- - - - - - e se - cun - - - - dum scri -
mf
- - - - e se - cun - - - - dum se - cun - -

Noch bewegter.
95
f
ptu - - - - - - - - - ras. Et a - scen - dit
f
- - dum scri - ptu - - ras. Et a - scen - dit
f
scri - ptu - - - - - - ras. Et a - scen - dit in coe - - - -
f
- - dum scri - - ptu - - ras. Et a - scen - dit in coe - -

kurz aus-halten, so-fort weiter.
rit.
in coe - lum se - det ad de - xte - ram Pa - tris.
rit.
in coe - lum se - det ad de - xte - ram Pa - tris.
rit.
- lum se - - - det ad de - - - xte - ram Pa - tris.
rit.
lum se - - - - det ad de - xte - ram Pa - - - - tris.

Cant. I.
Tutti.
105
Et i - te-rum ven-tu-rus est cum glo-ri-a, cum glo-ri-a ju-di-ca-
Cant. II.
Tutti.
Et i - te-rum ven-tu-rus est cum glo-ri - a ju - di-ca-re, ju-
Alt.
Tutti.
Et i - te-rum ven-tu-rus est cum glo-ri-a, cum glo-ri-a ju - di-ca -
Ten. I.
Tutti.
Et i - te-rum ven-tu-rus est cum glo-ri-a, cum glo-ri-a ju - di -
Ten. II.
Tutti.
Et i - te-rum ven-tu-rus est cum glo-ri-a ju - di -
Bass.
Tutti.
Et i - te-rum ven-tu-rus est cum glo-ri-a ju-di-ca -

110
molto rit.
Adagio.
- re vi - vos, vi - - vos, vi - - vos et mortu-os
di - ca-re vi - - - vos, vi - - vos et mor-tu-os cu-
- re vi - vos, vi - - vos, vi - vos et mor-tu-os
ca - re vi - - vos, vi - - vos, vi - vos et mor-tu-os
ca - re vi - - vos, vi - - - vos et mortu - os
- re vi - - vos, vi - - vos et mortu - os

a tempo
115
rit.
Solo (Halbchor)
mf
p
cu - jus re - gni non e - rit fi - nis. Et in Spi - ri -
- jus re - gni non e - rit fi - - nis. Et in Spi - ri -
cu - jus re - gni non e - rit fi - - nis. Et in Spi - ri -
cu - - jus re - gni non e - rit fi - nis.
cu - jus re - gni non e - rit fi - nis.
cu - jus re - gni non e - - rit fi - nis.

120
dolce
Solo (Halbchor)
p
tum san - ctum Do - mi - num. Qui ex Pa - tre Fi -
tum san - - ctum Do - mi - num. Qui ex Pa - - tre
tum san - ctum Do - mi - num. Et vi - vi - fi - can - tem, qui ex Pa - tre Fi -
Et vi - vi - fi - can - tem,
Et vi - vi - fi - can - tem, qui ex
Et vi - vi - fi - can - tem,

125
130
li-o-que pro-ce - - - - dit. Qui cum Pa - tre et Fi-li-
Fi - li-o - que pro-ce - - dit. Qui cum Pa-tre et Fi-li-
li-o - que pro - ce - - dit. Qui cum Pa - - tre et Fi-li-
Qui cum Pa - - tre et Fi-li-o
Pa-tre. Qui cum Pa - tre et Fi-li-o
Qui cum Pa - tre et Fi-li-o

135
Tutti.
o si - mul a - do-ra - tur et con-glo-ri-fi-ca - tur,
Tutti.
o si - mul a-do-ra - - tur et con-glo-ri-fi-ca - tur, qui
Tutti.
o si - mul a - do-ra - - tur et con-glo-ri-fi-ca - tur, qui lo-
Tutti.
si-mul a - - do-ra - tur et con-glo-ri-fi-ca - tur.
Tutti.
si - mul a - do - ra - tur et con-glo-ri-fi - ca - tur, qui
Tutti.
si - mul a - do-ra - tur et con-glo-ri-fi-ca - tur.

140
rit.
p
a tempo
mf
Et u-nam san
lo-cu-tus est per Pro - phe-tas. Et u-nam san
cu-tus est per Pro - phe - tas. Et u-nam san
Et u-nam san
lo-cu-tus est per Pro-phe - tas. Et u-nam san
Et u-nam san - ctam

145
f
ctam ca - tho-li - cam et a-po - sto - li-cam
ctam ca - tho - li-cam et a-po - sto - li-cam Ec-
ctam ca - tho - li-cam, ca-tho - li-cam et a - po - sto - li-cam
ctam ca-tho-li - cam, ca-tho - li-cam et a - po-sto - li-cam
ctam ca-tho - li - cam ca-tho-li - cam et a-po - sto - li-cam
ca-tho - li - cam ca-tho - li-cam et a-po - sto - li-cam Ec-

150
Ec-cle-si - am. Con - fi - te - or u - num ba-pti - sma in re -
cle-si-am. Con - fi - te - or u - num ba - pti - - sma in re-mis-si-
Ec-cle-si - am. Con-fi - te - or u - num ba - pti - - - sma in re-mis-
Ec - cle-si - am. Con-fi - te - or u - num ba - pti - sma
Ec - cle-si - am. Con-fi - te - or u - - num ba - pti - sma in re -
cle-si-am. Con - fi - te - or u - num ba - pti - sma
155
rit. a tempo
mis - si - o - nem pec-ca - - to - rum.
o-nem pec-ca - to - - - - - rum.
- si - o - nem pecca - to - - - rum.
Et expe - - - - - - -
mis-si - o - nem pecca - to - - - rum.
Et ex-spe - - - - - - -

160
ff
rallent.
f a tempo
re-sur-re-cti-o - nem, re-sur-re-cti-o - nem mor-tu-o - - rum. Et
re-sur-re-cti-o - nem, re-sur-re-cti-o - nem mor - - tu-o - rum. Et
re-sur-re-cti-o - nem, re-sur-re-cti-o - nem mor - tu - o - - - rum. Et
cto re-sur-re-cti-o - nem, re-sur-re-cti-o - nem mor - tu - o - rum. Et vi -
re-sur-re-cti-o - nem, re-sur-re-cti-o - nem mor - tu - o - - - rum. Et
cto re-sur-re-cti-o - nem, re-sur-re-cti-o - nem mor - tu - o - - - rum. Et
165
tempo
vi - tam ven-tu-ri sae - - - - - - - - - - cu - li.
vi - tam ven - tu - - ri sae - - cu - li, sae - - - cu - li.
vi - tam ven-tu - - - ri, ven - - - tu-ri sae -
- tam ven - tu - - - ri sae - - - - cu - li. A - - men,
vi - tam ven-tu - - ri sae - - - - cu - li, ven - - - - tu -
vi - tam ven - tu - - - - ri sae - - - - - cu - li, ven - -

170
ff ritard.
A - men, ven - tu - ri sae - - cu - li. A - men.
ff ritard.
A - men, A - - men, A - - men.
ritard.
- - - cu - - - li, sae - cu - li. A - - - - men.
ff ritard.
ven - tu - ri, ven - tu - ri sae - cu - li. A - - men.
ff ritard
ri sae - - cu - li, sae - cu - li. A - - - - - - men.
ritard. ff
- tu - ri sae - - cu - li. A - - men.

# Sanctus.

Mässig bewegt.
5
Cantus I.
p
mf
San - - ctus, San - ctus, San - ctus Do-
Cantus II.
p
San - ctus, San - - ctus, San - ctus, San - ctus, San -
Altus.
p
San - - - - ctus, San - - - - - ctus, San -
Tenor I.
p
San - ctus, San - ctus, San - ctus, San -
Tenor II.
p
San - - ctus, San - - ctus
Bassus.
p
San - - ctus, San - -

etwas beschleunigt.
10
rit.
-minus De-us, Do - mi-nus De - us, Do - mi-nus Do - us Sa - ba-
ctus Do - minus De - us, Do - mi-nus De - - us Sa - ba - oth, Sa - ba-oth.
ctus Do - mi-nus De - us Sa - - - ba-oth, Do - mi-nus De-us Sa-ba-
ctus Do - mi-nus De - us, Do - mi-nus De - us, Do - mi - nus De - us
Do - minus De - us Sa - - ba - oth, Do - mi-nus De - - - us Sa-ba-
ctus Do - mi-nus De - us, Do - mi-nus De - us Sa-ba-
etwas rascher.
15
breit
oth. Ple - ni sunt coe - - - li et ter - - - ra
Ple - ni sunt coe - - - li et ter - - - ra
oth. Ple - - ni sunt coe - - li et ter - ra coe - -
Sa-ba-oth. Ple - - ni sunt coe-
oth. Ple - ni sunt coe - - li et-ter - - - ra, ple - ni sunt
oth. Ple - ni sunt

20
glo - ri-a tu-a, glo - ri-a
glo - ri-a tu -
li et ter - ra glo - ri-a tu - a, glo - ri-
li et ter - ra glo - ri - a tu-a, glo - ri-a
coe - li et ter - ra glo - ri - a tu - a, glo - ri-
coe - li et ter - ra glo - ri - a tu -
25
Sehr gemessen.
tu-a, glo - ri-a tu - a. O - san-na in ex-cel -
a, glo - ri-a tu - a O - san-na in ex-cel -
a tu - a. O-san-na in ex - cel -
tu - a, tu - a. O-san-na in ex-cel -
a tu - a. O-san - na in ex-cel -
a glo - ri - a tu - a. O-san-na in ex-cel -

5
langsamer
10
sis, O-san-na in ex-cel - - sis, O-san-na in ex-cel - sis.
sis, O-san - na in ex-cel - sis, O-san-na in ex-cel - sis.
sis, O-san - na in ex-cel - sis, O-san-na in ex - cel - - sis.
sis, O-san-na in ex-cel - sis.
sis, O-san-na in ex-cel - sis, O-san-na in ex-cel - sis.
sis, O-san-na in ex-cel - sis.

## Benedictus.

Quatuor (Solo Quartett).
Cantus I.
dolce
Be - ne-di - ctus qui ve - nit, be -
Altus.
dolce
Be-ne-di - - ctus qui ve - nit, be - ne - di - ctus
Tenor I.
dolce
Be - ne - di - ctus qui ve-nit, be - ne - di - - ctus qui
Tenor II.
dolce
Be - ne-di - - ctus qui ve - - nit, be -

39

mf
ne-di- - - ctus qui ve- - - - - nit in
mf
qui ve- - nit, qui ve- - nit in no-mi-ne Do-
p
ve - nit, qui ve- - - - - nit in
mf
- ne-di- - ctus qui ve- - nit in no-mi-ne

f
no-mi-ne, in no-mi-ne in no-mi-ne
p f p
-mi-ni, in no-mi-ne Do- - - - mi-ni, in
f p
no-mi-ne, in no-mi-ne Do-mi-ni, in
p f
Do-mi-ni, in no-mi-ne, in no-mi-ne,

p p
Do-mi-ni, in no-mi-ne Do- - mi - ni.
p
no-mi-ne Do- - - mi - ni, Do- - - mi - ni.
p
no-mi-ne Do-mi-ni, Do- - - mi-ni.
p
in no-mi-ne Do- - - - mi - ni.
Osanna wie beim Sanctus (Seite 37).

# Agnus Dei I. u. II. von W. Widmann.

II.
Cantus I.
Cantus II.
Altus.
Tenor I.
Tenor II.
Bassus I.
Bassus II.
A-gnus De - - i, A - gnus
A - gnus De - i, A - gnus De - - i,
A-gnus De - - - - i, qui
A-gnus De - - i, A - gnus De - i, qui tol - lis
A-gnus De - i, A - gnus De - i, A - gnus De - i, qui tol-lis
A - gnus De - - i, A - gnus De - i, qui tol -
A - gnus De - i, De - - - - i, qui tol -

poco string.
cresc.
De - i, qui tol - lis pec - ca - ta mun - di,
qui tol - lis pec - ca - ta mun - di,
tol - lis pec - - ca - ta, pec - ca - ta mun - - di, mi - se - re -
qui tol - lis pec - ca - ta mun - di, mi - se - re - re no -
qui tol - lis pec - ca - ta mun - di, mi - se - re - re no -
Bassus I u. II.
- lis pec - ca - ta mun - di, mi - se - re - re no -

15
III.
Orl. di Lasso.
mi - se - re - re no - bis. A - gnus De - i,
mi - se - re - re no - bis. A - - gnus
- re no - - - - bis. A - - - - - - gnus
bis, mi - se - re - re no - bis. A - - gnus De - i,
bis, mi - se - - re - re no - bis. A - - gnus
bis, mi - se - re - re no - bis. A - - gnus De - i,
5
breit.
cresc.
A - - - gnus De - - - - - i, qui tol - lis pec-
De - - - - i, qui tol - lis pec-
De - i, A - gnus De - - i, A - gnus De - - i, qui tol - lis pec-
A - gnus De - - - i, qui tol - lis pec-
De - i, A - - gnus De - - - i, qui tol - lis pec-
A - - gnus De - - - - i, qui tol - lis pec-

10
ca-ta mun-di, qui tol-lis pec-ca-ta mun-di, qui tol-lis pec-ca-ta mun-di,
ca-ta mun-di, qui tol-lis pec-ca-ta mun-di,
ca-ta mun-di, qui tol-lis pec-ca-ta mun-di, qui tol-lis pec-ca-ta mun-di,
Solo
ca-ta mun-di, qui tol-lis pec-ca-ta mun-di, qui tol-lis pec-ca-ta mun-di, do-
ca-ta mun-di, qui tol-lis pec-ca-ta mun-di, qui tol-lis pec-ca-ta mun-di,
ca-ta mun-di, qui tol-lis pec-ca-ta mun-di,
Langsamer.
sehr langsam.
Solo
Tutti
do-na no-bis pa-cem, do-na no-bis pa-cem.
Solo
Tutti
do-na no-bis pa-cem, do-na no-bis pa-cem.
Solo
Tutti
do-na no-bis pa-cem, do-na no-bis pa-cem.
Tutti
-na no-bis pa-cem, do-na no-bis pa-cem.
Solo
Tutti
do-na no-bis pa-cem, do-na no-bis pa-cem.
Solo
Tutti
do-na no-bis pa-cem, do-na no-bis pa-cem.

# Anhang.

a. 24 25 29
- - am. De-
glo - ri-am tu - - am. De-us
-am glo - ri-am tu - am. Do - mi-ne De-us Rex coe - le - - stis
-am tu - - am. Do-mi-ne De - us Rex coe-le - - - stis De-us
glo - ri - am tu - am. Do- mi-ne De-us Rex coe-le - stis
tu - - am. Do- mi - ne De - - us Rex coe-le - - stis

b. 56 59
Altus
Qui tol - lis pec - ca - - - - - ta mun - - - - - di
Tenor
Qui tol - lis pec - ca - - - - - - - ta mun - - - - - di
Qui tol - - lis pec - ca - - - - ta mun - - - - - - - di
Bassus
Qui tol - lis pec - - - - - - ca - ta mun - - - - - di

# Fliegende Blätter

für

# katholische Kirchen-Musik.

(Gegründet von Dr. Fr. X. Witt † 1888.)

**Offizielles Organ des Allgemeinen Cäcilienvereins**

**zur Förderung der katholischen Kirchenmusik**

auf Grund des päpstl. Breve vom 16. Dezember 1870

mit

**Vereinskatalog von Nummer 3539–3646.**

Redigiert

von

Dr. Franz Xaver Haberl, z. Z. Generalpräses.

Dreiundvierzigster Jahrgang.

Regensburg, Rom, New York und Cincinnati.
Druck und Expedition der Verlagshandlung von Friedrich Pustet.
1908.

## Ortsnamenregister zum Jahrgang 1908 des Cäcilienvereins-Organs.

## Sachregister von Nr. 3539—3646 des Cäcilienvereins-Kataloges.

**Jahrgang 1908.**

Anmerkung. Wenn Nummern unter 3539 angegeben sind, so beziehen sich dieselben auf Werke, welche bereits im Cäcilienvereins-Katalog stehen, von denen jedoch Neuauflagen erschienen sind, die auf der zitierten Seite in Anmerkung erwähnt werden.

### 1. Messen.

Bonvin, L., Op. 49. 4 gem. St. m. O. 3588.
— — Op. 84. 4 gem. St. m. O. 3547.
— — Op. 88. *Missa Gregoriana*. 1st. m. O. 3624.
Deschermeier, Jos., Op. 87. 4 gem. St. 3599 b.
— — Op. 12. 4 Mst. (2. Aufl., S. 152.) 2073.
Diebold, Joh., Op. 6a. 4 gem. St. (7. Aufl., S. 144.) 305.
Ebner, Lud., Op. 20. 2 gl. St. (4. Aufl., S. 168.) 1543.
— — Op. 41. 4 gem. St. m. O. (3. Aufl., S. 168.) 2196.
Eder, P. V., Op. 17. 2 gem. St. m. O. 3626.
— — Op. 33. 4 gem. St. 3614.
Esser, P., Op. 8. 1 Kinderst. u. 2 Mst. 3585.
— — Op. 9. 3 Mst. 3619.
Goller, V., Op. 53. 4 gem. St. u. O. (2. Aufl., S. 152.) 3463a.
— — Op. 62. *Missa cantata*. 1st. m. O. 3641.
Griesbacher, P., Op. 111. 3 Oberst. u. O. 3583 b.
— — Op. 113. 1st. u. O. od. H. 3583c.
Groiß, Jos., Josephsmesse. 1st. m. O. (5. Aufl., S. 168.) 863.
Gruber, Jos., Op. 175. 4 (3) gem. St. u. O. (u. Orch.) 3563 a.
Haberl, Fr. X. Dr. *Missa brevis* von Palestrina. (4. Aufl., S. 144.) 1 u. 900.
Haller, M., Op. 53. 2 gl. St. m. O. (5. Aufl., S. 144.) 1558.
— — Op. 7a. 2 gl. St. u. O. (31. Aufl., S. 152.) 312.
— — Op. 87. 2 gl. St. m. O. (2. Aufl., S. 168.) 3112.
Hohn, W., Op. 5. 4 Mst. m. O. 3623.
Hohnerlein, Max, Op. 18. 1st. u. O. (2. Aufl., S. 152.) 1737.
Janssen, Franz, Op. 1. 4 Mst. 3542.
Kaim, Adolf, Op. 5. 4 gem. St. (9. Aufl. S. 168.) 69.
Kindler, Paul, Op. 15. 4 gem. St. 3582 a.
Kreczy, Ed. *Missa in hon. S. Augustini*. 1st. m. O. 3637.
Löhle, A., Op. 12. 1 Oberst. u. 3 Mst. 3632.
— — Marienmesse. 4 gem. St. 3634 a.
Mandl, Joh., Op. 16. 1st. m. O. od. H. (3. Aufl., S. 144.) 2410.
Meuerer, Joh., Op. 36. 4 gem. St. u. Orch. od. O. 3545.
— — Op. 39. 4 gem. St. m. O. 3605.
— — Op. 46. 4 Oberst. u. O. 3565.
Mitterer, Ign., Op. 143. 3 Oberst. m. O. 3622.
— — Op. 150. Chor, Soli u. Orch. 3586.
Nekes, Fr., Op. 48. 4 Mst. 3574.
Niedhammer, Jos., Op. 21. 4 gem. St. 3645.
Ortwein, P. Magnus, O. S. B. Dreifaltigkeitsmesse. 4 gem. St. u. Orch. 3575 a.
— — Marienmesse. 4 gem. St. u. Orch. 3575 b.
Palestrina, siehe Quadflieg u. Haberl.
Pfeiffer, Theodor. *Missa S. Theodor*. 4 gem. St. 3546.
Pouten, Ant., Op. 23. Mezzosopr., Ten., Baß m. O. 3541.
Quadflieg, J. (Palestrina). *Missa Tu es Petrus*. 6 gem. St. (Sopr., Bar.) 3555.
Rathgeber, Gg., Op. 122. 2 gem. St. m. O. od. H. 3596.
Rihovsky, Ad., Op. 9. 4 gem. St. m. O. u. Orch. 3578 b.
— — Op. 11. 2 gl. St. u. O. od. H. 3578c.
— — Op. 19. 4 gem. St. m. O. u. Orch. 3578d.
— — Op. 20. 4 Mst. m. O. 3578e.
Scheel, J. N. Op. 12. 4 gem. St. 3617 b.
Schellekens, G. *Missa S. Eligii*. 4 Mst. m. O. 3597.

Schweitzer, Joh., Op. 11. 4 Mst. (7. Aufl., S. 152.) 168.
Singenberger, Joh. B. *Missa S. Joannis Baptistae.* a) 2 gl. St. u. O; b) 3 gem. St. u. O. (9. Aufl., S. 144.) 536.
Stehle, J. G. Ed. Preismesse „Salve Regina". 4 Mst. u. O. (2. Aufl., S. 144.) 3093.
— — Preismesse. 2 Oberst. m. O. od. 4 gem. St. m. O. (18. Aufl., S. 168.) 272.
Stein, Br., Op. 39. 4 Mst. u. O. 3602a.
— — Op. 41. 2 gl. St. u. O. 3602b.
Thielen, P. H., Op. 180. 4 gem. St. 3569a.
— — Op. 192. 5 gem. St. (Bar.) 3560.
Walkiewicz, Eugen. *Missa S. Theresiae.* 4 Mst. m. O. 3544.
Wiltberger, Aug., Op. 118. 3 Mst. u. O. 3557.
— — Op. 120. 2 gem. St. m. O. 3644.
— — Op. 123. 3 Oberst. m. O. 3603c.
Wösendorfer, J., Op. 31. 2 Oberst. u. O. 3559.
Wöß, von J. V., Op. 32a, Nr. 3. 4 gem. St. u. O. 3558.
Zeller, A. *Missa in hon. Mariae Magdalenae.* 4 gem. St. 3630.

### 2. Requiem.

Allmendinger, K., Op. 7. 4 gem. St. (2. Aufl., S. 168.) 1712.
Deschermeier, Jos., Op. 73. *Requiem* mit *Libera.* 1st. od. 2 gl. St. m. O. 3599a.
Goller, Vinz., Op. 64. 1st. m. O. 3628.
Rihovsky, Ad., Op. 25. 2 Oberst. od. 3 gem. St. m. O. (u. Streichquartett). 3578f.
Siuzig, P. Pet., Op. 21. 2 gl. St. u. O. od. H. 3566.

### 3. Lateinische Motetten und Sammlungen.

Arts, Ant., Op. 15. *13 Cantus diversi.* 2 gl. St. m. O. 3592.
Deigendesch, Karl, Op. 90. *Ave Maria.* 4 Mst. u. O. 3633a.
Franssen, E. J., Op. 18. *16 Cantus diversi.* 2 gl. St. m. O. 3593.
Greith K., Op. 10. *Ave Maria.* 4 gem. St. u. O. od. Orch. (4. Aufl., S. 152.) 1937.
Griesbacher, Pet., Op. 114. *Stabat mater.* 4 gem. St. m. O. 3643c.
Gruber, Jos., Op. 191. *Asperges me* und *Vidi aquam.* 1st. m. O. 3638d.
Habets, P. P., Op. 1. Zwei Motetten. 4 Mst. 3608.
Haller, Mich., Op. 14. *Cantica in hon. B. M. V.* 2st. m. O. (9. Aufl., S. 168.) 369.
— — Op. 18. Zehn Motetten. 2 gl. St. m. O. (4. Aufl., S. 168). 522.
Löhle, A. Zehn Kirchengesänge. 4 gem. St. 3634b.
Piel, P., Op. 44, siehe Quadflieg.
Plag, Joh., Op. 51. Kirchliche Gesänge, 17 lateinische. 4 Mst., teils O. 3573.
Quadflieg, J., Op. 39 (nach Piel, Op. 44.) 6 lat. Kirchengesänge. 6—8 gem. St. 3590.
Rihovsky, A., Op. 7. Vier Offertorien für Marienfeste. 4 gem. St. u. O. 3578a.
Scheel, Joh. Nep. Acht lat. Kirchengesänge. 4 gem. St. (1st. m. O.) 3617a.
Stehle, J. G. Ed. *Juravit Dominus* und *Justus ut palma.* 8 gem. St. 3543.
Stein, Br., Op. 42. Acht Offertorien. 2 gl. St. u. O. 3602c.
Verheyen, J., Op. 7. *Stabat mater.* 4 gem. St. m. O. 3567.
— — *Ave Maria.* 5 gem. St. (Bar.) u. O. 3646.
Wheeler, Vinz., Op. 5. Fünf Offertorien. 4 Mst. 3607.

### 4. Litaneien, Hymnen, Psalmen.

Bas, Julius. Sechs eucharistische Gesänge. 2 Mst. m. O. 3620.
Braun, J. Chr. Lauretanische Litanei. 4 Mst. u. O. 3552.
Caecilia 1906 u. 1907. 110 Segensmotetten. 3 u. 4 Mst. 3551.
Deigendesch, K., Op. 93. Marienlied. a) 4 gem. St.; b) 4 Mst. Herz Jesu-Lied. 4 Mst. 3633b.
Deschermeier, Jos., Op. 82. Herz Jesu-Litanei. 2 gleiche St. u. O. 3618.
Faist, Dr. Ant., Op. 9. Zwei euchar. Hymnen. 4 gem. St. m. O. 3606.
Götze, H., Op. 55. Vier *Tantum ergo.* 4 Mst. m. O. (2. Aufl., S. 152.) 2562.
Gessner, Ad., Op. 14. Lauretanische Litanei. 3 Mst. m. O. 3549.
Goller, V., Op. 55. 20 lat. euch. Gesänge. 3 u. 4 Oberst. m. O. (H.) 3550b.
Greipel, Hans. Vier *Pange lingua.* 4 gem. St. 3635.
Griesbacher, Pet., Op. 107. Herz Jesu-Litanei. 4 gem. St. u. O. od. H. 3583a.
— — Op. 108. *Te Deum.* 4 gem. St. m. O. (u. Tromb.) 3643b.
Gruber, Jos., Op. 136. Herz Jesu-Litanei. 4 gem. St. m. O. (u. Orch.) 3638a.
— — Op. 176. Vier *Pange lingua.* 4 Mst. 3638b.
— — Op. 178. Neun Fronleichnamsgesänge. 4 gem. St. m. O. od. 6 Blasinstr. 3638c.
— — Op. 180. Lauretanische Litanei. 4 (3) gem. St., Orch. u. O. 3563b.
— — Op. 181. Namen Jesu-Litanei. 4 (3) gem. St., Orch. u. O. 3563c.
Gülker, Aug., Op. 46. Acht Gesänge. 4 gem. St. 3636.
Haller, M., Op. 59a. Euch. Hymnen. 4, od. 5 gl. St. (3. Aufl., S. 144.) 1999.
— — Op. 97. Drei Lamentationen. 4 u. 5 gem. St. 3616.
Hekking, P. Fr. Raim., Op. 6. Vier euch. Gesänge 2 Oberst. m. O. 3631.
Heuler, Raim., Op. 19. Lauretanische Litanei. 2 Oberst. u. 1st. m. O. od. H. 3640c.
Höllwarth, Joh., Lief. 18. Vier euch. Hymnen. 4 Mst. 3554.
Kindler, P., Op. 11. Schnabels Fronleichnamsstationen. 4 gem. St. u. Blasinstr. 3582b.
Kattum, Fr., Lauretanische Litanei. 4 gem. St. u. O. 3576.
Kreitmaier, Jos., S. J., Op. 11, 12, 13. *Cantica sacra.* 24 lateinische Gesänge. 2, 4, 5 od. 8 Mst. u. O. 3570.
Lindner, Fr. X. Neun *Veni Creator.* 4 od. 5 gem. St. 3577.
Löhle, A. Zehn Kirchengesänge. 4 gem. St. 3634b.
Mitterer, Ign., Op. 145. Fronleichnams-Vesper. 4 Mst. 3571a.
— — Op. 147. Weihnachtsvesper. 4 Mst. 3571b.
Pouten, J. Sylvester. *Te Deum.* 2 gl. St. m. O. od. H. 3595.
Scheel, J. N., Op. 13. Dreizehn *Pange lingua.* 4 gem. St. 3617c.

Schnabel, Jos., siehe Kindler.
Singenberger, Joh. B. Acht Segensgesänge. 2 Oberst. u. O. (3. Aufl., S. 144.) 2493.
Stehle, J. G. E. *Magnificat.* 3 Mst. m. O. 3601. *Sursum Corda.* 18 *Cantus diversi.* Für Alt, Ten., Baß u. O. 3594.
Vranken, P. J. Jos., Op. 29. Hymnus *Veni Creator Spiritus.* 4 Mst. u. O. 3562.
Wagner, Jos., Op. 3. Zehn *Adjuva nos.* 4, teils 5 gem. St. (Bar.) 3568.
Wiltberger, Aug., Op. 122. Zehn *Tantum ergo.* 2—4 gem., t. gl. St., mit, t. ohne O. 3603b.

**5. Mehrstimmige deutsche Kirchengesänge.**

Breitenbach, F. J., *Cantuarium sacrum.* 20 Gesänge für Herz Jesu- u. Marianische Andachten. 4 gem. St. 3629.
Brücklmayer, F. X., Op. 36. 9 Marienlieder. 4 gem. St. 3548.
Buchal, H., Op. 1. *Angelus* (lat. Text). 3 Solost. (Oberst.) u. 4. gem. St. 3604.
Büning, Franz, Op. 19. Festgesang. 4 gem. St. (O. u. 7 Tromb.) 3612.
Deschermeier, Jos., Op. 78. Zwei Marianische Wallfahrtslieder. 1st. m. O. (od. 4 gem. St.) 3625.
Diebold, Joh., Op. 53. 25 Jesus-, Maria-, Joseph- u. Aloysiuslieder. 1- od. 2st. u. O. (H.) oder 4 gem. St. (2. Aufl., S. 152). 1502.
Eder, P. V., Op. 11. Sechs Kreuzweglieder. 4 gem. St. 3613a.
— Op. 13. Herz Jesu-Lied. 1st. m. O. 3613b.
— — Op. 14. Altöttinger Wallfahrtslied. 1st. m. O. (Tromb.) 3613c.
— — Op. 15. Missionslied. 4 gem. St. 3613d.
Engelhart, F. X. Fünf Marienlieder. Solost. u. 6—7 gem. St. m. O. 3539.
Götze, H., Op. 57. Zwei Kommuniongesänge. 4 gem. od. 4 Mst. 3581.
— — Op. 53. Vier Marienlieder. 4 Mst. (2. Aufl., S. 152). 2565.
Goller, V., Op. 54. Acht deutsche Altarsgesänge. 4 Oberst. u. O. (H.) 3550a.
Greith, C., Op. 30. 10 Marienlieder. 2—4 Oberst. u. O. od. H. (4. Aufl., S. 152). 280 u. 2413.
Griesbacher, Pet., Op. 105. Zwanzig Herz Jesu-Lieder. 2 4 Oberst. m. O. od. H. 3643a.
Gruber, Jos., Op. 170. Am Kreuz auf Kalvaria. Soli u. Chor, Orch. (u. O.) 3579.
— — Op. 195. Sechs Marienlieder. a) 4 Mst.; b) 4 Oberst. 3638e.
Gülker, Aug., Op. 44. 8 Meß- u. Kommuniongesänge. 4 gem. St. 3561.
Haller, M., Op. 17a. Zehn Mariengesänge. 4 gem. St. (9. Aufl., S. 168.) 459.
Heuler, Raim., (Portner, Sebast.), Op. 2. Deutsche Kirchengesänge (31). 1st. m. O. 3640a.
— Op. 16. Acht Altarsgesänge. 2 Oberst. m. O. od. H. 3640b.
— — Op. 26. Vier Marienlieder. 1 u. 2 Oberst. m. O. od. H. 3640d.
Höllwarth, Joh. Lief. 16. Instrumentalbegleitung zu Kirchenliedern. Lief. 17. Vier Marienlieder. 4 Mst. 3554.
Lipp, Alb., Op. 90. Auferstehungslied. 4 Mst. u. 4 Blechinstr. 3627.
Lohmiller, Raph., Op. 9. Zwei Marienlieder. 8 gem. St. 3553.
Manderscheid, Paul, Op. 6. Zwölf deutsche Sakramentslieder. 2 Oberst. u. O. od. H. 3600.
Meurers, Pet., Op. 13. Ave Maria. 6 Mariengesänge. 3 Oberst. m. O. 3642.
Portner, Sebastian, siehe Heuler.
Quadflieg, J., Op. 36. 8 Marienlieder. a) 4 gem. St.; b) 4 Mst.; c) 4 Oberst. 3589.
Scheider, Gg., Op. 1. Auferstehungschor. 4 gem. St. u. O. od. Orch. 3611.
Schlemann, A., Op. 3b. Kommunionlied. 4 gem. St. 3572.
Senn, Karl. Drei Marienlieder. 4 gem. St. u. O. 3610.
Strubel, J. Sechs deutsche Kommuniongesänge. 4 Mst. 3615.
Thielen, P. H., Op. 189. Drei Lieder zum Heiligen Geiste. 2 Oberst. m. O. od. H. 3569b.
Teresius, P., Op. 22. Singmesse für Marienfeste. 1st. m. O. 3639.
Waltrup, P. Bonavent., O. F. M., Op. 3. Sieben Jesulieder. 3 gl. St., teils O. 3540.
Wiltberger, Aug., Op. 121. Zehn Herz Jesu-Lieder. 2 Oberst. m. O. od. H. 3603a.

**6. Orgelkompositionen.**

Burger, Max, Op. 61. Präludien f. O. od. Pedalharm. 3556.
Diebold, Joh., Op. 54b. Der kath. Organist. 25 Orgelstücke. 3580.
Erb, M. J. Zwanzig Orgelstücke. 3591.
Keilbach, F. Sammlung von Vor-, Zwischen- u. Nachspielen f. O. 3584.
Monar, A. Jos., Op. 25. Laudate. Sammlung von Originalkompositionen. 7. u. 8. Heft, je 20 Orgelstücke. 3587.
Nekes, Fr., Op. 46a. Orgelbegl. zum Choralrequiem nach der Ed. Vat. 3609.
Renner, Jos. jun., Op. 67. Zwölf Präludien für O. od. H. 3564.
Singenberger, J. B. Pedalschule. (2. Auflage, S. 152.) 960.
— — Harmoniumschule. (5. Aufl., S. 152.) 959 u. 2017.
Wilden, Wilh., Op. 7. *Prima-vista*-Album. 120 Orgelstücke. 3588.

**7. Theorie, Musikgeschichte, Ästhetik usw.**

Bertalotti, siehe Haberl.
Haberl, F. X. Dr. Fünfzig zweistimmige Solfeggien von Bertalotti. (5. Aufl., S. 144.) 531.
Heinze-Kothe-Osburg, siehe Osburg.
Kirchenmusikalisches Jahrbuch, herausgegeben von Dr. Karl Weinmann. 21. Jahrg. 3621.
Osburg, W. Neubearbeitung der Violinschule von Heinze-Kothe. (10. Aufl., S. 144.) 253.
Weinmann, Dr. Karl, siehe Kirchenmusikalisches Jahrbuch.

## Alphabetisches Register der Autoren.



## Inhaltsübersicht des 43. Jahrganges vom Cäcilienvereinsorgan.

### Reihenfolge der Aufsätze.

## Vereinsberichte.



## Vermischte Nachrichten und Notizen.

1908. Regensburg, 15. Januar 1908. Nro. 1.

# Cäcilienvereinsorgan.

43. Jahrgang
der von Dr. Franz Xaver Witt († 2. Dez. 1888) begründeten Monatschrift

# Fliegende Blätter für kath. Kirchenmusik.

Verlag und Eigentum des Allgemeinen Cäcilienvereins zur Förderung der kathol. Kirchenmusik auf Grund des päpstlichen Breve vom 16. Dezember 1870.
Verantwortlicher Herausgeber: Dr. Franz Xaver Haberl, z. Z. Generalpräses des Vereins.

Erscheint am 15. jeden Monats mit je 20 Seiten Text inkl. des Cäcilienvereins-Katalogs. — Abonnement für den ganzen Jahrgang, inkl. des Vereinskataloges 3 Mk., einzelne Nummern ohne Vereinskatalogbeilage 30 Pf. Die Bestellung kann bei jeder Post oder Buchhandlung gemacht werden.
Inserate, welche man rechtzeitig an die Expedition einsenden wolle, werden mit 20 Pf. für die 1spaltige und 40 Pf. für die 2spaltige (durchlaufende) Petitzeile berechnet.



## Vereins-Chronik.

1. ⊙ **Jahresbericht über den Diözesan-Cäcilienverein Augsburg pro 1907.** Über den Stand und die Tätigkeit des Cäcilienvereins der Diözese Augsburg pro 1907 läßt sich folgendes berichten:

I. Die Zahl der Bezirks-Cäcilienvereine unserer Diözese hat sich seit dem vorigen Jahre nicht gemehrt; es bestehen, wie bisher, deren 9, nämlich Babenhausen, Ichenhausen, Lechfeld, Lechrain, Murnau, Nördlingen, Ottobeuren, Weiler und Weilheim. Dazu kommen die bisherigen 11 Pfarr- und Lokalvereine, nämlich Babenhausen, Boos, Fremdingen, Hainhofen, Jettingen, Nördlingen, Stötten am Auerberg, Türkenfeld, Unterottmarshausen, der Zweig-Cäcilienverein des katholischen Arbeitervereins Augsburg und der Alumnatsverein Dillingen.

II. Von den genannten Vereinen haben folgende ihre statutengemäße Jahresversammlung mit kirchlicher Produktion gehalten:

1) Der Bezirksverein Babenhausen (Präses: H. H. Dekan Joseph Heel von Babenhausen) am 18. Juni in der dortigen Pfarrkirche. Bei dieser Gelegenheit wurde auch die Weihe der von Koulen neuerbauten Orgel vorgenommen und folgendes kirchenmusikalische Programm aufgeführt: *Veni Sancte Spiritus*, 5st. von Aiblinger, *Kyrie* und *Agnus* aus der *Missa Aeterna Christi munera* von Palestrina, *Gloria* aus der Luzienmesse von Franz Witt, *Sanctus* und *Benedictus* aus der *Missa quarta* von Jaspers, Marienlied „Christi Mutter, hoch erhoben" von Ign. Mitterer, Marienlied „Glorreiche Königin", 2st. mit Orgel von Mich. Haller, *Credo* aus der 6st. Messe *„O crux, ave"* von Neckes, *Tantum ergo* von Vinz. Goller. Sämtliche Piecen wurden vom Kirchenchor Babenhausen unter der Direktion des Herrn Lehrers und Chorregenten Jochum vorgetragen. Der Bezirksverein zählt zur Zeit 120 Mitglieder, 300 Chorsänger und 7 kirchliche Gesangschulen; bei der Konferenz waren anwesend 20 Geistliche und 30 Lehrer und andere Freunde kirchlicher Musik. Der Verein ist in sichtlichem Aufschwung begriffen.

2. Der Bezirksverein Murnau (Präses H. H. Herr Pfarrer Joseph Wiedenmann von Murnau) am 21. November in der Pfarrkirche zu Murnau mit folgendem kirchenmusikalischen Programm: a) *Veni Sancte Spiritus*, 5st. von Dr. J. N. Ahle, *Kyrie*, 4st. aus der Josephsmesse von Joseph Auer, *Sanctus*, 4st. mit Orgel aus der Petrusmesse von Peter Griesbacher (Kirchenchor Murnau, Dirigent Herr Lehrer Gustav Kleinhäupl); b) *Libera* aus Op. 9 *(Requiem)* von

Franz Bieger, „*Sacerdotes Domini*", Offertorium 4st. von Michael Haller, Marienlied „Die Palme". 4st. von Michael Haller (Kirchenchor Uffing, Dirigent Herr Lehrer Max Sutor); c) *Kyrie* aus der Schutzengelmesse, 4st. von Alban Lipp, „*Ave verum*" von W. Mozart (Kirchenchor Aidling, Dirigent Herr Lehrer Georg Vogel); d) *Sanctus* aus der *Missa sexta* von M. Haller, *Ave maris stella*, 4st. von Karl Deigendesch, *Kyrie* aus der Messe *in hon. Beatae Mariae Virginis* von Karl Maupai (Kirchenchor Seehausen, Dirigent Herr Lehrer Franz Wall): e) Nr. 4 aus dem Psalm 115 von F. Mendelssohn-Bartholdy, 8st. (Kirchenchor Murnau). Die nachfolgende Konferenz, bei welcher der Präses und der Berichterstatter Vorträge hielten, war von Geistlichen, Lehrern und Chorsängern sehr zahlreich besucht.

3) Der Bezirksverein Ottobeuren (nach dem Rücktritt des H. H. Pfarrers J. B. Zientner von Reicholdsried, nunmehr Pfarrer in Ellhofen, wurde H. H. Pfarrer Jakob Tausch von Westerheim zum Präses gewählt) am 8. Juli in der Pfarrkirche Ottobeuren mit folgendem Programm: a) *Gloria* aus der St. Albansmesse, 4st. von Alban Lipp, *Magnificat* aus der Weihnachtsvesper von Ign. Mitterer (Kirchenchor Hawangen, Dirigent Herr Lehrer Zwiesler); b) Kommunionlied „Am letzten Abendmahle", 4st. von Karl Deigendesch, „Gegrüßet seist du, Königin", von Peter Piel, Jubelgesang „Lobet den Herrn, ihr Völker" von R. Meier (Zöglinge der Kreiserziehungsanstalt Ottobeuren, Dirigent Herr Lehrer Hans Bronnenmayr); c) *Kyrie in festis solemnibus* und *Credo III* aus dem *Kyriale vaticanum*, *Sanctus* aus der 8st. Jubilatemesse von J. E. Stehle, Psalm 130 „Aus der Tiefe rufe ich" für gemischten Chor von B. Hammer, „*Popule meus*" für 2 Chöre von Joseph Modlmayr, Marienlied „O Maria sei gegrüßt" für 6st. Chor von Karl Deigendesch, Dankchor für 8 Stimmen von P. H. Thielen (Kirchenchor Ottobeuren, Dirigent Herr Lehrer und Chorregent Schuster), zur Segensandacht wurde vom Kirchenchor Ottobeuren gesungen: *Pange lingua*, 4st. von Mich. Haller und Lauretanische Litanei für gemischten Chor von J. Obersteiner. Die bei dieser Gelegenheit von Herrn Th. Hofmiller aus Augsburg meisterhaft vorgeführte berühmte große Orgel erwies sich als vielfach defekt und einer durchgreifenden von einem erprobten Meister auszuführenden Reparatur bedürftig. Bei der folgenden, sehr zahlreich besuchten Konferenz hielten der Präses, der Berichterstatter und H. H. Pfarrer P. Obermayr Ansprachen; an Stelle des nach Reuthe versetzten Herrn Lehrers M. Leser von Obergünzburg wurde Herr Lehrer und Chorregent Müller von Memmingen als Schriftführer gewählt. Die nächste Diözesanversammlung wird vom Bezirksverein Ottobeuren übernommen und in der Stadt Memmingen abgehalten werden.

4. Der Bezirksverein Weilheim hielt am 5. Dezember in Weilheim eine Konferenz ohne Produktion, bei welcher 18 Geistliche, 3 Lehrer und 6 Laien anwesend waren. Der Verein zählt 52 Mitglieder (Präses H. H. geistl. Rat und Pfarrer Simon Schmid von Tutzing). Ein instruktiver Vortrag des Herrn Pfarrers Gottfried Resl von Unterbrunn wurde sehr beifällig aufgenommen. Neuerdings wurde auf dieser Konferenz der Vorschlag eines Preisausschreibens für die beste Kirchenkomposition (Vereinsorgan 1906, Seite 3) gemacht und dem Diözesanpräses aufgetragen, die Sache bei der nächsten Generalversammlung zu vertreten.

5. Der Pfarr-Cäcilienverein Stötten am Auerberg (Präses H. H. geistl. Rat und Pfarrer Fr. X. Königsberger) am 7. November bei Gelegenheit der Weihe der neuen Orgel mit folgendem Programm, das unter der Direktion des Herrn Lehrers Grießmayr zur Aufführung gelangte: *Veni Creator*, 5st. von Fr. X. Witt, *Tantum ergo*, 4st. mit Orgel von Mich. Haller, Lauretanische Litanei in *A*-dur, 4st. mit Orgel von Fr. X. Witt, *Salve Regina*, 4st. von B. Mettenleiter, Introitus am Allerheiligenfeste, Choral mit Orgel, *Kyrie* und *Gloria* aus der Luzienmesse von Fr. X. Witt, ein rezitiertes Graduale mit Orgel, Offertorium: *Bonum est* für Ober- und Unterstimme mit Orgel von Fr. X. Witt, *Sanctus* aus der Preismesse von J. E. Stehle, *Benedictus* aus der *Missa quinta* von Mich. Haller.

III. Nach dem Rücktritt des um die *Musica sacra* hochverdienten freiresignierenden Dekans und Pfarrers Herrn Alois Hacker in Kleinaitingen wurde Herr Dekan und Pfarrer Andreas Schneider in Oberigling zum Präses des Bezirks-Cäcilienvereins Lechfeld erwählt und unterm 26. Juli vom Berichterstatter bestätigt. Da der neue Herr Präses bereits auf eine 40jährige kirchenmusikalische Tätigkeit zurückschauen kann, so wird die Leitung des Bezirksvereins Lechfeld sich wohl in den besten Händen befinden.

IV. Als neues Glied im Diözesanverein ist zu begrüßen der am 3. Dezember gegründete Pfarrverein Egg a. G. mit 18 ausübenden und 86 unterstützenden Mitgliedern, der sich an den Diözesanverein angeschlossen und Herrn Pfarrer Johann Walter zum Präses gewählt hat. Bei der entschieden musikalischen Bildung und dem Eifer des neuen Herrn Präses wird der Verein einer glücklichen Zukunft entgegengehen.

V. Am 6. Oktober wurde in Lauingen das 50jährige Dienstjubiläum des hochverdienten und allgemein beliebten Seminaroberlehrers Karl Deigendesch gefeiert. Herr Deigendesch, dessen kirchliche und weltliche Kompositionen einen Ruf weit über Bayerns und Deutschlands Grenzen hinaus erlangt haben, ist sowohl in seiner Eigenschaft als Musiklehrer an der Kgl. Lehrerbildungsanstalt als auch seit dem Jahre 1894 als I. Vizepräses unseres Diözesanvereins stets nur für die wahre echte Kirchenmusik tätig gewesen, insbesonders hat er das neue Orgelbuch zum umgearbeiteten Diözesangesangbuch *Laudate*, das eine Musterarbeit genannt werden kann, geschaffen. Der Diözesanverein, der ihn mit Stolz den seinen nennt, bringt ihm zu seinem Jubiläum ein herzliches *Ad multos annos* entgegen.

VI. Am 5. Februar starb zu Donauwörth Herr Matthias Gebele, Lehrer und Redakteur der katholischen Schulzeitung a. D. in einem Alter von 70 Jahren. Der Diözesanverein sah in ihm eines seiner ersten, wenn nicht das erste Gründungsmitglied in das Grab steigen und betrauert an ihm den Verlust eines eifrigen Veteranen der Kirchenmusik, der als Lehrer schon in jungen Jahren seinen Kirchenchor genau nach den liturgischen Vorschriften eingerichtet, später als Redakteur die Spalten der katholischen Schulzeitung bereitwilligst zur Verteidigung des deutschen Cäcilienvereins geöffnet hat und oftmals selbst als Redner und Agitator bei verschiedenen Vereinsversammlungen aufgetreten ist. Er ruhe im Frieden!

VII. Vereinsbeiträge (à 50 ₰) sind an den Diözesanverein eingesendet worden und werden hiemit dankbarst quittiert: 1. Von den 24 Dekanatsvereinigungen: Agawang (27), Aichach (2), Balzwail (7), Bayermünching (9), Dillingen (5 pro 1906, 5 pro 1907), Dinkelsbühl (7), Friedberg (23, aus der Kapitelskasse 16 M.), Füssen (5), Höchstädt (9), Hohenwart (15), Jettingen (7), Kirchheim (15), Landsberg (6), Legau (11), Mindelheim (20), Oberalting (1), Oberdorf (32), Oberroth (25), Schongau-Leeder (10), Schwabhausen (19), Stiefenhofen (8), Wallenstein (8), Weißenhorn (34 pro 1906, 34 pro 1907), Wertingen (4).

2. Von 50 Mitgliedern, welche einem Bezirks- oder Pfarrverein nicht angeschlossen sind.

Mehrere Vereine und Kirchenchöre haben zur Anschaffung von Kirchenmusikalien Unterstützungen aus der Diözesankasse erhalten, worüber bei der nächsten Generalversammlung berichtet werden wird.

Augsburg, 15. Dezember 1907. Dr. Joh. Nep. Ahle, Domkapitular, Diözesanpräses.

2. = Bericht über den Cäcilien-Diözesanverein Brixen pro 1907. Dieses Jahr hat als erfreuliches Ereignis zu registrieren den sechstägigen Organistenkurses, welcher in der letzten Augustwoche in den Lokalitäten des Stiftes Gries bei Bozen für die Diözesen Trient (deutscher Anteil) und Brixen unter zahlreicher Beteiligung von Lehrern und Geistlichen beider Diözesen abgehalten wurde. Als Lehrer fungierten Herr Chorregent und Diözesanpräses J. Gruber von Meran, Hochwürd. Herr Chordirektor L. Streiter aus Innsbruck, Hochw. P. Columban, O. S. B. und der Gefertigte.

Dem Stifte Gries, welches sich überhaupt in seinem von ihm erbauten und geleiteten Seminar für Lehrerkanditaten aus ganz Deutsch-Tirol viele Verdienste um die Kirchenmusik erwirbt, gebührt für die dem Kurses gewährte Gastfreundschaft der wärmste Dank.

Das Stift Neustift hat seinen Neubau, wo auch eine Organistenschule geplant ist, beinahe vollendet und wird derselbe binnen kurzem bezogen werden.

Ein betrübendes Vorkommnis ist eine auftretende Agitation innerhalb der Lehrerschaft, welche sich gegen die historisch mit dem Lehramt meist verbundenen Kirchendienste richtet, und mit besonderer Antipathie allerdings dem Mesnerdienste gegenübersteht. Daß der Organistendienst bei den meisten Kirchen unzureichend, ja vielfach ganz elend dotiert ist, ist leider nur zu wahr. Aber es sind eben die Kirchen meist sehr — sehr arm.

Möge den Großteil unserer Lehrerschaft, der annoch eine gut katholische Gesinnung hat, der bisher bewährte Takt vor unüberlegten Schritten bewahren!

Von Berichten über Leistungen einzelner Vereine und Kirchenchöre glaube ich für dieses Jahr absehen zu können, da Neues nicht bekannt geworden ist. Es genüge daher die Mitteilung, daß der Diözesanverein in seinem in den Berichten der letzten Jahre mitgeteilten Stande sich befindet.

Die Einteilung in „zahlende" und „ausübende" Mitglieder, welche man auch hier vor Jahren, den vom allgemeinen Vereine ausgegebenen „Normalstatuten" zufolge einführte, hatte die für die Finanzen des Vereines höchst bedenkliche Folge, daß sich fast alle zu den ausübenden Mitgliedern rechnen. Hat man vielleicht anderswo auch ähnliche Erfahrungen gemacht? Ein wiederholter Versuch des Gefertigten, dieses Statut wieder „zeitgemäß“ umzuwandeln, scheiterte leider am Widerstande der betreffenden Versammlungen. Einen kleinen Trost mag es der Vorstehung allerdings gewähren, daß doch viele in der Diözese wirklich „ausübend“ sind.

Brixen am 7. Jänner 1908. Ign. Mitterer, Diözesanpräses.

8. ☐ **Würzburg.** Jahresbericht des Kirchenchores im Stift Haug und der Kgl. Hofkirche. Der nun seit 23 Jahren unter der Direktion des Unterzeichneten stehende Kirchenchor hatte im verflossenen Jahre bei ungefähr 250 liturgischen Ämtern sich zu betätigen und bereitete sich hierauf in zirka 100 Proben vor. Zur Aufführung gelangten Messen von Palestrina: *Brevis, Iste Confessor, Sine nomine, Aetern. Chr. mun., Lauda Sion, Jesu nostr. Redempt., O admirab. Commerc., Papae Marc.* 6st. und die auf 4 Stimmen von Mitterer reduzierte; Orlando: *Puisque j'ai perdu;* Gabrieli: *Brevis;* Clereau: *In me trans.;* Viadana: *Sine nomine* und *L' hora passa;* Croce: *VI.* und *VIII. Toni*, (5st.); Witt: *In hon. S. Luciae, Franc. Xav., Augustini, Sept. dolor., Exultet* (2st. mit Orgel); Haller: *Quarta, Septima, Octava, Nona, Undecima, Duodecima, Tertiadecima, B. M. V.* (5st.); Mitterer: *In hon. Thomae, Caeciliae, VIII. Toni, Ascensio* (5st.), *S. Apostolis;* Griesbacher: *Salus infirm.* (2st. mit Orgel), *Just. Dom., S. Emmerami, Jam sol. rec., Gabrielis* (5st.), *Mater dolor.* (5st.), *S. Angelor.* (6st. mit Orgel); Ebner: *Jubilate Deo, de Spiritu Sancto, Laetentur coeli* (5st.); Goller: *In hon. S. Stephani;* Quadflieg: *In hon. S. Laurentii;* Menerer: *S. Chiliani, Salve Regina, S. Cruce, S. Petr. et Paul*, Altötting mit Orchester, *Pret. Sanguin. D. N. J. Chr.* mit Orchester; Diebold: *Solemnis* in *F*, Op. 96, *Asperges me* (5st.); Auer: *In hon. S. Joseph*, Franz von Sales; Koenen: *In hon. Trium regum;* Greith: Choral-Sangallens; Stehle: *Salve Regina* mit Orgel, *B. M. V.* mit Orgel, *S. Cordis Jesu;* Singenberger: *In hon. S. Caecilia;* Schöllgen: *In hon. S. Henrici;* Jaspers: *Brevis, Perpet. Succ.;* Piel: *Consol. afflict.;* Hasler: *Secunda;* Commer (Thiel): In *C;* Rathgeber: *In hon. S. Annae.*

Gradualien von Schiffels; Mitterer; Reuß; Offertorium von Witt (die ganze Sammlung); Offertorien: Palestrina (Fastenzeit, 5st.); Goller (für das ganze Kirchenjahr, 5 Hefte); Mitterer und Tresch für verschiedene Feste; Lateinische Segensgesänge von Witt; Mitterer (Sammlung); Griesbacher (Sammlung); Haller (Sammlung); Ebner: Vereinigte Ober- und Unterstimmen (Sammlung); Einlagen ins *Credo* von Stehle und Quadflieg; 30 Choral-*Credo* von Viadana.

Motetten: *Stabat Mater* (Rich. Wagner); Palestrina, Witt; Sammlung von Nikel: *Lauda Sion;* Mitterer: *Cantica sacra, Hebdom. sanct.;* Haller: Desgl. und Prozessionsgesänge an Lichtmeß und Palmweihe; Singenberger (Sammlung von Herz-Jesu-Motetten und -Litaneien); *Moduli* (Sammlung) von Palestrina und Orlando, 3—12st.; Auferstehungsgesänge von Menerer, Mitterer, Haller und Reuß (*Elevamini*, 4—6st.); Marianische Antiphonen, 4st. von Witt und Ebner (vereinigte Ober- und Unterstimmen); *Te Deum* von Witt (*e*-moll), Molitor, Quadflieg, Neckes, Griesbacher, 5st. und Mitterer; *Turba* von Ett und Suriano; Mitterer: *Pia cantica;* Witt: Stationsgesänge für 4st. gemischten Chor; Marianische Antiphonen für vereinigte Ober- und Unterstimmen von L. Ebner; *Requiem:* Von Haller (*Quinta*); Mitterer: In *As* mit Orgel und Posaune; Desgl. mit Orchester; Menerer: In *c*-moll mit Orgel, in *G*-moll mit Orchester; Schildknecht mit Orgel oder Instrumentalbegleitung; Bieger: Desgleichen; Schaller: A capella; Ett: In *Es;* Goller: In *Es;* Casciolini, Bäuerle; P. Theresius und Witt: 1st. Mitterer: Vereinigte Ober- und Unterstimmen, ebenso Goller. Grabgesänge: von Bieger, Auer und Reuß.

Deutsche Liedersammlungen: Mitterer: Herz-Jesu-Lieder; Singenberger: Herz- und Namen-Jesu-Lieder; Piel: für gemischten Chor zur Verehrung des Allerheiligsten; Auer: Herz-Jesu-Lieder, 3st. Kommunionlieder von Goller, Auer und Reuß; Passionslieder für gemischten Chor von V. Goller mit Orgel (Gründonnerstag, Charfreitag und Stationsgesänge); Marienlieder von Haller (2 Sammlungen); Greith: für gemischten Chor; Mitterer: 4st. mit Orgel; Griesbacher: für gemischten Chor und 2st. mit Orgel; Max Reger, für gemischten Chor; Stehle: für gemischten Chor; Brunner und Gruber: für gemischten Chor mit und ohne Orgel; Piel: Weihnachtslieder, 2- und 3st. mit Orgel; Fr. X. Engelhart: Morgen- und Abendgebet und Weihnachtsgesang; 2—4st. Hochzeitsgesänge von Volkmann und Reuß.

Sämtliche Ämter werden nach liturgischer Vorschrift gesungen, Introitus und Communio stets Choral nach der *Medicaea;* Graduale rezitiert, *Alleluja* gesungen.

Gelegentlich der diesjährigen Cäcilienfeier, die der Hochwürd. Herr Bischof mit seiner Anwesenheit beehrte, führten wir eine melodramatische Cäcilien-Cantate von Alb. Reiser, frei umgedichtet nach Just. Kerner, in Musik gesetzt von Aug. Reiser, für Solo, Chor und Deklamation (ist nur in Partitur zu beziehen) auf. Außerdem dienen als Studienmaterial die Liedersammlungen von Waldmann von der Aue *Lätitia* (2. Sammlung), Palme, für gemischten Chor; Niels Gade: Sonnenuntergang und Frühlingsbotschaft für gemischten Chor und Klavierbegleitung; Schumann: „Zigeunerleben“; Renner: Oberquartette; Piel: „Gelobt sei Jesus Christus“; Menerer: Marienlob; Müller: Heliand, Elisabeth; Schmalohr: der heil. Christophorus; Haller: Weihnachtsfeier, die heil. Cäcilia; Bellermann: Frühlingslieder; Orlando: humoristische Lieder, arrangiert von Wiedmann usw.

Der Chor singt durchschnittlich in der Stärke von 15 Sopranen, 12 Alt, 5 Tenoren und 6 Bassisten und wird fortwährend ergänzt aus der seit anno 18[illegible]5 bestehenden Chor-Gesangschule. In dieser Singschule werden vom Unterzeichneten Kinder von 10 Jahren an im Singen unterrichtet, bezw. für den künftigen Chorsänger gründlichst vorbereitet; atmungs- und rhythmische Übungen gehen Hand in Hand mit den Vorbereitungen für deutliche Aussprache; ersten Grundsatz bildet der

Pianogesang mittels reinster Tongebung bis nach und nach ein textgemäßer Vortrag mit An- und Abschwellen erreicht ist; auf diesem Wege ist der Chor imstande, ohne besondere Anstrengung an einem Vormittage 3—4 Ämter und 2 Vespern des Mittags zu singen.

Möge es dem Chore gelingen, durch schönen liturgischen Gesang der Kirchenmusik im allgemeinen immer mehr Freunde und Gönner in allen Gesellschaftskreisen zu erwerben.

Weihnachten 1907. Adam Reuß, Chorregent und Organist.

4. ♃ Programm zur Feier der Unbefl. Empfängnis-Oktav in der Franziskanerkirche zu **Dietfurt**, Diözese Eichstätt. (Männerchor.) Der Chor besteht aus 6 Klerikernovizen und 4—5 Bürgern von Dietfurt. Samstag, 7. Dez. Litanei und *Tantum ergo* (4st.) von Haller, Op. 12. Marienlied: „Helferin der Christen" von Witt. Sonntag, 8. Dez. *Veni Sancte Spiritus* (4st.) von Dr. E. Frey. Introitus und Communio choraliter. Franziskus-Messe (4st. mit Orgel) von Witt. Graduale: *Benedicta es tu* (4st.) von Deschermeier. Offertorium: *Ave Maria* (4st.) von Witt. *Tantum ergo* (4st.) von Witt (aus Op. 5). Vesperchoral. — Litanei in *A*-dur (Op. 16) von Witt. Marienlied: „O du Eine" (4st.) von Deschermeier (Manuskript). *Tantum ergo* (4st.) von Haller, Op. 40, Nr. 2. Montag, 9. Dez. *Missa sexta* von Haller. Offertorium: *Ave Maria* (2st.) von P. Utto Kornmüller. *Tantum ergo* (2st.) von Deschermeier, Op. 61, Nr. 1. — Litanei (4st.) von G. Zeller. Marienlied: „Salve Regina" von P. Martin Hirmer. *Tantum ergo* (4st.) von Deschermeier, Op. 16, Nr. 5. Dienstag, 10. Dez. Frühamt: *Missa tertia* von Haller. Offertorium: *Introibo* (2st.) von Deschermeier, Op. 91, Nr. 2. *Tantum ergo* (2st.) von demselben. — 2. Amt: *Missa in hon. S. Margarethae* (2st.) von Deschermeier, Op. 57, Offertorium wie beim Frühamt. *Tantum ergo* aus Op. 11 von Haller. — Litanei (4st.) von Renner. Marienlied: „Du ehrwürdige Jungfrau" (4st.) von L. Seidler. *Tantum ergo* (4st.) von L. Ebner, Op. 51, Nr. 1. Mittwoch, 11. Dez. Familienmesse von Gruber, Op. 117. *Ave Maria* (4st.) von A. Wiltberger, Op. 52, Nr. 2. *Tantum ergo*, Choral. — Litanei (4st.) von Koenen, Op. 25a. Marienlied: „Königin der Engel" (4st.) von P. Rampis. *Tantum ergo* (4st.) von Deschermeier, Op. 16, Nr. 6. Donnerstag, 12. Dez. *Missa in hon. S. Othiliae*, Op. 93 von Haller. Offertorium: *Ave Maria*, Op. 60, Nr. 8 von Haller. *Tantum ergo* (4st.) von Ett. — Litanei von Nekes (4st.) Op. 20a. Marienlied: „Milde Königin, gedenke" von Modlmayr. *Tantum ergo* (4st.) Breslauer Gesangsweise. Freitag, 13. Dez. *Missa Veni sponsa Christi* von Mitterer. Offertorium: (2st.) *Ave Maria* von Deschermeier, Op. 56, Nr. 1. *Tantum ergo* von P. Theresius (aus Op. 8). — Litanei in *Es*-dur (4st.) und *Tantum ergo* von J. Modlmayr, Op. 23. Marienlied „Ave Maria" von J. N. Kösporer. Samstag, 14. Dez. *Missa in hon. S. Josephi* von L. Ebner, Op. 14. Offertorium: *Ave Maria* von P. Utto Kornmüller. *Tantum ergo*, Choral. — Litanei in *D*-dur (4st.) und *Tantum ergo* von L. Nußer. Marienlied: „Der Engel des Herrn" von Engelhart. Samstag, 15. Dez. Frühamt (viol.) *Missa in hon. S. Josephi* von Schildknecht, Op. 14. Offertorium: *Benedixisti* (2st.) von Deschermeier, Op. 56, Nr. 2. *Tantum ergo* von Haller (aus Op. 14). Hochamt (alb.) *Veni Creator* (4st.) von Schweitzer. Introitus, Graduale und Communio wie am 8. Dez. *Missa octava* (4st. mit Orgel) von Deschermeier, Op. 42. Offertorium: *Ave Maria* (4st.) von Haller, Op. 60, Nr. 8. *Tantum ergo* (4st.) von Haag (aus *Musica Eccl.*) Schlußandacht: Litanei (4st.) von Koenen, Op. 27. Marienlied, Op. 33, Nr. 2 von Deschermeier. Zur Prozession: *Pange lingua* (4st.) von Haller, Op. 40, Nr. 2 und *Adoremus in aeternum* (4st.) von Haller, Op. 40, Nr. 1. *Te Deum*, Volksgesang. *Tantum ergo* (4st.) von Haller, Op. 40, Nr. 3. J. Deschermeier, Lehrer und Chorregent.

5. ♈ Weihnachten 1907. Domchor Graz. Heiliger Abend 4 Uhr Matutinum: Responsorien, 4st. mit Orgel von Mitterer; *Te Deum*, 4st. mit Orgel von Witt; *Tantum ergo* etc., 6st. a capella von Griesbacher; nachts 12 Uhr bischöfl. Pontifikalamt: Introitus, Communio Choral: S. Josephsmesse für gemischten Chor, Orchester und Orgel von Weirich; Graduale, 4st. von Mitterer; Festoffertorium, 4st. mit Orgel von Mitterer; Am Schlusse römischer Segen: *Tantum ergo*, 4st. mit Orchester von Meuerer. Christtag ½7 Uhr feierliches Amt: Introitus, Communio, *Credo*, Choral; *Missa in hon. S. Antonii*, 4st. mit Orgel von Meuerer; Graduale, 4st. von Mitterer; Offertorium, 4st. mit Orgel von Goller; *Tantum ergo*, 4st. mit Orgel von Goller; vorm. 10 Uhr bischöfl. Pontifikalamt: Introitus, Communio, 4st. von Schaller; *Missa* in *C* für Soli, gemischten Chor und Orchester von J. von Rheinberger; Graduale, 4st. mit Orchester von Meuerer; Offertorium, 5st. a capella von M. Haller; nachm. ¾4 Uhr Pontifikalvesper: Falsi bordoni, 4st. a capella von Molitor. S. Stephanus: 10 Uhr Pontifikalamt: Introitus, Communio, 4st. von Schaller; Passauer Dom-Messe für 6st. gemischten Chor und Orgel von Griesbacher; Graduale, 4st. von Stehle; Offertorium, 4st. mit Orgel von Mitterer; 4 Uhr Choralvesper dann: *Tantum ergo*, 4st. von Meuerer; Weihnachtsmotetten, 4st. mit Orgel von Mitterer; *Alma Redemptoris*, 4st. mit Orgel von Griesbacher. Neujahr: 10 Uhr Pontifikalamt: Introitus, Communio, Choral; *Missa de Spiritu Sancto* für gemischten Chor und Orgel von Ebner; Graduale, 5st. von Ortwein; Offertorium, rezitiert; hierauf: *Adeste fideles*, 4st. von Koenen. Dreikönig: 10 Uhr bischöfl. Pontifikalamt: Introitus, Communio, 4st. von Schaller. *Missa* in *F* für gemischten Chor, Orchester und Orgel von J. Gödl (Manuskript, zum ersten Male) Graduale für gemischten Chor und Orchester von Meuerer; Offertorium, 4st. mit Orgel von Mitterer; nachm. 4 Uhr Pontifikalvesper, Choral; dann *Tantum ergo*, 4st. mit Orgel von Goller; Motetten *in hon. S. Sacramenti*, 4st. mit Orgel von Meuerer, Op. 41; *Alma Redemptoris*, 4st. von Palestrina.

6. × **Bautzen**. Kirchliche Cäcilienfeier Sonntag, 1. Dezember, abends 6 Uhr. Wie alljährlich, so veranstaltete der bestens bewährte Cäcilienchor auch am ersten Adventsonntage in der katholischen Petrikirche eine Cäcilienfeier, und der gute Besuch, den das Gotteshaus aufzuweisen hatte, lieferte den Beweis, daß es hier nicht an Publikum fehlt, welches die ernste Schönheit der Musik verehrt. Ungestört von allen weltlichen Eindrücken und Anblicken gab man sich so den köstlichen Darbietungen dieser kirchenmusikalischen Veranstaltung hin. Die verschiedenen Gesänge

kamen unter der verständnisvollen Leitung des Herrn Chorrektors Engler fein abgetönt und durchaus vollendet zur Wiedergabe. Kurz bemerkt sei noch, daß Herr Seminaroberlehrer Pischel die Feier mit J. S. Bachs Präludium in *Es*-dur (Peters 3) einleitete. Im weiteren bewährte sich Herr Seminarlehrer Karl Engler an der Orgel, der auch Intermezzo und Fuge aus der *Es*-dur-Sonate von Rheinberger spielte. Mit der Feier war eine Segensandacht verbunden. Das Programm lautete: 1. Präludium in *Es*-dur (Peters 3) für Orgel von J. S. Bach. 2. *Kyrie* aus der 5st. Gabrielismesse von P. Griesbacher. 3. „O unbefleckt empfangnes Herz", 5st. Lied für gem. Chor von P. H. Thielen. 4. *Agnus Dei* aus der 4st. *Missa puisque j'ai perdu* von Orlandus Lassus. 5. „Gegrüßet seist du Königin", 5st. Lied für gem. Chor von P. H. Thielen. 6. Ostermotette *Surrexit pastor bonus* für fünf Stimmen von Michael Haller. Segensandacht: 7. *Tantum ergo* für 5st. Chor von M. Haller. 8. Intermezzo und Fuge aus der *Es*-dur-Sonate für Orgel von J. Rheinberger.

Der **Gesamtvorstand des Cäcilienvereins.** Nachfolgende Liste wird laut Beschluß von 1897 jährlich im Cäcilienvereinsorgan veröffentlicht, damit die lebenslänglichen, die Ehren-, unterstützenden und ausübenden Mitglieder von den Veränderungen innerhalb eines Jahres Kenntnis nehmen können. Der Gesamtvorstand besteht im Jahre 1908 nach § 12 der allgemeinen Statuten aus dem unterzeichneten Generalpräses, dem 1. Vize-Generalpräses, H. H. Professor, Domkapellmeister Mons. Karl Cohen in Cöln, dem 2. Vize-Generalpräses, H. H. Domkapellmeister Mons. Ign. Mitterer in Brixen, Propst von Ehrenburg, dem Kassier (z. Z. Franz Feuchtinger, Musikalienhandlung, Regensburg, Ludwigsstraße 17) und nachfolgenden Diözesanpräsides:

Die Liste der nach § 19 der Statuten offiziell angeschlossenen Präsides lautet in alphabetischer Ordnung der Diözesen, wie folgt:

1. Diözese Augsburg: Domkapitular und geistl. Rat Dr. Johann Nep. Ahle. 2. Erzdiözese Bamberg: Domkapellmeister und geistl. Rat Thomas Adler. 3. Diözese Basel-Solothurn: Domherr Arn. Walther in Solothurn. 4. Diözese Breslau: Erzpriester und Ehrenkanonikus Staude in Sprottau. 5. Diözese Brixen: Domkapellmeister Mons. Ignaz Mitterer. 6. Erzdiözese Cöln: Domkapellmeister Mons. K. Cohen in Cöln. 7. Diözese Eichstätt: Domkapellmeister Dr. Wilh. Widmann. 8. Erzdiözese Freiburg i. B.: Domkapitular Augustin Brettle. 9. Diözese St. Gallen: Pfarrer August Oswald in Goldingen. 10. Diözese Leitmeritz: Wenzeslaus Sitte, Domkapitular. 11. Diözese Limburg: Pfarrer Mich. Müller in Oberlahnstein. 12. Diözese Metz: Dr. N. Roupp, Professor am Priesterseminare in Metz; 13. Erzdiözese München: Benefiziat Otto Sontheimer, Chorregent in Traunstein. 14. Diözese Münster: Mons. Dr. Friedrich Schmidt, Domkapitular. 15. Diözese Paderborn: Domvikar Johann Cordes. 16. Diözese Passau: Domkapellmeister, bischöfl. geistl. Rat Klemens Bachstefel. 17. Diözese St. Pölten: Alois Kastner, Pfarrer in Oberwölbling. 18. Erzdiözese Prag, preußischer Anteil (Grafschaft Glatz): Pfarrer Patzelt in Schlegel. 19. Diözese Regensburg: Domkapellmeister und Domvikar F. X. Engelhart. 20. Diözese Rottenburg: Pfarrer E. Keilbach in Öffingen. 21. Erzdiözese Salzburg: Balth. Feuersinger, Rektor am fürstbischöfl. Klerikalseminar. 22. Apostolisches Vikariat für das Königreich Sachsen: (Bautzen): Domkapitular Jak. Skala in Bautzen. 23. Diözese Seckau-Graz: Dr. Anton Faist, Professor und Regenschori im fürstbischöfl. Knabenseminar. 24. Diözese Sitten (Oberwallis): Pfarrer und Dekan Julius Eggs in Leuck-Stadt. 25. Diözese Speyer: Domkapellmeister Jos. Niedhammer. 26. Diözese Straßburg i. E.: Domkapellmeister Jos. Victori. 27. Diözese Trient (deutscher Anteil): Stadtpfarr-Chorregent F. X. Gruber in Meran (Tirol). 28. Diözese Trier: Domkapellmeister M. Stockhausen in Trier. 29. Diözese Würzburg: Stiftspfarrer Ign. Hergenröther in Aschaffenburg.

Dr. F. X. Haberl, z. Z. Generalpräses.

---

## Rundschau der deutschen kirchenmusikalischen Zeitschriften von Oktober mit Dezember 1907.

1. **Cäcilia.** (Breslau). Nr. 10. Zur Geschichte des liturgischen Gesanges. Schluß in Nr. 11. (Von J. Gloger in Oberglogau). — Die Reform-Choralnotation *Vaticana*-Bäuerle. (Selbstanzeige.) — Verschiedene Mitteilungen: Lehrstuhl für katholische Kirchenmusik an der Universität Straßburg i. E.; Speyergau-Sängerbund (Preisausschreiben für Männerchöre). — Rezensionen. (Auch in Nr. 11 und 12.) — Nr. 11. Die 16. Hauptversammlung des Breslauer Diözesan-Cäcilienvereins am 29. und 30. Sept. und 1 Okt. zu Gleiwitz. (Von Paul Flascha). — Die 28. Generalversammlung des Graf-

schafter Cäcilienvereins in Landeck am 10. und 11. Sept. 1907. (Von Georg Amft). — Der Kirchenchor in Schönwald, Kreis Gleiwitz. — Verschiedene Mitteilungen: Generalversammlung des Unterstützungsvereins römisch-katholischer Kirchenbeamten des Fürstbistums Breslau; Ratiborhammer (Filkes Requiem). — Nr. 12. Durch welche Mittel kann der Organist, Kantor und Chordirigent die für seinen verantwortungsvollen Beruf so notwendige Freudigkeit und geistige Frische gewinnen und bewahren? (Vortrag, gehalten von A. Gebauer). — Musik und Haare. — Der Kirchenchor in Swinemünde. — 6. Jahresbericht des S. Cäcilienvereins Mikultschütz. — Mitteilungen.

2. **Cäcilia.** Nr. 10. Franz Xaver Richter, Kapellmeister am Straßburger Münster (1769 bis 1789). Fortsetzung (auch in Nr. 11 und 12. Von X. M.). — *Le chant du peuple à l'office divin dans l'antiqué juive et chrétienne.* Fortsetzung und Schluß. (J. Bour). — Kirchenmusikalische Denkmäler aus dem Klarissenkloster Alspach in E. (X. M.). — Die Orgelbaufirma Rinckenbach in Ammerschweier i. E. und die neue Orgel in der Klosterkirche zu Rappoltsweiler. Schluß (X. M.). — 19. Generalversammlung des Cäcilienvereins Straßburg. — Distriktsfeste; Mitteilungen; Varia, auch in Nr. 11 und 12. — Bibliographie, auch in Nr. 11 und 12. — Zeitschriftenrundschau, auch in Nr. 11 und 12. — Nr. 11. *L'idée de la musique au moyen-âge d'après le Dr. Abert* (L. T.). — Das Orgelspiel im kath. Gottesdienst (X. M.). — Zur Geschichte des Straßburger Diözesan-Cäcilienvereins (J. V.). — Zum Straßburger Jubiläums-Cäcilienfest (M. C.). — Unseren Sängern zum Nachdenken. — Nr. 12. Der feierliche Abschluß des silbernen Jubeljahres unseres Straßburger Diözesan-Cäcilienvereins (X. M.). — *Fête jubilaire de l'Association Sainte Cécile du diocèse de Straßbourg* (von L. T.). — Die neue Orgel im Kapuzinerkloster zu Straßburg. Die 50. aus der Werkstatt A. Roetingers (X. M.)

3. **Der Chorwächter.** Nr. 10. Das deutsche Kirchenlied und der kirchliche Volksgesang (Fortsetzung, auch in Nr. 12. Von A. W.). — Der Diözesan-Cäcilienverein des Bistums Basel von 1904–1906, Fortsetzung in Nr. 11, Schluß in Nr. 12. (Von A. Walther). — † Frl. Marie von Arx, Domorganistin. (Von A. W.) — Vereinsnachrichten: Freiburg i. B. — † H. H. Niklaus Estermann. — Rundschau: Luzern, Menzingen, Baldegg, Mariahilf in Schwyz, Engelberg, Stans, Straßburg. — Kirchenmusikalische Literatur: *Cantemus Domino.* — Besprechungen, auch in Nr. 11 und 12. — Nr. 11. † Kardinal Andreas Steinhuber. — Vereinsnachrichten: Generalversammlung in Uznach. — Rundschau: Kirchenmusikalische Aufführungen gelegentlich der 54. Generalversammlung der Katholiken Deutschlands in Würzburg. — Nr. 12. Vereinsnachrichten: Bezirks-Cäcilienverein Balsthal-Thal-Gäu; Domchor Solothurn; Stiftschor Luzern (25jähriges Jubiläum); Organistenschule Luzern.

4. **Gregorianische Rundschau.** Nr. 11. Nachtridentinische kirchenmusikalische Literatur. Fortsetzung in Nr. 12. (Von Dr. Joseph Mantuani). — Liturgisches über die Glocken. (Von P. Hildebrand Waagen, O. S. B.) Eine Choral-Neu-Notation. Schluß in Nr. 12. (Von M. Sigl.) — Kirchenmusikalischer Instruktionskurs in Graz. (Von Dr. A. Faist.) — Liturgische Gedanken. Auch in Nr. 12. (V. P. M. Beck, O. S. B.) — Besprechung einer „Not"wehr. (Von Dr. H. Bäuerle.) — Über Orgeln. — Berichte und Korrespondenzen auch in Nr. 12. — Kleinere Mitteilungen. — Besprechungen, auch in Nr. 12. — Nr. 12. Die Gesänge des *Missale Romanum* und die *Vaticana.* — Ein übersehener Gedenktag. (Robert Führer, geb. am 2. Juni 1807.) Von P. Isidor Mayrhofer. — Die Symbolik der Glocke. (Von P. Hildebrand Waagen). — Neue musikalische Regeln. (Von Kilian Transtiefel).

5. **Gregoriusblatt.** Nr. 10. Feinde der Orgel. (Schluß in Nr. 11). Wie urteilte man im verflossenen Jahrhundert über die Bußpsalmen des Orlandus Lassus? Fortsetzung, und Schluß in Nr. 11 und 12 (K. Walter). — Joseph Haydns Werke. — Vermischte Mitteilungen: Aachen (Anstellungsliste). (Auch in Nr. 11); Cöln (Organistenverein); Karl Rese in Erfurt (Päpstliche Auszeichnung); Diözesan-Cäcilienverein Paderborn in Hagen i. W.; Westfälischer Organistenverein: Lehrstuhl für katholische Kirchenmusik in Straßburg; Dr Fritz Volbach (Universitäts-Musikdirektor in Tübingen); † J. Joachim; Felix Weingartner (Direktor der Hofoper in Wien); Kirchenmusikalisches aus Ostende; Beethoven und Michael Klüppel. — Zeitschriftenschau (Auch in Nr. 11.) Nr. 11. Die liturgische Rezitation und die Interpunktion der lateinischen Schriften des Mittelalters. (Von P. Bohn.) — Kritische Referate. Vermischte Mitteilungen: Rom († Kardinal Steinhuber); Brühl (A. Wiltberger, Kgl. Musikdirektor); Fritz Steinbach (Joachims Nachfolger); G. Rolle (Krauses Nachfolger); J. Pembaur (Dirigent des Leipziger Riedlvereins); Gustav Schweitzer (25jähriges Amtsjubiläum); † Ign. Brüll; Karl Maria von Weber (Inschrift.) — Nr. 12. Das Gradual-Responsorium *Posuisti Domine.* (Von P. Bohn.) — Die vatikanische Choralausgabe und das *Missale.* — Beherzenswerte Winke. — Kritische Referate. — Mitteilungen. — Zeitschriftenschau.

Gregoriusbote. Nr. 10. Der Blumen Morgengeläute. Gedicht (Rhein. Sonntagsblatt.) — Der Allerseelensonntag. — Die Pflichten des Chorsängers. Schluß in Nr. 12. (Vortrag von P. Franz Haggenmüller, O. Cap., aus „Kirchenchor".) Fortsetzung und Schluß in Nr. 11 bezw. 12. — Das Brevier des Musikers. — Nachrichten aus dem Cäcilienverein Werden; Sieglar; Burgwaldniel; Rothe Erde; Erp; Münstereifel; Berkum; Benrath. — Kirchenkalender für den Monat November. Nr. 11. Herbstmorgen. Gedicht. (Von P. J. B. Diel.) — Der Eingang der heiligen Messe an den Adventsonntagen. — Chor und Chorregent (E. Stillbach.) — Nachrichten aus dem Cäcilienverein Bonn; Erkelenz; Cöln-Bayenthal; Alsdorf; Mülheim a. Rh. — Brahms-Anekdote; Meyerbeer und Friedrich Wilhelm IV.; ein Dauersänger. — Kirchenkalender für den Monat Dezember. — Nr. 12. An der Weihnachtskrippe, Gedicht (aus Egler, „Lichtwellen"). — Weihnachten. (Von Schönen. Führer durch das *Graduale Romanum*). — Intimes aus dem Leben des „Geigenkönigs" J. Joachim. — Nachrichten aus dem Cäcilienverein.

6. **Der Kirchenchor.** Nr. 10. Liturgischer Volksgesang. (Von Dr. Schmid Andreas, Universitätsprofessor.) — Besprechungen. — Berichtigungen, auch in Nr. 11. Vermischtes, auch in Nr. 11 und 12. Nr. 11. Über Chorgesang-Unterricht. Fortsetzung aus Nr. 6. Fortsetzung in Nr. 12. — Zur Aufführung der *Missa choralis* bei der Diözesanversammlung des Eichstätter Cäcilienvereins in Neumarkt und in Eichstätt. (Von Dr. W. Widmann.) — Traditioneller Choral im Walsertal. — Nr. 12. „Der Kirchenchor", Organ des deutschen Chorregentenverbandes. — † Kardinal Steinhuber. — Zu den Linzer Kirchenmusikerlassen. — Joseph Haydns Werke. — Zentenarfeier von Haydns Todestag. — Konzertaufführungen in Preßburg.

7. **Der katholische Kirchensänger.** Nr. 10. Die Vaticana. (Von Is.) — Priester und Kirchenmusik. (Von Is.) Die Reform-Choralnotation Vaticana-Bäuerle. (Selbstanzeige.) — Bau, Klang und Gebrauch der Mixtur. (Von R . . . r.) Fortsetzung in Nr. 11. — Lehrstuhl für katholische Kirchenmusik in Straßburg. — Nachrichten: Aus Freiburg (bestätigte Organisten); Emmendingen; Gengenbach; Gütenbach. — Quodlibet (auch in Nr. 11 und 12.) — Literatur (auch in Nr. 11 und 12.) — Kirchenmusikalische Fachschriften (auch in Nr. 11 und 12.) — Nr. 11. Römische Tonkunst. (Von Adolf Prümers.) Fortsetzung. — Sängerausflug nach Hofstetten. (Von B. S.) — Briefe aus Beuron. (Von W . . . r.) Fortsetzung. — Nachrichten: Aus Freiburg, Gütenbach, Bingen b. Sigmaringen, Cöln, Wien, Preßburg, New York. — Vereinssachen. — Nr. 12. † Kardinal Steinhuber. — Die Generalversammlung des Hohenzollerschen Cäcilienvereins in Bingen. — Nachrichten aus: Freiburg, Bombach, Rotenfels, Karlsruhe, Malsch, Solothurn.

8. **Mitteilungen des Diözesan-Cäcilienvereins Paderborn.** Nr. 10. Wie wurde das Heroldsche Gesangbuch aufgenommen. Ein Beitrag zur Gesangbuchfrage aus den Jahren 1803—1819. (Von A. Schmeck, Dringenberg.) — Aus den Jahresberichten 1906, auch in Nr. 11/12. — Aus der musikalischen Welt. — Literarisches, auch in Nr. 11/12. Doppelnummer Nr. 11/12): Über Heiserkeit. (Von Dr. Lauffs, Paderborn.) — Ein Orgelkontrakt aus dem Jahre 1746. — Chronik. — Vom 1. Januar 1908 an erscheint vorstehende kirchenmusikalische Zeitschrift im 9. Jahrgang unter dem Titel: „Die Kirchenmusik." Zugleich Mitteilungen des Diözesan-Cäcilienvereins Paderborn. Herausgegeben vom Vorstande des D. C. P. Eigentum und Verlag des Vereins. Geschäftsstelle: Junfermannsche Buchhandlung, Paderborn. Jährlich 10 Nummern. Abonnementspreis bei der Post jährlich 3 ℳ, bei direktem Bezug von der Geschäftsstelle 3 ℳ 50 ₰.

## Die Kerzenweihe am Lichtmeßtage.

Vierzig Tage nach der Geburt ihres göttlichen Kindes unterzog sich die jungfräuliche Mutter dem mosaischen Gesetze der Reinigung. Zugleich brachte sie ihren Sohn Gott dem Vater dar als Opfer für die Sünden der Welt, als Erlöser der Menschheit. Vom Geiste Gottes getrieben, fand sich zu dieser Zeremonie ein Greis, namens Simeon, im Tempel ein, er, der schon früher die Offenbarung erhalten hatte, daß er den Tod nicht schauen werde, ehe er gesehen habe den Gesalbten des Herrn, nahm das Kind auf seine Arme und frohlockte, weil die ihm gewordene Verheißung sich erfüllen werde; er erkannte in dem Knäblein das Heil Israels, das Heil aller Völker, das Licht zur Erleuchtung der Heiden: *Lumen ad revelationem gentium.*[1]) Dieser Lobpreis Simeons auf den Heiland als das Licht der Heiden und überhaupt der gesamten Menschheit hat die Kirche veranlaßt, an dem Tage der Darstellung Jesu im Tempel auch die Lichterweihe und Lichterprozession vorzunehmen; hiedurch wurde die Feier der Darstellung *(praesentatio Domini)* in den Vordergrund gerückt, wie auch das Meßformular des Tages nur auf dieses Geheimnis hindeutet, wenn man nicht das Offertorium *Diffusa est* ausnehmen will, dessen Sinn aber auch auf Christus selbst hinweisen kann. Die Einführung des Lichtmeßtages setzen einige ins 4., andere ins 5. und 6. Jahrhundert. Den Anlaß zur Einführung gab nach Baronius das Verlangen, die von den heidnischen Römern zu Ehren des Gottes Pan[2]) angeordneten Feierlichkeiten (Luperkalien) zu verdrängen und zu sühnen[3]); daher auch die violetten Paramente und die Lichterprozession, welche den heidnischen Festumzügen ein Gegengewicht geben sollte. Dieser Zweck der Feier fiel natürlich bald weg, aber sie selbst erhielt sich bis auf unsere Zeit, ein beredtes Zeichen, daß in ihr ein tieferuster, christlicher Gedanke liegt, der auf Geist und Herzen der Gläubigen mächtig einwirkt.

So ist das Lichtmeßfest zunächst eine Gedächtnisfeier an Christus als das geistige Licht, das die in der Nacht der Sünde und Unwissenheit liegende Menschheit ins Reich des übernatürlichen Lichtes, der Wahrheit und Tugend geführt hat. Doch nicht nur an die Erlösungstat Jesu Christi soll uns diese Feier mahnen: der in den Weihegebeten sich äußernde Hauptgedanke regt uns an, in uns selbst Christum als das Licht unserer Seele beständig zu tragen, den Heiland zu bitten, daß er in uns das Feuer seiner mildreichen Liebe entzünde und es bewahre, damit wir, wenn das Licht unseres irdischen Lebens erloschen, in den Tempel seiner Herrlichkeit, ins ewige Lichtreich auf-

[1]) Luk. 2. 22—32. [2]) Gott der Hirten; Luperkalien = Fest zur Abwehr der Wölfe.
[3]) Schmid, Liturgik, 3. Bd.

genommen zu werden verdienen. Und wie die brennenden Kerzen durch ihr sichtbares Licht das nächtliche Dunkel vertreiben, so sollen unsere Herzen vom unsichtbaren Feuer, vom Lichte des Heiligen Geistes erfüllt werden, daß die geistige Blindheit, die Finsternis der Sünde von ihnen weiche und wir unter Führung des Geistes Gottes das beachten und vollbringen, was Gott wohlgefällig ist, d. h. seine Gebote getreu halten. So werden wir auch unseren Mitmenschen eine helle Leuchte durch unser Beispiel, das sie erbauen und erleuchten und aneifern soll zu einem gewissenhaft christlichen Leben. Durch unseren Wandel in Christo — die Lichterprozession versinnbildet diesen Wandel in klarer Weise — wird sich an dem Lichte, das wir durch unser Tugendleben ausstrahlen, auch in anderen Herzen das Licht der Gnade und Wahrheit entzünden.

Zum Evangelium und von der Wandlung bis zur Kommunion einschließlich sollen, wenn die Messe vom Feste selbst trifft, die geweihten Kerzen angezündet und in der Hand gehalten werden: durch die Verkündigung seines Evangeliums hat uns ja Christus das Licht gegeben, das einem jeden, der ihm folgt, auf dem Weg zum wahren geistigen Leben auf Erden und zum ewigen Leben ins Jenseits leuchtet. Und von der Wandlung bis zum Genusse des heiligen Blutes durch den Priester, weilt Christus — *lux vera* — selbst auf dem Altare. Durch das Halten der brennenden Kerze wollen wir beteuern, daß wir dem Lichte seiner Lehre freudig folgen und es treu festhalten, das Licht unserer guten Werke leuchten lassen wollen zu seiner Ehre und zum Wohle unserer Mitmenschen und das Licht des Glaubens in uns bis zum Ende bewahren wolle. P. A. M. W.

---

**Regensburg. Der 34. Kurs an der hiesigen Kirchenmusikschule** wird am 16. ds. M. eröffnet. 17 Schüler (der 18. war im letzten Augenblick zu kommen verhindert) werden den Herren Lehrern vorgestellt, die Stunden- und Tagesordnung bekannt gegeben. Die Lehrgegenstände sind in folgender Weise verteilt:

1. H. H. Stiftskanonikus Mich. Haller lehrt Kontrapunkt und Kompositionslehre, unterstützt von 2. H. H. Karl Kindsmüller, Seminarpräfekt in Obermünster; 3. H. H. Domkapellmeister F. X. Engelhart unterrichtet im gregorianischen Choral und im Gesang; 4. H. H. Lyzealprofessor Dr. Jos. Endres gibt Musikästhetik, 5. Stiftskapellmeister Dr. Karl Weinmann Geschichte der Kirchenmusik; 6. Herr Domorganist Jos. Renner erteilt Unterricht im Orgelspiel; 7. der Unterzeichnete doziert lateinische Kirchensprache und Liturgik, Direktion und Partiturspiel, Harmonielehre und Kirchenmusikrepertorium.

Die Schüler sind aus nachfolgenden Diözesen zusammengekommen: 4 Priester aus den Diözesen: Cattaro, Genua, Posen und Serajewo; 13 Laien aus den Diözesen: Augsburg, Breslau (2), Brixen, Cöln, Kulm, Leitmeritz, Osnabrück, Posen, Prag, Regensburg, Trient und Trier. Dr. F. X. Haberl, Direktor der Kirchenmusikschule.

Auf die am 10. Januar eingereichte Bittschrift an den Hochwürdigsten Diözesanbischof, für den 34. Kurs die oberhirtliche Genehmigung und den Bischöfl. Segen gnädigst erteilen zu wollen, erfolgte nachstehende Zuschrift nebst einem überaus huldvollen Handschreiben Se. Exzellenz. Die erstere lautet:

„Der Bischof von Regensburg an den Hochwürd. Herrn Dr. Franz Xaver Haberl, Kgl. geistl. Rat, Direktor der Kirchenmusikschule in Regensburg. Betreff: Kirchenmusikschule in Regensburg im Jahre 1908. Auf die Zuschrift vom 10. d. M. im nebenbezeichneten Betreffe erwidern Wir dem Herrn geistl. Rate Dr. Haberl, daß Wir mit lebhaftem Interesse von dem Berichte Kenntnis genommen haben, gerne die erbetene *facultas docendi* sämtlichen Lehrern der Musikschule mit Unserem Bischöflichen Segen erteilen, und daß Wir einer weiteren Bitte des Herrn geistl. Rates entsprechend mit Freude das Protektorat über die Kirchenmusikschule übernehmen.

Regensburg, den 11. Januar 1908.

† Antonius, Bischof von Regensburg.

## Ein Wort an Freunde des Kindergesanges.

Wir sind kein Freund vom Aberglauben; deshalb auch kein Freund der Ansicht als könnte das Ziel einer Belehrung und Unterweisung erreicht werden durch irgend einen Handgriff oder Trik, den man nur anzuwenden habe, um „Riesenerfolge“ zu erreichen.

Andererseits sind wir aber ebenso entschiedener Gegner des sogenannten Drauflosarbeitens ohne jede Überlegung, ohne jede Übersicht, ohne jeden Plan. Der Lehrer ohne „Lehrgang" geht mannigfache Umwege, und die Ignorierung der Arbeit anderer hat das eigene Lebenswerk, das Erziehungswerk noch immer verzögert, wenn nicht ernstlich in Frage gestellt.

Deswegen nahmen wir uns schon oft Otto Willmanns Ausspruch zur Richtschnur: „Der Methodenkultus hat die Gedankenlosigkeit zur Mutter, die Methodenscheu — die Denkfaulheit."[1])

* * *

Die Sucht nach einer unfehlbaren Methode ist fast auf keinem Gebiete so stark hervorgetreten, wie auf dem der Musik-Pädagogik. Die Zahl der Leitfäden und Anweisungen zum Singen ist Legion. Aber, wenn man sich die Grundfrage stellt: „Welche neue Idee, welche neuen Gedanken liegen in dem „soeben" erschienenen Werkchen?" — so fällt es sehr schwer, die Lücke zu entdecken, die das neue Buch ausfüllt. Daß sie alle einem „längstgefüllten" Bedürfnisse abhelfen wollen, steht wohl in jedem Vorwort. Aber wir glauben, es könnten getrost die ersten besten hundert Büchlein fehlen, es würde kaum ein Singlehrer in Verlegenheit kommen, seine literarischen Bedürfnisse nach Musikpraxis und Musikbelehrung zu decken: es sind ja noch hunderte von Büchlein zu finden, die alle einander ähneln, wie ein Ei dem andern.

Und doch — hat man sich einmal ordentlich umgesehen, wer einem denn eigentlich weitergeholfen hat auf der Bahn zur Kunst, so sind es sehr, sehr wenige. Und merkwürdig: das wenige Gute findet sich erstens in alten, längst vergessenen verstaubten Büchern, oder zweitens bei Gewährsmännern, denen man so gern nachsagen möchte, daß sie als wissenschaftliche Autoren von der Kleinarbeit der Schule sich nicht eine rechte, klare Vorstellung machen und brauchbare Ratschläge erteilen könnten. Und doch geht von einem dieser ersten musik-wissenschaftlichen Autoren eine Fülle von musik-pädagogischen Anregungen aus, die noch ihrer Verwertung im Volksschul-Unterricht harren.

Einer dieser Vergessenen und Verstaubten ist Hans Georg Nägeli (1773—1836); einer dieser noch viel zu wenig als Pädagog beachteten wissenschaftlichen Vertreter der Musikpflege und des Musikstudiums ist der „noch lebende" Leipziger Universitätsprofessor Dr. Hugo Riemann.

Beide Namen: Nägeli und Riemann gehören zusammen, wenn man über Musikpädagogik schreiben will. Und das, was beide Autoren gemeinsam verfolgen, ist die Pflege des Tondiktats. Nägeli nennt diese Beschulungsform: Notierungskunst.[2]) Bei Riemann heißt es: Musikdiktat.[3]) In der Wertschätzung des Diktats stehen beide Autoren auf demselben Standpunkte. — Was ist das Tondiktat? — Das Tondiktat ist die sinnliche Bezeichnung eines Toneindrucks nach Rhythmik, Melodik und Dynamik.

Es liegt auf der Hand, daß, je nach den Sonderinteressen der Klasse oder des Einzelnen, des Volks- oder des Kunstschülers die Ziele dieser Methode verschieden sind und sein müssen. Aber — wir können uns auf Grund einer fast zwanzigjährigen Erfahrung keinen geordneten und höherstrebenden Singunterricht denken ohne das Tondiktat.

Ein freudiger Zufall wollte es, daß wir schon vor mehr als zehn Jahren, durch die eigene Not getrieben, auf dieses Bildungsmittel kamen, um das Interesse am Treffen zu wecken und die rechte Bahn zu leiten für die Ziele der Gehör- und Tonbildung.[4])

—b—

(Schluß folgt.)

## Vermischte Nachrichten und Notizen.

1. Z Amsterdam. Am 10. Dezember 1907 nachmittags 2 Uhr veranstaltete Ant. Averkamp ein geistliches Konzert mit seinem wohlgeschulten gemischten Chore. Das Programm lautete: 1. Die 6st. Messe *Tu es Petrus* von Palestrina aus dem 21. Bande der Gesamtausgabe nach der von Jak. Quadflieg erst in diesem Jahre bei Breitkopf und Härtel redigierten Einzelausgabe. 2. Eine

[1]) Didaktik, II. Bd., S. 363.

[2]) Vergl.: Gesangbildungslehre von Pfeiffer, Nägeli, Zürich, 1870, Seite 120—170.

[3]) Vergl. H. Riemann, Katechismus des Musik-Diktats. Leipzig, 1904, 2. Auflage. (M. Hesses Verlag, 1 ℳ 50 ₰.)

[4]) Vergl.: „Liederbuch" (1. Auflage 1896) 5. Auflage 1908, Hugo Löbmann.

Arie von Joh. Seb. Bach, „Ach, bleibe doch mein liebstes Leben“, für Alt-Solo mit obligater Viola- und Orgelbegleitung. 3. Das zweichörige (8st.) Motett *O Domine Jesu Christe* von Giov. Gabrieli und *Et incarnatus est*, 4st. von Benedetto Marcello. 4. Drei Lieder für Alt und Orgelbegleitung: a) „Herr, schicke, was du willst“, b) „Sohn der Jungfrau, Himmelskind“ von Hugo Wolf und c) „Maria, Gnadenmutter!“ von Christian Sinding, geb. 1856, z. Z. in Christiania. 5. Der 23. Psalm in französischer Sprache, 4st. von dem 1860 gebornen Schweizer Komponisten Otto Barblan.

2. + Nach dem einzig-herrlichen weltberühmten Roman von Henryk Sienkiewicz *Quo vadis*, der in mehr als dreißig Sprachen übersetzt (in England und Amerika allein in über 2 Millionen Exemplaren verbreitet) als ein Meisterwerk ersten Ranges von wunderbarer Größe der Anschauung und hinreißender Kraft der Darstellung zu den gelesensten Büchern des letzten Jahrzehntes zählt, hat Felix Nowowiejski-Berlin, der wohl mit den meisten Musikprämien der Jetztzeit gekrönte Komponist (er erhielt u. a. zweimal den großen Meyerbeer-Staatspreis à 4500 ℳ, ferner den Beethoven-Paderewski-, Londoner und Chicagoer Preis), ein gleichnamiges Musikdrama *Quo vadis* für gemischten Chor, Soli, Orgel und Orchester komponiert, das in Aussig erstmals mit großem Erfolge aufgeführt wurde.

Das hochinteressante Werk hat in der Firma Aloys Maier, Hof-Musikalienhandlung in Fulda, einen rührigen Verleger gefunden und wird alsbald seinen Einzug in die größeren Konzertsäle auch des Auslandes nehmen. Der Klavierauszug erscheint in fünf Sprachen. Aufführungen sind bereits vorgesehen u. a. in Berlin, Wien, Lemberg, Warschau, Prag, Danzig, Königsberg, Bonn, Posen, Salzburg, Krakau, Cöln, Aachen, Dresden, London, Rom, Chicago.

3. ⊙ **Leipzig.** Die hiesige Singakademie — 1802 gegründet — brachte in den letzten Tagen des Oktober das Oratorium „der Kinderkreuzzug“ wiederholt zur Aufführung. Die Musik von Gabriel Pierné — nach einer Dichtung von Marcel Schwob, verdeutscht von Professor Weber aus Augsburg — ist größtenteils moderne Stimmungsmusik und, soweit die reinen Orchesterteile in Frage kommen, Programm-Musik. Die Chöre kommen zu schlecht weg. Sie bleiben doch die Hauptsache. Sonst ist das Werk voller interessanter Stellen, ohne wesentlich Neues zu bringen. 200 Kinder wirkten mit, im ganzen 500 Ausführende. Der Komponist hat sich nicht gescheut, die Kindergesänge bis *G* hinaufzuführen und damit der Kinderstimme gegeben, was ihr gehört, die Höhe. Herrn Gust. Wohlgemuth unsern aufrichtigen Dank für die Übermittelung dieser Neuheit. Die Aufführung war überaus fleißig und kräftig einstudiert. Dieses Werk bildete in einer seiner dreimaligen Wiederholungen den Anfang zu einem Konzerte für Kinder. Wir sind aus schulpädagogischen und musikästhetischen Gründen gegen solche Verfrühung in der Kinderzucht. Das Dresdener „Programm“ gefällt uns durchaus besser: Von Kindern — mit ihren Lehrern — für Kinder — und wissen uns mit vielen Musik- und Kinder-Freunden in Übereinstimmung.

4. = **Laibach.** Der Regenschori der hiesigen Domkirche, Herr Anton Förster, beging am 10. Dezember 1907 seinen 70. Geburtstag. Geboren am 20. Dezember 1837 in Osenice in Böhmen als Sohn eines Volksschullehrers, von dem er die erste musikalische Ausbildung erhielt, besuchte der junge Förster das Untergymnasium in Jungbunzlau und das Obergymnasium in Budweis, wo er bereits an der Musikanstalt von Joseph Eil im Chorgesange Unterricht erteilte und auch schon manche Gelegenheit fand, in Konzerten solistisch als Tenorist oder als Pianist aufzutreten. Nach mit Auszeichnung bestandener Reifeprüfung trat Förster im Jahre 1858 ins Noviziat der Zisterzienser in Hohenfurt, ging aber nach elf Monaten nach Prag, um Rechtswissenschaft zu studieren. Im Jahre 1863 absolvierte er seine Universitätsstudien und bereitete sich im folgenden Jahre in Ronov bei Chrudim auf die beiden letzten Staatsprüfungen vor, wobei er gleichzeitig den Posten eines Hauslehrers versah. Indessen war der Einfluß, den zur Zeit seines Aufenthaltes in Prag das musikalische Leben dieser Stadt auf ihn ausgeübt, zu mächtig, als daß er dem juridischen Berufe treu geblieben wäre. Er übernahm 1865 den ihm angetragenen Organistenposten an der Diözesankirche in Zengg, wo er dritthalb Jahre bahnbrechend wirkte und einen eigenen Kirchenchor sowie einen Musikverein nebst einem Orchester gründete. Im Jahre 1867 folgte er einem Rufe nach Laibach, um die Leitung des Gesanges in der Citalnica sowie die Stelle des Kapellmeisters beim dramatischen Vereine zu übernehmen. Ein Jahr darauf wurde er auch Regenschori der Laibacher Domkirche und erwarb sich als solcher die hervorragendsten Verdienste um die Reformierung des Kirchengesanges, der, dank seiner Energie und der Förderung des späteren Fürstbischofs Dr. Pogacar und des Theologieprofessors Smrekar, ganz in cäcilianische Bahnen gelenkt wurde. Auch in der Orgelschule des im Jahre 1877 gegründeten Cäcilienvereines entfaltete Förster als deren Leiter und erster Lehrer eine umfassende Tätigkeit; er wirkte ferner viele Jahre als Gesangslehrer an beiden Gymnasien, an der Realschule, am Aloisianum, an der Mädchenerziehungsanstalt Huth etc. Gegenwärtig ist er noch immer als Regenschori in der Domkirche und als Leiter und Lehrer an der Orgelschule tätig. Ausgezeichnete fachmännische Kenntnis im Vereine mit taktvollem, entgegenkommendem Auftreten sicherte dem Lehrer Förster die Liebe und Hochachtung seiner zahlreichen Schüler; seine souveräne Beherrschung der Orgel stempelt ihn zu einem der besten Orgelvirtuosen, dessen Name weit über die Grenzen seines zweiten Heimatlandes bekannt und geschätzt ist. Und endlich: als Komponist gehört Förster zu jenen Tondichtern, die am intensivsten und nachhaltigsten das musikalische Leben der Slovenen beeinflußten und die slovenische Literatur mit den gediegensten musikalischen Schätzen bereicherten. Försters Domäne ist vor allem das Kirchenlied; in diesem Genre hat vor Förster niemand in Krain so Vortreffliches geschaffen. Er wurde mit dem Päpstlichen Silvesterordenskreuz geschmückt. (Auch die Redaktion

des Cäcilienvereinsorgans, welche obigen Artikel der Nr. 292 der „Laibacher Zeitung" entnimmt, schließt sich den Glückwünschen an, welche dem Jubilare von den zahlreichen Freunden und Schülern dargebracht worden sind.)

5. * In der Beilage zu den Pädagogischen Blättern „**Die katholische Lehrerin**", herausgegeben vom Kathol. Lehrerinnenverein in Bayern (E. V.), Nr. 12, München, 1. Dezember 1907, 4. Jahrgang, liest die Redaktion des Cäcilienvereinsorgans den Schluß eines Vortrages, gehalten in der oberbayerischen Kreisversammlung von Babette Kiefaber über das Thema: „Wie unsere Kinder sprechen lernen", dem sie im Interesse des deutschen Kirchenliedes und Gesangunterrichtes nachfolgende Notiz unter Applaus entnimmt:

„Außer dem Fehler des zu stillen Sprechens und häufig mit demselben in Verbindung tritt das unartikulierte Sprechen auf. Die Laute kommen in diesem Falle nicht klar zur Erscheinung, einzelne werden weggelassen oder eingespart, namentlich das t am Schluß der Zeitwörter, wodurch dann ein Zusammenkleben der Wörter bewirkt wird; Dehnung und Schärfung werden nicht deutlich unterschieden, Nasenlaute statt der reinen Laute gesetzt, die Umlaute zu wenig dumpf gesprochen usw. So hören wir z. B. mitem Schwerte statt mit dem Schwerte, endecken statt entdecken, muß zeigen statt mußt zeigen; in Hille und Fille (halbdumpf) statt in Hülle und Fülle; stehlen statt stellen, Weinachten (mit dem Nasenlaut) statt Weihnachten. Namentlich das r erfährt eine große Vernachlässigung; es wird gesprochen: „ganz un ga" statt ganz und gar, via mal via, fünf un viazig — das d bei „und" wird beim Rechnen ebenfalls fortgesetzt weggelassen — hundat für hundert und dgl.

Wie häßlich diese schlechte Artikulation im Zusammenhange wirkt, läßt sich hier nicht wiederholen; das muß man selbst hören. Dazu kommt, daß sich zuweilen in der Schule ein singender Ton beim Sprechen und Lesen und namentlich beim Beten einschleicht, der auf den Zuhörer sehr unangenehm wirkt und wohl zuweilen als äußeres Kennzeichen eines mechanischen Unterrichtes betrachtet wird. Häufig verursacht auch die Gewöhnung an den Dialekt eine fehlerhafte Sprech- und infolgedessen Schreibweise. So schrieb ein Mädchen der 4. Klasse in einem Aufsatz, eine Frau habe einen „Sonnenschieben" getragen.

Allen genannten Mängeln (mit Ausnahme der durch den Dialekt veranlaßten Verwechslungen) kann unzweifelhaft durch sprechtechnische Übungen auf der Unterstufe vorgebeugt werden. Die Lautierübungen machen dem Kinde Vergnügen, und hat es sich einmal herausgewagt mit seiner Stimme, so hat die Schüchternheit ein Ende, und es gilt hier ganz buchstäblich, daß wer a gesagt hat, auch b sagen wird.

Durch die phonetischen Übungen in der Elementarklasse werden aber auch die Sprechwerkzeuge geübt und gekräftigt, so daß sie imstande sind, die Laute richtig hervorzubringen. Wird vor allem auf den richtigen Stimmansatz geachtet, so können diese Übungen auch in hygienischer Beziehung von großer Bedeutung sein.

Freilich genügt zur Beseitigung der genannten Übel ein einfacher phonetischer Übungskurs auf der Unterstufe nicht. Die Kinder müssen vielmehr in allen Klassen, besonders beim Leseunterrichte, zum richtigen, deutlichen und schönen Sprechen angehalten werden. Die Lehrerin muß hiefür das mustergültige Vorbild sein. Ein vorzügliches Mittel zum guten Sprechen ist das Vorlesen der Lesestücke. Geographisches oder Naturkundliches kann ja gleich durch die Kinder gelesen werden; Lesestücke ethischen Inhalts jedoch verfehlen zuweilen vollkommen ihre Wirkung, wenn sie nicht vorher mustergültig vorgelesen werden. Allerdings geschieht dieses Vorlesen nicht um der Sprechtechnik willen, allein eine gute Artikulation kann bei dieser Gelegenheit am leichtesten den Kindern ins Gehör gebracht werden und findet bereitwillige Nachahmung. Beobachten Sie nur einmal, mit welchem Wohlgefallen die Kinder aufatmen, nachdem man ihnen z. B. ein Gedicht gut vorgelesen oder vorgetragen hat, während es gar keine Wirkung übt, wenn es zum erstenmal mangelhaft von einem Kind gelesen wird usw."

6. ✠ In der Nacht vom 8. zum 9. Jan. 1908 verschied sanft und wohl vorbereitet nach kurzem Krankenlager der Wohlgeborne Herr **Peter Heinrich Thielen**, Chordirektor in Goch und Referent des Cäcilienvereins-Katalogs. Geb. den 11. Aug. 1839 zu Cranenburg bei Cleve (preußische Rheinprovinz) bildete er sich, nachdem er in seiner Jugend nur Elementarunterricht im Klavierspiel und in der Harmonielehre erhalten, im Orgelspiel, Theorie und Komposition ganz autodidaktisch. Vorerst war er mehrere Jahre Organist in seiner Vaterstadt, wirkte aber seit 1874 als Organist und Chordirektor an der katholischen Pfarrkirche zu Goch (preußische Rheinprovinz). Von seinen zahlreichen Kompositionen weist der Cäcilienvereins-Katalog (siehe Generalregister von W. Amberger) eine große Zahl bedeutender und schöner Werke auf, ungedruckt sind noch viele Motetten, Hymnen, Litaneien, *Magnificat*, Marienlieder usw. für größere Stimmenzahl, sowie ein Orgelkonzert, Orgelpräludien, Fugen usw. Er bildete auch viele Schüler heran, unter anderen den Chordirektor J. Verheyen in Rees, dem die Redaktion die erste Nachricht vom Tode des verdienten Mannes verdankt. Der bescheidene Meister ruhe in Gottes heiligen Frieden.

Druck und Expedition der Firma **Friedrich Pustet** in Regensburg.
**Nebst Anzeigenblatt sowie Cäcilienvereins-Katalog, 5. Band, S. 129—136, Nr. 3539—3561.**

1908. Regensburg, 15. Februar 1908. Nro. 2.

# Cäcilienvereinsorgan.

43. Jahrgang
der von Dr. Franz Xaver Witt († 2. Dez. 1888) begründeten Monatschrift

# Fliegende Blätter für kath. Kirchenmusik.

Verlag und Eigentum des Allgemeinen Cäcilienvereins zur Förderung der kathol. Kirchenmusik auf Grund des päpstlichen Breve vom 16. Dezember 1870.

Verantwortlicher Herausgeber: Dr. Franz Xaver Haberl, z. Z. Generalpräses des Vereins.

Erscheint am 15. jeden Monats mit je 20 Seiten Text inkl. des Cäcilienvereins-Kataloges. — Abonnement für den ganzen Jahrgang, inkl. des Vereinskataloges 3 Mk., einzelne Nummern ohne Vereinskatalogbeilage 30 Pf. Die Bestellung kann bei jeder Post oder Buchhandlung gemacht werden.

Inserate, welche man rechtzeitig an die Expedition einsenden wolle, werden mit 20 Pf. für die 1spaltige und 40 Pf. für die 2spaltige (durchlaufende) Petitzeile berechnet.

**Inhaltsübersicht:** 

## Ein Wort an Freunde des Kindergesanges.

(Schluß aus Nr. 1, Seite 9.)

Bewertung des Diktats für das Treffen. Was heißt „Treffen"?

Treffen heißt: einer auf Grund einer mündlichen oder schriftlichen Aufgabe hervorgerufenen inneren Tonvorstellung den stimmlichen, äußeren Ausdruck zu geben. Ohne innere Tonvorstellung gibt es keinen äußeren geordneten Tonausdruck. Das erste ist immer eine — dem Nachbarn unhörbare — innere Tonvorstellung. Dem Tondiktat müssen also Tonvorstellungsübungen vorausgegangen sein.

Ferner müssen vorausgegangen sein Notierungsarten solcher vorhergegangener innerer Tonvorstellungen; also die Technik des Notenschreibens, die Niederlegung von Gesangmotiven in Notenschrift, in Tonzeichenschrift muß schon stattgefunden haben, ehe man mit Erfolg das Tondiktat anfertigen kann.

Der große Wert des Tondiktats liegt in seiner Verwendung als Überwachungsmittel für das geistige Kennen und Können des Kindes. Einen Ersatz für das Tondiktat gibt es nicht. Die Erfolge sind Lohn genug, mehr als genug für den, der guten Willen hat. Wir stellen hier schon die feste Behauptung auf, daß es keinen tüchtigen Singlehrer gibt, der diese Unterrichtsform nicht schon in irgend einer Form angewendet hätte. Es führt kein anderer Weg zu Singerfolgen, die befriedigen sollen.

In folgendem wollen wir kurz die Art der **Einführung** besprechen.

1. Zunächst schaltet das Rhythmische und Dynamische aus.

2. Für den Anfang ist ein einzelner Ton genügend großes und schweres Unterrichtsmaterial.

3. Die Klasse als solche beteiligt sich gleichzeitig am Diktat.

4. Die ersten Aufzeichnungen sind: Noten-Luftschreiben.

5. Ob das Kind an die Tafel schreibe oder der Lehrer ist unwesentlich.

Zu 1. Das Rhythmische ist uns wichtig und grundlegend, aber nicht für den Anfang; denn es ist rasch dem Kinde beigebracht durch das Gehörgefühl; „lang ist der Weg durch Worte."

2

Das Melodische dagegen merkt sich das Kind viel schwerer; daher muß es die Hauptaufgabe des Lehrers sein, direkt auf das „Singen" loszugehen. Das Rhythmische erledigt sich wie schon gesagt im bloßen Gehörsingen rascher.

Zu 2. Der Ton wird am leichtesten für den Anfang nach Ziffern benannt. Und zwar eignen sich die Intervalle des tonischen Dreiklangs am besten dazu. Am besten auf *g (h—d)*. Das Kind hat bald heraus, ob ihm der Lehrer vorspielt oder vorsingt die „1" die „5" oder die „3". Nach der „5" nehme man aus singtechnischen Gründen nicht die „8", sondern lieber die „6". Kinder mit schwachen Kehlmuskeln werden die „8" unrein singen, mit Anschweben, stoßend, gedrückt; lauter Singunarten, die dem weichen, reinen, leichten Intonieren arg im Wege stehen.

Welch eine Freude, wenn auch nur **e i n** Ton erraten ist — mit Ziffern benannt.

Zu 3. Die Klasse muß sich in äußerster Spannung befinden. Störenfrieden wende der Lehrer seine besondere Aufmerksamkeit und Geduld zu. In der Regel genügt es, zu sagen: „Wenn Du mich störst, so gebe ich keine Tonrätsel auf." Der „Unhold" hat im Nu die ganze Klasse gegen sich. — Vor allen Dingen kein Schelten, Donnern, Poltern, Lärmen, Anschreien. Alles gehe sonst freundlich, leise, ermunternd, bittend, belohnend.

Das ist das einzig Schöne an der großen Singschule von Nägeli & Pfeiffer, daß ihr erster Satz lautet: „Der Lehrer selbst äußere bei Eröffnung der ersten Lehrstunde Freude an der Musik. Er trachte, sich und seine Kinder bei allen Übungen immer in heiterer Stimmung zu erhalten".

Zu 4. Die so vorbereiteten Kinder hören sich den Dreiklang — zerteilt — an. Darauf führt ihnen der Lehrer einen einzelnen Ton vor. Die Kinder singen ihn nach mit *„da"* oder *„su"* oder *„bi"* oder *„na"* oder *„ga"*, die Silben mögen abwechseln. Nur vermeide man *„la"*, denn beim *„l"* stemmen die Kinder naturgemäß die Zunge am Gaumensegel *(velum)* ein und der abscheuliche kehlige Beiklang stellt sich ein und ist nur schwer wieder wegzubringen.

Die geratenen Notennamen (Ziffernnamen) schreibt der Lehrer an die Tafel und läßt sie von da absingen durch die Kinder. Man nehme zwei bis drei Ziffern in einen Takt zusammen.

Zu 5. Viel Freude macht es, wenn der Lehrer auf Zettel, oder besser in Rechenbücher die Notenzeichen eintragen, dann die Bücher wechseln und vergleichen läßt. Er selbst mache sich eine Niederschrift zur Kontrolle der Klasse.

Bald wird den Kindern eine Stunde ohne Treffübungen langweilig vorkommen. „Heute war's nichts; heute haben wir bloß immer gesungen." — So hat's schon geheißen unter 8jährigen Kindern, von denen man so gern behauptet: für sie wären solche Übungen viel zu schwer.

Gar bald in zweiter oder dritter (viertelstündiger) Unterweisung singe der Lehrer zwei Töne unmittelbar nacheinander von — 1 5 — 5 1 — etc. Hiebei tritt nun das Luftzeichen, das **N o t e n d e u t e n** ein, wie wir es in unseren Liederbüchern schon vor 10 Jahren genannt haben.

Die Kinder sitzen und warten gespannt. Der Lehrer bringt die Töne zu Ohren. Vielleicht durch leises Pizzikato auf der Violine oder auf der Viola. In jedem Falle rein, weich und zart. Die Kinder singen das Gehörte nach mit *„da"*. Darauf heißt es: „Arme zum Deuten — an!" als wollten die Kinder, vor der Wandtafel stehend, mit zwei Punkten die Höhenlage der zwei Töne zueinander angeben.

„Abteilung — leise und schnell singt! — „5—1" - Dabei zeichnen sie den einen Punkt hoch — den andern tief in die Luft. Der Lehrer sieht also die Kinder schon an der Vorarbeit, gewonnene Sinneseindrücke festzulegen durch äußere Zeichen, also Ordnung in ein bisher dunkles Durcheinander zu bringen.

Welches Disziplinmittel dieses Notendeuten, dieses Notenluftschreiben bedeutet, liegt auf der Hand. Das besonders Wertvolle ist, daß auch diejenigen mit zur Arbeit herangezogen werden, die sich — mit und ohne Grund — zum Singen nicht fähig fühlen. Genügt ja doch, daß nur ein einzelnes Kind die kleinen Übungen vorsingt, während alle übrigen „deuten“.

* * *

Von hier bis zum Notenanschreiben ist nur noch ein kleiner Schritt. Die Art der Noten ähneln den Choralnoten,[1]) hervorgebracht durch einen Druck mit dem stumpfen Ende der Schulkreide. Ob diese Einzeichnung der Lehrer besorgt — um Störungen und Verzögerungen zu vermeiden — oder das Kind, das kommt wesentlich auf eins heraus.

* * *

Eine **zweite** Art Notendiktat ist es, wenn ein begabteres Kind selbst den Mitschülern zu raten aufgibt. Es steht am Pulte vor den Kindern; es singt vor, die Kinder singen leise und nicht zu langsam nach auf *„da“* etc. ohne Deuten. Darauf dasselbe noch einmal mit Deuten. Dann nennt ein sich aufzeigendes Kind **singend** die Stufen. Man vermeide möglichst das Sprechen; es wirkt wie eingetrocknetes Singen. Auch kleinere Anweisungen des Lehrers mögen im Rezitationstone gesungen werden, damit das Kind aus dem Gefühle der Tonalität — wenn wir so sagen sollen — nicht herauskommt. Schon der verdiente Leipziger Lehrer Otto Fichtner hat irgendwo in seinen lesenswerten Schriften darauf hingewiesen. Wir hatten es schon in Übung, bevor uns die Stelle dieses Gewährsmannes zur Kenntnis gekommen war.

Wir haben überhaupt das Gefühl, daß jeder interessierte Singlehrer von selbst auf all diese Dinge kommen **muß**, wenn ihm und seinen Kindern der Singunterricht Freude machen soll.

Eine dritte Art des Diktats ist: Der Lehrer bildet mit Hilfe seiner Finger Ziffern. Die Kinder schauen das Ziffernbild — der Lehrer läßt es plötzlich verschwinden. Die Klasse ist in Spannung. Er gibt das Zeichen und **ein** Kind, oder eine Bank, eine Gruppe, eine Abteilung oder die Klasse stimmt mit der Kehle in den Ton ein, der im innern Ohre erklang. Dabei beachte der Lehrer rechte Geduld und Weile. „Gut Ding will Weile haben.“ Es dauert immer einige Zeit, ehe die Tonvorstellung sich einfindet. Er muß wissen, was er seiner Klasse zumuten darf. Um dies herauszubekommen, lasse er viel einzeln singen. Solange der Lehrer nicht weiß, welches die Leistungskraft jedes einzelnen Kindes ist — ein grober Umriß genügt — solange entbehrt sein Singunterricht des festen Grundes. Er weiß ja doch auch und **muß** es wissen, wie jedes seiner Kinder schreibt, liest, rechnet, spricht usw.

Noch eines: beim Klassentreffsingen dringe der Lehrer auf einen ganz leisen Ton. Denn sobald er zuläßt, daß die besseren Treffer laut singen und so die Führung der Klasse übernehmen, verstecken sich die weniger Singlustigen oder lassen sich träge mitziehen, eine Qual für die Gutwilligen. Müssen aber die Kinder **leise** singen, so kommt ihr falsches Tun und träges Lassen sehr bald an den Tag. Das Urteil der Klasse rüttelt die Indolenten sehr rasch aus ihrem Schlafe auf.

* * *

Eine vierte Art Diktat entsteht, wenn der Lehrer die Finger einer Hand als Notenlinien benutzt, sie ausspreitzt in Querlage und mit dem Finger der freien Hand die Orte angibt, wo die zu treffende Note steht. Es gibt religiöse und weltliche Lieder genug, die auf solche Weise singend punktiert werden können: z. B. „O Engel rein“ oder „Wer hat die schönsten Schäfchen?“

Das bringt uns noch auf einen Gedanken: Man nehme gesungene, „alte“ Lieder recht oft her zu solchen Übungen. Aber nicht zulange ein und dasselbe Lied; man wechsele vielmehr mit den Liedstoffen ab. Durch Heranziehung von Liedstoffen schützt man sich und vor allem die Kinder vor geistlosem Drill.

Das Kind lernt eine alte Sache von einer neuen Seite kennen. Und solche Restaurationsversuche interessieren oft mehr als geistige Neubauten. Pestalozzi hatte schon

[1]) Vergl. H. Löbmann, Singfibel I. u. II. Teil (II. Auflage. 1907). Pflugmacher.

recht als er forderte: „Verweile bei den Elementen“ — eine Forderung, die Herm. Kretzschmar in seinen interessanten „musikalischen Zeitfragen“[1]) aufs neue und mit besonderem Nachdruck erhebt, um so der „Verdummung“ — auch der Fachmusiker — entgegenzuarbeiten.

Hauptgrundsatz aber bleibe: „Sehe jeder, wie er's treibe, sehe jeder, wo er bleibe; eines schickt sich nicht für alle.“

Sobald der Lehrer merkt, die Sache nimmt ihm zuviel Zeit weg, dann fort mit dieser Methode. Das muß alles rasch, flott, fließend gehen. Singen, Tonbildung, Stimmübung, das ist und bleibt die Hauptsache jeder Singstunde. Wohl dem Singlehrer, der zugleich Klassenlehrer ist, da kann er das zeitraubende Memorieren der Texte in den Profanunterricht verlegen, wohin es auch gehört. Aber dort muß das Gedicht geübt werden, daß es nur so spritzt. Die einzelnen Verse in und außer der Reihe bloß flüchtig einmal anstechen lassen. Nicht viel Strafe schreiben lassen, aber viel vorlesen, wettlernen usw. Es hilft nur reelles Einlernen. Deswegen aber bleibe dem Texte seine Heiligkeit als Träger einer Schönheitsidee gewahrt. Eins tun, das andere nicht lassen. Die Schuljugend der Gegenwart ist zuviel belastet. Darunter leidet das Gedächtnis sehr. Darum Geduld, Geduld — und immer wieder Nachhilfe. „Steter Tropfen höhlt (auch hier) den Stein.“

Eine letzte — die höchste Art — des Diktats ist, daß das Kind bekannte Melodienziffern **singend**, mit Noten an die Tafel schreibt, oder ein Lied nach Ziffern aus dem Kopfe singt. (Vorher geht die Übung, daß das Kind ein Lied motivweise, nach Ziffern erfaßt, wiedergibt. Man lösche, um eine Art Fröhlichkeit zu erzeugen, bei einem zweiten Liede die Ziffern der Reihe nach aus, zuerst lauter Einsen, dann die Fünfen, die Dreien etc.)

Ob dieses Ziel nun erreicht wird, ist zwar eine andere Frage, ist aber überhaupt **keine wesentliche Frage**. Hauptsache ist, **daß der ganze Unterrichtsbetrieb auf der Grundlage eines lebensvollen Kunstinteresses sich aufbaut.** Es ist hiefür kein Unterrichtsmittel so anregend, wie das Tondiktat. Wenn sich sein Wert allgemeiner Beachtung erfreuen würde, dürfte sich Hugo Riemanns Wunsch endlich erfüllen, „daß den unfruchtbaren Experimenten mit neuen Notierungsweisen und neuen Tonbenennungen an Stelle unseres wirklich durch und durch vortrefflichen Notensystems einmal von oben herunter ein Ende gemacht werde.“ (Katechismus des Tondiktats S. VII.) M. Hesse, Leipzig, II. Auflage.

Wir fügen hinzu: „Auch von unten herauf“ wird dann die gesunde Reaktion eintreten. Der Notensystemerfinder wird bald einsehen, daß seine Erfolge hinter denen des vorurteilsfreien Praktikers zurückstehen. Hat er ein wirklich objektives, selbstloses Kunstinteresse, dann wird er nicht nur sich, sondern auch die Tondiktatmethode und die Singlust der Kinder prüfen. Und wer als Musiklaie sich selbst ein Urteil bilden will über den Wert der verschiedenen „Singmethoden“, der forsche nach, wo sich größtes Interesse, freieste Unterrichtsgestaltung, ungezwungene Fröhlichkeit und schöne Tongebung findet, alles Eigenschaften, für deren Wahrnehmung seine gesunden fünf Sinne zulangen.

Wer noch einer persönlichen Empfehlung des Tondiktats bedarf, dem verraten wir, daß obige Unterrichtsweise durch ihre Früchte in einer fast zwanzigjährigen Praxis in Schule und Kirchenchor bei Lehrern, Kindern, Eltern und Kinderfreunden schon manche fröhliche, selige Stunde bereitet hat. —b—

## Die heilige Fastenzeit.

Die Vorfeier zum Osterfeste wurde schon in den ältesten christlichen Zeiten mit Fasten und anderen Bußwerken begangen; doch war der Beginn dieser Vorfeier oder Fastenzeit in den einzelnen Kirchengemeinden verschieden. Einige begannen sie 50 Tage vor Ostern einschließlich an einem Sonntag, der den noch heute gebräuchlichen Namen *Quinquagesima* = der fünfzigste (Tag) erhielt. Andere rückten den Anfang des Fastens um eine Woche zurück; diese nannten den ersten Sonntag *Sexagesima* = der sechzigste, um sich von den ersteren zu unterscheiden. Endlich gab es

[1]) „Musikzeitfragen bei C. F. Peters. 1903.“

solche, die schon 9 Wochen vor dem Osterfeste das Fasten begannen; der erste Sonntag dieser Zeit hieß *Septuagesima* = der siebzigste, welche Benennung, wie auch die vorhergehende an sich nicht richtig ist: sie sollte nur die einzelnen Anfänge der Ostervorfeier bezeichnen. Die mit *Quinquagesima* beginnenden fasteten an den 7 Sonntagen nicht, die mit *Sexagesima* auch nicht an den Donnerstagen, so daß alle diese nur 40 eigentliche Fasttage hatten, da die ersteren am Gründonnerstag und Charsamstag nach Belieben fasten oder nicht fasten konnten. Die Septuagesimalzeit hatte nur 36 Fasttage, denn es waren die Sonntage, Donnerstage und der Sabbat vom Fasten ausgenommen. Für gewöhnlich begann die Fastenzeit 6 Wochen vor Ostern, die auch — bei Wegfall der Sonntage — nur 36 Fasttage zählte, gleichsam der Zent des Jahres (365 : 10), der Gott dargebracht wurde. Bald nach Gregor dem Großen (7. Jahrhundert) fügte man noch 4 Tage hinzu, wodurch der Beginn der Fastenzeit auf den Mittwoch nach *Quinquagesima* vorgerückt wurde und die Zahl der strengen Fasttage auf 40 stieg. Die 4 ersten Sonntage dieser Zeit wurden *Dominicae Quadragesimae* oder *in Quadragesima* genannt; der fünfte Sonntag erhielt den Namen *Dominica Passionis*, weil seine und der folgenden Woche Liturgie uns das Leiden Christi schon näher rückt. Dem sechsten Sonntag gab man den Namen *Dominica in Palmis* von der an ihm stattfindenden Palmenweihe zur Erinnerung an den Einzug des Herrn nach Jerusalem. Dies in kurzem über die geschichtliche Entwicklung der Fastenzeit. Im folgenden soll einiges aus ihrer Liturgie erläutert werden.

I. Schon von *Septuagesima* an erscheint der Priester zur Messe *de tempore* in violetten Gewändern; das *Gloria in excelsis* fällt weg; an Stelle des *Alleluja*-Gesanges nach dem Graduale tritt auch in den Messen *de Sanctis* der Tractus, wie überhaupt alle *Alleluja* beim Offertorium und bei der Communio wegfallen; statt *Ite missa est* ertönt *Benedicamus Domino*. Vom ersten Fastensonntag an schweigt zur Messe und Vesper *de tempore* die Orgel. Im Stufengebete wird vom Passionssonntag an der Psalm *Judica* und das *Gloria Patri* am Schlusse des Introitus weggelassen, wenn kein Heiligenfest trifft. Nach den *Temporal*-Messen vom Aschermittwoch an betet der Priester nach der gewöhnlichen Postcommunio noch ein eigenes Gebet über das Volk. Die drei letzten Chartage haben eigene Liturgie.

Der Grund, warum die Kirche schon mit *Septuagesima* für die liturgischen Handlungen den Gebrauch der violetten Gewänder vorschreibt, liegt darin, daß sie die Erinnerung an den ehemaligen Beginn der Fastenzeit mit diesem Tage aufrecht erhalten, zugleich aber die Gläubigen anspornen will, sich schon jetzt mit den Gedanken an die Fastenzeit vertraut zu machen, um mit den richtigen Gesinnungen der Trauer und Buße in dieselbe einzutreten und sie zu durchleben. Deshalb unterbleiben auch alle Freudengesänge; der ernste Inhalt des Traktus und seine feierlich flehenden Melodien rufen um Hilfe und Erbarmen. Warum am Schlusse der Messe *Benedicamus Domino* zur Entlassung des Volkes gebraucht wird, ist unentschieden. Es kann als Aufforderung, nach der Messe noch dem Gebete obzuliegen, erklärt werden, zumal wenn nach dem Meßschlusse von den Priestern noch das kirchliche Stundengebet (*Laudes* oder die kleinen *Horen*) verrichtet wurde,[1]) an dem teilzunehmen die Anwesenden eingeladen wurden, auf daß sie durch vermehrtes Gebet sich auch Vermehrung der Gnade und eifrigen Bußgeist erflehen möchten. Unter der ergreifenden Zeremonie der Aschenauflegung treten wir in die Fastenzeit selbst ein. In früheren Zeiten wurden an diesem ersten Tage der Fasten die von der Kirche zu öffentlicher Buße Verurteilten vom Bischofe mit Asche bestreut; im Laufe der Zeit reihten sich den öffentlichen Büßern auch fromme Christen an, um diese Zeremonie zu ihrer Verdemütigung an sich vornehmen zu lassen, bis dies im 11. und 12. Jahrhundert allgemeine Sitte wurde.[2]) Wohl nichts ist geeigneter, den irdischen Menschen zur Buße und Änderung seines von Gott abgekehrten Lebens anzutreiben, als jene Materie, in welche sein Leib nach dem Tode zerfällt. Er wird erinnert, daß er Staub ist und infolge der bösen Verschuldung wieder in Staub aufgelöst wird: *Memento homo, quia pulvis es et in pulverem reverteris!* mahnt der Priester bei Auflegung der Asche. Das Responsorium *Emendemus*, das während der Einäscherung gesungen wird, drückt den Gedanken des Aschermittwochs wohl am klarsten und ergreifendsten aus: „Laßt uns gut machen, was wir unbedacht gesündigt, auf daß wir nicht, plötzlich übereilt vom Tage des Todes, Zeit zur Buße suchen und nicht finden können: Schau auf uns, o Herr, und erbarme dich, weil wir vor dir gesündigt haben." — Der volle Ernst der Bußzeit hat nun begonnen, der auch die Orgel zum Schweigen verurteilt und die liturgischen Gesänge einfacher gestaltet, manchen Gebeten und Gesängen aber längere Dauer gibt, wodurch die Gläubigen aufgemuntert werden, in dieser ernsten

[1]) Der Gebrauch des *Benedicamus* datiert aus dem 11. Jahrhundert.
[2]) Jocham, Das kirchliche Leben.

Zeit auch ihre Gebete zu verlängern und so Buße zu wirken. Da aber die Kirche keine Trauer ohne Trost und Erhebung kennt, zeigt sie schon am 2. Fastensonntag ihren Kindern den auf Tabor verklärten Heiland, dessen Herrlichkeit wir uns durch Buße verdienen können und lädt uns am 4. Fastensonntag *(Laetare)* gleich bei Beginn der Messe (Introitus) ein zur Freude mit Christus, der durch seine Auferstehung auch uns die Auferstehung verdient.[1] An diesem Tage weiht der Papst auch die goldene Rose, das Sinnbild der Liebe und der Wunden des Heilandes; wir sollen in der Buße ausharren; diese Ausdauer wird aber nur in Herzen gefunden, die von heiliger Liebe zu Christus beseelt sind. — In den Ferialmessen der Fastenzeit betet, wie oben bemerkt, der Priester nach den Gebeten *post Communionem* noch eine besondere Oration über das anwesende Volk, die mit *Oremus* und der Formel: *Humiliate capita vestra Deo:* „Neiget eure Häupter vor Gott“ eingeleitet wird. Den Ursprung und die Bedeutung dieser für jeden Tag eigenen Oration führen einige Schriftsteller auf den Umstand zurück, daß die Postcommunio für die in der Messe Kommunizierenden allein gebetet wurde; da nun die Zahl der täglich den Leib des Herrn empfangenden Gläubigen immer kleiner wurde, kam diese *Oratio super populum* in Übung, welche nicht auf die Kommunion und deren Früchte Bezug nimmt, sondern um Schutz für das an der Kommunion nicht teilnehmende Volk besonders bittet. P. A. M. W.

(Schluß folgt in Nr. 3.)

## Vereins-Chronik.

1. ⊙ **Danzig.** Am 7. Januar d. J. vereinigten sich die drei Cäcilienvereine der hiesigen Kirchen von St. Brigitten, St. Joseph und St. Nikolai im großen Saale des Friedrich-Wilhelms-Schützenhauses, um die 700jährige Geburtstagsfeier der heiligen Elisabeth nachträglich festlich zu begehen. Ist doch die heilige Elisabeth gerade auf dem charitativen Gebiete das Muster einer wohltätigen Frau und deshalb mit Recht die Patronin der Wohltätigkeitsvereine. Um diese große Heilige würdig zu feiern, konnte zur Aufführung nichts Schöneres gewählt werden, als das Oratorium: „Die heilige Elisabeth“ von Fid. Müller. Gerade die schlichte Einfachheit dieses Werkes mit seinen innigen Weisen entspricht so recht dem einfachen, schlichten Wesen der Landgräfin von Thüringen, der Mutter der Armen. Die Chöre von etwa 160 Sängern ausgeführt, unter der Leitung des ältesten der Dirigenten, Herrn Rektor Paschke von St. Brigitten, klangen voll, rein und würdig. Das Orchester stellte das hiesige Fußartillerie-Regiment; während die Begleitung des Harmoniums der Dirigent des St. Nikolai-Vereins, Herr Rektor Gendreizig, übernahm. Die Solis, von Fräulein Gramse und Herrn Voß ließen an Reinheit, Innigkeit und Wärme nichts zu wünschen übrig. Die Deklamation führte der Dirigent des Cäcilienvereins von St. Joseph, Herr Lehrer und Organist V. Lewandowski, aus. Das rechte Leben erhielt die ganze Aufführung durch die sieben lebenden Bilder aus dem Leben der heiligen Elisabeth, die vom Herrn Friseur Majewski ganz vorzüglich zur Darstellung kamen. So machte denn die Erstlingsaufführung der hiesigen vereinigten Cäcilienvereine einen recht guten und würdigen Eindruck. Hoffentlich entsprießt dieser geschlossenen Freundschaft neues Leben in dem Kreise der Cäcilienvereine zur Ehre Gottes und der heil. Cäcilia. V. Lewandowski, Lehrer und Organist.

2. + **Illschwang bei Sulzbach i. O.** (Diözese Regensburg), 23. Januar 1908. Der hiesige Kirchenchor dürfte wohl zu den besseren Chören auf dem Lande gezählt werden; seine Aufführungen beweisen dies. Günstige Verhältnisse und gute finanzielle Unterstützung seitens hiesiger Kirchenstiftung ermöglichen die Heranbildung und Unterhaltung eines guten Chores. Der Unterfertigte ist bestrebt, die Aufführungen während des Jahres den Vorschriften der Kirche wie den Festen und Festzeiten anzupassen. — Im Jahre 1907 gelangten (zur Einübung zum Teil) zur Aufführung: a) Messen für 4st. gemischten Chor ohne Orgelbegleitung: J. B. Molitor, Op. XII; F. X. Brücklmeyer; Op. 9; A. Kaim, Op. V; M. Hohnerlein, Op. 21; C. Jaspers, *Missa brevis I;* J. Pilland, Op. 16; M. Haller, *Missa septima*, Op. 19; J. Schiffels, Op. 24 (3 Männer- und 1 Altstimme; mit Orgelbegleitung: O. Sephner, Op. 5 (1st.); M. Haller, *Missa tertia* (2st.); M. Haller, *Missa quarta*, Op. 21 (2st.); M. Haller, *Missa tertia*, Op. 7b (4st.); M. Haller, *Missa sexta*, Op. 3b; J. G. Stehle, Preismesse *(Salve Regina);* J. Singenberger, *Missa in hon. S. Caeciliae* (die 4 letzteren 4st. gemischten Chor). b) Messen mit Instrumentalbegleitung (2 Violinen, Viola, 2 Hörner) von J. Pilland, Op. 14b; J. Stein, Op. 22; J. G. Zangl, Op. 51 und Op. 59; C. Santner, *Missa brevis* in *F;* F. Uhl, Op. 4 (Instrumentalbegleitung nur an den höchsten Festtagen). c) Offertorien und Gradualien aus den Sammlungen von C. A. Leitner; J. Pilland, Op. 19; Ign. Mitterer, Op. 49, *Euch.* von Tresch etc. d) Predigtgesänge von J. B. Männer, Op. 34; K. Hofmeier, Op. 4; Troppmann; J. Hanisch, Op. 25 etc. e) Litaneien von J. B. Tresch, Op. 3; A. Schenk; J. Stein, Op. V; Deschermeier, *D*-dur; Obersteiner; J. Strubel, *G*-moll, Op. 42; F. X. Engelhart, *G*-dur; M. Haller, 11b, 2st.; M. Haller, *G*-dur, 4st.; F. X. Witt, Op. 16a (*A*-dur); F. X. Witt, Op. 20b (*H*-moll). f) Vespern von Mettenleiter (nur an den h. Festtagen); Antiphonen von C. Allmendinger, Op. 9. Die Wechselgesänge (Introitus, Graduale, Communio) werden stets choraliter von dem Unterzeichneten gesungen aus dem *Graduale Romanum*. Am Schlusse der gewöhnlichen Nachmittagsgottesdienste wechseln Marienlieder für 4st. gemischten Chor (und einzelne für Männerchor) mit Volks-

[1]) Auch ist an diesem Sonntage das Orgelspiel gestattet.

gesang, der gut und gern gesungen wird (Muttergottes-, Advent-, Weihnachts-, Fastenlieder u. dgl.). Es wird das Bestreben des Unterzeichneten sein, einen guten Chor hier auch weiterhin zu bilden und zu erhalten. F. Graml, Lehrer und Chorregent.

**3.** [ ] **Am Stiftschor Lambach** (Diözese Linz) wurden von Ostern bis Neujahr folgende mehrstimmige Messen aufgeführt: Anerio, *Missa brevis.* Arnfelser, Op. 97, 3st. c. Org.; Op. 101. Auer, Op. 2, 4st. c. Org. Bonvin, Op. 84, 4st. c. Org. Brunner, Op. 5, 3st. c. Org.; Op. 13, *Requiem* (2mal). Cler'eau, *Missa in me transierunt.* Croce, *Missa octavi toni; Missa sexti toni.* Dachs, Op. 11, c. Org. Deschermeier, Op. 2, 8st. Ebner, Op. 7, 2st. c. Org.; Op. 41, 4st. c. Org.; Op. 65, 4st. c. Org. Ett-Haller, *Requiem* (2mal). Fischer, Cl., *Requiem.* Galuppi, *Missa secunda.* Goller, Op. 7, 4st. c. Org.; Op. 8, 4st. c. Org.; Op. 26, *Requiem*, 4st. c. Org.; Op. 34, 4st. c. Org.; Op. 53. Griesbacher, Op. 9, 5st.; Op. 25.; Op. 68, 4st. c. Org. (2mal); Op. 73; Op. 93. Gruber, Op. 77, *Requiem.* Haller, Op. 4, 3st.; Op. 7A, 2st. c. Org.; Op. 7b, 4st. c. Org. (2mal); Op. 24, 5st.; Op. 25, 6st. (2mal); Op. 19; Op. 20; Op. 18, 3st. c. Org.; Op. 5; Op. 27A, 4st. c. Org. (2mal); Op. 23, 3st. c. Org.; Op. 31; Op. 65, 5st. Op. 73, 5st.; Op. 81, 5st.; Op. 86, 5st.; Op. 93, 3st. c. Org. Haller-Jettinger, *Requiem*, Op. 9, 4st. c. Org. (2mal); Op. 9, 2st. c. Org. Haller-Quadflieg, Op. 4, 4st. c. Org. Hasler, *Missa secunda.* Kohler, Op. 7; Op. 6, 5st. Kornmüller, 4st. c. Org. (2mal.) Lassus-Mitterer, *Missa Puisque j'ai perdu.* Lobmüller, Op. 6, *Requiem.* Marxer, *Missa in hon. B. M. V.*, Op. 8; Op. 2. Mitterer, Op. 25, 4st. c. Org.; Op. 30, 5st.; Op. 40, 5st.; Op. 45, 5st.; Op. 47, 4st. c. Org.; Op. 69b, 4st. c. Org. (2mal); Op. 71, 4st. c. Org.; Op. 86, 5st.; Op. 113, 4st., c. Org.; *Missa S. Thomae Aqu., S. Caroli Borom.* c. Org.; *M. De Nativitate Domini*, 6st. Modlmayr, *Requiem.* Molitor, Op. 22, *Requiem.* Nekes, Op. 11, 4--6st.; Op. 30, 6st. Op. 40, 5st. Op. 44, 6st. Palestrina, *Missa Tu es Petrus*, 6st. (2mal); *Missa Ascendo*, 5st.; *Missa aeterna Christi munera; Missa beatus Laurentius*, 5–6st.; *Missa brevis; Missa Hodie Christus natus est*, 8st.; *Missa Iste Confessor.* Quadflieg, Op. 3, 2st. c. Org.; Op. 8B, 4st. c. Org.; Op. 12b, 5st. c. Org. Ratgeber, *Requiem*, 3st. c. Org. Renner, Op. 2, 2st. c. Org. (2mal); Op. 32, 4st. c. Org. Schildknecht, *Requiem*, Op. 25. Schöllgen, Op. 6. Surzynski, Op. 21, 5st. Stein, Op. 86, 4st. c. Org. *(Requiem.)* Thielen, Op. 9., 6st. Weber, II. Messe in *G.* Wessel, Op. 5, 4st. c. Org., *Requiem* (2mal.) Witt, Op. 9, 4st.; Op. 33.; Op. 8b. Zöggeler, *Requiem* (2mal.) P. Bernh. Grüner, O. S. B., Chorregent.

**4.** × **Kirchenmusikalische Aufführungen des Passauer Domchores in den 14 Tagen von Weihnachten bis Heiligen 3 König.** Am hochheiligen Weihnachtsfeste. Um Mitternacht: Hymnus *Jesu Redemptor*, 4st. harmonisierter Choral; *Te Deum*, 4st. von Griesbacher; *Missa in hon. S. Hieronymi*, 7st. von Ahle; Graduale *Tecum principium*, 4st. von Mitterer; Offertorium *Laetentur coeli*, 5st. von Haller. Beim Frühamte um 6 Uhr morgens: *Missa de Apostolis*, 5st. von Mitterer; Graduale *Benedictus qui venit*, 4st. von Mitterer; Offertorium *Deus firmavit*, 4st. von Mitterer. Beim Pontifikalamte um 9 Uhr: *Ecce sacerdos*, 4st. mit Instrumentalbegleitung von Gruber, Op. 55; Weihnachtsmotette *Quem vidistis pastores?* für Soli und Chor mit Instrumentalbegleitung von Drobisch aus Op. 41: *Missa festiva in hon s. Josephi* für Soli, 4-, 6- und 8st. Chor mit Orchesterbegleitung von August Weirich; Graduale *Viderunt omnes*, 4st. von Mitterer; Offertorium *Tui sunt coeli* für gemischten Chor und Orchesterbegleitung von Filke, Op. 70, Nr. 1. Bei der Pontifikalvesper: Psalm 109, 110, 111, 129, 5st. von Viadana, Psalm 131, 5st. *autore ignoto:* Hymnus *Jesu Redemptor* wie oben: *Magnificat*, 4st. von Bill sen.; *Alma Redemptoris mater*, 4st. von Griesbacher. Am Feste des heil. Erzmartyrers Stephanus. Beim Pontifikalamte: *Ecce sacerdos magnus*, 6st. von Thielen: *Missa Papae Marcelli*, 6st. von Palestrina; Graduale *Sederunt principes*, 4st. von Mitterer; Offertorium *Elegerunt apostoli*, 4st. von Stehle. Bei der Vesper: Psalmen wie tags vorher; Hymnus *Deus tuorum*, 4st. harmonisierter Choral; *Magnificat VIII. toni*, 4st. von Piel; *Alma Redemptoris*, 4st. von Bill sen. Alles übrige choraliter. Am Sonntage in der Weihnachtsoktav. Bei der Weihwasserausteilung: *Asperges me*, 4st. von Witt. Beim Hochamte: *Missa Iste Confessor*, 4st. von Palestrina; Offertorium: *Posuisti Domine*, 4st. von Haller. Bei der Vesper: *Magnificat I. toni*, 6st. *autore ignoto; Alma Redemptoris mater*, 4st. von Griesbacher. Alles übrige choraliter. Bei der Jahresschlußfeier: *O salutaris hostia*, 4st. von Haller; Hymnus *Te Deum laudamus*, 4st. gemischter Chor mit Orgel- und Posaunenbegleitung von Goller; *Tantum ergo*, 5st. von Mitterer. Am Neujahrstage: Beim Frühamte um ½6 Uhr: *Missa Jesu Redemptor*, 4st. von Kalm; *Credo* choraliter; Offertorium *Tui sunt coeli* für gemischten Chor mit Orgelbegleitung von Griesbacher; Hymnus *Pange lingua*, 1- und 4st. von Haller. Beim Hochamte um 9 Uhr: *Missa XI in hon. s. Henrici imperatoris*, 5st. von Haller; Graduale *Viderunt omnes fines*, 4st. von Mitterer; Offertorium *Tui sunt coeli*, 5st. von Haller. Bei der Vesper: Hymnus *Jesu Redemptor*, 4st. harmonisierter Choral, *Magnificat II. toni*, 5st. von Griesbacher; *Alma Redemptoris* Nr. 3 in *F*-dur, 8st. von Griesbacher. Bei der abendlichen Segensandacht: *O sacrum convivium*, 4st. von Haller; *Litaniae de Ss. Corde Jesu* für Soli, 4st. gemischten Chor und Orgelbegleitung von Bill sen.; *Tantum ergo*, 8st. von Haller. Alles übrige choraliter. Am 2. Sonntage nach Weihnachten. Bei der Weihwasserausteilung: *Asperges me*, Nr. 2, 4stimmig von Haller. Beim Hochamte: *Missa super Dixit Maria*, 4st. von Leo Hasler; Offertorium *Deus firmavit*, 4st. von Mitterer. Bei der Vesper: Psalm 109, 110, 111, 112 und 116, 4st. Falsibordoni von Mitterer; Hymnus *Crudelis Herodes*, 4st. von Giuseppe Baini; *Magnificat VIII. toni*, 6st. von Mitterer; *Alma Redemptoris mater*, 8st. von Griesbacher. Am Montage: Fest der Heiligen 3 Könige: Beim Pontifikalamte: *Ecce sacerdos magnus*, 6st. von Ebner; *Missa in hon. s. Thomae Aquin*, 7st. mit Orgelbegleitung von Gruber; Graduale *Omnes de Saba venient*, 4st. von Mitterer; Offertorium *Reges Tharsis et insulae*, 4st. von Haller. Bei der Vesper: Psalmen und Hymnus wie tags vorher, nur statt Psalm 116, an fünfter Stelle Psalm 113. *Magnificat*, 4st. von Griesbacher; *Alma Redemptoris mater*, 4st. von Mitterer. Am Dienstag: Fest des heiligen Diözesanpatrones Valentin. Beim Hochamte: *Missa XIX. in hon. s. Michaëlis archangeli*, 5st.

von Haller; Graduale *Ecce sacerdos magnus*, 4st. von Mitterer; Offertorium *Inveni David*, 4st. von Haller. Bei der Vesper: *Magnificat I. toni*, 4st. von Mitterer; *Alma Redemptoris mater*, 4st. von Modlmayr. Alles übrige choraliter. Clem. Bachstefel, geistl. Rat und Domkapellmeister.

5. ○ 6. **Jahresbericht des Diözesan-Cäcilienvereins Passau.** Der Stand der Kirchenmusik in der Diözese hielt sich im Jahre 1907 so ziemlich auf gleicher Höhe wie in den vorausgegangenen Jahren. Wie bisher so wurde leider auch heuer wieder nur von einem verschwindenden Bruchteile der in Betracht kommenden Kirchenchöre Bericht erstattet. Von ungefähr 250 derselben gewährten nur 25 einen Einblick in ihre kirchenmusikalische Tätigkeit. Der Inhalt dieser Mitteilungen lautet in gedrängter Kürze wie folgt:

I. Der Domchor in Passau, für den heranwachsenden Klerus Muster und Vorbild in kirchenmusikalischen Dingen, tat wieder sein Bestes in Vorführung gehaltvoller, abwechslungsreicher und erbauender Kirchenmusik von erstklassigen Autoren aus alter und neuer Zeit, immer und überall peinlichst genau den liturgischen Vorschriften Rechnung tragend. An Ämtern waren 253 zu bewältigen, an Requiems ungefähr 30. Dazu kamen die sonn- und festtäglichen Vespern, zahlreichen Litaneien, Motetten, Lieder, *Te Deum* usw.

II. Hervorleuchtend durch große Gewissenhaftigkeit bezüglich der genauen Einhaltung der die Kirchenmusik betreffenden Gesetze und durch vorzügliche Aufführung gediegenster Tonwerke stehen mustergültig da:

1. Der Kapellenchor in Altötting mit seiner beispiellos großen Zahl kirchlicher Verrichtungen unter der Leitung des rühmlichst bekannten Kapellmeisters Herrn Ludwig Muckenthaler.

2. Der Stadtpfarrchor in Burghausen, woselbst unter dem verdienstvollen Chorregenten Herrn Schambony die Kirchenmusik eine vorzügliche Pflege findet. Das fix angestellte und honorierte Chorpersonal zählt 6 Kräfte. Zu diesen gesellen sich an Sonn- und Feiertagen freiwillige Gesangskräfte, so daß dem eifrigen Chorleiter die stattliche Zahl von 20 Sängern und darüber zur Verfügung steht. Zwei wöchentliche Chorproben sichern gute Aufführungen.

3. Der Institutschor der Englischen Fräulein in Fürstenstein, unterstützt in vorzüglicher Weise vom Herrn Lehrer Jungbauer und vom Herrn Hilfslehrer Weinzierl. Das dortige Musikrepertoir weist selbst Werke altklassischer Autoren wie Palestrina und Vittoria auf.

4.–7. Die Institutschöre der Englischen Fräulein in Freudenhain-Passau, Neuhaus am Inn, Niedernburg-Passau und Osterhofen-Damenstift. Ihnen allen wird Begeisterung und Eifer, liturgische Korrektheit, künstlerischer Sinn und künstlerisches Können nachgerühmt.

8. Innstadt-Passau — die einzige Pfarrei in der ganzen Diözese, welche sich durch einen wohlorganisierten, blühenden Pfarr-Cäcilienverein von 189 Mitgliedern auszeichnet. Herr Chorregent Ludwig Brandl arbeitet in nachahmenswerter, erfolgreichster Weise unermüdet wie in den Vorjahren in und außer der Kirche zur Belehrung und Verwirklichung des Cäcilienvereinszweckes.

III. Des Besitzes von Gesangschulen zur Gewinnung leistungsfähiger Kirchenchöre cäcilianischer Richtung erfreuen sich die Pfarreien:

1. Haarbach (Chorregent: Herr Lehrer Trollmann).

2. Isarhofen (Leiter: der tüchtige Organist Herr Lehrer Nagler und die Schulschwester Germana).

3. Karpfham (Chorleiter: Herr Lehrer Johann Nagler).

4. Rubstorf — Chorleiter: Herr Lehrer J. Kremsreiter, dessen jahrelangen Bemühungen die dortige Pfarrkirche eine hervorragend schöne Kirchenmusik verdankt.

5. Tann — Chorleiter: Herr Lehrer Sell; Kirchlichkeit und Vollständigkeit sind rühmenswerte Eigenschaften seiner Chormusik.

6. Wildenranna — Chorleiter: Herr Lehrer J. Haiböck, dessen mühevolles Streben bereits glänzende Erfolge lohnen.

7. Wurmannsquick — Chorleiter: Herr Lehrer Vonderthan; sein Eifer findet rückhaltlose Anerkennung und kräftige Unterstützung von seiten der Pfarrangehörigen.

IV. Durch würdige Chormusik und durch das lobenswerte Streben, allmählich einen liturgisch richtigen Kirchengesang zu erzielen, taten sich hervor:

1. Aicha v. Wald (Chorleiter: der tüchtige Organist Herr Lehrer Schwarz).

2. Bayerbach; 3. Bischofsreut (Chorleiter: Herr Lehrer Max Weiß); 4. Ehring — Herr Lehrer und Organist Rud. Salcher hat im letzten Jahre das Musikrepertoir um 7 Messen bereichert.

5. Gern (Chorleiter: Herr Lehrer Fahrmeier).

6. Hans — besitzt im Repertoir sogar 3 fünfstimmige und eine siebenstimmige Meßkomposition.

7. Raufels; 8. Landau a. J.; 9. Neureichenau (Chorleiter: Herr Lehrer Eisenbarth).

10. Straßkirchen — der dortige Chor verfügt über ein sehr ansehnliches Repertoir und über eifrige Gesangskräfte; die Pfarrgeistlichkeit ist hervorragend bemüht, das allgemeine Interesse zur gesanglichen Anteilnahme beim Gottesdienste zu wecken und zu fördern, einerseits durch Abhaltung einer Reihe von Predigten über die kirchliche Liturgie, anderseits durch Bildung des Geschmackes und Belebung des Sinnes für Musik durch Pflege des Liedes bei allen möglichen Gelegenheiten.

V. Schließlich sei noch erwähnt, daß es in der Pfarrei Fürstenzell gelungen ist, als erster Schritt zur Anbahnung einer cäcilianischen Kirchenmusik, die Weglassung deutscher Lieder beim liturgischen Gottesdienst durchzusetzen. Clem. Bachstefel, Kgl. geistl. Rat und Domkapellmeister.

## Bericht über den ungarischen Landes-Cäcilienverein.

Mit diesem Jahre fängt unser kirchemusikalisches Blatt „*Katholikus Egyházi Zeneközlöny*" den XV. Jahrgang an und in diesem Jahre tritt unser Cäcilienverein in das zweite Dezennium seiner Tätigkeit.

Mit Zufriedenheit schauen wir auf die mühevolle Arbeit der verflossenen Jahre zurück. Auf dem stark vernachlässigten Felde der Kirchenmusik ist große Änderung und gründliche Besserung eingetreten. Der Same ist in guten Boden gefallen und wird mit Gottes Gnade auch dauerhafte Frucht bringen. Was für die göttliche Ehre, für die Kirche und den heiligen Glauben begeisterte Männer theoretisch und praktisch angefangen haben zur Restauration der altehrwürdigen *Musica sacra*, das ist, wenn es auch viel Mühe und Plage gekostet hat, nicht mehr von der Tagesordnung hinuntergekommen; ausdauernde Arbeit hat es zum Siege geführt. Obzwar die Reformbemühungen die *Musica sacra* ins Eigentum einführen wollten, so haben sie doch die Eigenen nicht empfangen, jetzt aber kann sich schon niemand vor der kirchenmusikalischen Reform verschließen. Es leben noch die Männer, die bei der Krippe der neugeborenen *Musica sacra* gestanden und verkündeten ihre Herrlichkeit in alle Richtungen des Landes: Anton Walter, P. Prälat, Abt-Domherr in Pécs (Fünfkirchen), Ehrenpräses unseres Vereines: Michael Bogisich, päpstl. Prälat, tit. Bischof, Domherr in Esztergom (Gran) leitender Präses; Julius Katinszky, Abt-Domherr in Eger (Erlau), Titularpräses und Karl Mayer, Abt-Domherr in Szekesfehérvár (Stuhlweissenburg) der Vizepräses. Für was sie in den siebziger Jahren gekämpft haben, das sehen sie jetzt langsam durchgeführt.

Jetzt hört man echte Kirchenmusik nicht nur in Pécs, wo der Stern der *Musica sacra* aufgegangen war, und den erzbischöflichen Kathedralen Esztergom und Eger, sondern auch in Kalocsa, Győr, Temesvár, Szatmár, Nagyvárad, Erdély und es ist zu hoffen, daß auch die übrigen Kathedralen nicht lang zurückbleiben.

In den meisten Kirchen des Landes wird nach gregorianischer Weise respondiert, bis jetzt war vorherrschend eigene ungarische Art. Es gibt auch kleine Pfarrkirchen, wo man ganze Choralmessen hören kann, und auch bei Figuralmessen dient als Direktive der Katalog des Allgemeinen deutschen Cäcilienvereines. — Die Seminarien und Lehrerpräparanden nehmen auch teil an der Restauration der Kirchenmusik.

Wir wollen nicht die Bescheidenheit der vielen eifrigen Männer beleidigen, wir wissen ja, daß sie nicht für menschliches Lob und irdische Ehre gearbeitet haben, wir müssen aber doch hervorheben die Gründer unserer kirchenmusikalischen Zeitschrift (1893) und ihre Namen verewigen, denn alles was bis jetzt geschehen ist, ist im Grunde nur ihr Verdienst, so auch die Gründung unseres Cäcilienvereines (1897) und diese sind: Joseph Erney, Direktor der nationalen Musik-Hochschule und der jetzt schon verstorbene Viktor Langer, Chordirektor in Leopoldstadt, zu denen sich im zweiten Jahre beigesellt hat Joseph Kutschera, derzeitiger Pfarrer in Komárom.

Seitdem bilden die Jahrgänge der Zeitschrift eine ganze Enzyklopädie der Kirchenmusik und Liturgie. Wir hielten 7 Generalversammlungen an wichtigen Stellen des Landes; veranstalteten 9 kirchenmusikalische Kurse und gewannen bei diesen Gelegenheiten viele neue Apostel. Zur Deckung der theoretischen und praktischen Not haben wir mehrere wertvolle Bücher herausgegeben, unter denen das Chorbuch von Franz Kersch, Handbuch der liturgischen Zeremonien, Choral-Singschule, Harmonielehre von Fr. Kersch etc.

Sowohl die Zeitschrift wie auch der Cäcilienverein haben große kulturelle und soziale Tätigkeit entfacht zur Förderung der kirchlichen Einheit, Belebung des katholischen Gefühles und Hebung des Lebens nach dem Glauben, denn die Liturgie und Kirchenmusik und Kirchengesang ist ein kraftvoller Hebel des kirchlichen Lebens.

Die Söhne der Welt sind freilich rühriger, und scheuen keine Kosten und keine Mühe, um die leichtfertige, nur die Sinne reizende Musik in die Kirche hineinzudrängen. Sie treibt ihre Orgien auf der Bühne, so daß die ernste Musik nirgends zur Geltung kommen kann, und möchte mit einer Maske auch die Gläubigen betäuben und sie dann der wahren Andacht und der vielen Gnaden, die dem Gottesdienste entströmen, berauben.

Wir müssen immer wachen.

Anfangs dieses Jahres haben wir an alle Pfarren des lateinischen Ritus (mehr als dreitausend) einen Aufruf gesendet und so die Pfarrer wie die Lehrer und Chordirektoren zum Beitritt zu unserer Fahne aufgefordert. Wir wollen hoffen, daß uns alle verstehen werden und niemand sich verschließt vor der nötigen Arbeit und eventuellen Mühe oder Opfer.

Wir bieten in der Zeitschrift genügenden Stoff, um die Grundsätze der Kirche in Theorie und Praxis festzustellen. Demnächst werden wir veröffentlichen ein kontrapunktliches Werk von Fr. Kersch, welches berufen ist, die Furcht vor der Musiktheorie zu vertreiben, damit die Organisten eingeführt in die Grundwahrheit und natürlichen Gesetze die Kunst auch lieben und genießen lernen.

Gebe Gott zur neuen Arbeit im neuen Jahre uns allen auch reiche Gnade, neue Kraft, und starke Ausdauer! — Gott mit uns! (Herzliche Glückwünsche entbietet auch die Redaktion des Cäcilienvereinsorgans.)

Budapest, 23. Januar 1908. Dr. Johann Bundala, Vereinsdirektor und Redakteur.

## Vermischte Nachrichten und Notizen.

1. + **Brüssel.** Also hat nun doch die Kapitale Belgiens einen Konzertsaal! Es kommt diese Nachricht wohl fremd und unglaublich vor, aber noch vor 2 Monaten mußte ein energischer, durchbrechender Orchesterdirigent mit seiner getreuen Schar in einem versteckten und kaum zugänglichen Gemeindemuseum in Ixelles seine historischen Symphoniekonzerte eröffnen. Dieser neue Saal im Stile Louis XVI. macht auf den ersten Blick einen sehr günstigen Eindruck, man fühlt sich gleich behaglich darin. Neben der großen Bequemlichkeit des Saales, der seine 1000 Personen fassen kann, ist auch das gefährliche Ding — die Akustik eine sehr gute und eignet sich vorzüglich zu Werken, fest mit Blech gepanzert. Eingeweiht wurde das Festlokal, vom katholischen Vereine „Patria" erbaut und auch so benannt, am 30. Dezember 1907. Die größten Meister des Landes: Edgar Tinel, L. van Dam, Ryelant als Dirigenten ihrer Werke, Fräulein Wybauw als Sopransolistin, Herr Lheureux und Herr Bulcke, Tenor und Baß, der Chor von St. Bonifatius und der Choral Pius X. von Anderlecht versicherten zum Voraus einen ganz bedeutenden Erfolg. Beethovens „Zur Weihe des Hauses", Ouvertüre in *C*, Op. 124 kam zuerst zum Worte unter der temperamentvollen Direktion von L. van Dam; sie stammt aus der Epoche der unsterblichen Neunten, wo die feine Themadurcharbeitung und neue Rhythmik bis auf den heutigen Tag das vollendete Genie uns eine ehrfurchtswürdige Verbeugung abnötigt. „Aria" aus dem Weihnachtsoratorium von S. Bach versetzte das Auditorium in den Geist der Festzeit. Herr Lheureux, vom Streichquartett und Flötensolo umspielt, sang gut stilisiert die schwierige Arie. Der Choral Pius X. aus Andelecht, zur Pflege und Bildung der wahren Kirchenmusik gegründet, mit dem sich aufopfernden und rastlosen Dirigenten Herr H. Uylings aus Holland tritt heute zum ersten Male in Brüssel auf; es sind ungefähr 40 Damen und 20 Herren, unter denen ich mit wahrem Vergnügen 2 Geistliche wahrgenommen habe. Der Männerchor allein stimmte die Antiphon aus der Weihnachtsvesper *Hodie Christus natus est* an, der sich ein vierstimmiges *Magnificat* von G. Turini anschloß. Tüchtige Schulung, großer Eifer, Begeisterung und intime Vereinigung der Sänger mit ihrem Führer nahm man sofort wahr. In Straßburg selbst, glaube ich kaum, hat mich in 3 Tagen etwas so sehr gepackt und erfreut. Die italienische Aussprache des Lateins trug viel bei zur vollen, runden und mächtigen Akzentuation. Ein hübsches Madrigal von Heinrich Isaak versetzte den Zuhörer aus der Kirche in die Familie und eine 3. Nummer aus der Familie ins Dorf mit einem Weihnachtsrondo von G. Costeley. Die Begeisterung, mit welcher das Publikum diese hübschen und anziehenden Gesänge aufnahm, möge für Sänger und Dirigenten eine Aufmunterung, ein neuer Sporn sein zur Erfüllung der noblen Mission der Propaganda, nicht achtend, wenn man auch zuweilen glauben könnte in die Wüste zu predigen. *Proficiat!* Glück auf! der wackeren Schar, die uns Großstädtler verdemütigt und uns „das Können" beweist, was wir für „unmöglich" halten. Nebenbei sei noch bemerkt, daß auf Wunsch des Kardinals von Mecheln die italienische Aussprache für das Latein zur Verwendung kommen möge; mehrere Städte der Erzdiözese haben sie schon in Gebrauch, und aus einem Schreiben des Kirchenfürsten an seinen Klerus geht hervor, daß bis Ostern Stadt und Land die Neuerung angenommen haben werden. Auf die Vokalsätze führte L. Van Dam seine 2 Tongemälde für großes Orchester vor: „Bethlehem und Golgatha". Im Jahre 1902 kamen sie in der Grand Harmonie zur Erstaufführung. Die schlechte Akustik damals verwirrte mir den Eindruck; was damals verschwommen, unklar, zerschmettert vom Bleche, erklang dieses Mal viel besser und die Themate traten klar und deutlich heraus.

Der noch junge Komponist besitzt ein bedeutendes Talent und eine technisch vollkommene Schreibweise. Nach dem Vorgange R. Wagners prägt L. Van Dam den einzelnen vorgestellten Persönlichkeiten ein charakteristisches Thema auf, so in „Bethlehem", nachdem die Nacht und die Ruhe auf dessen Fluren gezeichnet, singt die himmlische Jungfrau ihren vom Engel überbrachten Gruß *Ave Maria*, der heilige Joseph „Ehre dem Allmächtigen!", die Hirten vom Engel im himmlischen Lichte aufgefordert, gehen und schauen den erwarteten Erlöser. Die Oboe singt dann allein eine prächtige, liebliche Weise — dann stimmen die Engel ihr *Gloria in excelsis Deo!* an. Das Blech in voller Harmonie wirkt mit diesem Thema wahrhaftig verklärt, feierlich und erhaben. Das göttliche Kind schläft, also müssen die Engel und Hirten es mit lieblichen Gesängen umgeben. Das *Gloria*-Thema im *FFF* schließt das noble, sehr moderne, im guten Sinne geschriebene Werk ab. „Golgatha" selbstverständlich ist anderer, dunklerer Zeichnung; aber auch da ist einem rhythmischen Thema, das der Paucke zuerst zugeteilt ist, ein anderes, das des Triumphes gegenübergestellt. Was wird nun H. Van Dam im dritten Teil „Auferstehung" sagen? mit der er gegenwärtig beschäftigt ist. Diese Trilogie als Ganzes wird hoffentlich alsdann Deutschland nicht außer acht lassen. Der Autor leitete seine Werke auswendig und war auch Gegenstand einer wohlverdienten und berechtigten Ovation.

Cesar Franck, Autor der Seligkeiten, bot mit dem Solo des Erzengels aus dem Oratorium „Redemption" Fräulein Wybauw einer tüchtig geschulten, dramatischen Sängerin Gelegenheit mit ihrer sonoren, angenehmen, glockenreinen Stimme das Auditorium zu entzücken. Da und dort hätte dieses Solo durch Zartheit und Innigkeit im Vortrage noch gewonnen in Vereinigung des Orchesters, das sich etwas diskreter halten hätte dürfen. Ein kurzer, mächtiger Schlußchor, dem Solo sich anschliessend, brachte mit Triumphrufen und „Weihnachten", „Weihnachten" den ersten Teil des Programmes zum Abschlusse. Eine Pause war notwendig. Also hatte man Gelegenheit den Saal sich näher zu besehen und auch etwas mit seinen von überall herbeigeeilten Bekannten zu plaudern. Von den Sitzplätzen entfernt, wurde man plötzlich durch ein energisches Klopfen aufs Dirigentenpult aufgeschreckt — einige Augenblicke später stand am Dirigentenpult, mit eine Minute lang gehobenem Taktstocke, das Orchester faszinierend und dem Publikum so größte Stille gebietend, Meister Edgar Tinel. Seine klassische Ouvertüre zur „Godoleva", in der man den ganzen Inhalt des Oratoriums durch die im Werke verwendeten Themate in zusammengedrängter Fassung vorfindet, wurde mit großem Feuer und Brio wiedergegeben; eine wohlverdiente Ovation sowohl von seiten des Orchesters als auch des Auditoriums blieb nicht aus. Möchten doch die Hypermodernen sich die Mühe nehmen, dieses geniale Werk zu studieren und sich die Frage stellen, ist denn dieses Musik oder darf nur noch Unmusik einem ernsten Publikum dargeboten werden? Joseph Ryelandt aus Brügge, der tüchtigste Schüler vorgenannten Meisters, brachte uns als Première aus seinem Oratorium „Die Ankunft des Herrn", den zweiten Teil, die geistige Ankunft Christi in der christlichen Seele. Der erste Teil besingt den Messias als Menschenerlöser, der dritte das Erscheinen des Sohnes Gottes zum Weltgerichte. Der Text ist aus Stellen der Heiligen Schrift zusammengestellt. Der Autor dirigierte mit Schüchternheit sein Werk. Die zwei sich darin findenden Chöre und die Solistin Fräulein Wybauw trugen sehr viel bei zum Erfolge; befremdend war die Wahl für die Apostel und Christusrolle, Herr Bulke, wahrhaftig sein erstes Auftreten hier war keine Revelation eines tiefseeligen Sängers. Die Begleitung der Sologesänge in diesem Werke, das doch schon die Opuszahl 45 trägt, ist eine unerfahrene; die zu starke Orchestrierung, sowie einige Längen drücken und ermüden den Zuhörer. Noch kamen 3 Motetten, vom bestrenommierten Chore Brüssels, den Sängern von S. Bonifatius, zum Vortrage. *Hodie Christus natus est* von Nanino, *O Magnum mysterium* von Vittoria und *Exultate Deo* von Palestrina. Man ward gesättigt nach dem Werke von J. Ryelandt und da ertönen einige Knabenstimmen, ängstlich, unsicher, dünn und mager, die französische Aussprache war, nachdem man den Landchor von Anderlecht gehört, kein Vorteil für diese Motetten, wovon *Exultate Deo* wohl auch noch übereilt, am besten gegeben worden ist. Glücklich war die Wahl als Finale, nämlich „Sonnengesang" von E. Tinel; da vergißt der Zuhörer die Müdigkeit; er wird in Wallung versetzt durch den Schwung der Melodie, der glaubensfesten, begeisterten Überzeugung, die sich daraus kundgibt und vor Freude achtet er nicht mehr, daß Chor und Orchester nicht in Proportion stehen. Ein nicht enden wollender Beifall wurde den Autoren zuteil. Ein so brillantes Konzert hat Brüssel seit dem Jahre 1902 nicht mehr zustande gebracht; damals waren als Glanznummern vertreten: die schon erwähnten zwei Tongemälde von E. Van Dam, „Noel" von Saint-Saëns, *Caecilia* und *Lumen de coelo* von Stehle. — Tournai mit seinem prachtvollen Chore (830 Sänger) unter der vorzüglichen Direktion von H. de Loose bereitet sich vor, am 22. März eine Musteraufführung von Tinels „Franziskus" zu geben. Darüber später.

Brüssel. P. Adolphe Locher, S. S. S., Organist.

**2. ] Abschiedskonzert Dr. Göhlers im Riedelverein zu Leipzig.** Das Riedelvereinskonzert zu Leipzig, in der Thomaskirche, trug insofern ein eigentümliches Gepräge, als es das letzte Konzert dieses Vereins war, das sein langjähriger Dirigent Herr Dr. Göhler, bisher Hofkapellmeister zu Altenburg, leitete. Genannter Tonkünstler und rühmlich bekannter Schriftsteller siedelt zum Herbste nach Karlsruhe über, um die Stelle Fel. Mottls zu übernehmen, die 4 Jahre unbesetzt geblieben war.

Das Konzert mit ausschließlich Bachscher Musik — neben Sologesängen, Solo-Violinsätzen und Solo-Orgelvorträgen, worin sich die Konzertsängerin Mizi Marx, Professor Arno Hilf und Professor Paul Homeyer, sämtlich Leipziger Kräfte, mit gleichem Glück teilten, enthielt das Programm die größte Motette Bachs: „Jesu meine Freude" (fünfstimmig) und „Singet dem Herrn" (achtstimmig) — bedeutete einen An- und Ausklang der Bachtage zu Eisenach.

Wir schließen uns Dr. G. Göhlers Bedenken an, wenn er im Begleitworte schreibt: „Inwieweit nur von einer äußerlichen Modebewegung zu reden ist oder inwieweit der Kern der musik. Kultur unserer Tage davon getroffen wird, kann erst die Zukunft lehren."

Bei aller unbegrenzten Verehrung Bachs -- besonders wenn man ihn mit seiner Zeit vergleicht — will es uns doch gewagt erscheinen, ihn in aller und jeder Beziehung zum Muster zu erheben, das bis heute nicht erreicht worden sei; und doch steht fest, daß er in Behandlung der Chorstimmen zu instrumental verfahren ist.

Aber trotz dieser Eigenart bleibt er der Eckstein einer neuen Musikepoche.

Die Größe seiner Kunst wurde uns wieder offenbar durch die grandiose Musik zu „Jesu, meine Freude". Es ist das aber zugleich ein so schwieriges Tonstück, wie wir es nach Einsatz, Führung und Rhythmus kaum schwerer gehört haben und die Riedelaufführungen die Jahre hindurch brachten reichlich Gelegenheit zu diesbezüglichen Vergleichen. Es war von besonderem Interesse, zu beobachten, mit welchen Mitteln der Dirigierkunst der Chormeister die einzelnen Hindernisse bewältigte.

1. Die dynamische Steigung auf der Nachsilbe; bis zum Einsatz:

Alle Feinde frei — mir steht Jesus bei,
Jesus will mich decken —

2. Der Pianissimo-Ausklang bei „decken" — als Ausdruck des Ruhens und sich Geborgenfühlens in Gott — überhaupt die geistigen Ruhepunkte des gehaltenen Pianissimo.

3. Die taktfreie Deklamation bei „ich stehe hier und singe in gar sichrer Ruh.“ Besonders bei „nichts,“ „nichts“ — „nichts“ — wie da durch gleichzeitiges Abschwächen die Resignation zum Vorschein kam — unterstützt vom freien Rhythmus — bei solchen Chormassen!

4. Wie der Dirigent das — „Elend, Not, Kreuz, Schmach und Tod in seinen Sprechrhythmen hervorhob und die gute Taktzeit gegen die schlechte doppelt unterstreichen ließ — alles das waren Meisterzüge eines Mannes, der wußte, was er wollte und ein Seelengemälde des unsterblichen Thomas-Cantors entrollte, wie wir es uns eindringlicher nicht denken konnten. Seine Einführungsworte sind aber auch schätzenswerte Hinweise auf den rechten Geist zum Zuhören.

Die Zusammenstellung des Programms war auch so ein kleines (großes) Meisterstück. Von der Trauer zur Freude in Gott — zum Jubel über seine Hilfe und seine Gnade. In zwei Flügelschlägen (2 Teilen) aufwärts! — Das war die Signatur des Konzerts.

Und Dr. Georg Göhler geht.

Für den Riedelverein bedeutet das einen Verlust, wie er ihn seit Karl Riedels Heimgang († 3. Juni 1888) nicht wieder erlebt hat. Seit 1898 stand dieser schmächtige, aber in seiner Kraft unverwüstliche Mann an der Spitze des Vereines, den er neben dem Gewandhauschor mit zum ersten Kunstvereine Leipzigs erhob und zu Leistungen führte, die Ereignisse für die musikreiche Stadt bedeuteten.

Er hat den Verein nach Stimmbildung, fester Rhythmik, freier Deklamation und musterhafter Lautbildung zu einem Musterchor, zu einem Meisterchor erhoben. Aber alle diese Mittel wußte er — großen Geistes, voll starker Begeisterung und tiefinnerlicher Empfindung — in den Dienst eines erhabenen Kunsterlebens zu stellen, daß die Riedelvereins-Aufführungen zu Kunsterziehungsabenden in des Wortes seltenster, heiliger Bedeutung sich erhoben.

Der Riedelverein verliert viel an seinem Führer, an dem jeder einzelne mit Begeisterung, Liebe und Verehrung hängt. Wir gönnen dem noch so jugendlichen Künstler (geboren 1874 zu Zwickau in Sachsen) die Berufung an Felix Mottls Stelle in Karlsruhe. Wir freuen uns dieser seiner geistigen Förderung durch Berufung auf einen künstlerisch so ausgezeichneten Kapellmeisterposten — aber dem Riedelvereine empfinden wir nach den ungeheueren Verlust den der Chor erleidet, denn Dr. Göhler ist ein Mann voll hellster Kunstbegeisterung, großer, allgemeiner Vorbildung und voll Reinheit des Kunstempfindens, das als ein glückliches Widerspiel seines edlen Charakters und seiner allseits anerkannten Bescheidenheit sich darstellt. Möge ihm das fernere Leben diese tiefinnerliche Auffassung des Lebens nicht rauben.

Ob es das übrige Leipzig ahnt, was es verliert? — Die Welt benimmt sich oft so seltsam gegenüber Meistern der Tonkunst. Ihr Reich ist nur halb von dieser Welt. Darum müssen ihre Freunde oft auf so manches verzichten, was Künstler in anderen Sphären so reichlich ernten.

Wo Große gehen, bekommt die Mittelmäßigkeit mehr Luft. Möglich, daß sein Abgehen für den und jenen eine Erleichterung bedeutet.

Wir aber verlieren in ihm einen Mann, von dem wir in den zehn Jahren seines Wirkens viel, viel, sehr viel gelernt haben: in musiktechnischer, in musikästhetischer, in musikerzieherischer Hinsicht.

Wenn nun das Gefühl dieses inneren Wachstums sich auflehnt gegen den Wegzug der Kraft, die so reich befruchtend wirkte, unermüdlich arbeitete, die in edlem Kampfe vorwärts strebte und Interessen erweckte, die endlich einmal mit eitlen Erdenfragen nichts zu tun haben — so ist das alles nichts weiter, als der schlichte Beweis, wie nahe unserem Innenleben gestanden hat dieser seltene Mann. In Gottes Namen!

Hugo Löbmann.

3. ✠ „Am 3. Februar nachmittags 12 ½ Uhr ist Monsignore **M. J. A. Lans**, Stadtdechant in Amsterdam, Domkapitular der Haarlemschen Kathedrale, Päpstlicher Geheimkämmerer und Inhaber des höchsten niederländischen Ordens, gestorben. Schon seit längerer Zeit leidend, unterzog er sich mit ungebrochener Arbeitslust seinen umfangreichen Berufspflichten. Eine notwendige Operation überstand er wohl, unterlag aber den Folgen derselben, noch rechtzeitig versehen mit den heiligen Sterbsakramenten. Dreißig Jahre lang ist er die Seele der kirchenmusikalischen Reformtätigkeit in Holland gewesen. Sein begeisterndes Wort, seine geschickte Feder, sein leutseliger Umgang, seine bewunderungswürdige Arbeitskraft, sein nie rastender Eifer, sein feiner Takt gegenüber Gegnern von außen und lästigen Brüdern von innen haben für das Emporblühen der *Musica sacra* in Holland mehr getan als alle anderen Förderer zusammen.

M. J. A. Lans war am 18. Juli 1845 in Haarlem aus einer wohlhabenden bürgerlichen Familie geboren, wurde 1869 zum Priester geweiht und nach kurzer seelsorglicher Arbeit als Kaplan zum Lehrer am Knabenseminar der Diözese Haarlem berufen. Später wurde er Pfarrer in Schiedam, dann Präses des Priesterseminars in Warmond und endlich Stadtdechant in Amsterdam, dessen katholische Bevölkerung den vielgeliebten und vielgeplagten Dechant tief betrauert. Der Verstorbene gehörte zu den angesehensten Männern der holländischen Geistlichkeit.“

(Dem Redakteur dieser Monatschrift war M. Lans einer der teuersten und treuesten Freunde, begleitete denselben im September 1882 zum Kongresse von Arezzo, stand mit ihm im eifrigen schriftlichen Verkehr, besuchte öfters die deutschen Generalversammlungen, z. B. in Münster, Regensburg und Straßburg, und verpflanzte die Ideale des deutschen Cäcilienvereins besonders durch das „St. Gregoriusblad,“ das mit dem Jahre 1908 den 33. Jahrgang begonnen hat, in Holland. Die Mitglieder des deutschen Cäcilienvereins sind gebeten, des edlen Priesters beim heiligen Meßopfer und in ihren Gebeten eingedenk zu sein). R. I. P.

Druck und Expedition der Firma **Friedrich Pustet** in **Regensburg**.

**Nebst Anzeigenblatt sowie Cäcilienvereins-Katalog, 5. Band, S. 137 144, Nr. 3562—3577.**

1908. Regensburg, 15. März 1908. Nro. 3.

# Cäcilienvereinsorgan.

43. Jahrgang
der von Dr. Franz Xaver Witt († 2. Dez. 1888) begründeten Monatschrift

# Fliegende Blätter für kath. Kirchenmusik.

Verlag und Eigentum des Allgemeinen Cäcilienvereins zur Förderung der kathol. Kirchenmusik auf Grund des päpstlichen Breve vom 16. Dezember 1870.
Verantwortlicher Herausgeber: Dr. Franz Xaver Haberl, z. Z. Generalpräses des Vereins.

Erscheint am 15. jeden Monats mit je 20 Seiten Text inkl. des Cäcilienvereins-Kataloges. — Abonnement für den ganzen Jahrgang, inkl. des Vereinskataloges 3 Mk., einzelne Nummern ohne Vereinskatalogbeilage 30 Pf. Die Bestellung kann bei jeder Post oder Buchhandlung gemacht werden.
Inserate, welche man rechtzeitig an die Expedition einsenden wolle, werden mit 20 Pf. für die 1spaltige und 40 Pf. für die 2spaltige (durchlaufende) Petitzeile berechnet.



## Vale carne — Ave crux!

Welt — lebe wohl — — — Heiland am Kreuz — sei mir gegrüßt! Nur dem, der die Welt noch nicht genügend kennt, kann der zeitweilige, der längere, der gänzliche Abschied von ihr schwer fallen. Wer sich näher mit ihr — auch nur probeweise — eingelassen hat, wer in ihr nach Tieferem suchte, suchte bei ihr, was er in sich selbst nicht fand — mit einem bitteren, trockenen Gefühl der Enttäuschung, der brennenden Leere läßt er ab von weiteren Versuchen, auf ödem Wüstensande Frühlingsblumen des Hoffens, Sonnenrosen des Glückes zu suchen. Seine Seele erkennt voll Reue, voll bitterer, schwerer Reue ihren tiefen Wahn; durch Tränen hindurch nach einem Auswege aus diesem heißen Tale des Todes suchend, folgt sie vertrauungsvoll der innern Sehnsucht nach dem Glücke, die nie sterben, nie Ruhe geben will, und läßt sich willig, ach so gerne führen hin zum Berge, hinan zum Felsenhügel, von dem das heilige Kreuz grüßt mit seinen großen, langen Armen, mit denen es sie alle segnet, die da kommen zu suchen das Heil gegen die Welt, das Heil in der Welt, das Heil der Welt, den Heiland der Welt, den lieben, den treuen, den starken Erlöser aus Tod und Elend und Sünde und Not.

Auf solchem Untergrunde der Erlösungsnotwendigkeit, Erlösungsmöglichkeit, Erlösungssehnsucht, des Erlösungsglückes ruht die ganze Idee des Opfers, ruht das Verhältnis des Menschen zu Gott, ruht die ganze heilige Liturgie, als die im Auftrage Jesu Christi durch den Priester als Stellvertreter des Erlösers sich vollziehende Reinigung, Schuldbefreiung, Aussöhnung der reuigen, büßenden, bekennenden Menschheit mit ihrem ewigen Gott.

Ein wesentlicher Teil dieser Liturgie fällt dem katholischen Sängerchore zu, wenn er seine Bedeutung richtig auffaßt. Der Sängerchor ist die tonquellende Zunge, die dieses Verhältnis der Menschheit zu Gott durch den Gesang zum Ausdruck bringt.

Das Tönende des Kirchenchores, der vom Chore gesungene Ton ist das „geistige“ Abbild der oben bezeichneten Seelenstimmung — das geistige Abbild will hier gleich gesetzt sein mit: seelischer Ausdruck, Hörbarmachen der Wellenlinie des Gemüts, verklärter Pulsschlag des betenden, gottglaubenden Herzens.

Die Kunst, den einzelnen Ton zum Unter- und Hintergrunde, zum seelischen Lebensodem zu erheben für das heilige Wort, nimmt den Faden der geistigen Zwiesprache

3

zwischen Mensch und Gott auf und führt den Sänger und den Zuhörer tiefer ein in das Heiligtum der Kunst und ihrer Stellung zu Gott, der an der heiligen Liturgie persönlichen Anteil nimmt. Diese Kunst führt näher hinan an die Stufen des Altares, an die Felsen des Kreuzes. Und was im bloßen, warmen, belebten, durchgeistigten Singtone die Seele ahnungsvoll ansprach, das tritt im Textworte in reiner, voller Klarheit an den Menschen heran, und das Textwort wird zum Dolmetscher der singenden Seele vor dem Gnadenthrone Gottes.

So sollte es immer sein, wo ein Chor in der Kirche singt. Sein Gesangton allein schon sollte — ohne Wort — als bloßer Akkord, als das Schwingen einer Menschenharfe — als seelischer Ausdruck rein gestimmter Herzen — sollte als absoluter Gesang, sollte als die Stimme der Chorstimmen zum Herzen sprechen wie ein Stück reine, unverfälschte, geheiligte Natur. Allein schon dadurch sollte alles ausgeschlossen erscheinen, was an die Welt und an ihre Schwere, an ihre Härte, ihre Selbstsucht, ihre Eitelkeit erinnert.

Und nun in dieses Band von Schönheit und Reinheit hineingewebt die Blumen des Textes, des uralten, heiligen Textes, durch den der Menschen Geschlechter schon Jahrtausende hindurch ihr Leid und Weh geklagt, dem Herrn des Himmels seinen Triumph gesungen; durch den sie ihren starken Glauben treu bekannt; in welchem sie ihre Anbetung, ihr Loben und ihr Bitten um Frieden wundersam vereint und ihr Flehen vertrauungsvoll dem Lamme zu Füßen gelegt haben — diesen Text dann ausgesprochen in Tönen, von denen jeder einzelne ein Gedicht, ein Wort, eine Schönheit und Lebensidee genannt werden kann — das ist Kirchenmusik, wie es eine höhere nicht gibt auf Erden und nicht im Himmel.

Aber — da müßten Menschen — Engel sein. Und als Menschen treten sie ein — treten sie ein in den Verein, um zu singen. Welch ein weiter Weg ist da in jeder einzelnen Singstunde von jedem einzelnen zurückzulegen. Vom Lärme des Tages zur Stille am Tabernakel! Von den Gedanken der Not, der Sorge bis zum Aufblick ans Kreuz, aus Erlösungsnot und Seelenelend zum Himmel voll Gnade und Erbarmung.

Der wahre Sänger aber muß diese Strecke zurückgelegt haben, wenn er eindringen will in das Heilige seines Gottesgnaden Sängertums.

Der Chorleiter muß diese Pfade vorausgehen. Welch kleine Arbeit erscheint da die mechanische Addition der Takte zu Chorsätzen! Wie rauschend der äußere Apparat des Sprechenlehrens und des Treffens, gegenüber diesem Gang in die Tiefe!

So notwendig ein äußeres Fortschreiten im Anlernen und Einlernen neuer Stücke und Werke — so notwendig, so dringend notwendig ein immer neues Vertiefen, ein immer innigeres Auffassen, ein langsames aber stetes nach Innengehen.

Das Loslösen vom Stoffe muß immer größer, die Seele der Beteiligten muß immer freier werden. Losgeschält von der Materie, die ganze Aufmerksamkeit des Hörens erhoben zur höheren Arbeit des Zuhörens, das höhere, feinere Bewußtsein, das Empfinden der Situation in ihrer Klarheit, und ihrer vielseitigen Beziehung zu sich, zu der Mitwelt und zu Gott — das Erfülltsein von der Weihe, von dem Ernste, von der Erhabenheit des Augenblickes läßt den edleren Menschen in uns zum Gebieter werden; und so ersingt sich ein solcher Chor die stille, stumme Billigung seiner selbst; und dieses Gefühl des bewußten Schönen — weit entfernt zum Verführer durch Selbstverherrlichung zu werden — es legt den Mantel der Schönheit lautlos zu Füßen des Kreuzes, um aufzufangen das heilige kostbare Blut, das dort zur Sühne herabrann für unsere Sünden. Das reuige Herz hebt auf den zu Boden gefallenen Sternenmantel der Schönheit, und die Reue steigt hinauf ans Kreuz und umhüllt mit dem zarten Gewebe, gewoben aus Liebe und Hingabe und Opfermut, den heiligen entblößten Leichnam des Herrn und in ihren Gesängen, in ihren Worten, in ihrem Tönen erkennt die lauschende Seele das Echo wieder von den vier Enden der Welt, das Echo auf jene Worte, auf jenen Gesang der Liebe des sterbenden Heilandes an die erbarmungslose Welt, das Echo auf jene heilige Skala mit ihrer heiligen Siebenzahl, wodurch die göttliche Liebe die Erde wieder an den Himmel heftete.

Für solche Liebe — keine Opfer groß genug.

*Ave crux — vale carne!* —b—.

## Vereins-Chronik.

1. × **Bericht über den Diözesan-Cäcilienverein des Bistums St. Gallen pro 1907.** Der Unterzeichnete hat jüngst in einem Zeitungsblatt gelesen, es mache sich in der Gegenwart eine gewisse „Vereinsmüdigkeit“ geltend. Dieses Wort kam ihm in den Sinn bei Durchlesung des einen oder anderen Berichtes der Bezirkspräsides über die Tätigkeit der Bezirksvereine im Jahre 1907, denn es scheint wirklich da und dort eine gewisse Stagnation in der Vereinstätigkeit zu herrschen. Ich meine damit nicht die Tätigkeit der einzelnen Pfarrvereine, denn über diese liegen (den Domchor in St. Gallen ausgenommen) keine Berichte vor und sind auch keine verlangt worden, sondern die Tätigkeit (Versammlungen und Produktionen) der Bezirksvereine als solcher. Zum Glück ist bei diesen Bezirksvereinen, deren Eifer im Jahre 1907 zu wünschen übrig ließ, der gute Wille vorhanden, es im Jahre 1908 besser zu machen.

I. Von den 9 Bezirksvereinen hielten die meisten jährlich 2 Versammlungen (Geistliche, Chordirigenten und teilweise auch Delegierte der einzelnen Pfarreien), einzelne nur 1 Versammlung ab, was allerdings als zu wenig bezeichnet werden muß. Es wurden dabei über folgende Themate Referate gehalten: „Chopin und sein musikalisches Wirken“, „Die Bedeutung des liturgischen Gesanges in den ersten Jahrhunderten“, „Einiges über Wert und Vortrag des gregorianischen Chorals“, „Allerlei aus Kirche und Probelokal“, „Einiges über die Entstehung des deutschen Kirchenliedes“, „Papst Pius X. als Kirchenmusiker“, „Der angehende Organist“. Verschiedene Versammlungen beschäftigten sich mit dem Programm einer Vereinsproduktion im Jahre 1908.

An Produktionen der Bezirksvereine war das Jahr 1907 äußerst arm: nur der Bezirksverein Rheinthal hatte eine solche. Der Gesamtchor brachte dabei eine Messe von Beltjens (Opus 139) zur Aufführung. 2 Bezirksvereine hatten pro 1907 eine Produktion beschlossen, den Beschluß aber wegen mangelhafter Beteiligung der einzelnen Chöre nicht zur Ausführung gebracht, 4 Bezirksvereine haben eine Produktion pro 1908 beschlossen. Regelmäßig wiederkehrende Produktionen sind das beste Mittel, einen Bezirksverein vor Stagnation zu bewahren und auch die Tätigkeit der einzelnen Chöre anzuregen. Man sollte sich deshalb nur aus wichtigen Gründen entschließen, die einmal beschlossene Produktion auf ein weiteres Jahr zu verschieben.

II. Vom Domchor St. Gallen liegt ein ausführlicher Bericht über dessen Tätigkeit im Jahre 1907 vor. Demselben ist folgendes zu entnehmen:

Der Domchor, unter der tüchtigen Leitung von Herrn Domkapellmeister Gg. Ed. Stehle stehend, hat folgenden Mitgliederbestand: Aktivmitglieder: 125 (35 Sopran, 34 Alt, 25 Tenor, 31 Baß), Passivmitglieder: 214, Ehrenmitglieder: 19. Proben fanden statt: für den Damenchor 74, für den Männerchor 59 (nicht inbegriffen einige Extraproben). Was die Aufführungen an Sonn- und Feiertagen anbetrifft, so wurden Messen aufgeführt: von Ahle (14mal), Ebner (7mal), Koenen (1mal), Stehle (9mal), Arnold (5mal), Filke (7mal), Rheinberger (4mal), Weirich (2mal), Deschermeier (3mal), Gruber (2mal), Sephner (3mal), Witt (5mal). Neu aufgeführt oder völlig neu einstudiert wurden: Ahle, 7st. Messe, Rheinberger, Orchestermesse in *C*-dur, Koenen, Messe, Op. 21, Witt, Luzienmesse, Weirich, Josephsmesse mit Orchester, Dr. W. Wittmann *Te Deum*, 8st., verschiedene Motetten von Nekes, Gruber, P. Hartmann, Frank, Perosi, Koenen. Von weltlichen Aufführungen bei verschiedenen Anlässen verdient besonders erwähnt zu werden die Oper „Joseph und seine Brüder“ von Mehul.

Bei der Hauptversammlung wurde ein Beschluß gefaßt, der auch andern größeren Chören zur Nachahmung empfohlen werden dürfte, nämlich: diejenigen Aktivmitglieder, welche seit mindestens 20 Jahren dem Domchore angehören, in besonderer Weise auszuzeichnen. Der Beschluß wurde ausgeführt anläßlich einer weltlichen Feier am 5. Dezember, indem drei Damen, die schon seit 25 Jahren beim Vereine aktiv beteiligt waren, goldene Broschen mit dem Bildnis der heil. Cäcilia und neun Herren, von denen die Mehrzahl über 30 Jahre Aktivmitglieder sind, goldene Ringe mit Lyra überreicht wurden. In solcher Weise kann allerdings nicht jeder Cäcilienverein seine langjährigen verdienten Mitglieder ehren, aber doch wohl etwa durch Überreichung eines Ehrendiploms.

Schließlich sei der Wunsch ausgesprochen, daß alle Bezirksvereine mit erneutem Eifer sich der Pflege der *Musica sacra* widmen mögen.

Goldingen, den 27. Februar 1908. A. Oswald, Dekan, Diözesanpräses.

2. □ **Bericht des Domchores in Graz (Steiermark).** Der Domchor (die Domkirche zum heil. Ägydius ist zugleich Hofkirche) mit einem Stande von 12 Sopranen, ebensoviel Alt, 6—7 Tenor und 6—8 Bässen, wozu noch ein Instrumentalkörper kommt, der bei größeren Orchestermessen komplett ist (also sämtliche Holzbläser und Blechbläser 2fach, die Posaunen 3fach, (ab und zu auch das Englischhorn) und die Pauke besetzt sind) tritt nur an Fest- und Feiertagen, mehreren Festen *dupl. II.*, den gestifteten Requiem, Kaiserfesten, in der Charwoche, Pfingstwoche, bei Privatämtern, Universitätsgottesdienst etc. auf, während an den gewöhnlichen Sonntagen und bei der Vesper (zumeist) die Theologen das Offizium choraliter singen. Dies hat seinen Grund darin, daß das Pauschale, welches der Staat leistet, nur für obige erstgenannte offizielle Dienste bestimmt ist. — Der Raum des Chores ist übrigens so beschränkt, daß ein größerer Sängerchor wie oben angegeben, nicht unterzubringen ist, zudem noch das Orchester einen bedeutenden Raum beansprucht. Die Orgel, ein älteres Werk, wird im nächsten Jahre mit einem neuen Werke vertreten sein und wird von Konrad Hopfenwieser-Graz, (der auch die Chororgel im Presbyterium erbaute) erstellt. Geplant

ist auch die Aufstellung eines Elektromotors für die Windzufuhr. Über die große Orgel wird zu geeigneter Zeit berichtet werden. —

Instrumentalmessen wurden aufgeführt: Weihnachten I. und III. Messe, Fest der heil. Dreikönige, Maria Lichtmeß, St. Joseph (Landespatron), Ostersonntag, Osterdienstag (Privatamt), Christi Himmelfahrt, Pfingstsonntag, hochheil. Fronleichnamsfest, 18. August (Kaiseramt), dann zur Patroziniumfeier St. Ägydius (wird hier stets am letzten Sonntag im August gefeiert), am 4. Oktober Kaiseramt, am Rosenkranzfest (Privatamt), am Feste der Kirchweihe, am Feste Allerheiligen und am Feste der unbefleckten Empfängnis der seligsten Jungfrau Maria (Privatamt).

Aufgeführt wurden folgende Werke: *Missa* in *C* von Beethoven, Brosig in *D*-dur, *F*-moll, Filke in *G*, A. Faist in *C*, Mozart *Missa brevis* in *D*, Mitterer Herz Jesumesse, Meuerer in *D*, *F*, *Es* (Op. 42), Rheinberger in *C*, Veit in *D*, Weirich in *B*. — Instrumental-Requiem war nur 1 mal und wurde dieses von Meuerer Op. 31 aufgeführt.

Messen mit und ohne Orgel von: Croce *VI. Toni*, Ebner *(de Spiritu Sancto)*, Haller *(B. M. V.* 5st., *M. Sexta* für Mst., *M. IV.)*, Mitterer *(M. V., VI., St. Caroli, de Apostolis)*, Goller (Loretto, Majella, Aloisius), Gruber *(Nominis M.)*, Meuerer *(M. IV., Crucis, Nominis Jesu)*, Rheinberger *F*-moll, Schildknecht Herz Jesumesse, Haller *(Maximi, Cassiani* für Mst.), Vittoria *Missa O quam gloriosum*, Orlando Lasso *Missa Puisque j'ay perdu*, Griesbacher Passauer Dommesse. — *Requiem* mit Orgel von: Goller mit Posaunen, Gruber, Kohler, Bischoff (5 voc.), Mitterer mit Posaunen, Meuerer. — Gradualien, Sequenzen, Introiten etc. von: Greith, Mitterer, Meuerer, Ortwein, Stehle, Witt, Modlmayer, Singenberger, Mettenleiter etc. — Offertorien von: Haller, Stehle, Mitterer, Goller, Greith, Witt, Ett, Kornmüller, Obersteiner, Kothe, Diebold, Koenen, Orlando, Piliand, Schaller. — *Te Deum* von: Goller, Mitterer, Witt, Griesbacher, Modlmayer, Meuerer. — Litaneien von: Auer, Gruber. Sakramentsgesänge von: Haller, Mitterer, Goller, Mozart, Bruckner, Witt, Meuerer. — *Tantum ergo* von: Haller, Mitterer, Goller, Meuerer, Griesbacher, Witt, Ett, Ahle. — Charwochengesänge von: Kerer-Mitterer, Palestrina, Anerio, Handl, Zuccari, Bernabei, Mandl, Seydler, Ingegneri-Haberl. — Antiphonen, Responsorien von: Mitterer, Lotti, Witt, Griesbacher. — Das chorale *Requiem* wurde sehr häufig gesungen; Amt und Vesper, wie alle liturgischen Dienste richtig bedient und zwar wird hier mit bischöflicher Erlaubnis der Choral nach der Medicäerausgabe gesungen. — Novitäten: Responsorien für die Charwoche von Ingegneri-Haberl, Offertorien für das Osterfest von Greith, *Missa* in *F*-moll von Rheinberger, *Missa S. Josephi* von A. Weirich für Soli, Chor und Orchester, *Missa Gerardi Majella*, 4st. mit Orgel von Goller, *Tantum ergo* und Gradualien von Meuerer, *Missa* in *C* für Soli, Chor und Orchester von Rheinberger, *Missa Dom. IV.*, 4st. mit Orgel von Meuerer, *Missa de Apostolis*, 5st. a capella von Mitterer, *Missa S. Cassiani*, 4 voc. viriles von Haller. — Mehrere ältere Werke wurden wieder aufgeführt. — *Ad majorem gloriam Dei!*

Graz, im Februar 1908. Johannes G. Meuerer, Domkapellmeister.

3. ⊙ **Salzburg** im Februar. Ich hätte gern die Advent- und Weihnachtsaufführungen des Domchores den „Fliegenden Blättern" berichtet, kam aber nicht mehr in die Lage, da einige Wochen die betreffenden Mitteilungen in der „Chronik" fehlten. Die letzte Zeit brachte uns große Begräbnisse, an denen der Domchor vollzählig beteiligt war.

Das erste war das des Großherzogs von Toskana. Zur Aussegnung kamen das 5stimm. *De profundis* von Haller und das *Libera* für 1 Ober- und 3 Unterstimmen vom Salzburger Domkapellmeister, Stefan Bernardi, zur exakten Aufführung. Letzteres hat Herr Chordirektor Spies aus den alten Handschriften abgeschrieben. Zum feierlichen Pontifikal-*Requiem* im Dom erklang das klassische *Requiem* in *C*-moll von Cherubini.

Die zweite Leichenfeier galt dem unvergeßlichen, hochverdienten Prälaten und Domkustos Danner. Nach Hallers *De profundis* wurde während des Umzuges das *Miserere* mit Blechbegleitung von Jos. Gruber vorgetragen. Zur Aussetzung im Dom die Komposition *In paradisum* von Haller. Zum Pontifikal-*Requiem* die große Komposition in *C*-moll von K. Ett, Graduale und Traktus von Filke, *Libera* von Thaler-München.

Zur Pontifikal-Vigil *Magnificat*, *Invitatorium* und *Benedictus* von Achleitner, die Responsorien *III. Noct.* von Bernardi, alles für Männerchor.

Zum Pfarrgottesdienste *Requiem* von Thaler und *Libera* von König.

Zu den Seelengottesdiensten für Domdechant Mayr wurden das Ett *Requiem* wiederholt und an zweiter Stelle das von Rudolf Bibl aufgeführt mit *Libera* für Männerchor von Spies.

Außer einer Instrumental-Litanei (lauret.), welche schon vor mehr als Jahresfrist das erstemal aufgeführt wurde und bei Böhm im Druck erschienen ist, hat Herr Domchordirektor eine moderne Instrumentalmesse komponiert, welche am 9. d. die Erstaufführung im Dome feierte. Ohrenzeugen haben sich sehr günstig darüber geäußert und waren darüber voll des Lobes; betreffs Kirchlichkeit streife sie allerdings mitunter die äußersten Grenzen. Eine musikalische Kapazität hat die Messe im katholischen Lokalblatt günstig besprochen, wie folgt:

Die „Salzburger Chronik" vom 12. Februar schreibt: „Am vergangenen Sonntag (9) wurde im Dom beim Hochamte eine neue Messe in *D*-moll von Chordirektor Hermann Spies unter dessen eigener Leitung zur ersten Aufführung gebracht. Es sei vorausgeschickt, daß dieses jüngste Werk unseres äußerst strebsamen und verdienstvollen Domkapellmeisters einen bedeutsamen Fortschritt in seinem ernsten künstlerischen Schaffen vorstellt.

In der ganzen Anlage des Werkes verrät sich eine echte Kraft, die das, was sie will, auch kann. Alles fließt natürlich, ist wahrhaft empfunden und erhört, in einer dem heiligen Orte entsprechend würdigen Stimmung glücklich und sicher konzipiert.

*Kyrie* und *Gloria* zeichnen sich durch prägnante musikalische Gedanken aus, die aus dem tiefen Gehalte des Textes geschöpft, logisch fortgeführt erscheinen; in prächtigem Wechsel lösen einander die Vokal- und Instrumentalgruppen ab, um sich zum Schluß zu machtvoller Steigerung zu vereinen.

Einen großartigen Höhepunkt bildet das *Credo*, das sich im weiten Bogen spannt und im wundervollen *Et incarnatus est* zu jener keuschen überirdischen Verklärung erhebt, wie es nur einem besonders begabten Tondichter in gesegneter Stunde eingegeben wird.

Außer melodischen Schönheiten ist die Messe auch in harmonischer und kontrapunktischer Hinsicht überreich und kennzeichnet sich hiedurch als das Werk eines Tonkünstlers, der die Würde der Altmeister mit der umfangreichen Ausdruckskraft unserer Zeit weise zu verbinden vermag.

Von großer Gefühlsinnigkeit, von Liebe und Glaube durchdrungen, so ganz aus dem Geiste der hohen Messe geschöpft, erweisen sich auch *Sanctus* und *Benedictus* und das durch seine Einfachheit und Geschlossenheit außerordentlich tief ergreifende *Agnus Dei*.

Das überaus wertvolle Werk wurde von den Mitgliedern des Dommusikvereines und den braven Kapellknaben recht würdig, mit großer Wärme gebracht. Dem Hochamte wohnte auch Se. Eminenz Kardinal Fürsterzbischof Johannes Katschthaler bei. A. B.

**4. ⊙ Straßburg. Generalbericht über die 25jährige Wirksamkeit des Cäcilienvereins der Diözese Straßburg** (1882—1907) an dessen Jubiläumsfeier zu Straßburg, den 21. November 1907, erstattet durch den Vereinsschriftführer.

Hochwürdigste Herren! Sehr verehrte Anwesende! Es ist mir der ehrenvolle Auftrag geworden, Ihnen bei der heutigen Gelegenheit, in kurzen Zügen das Lebensbild eines wenn auch noch jungen, so doch schon hochgefeierten Jubilars zu entwerfen, eines Jubilars, welcher heuer sein 25stes Lebensjahr erreicht hat, somit bereits volljährig geworden und nun in den Vollbesitz seiner männlichen Kräfte gelangt ist. Dieser junge Jubilar — Sie haben denselben bereits genannt — trägt den Namen: „Cäcilienverein der Diözese Straßburg". Ich hatte mir vorgenommen, Ihnen ein etwas ausführliches Lebensbild dieses Jubilars zu entwerfen, allein mein Manuskript schwoll so sehr an, daß ich auf mein erstes Projekt verzichten mußte, und Ihnen hier nur eine in großen Zügen gehaltene biographische Skizze des Gefeierten geben kann.

Unser Jubilar erblickte das Licht der Welt im Jahre 1882. Seine glücklichen Eltern hießen Charles Hamm und Marie Joseph Erb. Die feierliche Taufe empfing der Junge im Herbst 1882 zu Kestenholz, am Fuße der jetzigen Hoh-Kaisersburg. Im Sommer dieses Jahres 1882 hatten die Herren Hamm und Erb von Hohwald aus ein Zirkular an eine Anzahl Geistliche und Organisten des Bistums gerichtet, um denselben die Idee einer anzustrebenden Reform der Kirchenmusik im Elsaß zu unterbreiten, und sie zu einer gemeinsamen Besprechung und eventuellen Gründung eines diesbezüglichen Vereines einzuladen. — Diese Besprechung kam nun auch zustande am 21. Sept. 1882 zu Kestenholz in einer Versammlung, welcher beiwohnten die Herren Hamm, Erb, Gloeß, Wiltberger, Thomas, Muller, Eberling, Steiner, Ronher, Bisack, Lichtel, Franli, Groß, Muller (Johann), Althoffer, Lutz, Fr. Amand und Fr. Philibert.

Hier trat nun unser Junge zum ersten Male an die Außenwelt und wurde feierlich getauft unter dem Namen: Elsässischer Cäcilienverein. Die Statuten des Vereins wurden nach den Statuten des Allgemeinen deutschen Cäcilienvereins (von Fr. X. Witt) vorläufig entworfen.

Im Juli 1883 richtete der vorläufige Präsident H. Hamm an eine große Anzahl Organisten, Lehrer und Geistliche ein zweites Zirkularschreiben, behufs definitiver Bildung des Vereins zur Reform der elsässischen Kirchenmusik, Fixierung der Statuten usw. in einer zu Kolmar abzuhaltenden Versammlung. Im August 1883 trat die I. Generalversammlung des Elsässer Cäcilienverein in Kolmar zusammen. Es erschienen 108 Mitglieder; 36 andere hatten Ihren Beitritt zugesichert. Herr Pfarrer Joseph Gerber wurde zum Präsidenten, die Herren Hamm und Erb zu Vizepräsidenten des Vereins, H. Jules Althofer zum Schriftführer und Hr. Gloeß zum Kassierer erwählt. Die Herren Stockhausen, Wiltberger und Frère Vincent wurden Vorstandsmitglieder. Die Vereinsstatuten wurden nun endgültig festgelegt. Nach den Debatten ging man gleich über zur praktischen Arbeit und Herr Pfarrer Groß ließ durch 14 Schüler von Zillisheim — *inter quos et ego minimus fui* — verschiedene Choralstücke mustergültig vortragen. H. Hamm leitete den Gesang des Festgottesdienstes und des abendlichen I. geistlichen Konzertes.

Am 4. September 1883 schon erschien das Schreiben Seiner Gnaden des Hochseligen Herrn Bischofs Stumpf, durch welches Hochderselbe die Statuten des Elsässer Cäcilienvereins genehmigte.

Unser Junge war demnach auch „konfirmiert", und konnte nun gehörig ausgerüstet, sein öffentliches Wirken im Elsass entfalten. Diese vielseitige Wirksamkeit des Elsässer Cäcilienvereins in diesen 25 Jahren Ihnen auch nur annähernd zu schildern, würde uns weit über den Rahmen dieses Berichtes hinausführen, ich muß mich daher beschränken, bloß auf die hervorragendsten Marksteine des langen Weges, den „der Junge" durchlaufen hat, hinzuweisen.

Unser wackerer Junge tat zuerst einmal, wie alle Jungen tun, die etwas werden wollen; er griff zum Wanderstab, er ging auf die Wanderschaft durch alle Gaue des Elsaß. In diesen 25 Jahren trat er öffentlich und immer kraftvoller auf in neunzehn Generalversammlungen, welche er in allen Teilen des Elsaß abhielt, überall Begeisterung einflößend und Nachahmung erweckend. Er kam vor allem in die Bischofsstadt Straßburg, wo im Juli 1884 die II. Generalversammlung stattfand, unter Mitwirkung des Münsterchores von Kolmar.

Im Jahre 1886 ging er zur III. Generalversammlung ins Rebland hinüber, nach Dambach, wohlbewußt, daß jener Boden des Elsaß auch der beste Gesangesboden sei. — Hier wurde, nachdem Hr. Pfarrer Gerber sein Amt niedergelegt hatte, Hr. Erzpriester, Kanonikus K. Marbach zum Präsidenten des jungen Vereins gewählt.

Schon das Jahr darauf wollte der junge „Cäcilius“ seine Wirksamkeit unter den Schutz derjenigen stellen, welche schon im Mittelalter die hehre Patronin der Pfeiferbrüder und fahrenden Sänger war, und er wallfahrtete (1887) zur IV. Generalversammlung nach dem elsässischen Nationalheiligtum Marienthal.

Hier konnte zum erstenmal das Verzeichnis der an den Diözesanverband angegliederten Pfarrvereine verkündet werden. — Es wurden auch hier die jährlichen Beiträge festgestellt, sowie ein Referentenkollegium von 4 elsässischen Komponisten erwählt, zur Prüfung der in das Vereinsorgan „Cäcilia“ (gegründet 1884) aufzunehmenden Gesangsstücke.

Zu der V. Generalversammlung in Benfeld — 1888 — erschienen bereits über 300 Anhänger des Cäcilienvereins. — Bischof Stumpf beglückte die Versammlung mit einem herzlichen Telegramm, des Inhaltes: *„Coetum mihi dilectum singulosque coadunatos peramanter benedico Deum Optimum orans ut in continuum floreant et crescant.“* Bei den hier (statutengemäß alle 5 Jahre) vorzunehmenden Wahlen wurde Hr. Erzpriester Marbach abermals zum Präsidenten erwählt. —

So war nun mittlerweile unser Junge 6 Jahre alt geworden, — er hatte die ersten Kinderkrankheiten durchgemacht. Sein Wachstum ging allerdings sehr „langsam voran“, auch hatte er manchmal so bleich und schwächlich ausgesehen, daß Schwarzseher behaupteten, daß der Kleine nicht lebensfähig wäre; besonders „blutarm“ war er und litt gar oft an echt modern neurasthenischer Schwäche, namentlich in jenem Nervenzentrum, welches Kenner den *Nervus Rerum* nennen; allein der Junge hatte einen guten Spezialisten für diese Art von Krankheiten droben in Mülhausen, welcher ihm immer wieder mit guten *pilules dorées* und kräftigen „Klösen“ aufhalf.

Im Jahre 1889 ging unser Junge zum ersten Male zur Heimstätte seiner alten Meister Wimpfeling, Beatus Rhenanus, Muffat nach Schlettstadt zur VI. Generalversammlung, welcher Tag zu einem bedeutenden in der Geschichte des Cäcilienvereins wurde, da zum ersten Male der Bischof von Straßburg den Verein, wenn auch nur kurz, mit seiner Gegenwart beehrte. —

Die VII. Generalversammlung führte den Cäcilienverein — 1890 — wieder an seine Wiege — nach Colmar, wo zum ersten Male das durch Herrn Keller-Straßburg angefertigte Angehörigkeitsdiplom erschien.

Am Fuße des Odilienberges in Oberehnheim tagte im September 1891 der Cäcilienverein zum achten Male — zum ersten Male aber unter dem Vorsitze des Oberhirten der Diözese, des Hochwürdigsten Hr. Bischofes Dr. Fritzen. Durch dies persönliche Erscheinen und diese Teilnahme der höchsten kirchlichen Obrigkeit der Diözese kam ein kräftiger Impuls in die Tätigkeit des Cäcilienvereins und — sagen wir es gleich — diesem persönlichen Eingreifen unseres geliebten Oberhirten hat der Elsässer Cäcilienverein seine Existenzbefähigung und seine Weiterentwicklung zu verdanken. — Der Name des Bischofs Fritzen wird daher unzertrennlich mit der Jugendgeschichte des Elsässer Cäcilienvereins verknüpft bleiben.

Im Jahre 1892 ging unser Verein wieder „ins Gebirge“ nach der alten Reichsstadt Kaysersberg zur IX., und im Jahre 1894 zur X. Generalversammlung nach dem vielen unter uns so lieben Zillisheim. Die XI. Generalversammlung führte den Cäcilienverein zum zweitenmal nach Benfeld — 1896 —. In dieser Versammlung resignierte der bisherige Präsident — Hr. Marbach, welcher 1891 zum Weihbischof ernannt worden war, und nun wurde Hr. Erzpriester und Münsterpfarrer Kieffer zum Präsidenten des Elsässer Cäcilienvereins erwählt. Hier in Benfeld lauschten die entzückten Zuhörer dem Vortrag des gottbegnadeten Beuroner Paters † Ambrosius Kienle, welcher wahrhaft goldene Worte sprach über den gregorianischen Choral als das Fundament, den Eck- und Prüfstein aller Kirchenmusik. Hier fanden auch wieder die Neuwahlen des Gesamtvorstandes statt (s. Cäcilia Nov. 1907, S. 169), und wurde der Grund zur Organisation der Kreis- und Kantonalvereine gelegt.

Unter der Präsidentschaft des Hr. Erzpriester Kieffer erfolgte nun eine besonders rege Tätigkeit des Vereinsvorstandes.

Es wurden alljährlich regelmäßige Vorstandssitzungen im Münsterpfarrhause abgehalten, welche insbesondere den weiteren Ausbau der Vereinsorganisation bezweckten. Der Vorstand teilte sich in 5 Kommissionen: für Choral, mehrstimmige Musik und Orgel, Kirchenlied, Organisation und Presse. Es wurde eine Vereinsbibliothek gegründet — in welcher seither ein echter und rechter Bücherwurm, Hr. Martin Vogeleis, haust. —

Unser wackerer Junge wuchs auch nun immer mehr empor. — Mit jugendlicher Kraft drang er immer weiter vorwärts auf seiner edlen Bahn, obschon er auch manche dornige Pfade zu gehen hatte. — Der junge „Caecilius“ aber verschmachtete nicht in der Wüste, sondern er ermannte sich, und während schon manche Stimmen den Totengesang speziell über das verwaiste Vereinsorgan „Cäcilia“ singen zu müssen glaubten, erscholl bereits von St. Johann zu Straßburg her der Ruf des Retters in der Not: Hochw. H. Leo Lutz ergriff beherzt mit der Redaktion des Vereinsorgans das Vereinspanier und trug es mutig voran in eine neue lebenspendende und heilbringende Atmosphäre hinein.

Nebst den mehr paradeartigen Generalversammlungen, deren XII. (1897) in Kolmar, XIII. (1900) in Straßburg und XIV. (1901) in Gebweiler stattfanden, wollte nun der Cäcilienverein auch besonders praktische Veranstaltungen organisieren, und es kamen nun eine Reihe kirchenmusikalischer Instruktionskurse zustande, von denen der erste (1897) durch den Generalpräses des Allgemeinen Cäcilienvereins Hr. Dr. Haberl, der zweite (1899) durch die Diözesanpräsides des Freiburger Cäcilienvereins Hrn. Bürgenmaier und Brettle geleitet wurden. Schon im Jahre 1897 war der Anschluß des Elsässer Cäcilienvereins an den Allgemeinen Cäcilienverein erfolgt; und, nachdem nun die Neuherausgabe unserer Choralbücher — des Kyriale: 1898 — des Graduale: 1899 — des Diözesangesangbuches: 1900 — zustande gekommen war, hatte der Elsässer Cäcilienverein einen einheitlichen Untergrund zur Vervollkommnung unseres elsässischen Kirchengesanges, und so konnten dann durch die beiden mittlerweile erstandenen Koryphäen des Elsässer Cäcilienvereins die Herren Domchordirektor Victori und Domorganist Dr. Mathias zwei große Instruktionskurse — 1902 für das Ober-Elsaß zu Kolmar — 1904 für das Unter-Elsaß zu Straßburg abgehalten werden. — Im Jahre 1904 ernannte der Hochwürd. Herr Bischof den Vorstand des Elsässer Cäcilienvereins zur ständigen Kommission für die richtige Durchführung der im *„Motu proprio“* des Heiligen Vaters Pius X. über die *Musica sacra* aufgestellten Bestimmungen.

Das Jahr 1904 sah die XVI. Generalversammlung zu Straßburg, nebst der Zentenarfeier zu Ehren des Sängerpapstes Gregors I., des Vaters des gregorianischen Chorals.

Im Jahre 1905, da der große Internationale Kongreß zur Förderung der vom Papste Pius X. angeordneten gregorianischen Restauration in den Mauern Straßburgs tagte, hatten Mitglieder des Vorstandes des Elsässer Cäcilienvereins die hohe Ehre, als vorbereitendes Lokalkomitee des Kongresses zu fungieren. Von diesen ehrenvollen Höhen mußte aber unser Verein wieder hinabsteigen in die Ebenen praktischer Kleinarbeit, und im Jahre 1906 wurde — bei der XVIII. Generalversammlung zu Schlettstadt — die Verfassung (Statuten) des Elsässer Cäcilienvereins einer gründlichen Revision unterworfen. Hier sollte der Cäcilienverein auch seinen dritten verdienten Präsidenten Hr. Erzpriester Kieffer verlieren, und an seine Stelle trat der zu allen „Siegen“ prädestinierte Hr. Domchordirektor Victori.

Mit jugendlichem Feuereifer, ich möchte fast sagen mit heiligem Ungestüm stellte der neue Präsident sein eminent-organisatorisches Talent in den Dienst des Elsässer Cäcilienvereins, mit dessen Geschicken er bereits seit seiner Ernennung zum I. Vizepräsidenten (November 1901) aufs innigste verwachsen war.[1] Er wollte besonders (um sein eigenes 1904 gebrauchtes burschikoses Motto zu gebrauchen) „Leben in die Bude“ bringen, und daß Ihm dieses gelungen ist, bezeugen die vorliegenden Resultate seiner bereits ebenso tatenreichen als kurzen Präsidentschaft. Unter seinem Impuls erblühten die Kreis- und Kantonalvereine, welche sich über sämtliche Kantone des Bistums erstreckt haben. — Er ermöglichte jene herrliche Efflorescenz unserer cäcilianischen Bewegung, welche wir im Laufe dieses letzten Jahres 1907 durch den glänzenden Verlauf der von Weissenburg bis Basel gefeierten Distrikts-Cäcilienfeste erlebt haben, und seiner ebenso elsässisch-zähen als auch liebenswürdigen Einwirkung haben wir es zum großen Teil zu verdanken, daß der Elsässer Cäcilienverein heute 351 offiziell affilierte Pfarrkirchenchöre zählt. —

Meine Herren, achtzehn Jünger der heil. Cäcilia hatten sich anno 1882 unter die Fahne ihrer Patronin gestellt. Über 6000 Sänger sind heute 1907 der cäcilianischen Fahne zugeschworen. — Sie sehen, meine Herrn, unser Junge hat sich gewaltig gestreckt. Er ist zum reifen Manne herangewachsen, reif zu großen Taten, und bald wird er das *„aetatem plenitudinis Christi“* erreicht haben. — Großgezogen an der Schule der heiligen Kirche (was eben seine unverwüstliche Lebenskraft ausmachte) ist er nun selber eine Autorität in seiner Heimatskirche geworden, und, seitdem die Hochburg der Wissenschaft in unserem Elsaß, die Straßburger Universität, zur „cäcilianischen Akademie“ geworden ist, dank der Eroberung derselben durch unsern echt machabäischen Vorkämpfer Mathias — seither ist unser 25jähriger Cäcilienverein zur Leuchte geworden, **welche letzthin der Generalpräses Deutschlands den übrigen Diözesanvereinen Deutschlands zum Muster und Vorbild hinstellen konnte.**[2] — Darum steigt heute aus unserm Herzen ein Dankeshymnus empor zu der göttlichen Vorsehung, welche unsere Mühen so reichlich belohnt hat, und zu der heil. Cäcilia, welche uns so sichtlich beschützt und gelenkt hat.

Vieles aber bleibt dennoch dem Cäcilienverein zu tun. Er feiert heute sein silbernes, jugendliches Jubiläum, und wird, so Gott will, eine herrliche Karriere zu durchlaufen haben bis zu seinem goldenen, männlichen Jubiläum, zu welchem ich Sie alle, im Namen des Komitees, jetzt schon ergebenst einlade. Also auf Wiedersehen, meine Herren, im Jahre 1932! E. Sigrist, Schriftführer.

Über das Vereinsjahr 1907 erlaube ich mir dem am 21. November 1907 erstatteten und Ihnen zugestellten Bericht noch nachzutragen:

Im Laufe des Jahres 1907 traten 80 Pfarrkirchenchöre dem Diözesan-Cäcilienverein bei. Von den 87 über 2000 und mehr Seelen zählenden Pfarreien sind nur 7 nicht affiliert, von den 1000—2000 Seelen zählenden Pfarreien gehören noch 30 dem Diözesanverein nicht an; auf 187 über 1000 Katholiken umfassenden Pfarreien sind also nur 37 dem Diözesanverein nicht inkorporiert und 150 haben sich angeschlossen. Auf 708 katholischen Pfarreien waren 351 bis zum 21. Nov. 1907 beigetreten; seither haben sich noch 8 aufnehmen lassen.

Beinahe sämtliche affilierten Kirchenchöre nahmen an den für sie bestimmten Distriktsfesten teil im Jahre 1907.

Unsere über die ganze Diözese verteilten Vertrauensmänner sind rege an der Arbeit, um die im Laufe des Jahres abzuhaltenden Kantonalversammlungen vorzubereiten.

In der frohen Hoffnung, daß das begonnene neue Vereinsjahr 1908 uns noch einen weiteren Zuwachs von Kirchenchören bringen wird, und daß durch eifrige Fortbildung alle affilierten Kirchenchöre der Straßburger Diözese dem großen Allgemeinen Cäcilienverein zur Ehre gereichen werden, zeichnet in aller Hochachtung

Jos. Victori, Domchordirektor, Präsident des Cäcilienvereins der Diözese Straßburg.

[1] Seit dieser Zeit sind über dreihundert Beitrittserklärungen von Kirchenchören eingelaufen.

[2] Von der Red. des Cäcilienvereinsorgans im Drucke hervorgehoben und neuerdings betont. F. X. H.

## Die heilige Fastenzeit.

(Fortsetzung aus Nr. 2, Seite 18.)

II. Die Erinnerungsfeier des großen Dramas auf Golgatha — der Tod des Gottmenschen, des Stifters und Hauptes der Kirche — rückt näher; es ist naturgemäß, daß die Kirche sich nun mehr und mehr der besonderen Betrachtung ihres leidenden Hauptes, ihres Mittlers widmet. Sie läßt vom 5. Fastensonntag (*Judica*) an — seit dem 9. Jahrhundert Passionssonntag genannt — die Altarbilder mit violetten Tüchern verhüllen, um Aug und Herz ihrer Kinder von anderen Geheimnissen abzuziehen. Ebenso werden die Kruzifixe verhüllt, weil Christus seinem Leiden erst entgegengeht und wir mit ihm im Geiste hinaufsteigen sollen den Berg Kalvaria, dort sein Leiden mit durchzuleben. Nach Schmids Liturgik mag den Anlaß zur Verhüllung auch die Stelle bei Johannes 11, 54 gegeben haben, nach welcher sich Jesus vor seinem Leiden in Verborgenheit zurückzog.[1] Der Wegfall des Psalmes *Judica* im Stufengebet kann vielleicht aus seiner mehr freudigen Stimmung und seinem subjektiven Inhalt erklärt werden. Weil das *Gloria Patri* ebenfalls ein freudiger, feierlicher Lobpreis Gottes ist, wird es nach Introitus und am Ende des *Lavabo*-Psalmes weggelassen. Zu bemerken ist noch, daß die violetten Hüllen an den Kreuzen und Bildern bis zum Charfreitag nicht entfernt werden dürfen, selbst nicht an Heiligenfesten. Nur zur Messe am Gründonnerstag wird das violette Velum des Altarkreuzes mit einem weißen vertauscht zum Ausdruck der Freude über die Einsetzung der heiligen Eucharistie.

Die letzte Fastenwoche heißt die „heilige" oder „größere" (bei den Griechen „große") (*hebdomas sancta* oder *major*), weil sich in ihr besonders wichtige Geheimnisse abspielen; im Volke heißt sie seit langem Charwoche — Trauerwoche. Sie ist eine privilegierte Woche, in der alle Heiligenfeste sistiert sind. Mit ihrem Beginne am Palmsonntag werden wir in das Leiden Christi eingeführt durch die dramatische Darstellung von Christi Einzug nach Jerusalem, wo er sich endgültig seinen Feinden freiwillig zum Tode überliefert. Jerusalems Volk empfing den großen Propheten, seinen Wundertäter unter Jubelrufen und Hosannagesängen, nicht ahnend, daß er komme, um ihm und der ganzen Menschheit die größte Wohltat zu erweisen: die Erlösung aus der Gewalt der Sünde. Bei der Weihe der Palmen, welche den Sieg über das Fleisch, und der Olivenzweige,[2] welche die Fruchtbarkeit an übernatürlich guten Werken sinnbilden, bittet die Kirche in den verschiedenen Gebeten, daß alle, welche die geweihten Zweige tragen oder in ihren Häusern gläubig aufbewahren, der Sünde absterben und dem über Sünde und Tod am Holze des Kreuzes siegenden Gottmenschen siegreich nachfolgen sollen. Die Annahme der Zweige aus der Hand des Priesters bedeutet die Bereitwilligkeit, den Wünschen und Mahnungen der Kirche zu entsprechen. Die Teilnahme der Gläubigen an der Prozession soll die freudige Nachfolge bekunden, die sie Christo in allen Lebenslagen leisten wollen. Bei der Rückkehr der Prozession in die Kirche wird mit dem Kreuze dreimal an die geschlossene Türe gepocht, welche hierauf von innen geöffnet wird. Diese Zeremonie veranschaulicht so recht lebendig, wie der vor Christus geschlossene Himmel um Christi Tod willen geöffnet wird allen, die unter Christi Kreuzpanier bis zum Ende im Kampfe beharren. Der Palmsonntag hieß auch ehemals *Dominica capitolavii* (Kopfwaschung), weil an ihm den am Charsamstag zu taufenden Kindern die Köpfe gewaschen wurden. Die Leidensgeschichte des Herrn welche nach der Reihenfolge der Evangelisten am Palmsonntag (Matthaeus), am Dienstag (Marcus) Mittwoch (Lucas) und Freitag (Joannes) der Charwoche in der Messe zu lesen ist, wird seit dem 13. Jahrhundert in den Hochämtern in der jetzigen dramatischen Form gesungen.

Das *Triduum mortis Christi* (die drei letzten Chartage), in dem der Ernst der Charwoche den Höhepunkt erreicht, ist dem historischen Verlauf des Leidens und Todes Christi und seiner Grabesruhe geweiht. Am Gründonnerstag — *in Coena Domini* — wird die Einsetzung der Eucharistie gefeiert; zum Hochamte erscheint der Zelebrant in weißen Paramenten, der Hymnus *Gloria in excelsis* wird gesungen, nach dessen Anstimmung alle Glocken geläutet werden, die nun bis zum *Gloria* am Charsamstag schweigen. Die Orgel kann zwischen Intonation und Fortsetzung, aber auch während des ganzen Hymnus gespielt werden, nicht aber schon zum *Kyrie*. In der Messe tritt trotz der freudigen Gedenkfeier die Trauer über Jesu Leiden und Tod hervor. In Kathedralkirchen wird während des Pontifikalamtes die Ölweihe vorgenommen, um hiedurch den Zusammenhang der heiligen Sakramente mit dem heiligen Opfer anzudeuten. Auch werden drei Hostien konsekriert, von denen eine für den folgenden Tag zur *Missa praesanctificatorum* und eine für das heilige Grab

[1] Im Mittelalter geschah diese Verhüllung schon am 1. Fastensonntag.
[2] Da Palmen und Olivenzweige bei uns nicht leicht zu haben sind, genügt jede Art vom Baumzweigen.

aufbewahrt und hiezu prozessionaliter an einen dezenten Ort (Seiten- oder Nebenkapelle) getragen werden. Die gemeinsame Kommunion des Klerus erinnert an die erste heilige Kommunion der Jünger des Herrn im Zoenakulum. Nach der Entblößung der Altäre, welche versinnbildet, daß der Herr in seinem Leiden sich all seiner Macht und Herrlichkeit entäußert hat, wird in den Kathedralkirchen vom Bischof, in vielen Ordenskirchen von den Klostervorstehern die Fußwaschung vorgenommen, welche den Namen *Mandatum* erhielt nach der zu ihrem Beginn zu singenden Antiphon: *Mandatum novum do vobis*: „Ein neues Gebot (das Gebot der Liebe) gebe ich euch.“ Auch an manchen katholischen Fürstenhöfen ist diese Zeremonie der Demut und Liebe eingeführt, wobei die zwölf alten Männer, an denen die Fußwaschung vollzogen wird, beschenkt werden zum Andenken an das gnadenreiche Geschenk der heiligen Eucharistie.

Die Liturgie des Charfreitags hat ihr uraltes Gepräge bewahrt, sie stimmt zur tiefsten Trauer: Im schwarzen Meßgewande tritt der Priester an die Altarstufen, wirft sich auf den Boden *(prostratio)* und bereitet sich durch stilles Gebet auf die folgende gottesdienstliche Handlung vor. Dann folgen Lesungen aus dem Alten Testamente, welche prophetisch den Tod Christi und dessen Wirkungen deuten; hierauf wird die Passion nach Joannes gesungen oder gelesen, der sich die Gebete für alle Stände anreihen — denn Christus ist für alle gestorben. Nach der Enthüllung des Kreuzes, bei der der Priester die Gläubigen zur reuevollen Verehrung des heiligen Kreuzes und zur Anbetung des geopferten Gotteslammes einlädt, wird das Kruzifix von Priester und Volk unter dreimaligem Kniefall verehrt und geküßt, während im Chore die *Improperia* lateinisch und griechisch gesungen oder gebetet werden. Unterdessen werden auch die übrigen Kreuze enthüllt. Dann wird die Tags vorher konsekrierte heilige Hostie vom Aufbewahrungsorte in Prozession abgeholt, worauf die *Missa praesanctificatorum* beginnt, die eigentlich nur ein feierlicher Kommunionritus ist, da ja keine Konsekration, sondern nur Kommunion stattfindet; es unterbleibt der mystische Vollzug des Opfertodes Jesu, der in der Wandlung vor sich geht, an diesem Tage, um die Erinnerung an den historischen blutigen Tod Jesu auf Golgatha um so lebendiger zu gestalten. Die bei uns stattfindende Grablegung und die Auferstehungsfeier kam etwa seit dem 10. Jahrhundert in Übung. Würde letztere am Ostersonntagmorgen selbst begangen, so hätte sie die historische Wahrheit betreffs der Zeit für sich und ihr Eindruck würde noch tiefgehender werden.

(Schluß folgt in Nr. 4.)

## Zur vatikanischen Choralausgabe des Graduale Romanum.

In Nr. 3 der Monatschrift „Die Kirchenmusik“, welche in diesem Jahre zum ersten Male unter diesem Titel erscheint (Junfermannsche Buchhandlung, Paderborn) bespricht Professor Dr. Hermann Müller den Inhalt der ersten zehn Druckbogen, welche anfangs Februar aus der vatikanischen Druckerei an die privilegierten Verleger gesandt worden sind und die wechselnden Gesänge des *Proprium de Tempore* vom 1. Adventsonntag bis zum Graduale des Montags der Charwoche (auf 160 Seiten) enthalten.

Zu den Melodien des neuen Proprium bemerkt er, daß sie sich aufs engste an den *Liber Solesmensis* von 1895 anschließen, aber die Scheu vor dem Tritonus *(f—h)* so ziemlich abgelegt haben. „Wer die Solesmenser Ausgabe kannte, wird sich im neuen vatikanischen Graduale ohne die geringste Mühe zurechtfinden. Wie die bisher nach der Medicäa schlicht und recht ihren Choral vortragenden Sänger mit den für sie so „neuen“ Melodien fertig werden und in welchem Maße solche Kreise, die bisher dem Choral fernestanden, nun sich für ihn begeistern, muß die Zukunft lehren.“

Ausführlicher verbreitet sich Dr. Müller über die Textverschiedenheiten zwischen der Vaticana und dem heutigen Missale, die, wie im *Commune Sanctorum* (vergl. *Musica sacra* 1906, S. 131—133), so auch im *Proprium de Tempore* ziemlich zahlreich sind. Er führt S. 54, „soweit er sie bei der raschen Durchsicht der Originaldruckbogen konstatieren konnte“, nachfolgende Einzelheiten an.[1])

„1. Adventssonntag; Offertorium. *(Ad te) + Domine.* Damit ist die Identität mit den Offertorien des Donnerstags nach Aschermittwoch und des Mittwochs nach dem 2. Fastensonntag

[1]) Mit + sind die Zusätze der Vaticana, mit — ihre Auslassungen gegenüber dem Texte des Meßbuches bezeichnet; die eingeklammerten Worte wollen als Stichworte die Auffindung der betreffenden Stelle erleichtern.

wieder hergestellt bezüglich Text und Melodie; auch das Offertorium des 10. Sonntags nach Pfingsten wird in der vatikanischen Ausgabe nunmehr mit diesem Adventsoffertorium übereinstimmen. Vielleicht hat man im Text dieses Offertoriums am 1. Adventssonntage das *„Domine“* in der Zeit der römischen „Korrektoren“ gestrichen, um das Adventsoffertorium mit dem Adventsintroitus *„Ad te levavi“* dem Texte nach in Einklang zu bringen; deshalb ließ man in der alten Choralweise einfach die Noten über dem *„Domine“* weg. Der jetzt von neuem eingeführte Text hat die alte Choralmelodie wieder möglich gemacht.

3. Adventssonntag; Introitus. *(Dominus) — enim (prope est).* Das *enim* ist fortgelassen in Übereinstimmung mit den Choralmanuskripten und mit dem Vulgatatext Phil. 4, 5. Die „Verbesserer“ des Missaltextes hatten es mit der Einschaltung oder Auslassung derartiger kleiner Flickwörter nicht so strenge genommen. Vergleiche unten öfters. Aber die ursprüngliche Choralmelodie hatte durch solche Änderungen nicht gewonnen.

4. Adventssonntag; Allelujavers. *(plebis tuae) — Israel.*

Weihnachten, 2. Messe, Gradualvers. *(factum est) — istud.*

Ebenda; Offertorium. *(Deus) + enim.* Man hat dieses *enim* später, ohne auf die Choralhandschriften zu achten, wohl aus stilistischen Gründen ausgelassen.

Stephanus; Introitus. + *Etenim (sederunt principes).* Ähnlich wie oben. Die Vaticana nimmt die alte Melodie wieder auf.

Ebenda; *Communio. (peccatum) + quia nesciunt quid faciunt.* Seit Pius V. ist dieser Abschnitt aus dem römischen Meßbuche verschwunden, während einige Diözesanmissalien ihn noch längere Zeit beibehielten. Man hat ihn vermutlich aus dem Grunde gestrichen, weil die Heilige Schrift das Wort „denn sie wissen nicht, was sie tun“ wohl in der Leidensgeschichte des göttlichen Erlösers, nicht aber in der Erzählung vom Tode des heil. Stephanus bietet. Die Vatikanische Ausgabe sieht es vor allem auf die Unversehrtheit der alten Melodie ab und scheint derartige harmonistische oder prinzipielle Bedenken dagegen zurückzustellen. Übrigens ist dieser Zusatz an einer Stelle des neuen typischen Missale des ambrosianischen Ritus vor einigen Jahren bereits von der Ritenkongregation approbiert worden.

Apostel Johannes; Graduale. *(ille non moritur) — et non dixit Jesus: Non moritur.* Der Satz *„et non dixit“* ist in die alte Choralweise durch Unterlegen des Textes und Zerreißen eines Neumas eingeschoben worden seit dem Meßbuche Pius V., wahrscheinlich um den Text an denjenigen der Tagescommunio und der Magnifikatantiphon heranzubringen.

Unschuldige Kinder; Communio. *(filios suos) — et.*

Thomas, Bischof und Märtyrer; Introitus. *(sub honore) — beati. „Gaudeamus“* ist ja der alte Agathaintroitus, der einfach *„sub honore Agathae martyris“* bot.

Neujahr; Allelujavers. *(loquens) — patribus. (in Filio) + suo.*

Sonntag nach Epiphanie; Offertorium. *Jubilate Deo omnis terra* wird zweimal gesungen. Damit ist die ursprüngliche Melodie mit ihrem gewaltigen Jubel, der fast kein Ende nehmen will, wieder eingeführt. Im Missale ist die Repetition mit der Zeit geschwunden, weil sie, wo der Text nur gelesen, nicht gesungen wurde, keine Existenzberechtigung mehr zu haben schien. Vgl. dazu Wagner, Ursprung und Entwicklung der liturgischen Gesangsformen, Freiburg in Schweiz, 1901, Seite 112 ff.

2. Sonntag nach Epiphanie; Allelujavers. *Laudate Deum* statt des früheren: *Laudate Dominum.* Die Allelujaverse bieten wegen ihres verhältnismäßig jungen Ursprunges besondere Schwierigkeiten bezüglich des Textes.

Ebendaselbst; Offertorium. *Jubilate Deo universa terra* wird repetiert. Siehe oben beim Sonntag nach Epiphanie.

Quinquagesima; Introitus. *(libera me) — et eripe me.* Man vergleiche die beiden Palmen 30 und 70 (Vulgatazählung).

Ebendaselbst; Offertorium. *Benedictus es Domine, doce me justificationes tuas* wird wiederholt. Die Melodie weitet sich beim zweiten *tuas* zu einem prächtigen Neuma aus. Grund der Auslassung ähnlich wie oben beim Sonntag nach Epiphanie.

Aschermittwoch; dritte Antiphon. *Juxta* statt *inter;* nach *sacerdotes* wird eingeschoben *et levitae;* statt *claudas* nunmehr *dissipes;* statt *canentium te* jetzt *clamantium ad te.* Der Text des vatikanischen Gradualbuches ist der traditionelle. Um ihn mit der Vulgata (Joel 2, 17 und Esther 13, 17) zu konformieren, wurde er zunächst durch das Missale des Papstes Pius V. teilweise geändert, bis er durch Klemens VIII. die Fassung des heutigen Missale erhielt.

1. Fastensonntag; Graduale. *(Angelis suis) — Deus.* Das *Deus* des heutigen Missale wurde später eingeschoben, wahrscheinlich um den Sinn des Satzes deutlicher hervortreten zu lassen.

Ebendaselbst; Traktus. *(Susceptor meus es) — tu.* Der heutige Missaltext *„tu“* ist spätere Anlehnung an die Vulgata.

Ebendaselbst; Communio. *(tibi) — Dominus.* Grund wahrscheinlich wie beim Graduale des gleichen Tages bezüglich *Deus.* Wie verhalten sich die Handschriften zu dem *Dominus* im Offertorium desselben Sonntags?

Montag nach dem 1. Fastensonntag; Offertorium. Vaticana: *justitiam tuam;* Missale: *justitias tuas.* Ferner: *ut discam;* Missale: *et discam.*

Ebendaselbst; Communio. Vaticana: *praeparatum;* Missale: *paratum.* Die Änderung, die der heutige Missaltext gegenüber dem Choraltext aufweist, hat wohl ihren Grund in der beabsichtigten Anlehnung an die Vulgata Mt. 25, 34.

Montag nach dem 2. Fastensonntag; Offertorium. V. (= Vatikanische Ausgabe) *mihi tribuit* und *Deum* statt des Missaltextes *tribuit mihi* und *Dominum*. Der jetzt in der Vaticana vorliegende Text ist der ursprüngliche. Für das Missale hat man später geändert, um den genauen Anschluß an die Vulgata (Ps. 15, 7 f.) zu erhalten. Im Offertorium des 5. Sonntags nach Pfingsten hatte man freilich (infolge eines Übersehens?) das *Deum* stehen lassen. So ist das „*Deum*" auch in der Messe des heil. Bonifatius (5. Juni) geblieben. Jetzt wird durch die neue Choralausgabe wenigstens für den liturgischen Gesang die Einheitlichkeit wieder hergestellt.

Montag nach dem 2. Fastensonntag; Communio. V.: *justitias* statt des Missaltextes *justitiam*. Vulgata (Ps. 10, 8) stimmt mit der Vaticana.

Freitag derselben Woche; Introitus. V.: *deprecationem meam* statt des im Missale stehenden: *deprecationi meae*. Auch hier geht die Vulgata (Ps. 16, 1) mit der Vaticana.

3. Fastensonntag; Offertorium. V.: *(laetificantes corda, et) — judicia ejus*. Ferner *custodiet* statt des im Missale stehenden *custodit*.

Montag nach dem 3. Fastensonntag; Introitus. V.: *sperari* statt *sperabo* und *impugnans* statt *bellans*.

Ebendaselbst; Graduale. V.: *nuntiari* statt *annuntiari* und *posui* statt *posuisti*.

Mittwoch derselben Woche; Introitus. V.: *sperari* statt *sperabo*; *(libera me) — et eripe me*. Vgl. die Introituspsalmodie von Quinquagesima.

Samstag derselben Woche; Introitus. *(orationis meae) — Rex meus et Deus meus*. Das Missale bringt den Zusatz nach dem Vulgatatexte (Ps. 5, 2 f.).

Ebendaselbst; Offertorium. *(dirige) + Domine. (dominetur) — mei*. Das Missale lehnt sich an den Vulgatatext (Ps. 118, 133) an.

Montag nach dem 4. Fastensonntag; Introitus. *(orationem meam) — auribus percipe verba oris mei*. Ferner hat V. im Psalm *adversum me* statt *in me*.

Dienstag derselben Woche; Gradualvers. *(audivimus) — et; (eorum) — et*.

Mittwoch derselben Woche; Introitus. V.: *Dum* statt *Cum*. Für die durch das Missale bezeugte Änderung des ursprünglichen *dum* in *cum* sind wohl klassizistische Tendenzen maßgebend gewesen.

Donnerstag derselben Woche; Offertorium. *(omnes) + adversum me*.

Freitag derselben Woche; Communio. V.: *clamabat* statt des Missaltextes *exclamavit*.

Samstag derselben Woche; Introitus. (zweites *venite*) — *et*.

Ebendaselbst; Offertorium. *(liberator meus) — et*.

Passionssonntag; Traktus. V.: *iniquitatem sibi* statt *iniquitates suas*.

Montag der Passionswoche; Gradualvers. V.: *judica* statt *libera*.

Mittwoch derselben Woche; Introitus. V.: *fortitudo* statt *virtus*.

Freitag derselben Woche; Communio. V.: *quia* statt *quoniam*.

Palmsonntag; Antiphon *Hosanna*. *(Domini) — O*.

Ebendaselbst; *Collegerunt*. V.: *dicebant* statt *dixerunt*. Ferner *Ne forte veniant Romani et tollant* statt *Et venient Romani et tollent*.

Ebendaselbst; Antiphon *Cum appropinquaret*. V.: *est contra vos* statt *contra vos est*. Ferner *(vestimenta) — sua*. Und V.: *exsternebant* statt *sternebant*.

Ebendaselbst; Antiphon *Ante sex dies*. *(misericordiae) — tuae*.

Ebendaselbst; Antiphon *Occurrunt*. *(Hosanna) — in excelsis*.

Ebendaselbst; Responsorium *Ingrediente*. V.: *Cumque audisset* statt *Cum audisset*.

Ebendaselbst; Introitus. V.: *unicornuorum* statt *unicornium*.

Ebendaselbst; Graduale. *(dexteram meam) — et*.

Ebendaselbst; Traktus. V.: *unicornuorum* statt *unicornium*.

Ebendaselbst; Offertorium. *(simul) — mecum*.

Montag der Charwoche; Graduale. V.: *judicium meum* statt *judicio meo*."

Interessant für den „stillen Beobachter" ist auch die Notiz in „Die Kirchenmusik" Seite 57:

„Die Kölnische Volkszeitung (12. Februar 1908, Nr. 131) bringt die Notiz, es sei ihr „von zuverlässiger Seite mitgeteilt, daß der Heilige Vater den Bischöfen der Fuldaer Konferenz in bezug auf die Choralfrage die weitgehendsten Vollmachten erteilt hat, und daß demgemäß in den einzelnen Diözesen in dieser Hinsicht keine Änderung eintritt, bis der betreffende Hochwürdigste Ordinarius anders bestimmt hat." „Wir können bestätigen," setzt Dr. Müller bei, „daß es mit dem Inhalte dieser Notiz der Kölnischen Volkszeitung seine Richtigkeit hat."

F. X. H.

## Vermischte Nachrichten und Notizen.

1. ⊙ **Leipzig.** Am 28. Februar promovierte an der Leipziger Universität der den Lesern dieser Blätter durch ideale und praktische Artikel rühmlichst bekannte Autor, **Hugo Löbmann** zum Dr. phil. und zwar *magna cum laude.* Als Dissertationsschrift reichte er eine Arbeit ein über das Thema: „Die Gesangsbildungslehre nach Pestalozzis Grundsätzen von Pfeiffer & Nägeli, ein Beitrag zur Musikpädagogik.“ Als Referenten waren die Herren Dr. H. Riemann und Volkelt aufgestellt. (Die Redaktion gratuliert zu dieser wohlverdienten Auszeichnung dieses fleißigen, strebsamen und tüchtigen Lehrers, Kantors und Organisten).

2. * **Als Beilagen** zu vorliegender Nummer 3 des Cäcilienvereinsorgans erscheinen: a) Die Fortsetzung des Generalregisters zu den 3500 Nummern des Cäcilienvereins-Kataloges von W. Amberger. Von demselben sind im Jahre 1907 die Seiten 57* bis 76* erschienen; mit Seite 61* hat das „Sachregister“ sämtliche Messen und Requiem nach den verschiedenen Besetzungen aufgeführt und Seite 72* in Unterabteilungen und zwar: a) in alphabetischer Reihenfolge, b) nach der Stimmenbesetzung die *Ecce Sacerdos magnus* und *Sacerdos et Pontifex*, die *Veni Sancte Spiritus* und *Veni Creator Spiritus*, die *Asperges* und *Vidi aquam* nachgewiesen. Seite 76* wurde mit den wechselnden Gesängen zum Hochamte (Introitus, Graduale, Offertorium etc.) begonnen, so daß 77* bis 84* die Fortsetzung bilden.

b) Als zweite Beilage erscheint die Fortsetzung des Sachregisters zu den 3500 Nummern des Cäcilienvereins-Kataloges, von welchem im Jahre 1907 der 1. Bogen für die Besitzer des fünfbändigen Vereinskataloges unter Angabe der Katalognummer redigiert worden ist. Dieses Register ist mit römischer Paginierung versehen und nach dem Generalregister W. Ambergers bearbeitet.

Es sei nochmals betont, daß das General- und Sachregister von W. Amberger Verlag und Eigentum des Allgemeinen Cäcilienvereins ist, 56 Seiten umfaßt und zum Preis von 1 ℳ 20 ₰ durch den Vereinskassier Franz Feuchtinger, Regensburg, Ludwigstraße, bezogen werden kann. F. X. H.

3. ♃ **Die größte Orgel Deutschlands** befand sich bisher im Berliner Dom. Nun kann die herrliche Wallfahrtskirche in **Kevelaer** dieses Recht für sich in Anspruch nehmen. Die dort seit kurzem aufgestellte Orgel stammt aus der bekannten Orgelbauanstalt von **Ernst Seifert** in Köln-Mansfeld. Die Kevelaerer Orgel, an welcher Seifert die modernsten Errungenschaften auf dem Gebiete der Orgelbaukunst verwendet hat, besitzt auf vier Manualen und Pedal 122 klingende Register, und zwar stehen im ersten 29, im zweiten 26, im dritten 21, im vierten 15 und im Pedal 31 Register. Ferner sind vorhanden ein Rollschweller, 3 Jalousieschweller und ein Fernwerk. Letzteres liegt über der Beichtkapelle im Querschiff der Kirche und kann sowohl vom Hauptwerk aus als auch von einem besonderen Spieltisch aus bedient werden. Die Verbindung von Hauptwerk und Fernwerk wird auf elektrischem Wege hergestellt. Die Intonation sämtlicher Register ist hervorragend schön und künstlerisch vollendet. Die Solostimmen sind von bestrickendem Klangzauber und das Fernwerk klingt geradezu wunderbar. Das volle Werk stellt einen glanzvollen, majestätischen Orgelton, der bei imponierender Kraft und Fülle stets ideal wirkt, dar; die Windladen, nach Seiferts eigenem rein pneumatischem System erbaut, erzielen in Verbindung mit den übrigen pneumatischen Einrichtungen eine solche Schnelligkeit und Präzision der Pfeifenansprache, daß die weitestgehenden Anforderungen sehr anspruchsvoller Sachkenner restlos erfüllt werden. Der Spieltisch ist äußerst praktisch eingerichtet, so daß der Spieler sich leicht auf dem Werke zurechtfindet. Außer den Registern stehen dem Spieler eine Reihe von Kombinationen, darunter drei frei einstellbare zur Verfügung. Die Orgel hat etwa 7500 Pfeifen, von denen die größten eine Länge von 10 Meter haben.

4. † **Regensburg.** Am 1. Fastensonntag, 8. März, nachmittags 4½ bis 7 Uhr kam eine sehr gelungene Aufführung des herrlichen Oratoriums „Franziskus“ von Edgar Tinel durch größtenteils einheimische Gesangs- und Orchesterkräfte zustande. Der hiesige Damengesangverein hatte den Mut, das schwierige aber dankbare Werk anzuregen; dieser und die Kräfte des Regensburger Liederkranzes und das Theaterorchester, durch Militärmusiker verstärkt, vereinigten sich unter Leitung des Theaterkapellmeisters Richard L'Arronge zu einem prächtigen Ensemble. Von auswärts waren die zwei Harfen aus München, der Sänger des Franziskus, Herr Emil Pinks, Kgl. Kammersänger aus Leipzig (Tenor), und die Vertreterin der Himmelstimme, sowie des Geistes der Hoffnung, Fräulein Anna Hartung aus Leipzig berufen worden. Diese kurze Notiz genüge einstweilen, jedoch mit besonderer Hervorhebung der nach allen Seiten befriedigenden und wunderbaren Leistung des Herrn Pinks. Über das Oratorium selbst und Einzelheiten über die Aufführung hofft die Redaktion in der Doppelnummer vom 1. April der *Musica sacra* berichten zu können.

5. **Inhaltsübersicht von Nr. 3 der *Musica sacra*:** Des Chordirigenten, Kantors und Organisten goldenes Alphabet. (Fortsetzung.) — Aus Archiven und Bibliotheken: „Herr Christ, der einig Gotts Sohn.“ Von V. H. — Neu und früher erschienene Kirchenkompositionen: Joh. Artigarum; P. Esser; Joh. Diebold; Peter Griesbacher (6); P. Pet. Habets; Alf. Moortgat; Fr. Nekes; J. Pagella; P. Piel-Quadflieg; P. Schäfer; A. Wiltberger (2). — Vermischte Nachrichten und Mitteilungen: Elberfeld; Sursee; Verlagsbericht von Breitkopf & Härtel; Inhaltsübersicht von Nr. 2 des Cäcilienvereinsorgans. — Offene Korrespondenz. — Anzeigenblatt Nr. 3.

---

Druck und Expedition der Firma **Friedrich Pustet** in Regensburg.

**Nebst Anzeigenblatt, sowie Sachregister zum Generalregister W. Ambergers S. 77*–84* und Sachregister Seite IX–XVI zu den 3500 Nummern des Cäcilienvereins-Katalogs.**

1908. Regensburg, 15. April 1908. Nro. 4.

# Cäcilienvereinsorgan.

43. Jahrgang

der von Dr. Franz Xaver Witt († 2. Dez. 1888) begründeten Monatschrift

# Fliegende Blätter für kath. Kirchenmusik.

Verlag und Eigentum des Allgemeinen Cäcilienvereins zur Förderung der kathol. Kirchenmusik auf Grund des päpstlichen Breve vom 16. Dezember 1870.

Verantwortlicher Herausgeber: Dr. Franz Xaver Haberl, z. Z. Generalpräses des Vereins.

Erscheint am 15. jeden Monats mit je 20 Seiten Text inkl. des Cäcilienvereins-Kataloges. — Abonnement für den ganzen Jahrgang, inkl. des Vereinskataloges 3 Mk., einzelne Nummern ohne Vereinskatalogbeilage 30 Pf. Die Bestellung kann bei jeder Post oder Buchhandlung gemacht werden.

Inserate, welche man rechtzeitig an die Expedition einsenden wolle, werden mit 20 Pf. für die 1spaltige und 40 Pf. für die 2spaltige (durchlaufende) Petitzeile berechnet.



## Die Kunst als Führerin zu Gott.[1])

Das Hochamt war. Der Morgensonne Blick
Glomm wunderbar in süßem Weihrauchscheine.
Der Priester schwieg; nun brauste die Musik
Vom Chor herab zur Tiefe der Gemeine.

So stürzt ein sonnetrunkner Aar
Vom Himmel sich mit herrlichem Gefieder, —
So läßt Jehovas Mantel, unsichtbar,
Sich stürmend aus den Wolken nieder.

Der das gedichtet, gehörte nicht der Kirche an, deren Kultus ihn zu solchem Feuer hinriß. Der Dichter war sogar ein Geistlicher des evangelischen Bekenntnisses. Es ist Eduard Möricke.

Aber obwohl Nichtkatholik, hat er die Absichten und Strebungen geahnt, die den äußeren Gottesdienst unserer Kirche erfüllen, — den Gottesdienst, dessen Sinnigkeit und künstlerischen Reichtum auch wir Katholiken nie ganz erschöpfen können.

Einer der Grundpfeiler, auf denen der Formenbau des katholischen Kultus ruht, steht gleichsam im Mittelpunkt unseres Festes. Darum darf sich eine kurze Festansprache das Ziel setzen, einen Schritt tiefer in den Sinn dieses Kultus einzudringen.

Religion ist nicht gleichbedeutend mit frommer Stimmung der Seele; sie ist mehr als Rührung des Herzens, mehr als süße Wallung der Gefühle. Sie ist gläubige Unterwerfung des stolzen Menschengeistes unter einen Höheren. Sie ist harter Kampf mit unserer ungebändigten Leidenschaft, mit der uns in den Erdenstaub niederziehenden Willensschwachheit.

Glaube und Kampf können sein ohne den Weihrauchduft und den Farbenzauber der Gotteshäuser, ohne Lied und Musik, die unsere Kirchen durchklingen.

Christus hat in der Ölbergswildnis gebetet; die Einsiedler der ersten christlichen Jahrhunderte haben in der Wüsteneinsamkeit nach Vollkommenheit gerungen.

Aber dem Schöpfer der menschlichen Natur ist diese geheimnisvolle Mischung aus Geistigem und Sinnlichem kein Geheimnis. Darum wußte er, daß auch das menschliche Herz, in dem sich Seele und Sinne gleichsam vermählen, von der Kraft der Religion ergriffen werden muß.

So gab er unserem religiösen Leben die Kunst, die das Geistige versinnlichen, das Herz dem Göttlichen erschließen soll.

[1]) Festrede von Emil Ritter, Redakteur der „Sonntagsglocke“, zur Cäcilienfeier in der Stadthalle am 24. Nov. 1907 zu Elberfeld; s. *Mus. sacra* Nr. 3, S. 35. (Aus Nr. 4 der „Sonntagsglocke“.)

Gott flößte dem Moses des heiligen Zeltes Baukunst ein, Gottes Geist flüsterte David die Jubelgesänge zu.

Das Opfer des Neuen Bundes setzte einen von Menschenhand gebauten Tempel voraus, und die ersten Christen riefen zum Schmuck des Tempels die Kunst herbei. Wer heute mit dem Licht in der Hand die Gänge der Katakomben in ehrfürchtigem Schauer durchwandert, der sieht allenthalben Zeugnisse dafür.

So spinnt denn die Kunst in allen ihren Arten und zu allen Zeiten Fäden zwischen dem menschlichen Herzen und Gott.

Die Psalmen erklangen in Israel, die Hymnen im jungen Christentum. Die Kirche bewahrt einen unerschöpflichen Schatz an heiliger Dichtung.

Die Malerei war vor zweitausend Jahren ein hilfloses Kind geworden, aber sie diente schon der Religion und wuchs in ihrem Dienste, wie der Bildhauerei christliche Ideen nicht weniger starkes Leben einhauchten, als vordem griechische Götterschönheit.

Und das christliche Gotteshaus stellte der Baukunst Aufgaben, in deren Lösung sie ihre größten Triumphe feiern sollte. Das Gotteshaus, in dem sich die Wahrheit erleben läßt, daß die Kunst Führerin zu Gott ist. Oder für wen hätte sich nicht schon, wenn er da kniete und seine Gedanken vom lauten, bunten Markte der Welt abwendete, für wen hätte sich nicht die Halle von Stein zum Vorhofe des Himmels erweitert? Wem wären nicht die toten Säulen zu lebendigen Fingern geworden, die nach oben weisen? Wem hätte nicht das heilige Bildnis am Altare einen Trostesblick von überirdischem Glanze gesandt?

Und, was soll ich sagen, wenn wie ein lichtes Meer die Musik durch die Schiffe der Kirche strömt und die Seele auf ihren Wellen mitforträgt, — weit hinaus, — über sich selbst hinaus, — zum Ewigen!

Die Musik ist die Kunst, die das Tiefste der menschlichen Empfindungen, vor dem die Sprache versagt, auszudrücken vermag. Welche Empfindung nun wäre tiefer und geheimer und unfaßbarer, als jene, die uns mit dem Unendlichen verknüpft?

Darum ist die Musik die ureigentliche religiöse Kunst.

Wenn die Königin der Instrumente, die Orgel, erklingt und die Gemeinde ihren Gesang erhebt, dann wächst das Sehnen und Hoffen und Flehen von tausend leidbedrückten, von tausend friedesuchenden, von tausend lichthungernden Herzen zu einem einzigen Gebet empor, das die Erhörung gleichsam herniederzwingt.

Und wenn der Priester am Altare, wenn die liturgischen Sänger auf dem Chore ihre Weisen anstimmen, dann sollen all die Herzen mitflehen und mitjubeln, schweigt auch der Mund des Volkes.

Man kann die Jeremiaslieder der Charwoche nicht hören, ohne erschüttert zu sein. Man kann das innere Aufjauchzen nicht dämpfen, wenn das große *Exultet* der Osternacht ertönt.

Doch ohne in den Wunderbau des Kirchenjahres ganz einzugehen, — schon das allsonntägliche *Kyrie* sammelt in seinen Akkorden unser ganzes Ringen um göttliches Erbarmen. Das *Gloria* löst unsere schuldbewußte Verzagtheit in dankbare Freude auf, weil es Frieden dem guten Willen kündet.

Die Präfation, die der Priester als Mittler des Volkes singt, erfüllt uns mit zitternder Ahnung der göttlichen Geheimnisse. Im *Sanctus* wird uns der Chor zur Engelschar, die dem Schöpfer Ehre, uns aber beseligende Verheißung zujauchzt.

Ich weiß nicht, ob da viele sind, deren inneres Ohr diese Sprache nicht versteht, die uns wie mit Seraphsodem das Übersinnliche zuhaucht oder die aus dem Herzen des schlichten Volkes emporquillt. Wird sie doch überall mit der gleichen Inbrunst und Hingebung gesprochen, behält sie doch in allen ihren Abarten ihren natürlichen Beruf: Göttliches zu offenbaren. Selbst in den Abarten, die uns unserer Erziehung und unserem Volkscharakter nach fremd sind.

Ich habe im Petersdom in Rom die uns oft weltlich erscheinende Kirchenmusik von italienischem Gepräge gehört, und sie blieb mir nicht unverständlich. Wer aus dem Maitage des Südens in die lichtgefüllten, weitgespannten Schiffe römischer Kirchen tritt, dessen Empfänglichkeit ist eine andere, als die des Beters im mystischen Dunkel der nordischen Gotik.

Ich habe das leidenschaftlich bewegte *Evviva Maria* an italienischen Wallfahrtsstätten vernommen, anfangs wohl überrascht. Und doch dachte ich daran zurück, als ich kaum ein Jahr später in einem weltentlegenen Dörfchen der deutschen Heimat eine Maiwallfahrt mitmachte. War es doch dieselbe Sprache, die diesmal von der schwereren Zunge des deutschen Volksgesanges erschallte. Dieselbe Sprache, ob sie die Luft bei Loretto über die blauen Wogen der Adria trägt, oder ob auf sie das Echo der deutschen Wälder antwortet.

Freilich, je reiner und edler und voller die heilige Musik zu uns spricht, desto vollkommener verstehen wir ihren tiefen Sinn. Und was uns der kunstlose, manchmal ungefüge Volksgesang nicht zu deuten vermag, das bringt vielleicht der erhabene, unvergängliche gregorianische Choral zur Klarheit.

Er ist voll göttlicher Sprachgewalt, die durch Zeitenwechsel und Raumschranken nicht gebrochen werden kann. Er ist Führer zu Gott seit dem Erdenwandel des Papstes, nach dem er benannt ist. Ja, er ist es schon länger; denn Gregor hat wohl im wesentlichen Vorgefundenes gesammelt und verarbeitet.

Es wird nicht zu gewagt sein, wenn wir annehmen, daß Anfänge des gregorianischen Chorals schon die heiligen Lieder der Katakomben waren. Und glauben wir nicht oft, einen Wesenszug des von der opferheischenden Verfolgung heimgesuchten Christentums in den Gesängen zu erkennen, bei denen selbst im *Alleluja* eine leise Wehmut mitklingt?

Könnte man es doch durchdenken und aussprechen, daß schließlich gerade dieses Frohlocken unter Tränen die Seelenverfassung ist, in der der Mensch dem Überirdischen nahen darf, durch die ihn die Musik zu jenem hinleitet.

Doch ich spare meine armen Worte. Gehe du hin und lausche und empfinde selber und werde inne, daß die heilige Musik ein starkes Band um das kleine, schwache Menschenherz und die grenzenlose, weltumschließende Gottheit schlingt!

Vielleicht sagt dir dann einer, das sei Stimmung und Versinnlichung des Heiligsten, keine reine Religion.

Das Wesentliche der Religion ist Glaube und Kampf, ich habe es schon ausgesprochen.

Wer war größer im Glauben und stärker im Kampfe, als ein Augustinus? Und was sagt dieser Riese an Glaubenstreue und sittlicher Kraft in seinen Bekenntnissen über den Kirchengesang in Mailand, der seine von Weltlust umstrickte Seele aufwühlte?

„Wie viele Tränen, o Gott, habe ich vergossen bei deinen Hymnen und Liedern! Wie tief wurde ich gerührt von den Worten, die deine Kirche so lieblich sang! Jene Worte drangen in mein Ohr, und mit ihnen ward deine Wahrheit in mein Herz gegossen. Die Glut der Andacht loderte auf, die Tränen flossen, und es ward mir wohl dabei."

Wie Augustinus dürfen auch wir religiös empfinden, ohne weichlich zu werden. Wie ihm kann uns die Kunst, kann uns die heilige Musik Führerin zu Gott sein.

Die Glut der Andacht lodert auf, — wenn wir die Melodien und Harmonien gleich einem Rufe dessen vernehmen, der der Natur ihre melodischen Stimmen und dem Weltganzen seine Harmonie gab.

Die Tränen fließen, — klingt es uns doch wie ein Lied aus der ewigen Heimat entgegen, der wir voll Sehnsucht zuwandern.

Und uns wird wohl dabei, — selig wohl; denn wir kosten voraus, was unser Teil sein wird, wenn wir aus den Schatten dieses Tales emporgestiegen sind zu den Höhen, die von einer nie untergehenden Sonne überglüht und erleuchtet sind.

---

## Die heilige Fastenzeit und Victimae paschali laudes.

(Schluß aus Nr. 3, Seite 33.)

Der Charsamstag ist an sich der Grabesruhe des Herrn geweiht, weshalb auch bis in das frühe Mittelalter jede gottesdienstliche Verrichtung an diesem Tage unterblieb; es fand nur das letzte *scrutinium* (Prüfung) der Täuflinge, die *redditio symboli* (Ablegung des Glaubensbekenntnisses) und die *renuntiatio diaboli* (Abschwörung vom Satan) statt. Die bei uns jetzt am Morgen dieses Tages gebräuchlichen liturgischen Funktionen wurden damals erst in der Osternacht vorgenommen, es sind folgende:

4*

1. Die Feuerweihe. Diese vollzieht sich außerhalb der Kirche. Das zu weihende neue Feuer wird aus einem Kieselsteine geschlagen, wodurch das Hervorgehen des Heilandes aus dem Felsengrabe versinnbildet wird als eines neuen, sich über die ganze Erde ergießenden Lichtes, dessen Strahlen das von der Sünde erstickte Gnadenlicht in die Herzen der Menschen wiederbringen. Die Vornahme der Feuerweihe vor der Kirche weist hin auf das außer den Mauern Jerusalems gelegene Grab, von wo das Licht, die Botschaft vom erstandenen Erlöser hineingetragen wurde in die Stadt zu Heiden, Gläubigen und Aposteln. Diese allmähliche Offenbarung des Auferstandenen symbolisieren die drei Stationen, welche in der Kirche bei der nach der Feuerweihe stattfindenden Prozession gemacht werden: an der Türe (Katechumenen), in der Mitte (Gläubige) und im Chore (Klerus) zündet der die Feuerbotschaft verkündende und deshalb in weiße Dalmatik gehüllte Diakon[1]) je eine Kerze des von ihm getragenen Triangels — Symbol der Trinität — am neuen Feuer an und singt jedesmal mit erhöhter Stimme: *Lumen Christi* d. h. Christus, unser Licht, ist auferstanden, worauf die Antwort: *Deo gratias*. Nun folgt:

2. Das *Praeconium paschale:* der Preis- und Triumphgesang auf den Erstandenen; während desselben werden in die Osterkerze, die ein Symbol des Heilandes bildet, fünf schon bei der Feuerweihe gesegnete Weihrauchkörner in Kreuzesform ⁘ eingedrückt; sie erinnern an die Tatsache, daß Christus nach seiner Auferstehung die Wunden seiner Hände und Füße an seinem verherrlichten Leibe sichtbar gelassen hat, die für uns die Quelle alles Lichtes und Lebens sind. Nach einem bestimmten Abschnitte des *Praeconium* wird die Osterkerze am Triangel angezündet und bald auch die übrigen Lampen, vor allem das ewige Licht, an welchem, wenn es gewissenhaft nach Vorschrift unterhalten wird, das ganze Jahr hindurch die Lichter zu den kirchlichen Funktionen angezündet werden können; so dauert das Charsamstagsfeuer in seiner Symbolik ununterbrochen fort. An das *Praeconium* schließen sich an:

3. Die zwölf Prophetien,[2]) die den Eingang zur Taufwasserweihe bilden; sie verkünden in geheimnisvollen Bildern die geistige Auferstehung, die alle Menschen feiern sollen; deshalb werden sie auch in jenen Kirchen gelesen, wo kein Taufstein vorhanden ist. Die ersten 4 Prophetien bieten uns die historischen Vorbilder der Taufe: Schöpfung, Arche, Opfer Abrahams und Durchzug durchs rote Meer. Die folgenden 4 weisen hin auf den Bund mit Gott, auf die Wiederbelebung durch den Geist Gottes, auf die Reinigung von der Sünde und die Aufnahme in den Weinberg des Herrn. Die letzten 4 geben die Bedingungen der Taufe an: Tod des Opferlammes, Glaube und Buße vonseiten der Menschen, Treue gegen Gott und mutvolles Bekenntnis des Glaubens. Nach der 4., 8. und 11. Lesung wird ein Traktus eingeschaltet, der den Grundgedanken von je 4 Lesungen enthält. In Kirchen, die einen Taufstein haben, folgt nun:

4. Die Taufwasserweihe, an die sich in alter Zeit die Taufe der Katechumenen anschloß. Der Priester im violetten Pluviale begibt sich mit dem Altardiener und dem anwesenden Klerus in Prozession zum Taufsteine unter dem Gesange oder Abbeten der drei ersten Verse des Psalm 41: „Wie der Hirsch nach den Wasserquellen verlangt, so verlangt meine Seele nach dir, o Gott,“ wodurch das Verlangen der Täuflinge nach der Taufe ausgedrückt wird. Der Priester singt das Weihegebet im Präfationstone; er spricht den Exorzismus und verschiedene Segnungen über das Wasser und gießt in selbes in Kreuzesform zuerst Katechumenenöl, dann Chrisma, zuletzt beides zugleich; auch berührt und teilt er das Wasser mit der Hand, haucht dreimal in Kreuzesform in dasselbe, und taucht dreimal, jedesmal tiefer, die Osterkerze ein. Gegen den Schluß der Weihe besprengt er das anwesende Volk mit dem Taufwasser. Während der Rückkehr zum Altare beginnt der Chor die Allerheiligenlitanei, die der Zelebrant mit den Altardienern auf dem Angesichte liegend anhört bis zum ℟. *Peccatores;* hier erheben sich alle und kehren in die Sakristei zurück, um zum folgenden Hochamte die Paramente von weißer Farbe anzulegen. Die Allerheiligenlitanei weist uns hin auf die nach der Taufe anzustrebende Vereinigung mit der triumphierenden Kirche.

5. Die *Missa Solemnis*. Den Anfang derselben bildet das *Kyrie* am Ende der Litanei, das feierlich gesungen wird; unterdessen tritt der Zelebrant (mit Leviten) an den Altar, der mit einigem Schmucke versehen wird, und beginnt in gewohnter Weise die Messe. Nach Beendigung des *Kyrie* folgt das *Gloria in excelsis*, zwischen dessen Anfang und Fortsetzung die Glocken geläutet und die Orgel gespielt wird — angesichts der Auferstehungskunde kehrt den Glocken die Sprache zurück,

---

[1]) Stellvertreter des Grabesengels.

[2]) Wenn auch nicht alle diese Lesungen aus den eigentlichen Propheten entnommen sind (6 + 6), so verdient doch eine jede derselben den Namen Prophetie, weil alle typisch und symbolisch auf die Heilsanstalt des Neuen Bundes hinweisen. — Siehe Schmid, Liturgie, 3. Band.

die Erde erklingt von Jubel. Der **Introitus** fällt aus, weil besonders die Litanei als solcher schon gilt. Nach der Epistel wird der *Alleluja*-Gesang wieder aufgenommen und zwar vom Zelebranten selbst, der ihn dreimal in erhöhter Stimme singt, worauf der Chor in der gleichen Tonlage antwortet. Das Offertorium, *Agnus Dei* und der Communionvers fallen weg: ersteres weil an diesem Tage die Paten der Getauften vorzugsweise opferten und zwar schon vor der Messe, so daß während der Messe der Opfergesang entfiel, das *Agnus Dei* wohl deshalb, weil es schon in der vorgängigen Litanei gesungen wurde: der Kommunionvers wegen der unmittelbar an die Kommunion des Priesters sich anschließenden Vesper. Auch wird der **Friedenskuß** nicht gegeben, weil sich in früheren Zeiten die Gläubigen denselben schon beim Eintritt in die Kirche gaben. Doch sind in betreff des Wegfalles dieser liturgischen Teile die Auslegungen mannigfach.

Sinn und Verständnis der heiligen Fastenzeit und ihrer zahlreichen Zeremonien in Geist und Herzen der am Kirchengesange Beteiligten zu fördern ist der Zweck vorstehender kurzen Darlegungen. Wer eindringt in den Geist der Kirche, auf ihre Absichten bei der Feier der einzelnen Abschnitte des Kirchenjahres eingeht, wer sich Aufschluß erholt über das Wesen der kirchlichen Verrichtungen und Gebräuche: der wird auch mit lebendigem Glauben, rechtem Verständnis und heiliger Liebe und Begeisterung singen — auch ohne Orgel und andere Instrumente; der wird in sich selbst mehr und mehr erkennen und erfahren, welches die Gefühle seien, die in jeglicher Feier wie aus dem Herzen der Kirche durch sein Herz und seinen Mund übergehen sollen in die Herzen aller, um in allen **eine** Liebe zu erwecken.[1])

Mit dem Jubilus der Charsamstagsmesse nimmt die heilige Kirche die in der Ostervorbereitungszeit ausgesetzten Freudengesänge mit schwungvoller Kantilene wieder auf und nun hallt und schallt über den ganzen Erdkreis der jauchzende Ruf: „*Alleluja! Alleluja!* Christus ist auferstanden!" Die Auferstehung des Heilandes brachte ja der gesamten Schöpfung die geistige Wiedergeburt, die Auferstehung aus dem Abgrunde der Sünde. In eines jeden gläubigen Christen Herzen facht die ihm von der Kirche dargebotene Erinnerung alljährlich wieder neue, herzliche Freude an und es nimmt eifrig Anteil an der Gedächtnisfeier dieses lebenspendenden Geheimnisses, an der Liturgie des „Festes der Feste", des „Königs der Sonntage". Die *Alleluja*, die dem heiligen Munde der Kirche entquellen, widerhallen im reingescheuerten Christenherzen und entströmen ihm als Lob- und Dankgebete in der Betrachtung solch überreicher Gottesgüte. Und schaut ein reines Christenherz vorwärts auf jenen einen Tag, der für jeden glaubenserfüllten Christen das **wahre** Osterfest, die **eigene Auferstehung** bringen wird zur Klarheit des ewigen Lebens, so gedenkt es in wonniger Freude des **ewigen** *Alleluja*, das es einst singen darf dem wunderstarken Sieger über Tod, Hölle und Grab. Und es fühlt in seliger Zufriedenheit schon beim ersten Allelujaklang, daß die Bußzeit der vierzig Tage für sein geistiges Leben eine Quelle reinigender und lichtbringender Gnaden war, deren Wirksamkeit sich nun lebendig äußert in der aus schuldreiner Seele hervorbrechenden Jubelbegrüßung des Auferstandenen, der in seiner Himmelsschönheit strahlenden Glorie, in seiner göttlichen Siegeskraft vor ihr steht: „*Alleluja! Alleluja! Surrexit Christus spes mea! Alleluja!* **Mein Hort, der Herr ist erstanden!**"

Das ist die durch die ganze Osterzeit fortklingende, selige Antwort auf des Heilandes Siegeshymnus, den ihm die heilige Kirche bei seinem Triumph über Todesgrauen und Grabesdunkel in den Mund legt: *Resurrexi et adhuc tecum sum, alleluja: posuisti super me manum tuam, alleluja: mirabilis facta est scientia tua, alleluja, alleluja!* (Ps. 138.) [Introitus der Ostermesse.] Dieser Ruf des aus dem Grabe hervorgehenden Heilandes ist die Huldigung des feierlichen Dankes an seinen himmlischen Vater, ist sein eigenes Zeugnis für sich als den siegreichen Gottessohn. „Es ist, als riefe er bei seiner Auferstehung dem Vater im Himmel und den Menschen auf Erden die Worte zu: „*Resurrexi et adhuc tecum sum, alleluja* — Erstanden bin ich, (o Gott) und Vater und noch bin ich (trotz des furchtbaren Leidens und Untergehens) trotz der Anstrengung meiner Feinde mich zu verderben, bei dir (o Gott, mit dir geeint!), *Alleluja*." Du hast deine Allmachtshand auf mich gelegt: sie schirmte und trug und beherrschte mich durch alle Trübsal und führte mich siegreich hervor aus des Grabes Nacht, wo meiner Feinde Sinnen für immer mich verschlossen wähnte: *Alleluja!* Wunderbar ist deine Weisheit — nach der du mich bestimmt und geführt hast nach deinem von Ewigkeit her entworfenen Weltplan für die Erlösung der Welt, die ich durch mein sieghaftes Auferstehen vollendet habe — wunderbar dein göttliches Wissen, dem sich nichts entziehen kann von dem, was ich in menschlicher Natur für meine Brüder gelitten habe, welcher Abscheu gegen die Sünde, gegen die Verletzung deiner Majestät mich erfüllte, welche Liebe zur Tugend mein Sohnes-

[1]) Vgl. Selbst: Der katholische Kirchengesang, 2. Auflage, Seite 70.

herz bewegte, wie ich von Freude über die Millionen erfüllt bin, die durch meinen Gehorsam deine Freunde und Mitgenossen meiner Herrlichkeit geworden sind. *Alleluja, Alleluja! Domine, probasti me et cognovisti me* — Du hast mich geprüft im Leiden und im Tode und mich als Gottessohn und Menschensohn erkannt, erprobt: „*tu cognovisti sessionem meam* — mein Ruhen bei dir von Ewigkeit, mein Ruhen im Grabe: *et resurrectionem meam* — und mein Aufstehen, als du mich sandtest von deiner Seite hinweg auf die fluchbedeckte Erde — und mein Auferstehen, das von dir und mir zugleich bewirkt wurde.“ [1])

Dieses Selbstzeugnis Christi für seine Gottessohnschaft richtet den Blick unseres Glaubens und unseres gesamten religiösen Lebens hin auf jene Wohltat, die das letzte Ziel der Auferstehung des Gottessohnes war: „die Unsterblichkeit — *aeternitatis aditus*“, auf die unsere Gedanken in der Festoration hingelenkt werden, damit wir besonders in der Osterzeit um diese erhabene Belohnung bitten. Diese uns wieder erworbene Unsterblichkeit drückt dem Osterfeste den Stempel der allgemeinen Freude auf, macht es zum Feste aller Feste, um das sich alle übrigen Feste als wohlduftender Blütenkranz gruppieren; von ihm empfangen sie Leben und Nahrung und Richtschnur. Und so ruft die Kirche durch die ganze Osterfeier in der Messe und beim Stundengebete in allen Horen: „Das ist der Tag, den der Herr gemacht zu unserem ewigen Heile; laßt uns frohlocken und uns freuen an ihm: *Haec dies, quam fecit Dominus; exultemus et laetemur in ea*“. „Danket dem Herrn: denn er ist gut; in Ewigkeit währt seine Barmherzigkeit: *Confitemini Domino, quoniam bonus; quoniam in saeculum misericordia eius.*“ (Ps. 117.) Wie wenn die Kirche ihre Kinder durch den immer wieder ertönenden Allelujaruf nicht eindringlich genug zu lauterer, dankerfüllter Osterfreude einladen könnte, fügt sie den gewöhnlichen Gesängen der Messe das „von siegesbewußter Freude durchwehte“ Triumphlied *Victimae paschali laudes* an, das, seiner den Text lebendig illustrierenden Melodie entsprechend mit feierlicher Begeisterung von einem großen Chore (vom Volke?) gesungen, „wie ein Herold, der mit kühner und energischer Stimme die christlichen Wahrheiten dem Volke entgegenruft“,[2]) der glaubensfrohen, siegeserwartenden Christenschar den Triumph des Heerführers verkündet. Wie natürlich würde es klingen, wenn das in der Kirche anwesende Volk wie aus einem Munde seinen freudigen Glauben an dies hohe Geheimnis bekennen würde mit der Schlußstrophe:

| | |
|---|---|
| „*Scimus Christum surrexisse* | „Wir wissen, von Todesbanden |
| *A mortuis vere:* | Ist herrlich der Heiland erstanden. |
| *Tu nobis, Victor* | Siegreicher König, wir flehen, |
| *Rex, miserere. Amen. Alleluja!*“ | Erbarm dich, verzeih die Vergehen. Amen. Alleluja!“ |

Der letzte Vers dieses Liedes scheint der Christen Osterfreude trüben zu wollen, da er sie an ihre Sündhaftigkeit erinnert und den Heiland in seiner Auferstehungsglorie zugleich als zukünftigen Richter schauen läßt. Doch wer mit Christi Auferstehung selbst auferstanden ist zu einem neuen Leben, wer die letzte Spur des alten Sündensauerteiges ausgemerzt und das ungesäuerte Brot der Wahrheit und Aufrichtigkeit — die echten unverfälschten Glaubensgrundsätze — in sich aufgenommen hat (Epistel), dem wird der Gedanke an den Richter in seinen Osterjubel keinen Mißton tragen, für ihn heißt Richter nichts anderes als: Erlöser, Belohner. Darum wird aus seinem Herzen Ruhe und Friede auch nicht weichen, wenn beim Offertorium in markigen Klängen erschallt: „*Terra tremuit et quievit, dum resurgeret in iudicio Deus:* Die Erde erbebte und ward ruhig, als zum Gerichte Gott sich erhob“. (Ps. 75.) Er wird gehobenen Sinnes einstimmen in das *Alleluja*, weil er nicht fürchtet und nicht zittert vor Christi verklärten Wundmalen, vor denen nur seine Feinde erschauern und sich beugen, da sie ihre Ankläger vor dem sind, den sie verachtet, ja gemordet haben. Die Christo anhangende Seele freut sich über den Sieg, den ihr Führer über seiner Feinde Wüten und Toben, Planen und Sinnen errungen hat, und daß auch seine Widersacher unter seine Herrschaft gebeugt sind. Diese Freude aber erreicht ihren Höhepunkt, wenn sie teilnehmen darf an jenem göttlichen Mahle, bei dem das wahre Osterlamm, dessen geheimnisvolle Opferung auf dem Altare sich vollzieht, ihr als Nahrung gereicht wird. Sie hat ja den Auferstandenen selbst bei sich, mit dem sie nun Ostern feiern kann in der Reinheit und Wahrheit ihrer vollen Hingabe und Liebe: „*epulemur in azymis sinceritatis et veritatis. Alleluja, alleluja, alleluja!*“ (Kommunionvers.) Das ist die wahre, frisches, geistiges Leben wirkende Osterfeier, wie sie ein jeder katholische Christ begehen soll. Es wird dann der Glaubenseifer in seinem Herzen mit jedem Osterfeste neu entzündet, er wird angetrieben zu einem Leben nach dem Glauben, das ihm — am Tage seiner eigenen Auferstehung — die Unsterblichkeit im ewigen Lichte verdienen wird.

P. A. M. W.

[1]) Vergl. Meyenberg: Homil. und katech. Studien. 5. Aufl. S. 460.

[2]) P. Wagner: Einführung in die gregorianische Melodie. I., Seite 269.

## M. J. A. Lans, ein Vorkämpfer des katholischen Kirchengesanges in den Niederlanden.

Von P. Hermann Schwetheim, O. F. M., (Harreveld, Holland.)

Am 3. Februar starb in der Hauptstadt der Niederlande ein Mann, der wegen seiner hohen Verdienste auf verschiedenen Gebieten auch über die Grenzen seines Vaterlandes bekannt zu werden verdient: Michael Johann Anton Lans. Er war am 18. Juli 1845 zu Haarlem in Nordholland geboren als Sohn von Bernard Lans und Sophie Hafkenscheid, der Schwester des berühmten ersten holländischen Redemptoristen, P. Bernard Hafkenscheid († 1865). Die charitativen und religiösen Bestrebungen der Eltern — Bernard Lans war erster Vorsteher des St. Vinzenzvereins — übten auf den von der Natur mit den Vorzügen des Geistes und des Körpers reich ausgestatteten Michael einen guten Einfluß aus. Schon bald trat Michael, seiner Neigung zum Priestertum folgend, in das bischöfliche Seminar zu Hageveld[1] ein, und später in das zu Warmond bei Leiden,[1] wo er sich von 1865—1869 durch die höheren Studien auf sein wichtiges Amt vorbereitete. Durch seine opferwillige Nächstenliebe, namentlich beim Ausbruch des Typhus im Winter 1866/67, wie durch sein schlichtes und einfaches Wesen erwarb er die Liebe seiner Studiengenossen. Im Jahre 1869 empfing er in Warmond nach einer glänzend vollendeten Studienlaufbahn durch Bischof Wilmer von Haarlem die heilige Priesterweihe. Seine ersten priesterlichen Funktionen galten dem Orte Hillegom in Südholland, der sich indessen nicht lange seiner Gegenwart erfreuen sollte; denn nach kurzer Tätigkeit in der Seelsorge berief der Bischof noch in demselben Jahre den jugendlichen Priester wegen seiner hervorragenden Fähigkeiten als Lehrer nach Hageveld. Achtzehn Jahre wirkte er an dieser Anstalt und rechtfertigte glänzend das auf ihn gesetzte Vertrauen. Sein einfaches Wesen, sein praktischer Blick, sein pädagogischer Takt und sein tiefreligiöses Gemüt machten, daß die Schüler ihn liebten, hochachteten und verehrten. Daher fiel es ihm schwer, dieses liebgewonnene Amt wieder zu verlassen, als im Jahre 1887 seine Ernennung zum Pfarrer von Schiedam in Südholland erfolgte. Doch fand er sich bald in seine neue Stellung, und mit demselben Eifer, mit dem er sich bisher dem Unterricht der Zöglinge gewidmet, arbeitete er nun als Seelsorger für die ihm anvertraute Gemeinde. Insbesondere suchte er die Verehrung der Jungfrau von Schiedam, der heil. Lidwina, angelegentlichst zu befördern. Dieses und sein unermüdlicher Eifer, sowie sein liebevolles Auftreten und nicht an letzter Stelle sein vorzügliches Predigertalent trug ihm die Liebe seiner Pfarrkinder ein, und ungern sah man ihn scheiden, als nach einer neunjährigen Tätigkeit wiederum der Ruf seines Bischofs an ihn erging, um das einflußreiche, aber auch schwere und verantwortungsvolle Amt eines Regens am Priesterseminar zu Warmond zu übernehmen (1896). Wie von einem tüchtigen Pädagogen nicht anders zu erwarten war, fand er auch hier bald den Weg zum Herzen der Seminaristen; er besaß ihr volles Vertrauen und war ihnen an erster Stelle ein geistiger Vater. Alle, die das Glück hatten, unter seiner Leitung sich auf das Priestertum vorzubereiten, sind voll des Lobes über ihren einstigen Präses. In den Konferenzen, in den Vorlesungen über Moraltheologie (seit 1901) und vorzüglich in den Exerzitien vor den heiligen Weihen zeigte sich ein wahrhaft priesterliches Herz und eine hohe Auffassung vom Priestertum. Es ist nicht möglich, mit wenigen Worten auseinanderzusetzen, was er als Regens zur Ehre Gottes getan. Aber noch einmal mußte der bereits bejahrte Priester seinen stillen Wirkungskreis verlassen und das ehrenvolle Amt eines Dechanten in der Hauptstadt antreten (1906). Zu gleicher Zeit wurde er päpstlicher Geheimkämmerer; schon vorher war er von seinem Bischof zum Ehrendomherrn und von Ihrer Majestät der Königin Wilhelmine zum Ritter des hohen Ordens vom Niederländischen Löwen erhoben. In Amsterdam mit mehr als 120000 Katholiken trat Lans mehr als je an die Öffentlichkeit; der Dechant bildete den Mittelpunkt aller katholischen Unternehmen und Bestrebungen, und durch sein Wort wußte er die verschiedensten Feste und Versammlungen zu beleben und zu erhöhen; denn wie sein Oheim, der P. Bernard, war auch Lans ein gottbegnadeter Redner, bei dem die natürliche Anlage durch gründliches Studium und jahrelangen Unterricht in der Beredsamkeit zu herrlicher Entwicklung gelangte. Sein Buch über die geistliche Beredsamkeit, unter Van Cooths Mitwirkung zum Gebrauch der Seminaristen herausgegeben, wird noch heute gerühmt. Als Vorbild eines Kanzelredners diente ihm vermutlich der bereits erwähnte Oheim, dessen Leben und Wirken uns der Neffe in einer ausführlichen Biographie vor Augen führt (1905, 4. Auflage; ins Deutsche übertragen von Schepers 1884).

Besondere Bedeutung auch in weiteren Kreisen erlangte Lans aber durch seine Verdienste auf dem Gebiete der Kirchenmusik. Diesem Zweige der kirchlichen Liturgie widmete der edle

[1]) Im Bistum Haarlem.

Priester, der die Pracht des Hauses des Herrn so sehr liebte, nächst den Berufspflichten seine besten Kräfte in den verschiedenen Stellungen zu Hageveld, Schiedam, Warmond und Amsterdam. Durch diese Bemühungen wurde er für sein Vaterland, was Fr. Witt für Deutschland war. Von Natur mit einem guten musikalischen Empfinden begabt, wurde er mit großem Schmerz erfüllt über den traurigen Zustand und den gänzlichen Verfall der Kirchenmusik in den Niederlanden, und schon in den ersten Jahren seines Priestertums war in ihm der Entschluß gereift, sie von der Verweltlichung zu befreien, der alten kirchlichen Musik wieder Eingang zu verschaffen und so eine Besserung herbeizuführen. Den Anstoß dazu erhielt er zweifelsohne durch die Rührigkeit der Katholiken Deutschlands, wo im Jahre 1868 durch Witt der Allgemeine Deutsche Cäcilienverein gegründet war. Ein guter Anfang wurde gemacht, als im Jahre 1875 am 18. August auf seine Anregung zum ersten Male aus den fünf niederländischen Diözesen zehn Priester zu Hageveld zusammentraten, um über die Mittel zur Hebung der Kirchenmusik zu beraten. Als Frucht dieser Versammlung erschien im Januar des folgenden Jahres das St. Gregorius-Blad, das Organ, das der Reform des Kirchengesanges die Wege bahnen sollte durch Bekämpfung der herrschenden Vorurteile und Verbreitung richtiger Anschauungen. Bis kurz vor seinem Tode war Lans der Hauptredakteur dieser von ihm gegründeten Monatschrift. Mit der letzten Januarnummer hat sie ihren 33. Jahrgang begonnen und in der langen Zeit ihres Bestehens viel Gutes gestiftet. Viele Artikel stammten aus der Feder des unermüdlichen Redakteurs selbst, der hier in fein stilisierten Abhandlungen Propaganda macht für den gregorianischen Choral, für den a capella-Vokalstil, die Kunst Palestrinas, und daneben auch für die Meister der niederländischen Schule, deren Namen, wie die so vieler anderer der Vergessenheit anheimgefallen waren. Zur Einführung in ein besseres Verständnis der alten Meister schrieb er ein Buch über den doppelten Kontrapunkt (Leerboek van het Contrapunt, 1889),[1] ein Zeichen, daß es ihm mit seinen Reformbestrebungen Ernst war. Kaum waren zwei Jahre seit Gründung der Zeitschrift verflossen, da rief er im Jahre 1878 den Gregoriusverein ins Leben, der nun gleich seinem Vorbilde, dem zehn Jahre früher gestifteten Cäcilienvereine, Träger der kirchenmusikalischen Reformbestrebungen wurde. Wohl hatten sich dem Unternehmen große Schwierigkeiten entgegengestellt, wohl hatte Lans heftigen Widerspruch gefunden selbst von solcher Seite, von der er Unterstützung erwartet hatte; wohl hatte man ihm vorgehalten, die Bewegung sei verfrüht und müsse vertagt werden. Doch seine eiserne Willenskraft, das notwendige Erfordernis eines Reformators, ließ sich durch nichts abhalten, sie ließ ihn alle Schwierigkeiten überwinden und ein herrlicher Erfolg lohnte seine Arbeit. Aber eine neue schwere Bürde hatte er auf seine Schultern geladen. Denn als Stifter mußte er auch die Leitung des Vereins und das Amt eines Generalpräses übernehmen. Die erste allgemeine Versammlung wurde im September 1880 zu Utrecht gehalten und gestaltete sich zu einem herrlichen Feste. Der Erzbischof dieser Stadt nahm regen Anteil: unter Hallers sechsstimmigem *Ecce Sacerdos magnus* zog er in feierlichem Zuge in die Kathedrale und eröffnete den feierlichen Tag mit einem Pontifikalamte. Von nah und fern waren zahlreiche Teilnehmer, Sänger und Dirigenten herbeigeströmt, um Belehrung zu schöpfen und an den unsterblichen Meisterwerken der alten Meister des Kirchengesanges, die zur Ausführung gelangten, ihren Kunstgeschmack zu bilden. Seele und Mittelpunkt der ganzen Versammlung war der allgemein verehrte und geliebte Stifter und Generalpräses des Vereins, der in faßlicher und herzlicher Sprache belehrte und ermunterte. Von den späteren Versammlungen erwähnen wir noch die von Arnheim und Amsterdam. Der Verein wuchs von Jahr zu Jahr und zählte bei dem Tode des Gründers die stattliche Zahl von viertausend Mitgliedern. Vermöge seiner über alle Diözesen des Königreiches verbreiteten Abteilungen hat dieser Verein in der Folgezeit viel zu einem würdigen Kirchengesange in Holland beigetragen und es ermöglicht, daß jetzt überall gregorianischer Choral gesungen wird. Zweimal veranstaltete der Verein auf Anregung und unter Leitung des Generalpräses kirchenmusikalische Lehrkurse, 16.—21. August 1896 und 6.—10. September 1903 zu Utrecht. 1900 gab er eine Sammlung kirchlicher Gesänge von niederländischen Komponisten heraus (St. Gregoriusbundel) und 1903, als der Verein sein silbernes Jubiläum feierte, wurde die St. Gregoriusbibliothek gegründet. Diesem Verein und speziell dem Generalpräses übertrug in Anerkennung seiner großen Verdienste um den Kirchengesang das Kollegium der Bischöfe der Niederlande auch die Sorge für die Ausführung des *Motu proprio* des Heiligen Vaters Papst Pius X. vom 22. November 1903.

Zur Vervollständigung des Lebensbildes müssen wir noch den „europäischen Kongreß für liturgischen Gesang" von Arezzo (September 1882) erwähnen. Der Eifer für den Choral hatte auch

[1] Siehe Riemann, Musiklexikon, 1905, Seite 739.

den Präses des St. Gregoriusvereins, damals noch Professor in Hageveld, nach Arezzo geführt. Er beteiligte sich sogar eifrig an den Debatten und trat entschieden gegen die Anschauungen und Bestrebungen der französischen Archäologen auf. Die Geschichte und den Verlauf dieser Versammlung schildert uns Lans in den *Brieven van het Congres van Arezzo*, die später in mehreren Sprachen übersetzt wurden, ins Deutsche von E. Luypen. (Lans, Offene Briefe über den Kongreß von Arezzo, Regensburg, Pustet 1883). Auch über die offiziellen Choralbücher gab der Verbreiter dieser Bücher in den niederländischen Kirchen eine 86 Seiten umfassende Schrift heraus; sie erschien ebenfalls bei Pustet in französischer Übersetzung unter dem Titel: *Dix ans après le décret „Romanorum Pontificum"*.

Mons. M. J. A. Lans, geb. 18. Juli 1845, gest. 3. Febr. 1908.

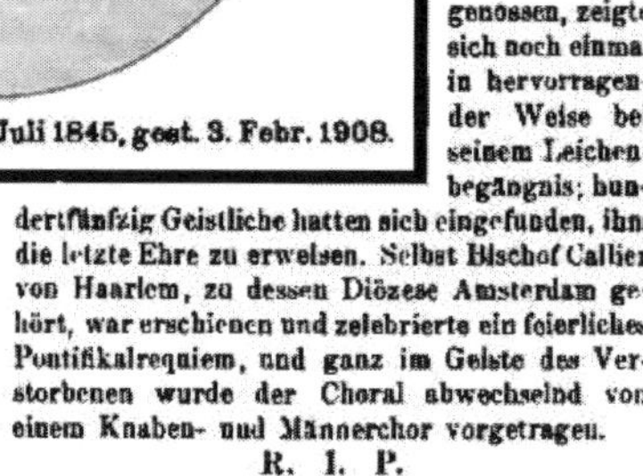

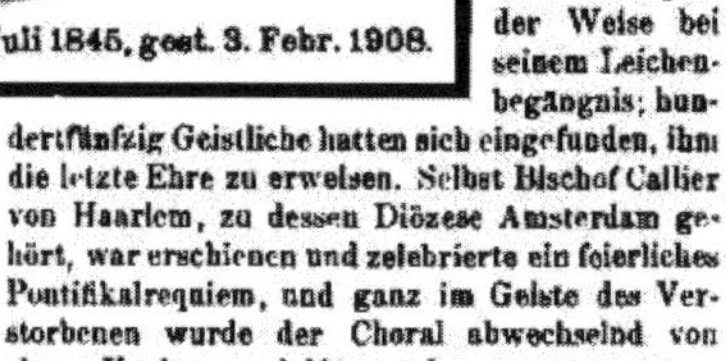

Außerdem verfaßte Lans noch einige theoretisch-praktische Werke über die kirchliche Musik, die noch heute in hohem Ansehen stehen: 1. *De jonge Korist* in zwei Teilen, wovon der erste über gregorianischen Choral, der zweite über mehrstimmigen Kirchengesang handelt; 2. *Handboekje by het onderwijs in den Gregorianschen Zang;* 3. *Der Katholieke Organist.*

Die Kompositionen, mit denen der Stifter des St. Gregoriusvereins sein Vaterland beschenkte, sind teils geistlicher, teils weltlicher Natur: 1. eine vierstimmige Messe *in honorem Nativitatis Domini;* 2. mehrere Kantaten, darunter eine Papstkantate; 3. verschiedene Madrigale; 4. einige Sonaten (Text von dem berühmten niederländischen Dichter und Politiker Schaepmann); 5. endlich eine Sammlung Marienlieder, im Verein mit Professor Jansen herausgegeben.

Wie groß die Achtung und Liebe war, die der edle und so verdienstvolle Mann im Leben genossen, zeigte sich noch einmal in hervorragender Weise bei seinem Leichenbegängnis; hundertfünfzig Geistliche hatten sich eingefunden, ihm die letzte Ehre zu erweisen. Selbst Bischof Callier von Haarlem, zu dessen Diözese Amsterdam gehört, war erschienen und zelebrierte ein feierliches Pontifikalrequiem, und ganz im Geiste des Verstorbenen wurde der Choral abwechselnd von einem Knaben- und Männerchor vorgetragen.

R. I. P.

## Vereins-Chronik.

1. Der Allgemeine Cäcilienverein hat wiederum einen **Kardinal-Protektor** durch die Gunst des Heiligen Vater, Pius X. erhalten in der Person Sr. Eminenz des Kardinal **Pietro Gasparri.** Durch Seine Exzellenz den Hochwürdigsten Herrn Erzbischof Andreas Franziskus Frühwirth, Apostolischen Nuntius in München, wurde die Bittschrift des Unterzeichneten vermittelt, und es erfolgte nachfolgende schriftliche Mitteilung:

„Segreteria di Stato di Sua Santità Nr. 29127.

Dal Vaticano, 27 Marzo 1908.

La Santità di Nostro Signore, accogliendo la preghiera del Presidente Generale dell' Associazione di S. Cecilia in Germania, si è benignamente degnata di nominare Protettore dell' Associazione istessa il signor Cardinale Pietro Gasparri.

Tanto si partecipa al Rev. Signor Francesco Saverio Haberl, Presidente Generale della detta Associazione, per sua intelligenza e norma. R. Card. Merry del Val.

Se. Eminenz, der neue Kardinal-Protektor ist am 5. Mai 1852 in Visso, Diözese Norcia geboren und wurde am 16. Dezember 1907 von Papst Pius X. ins Kardinal-Kollegium berufen.

Der unterzeichnete Generalpräses wird sich Mitte April Sr. Eminenz persönlich vorstellen und ihn über den Stand und die Tätigkeit des Allgemeinen Cäcilienvereins unterrichten. F. X. H.

**2.** * Eine Generalversammlung des Cäcilienvereins wird noch vor der durch die Statuten bestimmten Zeit (1909) in **Eichstätt** abgehalten werden. Der Hochwürdigste Herr Bischof, Leo von Mergel, hatte die Gnade auf eine diesbezügliche Eingabe des derzeitigen Generalpräses nachfolgende Antwort zu erteilen:

„Hochwürdiger, sehr verehrter Herr Generalpräses! Wie ich bereits bei der seinerzeitigen mündlichen Besprechung über den Plan einer Generalversammlung des Cäcilienvereins meine Freude ausgedrückt habe, daß Eichstätt zu diesem Zwecke ins Auge gefaßt sei, so erkläre ich hiemit auf die Zuschrift und Bitte vom 13. März, daß ich freudigst gestatte, die 18. Generalversammlung in der 2. Hälfte des Juli in Eichstätt Mauern abzuhalten, speziell die liturgische Feier in meine Kathedrale zu verlegen, wozu ich meine Mitwirkung für den Gottesdienst zusage. Ich gebe dem Unternehmen meinen bischöflichen Segen und übernehme bereitwillig das Protektorat über das zu bildende Lokalkomitee.

Ew. Hochwürden

Eichstätt, 20. März 1908. ganz ergebenster

† Leo, O. S. B., Epps. Eystett.

Die letzte, 17. Generalversammlung wurde für den 21. August 1904 in Regensburg angekündiget, so daß die heurige Generalversammlung als 18. zu verzeichnen ist.

Das provisorische Programm, welches Herr Domkapellmeister Dr. Wilh. Widmann auszuführen sich erboten hat, lautet: Dienstag, 21. Juli, abends 6 Uhr: Musikalische Andacht im Dom; 7½ Uhr: Begrüßungsfeier in der Kgl. Aula. Mittwoch, 22. Juli (Fest der heil. Büßerin Maria Magdalena), 6½ Uhr: Choralamt in der Schutzengelkirche (bischöfl. Seminar), Messe vom Tage nach der *Editio Medicaea*: 9 Uhr: Predigt; 9½ Uhr: Pontifikalamt, *Ecce Sacerdos*, vierstimmig von Franz Hacker, Wechselgesänge, choraliter, nach der Ausgabe von Dom Pothier; sechsstimmige Messe *Beatus qui intelligit* von Orlando di Lasso. Nachher Festversammlung; nachmittags 2½ Uhr: im Dome Vesper; nach derselben Aufführung kirchlicher Vokalkompositionen; 5 Uhr: Geschlossene Versammlung der Vereinsmitglieder: 1. Beratung von Anträgen, welche laut § 15 der Statuten bis längstens 10. Juni an den Generalpräses einzusenden sind, damit sie im Vereinsorgan vom 15. Juni veröffentlicht werden können. 2. Erneuerung und Erweiterung des Referentenkollegiums. 3. Geschäftsbericht und Rechnungslegung des Vorstandes. 4. Vorträge über kirchenmusikalische Themate. 7½ Uhr abends: Konzert des Domchores in der Kgl. Aula; Aufführung von Stehles Frithjofs Heimkehr. Donnerstag, 23. Juli. Früh 8 Uhr: *Requiem* für die verstorbenen Vereinsmitglieder. Nach demselben: Geschlossene Versammlung und instruktive Proben für Choralgesang und mehrstimmige Musik; nachmittags 2 Uhr: Andacht im Dom mit Aufführung moderner Kirchenkompositionen. Zum Schlusse das sechstimmige *Te Deum* mit Orgel von Edgar Tinel, Op. 46.

Bis 15. Mai hofft der Unterzeichnete Details über das musikalische Programm veröffentlichen zu können und ladet hiemit zu zahlreicher Beteiligung an dieser 18. Generalversammlung ein. F. X. H.

8. ⊙ **Regensburg.** Nachfolgender Hirtenbrief Se. Exzellenz des Hochwürdigsten Herrn **Antonius von Henle** wurde im Verordnungsblatt der Diözese Regensburg veröffentlicht und soll auch weiteren Kreisen, welche sich die Pflege des deutschen Kirchenliedes mit Recht zu einer Herzensangelegenheit machen, zur Kenntnis gebracht werden. Bisher war in der großen Diözese auf oberhirtliche Anordnung in den siebziger Jahren des vorigen Jahrhunderts die „Cäcilia“ von Joseph Mohr warm empfohlen und auch vielfach gebraucht worden. Aber auch kleinere Liedersammlungen waren in einzelnen Orten und Gegenden üblich gewesen. Der Wille und Wunsch des Hochwürdigsten Diözesanoberhirten ist, daß in allen Kirchen und Schulen dieses neue Gesang- und Gebetbuch eingeführt und gebraucht werde. Das Bischöfliche Ordinariat ist der alleinige Verleger desselben und kündigt an: „daß das Diözesangebetbuch zu nachstehenden Preisen von Unserer Kanzlei bezogen werden kann: a) ungebunden für 40 ₰, b) in Leinwandband mit Marmorschnitt für 65 ₰, c) in Leinwandband mit Goldschnitt und Futteral für 80 ₰, d) in Lederband mit Goldschnitt und Futteral für 1 ℳ 40 ₰, e) in Chagrinband mit Goldschnitt und Futteral für 1 ℳ 80 ₰. Eine Ausgabe in großem Druck ist in Vorbereitung und werden Wir ihr Erscheinen s. Z. im Oberhirtlichen Verordnungsblatte bekannt geben“.

Regensburg, den 13. März 1908. Huber, Generalvikar. Th. Braun, Sekretär.

Der Hirtenbrief lautet: „Antonius durch Gottes Erbarmung und des Apostolischen Stuhles Gnade Bischof von Regensburg dem ehrwürdigen Klerus seiner Diözese Gruß und Segen von Gott dem Herrn!

Nach dem Vorgange anderer Diözesen haben Wir Uns entschlossen, die Herausgabe eines Diözesan-Gebet- und Gesangbuches zu veranlassen.

Dasselbe ist nunmehr erschienen und kann von Unserer Kanzlei bezogen werden.

Um die Sache nicht in die Länge zu ziehen und da, was sich an einem Orte als gut und trefflich bewährt hat, gewiß auch an einem anderen seinen Nutzen stiften wird, so haben Wir, mit Genehmigung des hochwürdigsten Bischöflichen Ordinariates Passau, den textlichen Teil, wenigstens dem Hauptinhalte nach, aus dem Passauer kleinen Diözesan-Gebetbuche herübergenommen, den gesanglichen Teil aber nach Auswahl und mit Ergänzungen, wie sie von den Herren Fr. X. Engelhart, Domkapellmeister in Regensburg, und Vinz. Goller, Chorregent in Deggendorf, getroffen worden sind.

Besonders letzterer Herr hat sich um die Herausgabe dieses Teiles des Gesangbuches hervorragende Verdienste erworben, weshalb Wir demselben gerne öffentlich Unsere dankbare Anerkennung zollen.

Die Absicht nun, die Uns bei Herausgabe dieses Diözesan-Gebetbuches leitete, war eine doppelte: einmal die Pflege des kirchlichen Volksgesanges und dann die Rücksichtnahme auf den öffentlichen Gottesdienst.

Der kirchliche Volksgesang ist eine der ältesten und ehrwürdigsten Einrichtungen unserer heiligen Kirche. Er ist so alt wie die Kirche selbst. Man kann sagen, daß er von Anfang an einen wesentlichen Bestandteil des christlichen Gottesdienstes bildete.

Der göttliche Heiland selbst war hierin Vorbild; denn bei Matth. 26, 30 und Mark. 14, 26 lesen wir: „Und nachdem sie (der Heiland und die Apostel) den Lobgesang gesungen, gingen sie hinaus auf den Ölberg.“

In der Tat führen auch der heil. Justinus (contra Tryph. Cap. 106) und der heil. Augustinus (Epist. 55, nr. 34) den christlichen Gesang direkt auf die Anordnung Christi zurück. Der heil. Augustinus schreibt: *Sine dubitatione faciendum est maxime id quod etiam de scripturis defendi potest, sicut de hymnis et psalmis canendis, cum et ipsius Domini et Apostolorum habeamus documenta et exempla et praecepta.*[1])

So wurde der kirchliche Volksgesang zur Pflichtsache, und so erklärt sich auch seine Verbreitung über die ganze katholische Welt. Die hervorragendsten Förderer desselben waren im Abendlande die großen Bischöfe Ambrosius und Augustinus und im Morgenlande Chrysostomus und Eusebius von Cäsarea. Der heil. Ambrosius verspricht sich vom kirchlichen Volksgesang ganz besondere religiöse Vorteile. Er sieht im gemeinsamen gottesdienstlichen Gesange das stärkste Band der Einheit und Einigkeit unter dem gläubigen Volke.[2])

Und der heil. Augustinus war vom Anhören des Mailänder Kirchengesanges so ergriffen, daß er sich der Tränen nicht schämte. „Wie sehr weinte ich unter deinen Hymnen und Gesängen heftig erschüttert von den Stimmen deiner lieblich tönenden Kirche; es ergossen sich jene Stimmen in meine Ohren und es taute die Wahrheit in mein Herz; es entbrannte in mir das fromme Gefühl der Andacht, Tränen flossen und mir war so wohl dabei.“[3])

Die Wirkung dieses Gesanges muß in der Tat eine ganz außerordentliche gewesen sein, da die Arianer ihn zum Gegenstand der heftigsten Ausfälle gegen den Bischof Ambrosius machten, wie später die Donatisten gegenüber dem heil. Augustinus dasselbe taten.

Eusebius und der heil. Chrysostomus rühmen dann die weite Verbreitung des Kirchengesangs. Eusebius vernimmt ihn überall, wo eine Kirche ist,[4]) und Chrysostomus spricht von Städten, Höfen, Klöstern, Wüsteneien und Einöden, wo David, d. i. der Kirchengesang, der zumeist aus

[1]) Aug. Epist. 55, n. 34. Edit. Parisiis. 1679. Bened.-A. Tom. II. col. 142.
[2]) In Psalm. Praef. n. 9. M. P. L. XIV. 929.
[3]) Confess. l. IX. c. 6. Ed. Parisiis. 1679. Tom. I. col. 162.
[4]) In Psalm. 65. M. P. G. XXIII, 648.

Psalmen und Hymnen bestand, heimisch sei.[1] Daß er dabei den eigentlichen kirchlichen Volksgesang gemeint habe, ersehen wir aus einer anderen Stelle, wo er schreibt: „Vor alters kamen alle zusammen und sangen gemeinschaftlich, was wir heute noch tun.“ [2] So war es im christlichen Altertum. Später freilich trat eine Änderung im Abendlande insofern ein, als durch die germanische Völkerwanderung der Gebrauch der alten lateinischen Sprache aus dem Gebiete des ehemaligen römischen Reiches verdrängt wurde und deshalb der Kirchengesang, da die lateinische Sprache fortan eigentliche Kirchensprache blieb, nur mehr auf die der lateinischen Sprache kundigen Priester und einen besonderen Sängerchor beschränkt war. Dieser Umstand legte den Grund zu dem später so berühmt gewordenen gregorianischen Choral. Indes ganz war der eigentliche Volksgesang doch nicht beseitigt. Es blieben einige Anrufungen, welche das Volk gemeinsam sang, so das *Kyie eleison, Christe eleison,* die Doxologie, das *Sanctus.* Was dann speziell Deutschland betrifft, so muß dort immer ein starkes Bedürfnis nach gemeinsamem Gesange im Volke geschlummert haben, denn die ersten deutschen Kirchenlieder, die sogenannten Leisen, tauchen schon in einer Zeit auf, wo die katholische Kirche erst anfing, auf deutschem Boden festen Fuß zu fassen.

Nach und nach bürgerte sich aber das deutsche Kirchenlied so allgemein ein, daß Propst Gerhoch von Reichersberg († 1169) schreiben konnte: „Das ganze Volk jubelt das Lied des Heilands auch in Liedern der Volkssprache, am meisten ist dies unter den Deutschen der Fall, deren Sprache zu wohltönenden Liedern besonders geeignet ist.“ [3] Eine andere Mitteilung aus derselben Zeit lautet: „Zu Gottes Ehren singen, wie es von allem christlichen Volke in den Kirchen geschieht, und an den Sonn- und Feiertagen nachmittags von den ehrbaren Hausvätern samt ihren Kindern und Hausgesinde, das ist sonderlich wohlgetan und stimmt fröhlich das Herz und ein frohes Herz hat Gott lieb.“ [4] Dies konnte selbstverständlich im 15. und 16. Jahrhundert noch mehr gesagt werden, als die Erfindung der Buchdruckerkunst und des Notendruckes der Verbreitung des Kirchenliedes so überaus günstig wurde. Aber hier mußte schon einer Überschreitung der liturgischen Grenzen gesteuert werden. Manchen Orts wollte man nur das deutsche Kirchenlied auf Kosten des Choralgesanges gelten lassen, und dagegen mußte die Kirche einschreiten. Sie tat es in einer Reihe von Synoden, wo sie verbot, Lieder in der Volkssprache statt der vorgeschriebenen liturgischen Gesänge im Hochamte vorzutragen. Andererseits haben Synoden es ausdrücklich gebilligt und gewünscht, daß vor und nach der Predigt, dann bei Stillmessen, Nachmittags- und Abendandachten, Prozessionen und Bittgängen deutsche Lieder gesungen werden. Und das ist auch der kirchliche Standpunkt von heute. Es sei hier nur an den Erlaß Unseres Hochseligen Vorgängers Valentin vom 16. April 1857 erinnert. Unter Ziffer VI, 4. dieses Erlasses sind alle die Fälle aufgeführt, wo der deutsche Kirchengesang gestattet ist. Am Schlusse heißt es dann: „Und in dieser Auffassung verdienet der kirchliche Volksgesang als besonders erbaulich in möglicher Weise gefördert zu werden.“

Aus diesem Sätzchen vernehmen wir den Nachklang der apostolischen Mahnung: „Redet zueinander in Psalmen und Hymnen und geistlichen Liedern singend und spielend dem Herrn in eueren Herzen!“ (Eph. 5, 19.) Wenn der Apostel von Psalmen, Hymnen und geistlichen Liedern spricht, so ist mit klaren Worten gesagt, daß für die Kirche nur solche Lieder passen, welche nach Text und Melodie wirklich erbaulich sind, also zur Andacht stimmen und dem Geiste der Kirche entsprechen. Und nur solche wurden auch in das Diözesan-Gesangbuch aufgenommen.

Es ist nun an Euch, geliebte Brüder und Söhne, das auch auszuführen, was Wir mit großen Erwartungen ins Werk gesetzt haben und wobei Wir Uns so ganz im Einklange mit den Absichten Unseres heiligen Vaters Pius X. wissen. Wie Wir nämlich aus den letzten Zeitungsnachrichten entnehmen, hat Kardinal Mercier in seiner Diözese Mecheln den allgemeinen Kirchengesang in der Volkssprache nach deutschem Muster eingeführt und Papst Pius X. ihm dafür seine lebhafte Anerkennung ausgedrückt.

Wir verlangen nun in dieser heiligen und hochwichtigen Sache nicht Übereilung oder unklugen Eifer; wenn aber mit Liebe an die Sache gegangen wird, kann der Erfolg schon in wenigen Jahren sich zeigen. Zunächst wollen die Herren Pfarrvorstände Sorge tragen, daß mit den Kindern jene Gesänge eingeübt werden, welche für die heilige Firmung vorgeschrieben sind und für die auch die Orgelbegleitung schon erschienen ist. Es können dieselben Gesänge auch sonst in der Kirche Verwendung finden: z. B. das Lied „Komm, Heiliger Geist“ als Predigtlied und der Meßgesang bei der Schulmesse. Bevor indes daran gegangen wird, die betreffenden Gesänge beim Gottesdienste zum Vortrage zu bringen, sind Proben in der Kirche selbst notwendig. Dabei halte man die Kinder an, daß sie nicht zu schnell singen, ein Fehler, in welchen die Jugend gar zu gerne fällt.

Ein zweiter Mißgriff wäre, wenn man rasch mit Einübung einer größeren Zahl von Liedern vorgehen würde.

Die Hauptsache ist die Sicherheit des Vortrages. Ist die Melodie eines Gesanges von den Kindern richtig und sicher aufgefaßt, dann werden nach und nach auch die Erwachsenen — wenigstens hat man diese Erfahrung anderwärts gemacht — den Mut bekommen, mit dem Diözesangebetbuch in der Hand mitzusingen, und so wird das heilige Lied allgemach in das Eigentum der Gemeinde übergehen.

[1]) In Psalm 41, n. 1. M. P. G. LV, 157.
[2]) Homil. 36 in Ia Cor. ed. Montfaucon (1837) tom. X. pag. 390.
[3]) Janssen, Geschichte des deutschen Volkes. I., 220.
[4]) Ratzinger, Die Volkswirtschaft in ihren sittlichen Grundlagen. Freiburg, Herder. 1907. 2. Aufl., S. 185 f.

Das Wichtigste ist und bleibt also die Pflege des Kirchenliedes durch die **Schule**. Über diesen Gegenstand ist Uns vor einiger Zeit ein sehr interessanter und instruktiver Aufsatz von einem hervorragenden Schulmanne zur Verfügung gestellt worden, aus dem Wir die Hauptstellen herausheben. Der Aufsatz ist übrigens auch in öffentlichen Blättern erschienen.

Es heißt dort unter anderem: „Unter den Mitteln, den **Religionsunterricht der Volksschule** so zu gestalten, daß er auch zu einer verständigen und nutzbaren Beteiligung an dem **kirchlichen Leben** anleitet, muß auch die Behandlung der Kirchenlieder genannt werden.

Das Kirchenlied ist in erziehlicher Hinsicht von großer Bedeutung, indem es mit unwiderstehlicher Gewalt das religiöse Gefühl weckt und belebt und das weiche Kindesherz für alles Schöne und Edle empfänglich macht."

„Das Kirchenlied bringt den Inhalt, die Bedeutung und den Charakter der einzelnen Festzeiten treffend zum Ausdruck und spiegelt die Gefühle wider, welche jene in uns hervorrufen."

„Die Schule darf sich der Pflicht, das Kirchenlied sorgfältig zu pflegen, nicht entschlagen."

„Das Kirchenlied kann bei dem Beginne oder Schlusse des Unterrichts an die Stelle des Gebetes treten."

„Mit Rücksicht auf die der Schule zur Verfügung stehende Zeit kann die Zahl der zu behandelnden Kirchenlieder nur eine ganz beschränkte sein. Wenn aber damit jährlich gewechselt wird, so erhält man mit der Zeit eine ansehnliche Zahl verstandener gut eingelernter Lieder.

Die Vorbereitung ist der beste Schlüssel zum Verständnis eines Liedes. Das Lied soll zum geistigen Eigentum der Kinder werden, das sie als kostbaren Schatz mit ins Leben nehmen und verwerten sollen. Die Einübung geschieht in der Gesangsstunde. Man halte streng auf einen richtigen, kirchlich würdigen Vortrag und lasse Kirchenlieder nur einstimmig singen."

Was nun die Verwendung der in der Schule eingeübten Kirchenlieder betrifft, so sind hiefür neben der Schulmesse — und eine solche dürfte doch an den meisten Orten wöchentlich wenigstens einmal möglich sein —, insbesondere die Nachmittags- und Abendandachten geeignet. Jede dieser Andachten gestattet die Einfügung eines Kirchenliedes, das sich selbstverständlich nach dem Kirchenjahr richten soll. **Es soll deshalb jeweils vormittags von der Kanzel aus stets die Andacht und das Lied bekannt gegeben werden, welche für den Nachmittags- oder Abendgottesdienst aus dem Diözesangebetbuch gewählt werden.**

Wie sich die ganze Einrichtung der katholischen Liturgie an den Geist des Kirchenjahres anlehnt, so soll sich auch der Nachmittagsgottesdienst, wenigstens im Liede, demselben akkomodieren.

Auf den Geist der Kirche in Gebet und Lied eingehen, heißt ja **mit ihr** beten, heißt ihre Gebetsstimmung teilen, die verschieden ist, je nachdem wir im Advente oder in der Weihnachtszeit, in der Fastenzeit, im Oster- oder Pfingstzyklus stehen. Nur in dem Maße, als der gemeinsame Gottesdienst an den jeweiligen Geist der kirchlichen Zeit sich anschmiegt, kommt in ihm das Leben des Gottmenschen und seines Reiches symbolisch und mystisch zum Ausdruck.

Und so schließen Wir mit dem herzlichen Wunsche: Möge das Samenkorn, das Wir zur Ehre Gottes und im festen Vertrauen auf seinen Segen in das Uns anvertraute Ackerland gestreut haben, auch die erwartete Frucht bringen und so auch hier das alte heilige Wort seine neue Erfüllung finden: *Qui seminat in benedictionibus, de benedictionibus et metet.* (II. Kor. 9, 6.)

**Gegeben zu Regensburg**, am 12. März 1908. † **Antonius**, Bischof.

Im Schematismus der Geistlichkeit des Bistums Regensburg für das Jahr 1908 findet sich Seite 234 zum ersten Male ein Bericht über den Diözesan-Cäcilienverein. Derselbe lautet:

**Diözesan-Cäcilienverein.** Über den Stand und die Tätigkeit des Cäcilienvereins zur Hebung und Förderung der katholischen Kirchenmusik in der **Diözese Regensburg** wird hiemit nach oberhirtlicher Anordnung folgendes berichtet:

I. Die letzte Diözesanversammlung wurde am 13. und 14. Juli 1903 in Regensburg abgehalten. Sie war einberufen durch den damaligen Diözesanpräses, Hochwürd. Herrn Geistl. Rat P. Utto Kornmüller, Prior im Benediktinerkloster Metten. Für die Sängerchöre Regensburgs, wo die Schlußgottesdienste für die Studienanstalten stattfanden, waren diese Tage sehr günstig; denn die Sängerkräfte fanden sich noch alle vereinigt und es konnte ohne besondere Vorproben ein großes, schönes Programm aufgestellt und durchgeführt werden. Allein die Lehrer-Chorregenten und geistlichen Schulinspektoren von der Oberpfalz und Niederbayern waren durch die Schlußprüfungen in den Schulen an der Teilnahme verhindert.

Die Versammlung wurde in musikalischer Beziehung eigentlich schon eingeleitet am Sonntag den 12. Juli durch den Schlußgottesdienst der Kirchenmusikschule in der Cäcilienkirche und durch Orgelvorträge dortselbst, durch den Kindergesang in der Dompfarrei Niedermünster, durch das Hochamt und die Vesper sowohl im Dom als auch in der Alten Kapelle (Heinrichsfest). An den beiden Haupttagen wurde ein reichhaltiges Programm in den verschiedenen Kirchen und von verschiedenen Chören durchgeführt (vgl. Vereinsorgan und *Musica sacra*, Jahrg. 1903, August).

Nach dem Hochamte in der Alten Kapelle fand von 10½—12 Uhr Versammlung von Mitgliedern des Diözesanvereins im Erhardihause statt. Dieselbe war im großen Saale geplant, doch war der kleine Kasinosaal fast zu groß, indem nur 19 Mitglieder sich einfanden.

P. Utto Kornmüller berichtete über den gegenwärtigen Stand des Diözesanvereins, erbat Decharge über den Kassenbericht und erklärte, daß er wegen vorgerückten Alters und Augenleidens die Stelle des Diözesanpräses niederzulegen veranlaßt sei.

Die Wahl durch Stimmzettel ergab einstimmig den Unterzeichneten als Diözesanpräses, den H. H. Auer Jos. in Elsendorf (nunmehr Pfarrer in Osterwaal) als 1., Herrn Seminarlehrer F. Brücklmeier in Straubing als 2. Stellvertreter. (Letzterer ist i. J. 1906 gestorben.)

Hochwürd. Herr Prälat Dr. Leitner dankte nun als Vertreter des Hochwürd. Herrn Bischofes dem hochverdienten Prior aus Metten für seine segensreiche Tätigkeit, gedachte in würdiger Weise des herben Verlustes, den die Sache der Kirchenmusik durch den Tod des Hochwürd. Herrn Domdekans Dr. G. Jakob erlitten habe, versprach dem Diözesanvereine kräftige Unterstützung durch das hochwürdigste Ordinariat und gab seiner Befriedigung über die Neuwahl lebhaften Ausdruck.

Der als Mitglied des Diözesanvereins gegenwärtige Generalpräses lenkte die Aufmerksamkeit des neuen Diözesanpräses, dessen Bestätigung, sowie die der beiden Stellvertreter durch den Hochwürdigsten Bischof Ignatius am 21. Juli erfolgt ist, auf die Gründung von Pfarr-Cäcilienvereinen. Herr Prälat Dr. Leitner fügte noch die treffliche Bemerkung bei, daß auf diese Weise und unter Beachtung der Normalstatuten für Pfarr-Cäcilienvereine die Angelegenheit der Kirchenmusik ein fortdauerndes Interesse in den Pfarreien wecken werde und nicht mehr mit dem Wechsel des Pfarrers oder Chorregenten zu sehr zusammenhänge.

Der damalige Hochwürd. Herr Stadtpfarrprediger Dr. Jos. Kumpfmüller (nunmehr Domprediger), der vor Jahren den Gesang im deutschen Kolleg zu Rom mit schönstem Erfolg geleitet hat, hielt noch eine wohldurchdachte Ansprache über Kirchenmusik, in welcher auch auf die irreführenden Streitigkeiten über die Wahl der Choralbücher hingewiesen und betont wurde, man solle in Übereinstimmung mit dem römischen Stuhle und den Wünschen des Hochwürdigsten Bischofs darnach streben, den Vortrag des Chorales immer vollkommener zu gestalten. Mit einem Hoch auf den bisherigen und neuen Präses schloß die animierte, aber schwach besuchte Versammlung.

Zu den Aufführungen am gleichen Tage nachmittags im Dom kamen wohl auch viele Geistliche und Lehrer aus den naheliegenden Orten, aber die meisten Zuhörer waren Regensburger. Der Generalpräses Dr. Haberl sprach deshalb in seinem Referate (vgl. *Musica sacra* 1903 Nr. 8 S. 102) „das tiefste Bedauern aus, daß bei diesen musterhaften Produktionen, in denen besonders der Gregorianische Choral trefflich, andächtig und fließend gesungen wurde, nicht jene Massen von Zuhörern gegenwärtig waren, welche man bei den Generalversammlungen des Allgemeinen Cäcilienvereins in Regensburg zu sehen gewohnt war. Es war viel — gut zu hören; den Hochwürd. Herren Dirigenten: Domkapellmeister Engelhart, Stiftskapellmeister Dr. Karl Weinmann, Inspektor Fr. X. Lindner und Präfekt Karl Kindsmüller gebührt alle Anerkennung; diese noch frischen und jungen Kräfte wahren und fördern die kirchenmusikalischen Traditionen Regensburgs."

II. In unserer Diözese sind nachstehende Pfarr-, bezw. Bezirks-Cäcilienvereine (nach der Vereins-Chronik von 1902) zu verzeichnen: Altmannstein, Amberg, Beratzhausen, Deggendorf mit Metten, Frontenhausen mit Gerzen, Mainburg mit Großgundertshausen, Appersdorf und Elsendorf, Mallersdorf mit Bayerbach, Haindling und Geiselhöring, Neunburg v. W., Reisbach, Riedenburg, Straubing und Waldsassen. Außer diesen Chören verdienen aber noch hinsichtlich des Eifers von seiten des Chorregenten und seines Chorpersonals, sowie hinsichtlich des cäcilianischen Programms erwähnt zu werden: Abensberg, Aichkirchen, Atting, Ast mit Biberbach, Burglengenfeld, Cham, Dingolfing, Eggenfelden, Englmar, Friedenfels, Furth i. W., Gangkofen, Gögging, Hagenhill, Hienheim, Kelheim, Kötzting, Leonberg, Mitterteich, Neustadt a. D., Nittenau, Niedervichbach, Oberrohning, Osterwaal, Pempfling, Pfaffenberg, Pleistein, Pföring, Pielenhofen, Plattling, Regenstauf, Roding, Schwandorf, Seligenthal, Sinzing, Stadtamhof, Stephansposching, Sulzbach, Teisnach, Thalmassing, Thumstauf, Untervicchtach, Vilshausen, Vilsbiburg, Vohburg, Waldmünchen, Weiden und Weltenburg.

Gewiß gibt es außer den aufgeführten Chören viele, welche mit wenigen Kräften gute Aufführungen erzielen, aber wegen mangelhafter Organisation des Vereines nicht bekannt sind und werden. Eine durchgreifende Reorganisation des Diözesan-Cäcilienvereins durch Gründung von Pfarrvereinen, Dekanalvertretung des Präses, Berichterstattung von seite der Dekanate über den allgemeinen Stand der Kirchenmusik in den einzelnen Pfarreien, abwechselnde Versammlungen etc. ist notwendig, wenn die Kirchenmusik in unserer Diözese nicht zurückgehen soll. Über diese Punkte muß in der nächsten Diözesanversammlung eingehend gesprochen werden. Möchten an derselben recht viele geistliche Herren und Chorregenten teilnehmen! Ort und Zeit der Versammlung werden durch das bischöfl. Verordnungsblatt bekannt gegeben. Die Hochwürd. HH. Schulinspektoren werden aber hiemit speziell ersucht, geeignete Zeitpunkte dem Unterzeichneten mitzuteilen, damit eine große, ja imponierende Teilnahme von seiten des hochwürdigen Klerus und der Chorleiter ermöglicht wird.

III. Der Diözesan-Cäcilienverein besitzt zur Zeit ein Barvermögen von 1500 ℳ, welches an der Sparkasse Deggendorf angelegt ist. 34 Mitglieder, welche einem Bezirks- oder Pfarrverein nicht angehören, zahlen einen Jahresbeitrag von 1 ℳ. Über die Verwendung der Zinsen aus obigem Kapital muß bei der nächsten Generalversammlung Beschluß gefaßt werden, da in den Akten des Vereins hierüber nichts hinterlegt ist, ebenso darüber, ob der Jahresbeitrag nicht zu erhöhen sei, wenn die betreffenden Mitglieder eine entsprechende Vereinsgabe wünschen. Um 1 ℳ ist eine solche schwer zu finden. Vielleicht ist es den verehrlichen Mitgliedern lieber, wenn nach 2 oder 3 Jahren eine solche verabreicht wird, ohne daß der Beitrag erhöht wird.

Regensburg, den 10. Januar 1907. F. X. Engelhart, Diözesanpräses und Domkapellmeister.

4. ⊙ In **Pilsen** hat am 17. März a. c. der christlich-soziale Frauenverein unter Direktion des Chordirektors Kubát und gütiger Mitwirkung hervorragender Solo- und Gesangskräfte zugunsten des Kirchenbaues auf der Reichsvorstadt im dortigen Walderksaale ein populäres Konzert veranstaltet, in welchem nach mehreren Solo- und Instrumentalvorträgen Griesbachers *„Stabat mater“* Op. 114 zur Aufführung gelangt.

Die Zeitung *„Čerký Západ“* von Pilsen schreibt hierüber:

„Dieses Werk, von welchem Griesbacher selbst geschrieben hat, daß es ein Lieblingswerk von ihm sei, machte einen mächtigen Eindruck selbst auf Nichtmusiker. Dieses Werk, solid aufgebaut, verrät ein großes Verständnis der großen Tragödie unter dem Kreuze. Die Musik vermittelt treu den Sinn der Worte. Ernst und ruhig beginnt der Tenor mit schöner Melodie, als wollte er alle auf das große Kalvarienschauspiel vorbereiten. Dieser Satz zieht sich wie eine leuchtende Linie durch die ganze Komposition. Der Tenor übergibt ihn den Baß, dieser dem Sopran und Alt, bis der ganze Chor zweistimmig, drei- oder vierstimmig mit der schmerzhaften Muttergottes klagt. Christus hat ausgelitten. Er ist Sieger über den Tod. Das ist der Kulminationspunkt des ganzen Werkes. Musik und Gesang deuten durch fröhlichen Rhythmus diesen Sieg und verherrlichen die Himmelskönigin. Wieder beginnt der Tenor mit einem mächtigen Unisono, dem sich die übrigen Stimmen anschließen, und das Werk endet mit einem erhabenen Finale. Der Chor zeigte sich dem Werke gewachsen, besonders die Damen. Die Herren zeigten anfangs eine gewisse Unsicherheit, dann aber überwanden sie das Trema und hielten sich wacker. Anerkennenswert ist die Ausdauer und Energie des Herrn Direktors, wir gratulieren ihm vom Herzen zu seinem tüchtigen Chor“.

5. ✠ Am 21. März d. J. starb in **Graz** ohne längere Krankheit mitten aus der Arbeit heraus, Herr **Anton Seydler**, früher Domorganist, zuletzt Musiklehrer an der dortigen Lehrerbildungsanstalt und Dozent der Musikgeschichte an der Schule des steiermärkischen Musikvereins, seit 1901 Referent für den Cäcilienvereins-Katalog. Er war am 13. Juni 1850 als Sohn von L. A. Seydler, dem ehemaligen Domorganisten in Graz, der seinem Namen mit dem bekannten steirischen Volksliede „Hoch vom Dachstein an“ ein bleibendes Denkmal gesetzt hat, in St. Leonhard, einer Vorstadt von Graz geboren. Das „Grazer Volksblatt“ schließt die Todesnachricht mit den Zeilen: „In fruchtbarer Arbeit, in unermüdlichem Fleiße verging sein Leben. Ob ihn nun jemand als den angesehenen Musikhistoriker, als geistreichen, fesselnden Gesellschafter, als liebenswürdigen Menschen kennen gelernt hat — stets wird das Andenken, das ihm bewahrt bleibt, dasjenige sein, das einem Menschen von Bedeutung, einer sich aus dem Strom des Durchschnittes scharf abhebenden Erscheinung des heimischen geistigen Lebens allzeit sicher ist . . . An Anton Seydlers Sterbelager trauern die Gattin, eine Nichte des Fürstbischofs weiland Dr. Zwerger, und zwei Söhne.“ R. I. P.

## Edgar Tinels „Franziskus“ in Regensburg.

† **Regensburg.** Über die Aufführung des großen Oratoriums von Edgar Tinel, welche am Sonntag, den 8. März nachmittags 4½ Uhr durch den „Damengesangverein“ unter gütiger Mitwirkung des „Regensburger Liederkranzes“ stattgefunden hat, schrieb M. D. im „Regensburger Anzeiger“, Nr. 127:

„Die Bedeutung des Tinelschen Oratoriums habe ich im „Regensburger Anzeiger“ schon unlängst einigermaßen darzulegen gesucht. Es stellt in seinem, mit allen Mitteln moderner Technik ausgeschmückten Reichtum an Phantasie und blühendster Melodik ein bahnbrechendes Muster eines der Jetztzeit entsprechenden Oratoriums dar. Die Erfindungsgabe des eigenartigen Komponisten, seit 1881 Direktor der Kirchenmusikschule zu Mecheln, ermüdet den Hörer fast durch den fortwährenden Wechsel von hochbedeutsamen Szenen, sie scheint sogar so reich zu sein, daß sie einen strengen thematischen Aufbau etwa im Sinne des Wagnerschen Leitmotives, als Hemmnis empfindet; mir wenigstens schien nur das eigentliche Grundmotiv (Armutsmotiv) von weiterer Bedeutung zu sein. Dieser Reichtum an Gedanken, dazu die prächtige, wenn auch nie mit außergewöhnlichen Mitteln arbeitende Instrumentation, vermag es, trotz der Länge des Ganzen, von Anfang bis zum Ende stetes Interesse wach zu erhalten.

Was die Aufführung selbst betrifft, so stellte sie eine des Werkes im großen und ganzen recht würdige Wiedergabe dar. Besonders den Damenchören merkte man die warme Begeisterung für die Sache an; sie wurden mit großer Sicherheit und mit vieler Hingabe vorgetragen, wenngleich man sich nicht immer des Eindruckes erwehren konnte, daß die großen Anforderungen, die an das Stimmaterial gerade der Sopranchöre gestellt wurden, zum Teil nur mit Mühe befriedigt werden konnten. Von vollendeter Schönheit dagegen waren die Halbchöre, die jede Schwierigkeit wie spielend bewältigten, so daß man fast zu der verfänglichen Ansicht verleitet wurde, als sollte der Damen-Gesangverein am besten immer nur Halbchöre singen!

Auch die Männerchöre bewegten sich im ganzen wohl auf der Höhe, wenngleich sie an manchen Stellen an Klarheit und besonders an Reinheit zu wünschen übrig ließen (so beim Tenorrezitativ am Anfang.) Vor allem imponierte der Chor der Höllengeister durch die große Sicherheit, mit der er, trotz seines schwierigen Rhythmus, wiedergegeben wurde. Auf die Einzelheiten der Chorpartien einzugehen, verbietet mir der Platz: erwähnt seien nur als besonders gelungen die verschiedenen Reigen des I. Teiles, namentlich aber der gewaltige Schlußchor.

Einen erheblichen Anteil an dem Gelingen der Aufführung hatten naturgemäß die Solisten, vorab Herr **Emil Pinks**, Kgl. Kammersänger aus Leipzig, der die ziemlich umfangreiche Partie des Franziskus zu singen hatte. Herr Pinks war eigentlich der einzige der Solisten, der über die Akustik des Velodromsaales Herr wurde. Diese Tatsache allein stellt ihm schon das Zeugnis aus, daß sein Tenor von einer ungemein sieghaften Kraft ist. Dazu ist er aber auch, ebenso wie die Sprachtechnik, aufs vornehmste kultiviert und von einer prachtvollen Modulationsfähigkeit. Die ganze Auffassung der Partie sprach überdies von einer hohen musikalischen Intelligenz, in deren Dienst sich das große technische Können des Künstlers stellt, und die fast von Takt zu Takt den nachdenkenden, selbständigen Kunstgeist erkennen ließ. So waren besonders die Wiedergabe der Ballade der Armut, die Umwandlungs- und die Todesszene wahre Kabinettstücke.

Die Himmelsstimme des Fräuleins **Anna Hartung** (Leipzig) erwies sich den mißlichen äußeren Verhältnissen nicht in dem gleichen Maße gewachsen. Der Sopran der Künstlerin entzückte durch seinen berückenden, lieblichen Wohllaut, vermochte aber über das etwas dick instrumentierte Orchester nicht immer vollkommen den Sieg zu erringen. Die Partien der hiesigen Solisten, des Herrn **Emil Schlegel** (Bariton) und **Ferdinand Dannenberg** (Baß), stellten nur bescheidene Anforderungen. Leider scheint Herr Schlegel unter einer Indisposition gelitten zu haben. Dagegen fiel die Türmerstimme des Herrn Dannenberg durch ihre satte, runde Fülle auf, wenngleich die Mahnung: „Liebe Leute, schlafet sanft!" bei einem dreistündigen Oratorium etwas Bedenkliches an sich hat!

Das verstärkte Theaterorchester, ergänzt durch die von Herrn **Georg Meyer** gespielte Orgel, zeigte, wie man es ja schon gewöhnt ist, daß es getrost den Vergleich mit jedem namhaften Orchester aufnehmen kann. Unter der geschmackvollen, energischen Leitung des Herrn **Rich. L' Arronge** brachte es sowohl die reinen Orchestersätze als auch die begleitenden Partien zu einer fast durchweg einwandfreien Aufführung. Übrigens ist in dem Oratorium gerade das Orchester mit großer Liebe behandelt und die Partitur enthält prachtvolle Klangschönheiten, deren Aufdeckung das vornehme Werk der ausübenden Künstler war, was ihnen, wie ich gerne gestehe, auch durchwegs gelungen ist. Besonderes Entzücken erregte die Umwandlungsszene, deren visionäres Gesicht in einer zwar reichen, aber überirdisch klangschönen Instrumentation gekennzeichnet ist. Die zwei Harfen traten hiebei aufs wirksamste hervor, während man sonst leider diese Instrumente nur als „obligates Dekorationsstück" zu betrachten pflegt. Virtuos war die Begleitung des Chores der Höllengeister — ein Meisterstück von Instrumentationskunst. Nur das „schwere Geschütz" machte sich bei weitem zu stark geltend — freilich zum Teil eine Folge der Instrumentation, aber einige Mäßigung der Blechbläser hätte manchmal bei begleitenden Partien nicht geschadet, wie denn überhaupt im großen und ganzen das Orchester im Verhältnis zu der Stimmenmasse fast zu sehr betont war. Dabei ist andererseits zu berücksichtigen, daß „unser" Velodromsaal besonders für vokale Klangwirkungen unlösliche Rätsel in sich schließt. Übrigens beeinträchtigte der leichte Mißstand die Gesamtwirkung nur wenig. Schade war dagegen, daß aus praktischen Gründen manche Stellen, so besonders der interessante Mittelsatz des Trauermarsches, gestrichen werden mußten, wobei natürlich nichts Wesentliches fiel, wohl aber manches Ansprechende. Doch abgesehen von diesem Umstande, der ja ohnedies nur für den mit der Struktur des Werkes Vertrauten ins Gewicht fallen konnte, kann die Aufführung als eine hervorragend gelungene bezeichnet werden, und der Dirigent, Herr **L'Arronge**, hat allen Grund, auf diesen neuen Beweis seiner musikalischen Leistungsfähigkeit und seiner Führergabe stolz zu sein. Die Leitung dieses Werkes war eine Großtat und die ruhige Energie, mit welcher der Dirigent die große Masse durch die zahlreichen drohenden Gefahren glücklich hindurchsteuerte, manchmal wirklich bewunderungswürdig. Wir können somit ihm, sowie dem veranstaltenden Vereine, der unter der tätigen Leitung der Frau **Rechnungsrat Rück** ein dem hiesigen Publikum so bedeutsames Bauwerk der modernen Musikliteratur erschloß, zu dem vollkommenen künstlerischen Erfolge, den das zahlreich erschienene Publikum durch warme Beifallskundgebungen bestätigte, nur unsere herzlichsten Glückwünsche darbringen!"

---



---

Druck und Expedition der Firma **Friedrich Pustet** in Regensburg.

Nebst Anzeigenblatt, sowie Musikbeilage: „Missa Gregoriana I." von L. Bonvin, S. J.

1908. Regensburg, 15. Mai 1908. Nro. 5.

# Cäcilienvereinsorgan.

43. Jahrgang
der von Dr. Franz Xaver Witt († 2. Dez. 1888) begründeten Monatschrift

# Fliegende Blätter für kath. Kirchenmusik.

Verlag und Eigentum des Allgemeinen Cäcilienvereins zur Förderung der kathol. Kirchenmusik auf Grund des päpstlichen Breve vom 16. Dezember 1870.
Verantwortlicher Herausgeber: Dr. Franz Xaver Haberl, z. Z. Generalpräses des Vereins.

Erscheint am 15. jeden Monats mit je 20 Seiten Text inkl. des Cäcilienvereins-Kataloges. — Abonnement für den ganzen Jahrgang, inkl. des Vereinskataloges 3 Mk., einzelne Nummern ohne Vereinskatalogbeilage 30 Pf. Die Bestellung kann bei jeder Post oder Buchhandlung gemacht werden.
Inserate, welche man rechtzeitig an die Expedition einsenden wolle, werden mit 20 Pf. für die 1spaltige and 40 Pf. für die 2spaltige (durchlaufende) Petitzeile berechnet.



## Vereins-Chronik.

1. × **Augsburg.** Die in diesem Jahre treffende 18. Generalversammlung des Diözesan-Cäcilienvereins Augsburg wird am 8. und 9. Juni l. J. (Pfingstmontag und Dienstag) in der Stadt Memmingen abgehalten werden. Der Stadtpfarrkirchenchor unter der bewährten Direktion des Herrn Chorregenten Müller wird den kirchenmusikalischen Teil übernehmen; mehrere Kirchenchöre des Bezirks-Cäcilienvereins Ottobeuren werden sich an der nachmittägigen kirchenmusikalischen Produktion am Pfingstdienstag beteiligen. Das spezielle Programm lautet:

A. **Pfingstmontag**, abends 6½ Uhr: Abendandacht vor ausgesetztem Allerheiligsten, *Pange lingua* Choral, *Litaniae lauretanae* für gemischten Chor von Friedr. Koenen, Op. 33 (Cäc.-Ver.-Kat. Nr. 766), *Regina coeli* von Ant. Lotti.

B. **Pfingstdienstag**, früh 7 Uhr: Heilige Messe mit deutschen Kirchenliedern (Kindergesang. II. Singmesse aus dem Diözesangesangbuch „Laudate"); vormittags 8½ Uhr: Predigt und levitiertes Hochamt. Introitus Choral, *Missa in hon. S. Caeciliae* für 4st. gemischten Chor (*Gloria* und *Credo* mit Orgel) von L. Bonvin S. J., Op. 63 (Cäc.-Ver.-Kat. Nr. 3381), Graduale Choral, *Veni Sancte Spiritus* für 5st. Chor von K. Aiblinger, *Sequentia* Choral, Offertorium *Portas coeli* für Männerchor mit Orgel von Ign. Mitterer, *Communio* Choral. Dirigent: Herr Stadtpfarr-Chorregent Müller; nachmittags 2½ Uhr: Vorführung kirchlicher Gesänge von folgenden Kirchenchören in der kathol. Stadtpfarrkirche.

1. Kirchenchor Hawangen, Dirigent Herr Hauptlehrer Zwiesler: *Dixit Dominus* aus der Ostervesper von Ign. Mitterer (Cäc.-Ver.-Kat. Nr. 2597), *Gloria* und *Agnus Dei* aus der Maximiliansmesse von A. Lipp (Cäc.-Ver.-Kat. Nr. 2026).

2. Kirchenchor Boos, Dirigent Herr Lehrer Hertel: *Custodes hominum*, Hymnus aus der Vesper des Schutzengelfestes Choral, *Improperium exspectavit*, Offertorium auf den Palmsonntag von Mich. Haller, *Regina coeli*, 4st. von A. Kaim.

3. Kirchenchor Westerheim, Dirigent Herr Lehrer Riedmüller: *Kyrie* aus der Annamesse von A. Kaim (Cäc.-Ver.-Kat. Nr. 285), *Credo* aus der *Missa brevissima I*, 7st. Dr. J. N. Ahle (Cäc.-Ver.-Kat. Nr. 1037), *Agnus Dei* aus der *Missa de Nativitate D. N. J. Chr.* von Ign. Mitterer (Cäc.-Ver.-Kat. Nr. 664).

4. Kirchenchor Obergünzburg, Dirigent Herr Chorregent Kling: Lamentation für Männerchor von G. E. Stehle, *Sanctus* für Frauenchor von P. Piel, Hymne für Doppelchor von Th. Gangler.

5. Kirchenchor Ottobeuren, Dirigent Herr Chorregent Schuster: Offertorium *Diffusa est gratia* von Mich. Haller, *Sanctus* Choral aus der 17. Messe des „Kyriale vaticanum", *Agnus Dei* aus der Jubelmesse von G. E. Stehle, Marienlied „In vollen Jubelchören" von J. Gruber.

2. * **Basel-Solothurn.** Der Hochwürdige Domherr Arnold Walther, Diözesanpräses von Basel-Solothurn und Referent des Cäcilienvereins-Kataloges, ist am 24. April zum Dompropst in Solothurn erwählt worden. (Die herzlichsten Glückwünsche! *Ad multos annos!* D. R.).

3. ♯ **Eichstätt.** Der Hochwürdige Herr Domkapellmeister Dr. W. Widmann sendet nachfolgendes **Programm für die 18. Generalversammlung des Allgemeinen Cäcilienvereins, welche vom 20. Juli, abends bis 22. Juli inkl. abgehalten werden wird.**

**Montag,** den 20. Juli, abends 6 Uhr im Dom musikalische Andacht: 1. *Terribilis est locus iste,* Motette für 5 st. gemischten Chor von Gottfr. Riedinger. 2. *O salutaris hostia* für 7 st. Chor mit Orgel von H. Thielen (Flieg. Blätter für Kirchenmus. 1892). 3. *Ave Maria* für 6 st. Chor von J. B. Tresch (Enchiridion). 4. *Tantum ergo* für 4 st. gemischten Chor von A. Bruckner *(Mus. sacra* 1885). Abends 8 Uhr Begrüßungsfeier im Gesellenhause. (Vorträge der „Eichstätter Liedertafel".)

**Dienstag,** den 21. Juli, früh 6 ½ Uhr Choralamt in der Schutzengelkirche (bischöfl. Seminar): Messe vom Tage nach der Editio Medicaea. 9 Uhr im Dome *Veni Creator,* 5 st. von J. N. Ahle, Predigt; *Ecce Sacerdos,* 4 st. von F. X. Hacker; *Missa vot. sol. de Trinitate,* Wechselgesänge choraliter nach *Lib. Grad.* von Dom Pothier (Orgelbegleitung zum Graduale von W. Widmann); *Missa Beatus qui intelligit,* 6 st. von Orlando di Lasso (Beil. zu *Mus. sacra* 1908 und zum „Kirchenchor" 1905 und 1906). Dann Festversammlung in der Kgl. Aula; nachmittags 2 ½ Uhr im Dome Vesper, Choralverse (bischöfl. Seminar) im Wechsel mit 4- und 5 st. Falsibordoni von C. de Zachariis und L. Viadana (Domchor); Hymnus Choral. Dann Aufführung kirchlicher Tonwerke von „alten" Meistern: 1. *Kyrie, Sanctus* und *Benedictus* aus *Missa VIII. Toni,* 4 st. von Orlando di Lasso.[1] 2. *Gloria* aus *Missa L' homme armé,* 5 st. von Palestrina. 3. Zweites Choral-*Credo* (Ausgabe Dom Pothier). 4. Drei Charwochen-Responsorien, 4 st., a) *Judas mercator pessimus* von A. Zoilo,[2] b) *Recessit pastor noster* von J. Handl,[3] c) *Astiterunt reges terrae* von M. A. Ingegneri.[4] 5. *Angelus Domini,* 8 st. Ostermotett von Cl. Casciolini. 6. *Dixit Maria,* 4 st. von H. L. Hasler.[5] 7. *Deus tu conversus,* 5 st. von Palestrina.[6] 8a. *Domine convertere* für Sopran, Alt, Tenor und Baß von Orlando di Lasso.[7] 8 b. Dasselbe für Alt und Männerstimmen. 9. *O sacrum convivium,* 4 st. von Giov. Croce.[8] 10. *Lauda Sion,* 8 st. von Palestrina.[9] Nachmittags 5 Uhr: Geschlossene Versammlung (s. Cäcilienvereinsorgan Nr. 4, Seite 46). 7 ½ abends: Konzert des Domchores in der Kgl. Aula: Frithjofs Heimkehr für Soli, Chor und Orchester von G. Ed. Stehle.

**Mittwoch,** den 22. Juli, früh 8 Uhr *Requiem* für die verstorbenen Vereinsmitglieder (voraussichtlich in *As* mit 4 Blasinstrumenten von Ign. Mitterer). Nach demselben geschlossene Versammlung und instruktive Proben. a) *Gloria* aus *Missa de Angelis* (Kyriale Vaticanum Nr. 8). b) *Caligaverunt oculi mei,* 4 st. von M. A. Ingegneri.[10] Nachmittags 2 Uhr: Andacht im Dom mit Aufführung moderner Kirchenkompositionen. Zum Schluß das 6 st. *Te Deum* mit Orgel von Edg. Tinel, Op. 46. Abschiedszusammenkunft.

Vom Eichstätter Lokalkomitee werden ausgegeben a) **Mitgliederkarten** zu 2 ℳ; b) **Teilnehmerkarten** zu 3 ℳ. Die Mitgliederkarten berechtigen zu allen Produktionen in den Kirchen sowie zu den öffentlichen und geschlossenen Versammlungen; die Teilnehmerkarten berechtigen ebenfalls zu den Produktionen in den Kirchen und zu den öffentlichen, nicht aber zu den geschlossenen Versammlungen; die Karten zum Domchor-Konzerte in der Aula am 21. Juli („Frithjofs Heimkehr") müssen eigens gelöst werden. Für Quartiere und Verköstigung sorgt der „Fremdenverkehrsverein Eichstätt". Alle Anmeldungen und Anfragen wolle man gefälligst an Herrn Buchhändler Fritz Bögl in Eichstätt richten.

4. ☐ Fünfter Jahresbericht über die Tätigkeit des **Greisauer** Filialkirchenchores (Kreis Neisse, Schlesien). Wiederum ist ein Jahr, reich an Mühe und Arbeit, verflossen, das fünfte der Wirksamkeit des Unterzeichneten hierorts. Der im Vorjahre stark zusammengeschmolzene kleine

[1]) Musikbeilage zum „Kirchenchor" 1895.
[2]) Musikbeilage zum „Kirchenchor" 1896.
[3]) Musikbeilage zum „Kirchenchor" 1903.
[4]) Musikbeilage zum „Kirchenchor" 1904.
[5]) Musikbeilage zum „Kirchenchor" 1893.
[6]) Musikbeilage zum „Kirchenchor" 1900.
[7]) Musikbeilage zum „Kirchenchor" 1907.
[8]) Musikbeilage zum „Kirchenchor" 1898.
[9]) Musikbeilage zum „Kirchenchor" 1898.
[10]) Musikbeilage zum „Kirchenchor" 1902.

Kirchenchor mußte alle Kräfte zusammennehmen, um sich auf seiner Höhe erhalten zu können. Zudem trafen denselben weitere Verluste. Im Januar starb der Baßsolist, eines der eifrigsten Mitglieder des Chores. Der Altsolist bekam Stimmbruch und ging zum Tenor über. Doch arbeitete der Chor wacker weiter. Der größte Teil der eingeübten 19 Messen wurde wiederholt und außerdem wurden noch 5 neue Messen eingeübt, darunter die herrliche Herz-Jesu-Festmesse von Mitterer, die am zweiten Weihnachtsfeiertage mit Orgelbegleitung zur Aufführung gelangen konnte: die größte Weihnachtsfreude des Chorleiters; außerdem: *Missa quarta* (Josephsmesse) von Nikel, St. Agnesmesse von Joos, Sophienmesse von Hanisch und Familienmesse von Gruber. Dazu kamen ein einstimmiges *Requiem* von Diebold, ein Choral-*Requiem* von Dirschke (aus dem Diözesan-Gesangbuche), ein dreistimmiges *Requiem* von Casciolini, das vierstimmige *Requiem* von Haller, Op. 3, und ein einstimmiges *Requiem* von Joos mit Orgelbegleitung. Aber auch Gradualien und Offertorien wurden nicht vernachlässigt. Außer einigen der 109 eingeübten Gradualien traten hinzu: *Anima nostra* von Faßauer, *Quemadmodum* von Piel, *Hic est, qui venit per aquam* von Faßauer, *Sacerdotes ejus* von Witt, *Justus ut palma* und *Propter veritatem* von Leitner, *Benedicta et venerabilis es* von Dreßler, *Propter veritatem* von Faßauer, *Timete Dominum* von Kindler, *Liberasti nos, Domine* von Kindler, *Universi* von Leitner *Sederunt principes* von Witt (Fliegende Blätter, 1888), *Diffusa est gratia* von Leitner, *Tollite porta*, von Leitner, *Omnes de Saba* von Reimann, *Salvos fac nos* von Faßauer, *Adjutor* von Witt, *Oculis omnium*, *Angelis suis*, *Haec dies* von Schiffels und *Haec dies* nach Faßauer.

Ebenso wurden mehrere der 107 Offertorien aus den Vorjahren wiederholt. Neu wurden aufgeführt: *Benedic anima* von Edenhofer, *Exultabunt sancti* von Witt, *Justus ut palma* von Auer, *Beata es* von Witt (Nr. 115 des Op. 15), *Calix benedictionis* von Witt, *Inveni David* von Theresius, *Veritas mea* von Edenhofer, *Inveni David* von Witt (Nr. 68 des Op. 15), *Veritas mea* von Quadflieg (*Musica sacra*, 1880), *Assumpta est* von Schiffels (Cäcilia), *Ave Maria* von Theresius, *Posuisti Domine* von Schildknecht, *Justorum animae* von Gloger, *De profundis* von Edenhofer, *Diffusa est gratia* von Witt (Nr. 190 des Op. 15), *Ad te levavi* von Witt, *Elegerunt Apostoli* von Breitenbach (Fliegende Blätter, 1888), *Diffusa est gratia* von Witt (Nr. 21 des Op. 15), *Posuisti Domine* von Edenhofer, ebenso *Ave Maria*, *Reges Tharsis* von Reimann, *Confitebor tibi* von Witt (Nr. 19 des Op. 15), *Reges Tharsis* von Edenhofer, *Bonum est* von Hoffmann (aus Stehles Mottetenbuch), *Sacerdotes Domini* von Edenhofer, *Scapulis suis* von Schiffels und *Angelis suis* von Filke (mit Orgelbegleitung.)

Zur Fronleichnamsprozession gelangten zum ersten Male die Fronleichnamsgesänge von Lipp mit 7st. Blechbegleitung zur Aufführung, am Charfreitage das 8st. *Popule meus* (ein 4st. gemischter und ein 4st. Männerchor) von Modlmaier (*Musica sacra*, 1886) und zur Auferstehungsfeier das erste feierliche Auferstehungslied von Gruber.

Die Vesperpsalmen wurden der Sammlung von Leitner (XIII Vesperpsalmen im Falsobordonestile) entnommen. Endlich gelangten 8 neue Begräbnislieder von Bieger, Bittner, Reimann, Heim, Haller und Güttler, 2 *Ave maris stella* von Santner und Förster (aus Nikels Sammlung), 1 *Salve Regina* von Witt-Strempfl (Fliegende Blätter, 1883), 3 *Tantum ergo* von Öttinger (4st. Männerchor), Haller (6st.) und Troppmann (*Musica sacra*, 1883), ein 4st. Communio von Schiffels (Cäcilia), das *Asperges* aus dem Diözesan-Gesangbuche, das *Miserere* von Ett (aus dessen *Cantica sacra*), 1 Lauretanische Litanei von Hoffmann (Fliegende Blätter, 1883), das *Ave Regina coelorum* aus dem Diözesan-Gesangbuche, das *Pange lingua* aus den *Cantus chorales* und das *Regina coeli* von Leitner (aus dessen Ostervesper) zur Neuaufführung.

Die Zahl der *Tantum ergo* ist auf 33, die der Begräbnisgesänge (4st.) auf 59, die der Litaneien auf 5, die der Auferstehungslieder auf 3 und die der *Asperges* auf 4 gestiegen.

Der Kirchenchor zählt gegenwärtig 4 Soprane, 2 Alt, 3 Tenöre und 3 Bässe (in den Ferien durch einige Seminaristen und Lehrer verstärkt).

Am Sommerfeste des „Volksvereins für das katholische Deutschland“ erledigte der Chor ein Programm von 6 Theaterstücken und 4 mehrstimmigen weltlichen Gesängen.

Möge der löbliche Eifer der Chorsänger auch in Zukunft nicht erlahmen! Gilt es doch, das Lob Gottes und die Verherrlichung seiner Heiligen. *Sancta Caecilia, ora pro nobis!*

Kleiner, Lehrer und Organist.

6. ☐ **Aus dem Salzburgischen.** Am 28. März ist in Stuhlfelden der Lehrer, Organist und Mesner i. P. **Leonhard Palfner** gestorben. Derselbe war am 23. Dezember 1817 in Radstadt geboren als ehelicher Sohn des dortigen Schullehrers Joachim, welcher als tüchtiger Musiker einen Ruf hatte. Der Verstorbene war in der Vorbereitungszeit auf seinen Beruf Zögling des damaligen Konviktes im Kapellhause und fungierte als Knabe von 13 Jahren schon als Stiftsorganist in Neuberg. Verhältnismäßig lange Jahre diente Palfner im Lungau: Seethal, Unternberg und Mauterndorf. Während dieser Zeit nahm er am Musikleben in der Zentrale Lungaus, Tamsweg, regen Anteil. Vor mehr als 40 Jahren kam Palfner nach Stuhlfelden und war in seinem dreifachen Beruf gewissenhaft tätig. Als Musiker machte er bald von sich reden: Sein Orgelspiel, sein Talent im Abrichten von Sängerkräften brachten es soweit, daß er mit seinem Dorfchore bei einer Primiz im Markte Mittersill den Gesang zu übernehmen, eingeladen wurde. Daß Palfner mit Dr. Witt korrespondierte, war in diesen Blättern schon einmal zu lesen. Den Kirchendienst behielt Palfner auch nach seiner von ihm selbst erbetenen Pensionierung als Lehrer (1876), bis ihn Augenschwäche 1904 nötigte, zu kündigen. Der Verstorbene war ein kindlich frommer, gebetseifriger Mann von altem Schlage. R. I. P.

Der besonders durch die Lehrerschaft verstärkte Kirchenchor führte das größtenteils ergänzte *Requiem* von Moll, die Friedrichsmesse für Männerchor von Gruber, *Ave Maria* von Mitterer und *Libera* von Lindenthaler auf. Bei den Männerchorpartien besorgten Orgelpart und den I. Tenor unsere Kräfte in dankenswerter Weise unter Leitung des Herrn Lehrers Bichlmann.

## Charwochen-Programme des Jahres 1908.

Aus nachfolgenden Orten erhielt die Redaktion des Cäcilienvereinsorgans die Charwochen-Programme zugesendet und wird dieselben in alphabetischer Ordnung der Kirchenchöre zum Abdruck bringen:

**Brixener Domchor.** Palmsonntag: Gesänge zur Palmenprozession, 4st. von Ign. Mitterer; zum Hochamte: *Missa II*, 4st. von G. Weber (weil. Domkapellmeister in Mainz); *Cantus Turbae* zur Passion von Fr. Suriano; Offertorium, 4st. von Mich. Haller; alles übrige gregorianischer Choral. Zur Trauermette, 15., 16. und 17. April, abends 5 Uhr: Lamentationen, 4st. harmonisierter Choral von J. Kerer (weil. Domchormeister hier); von den Responsorien wurden jeden Tag die ersten zwei *in cantu gregoriano* gesungen, die übrigen sind dem Op. 12 von Ign. Mitterer entnommen mit Ausnahme der Responsorien *Unus ex discipulis* am 15. April von G. Croce und *Caligaverunt* am 16. April von Mich. Haller; *Christus factus est*, 4- und 5st. von Ign. Mitterer, ebenso die alternierenden Verse des *Benedictus*, abwechselnd mit *Benedictus*, 4st. von Jak. Gallus. — Am Gründonnerstag zum Pontifikalamte: *Missa de S. Apostolis*, 5st. von Ign. Mitterer; *Credo* choraliter; Graduale, 5st. und Offertorium für Alt und 3 Männerstimmen von Ign. Mitterer; zur Kommunion des Klerus: *Domine non sum dignus* für Männerstimmen von M. Haller; von ebendemselben der Hymnus zur Prozession mit dem allerheiligsten Sakramente. — Am Charfreitag zu den Zeremonien vormittags: *Cantus Turbae* zur Passion, 4st. von Suriano; Improperien für zwei 4st. Chöre von J. P. da Palestrina; Hymnus: *Vexilla Regis* von M. Haller. — Am Charsamstag zum Osteramte: *Gloria*, *Sanctus* und *Benedictus* aus *Missa festiva*, Op. 24 von Ign. Mitterer; zum *Magnificat*, 4st. Falsobordone; zur Ostermette, abends 5 Uhr: die beiden Responsorien, 4st. mit Orgel von Ign. Mitterer; *Haec dies*, 4st. mit Orgel von Mich. Haller; zum *Benedictus*, 4st. Falsobordone. — Am Ostersonntag: Prozessionshymnus *Aurora coelum*, 4st. von Mich. Haller; *Missa in hon. B. M. V.*, 4st. mit Orgel von V. Goller; *Victimae paschali* (Graduale) und Offertorium *Terra tremuit* von Ign. Mitterer. — Am Ostermontag: Messe von Vinz. Goller. Offertorium, 4st. von Ign. Mitterer. — Am Osterdienstag: Messe für Männerstimmen von L. Perosi.

**Domchor in Graz** (Steiermark). Charmittwoch: Nachmittags 4 Uhr Matutin: 1. und 2. Lamentation, Choral; 3. Lamentation, 4st. von Kerer-Mitterer; I.—IX. Responsorium, 4st. von Mitterer; *Benedictus*, 4st. von Palestrina; *Christus factus est* und *Miserere*, 4—5st. mit Posaunen von Anerio. — Gründonnerstag: Pontifikalamt: Introitus, 4st. von Schaller; Communio, Choral; *Missa brevis de Sanctis Apostolis*, 5st. (Bariton) a capella von Mitterer; *Gloria ex Missa de Spiritu Sancto*, 4st. mit Orgel von Ludwig Ebner; Graduale: *Christus factus est*, 4st. von Mitterer; Offertorium: *Dextera Domini*, 4st. von Witt; *ad Communionem Cleri*: *Ave verum*, 4st. von Mozart; zwei Gesänge, 4st. von H. Bäuerle; zur Ölweihe: *O redemptor*, 4st. Männerchor von J. Mandl; zur Prozession: *Pange lingua*, 4st. Männerchor von M. Haller; zur Fußwaschung: *Mandatum novum*, 4st. Männerchor von J. Mandl; nachmittags 4 Uhr Matutin: 1. und 2. Lamentation, Choral; 3. Lamentation, 4st. von Kerer-Mitterer; X.—XVIII. Responsorium, 5st. von Ingegneri-Haberl; *Benedictus*, 4st. von Palestrina; *Miserere*, 4—5st. mit Posaunen von Anerio. — Charfreitag: Früh 8 Uhr: Traktus, Choral; bei der Passion singen die Herren Choralisten und Alumnen die *Turba* im 4st. Männerchor von C. Ett; *Improperia*, 4st. von G. A. Bernabei; *Vexilla regis*, 4st. von Zuccari; zur Grablegung: *Recessit pastor* und *Tenebrae*, 4st. Männerchor von Ludw. C. Seydler; nachmittags 4 Uhr, Matutin: 1. und 2. Lamentation, 4st. von Kerer-Mitterer; XIX.—XXVI. Responsorium, 4st. von Mitterer (XXIV. und XXVII. Responsorium: *Ecce quomodo* und *Sepulto* von Handl-Gallus); *Benedictus*, 4st. von Palestrina; *Miserere*, 4—5st. mit Posaunen von Anerio. — Charsamstag: Vormittags ¼8 Uhr: Feuer-, Wasser-, Osterstockweihe, Litanei, Choral; 9 Uhr Hochamt: *Kyrie*, Choral: das übrige aus der *Missa in hon. S. Caroli Borromaei*, 4st. mit Orgel von Mitterer; Graduale, Traktus, Vesper, 4st.; *Magnificat*, 5st. von Witt; nachmittags 4 Uhr Matutin: *Invitatorium*, Psalmen choraliter; 2 Responsorien, 4st. mit Orgel von Mitterer; zur Auferstehungsfeier ¾5 Uhr: *Aurora*, 4st. Männerchor (Choralisten und Alumnen) von L. C. Seydler; *Te Deum*, 4st. mit Orgel und Blechinstrumenten von F. X. Witt; *Regina coeli*, 8st. (Doppelchor) a capella von Griesbacher; *Tantum ergo*, 4st. mit Orgel und Blechinstrumenten von Meuerer. — Ostersonntag: Vormittags 10 Uhr, Bischöfliches Pontifikalamt: Introitus und Communio, 4st. von Schaller; *Missa solenelle (S. Cécilia)* für Soli, gemischten Chor, großes Orchester und Orgel von Charle Gounod; Graduale rezitiert; Sequenz: *Victimae* für gemischten Chor und Orchester von Meuerer; Offertorium: *Terra tremuit* für gemischten Chor und Orchester von Greith; nachmittags ¾4 Uhr, Pontifikalvesper: Falsibordoni, 5st. (2 Tenöre) a capella von L. Viadana; *Haec dies*, 4st. a capella von Haller. — Ostermontag: Vormittags 10 Uhr, Pontifikalamt: Introitus und Communio, Choral; *Missa in adorationem S. Crucis*, 4st. mit Orgel von J. Meuerer; Graduale rezitiert; Sequenz: *Victimae*, 4st. mit Orgel von Haller; Offertorium: *Angelus*, 4st. a capella von Stehle; nachmittags 4 Uhr: Choralvesper, hierauf *Tantum ergo*, 4st. mit Orgel von Goller; 2 *Cantica in hon. Ss. Sacramenti*, 4st. mit Orgel von Joh. Meuerer; *Regina coeli*, 4st. mit Orgel von Griesbacher. — Osterdienstag: Vormittags 9 Uhr, Bischöfl. Pontifikalamt für den katholischen Bauernverein: Introitus, Communio, Choral; *Missa solemnis* in *H*-moll, Nr. 9 für gemischten Chor und Orchester von M. Brosig; Graduale rezitiert; Sequenz für gemischten Chor und Orchester von Meuerer; nach dem rezitierten Offertorium das Motett: *Surrexit pastor*, 4st. a capella von Haller. — Weißer Sonntag: Vormittags 10 Uhr, Pontifikalamt: *Vidi aquam*, Introitus, Communio, Choral; *Missa de Spiritu Sancto*, 4st. a capella von Stehle.

Johannes G. Meuerer, Domkapellmeister.

Die *Schola Sanctorum* an der heiligen Grabkirche zu **Jerusalem** übersendet nachfolgendes Programm, das der Franziskanerpater Augustin Frapiccini als Dirigent durchgeführt hat und welches die Redaktion in lateinischer Sprache abdrucken läßt. Dasselbe ist ein glänzender Beweis, daß die Reform der Kirchenmusik in der heiligen Stadt ernst genommen wird.

[] *Singulis Quadragesimae Sabbatis:* P. A. Frapiccini, *Litaniae quadragesimales*, quatuor vocibus (Op. 4). — Die 10 Aprilis *(Festum Septem Dolorum B. M. V. in S. Monte Calvario):* 1. O. Ravanello, *Missa S. Josephi Calasanctii*, duabus vocibus paribus. 2. J. M. Nanino, *Sequentia: Stabat Mater*, tribus vocibus paribus. 3. Fr. Witt, *Offertorium: Recordare Virgo*, quatuor vocibus virilibus. — Die 12. Aprilis: 1. Ign. Mitterer, *Missa de Ss. Martyribus*, quatuor vocibus virilibus (Op. 41). 2. G. Ett, *Responsoria ad cantum Passionis*, quatuor vocibus virilibus. — Die 15. Aprilis: *Ad Matutinum:* 1. J. M. Nanino, *Lamentatio I.* quatuor vocibus virilibus. 2. Palestrina, *Lamentatio II.* quinque vocibus inaequalibus. 3. Fr. Witt, *Lamentatio III.*, quatuor et quinque vocibus inaequalibus. 4. Palestrina, *Benedictus*, quinque et sex vocibus inaequalibus. 5. Felix Anerio, *Christus factus est*, quatuor vocibus inaequalibus. 6. G. Allegri, *Miserere*, quatuor, quinque et novem vocibus (duobus choris). — Die 16. Aprilis: *Ad Missam:* 1. Ign. Mitterer, *Missa de Ss. Martyribus*, quatuor vocibus virilibus (Op. 41). 2. P. A. Frappiccini, *Graduale: Christus factus est*, quatuor vocibus virilibus. *Ad Communionem paschalem:* 3. P. A. Frapiccini, *Ubi charitas et amor*, Motetum quatuor vocibus inaequalibus. 4. Vittoria, *Domine non sum dignus*, Motetum quatuor vocibus inaequalibus. 5. Palestrina, *O salutaris hostia*, quatuor vocibus inaequalibus. 6. Vittoria, *Jesu dulcis memoria*, quatuor vocibus inaequalibus. 7. Palestrina, *Adoramus te*, quatuor vocibus inaequalibus. *Ad Processionem:* P. A Frapiccini, *Pange lingua*, quinque vocum inaequalium. *Ad Matutinum:* 1. J. M. Nanino, *Lamentatio I.* quatuor vocibus virilibus. 2. Fr. Witt, *Lamentatio II.* quatuor et quinque vocibus inaequalibus. 3. Palestrina, *Lamentatio III.* quinque vocibus inaequalibus. 4. Palestrina, *Benedictus*, ut heri. 5. Felix Anerio, *Christus factus est*, ut heri. 6. P. Amatucci, *Miserere*, quatuor vocibus inaequalibus. — Die 17. Aprilis: *Ad Missam praesanctificatorum:* 1. G. Ett, *Vexilla*, quatuor vocibus virilibus alternatim cum cantu gregoriano. 2. Vittoria, *Improperia*, quatuor vocibus inaequalibus. 3. Palestrina, *Improperia*, quatuor et octo vocibus inaequalibus. 4. Mich. Haydn, *Tenebrae factae sunt*, Motetum quatuor vocibus inaequalibus. *Ad Matutinum:* 1. J. M. Nanino, *Lamentatio I.* quatuor vocibus virilibus. 2. Palestrina, *Lamentatio II.* quinque vocibus inaequalibus. 3. Fr. Witt, *Oratio Jeremiae Prophetae*, quatuor et quinque vocibus inaequalibus. 4. Palestrina, *Benedictus*, ut feria IV. 5. Felix Anerio, *Christus factus est*, ut feria IV. 6. Allegri, *Miserere*, ut feria IV. *Ad Processionem nocturnam:* 1. P. A. Frapiccini: *Offerimus ergo*, Motetum quatuor vocibus inaequalibus (Op. 5a); 2. *Miserere*, quatuor vocibus virilibus (Op. 5b); 3. *Stabat Mater*, tribus vocibus puerilibus (duae strophae) (Op. 5c). 4. Hymnus *O crux*, quatuor vocibus puerilibus (Op 5e). — Die 18. Aprilis: 1. P. A. Frapiccini, *Litaniae B. M. V.*, septem vocibus inaequalibus. — Die 19. Aprilis: *Ad Missam:* 1. O. Lassus, *Missa puisque j'ai perdu*, quatuor vocibus inaequalibus. 2. M. Ortwein, *Graduale: Haec dies*, quatuor et quinque vocibus. 3. P. Piel, *Offertorium: Terra tremuit*, tribus vocibus paribus. *Post Vesperas:* 1. P. A. Frapiccini, *Litaniae B. M. V.*, septem vocibus inaequalibus. 2. A. Lipp, *Tantum ergo*, quatuor vocibus inaequalibus. NB. *Feria II. Paschatis in S. Emmaus:* 1. L. Ebner, *Missa S. Caeciliae*, duabus vocibus inaequalibus. 2. Palestrina, *Tantum ergo*, quatuor vocibus virilibus. Chorum quinquaginta vocum dirigit P. Augustinus Frapiccini, O. F. M., scholae-cantorum Terrae Sanctae director et magister.

§ **Propsteikirche St. Jakob in Innsbruck.** Palmsonntag, 12. April: 9 Uhr: Palmweihe: *Osanna*, *In monte*, *Sanctus*, *Benedictus*, *Pueri* von M. Haller, Op. 45. Prozession: *Ante sex dies*, *Ingrediente* von Ign. Mitterer, Op. 37. Hochamt: *Missa Qual donna*, 5st. von Orlando di Lasso. Grad.: *Tenuisti* von Ign. Mitterer, Op. 59. Chorantworten der Passio von Fr. Suriano. Offert.: *Improperium* von Ign. Mitterer, Op. 59. — Mittwoch, Donnerstag, Freitag, 15, 16. u. 17. April: 5 Uhr: Matutin: IX Lamentationen für 4 Männerstimmen von Kerer-Mitterer. XXVII Responsorien von Ign. Mitterer, Op. 12. *Benedictus* und *Christus* von M. Haag. — Gründonnerstag, 16. April: 9 Uhr: Hochamt: *Missa brevis*, 5st. von Ign. Mitterer. Gloria aus *Missa S. Luciae* von Fr. Witt, Op. 11. Grad.: *Christus* und Offert.: *Dextera* von Ign. Mitterer, Op. 59. Zur Kommunion: *Domine* für 4 Männerstimmen von M. Haller, Op. 39. Zur Prozession: *Pange lingua* von M. Haller, Op. 16. — Charfreitag, 17. April: 8 Uhr: Chorantworten der Passio von Fr. Suriano. Improperien von Th. L. da Vittoria. *Vexilla regis* von Ign. Mitterer, Op. 59. Zur Prozession: *Tenebrae* von Ign. Mitterer, Op. 12. ½8 Uhr: Grabmusik: *Stabat mater* für Soli, Chor und Orchester von J. Rheinberger, Op. 16. — Charsamstag, 18. April: 8 Uhr: Feuer- und Taufwasserweihe, Choral. ¼10 Uhr: Hochamt: *Missa Loretto* für Chor und Orgel, von V. Goller, Op. 25. ½10 Uhr: Grad.: *Confitemini* und Trakt.: *Laudate* von Ign. Mitterer, Op. 59. Offert.: Fuge für Orgel, von J. S. Bach. *Magnificat*, 5st. von L. Grossi da Viadana. ½8 Uhr: Auferstehung: Festchor mit Blasorchester von V. Goller, Op. 28. *Te Deum* mit Blasorchester von V. Goller, Op. 50. *Tantum ergo* mit Blasorchester von V. Goller, Op. 28. — Ostersonntag, 19. April: 40stündiges Gebet. 10 Uhr: Hochamt: *Missa solemnis Ss. Trinitatis* für Soli, Chor und Orchester von Ign. Mitterer, Op. 150 (neu). Grad.: *Haec dies* von Ign. Mitterer, Op. 49. Sequenz: *Victimae* von Ign. Mitterer. Offert.: *Terra tremuit* von C. Greith. 5 Uhr: Lauret. Litanei in *B*-moll von C. Greith. *Te Deum* von Ign. Mitterer, Op. 46. *Tantum ergo* von M. Ortwein. — Ostermontag, 20. April: ¾10 Uhr: Hochamt: Messe für Chor, Streichorchester und Orgel, von K. Pembaur. Grad.: *Haec dies* von Ign. Mitterer, Op. 52. Sequenz Choral. Offert.: *Ave verum* von W. A. Mozart. 5 Uhr: Lauret. Litanei von Ign. Mitterer, Op. 55. *Tantum ergo* von Ign. Mitterer. — Osterdienstag, 21. April: 9 Uhr: Hochamt: Messe in *D*-moll für Chor und Orchester von M. Filke, Op. 47. Grad.: *Haec dies* von Ign. Mitterer, Op. 52. Sequenz Choral. Offert.: *Laudate Dominum* von K. Ett. 5 Uhr: *Adoro Te*, Hymnus von C. Greith. *Te Deum* von J. Gruber, Op. 135. *Tantum ergo* von Ign. Mitterer. Lambert Streiter, Chordirektor.

♄ **Pfarrchor in Meran.** Palmsonntag: 8 Uhr: Palmweihe: Die Gesänge zur Weihe gregor. Choral. Prozession: *Occurrunt turbae* und *Ingrediente Domino*, 4st. von V. Goller, Op. 60 (neu). Hochamt: Introitus, *Credo* und Communio Choral, *Missa Octavi toni*, 5st. von Joannes de Cruce. Grad.: *Tenuisti*, 4st. von Ign. Mitterer. Passio: Die Turba, 4st. von Fr. Soriano. Offert.: *Improperium* für Alt und 3 Männerstimmen von Ign. Mitterer. 6 Uhr: Abendpredigt: Nach der Predigt: Laß mich deine Leiden singen, 4st. Chor von M. Haydn. — Mittwoch in der Charwoche: 4 Uhr: Matutin: Die Lamentationen einstimmig, Priesterchor und 4 Männerstimmen (Kehrer-Mitterer). Die Responsorien, 4st. gemischter Chor von M. Haller. *Benedictus*, 4st. Männerchor von P. Griesbacher. *Christus factus est*, Männerchor von Fr. X. Gruber. Alles übrige Choral. — Gründonnerstag: ½8 Uhr: Hochamt: Introitus, *Kyrie*, Communio Choral. *Missa brevis* für 5st. gemischten Chor von Ign. Mitterer. Grad.: *Christus factus est*, 4st. von V. Goller, Op. 60. Offert.: *Dextera Domini* für Alt und 3 Männerstimmen von Ign. Mitterer. Zur Kommunion des hochwürd. Klerus: *Panis angelicus*, 4st. von E. Stehle. Zur Prozession: *Pange lingua* von C. Ett. 4 Uhr: Matutin: Alles wie Mittwoch. — Charfreitag: ½8 Uhr: Trauer-Zeremonien: Passio: 4st. Turba (harmonis. Choral) von Ign. Mitterer. Kreuzanbetung: *Popule meus*, 4st. von Thom. Lud. de Victoria. Prozession: *Vexilla regis*, 4st. von Vinz. Goller, Op. 60. ¼4 Uhr: Matutin: Wie Mittwoch. ¼5 Uhr: Kreuzprozession: *Stabat mater* für Männerchor und 9st. Harmoniebegleitung von Fr. X. Gruber. 8 Uhr: Kreuzwegandacht: „Die Leiden des Erlösers“, Kantate für Soli, Chor und Orchester von Fr. Gruber jun. († 1871). — Charsamstag: 7 Uhr: Feuerweihe, Prophetien, Wasserweihe Choral. ¼9 Uhr: Hochamt: *Kyrie* Choral. *Gloria*, *Sanctus* und *Benedictus* aus der Aloisiusmesse für 4st. Chor und Orgel von V. Goller. Graduale und Vesper, 4st. von V. Goller, Op. 60. 6 Uhr: Matutin: *Invitatorium*, 5st. von Steph. Bernardi. Die Responsorien 4st. mit Orgel von Ign. Mitterer. *Te Deum* für Chor und Orchester von G. Zeller. *Regina coeli* mit Orchester von Ign. Mitterer. Auferstehungschor mit Orchester von V. Goller. *Tantum ergo* mit Blasorchester von H. Spies. — Ostersonntag: 9 Uhr: Hochamt: *Tantum ergo* für Chor und Orchester von Ign. Mitterer. Introitus, Graduale, Communio Choral. Jubiläumsmesse *In hon. Ss. Trinitatis* für Soli, Chor und großes Orchester von Ign. Mitterer, Op. 150 (Erstaufführung). Sequenz: *Victimae paschali* von Mitterer-Ortwein. Offert.: *Terra tremuit* von M. Filke. — Ostermontag: ½9 Uhr: Hochamt: Introitus, Graduale, Communio Choral. *Missa in F* für Chor und Streichorchester von K. Pembauer, Op. 10. Sequenz wie Sonntag. Offert.: *Angelus Domini* von J. Renner jun. Franz X. Gruber, Pfarrchordirektor.

♭ **Osterhofen.** (Institutschor Damenstift.) Palmsonntag: *Missa in hon. S. Josephi*, 3st. von Koenen. Offert., 4st. von Witt. Auferstehungsfeier: *Alleluja*, 4st. mit Orgel von Witt. Zur Prozession: *Surrexit*, 3st. von P. Griesbacher; *Te Deum*, 3st. von P. Griesbacher; *Pange lingua*, 3st. von P. Griesbacher. — Ostersonntag: *Missa in hon. S. Ignatii*, 3st. von P. Griesbacher. Grad., 4st. von Witt. Offert., 4st. mit Orgel von P. Griesbacher. Vesperpsalmen, 4st. von J. G. Mayer. *Haec dies* und *Regina coeli*, 4st. mit Orgel von P. Griesbacher. *Pange lingua*, 3st. von P. Griesbacher. — Ostermontag: *Missa in hon. S. Augustini*, 3st. von P. Griesbacher. Grad., rez. Offert., 3st. von P. Griesbacher. *Pange lingua*, 4st. von P. Griesbacher. *Dominica in Albis*: *Missa in hon. B. M. V. de Loretto*, 3st. von Goller. Grad., rez. Offert., rez. Dann als Einlage *Surrexit pastor bonus* von P. Griesbacher. Während der heiligen Kommunion: *Anima Christi* von P. Griesbacher. *Pange lingua*, 4st. in *G*-moll von Griesbacher.

+ **Osterhofen.** (Stadtpfarrkirchenchor.) Palmsonntag: *Missa de Apostolis*, 5st. von Mitterer. Offert.: *Improperium* von Förster. *Stabat mater* von Rheinberger. — Gründonnerstag: *Gloria* aus *Missa admirabilis* von Griesbacher. *Sanctus*, *Benedictus*, *Agnus* aus *Missa Stabat mater* von Singenberger. *Christus factus est* für 4 Männerstimmen von Griesbacher. *Adoramus* von Roselli. *O salutaris* von Haller. — Charfreitag: Improperien, Choral von Vittoria. *Vexilla regis* für 4 Männerstimmen von P. Griesbacher. Nachmittag: „Sehet welche Liebe“ von Rheinberger. *Lamentatio in fer. VI.* von Haller. *Stabat mater* von P. Griesbacher. — Charsamstag: Messe in *B*-dur mit Orgelbegleitung von V. Goller. Graduale und Vesper für 3—4 Männerstimmen von P. Griesbacher. Auferstehungsfeier: Auferstehungschor und *Tantum ergo*, 4st. mit Blechbegleitung von V. Goller. — Ostersonntag: Messe in *C*-dur mit Instrumentalbegleitung von Rheinberger. Grad. von P. Griesbacher. Offert. von Geierlechner. Vesper von P. Griesbacher. — Ostermontag: *Missa in hon. S. Petri* von P. Griesbacher. Offert., rez. *Haec dies*, 4st. mit Orgel von P. Griesbacher. Vesper von P. Griesbacher. *Dominica in Albis*: *Missa S. Isidori* von M. Koch. Offert.: *Angelus* für 3 Stimmen von P. Griesbacher. *Comantibus*, 6st. von Haller. (Fortsetzung folgt.)

---

## Christi Himmelfahrt.

Die Osterkerze, das liturgische Symbol des heutigen Festes, erinnerte uns bei jedem liturgischen Gottesdienst während der nachösterlichen Zeit an den glorreich Auferstandenen, der nach Lukas noch vierzig Tage auf Erden weilte und seinen Jüngern Unterweisungen gab, wie sie seinen Willen vollziehen und die von ihm als Braut erwählte Kirche gründen sollten. Heute leuchtet die Osterkerze uns zum letzten Male — nach Lesung der Epistel- und Evangeliums-Perikope, die uns die historische Tatsache der Auffahrt des Heilandes erzählen, erlischt ihr Licht — unser Herr und Meister triumphiert in seinem himmlischen Reiche, nachdem er sich auf Erden eine Herrschaft gegründet, durch die er alle, die sich ihr unterwerfen, zu sich emporziehen will in seine ewige

Herrschaft. Dieser Gedanke an die zukünftige Vereinigung mit ihrem Lehrer, den sie nun vollkommen als von Gott ausgegangen erkennen, läßt in den Herzen der Jünger die Abschiedstrauer vor der Freude des Wiedersehens zurücktreten und auch wir schauen voll Staunen empor in den lichtflutenden Äther und hören die Stimmen der in helleuchtende Gewande gekleideten Männer: „Was wundert ihr euch und schauet gen Himmel: Er (Jesus) wird ebenso wiederkommen, wie ihr ihn sahet hinauffahren in den Himmel.“ (Introitus.) Die Jünger kehrten nach der Auffahrt des Herrn nach Jerusalem zurück und zwar „mit großer Freude“.[1]) Mit diesem einen Worte, sagt Guéranger, drückt der heil. Lukas einen wesentlichen Zug des Himmelfahrtsfestes aus, welches, trotzdem es von einer milden Melancholie übergossen erscheint, dennoch mehr Freude und Triumph atmet als irgend ein anderes; denn der in seine Herrlichkeit sich erhebende Sieger, unser Meister, geht ja heute in das Himmelreich ein, um uns, wie er versprochen, beim Vater Wohnungen zu bereiten. So folgen wir bereitwillig der Einladung des Introitus-Verses: „*Omnes gentes plaudite manibus:* Ihr Völker alle, klatschet mit Händen, *jubilate Deo in voce exultationis:* jauchzet Gott mit Jubelschall.“ Wir lassen unsere Gedanken mit dem Heiland emporschweben in die Gefilde der Seligen und dort im Geiste am Throne des Heilandes weilen in der Betrachtung der Glorie, die uns einmal umstrahlen wird, wenn wir mit unserem Meister die Welt besiegt haben werden (Festoration). Der nämliche Gedanke ist in der *Secreta* (Stillgebet des Priesters nach dem Offertorium) zu finden und die Präfation drückt ihn am klarsten aus, indem sie den Zweck der Himmelfahrt des Herrn angibt: *Qui ... est elevatus in coelum, ut nos divinitatis suae tribueret esse participes:* „welcher ... sich in den Himmel erhob, um uns seiner Gottheit teilhaftig zu machen.“ Ja, diese Teilnahme an seiner Gottheit ist das eine Ziel all der Gnaden, die wir Tag um Tag empfangen; im ewigen Genusse seiner Schönheit liegt unser Leben, unsere Glückseligkeit und wir, die wir auf Erden wandeln, um unserem göttlichen Haupte angegliedert zu werden durch getreue, beharrliche Nachfolge, würden vergebens nach dauerndem Glücke streben, wenn wir es anderswo suchen wollten.[2]) So durchflutet, wie die belebenden Strahlen der Frühlingssonne die ganze Schöpfung, der Gedanke an unsere eigene Himmelfahrt die gesamte Meßliturgie.

Die Zeit der Einführung dieses Festes ist unbestimmt. Doch wurde es schon in den ersten christlichen Jahrhunderten gefeiert, da in den apostolischen Konstitutionen von ihm berichtet wird und auch die Heiligen Johannes Chrysostomus und Gregor von Nyssa Homilien an diesem Tage gehalten haben und Augustinus die Feier eine Anordnung der Apostel oder einer allgemeinen Kirchenversammlung nennt.[3]) Im Mittelalter veranstaltete der fromme Sinn der Gläubigen, der mit Vorliebe die einzelnen Ereignisse aus Jesu Leben dramatisch darstellte, am Himmelfahrtstage eine Prozession zur Nachahmung des feierlichen Zuges der Jünger nach dem Ölberg; nach derselben wurden die Worte der beiden Engel gesungen, die jetzt den Introitus bilden. An vielen Orten war es auch Sitte, den Gläubigen die Auffahrt des Herrn durch langsames Emporziehen der Statue des Auferstandenen in den Dachraum der Kirche (Kirchhimmel) und zwar nach dreimaligem Absingen der ℣.: *Ascendo ad Patrem meum et Patrem vestrum, alleluja, alleluja.* ℟. *Deum meum et Deum vestrum, alleluja, alleluja.* — War die Statue im Raume verschwunden, wurde der ℣. *Ascendit Deus in jubilatione, alleluja* mit dem ℟. *Et Dominus in voce tubae, alleluja* gesungen und die Festoration gebetet. Die bei der Prozedur des Emporziehens oftmals eintretenden Zwischenfälle und besonders die komisch wirkende Drehung der Statue um ihre eigene Achse veranlaßten die allmähliche Abschaffung dieser Gewohnheit, die sich aber in einigen Gegenden noch vorfinden soll. (Tirol.) In den meisten Pfarreien Österreichs und Süddeutschlands wird an diesem Feste, wenn es in die zweite Hälfte des Mai fällt, die sogenannte Maiprozession abgehalten als festlicher Schluß der Maiandacht. P. A. W.

---

## Ein wunder Punkt in der Reform der Kirchenmusik.

Durch eine Korrespondenz aus Chile haben die Leser des „Cäcilienvereinsorgans“ und der *Musica sacra* Kenntnis erhalten von dem traurigen Zustande der Kirchenmusik in dieser südamerikanischen Republik. Da sich solche Zustände mehr oder weniger in anderen Ländern auch finden, so hat diese Korrespondenz mich angeregt, einen längeren Artikel über diesen Gegenstand zu schreiben.

Es wäre verkehrt, in solchen traurigen Zuständen nichts anderes zu sehen als eine beklagenswerte Rückständigkeit, als ein Übel, welches nach Erlaß des „*Motu proprio*“ mit der Zeit verschwinden

---

[1]) Luk. 24, 52. [2]) Nach Guéranger. [3]) Schmid, Liturgik, 3. Bd.

müsse, ohne daß es notwendig sei, besondere Mittel zu seiner Beseitigung zu ergreifen. Die Ursache dieser Zustände ist vielmehr eine ernste Gefahr für die Reform der Kirchenmusik, eine Klippe, an der die Durchführung des „*Motu proprio*" scheitern kann. Und diese Ursache ist die Unfähigkeit der Diözesanbehörden (mit nur wenigen Ausnahmen) und des Klerus im allgemeinen, in kirchenmusikalischen Dingen zu urteilen; manchmal gesellt sich zu dieser Unfähigkeit auch noch Gleichgültigkeit, ja sogar Antipathie.

Man wird vielleicht verwundert sein, daß ich dem Klerus diese Schuld beimesse; man sollte meinen, diese Schuld liege vielmehr bei den Komponisten. Gewiß, die Komponisten haben unkirchliche Werke geschrieben; aber hätten diese Werke, hätte diese Ausartung der Kirchenmusik eine solche Verbreitung finden können, wenn die kirchlichen Behörden die nötige Sachkenntnis besessen und sich dem Unfug widersetzt hätten? Die Herren Komponisten hätten sich dann wohl oder übel dazu bequemen müssen, kirchliche Tonwerke zu schreiben.

Wie alle anderen Kirchengesetze, so sollen auch die Gesetze über Kirchenmusik durch die Bischöfe ausgeführt werden; denn diese sind vom Heiligen Geiste gesetzt, die Kirche Gottes zu regieren. Eine selbstverständliche Voraussetzung hierfür ist jedoch Sachkenntnis. Da ist nun keine Schwierigkeit, solange es sich handelt um Glaubenslehren und Sittengesetz oder die Verwaltung der zeitlichen Güter der Kirche; ist der Bischof in diesen Punkten auch gerade nicht der gelehrteste Priester in seiner Diözese, so besitzt er doch immerhin genügende Sachkenntnis, um über alles zu urteilen, und es fällt ihm auch nicht schwer, sich gute Ratgeber zu wählen. Auf einigen Gebieten der christlichen Kunst ist ebenfalls noch keine Schwierigkeit, so z. B. auf dem Gebiete der Malerei und Baukunst oder der Poesie; um in diesen Künsten über das kirchlich Zulässige zu urteilen, braucht man noch kein Fachmann zu sein; da diese Künste dem Verständnis des Laien näher liegen, so ist das Interesse dafür auch größer. Anders ist es aber auf dem Gebiete der Kirchenmusik; diese Kunst liegt dem Verständnis des Laien fern, und um über das kirchlich Zulässige zu urteilen, muß man gründliche Fachstudien gemacht haben; wie schwer es manchmal ist, ein sicheres Urteil zu fällen, kann man schon ersehen aus der Uneinigkeit zwischen Kirchemusikern von Fach. Bedenkt man dazu, daß durch jahrelange Angewöhnung der künstlerische Geschmack verdorben werden kann, daß die Kirchenmusik ein Teil des Gottesdienstes ist, an welchem der Seelsorger weniger aktiv beteiligt ist als an anderen Teilen, daß dem vielfach mit anderer Arbeit überladenen Seelsorger die Wichtigkeit des kirchlichen Gesanges nicht recht einleuchten will, daß verhältnismäßig nur wenige Mitglieder des Klerus auf diesem Gebiete Fachmänner sind, so kann man gerade keine rosigen Schlußfolgerungen ziehen.

Damit man nicht sage, dies wären allgemeine Behauptungen, die weiter nichts beweisen, will ich dieselbe mit Tatsachen begründen. Dergleichen Tatsachen werden wohl den einen oder anderen unangenehm berühren; aber es geht einmal nicht anders. Wenn ferner manche dieser Tatsachen aus der Vergangenheit herrühren, so will ich keineswegs den Schluß ziehen: Weil vor dem *Motu proprio* nichts geschehen ist, so ist auch nach dem Erscheinen desselben nichts zu erwarten. Eine solche Schlußfolgerung liegt mir ferne. Aber diese Tatsachen aus der Vergangenheit zeigen uns, mit welchen Faktoren wir auch nach dem Erscheinen des „*Motu proprio*" zu rechnen haben. Wer vor dem „*Motu proprio*" nichts verstand von Kirchenmusik, wer vorher nicht die Grenze zu ziehen wußte zwischen kirchlich Zulässigem und Unzulässigem, dem ist auch durch den päpstlichen Erlaß kein sonderliches Licht aufgegangen; der versteht ebenso wenig wie vorher die Worte: „würdige, ernste Kirchenmusik".

Die drastischste dieser Tatsachen ist wohl jene, die Paul Krutschek in der „*Musica sacra*" vom 1. März 1904 erzählt. Er schreibt: „In Rom selbst erkannte man ja teilweise die Unkirchlichkeit der herrschenden Musik, wie die vielen Verordnungen der Päpste und Kardinäle beweisen, teilweise aber war man durch die Gewohnheit von Jugend an so sehr von der Kirchlichkeit der eigenen Musik überzeugt, daß man gar nicht an Reformen dachte. Man verwarf mit stärksten Worten weltliche Musik, übte sie aber nach Kräften, ohne sich dessen bewußt zu sein. Im ganzen und einzelnen konnte dieselbe nicht schärfer verurteilt werden, als es durch das an sämtliche italienische Bischöfe gerichtete *Regolamento* der Ritenkongregation vom Jahre 1884 geschah. Wie verhielt man sich in Rom, welches an erster Stelle sich hierin bessern mußte, demselben gegenüber? Der damalige Kardinalvikar versandte dieses *Regolamento* an die einzelnen Kirchen mit einem Begleitschreiben, worin es hieß: „Die Übersendung geschehe nur der Form und Ordnung wegen, denn in Rom habe man stets die alten, guten Traditionen aufrecht erhalten, so daß für die römischen Kirchen eine solche Ermahnung zur Kirchlichkeit nicht nötig sei"! Glücklicherweise hat Pius X. sein

*„Motu proprio"* den römischen Kirchen nicht bloß der Form und Ordnung wegen übersandt. Man wird auch nicht irre gehen, wenn man annimmt, daß es noch heutzutage viele Kirchenfürsten gibt, die von Kirchenmusik nicht mehr verstehen als jener Kardinalvikar.

Als Beispiel aus deutschen Landen sei eine Ausgabe der Rundschreiben unseres Heiligen Vaters angeführt. Die Anzeige derselben kam mir vor einiger Zeit zu Gesicht. Angezeigt sind: das Rundschreiben über den Modernismus, über die Trennung von Staat und Kirche in Frankreich und über das Studium der Heiligen Schrift in den theologischen Lehranstalten. Dabei kam mir der Gedanke: „Warum wird denn nicht auch das *„Motu proprio"* über die Kirchenmusik mit herausgegeben? Dasselbe ist doch mindestens ebenso würdig, wie die an zweiter und dritter Stelle genannten Rundschreiben. Ist der Grund für diese Ausschliessung nicht der Mangel an Interesse für kirchliche Musik in weiten theologischen Kreisen?

Wie sieht es in Ländern aus, wo keine Organisation wie der Cäcilienverein an der Hebung der Kirchenmusik gearbeitet hat, ich will aus Kanada und den Vereinigten Staaten, zwei Ländern, die überdies in enger geistiger Verbindung stehen, Tatsachen besprechen. Die Lage der Kirchenmusik will ich nach einem durchaus zuverlässigen Maßstabe beurteilen, und das sind die Gesangbücher in der Volkssprache; dieselben sind auf Massenverbreitung berechnet, enthalten auch einige liturgische Gesänge und geben einem alles an, was gewöhnlich gebraucht wird. Zur Verhütung eines Mißverständnisses sei noch beibemerkt, daß unter den englisch redenden Katholiken das eigentliche kirchliche Volkslied nicht existiert; der ganze Gesang obliegt dem Chore, auch wenn die Landessprache verwendet wird; Ausnahmen hiervon findet man nur äußerst selten.

An der Hand dieses Maßstabes kommt man nun zu einem trüben Resultat. Besehen wir uns einmal ein sehr verbreitetes Buch, das St. Basils Hymnal. Dasselbe ist herausgegeben vom St. Michaelskolleg in Toronto, einer Studienanstalt unter Leitung der Basilianerpatres.

Zunächst ein Wort über die Melodien, die verwendet worden sind. Eine kleine Anzahl derselben sind, vom bloß musikalischen Standpunkte aus betrachtet, ziemlich schön. Die weit überwiegende Mehrzahl aber ist seicht, manchmal geradezu jämmerlich. Wenn man aber nachschaut, wie viele Melodien kirchlich zulässig sind, so wird man nicht viele finden; diejenigen, welche die bekannte Melodie von „Es blüht der Blumen eine" beanstanden, werden wohl kaum ein halbes Dutzend finden. Was für „Blüten" sich da finden, möge man aus einigen Beispielen ersehen. In den ersten Auflagen (von diesen steht mir die fünfte zu Gebote) steht ein Muttergotteslied unter der Melodie der — „Wacht am Rhein"; in den neueren Auflagen ist aber eine andere Melodie gewählt worden. Aber auch in den letzten Auflagen finden sich noch Melodien, die der Profanmusik entnommen sind; so z. B. fand ich zwei, die englischen Volksliedern entnommen sind; ebenso findet sich eine Arie von Rossini als Herz Jesulied vor. Wie es bei solchen Anpassungen dem Text ergehen kann, ersieht man aus einem *Alma Redemptoris Mater;* die Melodie, an und für sich ganz schön, ist einem protestantischen Kirchenliede entnommen. Um den Text nun unter die Melodie unterzubringen, mußte man denselben in drei Strophen zerlegen; die erste Strophe endigt mit den Worten *„succurre cadenti"*. Es ist schon ein Unsinn, diese Worte von den folgenden zu trennen; aber es kommt noch schöner. Um mehr Effekt zu machen, muß das Stück von einem Solisten vorgetragen werden; der Chor muß aber auch zu seinem Rechte kommen, damit das Solo besser absteche; in der ersten Strophe nun wiederholt der Chor die Worte *„Porta manes et stella maris; succurre cadenti"*, was ein neuer Unsinn ist, indem die Worte *„Porta manes . . ."* aus ihrem Zusammenhang gerissen werden; dann fährt der Solist weiter fort mit *„surgere"*. Und eine solche Mißhandlung des heiligen Textes leistet sich ein Priester.

Auch eine vierstimmige Messe ist aufgenommen worden; dieselbe ist unter aller Kritik; dazu folgt im *Credo* auf *„et sepultus est"* gleich *„Et unam sanctam"*. Der Autor hat gut getan, seinen Namen nicht bekannt zu geben.

Zu guter Letzt findet sich noch das Choral-*Requiem*, natürlich auch verunstaltet und unvollständig. Im *Dies irae* kommt die Diesis für den Leitton nach der Tonika hin zur Verwendung; als Offertorium ist ein *Pie Jesu* eingefügt.

Jetzt noch ein Wort über die Harmonisierung der Gesänge; dieselbe ist einfach ein Hohn auf die Kunst; gerade in diesem Punkte zeigt sich die phänomenale Unwissenheit der Herausgeber. Wer auch nur einige Kenntnis hat von der Harmonielehre, fragt sich, wie jemand es wagen konnte, so etwas zu schreiben. Von Quinten- und Oktavenparallelen wimmelt es nur so, und zwar nicht nur in den mittleren Stimmen und beim Anfang eines neuen Verses, sondern vor allem in den äußeren

Stimmen und auch mitten in einem Vers; man sollte meinen, die Herausgeber wollten gegen das Verbot dieser Parallelen auf das energischste protestieren.

Interessant ist es noch zu sehen, in welcher Weise die späteren Auflagen „verbessert" worden sind. Eine der besten Melodien, die dem Melodienschatze des deutschen Kirchenliedes entlehnt war, ist später weggelassen worden, und an ihre Stelle ist neuer Schund getreten. Wenn der Verfasser wenigstens alles einigermaßen Annehmbare weggelassen hätte, dann könnte man ihm das Zeugnis ausstellen, er habe eingesehen, daß dieses einigermaßen Gute nicht zu dem übrigen Schund passe; so aber kann man ihm nicht einmal dieses Zeugnis ausstellen. Man möge mir diese ironische Bemerkung nicht übel nehmen; denn *„difficile est satiram non scribere"*.

Dieses genüge, um den „Wert" der Sammlung zu beurteilen. Und dieselbe steht nicht etwa allein da; ich kenne z. B. mehr als ein halbes Dutzend anderer, die mit ihr wetteifern um die Palme der Unkirchlichkeit und Armseligkeit. Dieselben sind zumeist von Priestern oder Ordensgenossenschaften herausgegeben; namentlich die Schwestern von Notre Dame tun sich in unrühmlicher Weise dabei hervor; es sei noch bemerkt, daß gemäß einer Äußerung des Herausgebers von St. Basils Hymnal eine ganze Anzahl Schwestern verantwortlich sind für einen guten Teil dieses Werkes. Was sich Ordensschwestern in Amerika auf dem Gebiete der Kirchenmusik geleistet haben, verdient einen Ehrenplatz unter den Argumenten gegen die Frauenrechtler.

Über die Verbreitung dieses Schundes läßt sich ein Schluß ziehen aus der Vorrede zur dritten Auflage des St. Basils Hymnal. Demgemäß waren die beiden ersten Auflagen je zehntausend Exemplare stark. Nimmt man dieses als Grundlage für die Berechnung, so sind bis jetzt innerhalb zwanzig Jahren mehr als hunderttausend Exemplare abgesetzt worden. Das beste Absatzgebiet sind nach der Vorrede zur elften Auflage die Erziehungsanstalten in Kanada und den Staaten, die Kollegien und Pensionate besitzen, aus denen der gebildete Teil des Volkes hervorgeht.

Wie stellten sich nun die Bischöfe zu dergleichen Sammlungen? Sechs Kirchenfürsten, denen das St. Basils Hymnal unterbreitet wurde, haben dasselbe empfohlen; einige nennen es „ausgezeichnet"; Kardinal Gibbons sagt: „St. Basils Hymnal ist danach angelegt *(calculated)*, frommen Gesang zu fördern". Wie kommen diese Kirchenfürsten dazu, ein solches Sammelsurium zu empfehlen? Von wem und wie ist das Buch durchgelesen worden? Bei etwas Sachkenntnis und sorgfältiger Durchsicht wäre es nicht zu einer Empfehlung gekommen, im Gegenteil zu einem Verbot.

Mit diesen bischöflichen Empfehlungen und Approbationen wird überhaupt der reinste Unfug getrieben. Anstatt sich eine Empfehlung von einem Fachmann zu holen, wendet man sich an einen Bischof, der kaum eine Idee von Kirchenmusik hat; der Bischof sieht nichts als den guten Willen der Verfasser, und er möchte die guten Leute nicht beleidigen; er selbst findet nichts Ungeziemendes darin und hält es auch wohl kaum für nötig, einen Fachmann zu Rate zu ziehen. Kurzum, die Approbation wird gegeben, und dann segelt der Schund unter der Flagge der bischöflichen Approbation hinaus in die Pfarreien und Erziehungsanstalten; etwaigem Tadel wird dann entgegengehalten, ob man die Sache etwa besser verstehe als der Bischof. Dadurch wird aber die bischöfliche Autorität in den Augen der besser Unterrichteten herabgesetzt. Was muß denn der Leser einer musikalischen Zeitschrift denken, wenn ein Fachmann ein Buch, welches kirchlich approbiert ist, mit den schärfsten Worten verurteilt (vergl. „Aus der musikalischen Welt", New York, 15. Okt. 1907, S. 16). Ein weiterer Unfug besteht darin, daß Approbationen, die schon vor Jahren gegeben wurden, immer wieder abgedruckt werden; so gab z. B. Kardinal Gibbons seine Approbation zum St. Basils Hymnal im Jahre 1896; aber ganz ungeniert figuriert dieselbe auch weiter nach dem *Motu proprio*. Hätten jene Bischöfe solche Gesangbücher approbiert, würden sie dulden, daß mit ihrer Approbation ein solcher Unfug getrieben wird, wenn sie auch nur eine blasse Idee von Kirchenmusik hätten?

Und wie es in den Vereinigten Staaten und Kanada ausgesehen hat und großenteils noch aussieht, so ist es auch in vielen anderen Ländern. Man sehe sich nur z. B. viele französische Gesangbücher an; mir kam mal eines unter die Augen, welches als eine Musterleistung bezeichnet wurde; aber da hört alle Gemütlichkeit auf.

Was ist nun von solchen Kirchenfürsten nach dem Erscheinen des *Motu proprio* zu erwarten? Werden dieselben imstande sein, die Verordnungen desselben durchzuführen, z. B. eine Kommission von kompetenten Leuten zu diesem Zwecke zu ernennen? Das ist zum mindesten sehr zweifelhaft. Gewiß, in einigen Diözesen ist man ernstlich an der Arbeit; manche arbeiten mit einem wahren Heroismus, so z. B. die Herausgeber der *„Church Music"*. Aber das sind *„rari nantes in gurgite vasto"*. Einige Tatsachen mögen das beweisen. Von St. Basils Hymnal erschien im Jahre 1906 die zehnte Auflage; 1907 kam eine elfte Auflage in den Buchhandel; ob nicht noch eine folgte, kann ich leider nicht sagen; die Schwestern von Notre Dame veröffentlichten 1907 wieder eines ihrer Sammelsurien. Alle diese Werke tragen die bischöfliche Approbation, und nirgends ist man dem Schund so zu Leibe gerückt, wie er es verdient, auch nicht genug in kirchenmusikalischen Zeitschriften. So etwas zeigt zur Genüge die Indifferenz vieler kirchlichen Würdenträger.

Ein anderes Faktum. „*Church Music*", eine gediegene Zeitschrift, die die lebhafteste Unterstützung verdient, ging nach dem ersten Jahrgang schon an einen anderen Verleger über, um zu sehen, ob dieser nicht besseren finanziellen Erfolg erzielen werde. Aber noch vor Ende des zweiten Jahres erklärte der neue Verleger, daß die Zeitschrift trotz aller Anstrengungen sich nicht lohne. Dieselbe wäre eingegangen, hätte nicht der erste Verlag, die Dolphin Press in Philadelphia, um der guten Sache willen, das Unternehmen wieder aufgenommen. Dieser Heroismus der Dolphin Press verdient die größte Bewunderung; scharfer Tadel aber trifft die englisch redenden Katholiken Amerikas, daß so etwas passieren konnte.

Wenn man sich unter solchen Umständen auf die Bischöfe verlassen will, dann kann man noch lange warten, bis das *Motu proprio* durchgeführt ist. Von Rom aus muß Aufsicht geführt werden, ob die Bischöfe ernstlich an der Reform der Kirchenmusik arbeiten, ob sie kompetente Männer in die kirchenmusikalische Kommission berufen, ob sie den Mißbräuchen ernstlich zu Leibe rücken usw. Eine solche Oberaufsicht Roms ist auch schon wünschenswert aus dem Grunde, daß Einigkeit sei: sonst liegt die Gefahr vor, daß in einer Diözese etwas verboten wird, was in einer anderen erlaubt ist. Man liest hier und da, daß ein Bischof Sachen verbietet, die durch das *Motu proprio* erlaubt sind; so z. B. stand in „*Church Music*", Januar, 1908 zu lesen, daß der Kardinalerzbischof von Paris bei Begräbnissen nur mehr Choralgesang erlaube. Ob dergleichen Verordnungen gute Früchte bringen, ist jedenfalls zweifelhaft; den „allzu scharf macht schartig"; es gibt viel wichtigere Punkte, die ausgeführt werden müssen. Wie P. Ludwig Bonvin S. J. in der „*Voix de St. Gall*", Oktober 1907, sagt, hat man guten Willen gezeigt und Anstrengungen gemacht, aber es ist noch nicht viel erreicht, weil man sich mit nebensächlichen Dingen (z. B. Unterbringung von Chor und Orgel beim Altar) zuviel abgegeben hat und die Hauptsache, die Abschaffung unwürdiger Musik, vernachlässigte; dazu kümmere man sich vielfach nicht um die Verordnungen der Bischöfe.

Wer etwa eine solche Indifferenz von seiten der kirchlichen Oberhirten für nicht recht möglich hielte, ersehe dies aus einem Leitartikel des „Wanderers", der deutschen katholischen Zeitung von St. Paul. In der Nummer vom 20. Februar 1908 heißt es: „Wir sind ja hierzulande glücklich so weit, daß alle päpstlichen Weisungen in ganzen Staatengebieten vollständig ungehört verhallen. Wäre es nicht um die Leser katholischer Zeitungen — aber beileibe nicht aller katholischen Zeitungen! — so wüßten in den meisten Staaten die Katholiken weder etwas von den päpstlichen Verordnungen über die Kirchenmusik noch von dem Vorgehen des Heiligen Vaters wider den Modernismus". Wollte Gott, diese Behauptung wäre nicht richtig: aber der Redakteur des „Wanderer" ist ein verflixt wohlunterrichteter Mann.

Es sei noch bemerkt, daß in einigen ganz jungen Diözesen, die mehr Missionsgebiet sind, die Verhältnisse sehr schwierig sind; aber darum sind die anderen nicht zu entschuldigen. Auch spreche ich nur von den Zuständen unter den englisch redenden Katholiken.

Man wird es vielleicht unpassend finden, daß ich verschiedene Namen genannt habe. Nun denn, unter gewissen Umständen muß man sehr deutlich reden, so z. B. wenn irgendwo Unordnungen herrschen, und diejenigen, die daran schuld sind, keine Ahnung davon haben; da genügen keine allgemeinen Behauptungen; man muß auch ganz gehörig dreinfahren, damit die Leute aus ihren Illusionen aufwachen. Wenn es sich nicht um einen so wichtigen Punkt handelte, so müßte man lachen über die Naivität, die sich hier und da kundgibt. Ein solches Faktum bringt die Januarnummer von „*Church Music*". Ende 1907 wurde endlich in Boston eine kirchenmusikalische Kommission ernannt, und der Erzbischof Monsignore O' Connell stellte sich selbst an die Spitze derselben. Voll Freude schreibt „*Pilot*", ein katholisches Wochenblatt Bostons, am 21. Dezember 1907: „Eins ist sicher: die Reform der Kirchenmusik wird in der ganzen Erzdiözese Boston energisch betrieben werden. Alle des Hauses Gottes unwürdige Musik wird von dort verbannt werden. . . . Das Werk ist in guten Händen und der Erzbischof ist ein Meister der göttlichen Kunst." Was ist von dieser hochtrabenden Prophezeiung zu halten? Ein anderes Faktum möge uns das lehren. Im selben Jahre 1907 erschien bei Oliver Ditson Co. in Boston wieder so eine nichtswürdige Liedersammlung, herausgegeben von den Schwestern von Notre Dame unter dem Titel: „Sunday School Hymnn Book", Gesangbuch für Sonntagschulen, und dieser Schund erhielt die kirchliche Approbation in Boston. Diese Approbation nun läßt die Meisterschaft Monsignore O' Connels in einem sehr zweifelhaften Lichte erscheinen. Vielleicht war Monsignore O' Connell um jene Zeit noch nicht Erzbischof; aber auf jeden Fall war er schon Koadjutor mit dem Rechte der Nachfolge, und wenn er ein solcher Meister in der heiligen Kunst ist, wie jenes Blatt behauptet, so läßt es sich einfach nicht erklären, wie die in Frage stehende Liedersammlung approbiert werden konnte. Aller Wahrscheinlichkeit nach existiert die Meisterschaft Monsignore O' Connells nur im Kopfe jenes Zeitungsschreibers, dessen Versicherungen nichts anders sind als hohle Phrasen, die so oft gebraucht werden, um die Leute über die rauhe Wirklichkeit zu täuschen.

Gewiß, Monsignore O' Connell mag die besten Absichten haben; aber was ist damit geholfen? Kardinal Gibbons hatte auch die besten Absichten, als er das St. Basils Hymnal approbierte; aber gerade sein Beispiel zeigt, welches Unheil folgen kann, wenn hochgestellte Persönlichkeiten über Sachen urteilen, über welche sie nicht urteilen können; denn mit seiner Empfehlung brüstet sich das St. Basils Hymnal am meisten.

Noch einmal: so wie die Verhältnisse sind, kann die Durchführung der kirchenmusikalischen Reform nicht ohne weiteres in die Hände der Bischöfe gelegt werden; Rom selbst muß da eingreifen und eine ins einzelne gehende Aufsicht führen.

Regina, Sask., 7. März 1908. P. Petrus Habets, O. M. J.

---

## Rundschau der deutschen kirchenmusikalischen Zeitschriften von Januar mit März 1908.

1. **Cäcilia.** (Breslau.) Nr. 1. Durch welche Mittel kann der Organist, Kantor und Chordirigent die für seinen verantwortungsvollen Beruf so notwendige Frische gewinnen und bewahren? — Zur Notiz. — Kirchenmusik im Lehrerseminar Pilchowitz. — Nr. 2. Predigt. — Das erste Fazit. — Die Vatikanische Choralausgabe und das Missale. — Nr. 3. Der Chordirigent in der Praxis. Worauf hat er sein Augenmerk besonders zu richten? — Bericht über Neuaufführungen des Greisauer Kirchenchores. — Rezensionen (in jeder Nummer).

2. **Cäcilia.** (Straßburg.) Nr. 1. Der Cäcilia silbernes Jubeljahr. (Von X. M.) — Neujahrsgruß. (Von M. C.) — *Esquisse historique de l' oeuvre de la Sainte Cécile de diocèse de Strasbourg.* (Von L. T.) Fortsetzung in Nr. 2 und 3. — Generalbericht. (Von E. Sigrist.) Fortsetzung in Nr. 3. — Ein Palestrinadenkmal. (Von X. M.) — Nr. 2. Ch. Hamm und die Straßburger „Cäcilia" (1884—1897). (Von X. M.) — Lobsinget dem Herrn! (Von M. C.) — Die St. Thomas-Antiphon *O gloriose.* (Von X. M.) — Ist echte Kirchenmusik auch echte Kunst? (Von C. Dussourd.) Wird fortgesetzt. — Nr. 3. Du Schmerzensreiche, bitt für mich! (Gedicht von M. C.) — Das Vatikanische Graduale. — Das neue „Kirchenmusikalische Jahrbuch". (Von X. M.) — Korrespondenz und Vereinschronik der Diözesan-Cäcilienvereine Straßburg und Metz; Varia; Bibliographie; Zeitschriftenschau (in jeder Nummer).

3. **Der Chorwächter.** Nr. 1. Das deutsche Kirchenlied und der kirchliche Volksgesang. (Von A. W.) Fortsetzung in Nr. 2 und 3. — Die Orgel. (Aus dem Herderschen Konversationslexikon.) — Nr. 2. † Stiftskaplan Fridolin Jakober. — Interludium: „Was muß der Sterbende zurücklassen, was wird er mitnehmen? — Nr. 3. Einige Gedanken über Chorproben. (Aus „Gregoriusblatt".) — 33. Band von Palestrinas Werken und neue Subskription. — Rundschau; Vereinsnachrichten; Besprechungen (in jeder Nummer).

4. **Gregorianische Rundschau.** Nr. 1. *Decretum de typica editione Vaticana Gradualis Romani.* — Nachtridentinische kirchenmusikalische Literatur. (Von Jos. Mantuani.) Fortsetzung in Nr. 2 und 3. — Das Meßformular *in die circumcisionis Domini.* (Von P. Hildebrand Waagen, O. S. B.) — Die Orgelwerke der Benediktinerabtei Seckau. (Von Dr. Hugo Schlösser.) — Erinnerungen an Mozart. — Nr. 2. Neuausgabe von Coussemaker. — Zu den Choral-Wiegendrucken Schwedens. (Von Dr. Hermann Müller.) — Die *Dimissio* des *Alleluja.* (Von Hildebrand Waagen, O. S. B.) — Nachklänge zum Rafaelsfeste 1907 in der Stiftskirche zu Seckau. — Nr. 3. Die elektropneumatische Orgelanlage der Benediktinerabtei Seckau. — Die Prozession des Palmsonntags und ihre Gesänge. — Ein Denkmal für Palestrina. — † P. M. Beck, O. S. B. — Literarisches; Berichte und Korrespondenzen; Besprechungen (in jeder Nummer).

5. **Gregoriusblatt.** Nr. 1. Praktische Winke. — Das Gradualresponsorium *Posuisti Domine.* (Von P. Bohn.) — Die neue Orgel in der katholischen Pfarrkirche zu Brühl am Rhein. — Nr. 2. Über das Rezitieren liturgischer Gesänge. (Von L. Bonvin, aus Cäcilienvereinsorgan.) — Neue musikalische Regeln. (Aus der Wiener „Neuen musikalischen Presse".) — Gewissenserforschung. — Pierluigi da Palestrinas Werke. — Nr. 3. Was hat ein junger Organist, Kantor und Chordirigent bei seinem ersten Dienstantritt zu beachten? (Von A. Gebauer in Liebenthal.) — Über Heiserkeit. (Von Dr. Lauffs, Paderborn.) — Kritische Referate; Vermischte Mitteilungen; Zeitschriftenschau (in jeder Nummer).

Gregoriusbote. Nr. 1. Der vierte Sonntag nach Epiphanie. (Gedicht.) — Eine kirchenmusikalische Festpredigt. (Von Dr. W. Widmann aus *Musica sacra*). — Orgel, Gemeinde, Familie. — Der Segen des Johannesweines. — Nr. 2. Sonntag Septuagesima. (Gedicht.) — Wie soll der Chorsänger bei seinem Gesang in den Geist der Kirche eingehen? (Vortrag, gehalten in den Konferenzen für den Eichstätter Domchor am 16. Febr. 1907.) Schluß in Nr. 3. — St. Joseph der Tröster. (Gedicht von P. G. M. Dreves), a) für 4 gemischte Stimmen; b) für 4 Männerstimmen, in Nr. 3 für 2 gleiche Stimmen mit Orgelbegleitung, von W. Schöllgen. — Wie soll's anders werden? (Von Ant. Hauser.) — Kalte Fahrten. — Nr. 3. Am Feste des heil. Joseph. (Gedicht.) — Etwas vom Palmsonntag. — Merkregeln für den Chorsänger. (Nach dem Schutzengelbrief, Nr. 45, L. Auer, Donauwörth.) — Senor San José. — Nachrichten aus dem Cäcilienverein; Miszellen; Kirchenkalender für den betreffenden Monat (in jeder Nummer).

6. **Der Kirchenchor.** Nr. 1. Das Fahrrad. Eine Neujahrsbetrachtung. (Von Dr. W. Widmann.) — Die Schelde. Romantisch-historisches Oratorium in 3 Teilen von Peter Benoit. (Von Dr. W. Widmann.) — Musikalisches aus der Votivkirche in Wien. (Von R. Glickh.) — Die Generalversammlung des oberösterreichischen Diözesancäcilienvereins. — Verstimmte Instrumente im Münster zu Straßburg. — Nr. 2. Kirchliche Musik. (Schluß in Nr. 3.) — Kirchenmusikalische Praxis in Italien. — Nr. 3. Kirchenmusik. — Konzertaufführungen. — Die Berliner Madrigalvereinigung. — Besprechungen; Vermischtes (in jeder Nummer).

7. **Der katholische Kirchensänger.** Nr. 1. Bau, Klang und Gebrauch der Mixtur. (Von K. A. R . . . . r.) Schluß in Nr. 2. — Meine Privat-Kirchenmusikschule. (Diebold.) — Der Schlußband von Herders Konversationslexikon. — Nr. 2. Kunstwert des Chorales. (Aus einem Vortrag von A. Birkle.) — Briefe aus Beuron. — Nr. 3. Die Gesänge des *Missale Romanum* und die *Vaticana*. — Römische Tonkunst. Fortsetzung. Palestrinas Werke. — Die Tonkunst in Japan. — Nachrichten; Vereinssachen; Quodlibet; Literatur; Kirchenmusikalische Fachschriften (in jeder Nummer).

8. **Die Kirchenmusik.** (Paderborn.) Nr. 1. Kirchliche Gebräuche an den Festen der heiligen Weihnachtszeit im Stifte Essen. (Von Franz Arens in Essen a. d. Ruhr.) — Die *Editio Vaticana*. (Von H. Bewerunge.) — Mittelalterliche Musiktraktate. (Von Dr. Hermann Müller.) — Ein Anliegen der Musikbibliographie: Zur Glockenkunde; Zum *Te Deum*: Vom deutschen Kirchengesange. — Nr. 2. Die alten Tonarten. (Von Dr. Richard Kralik in Wien.) — Eine neue Geschichte der Musik im Mittelalter. (Von K. Ott.) — Zur Hebung des Volksliedes und des Volksgesanges. (Von H. Eschelbach in Bonn a. Rh. — In Sachen der Vatikanischen Choralausgabe; *Reliquiae graecae*: Zum *Gloria*; *Kyriale parvum*; Vom Hofe der Cölner Kurfürsten in Bonn. — Nr. 3. *Inviolata*, der älteste Marientropus im Brevier. — Geschichte des Textes und der Melodie. Von Cl. Blume, S. J. in München. — Das *Gloria in excelsis* der Simplexfeste und das *Gloria XII* der Vatikanischen Ausgabe. (Von K. Ott.) — Zum ersten Teile des *Proprium de tempore* der Vatikanischen Choralausgabe. (Von Dr. H. Müller.) — In Sachen der Vatikanischen Choralausgabe; Johannes Weirich 1793—1855; David Köhler; Aus der musikalischen Welt; Besprechungen; Vom Diözesan-Cäcilienverein Paderborn; Mitteilungen (in jeder Nummer).

## Vermischte Nachrichten und Notizen.

1. ☐ **Tournai** (Belgien). Gerade sind es 20 Jahre, daß Edgar Tinel mit seinem Oratorium „Franziskus“ in die Reihe der ersten zeitgenössischen Komponisten sich einstellte. Der berühmte Meister, ehe er sein Werk in Mecheln zum ersten Male aufführte, sandte dasselbe — so erzählte er mir eines Tages — zwei Männern zur Beurteilung, die er hoch schätzte: Eduard Stehle in St. Gallen und P. T. Schmid S. J.; jener damals schon in Kirchenmusik einer der besten Meister, dieser bekannt als tüchtiger und feinsinniger Kunstkritiker. Beide zögerten nicht, das Oratorium als ein Meisterwerk zu bezeichnen, Stehle versicherte demselben einen Triumphzug — heute bestätigt, P. Schmid schrieb in „Stimmen von Maria Laach“ eine Studie, die noch heute zum Besten gilt, was je über „Franziskus“ geschrieben worden ist. — In Brüssel kam das Werk nach seinem Erscheinen 4 mal zur Aufführung, verfiel aber darauf in Belgien sozusagen in Vergessenheit, wovon die Schwierigkeit der Aufführung der Hauptgrund ist. Vorvergangenen Herbst wurde in Mecheln das Jubiläum Tinels als Direktor der Kirchenmusikschule festlich begangen und alsdann wurde eine Aufführung seines Lieblingswerkes beschlossen. In Belgien aber ist nur die eine Musikgesellschaft in Tournai — wie Tinel selbst erklärte — dem Werke gewachsen. Vor zwei Jahren habe ich hier die großen Verdienste dieser ersten und besten Chorvereinigung Belgiens bekannt gemacht und von einer unvergeßlichen Aufführung der „Seligkeiten“ von César Franck berichtet. Heute kommt mir die Aufgabe zu, von der grandiosen Manifestation belgischer Nationalkunst vom 22. März zu berichten. Daß die ersten Musiker des ganzen Landes, nach dem „belgischem Bayreuth“ gepilgert sind, ist selbstverständlich. Zwei Wochen vor dem Konzerte waren alle Plätze vergeben! — Das Libretto von „Franziskus“ ist allzusehr bekannt, als daß ich dasselbe zu erörtern hätte. Was Tournai vor allem erstklassisch macht, ist der Chor. Er zählt 320 Sänger; in diesem Oratorium hat der Gesangspart keine leichte Aufgabe, Tinel will eben gar keine Schwierigkeiten anerkennen! Es finden sich in seinen Chören oft fremdartige und ungewohnte Harmonien, der Satz ist recht oft widerspenstig und stimmwidrig, seine Melodik und thematische Arbeit mühsam fließend und haben mehr instrumentalen als vokalen Charakter. Im Orchester dagegen findet sich eine wahre Prachtentfaltung und diese macht die Länge des Werkes ertragbar. Der Dirigent Herr H. De Loose hat mit seinem Chore bewiesen, daß er fähig ist den höchsten Anforderungen nachzukommen; man weiß nicht was mehr zu bewundern, die rhythmische Sicherheit, das Ensemble oder die einzelnen Chöre im besondern. Für den Totenchor *„Lux aeterna“* hätte ich schon die italienische Aussprache vor-

gezogen, ebenso von der Himmelsstimme den Namen des Heiligen, den sie wohl mit Recht nicht französisch sang. In der Erzdiözese Mecheln ist ja die viel klangschönere Aussprache allgemein eingeführt. Die Frauenchöre, die ganz besonders strotzen von Schwierigkeiten aller Arten, hatten einige Schwächen — unvermeidliche Konsequenz von Müdigkeit; in der Hauptprobe, des Abends spät zuvor, waren die Stimmen tadellos. Drei volle Stunden aushalten in einem vollgepropften, von Gas und Sonne erwärmten Saale und im Fieber der Aufregung und der Begeisterung, da scheitert die menschliche Schwäche an dieser unvermeidlichen Klippe! Gegen deutschen Gebrauch wurde in Tournai das Werk ohne eine einzige Kürzung gegeben; die symbolisierenden und allegorischen Sätze werden gewöhnlich übergangen, z. B. München, Stuttgart, Zürich etc. (in Regensburg wurde nicht gekürzt; siehe Cäcilienvereinsorgan Seite 51. Die Redaktion). Aber mit Unrecht; so war der Chor der „Höllengeister" mit seiner fulguranten Orchestrierung eine wahre Prachtleistung, wohl auch ein tüchtiges Stück Arbeit für die Sänger. Die Männerstimmen überhaupt hielten sich frisch und zäh bis zum Schlusse. Bessere Solisten, wenigstens von Seite der Männerstimmen, zu finden, ist wohl kaum möglich. Herr Plamondon ist ein Ideal — „Franziskus"! er sang ihn so lieblich, so angenehm, so keusch, so überirdisch, frei von jeglicher theatralischer Schlacke, daß man seiner gar nicht müde werden konnte.

In der Todesszene sang er so ergreifend, daß man erst aufzuatmen wagte, als er sein „ich komme" beendigt hatte. Herr De La Cruz-Fröhlich sang mit seiner allüberall anerkannten und bewunderten klassischen Diktion die Rollen „des Gastherrn", „des Turmwächters" und „des Genius des Krieges". Frau Auguez de Mantalant hatte die schwierige Rolle der „Himmelsstimme" zu interpretieren und diejenige des Genius der Hoffnung und der Liebe". Ohne Zweifel sang sie mit Ausdruck, aber war nicht auf der Höhe der beiden vorhin erwähnten Solisten. Das Orchester bestand aus ungefähr 100 Mann, 4 Harfen und Orgel. Im allgemeinen spielte es gut, zuweilen fehlten wohl die notwendigen Pianos, besonders hätte die Bemerkung des Komponisten in der Solistenprobe: „das Orchester hat die Himmelsstimme nur zu begleiten und jeder Instrumentalist sollte den Gesang derselben deutlich vernehmen" besser befolgt werden sollen. Wo aber findet man denn nicht bei Wiedergabe eines so bedeutenden Werkes kleine Schwächen und Gebrechen? Davon haben Sachverständige nur zur Genüge Erfahrung. Am Schlusse des Konzertes unter dem Klange der Trompeten machte der ganze Saal eine wahrhaftig stürmische Ovation Meister Tinel, der nicht wenig gerührt war. Er dankte in erster Linie dem tüchtigen und unermüdlichen Dirigenten, dem ja das Hauptverdienst der Tagesleistung zukam, dem Chore, den Solisten und dem Orchester. Abends kehrte man mit einer gewissen Scham und Traurigkeit in die Kapitale Belgiens zurück, wo aus Mangel an Gesangskräften der ernste Musiker sozusagen niemals sich an einem solchen noblen und künstlerischen Genusse erlaben kann. Solche hohe Ideale sind dem materiellen Großstädtler unbekannt. Nächste Saison hoffe ich über eine Première in französischer Sprache berichten zu können. Die Musikgesellschaft von Tournai hat ihre Beweise gegeben; nun kann sie alles wagen!

Brüssel. P. Adolphe Locher, S. S. S., Organist.

2. + **Amsterdam.** Am Charfreitag veranstaltete Anton Averkamp die 38. Aufführung geistlicher Kompositionen mit folgendem Programm: 1. *Missa pro defunctis* von Tomas Luis de Vittoria. 2. Zwei Responsorien: *(Tristis est* und *Tenebrae factae sunt)* von Marcantonio Ingegneri. 3. *In monte Oliveti* von Orlando di Lasso. 4. Die Improperien von Pierluigi da Palestrina. 5. Zwei Choräle von Joh. Seb. Bach (Wer hat dich so geschlagen und In meines Herzens Grunde).

3. ☐ **Leipzig.** Am Sonntag, den 17. Mai d. J. wird in Leipzig das Seffnersche Bachdenkmal enthüllt werden. Zu dieser feierlichen Begebenheit ist ein dreitägiges Musikfest in den Tagen vom 16.—18. Mai geplant, dessen Programme den Werken Bachs gewidmet sind. Der allgemeine Festplan lautet: 16. Mai, nachmittags ½2 Uhr: Festmotette in der Thomaskirche; abends ¼8 Uhr: I. Kirchenkonzert in der Thomaskirche: Kantaten und *Magnificat.* 17. Mai, früh ½10 Uhr: Festgottesdienst in der Thomaskirche mit Anwendung der Bachschen Liturgie, daran anschließend die Enthüllung des Denkmals; abends ½8 Uhr: Kammermusik im Saale des Gewandhauses. 18. Mai, nachmittags und abends: II. Kirchenkonzert in der Thomaskirche: Strichlose Aufführung der Matthäus-Passion. 1. Teil von ¼4–6 Uhr, 2. Teil von 8 bis nach 10 Uhr. Festdirigenten sind die Herren Gustav Schreck, Kantor zu St. Thomae und Karl Straube, Leiter des Bachvereins. Eine Reihe der bedeutendsten Künstler der Gegenwart haben ihre Mitwirkung zu diesem Feste bestimmt zugesagt. Am Vorabend zum Feste wird der Baseler Münsterorganist, Herr Adolf Hamm, ein Orgelkonzert mit ausschließlich Bachschen Kompositionen in der Thomaskirche geben. Meldungen zur Teilnahme an diesem Fest sind an die Firma Breitkopf & Härtel, Leipzig, Nürnbergerstr. 36 zu richten.

4. † **Ellwangen**, 16. April. Der hiesige Stiftschor hatte im verflossenen Jahre zwei Messen mit Orchester, von Mitterer und Goller, eine mit Orgel von Haller und verschiedene Motetten neu einstudiert, im Cäcilienkonzert das Oratorium „Cäcilia" von Stehle und am letzten Palmsonntag „das Abendmahl" von P. Hartmann mit Orgel- und Orchesterbegleitung, letzteres in der Kirche bei sehr zahlreichem Besuche von hier und Umgebung, beide Werke mit lauter hiesigen Solisten zur Aufführung gebracht. — Letzten Sommer machte er unter Führung von Stadtpfarrer Fuchs einen größeren Ausflug nach Heidelberg, Mannheim, Speier, teilweise nach Worms, Mainz, Wiesbaden, Bingen, Koblenz, Frankfurt, Würzburg, der allen Teilnehmern unvergeßlich bleiben wird.

5. × Die Redaktion des „St. Gregoriusblad", das im 33. Jahrgang steht und in der Druckerei des St. Jakobs-Gotteshauses in Haarlem erscheint, haben nach dem Tode von Monsignore Lans die Hochwürd. Herren W. P. H. Jansen, Pastor in Beemster und J. A. S. van Schaik, Präsident in Culemborg, der erste als Haupt-, der letzte als Mitredakteur übernommen. (Glück auf, den beiden ehemaligen Schülern! Die Redaktion.)

6. ♃ **Karl Locher**, ein schweizerischer Orgelschriftsteller. Da Karl Lochers, des trefflichen Berner Organisten vom Allgemeinen Cäcilienverein w a r m  e m p f o h l e n e Schrift: „Die Orgelregister und ihre Klangfarben“ kürzlich in der neunten Sprache erschienen ist (zu den Übersetzungen ins Französische, Englische, Holländische, Finnländische, Spanische, Dänische hat sich eine italienische gesellt) dürften einige Notizen über den Autor am Platze und unsern Musikfreunden willkommen sein.

Karl Locher, geboren 3. November 1843 in Bern, Schüler von Johann Rudolf Weber, dem sogenannten „Sängervater“ und Ad. Reichel (Kontrapunkt) gab schon 1860 sein erstes öffentliches Orgelkonzert in Neuenburg, dem bald ein zweites und drittes im Berner Münster folgten. Zahlreiche Konzerte in allen größeren Schweizerstädten schlossen sich an, wie Locher denn auch in Deutschland, Frankreich, Rußland aufs erfolgreichste auftrat. Im Jahre 1896 gab er aus Gesundheitsrücksichten den regelmäßigen Organistendienst auf, beteiligte sich aber weiterhin an Orgelkollaudationen und Wohltätigkeitskonzerten.

Karl Lochers Haupttätigkeit bezog sich von jeher auf die Erforschung der Orgelklangfarben und die Orgelexpertisen und schon im Jahre 1862 wurde er zu einer solchen berufen. Die Liebe zur Orgelwissenschaft war es, die ihn unter persönlicher Anregung und Aufmunterung des großen Physikers und Physiologen Hermann von Helmholtz zur Ausarbeitung seines obenerwähnten Werkes „Die Orgelregister und ihre Klangfarben“ veranlaßte, welches den Namen Karl Lochers in ganz Europa bekannt machte und sogar in der Braille-Blindenschrift erschien. Dem Verfasser wurden eine Menge Auszeichnungen zu teil, so vom Deutschen Kaiserpaar, von der Königin Margerita von Italien, selbst einer tüchtigen Orgelspielerin, dem Kaiser von Österreich, dem König von Schweden sowie den Kultusministerien verschiedener Staaten und von namhaften Orgelpädagogen, Physikern und Physiologen. Helmholtz insbesondere hat bis an sein Lebensende für Lochers orgelwissenschaftliche Fachschrift und ihren Autor das lebhafteste Interesse an den Tag gelegt. („Schweizerische Musikzeitung“, Nr. 6.)

A. N.

7. ⊙ **Oratorium Elias von Mendelssohn in Neustadt a. D.** In seinen Erinnerungen: „Sonnige Tage“ nennt der bekannte Freiburger Schriftsteller Hansjakob Neustadt a. D. eine Totenstadt. Freilich ist auch in dieser Stadt, seitdem sie der eiserne Weg mit anderen kleineren und größeren Städten verbindet, das frühere Verkehrsleben auf den Straßen und Plätzen verschwunden. An Stelle dieses äußeren Verkehres hat sich aber besonders in den letzten Jahrzehnten ein inneres, ideales Verkehrsleben und zwar in musikalischer Hinsicht entwickelt durch die Tätigkeit zweier Gesangskörper, welche auf Geist und Herz der Gemeinde bereits mächtig eingewirkt und neues Leben in die anscheinend tote Stadt gebracht haben: Das ist der Kirchenchor und der Liederkranz. Aber auch diese beiden Vereinigungen brauchen eine gespannte Triebfeder, welche sie in stetem Pulsieren erhält und vor Erschlaffung bewahrt. Dafür sorgt nun seit einer Reihe von Jahren der für edle Musik hochbegeisterte, Hochwürd. Herr Stadtpfarrer Adalbert Reichenwaller, der gleichsam von der Picke auf dieser Kunst gedient, sie geübt und gepflegt hat und zwar als Student in Metten, als Alumnus im Klerikalseminar, als Inspektor eines Erziehungsinstitutes und jetzt als Pfarrvorstand. Hat er sich bei Übernahme der Pfarrei Neustadt anfangs gleich Mühe gegeben, für würdige Musik in seinem Gotteshause durch Besuch der Proben, Ankauf von Musikalien, Bau einer neuen Orgel zu sorgen, so hat er es vor 3 Jahren mit seinen musikalischen Pfarrkindern, die er teilweise selbst zu Sängern herangebildet hat, durch immer wachsende Begeisterung und Energie soweit gebracht, daß er an die Aufführung eines Oratoriums heranzutreten sich wagte. Frisch gewagt war halb gewonnen. Durch sechsmonatliches Schaffen, Proben und Studieren, war die Perle der Oratorien „Die Schöpfung“ von Haydn auf das Sängerpodium zur Vorführung gehoben (Osterwoche 1906), wahrlich ein Schöpfungswerk des Hochwürd. Herrn Stadtpfarrers, das ihm heute noch zur größten Ehre gereicht und worauf Neustadt immerdar stolz sein darf. Die damaligen Zeitungsberichte waren voll des Lobes. Durch diesen schönen Erfolg ermutigt wurde sofort der Entschluß gefaßt, im nächsten Frühjahre (1907) die „Jahreszeiten“ des Altmeisters Haydn zur Aufführung zu bringen. Durch Beherzigung des Verses *Gutta cavat lapidem, non vi, sed saepe cadendo* (S t e t e r  T r o p f e n höhlt den Stein) wurden allmählich auch die Schwierigkeiten d i e s e s Werkes überwunden. Und ebenso sicher wie im Vorjahre schritt der Leiter mit seinem Chore zur Durchführung dieser grandiosen Komposition.

Und neue Lorbeeren aufrichtiger Anerkennung waren der Lohn zielbewußter, aber schwerer Arbeit, welcher sich die Sanges- und Musikkräfte Neustadt in Liebe und Ausdauer unterzogen. Liebe und Lust sind immer die Fittige zu großen Taten. Herr Stadtpfarrer verstand es, Liebe und Lust zu solchen außergewöhnlichen Leistungen unter seinen Sängern und Musikern zu erhalten und sie neuerdings zu animieren zur Inangriffnahme und Einstudierung eines Werkes, welches sich den bereits Vorgeführten ebenbürtig anreihen dürfte, nämlich des Oratoriums „Elias“ von Mendelssohn. Wenn man die vorausgegangenen Übungen für die „Schöpfung“ und für die „Jahreszeiten“ berücksichtigt, dann weiß man nicht, wem man mehr Bewunderung zollen soll, dem Dirigenten oder dem Chore und Musikpersonal, welche sich zum dritten Male an die Einübung eines berühmten Werkes hingaben. Während der Herbst- und Wintermonate wurde wieder fleißig und regelmäßig im Pfarrhofe zu Neustadt geübt. Einige Wochen vor Ostern ergingen bereits die Einladungen zur Aufführung des Elias, welche auch am 23. und 26. April stattfand. Wie zu den beiden anderen Werken waren auch zu diesem Solokräfte gewonnen, welche stimmlich und technisch den Partien gewachsen waren, 2 Damen aus München, Fräulein Schnell-Sopran und Fräulein Kreuzeder-Alt und 2 Herren aus Regensburg Herr Lehrer Binapfl-Tenor und Herr Oberlehrer Großmann-Baß. Der Sängerchor zählte 14 Sopran-, 15 Alt-, 16 Tenor- und 18 Baßstimmen. Das volle Orchester zu stellen oder zu engangieren ist nicht möglich. Erstens fehlte dazu ein proportionierter Sängerchor, zweitens der Platz im Aufführungsraum, drittens das Geld, um auswärtige Musiker für Flöte, Klarinette, Oboe, Horn etc. zu Proben und Aufführung herbeizuziehen. Hochwürd. Herr Stadtpfarrer stellte sich mit Rücksicht auf Chor, Raum und Ausgaben sein Orchester selbst zusammen, indem er neben dem mehrfach besetzten Streichquintett, welches aus den Originalstimmen spielte, Klavier und Harmonium teils als ergänzende teils als begleitende Instrumente, abwechselnd bei Rezitationen und Arien, im Ensemble bei den Chören beschäftigte, den Klavierauszug darnach einteilend. Diese Besetzung reichte dem Chore gegenüber aus, nur hätten Viola, Cello und Baß noch stärker besetzt sein (wenigstens zweifach) dürfen.

Was nun die Durchführung anbelangt, so kann man damit sehr zufrieden sein. Die Solisten haben ihre Aufgabe mit Hingabe, Sicherheit und edler Tongabe gelöst. Die vier Stimmen waren charakteristisch gefärbt — dem weichen hohen Sopran stand eine ausgiebige, tiefe Altstimme, dem energischen Tenor ein ebenso kräftiger, voller Baß gegenüber. Diese registerartige Färbung wirkte namentlich beim Soloquartett ausgezeichnet. Die Sänger im Chore, gaben sich ihrer Aufgabe, wie man aus den Gesichtern absehen konnte, mit Begeisterung und Aufmerksamkeit hin und brachten die mitunter schwierigen Chöre, die durch die gewissenhaften Proben in Fleisch und Blut übergingen, wirkungsvoll zu Gehör. Mit Akkuratesse und feinem, musikalischen Gefühl schmiegte sich Klavier (Herr Dr. Diehl) und Harmonium (Herr Lehrer Crusilla) dem Ganzen an und hoben die Stimmung und Wirkung sowohl beim Solo als auch bei den Chorsätzen. Das kleine Orchester half soviel in seinen Kräften stand, mit größtem Eifer zum Gelingen des Werkes mit. Gelungen war die 1. Aufführung, der Unterzeichneter beiwohnte, in einzelnen Teilen noch besser die 2. am Weißen Sonntag. Hochwürd. Herr Stadtpfarrer hat sich zur Aufführung des „Elias" zwei sehr passende Tage ausgewählt. Wie hätte er sein Namensfest — Albert, am 22. April und den Weißen Sonntag großartiger feiern können? Andererseits aber waren auch die Osterferien geeignet, um Interessenten aus der nächsten und weiteren Umgebung Stunden der edelsten Erholung und idealsten Genusses zu bieten. Mit allen Zuhörern danken wir nochmals dem unermüdlichen Dirigenten, Herrn Stadtpfarrer, seiner willigen Sängerschar und den übrigen freiwillig Mitwirkenden! Jedes aus ihnen mußte große Opfer zur Erreichung des Zieles bringen. Das kann nur der beurteilen, welcher selbst in einer Sängerwerkstätte zu arbeiten hat. Darum alle Hochachtung und Anerkennung allen Solisten, Choristen und Musizisten, welche mit solcher Einmütigkeit ihrem hochgeschätzten Leiter folgten, der neben dem materiellen Gewinne dieser Wohltätigkeitskonzerte — der Reingewinn wird dem Knabenerziehungshaus zugewendet — nur die reine Absicht verfolgt, Musikübende und Musikliebende in seinem Wirkungskreise mit den unverwelklichen Geistesprodukten unserer unsterblichen deutschen Meister vertraut zu machen, leichtfertige Musik dadurch zu verdrängen, weiteren Kreisen zu beweisen, daß auch mit kleinem Apparate eine befriedigende Aufführung der Oratorien möglich ist und schließlich seinen Kirchenchor von Jahr zu Jahr zu rekrutieren, ihn auf der Höhe zu erhalten und dem Gotteshause eine würdige Musik zu sichern. Weitere Gedanken, die aus diesen Zeilen noch gezogen werden könnten, überlasse ich der Meditation der Leser. *Vivat* noch lange der bewunderungswürdige Pfarrherr, *floreat* der wackeren Sängerchor, *crescat* die unzureichende Tonhalle!

F. X. Engelhart, Domkapellmeister.

8. * **Dr. Fr. X. Mathias**, Privatdozent an der katholischen theologischen Fakultät in Straßburg, Domorganist und Redakteur der „Cäcilia", ist am 10. März d. J. durch den Hochwürd. Herrn Bischof zum Regens des Priesterseminars ernannt worden. Die herzlichsten Glückwünsche von Seite der Redaktion des Cäcilienvereinsorgans!

9. **Inhaltsübersicht von Nr. 5 der *Musica sacra*:** Neu und früher erschienene Kirchenkompositionen: I. Jos. Deschermeier; Stefan Fervo; Heinrich Götze; K. Greith; Mich. Haller; Max Hohnerlein; A. Tonizzo. II. C. S. Calegari; Joh. Diebold; M. J. Erb; L. Huber; Viktor Kotalla; A. Jos. Monar; Gustav F. Selle; Joh. Singenberger; Gius. Terrabugio; Wilhelm Wilden. — *Liturgica:* Die Leichengesänge in Vergangenheit und Gegenwart. Von Dr. Andreas Schmid. (Schluß.) Kirchenmusikalisches aus den Vereinigten Staaten Nordamerikas. Von P. L. Bonvin. (Schluß.) — Vom Musikalien- und Büchermarkte: II. Bücher und Broschüren: Hugo Goldschmidt; Dr. Karl Weinmann, 21. Jahrgang des kirchenmusikalischen Jahrbuches; Naumann-Dr. Eugen Schmitz; Jos. Ant. Pierard; W. Schönen; Erich Kloß; P. Alfons Weinrich-Friedrich Spee. — Vermischte Nachrichten und Mitteilungen: Landshut, Neue Orgel; Leipzig, Riedelvereins-Konzert; St. Gallen, Aufführung von Diebolds „Meer" durch den Domchor: Musikbeilage betr.; Inhaltsübersicht von Nr. 4 des Cäcilienvereinsorgans. — Anzeigenblatt Nr. 5. — Musikbeilage: Partitur des Motettes und der 6stimmigen Messe *Beatus vir qui intelligit* von Orlando di Lasso-Dr. Widmann.

---

Druck und Expedition der Firma **Friedrich Pustet** in Regensburg.
**Nebst Anzeigenblatt**
sowie Cäcilienvereins-Katalog, 5. Band, Seite 145–152, Nr. 3578a–3588.

1908. Regensburg, 15. Juni 1908. Nro. 6.

# Cäcilienvereinsorgan.

43. Jahrgang
der von Dr. Franz Xaver Witt († 2. Dez. 1888) begründeten Monatschrift

# Fliegende Blätter für kath. Kirchenmusik.

Verlag und Eigentum des Allgemeinen Cäcilienvereins zur Förderung der kathol. Kirchenmusik auf Grund des päpstlichen Breve vom 16. Dezember 1870.
Verantwortlicher Herausgeber: Dr. Franz Xaver Haberl, z. Z. Generalpräses des Vereins.

Erscheint am 15. jeden Monats mit je 10 Seiten Text inkl. des Cäcilienvereins-Kataloges. — Abonnement für den ganzen Jahrgang, inkl. des Vereinskataloges 2 Mk., einzelne Nummern ohne Vereinskatalogbeilage 30 Pf. Die Bestellung kann bei jeder Post oder Buchhandlung gemacht werden.
Inserate, welche man rechtzeitig an die Expedition einsenden wolle, werden mit 20 Pf. für die 1spaltige und 40 Pf. für die 2spaltige (durchlaufende) Petitzeile berechnet.



## Ein Vorschlag.

Dieser Tage erzählte mir ein tüchtiger, strebsamer Dirigent, daß er in einer Großstadt mit Beifall ein Konzert geleitet habe mit zwölf Nummern teils palestrinensischer Musik, teils solcher Musik aus der nach ihm benannten Schule.

Das besonders Schwere der Aufführung solcher Gesangstücke — meinte er — läge in der motivischen Wiedergabe. „Wenn nämlich ein Chor in dieser Beziehung ohne Fühlungnahme mit den Motiven singt, so klingt das ganze verworren, eindruckslos.“

Hochgespannt frug ich ihn nach dem Mittel zu einer solchen, einzig richtigen Schulung des Chores. Darauf sagte er:

Ich konnte keine mir genügende Ausgabe von Motetten finden, eben weil mir in den bisherigen Bearbeitungen das Dynamische zu wenig nach meinem Wunsche bezeichnet war. Deswegen schrieb ich die Stimmen selbst heraus, setzte die genaue dynamische Bezeichnung darunter und zog eine parallele Notenlinie darüber, in die ich das Motiv einzeichnete mit der Angabe derjenigen Stimme, die das Motiv jeweilig singt. Der Erfolg war ein großer und die Erleichterung der Direktion gestattete mir ein freieres Handhaben des Rhythmus.

Nachschrift: Wie wäre es, wenn diese Art Notierung bei ausgeprägt motivisch gehaltenen Stücken üblich würde? — Es gibt ja andererseits Sätze — die meisten *Credo* — die in der Hauptsache homophone Satzart aufweisen. Bei solchen Teilen wäre die angeregte Änderung unnötig. Aber hält man dagegen zum Vergleiche: Das *Agnus Dei* und *Christe* — aus Palestrinas *Missa Jesu nostra redemptio* — so kann dem strebenden Dirigenten schon der Wunsch kommen, an der Hand der neu eingerichteten Stimmen die Aufführung zu wagen.

Denn man vergesse nicht: Die erste Art, die Sänger zu schulen, daß die einzelnen Stimmengattungen sowohl, als die Stimm-Individuen ein geschlossenes, dynamisch wohl abgetöntes, ästhetisches Ganze geben, widerstrebt der Zweiteilung des einen Chores in Lautsingende und in Leisersingende.

Es ist keine leichte Arbeit, seine Sänger auf diese Stufe der Schulung zu erheben. Man wende nicht ein, das ginge leichter, als Verfasser meint. Nein, das ist viel, viel schwerer, als es auf den ersten Blick scheint. Denn auch in diesem Gegenabtönen der

6

Stimmen ist ein rein mechanisches Verfahren vom Übel. Neben den Höhepunkten der dynamischen Steigerung gibt es ein Wachsen und Werden, das sich verschlingt mit einem Abnehmen und Verklingen der Gegenstimme, das aber der Sänger selbst empfinden muß, wenn ein lebensvolles Kunstganze entstehen soll, das sich nun und nimmer vom Chorleiter dirigieren läßt. Gerade für vorgeschrittene Chöre wären diese neuartigen Stimmendrucke von besonderem Vorteil. Wir stellen die Frage zur Diskussion.

Dr. Hugo Löbmann.

## Lauda Sion Salvatorem!

Fronleichnam! Welches Christen Herz bleibt, wenn dies ausschließlich katholische Wort erklingt, gleichgültig und gedankenleer? Wenn selbst Andersgläubige auf dies Fest sich freuen ob der Pracht und Feierlichkeit, die an ihm entfaltet wird, wenn sie sagen: Morgen wird bei den Katholischen die Sonne[1] herumgetragen, wenn viele von ihnen es sich nicht nehmen lassen, ihre Häuser zur Prozession wenigstens mit Bäumen zu schmücken: kann da der katholische Christ sein Herz der Freude über dies Triumphfest seines Heilands verschließen? Nein, selbst in kalte Herzen strömt an diesem Tage Wärme ein und sollten sie auch glaubenslos an dem Siegeszuge ihres Erlösers teilnehmen: der Lichtstrahl, der vom „Lichte der Welt" aus in ihre nachtbedeckte Seele dringt, wird in manchen lange Zeit weiter schimmern und vielleicht für spätere Tage der Anlaß zur Umkehr werden. Und der Kirchensänger? Müssen seine Gedanken beim Worte Fronleichnam nicht in hoher Liebe und freudiger Begeisterung in die Kirche eilen, die — sonst vielleicht arm und schmucklos — für dieses Fest in blühende, duftende Zier gehüllt ist dem zu Ehren, in dessen heiligen Dienst er an erster Stelle seine Kenntnisse, sein Talent, sein Herz gestellt hat, dem er fast täglich Lob-, Bitt- und Jubellieder erschallen läßt. Ja, das hochheilige Fronleichnamsfest ist das eigentliche Haupt- und Titularfest des katholischen Kirchensängers. An diesem Feste bringt er seine Gesänge dem Gottmenschen im allerheiligsten Sakramente unmittelbar dar; während er an anderen Festen des Herrn sich mehr mit den Geheimnissen aus dem Leben des Heilandes beschäftigt, bildet für ihn das Geheimnis dieses Festes der Gottmensch selbst. O, daß doch alle Kirchensänger, alle Dirigenten und Organisten von diesem beseligenden Gedanken sich durchdringen ließen: die Begeisterung und das freudige Gefühl, die am hohen Fronleichnamsfeste von den äußerlichen Feierlichkeiten her sich in ihr Herz senken, würden nicht zur Eintagsfliege werden, sondern fortleben durchs ganze Kirchenjahr, genährt durch die Einwirkung der übrigen Feste; sie blieben nicht leerer Schall, schnell verflüchtigt im Strome irdischer Gedanken und Klänge: sie würden sich zu Harmonien entfalten, die aus dem Herzen heraus hineinklingen in die Harmonien der Töne und so ein angenehmes Opfer an den sakramentalen Heiland werden. Diese glaubensvolle Verbindung aller am Kirchenchore Mitwirkenden mit dem Ziele ihrer Tätigkeit hätte gewiß auch die Folge, Heilung zu bringen der noch vielerorts grassierenden Krankheit, genannt Gassenhauer- oder Dudelmanie, die alljährlich am Fronleichnamsfeste ihr höchstes Stadium erreicht. Da läßt die Musikbande ihr ganzes Wirtshausprogramm zur Generalmusterung aus des Bleches Gründen hervorquellen und wiederholt, ohne durch *Da capo*-Rufe aufgefordert zu sein, mit heiliger Begeisterung die „schönsten Weisen": Donaugigerlwalzer, Holzhackermarsch, Über den Wellen usf. Der „Doppeladler" oder „Die Wacht am Rhein" sind, gegen diese Pilsenkräuter gehalten, unschulddnftende Lilien; denn beim Klange dieser Weise kann einer doch einen vernünftigen Gedanken ans liebe Vaterland fassen und ihm Gottes Gunst erbitten. Es reden sich zwar Dirigenten von Musikkorps ein und suchen auch andere glauben zu machen, an solchen Walzern und Märschen nähmen die Leute keinen Anstoß, da sie die Texte dazu gar nicht wüßten. Doch Text hin, Text her — der Gedanke an die Kneipe, an Tanz und Kammerfenster, der dem Hörer inmitten der hehren Feier aufsteigt und ihn vielleicht bis zum Ende beherrscht, ist allein hinreichend, solche Musik zu verdammen. Hierüber mehr zu sagen hieße schon dutzendmal Dargelegtes wiederholen. Daß doch das *Motu proprio* auch in diesem Punkte beachtet würde. (VI. 20, 21.) Welch fruchtbaren Boden bietet das Fronleichnamsfest dem Volksgesang; wie leicht ließen sich Sakramentslieder, Herz Jesulieder, Namen Jesulieder, aus den Diözesan-Gesangbüchern für Blechmusik arrangieren zur Begleitung; die Schulkinder, Burschenvereine, Jungfrauenvereine etc. wären natürlich die Grundlage für den Volksgesang, ja diese würden allein genügend sein. Ist es absolut unmög-

[1] Sie meinen die Monstranze.

lich, auf diese Weise zu einer **würdigen** Ehrung des Allerheiligsten zu gelangen, so trachte man doch dahin, für Blechmusik schon gesetzte geistliche Lieder zum Vortrag zu bringen, z. B. „Die Himmel rühmen", „Preis und Anbetung", „Danket dem Herrn", „Großer Gott, wir loben dich" usw. Bei letzteren könnte das Volk gewiß zum Mitsingen angeleitet werden — vorausgesetzt, daß alle den **gleichen** Text in Händen haben. Das Interesse für den Volksgesang gewinnt in letzter Zeit immer mehr Boden. Vielerorts möchte man Hand ans Werk legen, doch malt man sich die Schwierigkeiten oft allzu grell aus. Freilich braucht es an Orten, denen bisher der Volksgesang fehlte, ein Heidelberger Faß voll Geduld und Opfermut; doch schaue ein jeder in die Zukunft; wurden zwei und drei Lieder unter vielen Mühen und vielleicht auch in vielen Stunden eingeübt, die folgenden werden sich — da Übung auch aus dem Kinde einen Meister macht — rascher dem Gedächtnisse einprägen und bald wird ein fruchtbringender Schatz vorhanden sein, der immer noch sich mehren kann. Die Erwachsenen werden durch das oftmalige Anhören die Gesänge lernen, nach und nach selbst mitsingen und der allgemeine Volksgesang ist eingebürgert. Hier gilt das Sprichwort: „Probieren geht übers Studieren".

II. Im folgenden soll die Geschichte der Einführung des Fronleichnamsfestes kurz dargelegt werden. Im Anfange des 13. Jahrhunderts lebte im Kloster der Hospitaliterinnen bei Lüttich in Belgien eine fromme Novizin, Namens Juliana. Diese soll öfters in einer Erscheinung den Mond gesehen haben in hellem Glanze, nur an einer Stelle etwas verdunkelt. Dieser Vorgang wurde ihr in einer Vision dahin erklärt, daß der Glanz der Kirche durch den Abgang eines eigenen Festes zu Ehren des allerheiligsten Altarssakramentes gleichsam verdunkelt werde. Zwanzig Jahre, bis zu ihrer Wahl als Priorin des Klosters, behielt sie diese Offenbarung in ihrem Herzen. Endlich eröffnete sie sich dem heil. Johannes von Lausenna, Kanonikus zu Lüttich, der die Sache mehreren frommen und gelehrten Männern zur Prüfung vorlegte. Diese hielten die Einführung des neuen Festes für **zweckmäßig**, berichteten den Sachverhalt dem Bischofe von Lüttich, der i. J. 1246 durch einen Hirtenbrief das Fest für seine Diözese anordnete. Später kam der Kardinallegat Hugo, ein Dominikaner, nach Lüttich, der das Fest in allen Kirchen seines Legationsgebietes, das damalige Deutschland, zu feiern befahl. Als Jakob von Troyes, Archidiakon von Lüttich, dem Juliana ihr Anliegen ebenfalls entdeckt hatte, unter dem Namen Urban IV. den päpstlichen Thron bestiegen hatte (1261), ordnete er mittelst Bulle das Fest für den ganzen katholischen Erdkreis an (1264), starb aber noch im Oktober gleichen Jahres, so daß die Ausführung der Bulle unterblieb. Erst Klemens V. (1305—1314) erinnerte auf der Synode zu Vienne (1311) wiederum an die Bulle und befahl deren Beobachtung der gesamten Christenheit. Die Prozession, welche dieses Fest auszeichnet, wurde erst von Johannes XXII. (1316—1334) angeordnet und überragt alle übrigen Prozessionen an Feierlichkeit, die in den deutschen Ländern durch die vier Stationen und das Absingen der vier Evangelienanfänge noch besonders gehoben wird; letztere erinnern, daß alle vier Evangelisten über das allerheiligste Altarssakrament Zeugnis ablegen. In vielen Pfarrkirchen, auf dem Lande fast überall, wird während der Oktave des Festes täglich ein Amt unter Aussetzung des Allerheiligsten gesungen und am Schlußtage oder am Sonntage der Oktave eine Prozession wie am Festtage selbst gehalten. Das Breviergebet und die Messe des Festes verfaßte im Auftrage Urbans IV. der heil. Thomas von Aquin, der sich bei der Abfassung ganz den Eingebungen seines Herzens, seines Geistes und Glaubens überließ und so ein unsterbliches Meisterwerk schuf, worin Poesie, Frömmigkeit und Glaube sich die Palme streitig machen. Das *Lauda Sion*, die Sequenz der Festmesse, gehört zu jenen, „fast übernatürlichen Hymnen, in welchen die Kirche die Genauigkeit eines Dogmas mit einer Lieblichkeit und einem Wohlklange vereinigt, die mehr einem Echo aus dem Himmel gleichen als bloß irdischer Poesie" (Faber). Keine der gegenwärtig in der römischen Liturgie gebrauchten Sequenzen ist so populär geworden wie diese, auch nicht das *Stabat Mater*. Die deutsche Übersetzung des *Lauda Sion*: „**Deinem Heiland, deinem Lehrer**" hat sich wohl überall, wo der kirchliche Volksgesang gepflegt wird, einen Platz erobert. Möge dies Lied im Verein mit anderen aus unzähligen Kehlen herausdringen in die rings grünende und blühende Natur und Andacht und Ehrfurcht vor dem triumphierenden Gotte auch in den Herzen jener lauschenden Menge wecken, die zum Feste wie zu einem weltlichen Schauspiele kommt — als neugierige Zuschauer. Von dir, katholischer Kirchensänger, darf man erwarten, daß deine Teilnahme am heutigen Feste, vor allem an der Prozession, eine glaubensvolle und deshalb auch eine andächtige, anständige sei. Heute soll es allem Volke kund werden, daß du aus Überzeugung und heiliger Liebe zu deinem Heilande dich dem liturgischen Gesange widmest, daß deine Verrichtungen hervorgehen aus einem Herzen, dem es Bedürfnis ist, dem im Sakramente der Liebe verhüllten Gott würdiges Lob und freudigen Dank

6*

zu singen. Du wirst das leidige Schwätzen, das so viele Chorsänger als ihr Privileg betrachten und üben, bei dir und deinen Mitsängern verhindern, andere Teilnehmer erbauen und so dies Fest für manche Seelen nutzbringend machen, in ihnen das Leben des Glaubens und der Liebe erwecken und dadurch eine Pflicht deines Amtes erfüllen. P. A. W.

## Charwochen-Programme des Jahres 1908.

(Fortsetzung aus Nr. 5, Seite 51.)

⊙ **Passauer Domchor.** Am Palmsonntag: Bei der Palmenweihe: *Osanna Filio David*, 4st. von Haller; *In monte Oliveti*, 4st. von Giov. Croce; *Sanctus* und *Benedictus*, 4st. von Haller. Bei der Palmenausteilung: *Pueri Hebraeorum*, 4st. von Palestrina. Bei der Prozession: *Cum Angelis et pueris*, 4st. von Haller; *Ingrediente Domino*, 4st. von Haller. Bei der Weihwasserausteilung: *Asperges me*, 5st. von Witt. Beim Hochamte: *Missa brevis*, 4st. von Andr. Gabrieli; Turbagesänge zur Passion, 4st. von Francesco Suriano; Offert.: *Improperium exspectavit*, 5st. von Palestrina. Bei der Vesper: Hymnus: *Vexilla regis prodeunt*, 5st. von Haller; *Magnificat VIII toni*, 6st. von Mitterer; *Ave Regina coelorum*, 8st. (2chörig) von Palestrina. Alles übrige choraliter. — Am Mittwoch: Nachmittags bei der 1. Trauermette: 1. Lektion (Lamentation), 4st. gemischter Chor von Preindl; 2. Lektion, Choral (Solo); 3. Lektion, 4st. Männerchor. Die Responsorien zu diesen 3 Lektionen, 4st. von Haller. Antiphon zum *Benedictus: Traditor autem dedit*, 4st. von Viadana-Griesbacher. *Cant. Benedictus*, 5st. von Viadana-Griesbacher. — Am heiligen Gründonnerstag: Beim Pontifikalamte: *Ecce sacerdos magnus*, 6st. von Costanzo Porta; *Missa VIII toni*, 5st. von Giov. Croce; Grad.: *Christus factus est*, 4st. von Matteo Asola; Offert.: *Dextera Domini*, 4st. von Orlando di Lasso. Während der Kommunion des Klerus: a) Resp.: *Coenantibus illis*, 6st. von Haller; b) *Domine non sum dignus*, 4st. von Vittoria; c) Resp.: *Misit me vivens Pater*, 6st. von Haller. Bei der Prozession: Hymnus: *Pange lingua*, 5st. von Birkler. Alles übrige choraliter. Nachmittags bei der 2. Trauermette: Besetzung und Komponisten sämtlicher Gesänge wie bei der 1. Trauermette tags vorher. Nach der Abendpredigt: *Miserere*, 4st. Männerchor von Engelhart. — Am heiligen Charfreitag: Turbagesänge zur Passion, 4st. von Fr. Suriano; Improperien, 2chörig von Palestrina-Bernabei; Hymnus: *Vexilla Regis prodeunt*, 4st. von Ett; Strophe 6: *O crux ave* und 7: *Te fons salutis*, 6st. von Orlando di Lasso. Bei der Grablegungsprozession: *Ecce, quomodo moritur justus*, 4st. von Jak. Handl. Nachmittags bei der 3. Trauermette: Besetzung und Komponisten sämtlicher Gesänge wie bei der 1. und 2. Trauermette. Nach der Abendpredigt: *Canticum Zachariae* für Doppelchor und Soloquartett von Joh. Mich. Keller. — Am heiligen Charsamstag: Bei der Taufwasserweihe: *Sicut cervus*, 4st. von Witt. Beim Hochamte: *Missa exultet*, 4st. mit Orgelbegleitung von Witt; Versus: *Confitemini Domino* und Traktus: *Laudate Dominum* und *Canticum Magnificat*, 4- und 5st. von Witt. Alles übrige choraliter. Bei der Auferstehungsfeier: Hymnus: *Te Deum laudamus*, 4st. gemischter Chor mit Orchesterbegleitung von Mitterer, Op. 46; Resp.: *Alleluja*, 4st. von Haller; Auferstehungskantate: *Attollite portas principes vestras* für Soli, 4st. gemischten Chor und Orchesterbegleitung von Ett; Großer Gott, wir loben Dich, Volksgesang; *Tantum ergo*, 5st. mit Posaunenbegleitung von Haller. — Am Ostersonntag: Beim Pontifikalamte: *Ecce sacerdos magnus* für gemischten Chor und Orchesterbegleitung von Gruber, Op. 55; *Missa solemnis in laudem Ss. Salvatoris* für Soli, gemischten Chor und Orchester von Mitterer, Op. 98; Grad.: *Haec dies*, 5- und 6st. von Ortwein; Sequenz: *Victimae Paschali*, choraliter; Offert.: *Terra tremuit*, 4st. gemischter Chor mit Orchesterbegleitung von Gruber, Op. 60. Bei der Vesper: *Domine ad adjuvandum me*, 4st. von Vittoria, Psalm 109, 110, 111, 112 und 113, 5st. Falsibordoni von Viadana; *Haec dies*, 8st. (2chörig) von Handl; *Magnificat*, 4st. von Witt; *Regina coeli*, 4st. von Witt. — Am Ostermontag: Beim Hochamte: *Missa VI.*, 4st. mit Orgel- und Blechmusikbegleitung von Haller; Grad.: *Haec dies* und Offert.: *Angelus Domini*, 4st. von Haller. — Bei der Vesper: *Haec dies*, 4st. von Eckert; *Magnificat*, *VIII toni*, 4st. von Piel; *Regina coeli*, 4st. von Engel. Alles übrige choraliter. — Am 1. (weißen) Sonntage nach Ostern: Beim Hochamte: *Missa in hon. S. Antonii*, 4st. mit Orgelgleitung von Weirich; Offert.: *Angelus Domini*, 4st. von Haller. — Am Montag beim Hochamte aus Anlaß des Geburtsfestes Sr. Majestät König Ottos: *Missa* in *G*-dur *in hon. S. Caroli Borromaei*, 4st. mit Orchesterbegleitung von Filke, Op. 80; Offert.: *Benedictus sit Deus* für Soli und 4st. gemischten Chor und Orchesterbegleitung von Gruber, Op. 142; Hymnus: *Te Deum laudamus* für 4st. gemischten Chor mit Orchesterbegleitung von Gruber, Op. 125. Alles übrige choraliter. Geistl. Rat Clem. Bachstefel, Domkapellmeister.

♃ **Perugia** (Schola Cantorum Laurentiana). Domenica delle Palme (12 Aprile — ore 9,30). 1. Antiphona: *Hosanna filio David*, canto gregoriano. 2. Responsoria: *In monte Oliveti*, a 4 voci — a. 2 t. b.[1]) — di M. Antonio Ingegneri. 3. *Sanctus*, c. gr. 4.[2]) I. Ant.: *Pueri Hebraeorum*, a 4 voci — 2 c. t. b. — di Giov. Pierluigi da Palestrina. 5. II. Ant.: *Pueri Hebraeorum*, c. gr. Alla Processione. 6. Ant. in c. greg. Alla Messa (ore 10). 7. Introitus, c. gr. 8. *Kyrie della Missa III Toni*, a 5 voci — c. a. 2 t. b. — di Giov. Croce. 9.[2]) Graduale a 3 voci a. t. b. — In falsobordone di R. Casimiri. 10. Passio (turba) a 4 voci — a. 2 t. b. in falsobordone di R. Casimiri. 11. *Credo*, c. gr. 12.[2]) Offertorium:

[1]) Le abbreviazioni c. a. t. br. b. vogliono indicare le voci di cantus (soprano), altus (contralto) tenor (tenore), barytono (baritono), bassus (basso).

[2]) Le composizioni segnate d' asterisco sono eseguite per la prima volta.

*Improperium* a 5 voci — 2 c. a. t. b. — di Giov. P. da Palestrina. 13.[1]) *Sanctus* — *Benedictus* — *Agnus Dei della Missa V Toni* a 4 voci — a. 2 t. b. — di Orlando di Lasso. 14. Communio, c. gr. Alla Benedizione (la sera dopo l' *Ave Maria*). 15. Mott.: *Ave verum corpus* a 4 voci — a. 2 t. b. — di T. Lud. da Viadanna. 16. *Tantum ergo* a 4 voci — a. 2 t. b. — e organo di R. Casimiri. Alla Benedizione (la sera del Lunedì Santo). 17. Mott.: *O esca viatorum* a 2 voci — a br. — e organo di R. Casimiri. 18. *Tantum ergo* a 3 voci — a. t. b. — e organo di R. Casimiri. Alla Benedizione (la sera del Martedì Santo). 19.[1]) Mott.: *Velociter exaudi* a 5 voci — c. a. 2 t. b. (dai *Salmi penitenziali*) di O. di Lasso. 20. *Tantum ergo* a 2 voci — a. br. e organo di Casimiri. Alla Processione (la mattina del Mercoledì Santo). 21. *Pange lingua* a 4 voci — a. 2 t. b. — di R. Casimiri. — Mercoledì Santo (15 Aprile). Al Mattutino delle tenebre (ore 17). 22. *Lamentazioni* in c. gr. 23. Resp.: *In monte Oliveti* a 4 voci — a. 2 t. b. — di M. A. Ingegneri. 24. Resp.: *Tristis est anima mea* a 4 voci — a. 2. t. b. — di G. Croce. 25 Resp.: *Ecce vidimus* a 4 voci — a 2 t. b. — di M. A. Ingegneri. 26.[1]) Resp.: *Amicus meus* a 4 voci — a. 2 t. b. — di M. A. Ingegneri. 27.[1]) Resp. *Judas mercator pessimus* a 4 voci — a. 2 t. b. — di M. A. Ingegneri. 28. Resp.: *Unus ex discipulis* a 4 voci c. a. t. b. — di T. Lud. da Vittoria. 29. Resp.: *Eram quasi Agnus* a 4 voci a. 2 t. b. — di M. A. Ingegneri. 30. Resp.: *Una hora* a 4 voci — a. 2 t. b. — di M. A. Ingegneri. 31.[1]) Resp.: *Seniores populi* a 4 voci — a. 2 t. b. — di M. A. Ingegneri. 32. Cantico: *Benedictus* a 4 voci — a. 2 t. b. — in falsobordone di R. Casimiri. 33. Ant.: *Christus* a 4 voci — c. a. t. b. — di Franc. Anerio. 34. Salmo: *Miserere mei Deus* a 4 voci — a. 2 t. b. — di R. Casimiri. — Giovedì Santo (16 Aprile) Alla Messa (ore 9). 35. Introitus, c. gr. 36.[1]) *Kyrie della Missa V Toni* a 4 voci — a 2 t. b. — di O. di Lasso. 37. *Gloria della Missa Eucharistica* a 4 voci — a 2 t. b. — ed organo — di L. Perosi. 38. Graduale: *Christus factus est* a 4 voci — c. a. t. b. — di Franc. Anerio. 39. *Credo*, c. gr. 40.[1]) Offertorio: *Dextera Domini* a 5 voci — c. a. 2 t. b. — di Giov. P. da Palestrina. 41.[1]) *Sanctus* — *Benedictus* — *Agnus Dei della Missa V Toni* a 4 voci — a. 2 t. b. — di Orlando di Lasso. 42. Communio, c. gr. 43. *O Redemptor* a 3 voci — a. t. b. — (*alla Consecrazione dell' Olio Santo*) — di R. Casimiri. 44. *Pange lingua* a 4 voci — a. 2 t. b. — di R. Casimiri. 45. Ant. in c. gr. (*al Mandato*). Al Mattutino delle tenebre (ore 17). 46. *Lamentationi* in c. greg. 47. Resp.: *Omnes amici mei* a 4 voci — a. 2 t. b. — di T. Lud. da Viadana. 48.[1]) Resp. *Velum templi* a 4 voci — a. 2 t. b. — di M. A. Ingegneri. 49.[1]) Resp.: *Vinea mea* a 4 voci — a. 2 t. b. — di M. A. Ingegneri. 50. Resp.: *Tamquam ad latronem* a 4 voci — c. a. t. b. — di T. Lud. Vittoria. 51. Resp.: *Tenebrae* a voci — a. 2. t. b. — di T. Lud. da Vittoria. 52.[1]) Resp.: *Animam meam dilectam* a. 4 voci — a. 2 t. b. — di M. A. Ingegneri. 53.[1]) Resp.: *Tradiderunt me* a. 4 voci — a. 2 t. b. — di T. Lud. da Vittoria. 54. Resp.: *Jesum tradidit* a 4 voci — a 2 t. b. — di A. M. Ingegneri. 55. Resp.: *Caligaverunt oculi mei* a 4 voci — c. a. t. b. — di T. L. da Vittoria. 56. Cantico: *Benedictus* a 4 voci — a. 2 t. b. — di R. Casimiri. 57. Ant.: *Christus* a 4 voci — c. a. t. b. — di Franc. Anerio. 58. Salmo: *Miserere mei Deus* a 4 voci — a. 2 t. b. — di R. Casimiri. — Venerdì Santo (17 Aprile) Alla Missa (ore 10). 59. Traktus in c. gr. 60. *Passio: (Turba)* a 4 voci — a. 2 t. b. — in falsobord. di R. Casimiri. 61.[1]) *Popule meus* a 4 voci — c. a. t. b. — di Giov. P. da Palestrina. 62. Ant.: *Crucem tuam* — *Crux fidelis* in c. gr. 63. Inno: *Vexilla* a 4 voci — a. 2 t. b. — di R. Casimiri. Al Mattutino delle tenebre (ore 17). 64. *Lamentationi* in c. gr. — 65. Resp.: *Sicut ovis* a 4 voci — c. a. t. b. — di T. L. da Vittoria. 66.[1]) Resp.: *Jerusalem surge* a 4 voci — a. 2 t. b. — di T. L. da Vittoria. 67. Resp.: *Plange quasi Virgo* a 4 voci — a 2 t. b. — di T. L. da Vittoria. 68[1]. Resp.: *Recessit Pastor noster* a 4 voci — a 2 t. b. — di M. A. Ingegneri. 69. Resp.: *O vos omnes* a 4 voci — a 2 t. b. — di Giov. Croce. 70. Resp.: *Ecce quomodo moritur* a 4 voci — c. a. t. b. — di T. L. da Vittoria. 71. Resp.: *Astiterunt reges* a 4 voci — a. 2 t. b. — di T. L. da Vittoria. 72.[1]) Resp.: *Aestimatus sum* a 4 voci — a. 2 t. b. — di A. Zollo. 73. *Sepulto Domino* a 4 voci — a 2 t. b. — di T. L. da Vittoria. 74. Cantico: *Benedictus* a 4 voci — a. 2 t. b. — in falsobordone di R. Casimiri. 75. Ant.: *Christus* a 4 voci — c. a. t. b. — di Franc. Anerio. 76. Salmo: *Miserere* a 4 voci — a. 2. t. b. — di R. Casimiri. — Sabbato Sancto (18 Aprile ore 9,30) 77. Traktus in c. gr. 78. *Kyrie*[1]) *della Missa V Toni* a 4 voci — a. 2 t. b. di Orlando di Lasso. 79. *Gloria della Missa Eucharistica* a 4 voci — a. 2 t. b. — ed organo di L. Perosi. 80. *Alleluja* e Traktus in c. gr. 81. *Sanctus della Missa Pontificalis* a 3 voci — a. t. b. — ed organo di L. Perosi. 82. *Benedictus della Missa Pontificalis* a 3 voci — a. t. b. — ed organo di L. Perosi. 83. *Alleluja* e Salmo: *Laudate Dominum* in c. gr. 84. *Magnificat* a 3 voci — a. t. b. — in falsobordone di R. Casimiri. — Domenica di Resurrezione (19 Aprile ore 10). 85. Introitus: *Resurrexi* in c. gr. 86. *Kyrie della Missa Salve Regina* a 4 voci — c. a. t. b. ed organo di J. G. E. Stehle. 87. *Gloria della stessa Missa Salve Regina*. 88. Graduale: *Haec dies* a 4 voci — a. 2 t. b. — di T. L. da Vittoria. 89. Sequentia: *Victimae Paschali* in c. gr. 90. *Credo della Missa B. Caroli* a 2 voci — t. b. — ed organo di L. Perosi. 91. Offertorium: *Terra tremuit* a 4 voci — c. a. t. b. — ed organo di R. Casimiri. 92. *Sanctus della stessa Missa Salve Regina* dello J. G. E. Stehle. 93. *Benedictus della stessa Missa Salve Regina* dello J. G. E. Stehle. 94. *Agnus Dei della stessa Missa Salve Regina* dello J. G. E. Stehle. 95. Communio in c. gr. Al Vespro e alla Benedizione. 96. Salmi in c. gr. 97. Ant.: *Haec dies* a 4 voci — a. 2 t. b. — di T Lud. da Vittoria. — 98. *Magnificat* a 3 voci — a. t. b. — in falsobordone di R. Casimiri. 99. Mott.: *Exultate justi* a 4 voci — c. a. t. b. — di T. Lud. da Vittoria. 100. *Tantum ergo* a 4 voci — a 2 t. b. — ed organo di R. Casimiri.

D. Raffaele Casimiri, il Maestro Direttore della „Schola".

V Prägraten am Großvenediger. (Pfarrchor). Unser Chor besteht jetzt aus 4 Bässen, 4 Tenören, 6 Altisten und 6 Sopranisten und führte in der Charwoche folgendes Programm durch: Bei den Trauermetten: Die Lamentationen, 4st. von Kehrer-Mitterer; das *Benedictus* im harmon.

[1]) Le composizioni segnate d'asterisco sono eseguite per la prima volta.

Choral; das *Christus factus est*, 4st. von Demattia (Manuskript). — Am Gründonnertag: Choral, *Gloria* aus der Antoniusmesse von Haller; Offert. von Demattia. — Am Charfreitag: Die Improperien von ebendemselben, wie auch das *Vexilla Regis*. — Am Charsamstag: Zum *Gloria*: *Missa VI* von Mitterer. Zur Vesper: Das *Magnificat* von Mitterer aus seinen 12 *Moduli Magnificat* Nr. 11. Bei der Auferstehung: Lied von Höllwarth. — Am Ostersonntag: Op. 92 von Haller (doppelchörig); *Terra tremuit* aus *Mus. eccl.* von Geierlechner; Einlage: *Surrexit pastor*, 5st. von Haller; die Einlagen Choral. Am Ostermontag: Mitterers Apostelmesse. Demattia, Pfarrer.

§ **Regensburg. Kirchenchor des Kollegiatstifts zur Alten Kapelle.** Palmsonntag, früh 8¾ Uhr: Gesänge zur Palmenweihe und Prozession, 4st. von Haller. *Missa Qual donna*, 5st. von Orlandus Lassus. *Passio secundum Matthaeum*, 4st. von Francesco Suriano. *Credo* choraliter mit 4st. Einlagen von Stehle. Offert.: *Improperium*, 5st. von Pierluigi da Palestrina. — Mittwoch, nachmittags ½4 Uhr: *Lectio I. Incipit Lamentatio* für Soloquartett von Kerer-Mitterer. *Lectio II. Vau* choraliter. *Lectio III. Jod*, 4—5st. von Witt. *Responsoria I—IX*, *Christus factus est*, 4st. von Haller. *Benedictus*, 4st. von J. Gallus (Handl). — Gründonnerstag, früh 8 Uhr: *Gloria* aus *Missa de Spiritu Sancto*, 4st. mit Orgel von Ebner. *Credo*, *Sanctus*, *Benedictus*, *Agnus* aus *Missa in hon. B. M. V. ad Veterem Capellam*, 5st. von Haller. Grad.: *Christus factus est*, 4st. von Giuseppe Pitoni. Offert.: *Dextera Domini*, 4st. von Giovanni Gabrieli. Zur Priesterkommunion: *Ave verum*, 4st. von W. A. Mozart. Nachmittags ½4 Uhr: *Lectio I. Heth* für Soloquartett von Kerer-Mitterer. *Lectio II. Lamed* choraliter. *Lectio III. Aleph*, 5st. von Haller. *Responsoria IX—XVIII*, *Benedictus*, *Christus factus est*, wie oben. *Miserere*, 4st. von Jakobus Gallus. — Charfreitag, früh 8 Uhr: *Passio secundum Joannem*, 4st. von Francesco Suriano. *Popule meus*, 2chörig von Ercole Bernabei. Zur Prozession: *Vexilla regis* und *Jesu dulcis memoria*, 4st. von Griesbacher. Am Heil. Grabe: *Tenebrae*, 4st. von Haller. Nachmittags ½4 Uhr: *Lectio I. Heth* für Soloquartett von Kerer-Mitterer. *Lectio II. Aleph* choraliter. *Lectio III. Incipit Oratio*, 6—8st. von Pierluigi da Palestrina. *Responsoria XVIII—XXVII*, *Benedictus*, *Christus factus est*, wie oben. — Charsamstag früh ½9 Uhr: *Gloria*, *Sanctus*, *Benedictus* aus *Missa in hon. B. M. V. de Lourdes*, 4st. mit Orgel von Auer. *Magnificat*, 4st. von Orfeo Vecchi. Abends ½7 Uhr: *Angelus Domini*, *Cum transisset sabbatum*, 4st. mit Orgel von Mitterer. *Te Deum*, 4st. mit Orgel und Blechbegleitung von Rihovsky. *Surrexit pastor bonus*, 5st. von Haller. *Aurora coelum purpurat*, 5st. mit Blechbegleitung von Renner jun. *Tantum ergo*, 7st. von Griesbacher. — Ostersonntag, früh 9 Uhr: Primizmesse, 4st. mit Blechbegleitung von Mitterer. Grad.: *Haec dies* und Sequenz: *Victimae paschali*, 4st. von Haller. Offert.: *Terra tremuit*, 8st. von Witt. Nachmittags 2 Uhr: Ostervesper (Falsibordoni), 4—5st. von Mitterer. — Ostermontag, früh 9 Uhr: *Missa in hon. S. Aloisii Gonzagae*, 4st. mit Orgel von Goller. Grad.: *Haec dies* und Sequenz: *Victimae paschali*, 4st. mit Orgel von Haller. Offert.: *Angelus Domini*, 4st. mit Orgel von Mitterer. Dr. Karl Weinmann.

* **Regensburger Domchor.** Palmsonntag, den 12. April: Um 8½ Uhr Palmenweihe: Gesänge bei der Weihe. Austeilung der Palmen und bei der Prozession, 4st. von Haller, Vittoria und Mitterer. Beim Hochamt: Introitus und *Kyrie* choraliter. Grad., 4st. von Mitterer. Traktus choraliter. Passion, 4st. von Suriano. *Credo* choraliter mit 4st. Einlagen von Schildknecht. Offert., 4st. von Mitterer. *Sanctus*, *Benedictus* und *Agnus* aus der 5st. Messe: *III. Toni* von Witt. — Montag, den 13. April: Um 8 Uhr: Introitus und *Kyrie*, Grad. und Traktus, Offert. choraliter. *Adoramus*, 6st. von Ebner. Das übrige aus der Messe *Dixit Maria* von Hasler. — Dienstag, den 14. April: Um 8 Uhr: Introitus und *Kyrie* Grad. und Traktus choraliter, *Sanctus*, *Benedictus* und *Agnus* aus der 4st. Messe: *Ave Regina* von Palestrina. Passion, 4st. von Suriano. Offert., 4st. von Haller. — Mittwoch, den 15. April: Um 8 Uhr: Introitus und *Kyrie*, Grad. und Traktus choraliter. Passion, 4st. von Suriano. Offert.: 4st. von Orlando di Lasso. *Sanctus*, *Benedictus* und *Agnus* aus der 4st. Messe: *De beata Virgine* von Palestrina. Nachmittags ½4 Uhr: Matutin. *Incipit Lamentatio*, 4st von Vittoria. 1.—3. Responsorium von Ingegneri, 4.—6. von Haller, 7.—9. von Mitterer. *Benedictus*, 5st. von Palestrina. *Christus factus est*, 4st. von Haller aus Op. 38. — Gründonnerstag, den 16. April: Um 8 Uhr: Pontifikalamt. *Ecce sacerdos*, 6st. von Thielen. Messe *Lauda Sion*, 4st. von Palestrina. Grad.: *Christus factus est*, 4st. von Mitterer. Offert.: *Dextera Domini*, 5st. von Palestrina. *Ad Communionem Cleri*: a) *Domine non sum dignus* für 4st. Knabenchor von Haller; b) *O salutaris hostia* für 4st. Knabenchor von Goller. *Pange lingua*, 5st. von Renner jun. Antiphon zur Fußwaschung, 4st. von Mettenleiter. Nachmittags ½4 Uhr: Matutin. *II. Lectio*, 4st. von Vittoria für 2 Soprane, Alt und Tenor. 1.—3. Responsorium, 4st. von Mitterer, 4.—6. von Ingegneri, 7.—9. von Mitterer. *Benedictus*, 4st. von Vittoria. *Christus factus est*, 4st. von Haller. Am Ölberg (Domgarten). *In monte Oliveti*, 6st. von Orlando di Lasso. — Charfreitag, den 17. April: Anfang der Zeremonien um 8 Uhr: Passion, 4st. von Suriano. Improperien. 2chörig von Palestrina. Bei der 1. Prozession: *Vexilla regis*, 4st. von Mitterer. Auf der Epistelseite: *O Crux ave*, 6st. von Nekes. Bei der 2. Prozession: *Jesu dulcis amor*, 4st. von Haller. *Tenebrae factae sunt*, 4st. von Haller. Nachmittags ½4 Uhr: Matutin. *Lectio III.*, 5st. von Haller. 1.—3. Responsorium von Haller. 4.—6. Responsorium von Mitterer. 7.—9. Responsorium von Haller. *Benedictus*, 5st. von Palestrina. *Christus factus est*, 4st. von Haller. — Charsamstag, den 18. April: Um 7 Uhr: Weihe des Feuers, der Osterkerze und des Taufwassers choraliter. Um 9 Uhr: *ad Missam Kyrie* choraliter. Das übrige aus der *Missa Pontificalis*, 3st. mit Orgel von Perosi. Grad., 4st. von Mitterer. Psalm *Laudate*, 5st. von Viadana. *Magnificat*. 5st. von Mitterer. Abends 6 Uhr: Auferstehungsfeier. Zwei Responsorien, 4st. mit Orgel von Mitterer. *Te Deum* choraliter. *Haec dies*, 4st. von Mitterer. *Benedictus*, 5st. von Vittoria. *Regina coeli*, 4st. von Lotti. Zur Auferstehung: Motett: *Surrexit pastor bonus*, 5st. von Haller. *Aurora coelum purpurat*, 4st. von Mitterer mit 4 Blechinstrumenten.

*Tantum ergo*, 7st. von Renner jun. — Ostersonntag, den 19. April: Um 8 Uhr: *Veni Creator*, 6st. von Renner jun. Um 9 Uhr: Pontifikalamt. *Ecce sacerdos*, 6st. von Thielen. Missa: *Papae Marcelli*, 6st. von Palestrina. Grad., 4st. von Haller. Sequenz, 4st. von Haller. Offert.: *Terra tremuit* choraliter. Dann *Angelus Domini*, 5st. von Palestrina. Nachmittags 3 Uhr: Vesper. Psalmen von Viadana, Stemmelio und anderen alten Meistern. — Ostermontag, den 20. April: Um 8 Uhr: *Veni Creator*, 4st. von Griesbacher. Um 9 Uhr: Hochamt. *Missa in hon. S. Petri*, 4st. mit Orgel von Griesbacher. Grad., 4st. von Haller. Sequenz, 4st. von Haller. Offert., 4st. von Haller. Nachmittags 1/23 Uhr: Vesper mit 4st. Falsibordoni von verschiedenen Komponisten. F. X. Engelhart, Domkapellmeister.

(Schluß der Berichte folgt.)

## Zur 18. Generalversammlung in Eichstätt

ladet der Unterzeichnete wiederholt ein unter Hinweis auf Nr. 4 des Cäcilienvereinsorgans, S. 46 und Nr. 5, S. 54, sowie *Musica sacra* Nr. 6, S. 73. Wohl haben verschiedene Mitglieder des Cäcilienvereins, besonders aus Norddeutschland, Bedenken über die gewählten Tage ausgesprochen, da dort viele Lehrer und Priester erst im August Schulferien erhalten. Wir hoffen jedoch, daß wenigstens die Diözesanpräsides so vollzählig als möglich erscheinen können und rechnen auch auf das Hauptkontingent der bayrischen, österreichischen und schweizerischen Vereinsmitglieder; die Chorverhältnisse in Eichstätt haben es notwendig gemacht, die Tage vom 20.—22. Juli auszuwählen, nachdem in ganz Bayern die Mittelschulen und fast alle Volkschulen mit dem 15. Juli geschlossen sind.

Die Bischofstadt Eichstätt ist von allen Weltgegenden her mit der Bahn äußerst bequem zu erreichen. Von Süd, Ost und West ist **Ingolstadt** an der Donau der Ausgangspunkt für Eichstätt-Bahnhof; von Norden her **Würzburg** (über Ansbach und Treuchtlingen) oder **Nürnberg**, für die Bewohner des Altmühltales die Lokalbahn Kinding.

Von Eichstätt-Bahnhof bis Eichstätt-Stadt verkehren Züge mit 2. und 3. Klasse: a) $5^{15}$ Uhr früh, b) $6^{35}$ Uhr, c) $8^{43}$ Uhr, d) $10^{10}$ Uhr, e) $1^{13}$ Uhr, f) $2^{45}$ Uhr, g) $3^{40}$ Uhr, h) $5^{00}$ Uhr, i) $6^{36}$ Uhr, k) $8^{55}$ Uhr, l) $10^{40}$ Uhr abends, die in durchschnittlich 20 Minuten direkt in die Stadt münden.

Ähnlich verkehren Züge von Eichstätt-Stadt nach Eichstätt-Bahnhof um $4^{45}$ und $5^{50}$ Uhr früh, um $7^{10}$, $9^{35}$, $12^{10}$, $1^{55}$, $2^{54}$, $4^{15}$, $5^{53}$ und abends $8^{00}$ und $9^{55}$ Uhr.

Bestellungen für Mitgliederkarten (zwei Mark), die auch zu den öffentlichen und geschlossenen Versammlungen berechtigen, wenn der Betreffende sich als Mitglied des Cäcilienvereins auszuweisen vermag, sowie für Teilnehmerkarten (drei Mark) — für die Aufführungen in der Kirche wird selbstverständlich keine Eintrittskarte verlangt — mache man rechtzeitig bei Herrn Fritz Bögl, Buchhändler in Eichstätt.

Die 3. Generalversammlung des Allgemeinen deutschen Cäcilienvereines hat schon einmal in Eichstätt im Jahre 1871 vom 3.—6. Sept. stattgefunden; derselben hatte bekanntlich auch Dr. Fr. v. Liszt beigewohnt, und † Dr. Fr. Witt hatte als Generalpräses und Domkapellmeister in Eichstätt ein schönes Programm durchgeführt. Es sei auf die „Fliegenden Blätter für Kirchenmusik“, 6. Jahrgang, Seite 65, 73, 82 und 89, verwiesen. Was seit 37 Jahren im Dome zu Eichstätt aufgeführt worden ist, nach dem Ausscheiden Dr. Witts, durch die Domkapellmeister Joh. Bapt. Tresch, Chr. Krabbel und durch Dr. W. Widmann, gehört wohl der Lokalgeschichte an, muß aber als Beispiel von strengem und zähem Festhalten an den Grundsätzen für liturgisch-katholishe Kirchenmusik, auch unter sehr schwierigen Verhältnissen, heute schon rühmend hervorgehoben werden.

Was die Vereinsangelegenheiten betrifft, so wäre eine Generalversammlung eigentlich nicht dringend notwendig gewesen, besonders da im folgenden Jahre, 1909, die statutenmäßige Versammlung stattfinden muß. Zur Auffrischung des Eifers für manche Diözesen und zu privater Beratung mit alten und neuen Freunden jedoch und zur Ergänzung des Referentenkollegium, welches durch den Tod von Anton Seydler in Graz und P. H. Thielen in Goch a. Rh. seit 1905 auf 14 Referenten zurückgegangen ist[1]) und wieder die Vollzahl 20 erreichen soll, glaubte der Unterzeichnete die General-

[1]) Seit der letzten Ergänzung des Referentenkollegiums 1901 sind auch die Herren Melch. Haag, J. G. Mayer, Pet. Piel und P. Utto Kornmüller gestorben. Von den gegenwärtigen Referenten beklagen sich seit Jahren schon mehrere, daß ihnen die Arbeit zu viel und beschwerlich wird; dieselben seien

versammlung in Eichstätt nach Einholung der Bischöflichen Genehmigung einberufen zu sollen.

In § 15 der Statuten werden als Verhandlungsgegenstände sieben Punkte angegeben, von denen für die bevorstehende Versammlung besonders der zweite: „Erweiterung des Referentenkollegiums auf Vorschlag des Vereinsvorstandes," der dritte: „Entgegennahme der Rechnungsablegung etc.," der sechste: „Vorträge über Kirchenmusik" und der siebente: „Musikalische Produktionen" als Aufgabe der 18. Generalversammlung in Betracht kommen.

Im gleichen Paragraph heißt es: „Anträge, welche bei der Generalversammlung gestellt werden sollen, sind sofort nach Ankündigung der Generalversammlung beim Generalpräses, bezw. dessen Stellvertreter, einzureichen und von diesem in der nächsten Nummer des Vereinsorgans zu veröffentlichen."

„Anträge, welche nicht mindestens vier Wochen vor dem Zusammentritt der Generalversammlung veröffentlicht worden sind, kommen nicht zur Verhandlung".

Seit Ankündigung der Generalversammlung hat der Unterzeichnete nur einen Antrag erhalten, welcher aber nicht diskussionsfähig ist.

Derselbe lautet: „Die 18. Generalversammlung des Cäcilienvereins spricht ihr Bedauern darüber aus, daß die Vatikanische Choralausgabe nicht nach wissenschaftlichen Grundsätzen bearbeitet worden ist, und darum nicht als eine endgültige Lösung der Choralfrage gelten kann."

Der Unterzeichnete ist durch die Statuten verpflichtet, diesen vor bereits drei Wochen eingebrachten Antrag hiemit zu veröffentlichen, protestiert aber zugleich gegen denselben, d. h. er stellt ihm nachfolgenden Antrag entgegen:

„Die Generalversammlung unterwirft sich hinsichtlich des traditionellen Chorales ganz und gar den Weisungen des Heiligen Apostolischen Stuhles nach Maßgabe des Dekretes der heiligen Ritenkongregation vom 8. April 1908[1]) und betrachtet in dem jüngst erschienenen römischen Graduale aus der vatikanischen Druckerei das Normalbuch, nach welchem unter den Augen und nach Anweisung der Hochwürd. Bischöfe kleinere Auszüge veranlaßt werden mögen, wodurch der traditionelle Choral nach und nach *(sensim sine sensu)* in die Praxis unserer Kirchenchöre eingeführt werden könnte".

---

auf § 10 der Geschäftsordnung, welche im Jahre 1871 bei der Generalversammlung in Eichstätt angenommen und bei der 17. Generalversammlung 1904 in Regensburg revidiert worden ist, aufmerksam gemacht. Derselbe lautet: „Alle Referenten sind auf Lebenszeit gewählt und können nur durch eine Generalversammlung aus triftigen Gründen dieses Vertrauensamtes enthoben werden: dem einzelnen der H. H. Referenten steht es frei, den Austritt aus dem Referentenkollegium mindestens sechs Wochen vor der Generalversammlung beim Generalpräses anzumelden".

[1]) DECRETUM seu LITTERAE Sacrorum Rituum Congregationis ad Archiepiscopos, Episcopos Aliosque Ordinarios de Edititone Typica Vaticana Gradualis Romani.

Postquam Sanctissimus Dominus Noster Pius Papa X *Motu Proprio* diei XXII. Novembris MCMIII sacram musicem reformari mandavit: ut coeptum opus qua, par est ratione, absolveretur, decrevit *Motu Proprio* diei XXV. Aprilis MCMIV ut *typica* Editio librorum cantum Gregorianum continentium in vulgus prodiret typis Vaticanis: qua Editione antiquo usu recepti Ecclesiae concentus pristinae integritati ac puritati redderentur, in eum potissimum finem, ut Romanae Ecclesiae ceterisque Romani ritus Ecclesiis communem liturgicorum concentum probatum textum suppeditaret.

Quare iuxta hanc Summi Pontificis voluntatem, typica editio *Gradualis Romani*, numeris omnibus feliciter absoluta, modo in lucem prodit.

Quoniam vero ad Rmos locorum Ordinarios pertinet eiusmodi Gradualis usum ac diffusionem promovere ac regere apud Clerum et Populum sibi commissos: Sacra Rituum Congregatio, de mandato Sanctissimi Domini Nostri, animadvertendas proponit iisdem Rmis Ordinariis normas et mandata praecipua circa huiusce typicae Editionis introductionem eiusque novas typographicas impressiones, quae fiant ab Editoribus, facultate impetrata ab Apostolica Sede, scilicet Decreta huius S. Congregationis d. d. XI et XIV Augusti MCMV, XIV Februarii MCMVI, et VII Augusti MCMVII.

Porro e primo eiusmodi documentorum colligitur 1° Vaticanam editionem Gradualis, vel quamlibet aliam quae legitime statisque sub conditionibus camdem typicam referat, substitui debere editionibus, quae modo adhibeantur: itemque 2° ad Rmos Ordinarios pertinere munus efficiendi ut suae cuiusque dioecesis Propria sic restaurentur, ut conformia reddantur Gregorianis concentibus typicae Vaticanae Editionis.

Per novissimum decretum hic et nunc ita praescribitur usus huius Gradualis, ut quibuslibet editionibus (minime excepta, quae *Medicea* vocatur) huc usque adhibitis, quamprimum substituenda sit Editio Vaticana, vel eius legitime peracta nova impressio: ideoque ceterae Gradualis editiones a typica

Obwohl es laut diesem Dekrete vom 8. April 1908 zunächst dem Hochwürd. Episkopat ans Herz gelegt ist, die Einführung des Vatikanischen Graduale in die Wege zu leiten, so dürfte es auch Aufgabe des Cäcilienvereins sein, seinerseits bei der heurigen Generalversammlung laut § 2 der allgemeinen Statuten[1]) den Standpunkt der kirchlichen Autorität zu betonen. Der Verein hat seit seinem Bestehen als kirchlicher Verein diesen Grundsatz beobachtet und festgehalten.

Auf diese Weise werden auch die geheimen und offenen Anschuldigungen und Verdächtigungen, als ob der Verein Sonderinteressen verfolge oder den Willen des Heiligen Vaters umgehen wolle, am wirksamsten widerlegt werden.

Dem Ersuchen des Herrn Chordirektors B. Heinrich bei St. Bonifaz in München, als 1. Vorsteher eines neuen Verbandes, wurde gerne stattgegeben. Derselbe spricht: „Über den Kirchenchorverband in Bayern und sein Verhältnis zum Cäcilienverein".

Sollte aber innerhalb der nächsten vier Wochen, d. h. bis zum Erscheinen von Nr. 7 des Cäcilienvereinsorgans, irgend ein Antrag für die geschlossenen Versammlungen am 21. Juli abends 5 Uhr und am 23. Juli morgens 9 Uhr an den Unterzeichneten eingesendet werden, so muß er es den stimmberechtigten Mitgliedern überlassen, eine Ausnahme vom Schluß des § 15 der Statuten durch Stimmenmehrheit zu erzielen.

Also auf Wiedersehen in der lieblichen und gastlichen Bischofstadt Eichstätt, wennmöglich schon am Montag den 20. Juli abends 6 Uhr im Dom zur musikalischen Andacht oder abends 8 Uhr zur Begrüßungsfeier im Gesellenhaus, gewiß aber am Dienstag, den 21. Juli um 9 Uhr zur Predigt des H. H. Diözesanpräses und Domkapitulars von Augsburg, Dr. J. N. Ahle und zu dem Pontifikalamt mit der sechsstimmigen *Missa Beatus qui intelligit* von Orlando di Lasso!

Dr. F. X. Haberl, z. Z. Generalpräses.

Zum musikalischen Programm für die 18. Generalversammlung sendet Dr. Wilh. Widmann nachfolgende Erläuterungen:

1) Als erste Nummer für die nachmittägige Vorführung „alter" Meister habe ich angesetzt *Kyrie*, *Sanctus* und *Benedictus* aus *Missa 8. toni* von Orlando di Lasso. Ein altes, bei der Neuausgabe der *Musica divina* ausrangiertes Werk. Warum ausrangiert? Der Herausgeber der zweiten Auflage der *Musica divina* bezeichnet sie gegenüber den von ihm aufgenommenen Werken Orlandos als weniger gehaltvoll. Mag sein; ich glaube aber in vielen Aufführungen mich und hoffe in meiner Analyse der Messe im „Kirchenchor" 1895 auch andere davon überzeugt zu haben, daß die Messe gehaltvoll und reich an schönen Stellen ist und Stellen hat, die für Orlandos Stil charakteristisch genannt werden müssen; ich verweise auf das schöne, feierliche *Kyrie*, speziell auf die Tendenz der Melodiebildung durch Aneinanderreihung und tonische Steigerung des gleichen Motives im 3. *Kyrie* (Sopran[2]), auf die Kreuz- und Querzüge des Themas im *Sanctus*, auf die rhythmischen „Hasten" und den fast obstinaten Baß im letzten *Kyrie* und im *Osanna*. Aus den bei der Generalversammlung nicht aufgeführten Sätzen nenne ich das *Gloria* vom *Qui tollis* ab, im *Credo Et in unum Dominum Jesum Christum; per quem omnia facta sunt;* das herrliche *Et incarnatus est, simul adoratur*, das ganz orlandische *resurrectionem mortuorum* mit seinem „Paukenbaß".[3]) Wenn

discrepantes, rursus imprimi nequeunt, multoque minus a Rmis Ordinariis approbari. Quae vero antequam integra typica Gradualis editio prodiret, benignae datae fuerint concessiones, nullimode prorsus contra memoratas universales praescriptiones debent praevalere.

Denique ad cantus traditionalis instaurationem facilius exsequendam, praeterquamquod iuverit (adiuvante *Commissione* uti vocant dioecesana) animos adiicere eorum quotquot Summi Pontificis menti ac beneplacito libenter cupiant respondere, nil procul dubio magis efficax erit, quam si vigilantissime intendant Rmi Ordinarii, ut executio sacrorum concentuum in Cathedralibus et potioribus Ecclesiis adeo fiat plena ac perfecta, ut forma et exemplar ceteris habeatur.

Oportet insuper, ut qui ad *Cantoris* officium eligantur, congruis dotibus revera sint praediti et superato idoneitatis periculo probati, quod multo magis dici debet de chori magistro seu de *Praefecto musicae* uti aiunt, qui necessaria polleant auctoritate ad suum implendum officium iuxta Summi Pontificis praecepta de musica sacra et cantu Gregoriano instaurandis.

Voluit autem Sanctitas Sua praesens Decretum a Sacra Rituum Congregatione expediri, et Rmis Archiepiscopis, Episcopis aliisque locorum Ordinariis notum fieri; contrariis non obstantibus quibuscunque, etiam speciali mentione dignis. Die VIII. Aprilis MCMVIII.

L. ✠ S. SERAPHINUS CARD. CRETONI, S. R. C. Praefectus.

✠ *Diomedes Panici*, Archiep. Laodicen., S. R. C. Secretarius.

[1]) Der Zweck des Vereines ist: „Hebung und Förderung der katholischen Kirchenmusik im Sinne und Geiste der heiligen Kirche auf Grundlage der liturgischen Gesetze und Verordnungen, insbesondere des *Motu proprio* Sr. Heiligkeit Pius X. v. 22. Nov. 1903."

[2]) Vgl. „Kirchenchor" 1895 Seite 58 f.

[3]) Ambros, Musik-Geschichte, 3. Band „Orlando di Lasso" Seite 367.

ich aber soeben die Rhythmik der Messe berührt habe, so habe ich damit ihre Schwierigkeit genannt; und diese ist wahrlich nicht gering, aber gerade deswegen nicht ohne Reiz. Sie sind es gewesen, die mich nach elfjährigen Experimenten zu der Bearbeitung der Messe geführt haben, die ich als Beilage zum „Kirchenchor" 1895 erscheinen ließ — ein Kollega, der freilich die Messe nie geprobt und noch weniger aufgeführt hat, sagte mir damals, ich habe es verstanden, leichte Gesänge schwer und einfache kompliziert zu machen. Ich habe in vielen Proben und Aufführungen mich vom Gegenteil überzeugt. Gerade für numerisch kleine Chöre ist die Messe sehr dankbar, vorausgesetzt, daß zuerst in den Proben jede Stimme in der ihr von mir gegebenen Taktstellung geübt und selbständig gemacht wird. Rhythmische Selbständigkeit der einzelnen Stimmen ist ja die Forderung aller alten Meister, auch der glatten, um so mehr Orlandos. Meine Bearbeitung der *Missa 8. toni* sollte dem den Weg bahnen.

Was den Gehalt und die Themen des *Kyrie* betrifft, so lehnt sich die Messe an die Motette *Factus est Dominus firmamentum meum* Orlandos an (Magn. op. mus. 3. Band Nr. 3 (132), *Musica divina* I. II. Nr. 165): nach dem Quantum, das Orlando für die *Missa Beatus qui intelligit* aus der gleichnamigen Motette genommen, und nach der Art und Weise, wie er es verarbeitet hat, hätte er diese Messe herzhaft *Missa Factus est Dominus firmamentum* nennen dürfen. Wer sich für die ganze Messe näher interessiert, den verweise ich auf die Beilage zum „Kirchenchor" 1895 und auf die dort gegebene Analyse.

2) *Gloria* aus *Missa L'homme armé*, 5stimmig von Palestrina. Aus der Musikgeschichte ist bekannt, daß schier jeder Polyphoniker vom 14.—16. Jahrhundert auch eine *Missa* über das Volkslied *L'homme armé* geschrieben und darin sein musikalisches Denken und Fühlen, also sein ganzes Können niedergelegt hat. Palestrina hat deren zwei geschrieben, eine 4- und eine 5stimmige, in ganz verschiedenen Tonarten; in gewissem Sinne also ist ihm das französische Volkslied *cujusvis toni* geworden. Ambros sagt von der Wirkung seiner Regensburger Aufführung: „Sie war eine überraschend mächtige — kaum wagte man sich zu gestehen: sie ist größer als die der *Missa Papae Marcelli*.[1]) Nach dem, was man heutzutage von Palestrina kennt oder kennen könnte, würde dies die *Missa L'homme armé* noch nicht einmal zu seinen höchsten Werken erheben; denn wenigstens ich ziehe manche andere Messe Palestrinas der *Missa Papae Marcelli* vor, namentlich unter gewissen Gesichtspunkten; nach meinem Dafürhalten steht sie, was den Wohlklang betrifft, keiner Messe Palestrinas nach, an Kunstwert der Faktur ist sie den vielen großen Messen Palestrinas, mit denen ich mich in 25 Jahren eingehend beschäftigt habe, überlegen. Ich begreife es, wenn jemand[2]) ein ganzes Buch über diese Messe schreiben konnte. Wenn übrigens Ambros sagt, die *Missa L'homme armé* sei durch und durch niederländisch, so möchte ich dieses Wort so modifizieren oder erweitern: das Werk ist ein römischer, echt palestrinensischer Niederländer; der Weidenbaum der Niederlande sieht sich nicht nur auf italienischen Boden gestellt, sondern er steht vor allem unter dem Himmel Italiens und ist von der Sonne Italiens beleuchtet und durchleuchtet. Wenn es mir möglich gemacht wird, die ganze *Missa L'homme armé* herauszugeben, vielleicht als Beilage zum „Kirchenchor", so hoffe ich in einer stilistischen Untersuchung der Messe dies bis in Einzelheiten zu beweisen. — Ambros sagt, die Ausführung der Messe sei eine sehr schwierige Aufgabe. Die Hauptschwierigkeit liegt mit Einem in der Stimmlage des *Cantus firmus (Quintus)* und in der Lage, in welche die anderen Stimmen gedrängt werden, falls der *Quintus* nur von einerlei Stimme gesungen wird (Haberl schlägt die Transposition in die Unterterz und die Vermischung des Altes mit Tenören des zweiten Tenores *(Quintus)* durch Baritone vor). Das mag bei der Besetzung des Soprans durch Knabenstimmen gut sein; meinen Sopranstimmen läge das nicht gut. So bin ich auf die Idee gekommen die Messe nur ½ Ton abwärts zu intonieren und die hohe Partie des Quintus durch Altisten (Knaben), die tiefe durch Baritonisten singen zu lassen.

Aus dem Programm ist ersichtlich, daß mir auch für die Nachmittagsproduktion zunächst das Bild einer Messe vor Augen geschwebt hat. So muß denn auf das *Gloria* das *Credo* folgen. Aber auf die große Anspannung der Leistungs- und Perzeptionskraft, wie sie durch das *Gloria* der *Missa L'homme armé* verursacht ist, muß eine Abspannung folgen. Im Hochamte wird diese erreicht indem der Priester fast den ganzen Gesang bis zum *Credo* allein übernimmt. In unserer Nachmittagsaufführung ist an diesen Modus nicht zu denken und längeres Orgelspiel würde den Zuhörer wohl leicht aus der Stimmung reißen. Deshalb habe ich als *Credo* das zweite Choral-*Credo* eingesetzt, mit einer von mir verfaßten Orgelbegleitung, die sicherlich nicht wenig Widerspruch finden wird. Aber ich hoffe, daß die Sache doch wenigstens noch diskutierbar ist.

3) Von den vier Charwochenresponsorien werden nachmittags nur die ersten drei aufgeführt, das vierte (*Caligaverunt*) ist für die instruktive Probe bestimmt. In den Kompositionen für die Charwoche haben die „Alten" ihr Bestes gegeben, oft mutet es mich an, namentlich aus dem, was der feine Kenner Proske veröffentlicht hat, als ob mancher Komponist manchen Satz mit seinem Herzblute geschrieben habe. Da die Charwoche seit Jahrzehnten meine Freude ist, halte ich es für angezeigt, bei der Generalversammlung davon einige Stimmungsbilder mitzuteilen. *Judas mercator pessimus* von A. Zoilo, einem geborenen Römer und Zeitgenossen Palestrinas, ist ein Beweis dafür, wie bei aller Einheitlichkeit der Komposition der einzelne Gedanke, ja das einzelne Wort nicht vernachlässigt zu werden braucht[3]): der Gegensatz zwischen dem „Schacherjuden" Judas und dem „unschuldigen Lamme", der aufgeregte Satz mit den herben Stimmführungen, wo Judas vorgestellt wird, und der ruhige Satz *ille ut agnus innocens* sind so augenfällig, daß ich jetzt wohl bloß darauf aufmerksam zu machen brauche.

[1]) Musik-Geschichte, 4. Band, Seite 25. [2]) Cerone. [3]) Vgl. Kirchenchor, 1896, Seite 40 f.

*Recessit pastor noster* von Handl verfolgt offenbar denselben Zweck, aber zum Teile mit anderen Mitteln. Ich sage: zum Teile; denn wie Zoilo geht auch Handl sozusagen dem einzelnen Worte nach; wie Zoilo pflegt auch Handl das malerische Moment, ja — letzteres fast noch intensiver als Zoilo — ich denke an das *mortui, resurgunt* und an das zweite *confractae sunt:* man sieht gewissermaßen die Toten mit ihren Gerippen, mit ihren fahlen Gesichtern aus den Gräbern heraussteigen; man hört aus den gewalttätigen Synkopen das *cón-frá-ctae sunt* heraus wie die Pforten des Todes bersten und zusammenfallen. Neben diesem malerischen Momente aber pflegt Handl als Spezialität das oratorische der bedeutungsvollen, gesteigerten Wiederholung von Sätzen und Wörtern; z. B. *Recessit pastor noster — — recessit — pastor noster;* ähnlich einem Prediger, der zuerst ruhig anhebt: Hingegangen ist unser guter Hirte — — (dann mit gehobener Stimme:) hingegangen ist er — (wieder langsamer und mit gesenkter Stimme:) unser guter Hirte." Gerade damit versteht Handl manchmal wundersam anzuregen und zu wirken. In unserem Falle ist es auch die Stimmenbesetzung, durch welche bei Zoilo und bei Handl verschiedenartige Wirkungen beabsichtigt sind: dort wie ein Dämmerlicht nur Alt und Männerstimmen, hier der gemischte Chor mit seiner ganzen Farbenmöglichkeit.

Als Ergänzung für die verschiedenartige Farbengebung folgt ein Responsorium für bloßen Männerchor *„Astiterunt reges terrae*, da stehen die Könige der Erde, und die Großen kommen zusammen wider den Herrn und seinen Christus", ein sehr kategorischer Satz von M. A. Ingegneri. Was der Männerchor soeben gesungen hat, das wiederholen im *Quare fremuerunt gentes* in ihrer Weise die Oberstimmen; in der Wiederholung des Refrains sind beide Chöre vereint.

4) Mit Rücksicht auf die Beteiligung des bischöflichen Seminares wurde die Vesper vom ersten Tage auf den zweiten, also auf den 22. Juli nachmittags verlegt. Dafür habe ich unser Charwochenbild etwas vervollständigt, indem ich die *Improperia* von Palestrina-Bernabei in neuerer Bearbeitung[1]) einfügte. Ich habe im „Kirchenchor" wiederholt auf das Milieu hingewiesen, in welchem ich sie jährlich aufführe: zuerst kommen die stürmischen Passionschöre von Soriano, dann werden am Altare die allgemeinen Fürbitten gesungen; und wenn das Kreuz enthüllt ist und zur allgemeinen Anbetung auf den Boden gelegt ist, während mitten in der offiziellen Andacht ein jeder in seiner Weise und doch offiziell sich an den Heiland wendet, dann, in der allgemeinen lautlosen Stille, hebt so leise als möglich der Chor sein *Popule meus* an: „Mein Volk, was hab' ich dir getan?" Und aus dem Chore hebt sich ein Soloquartett ab und markiert den schneidenden Gegensatz *Ego — et tu*, ich habe dir in jeder Hinsicht nur Gutes getan, und du hast mir so übel vergolten! Und dann stammelt der Chor *Agios o Theos* . . ., all das in feierlichster Ruhe und mit möglichst viel Wohllaut . . . das sind Augenblicke des Glückes für einen Chorleiter, und ich werde mich glücklich fühlen, wenn es mir bei der Generalversammlung gelingen sollte, auch den Zuhörer von diesem Glücke mitzuteilen. Freilich vergesse ich nicht, dass wir am 21. Juli *Popule meus* nicht in der Charwoche singen, daß der ganze liturgische Hintergrund, der Zusammenhang mit der Passion fehlt, daß die Situation, in welcher die *Improperia* diesmal gesungen werden, jener vergleichbar ist, wenn im Konzertsaale am hellichten Nachmittage von „dicker Finsternis" gesungen wird. Aber anzuregen hoffe ich dennoch. Noch sei bemerkt, daß wir nur einige Verse *Ego — et tu* singen werden.

5) Am Charsamstag hat der Domchor den ganzen Tag Ruhe bis zur Auferstehung. Dann aber ertönt meist Cl. Casciolinis 8stimmiges *Angelus Domini descendit*, mit dem trompetenmäßigen *sed surrexit* und dem schier endlos sich steigernden *Alleluja* — mit einem Schlage hat sich der Umschwung zur Osterfreude vollzogen, *aether resultat laudibus*.

6) In den folgenden Nummern soll eine Blumenlese aus dem Schatze der Motetten dargeboten werden, welche wir das Jahr über singen. Einerseits wurde bei der Auswahl auf Festzeiten Rücksicht genommen, andererseits auf leichte Ausführbarkeit und praktische Verwendbarkeit; bei allen Nummern auf Schönheit und Wohlklang, was übrigens bei den „alten" Meistern nicht gerade schwierig ist. Da ist wieder Orlando vertreten, dessen Vielseitigkeit noch zu wenig bekannt ist. Und zwar möchte ich gerade an dessen *Domine convertere* zeigen wie die Alten mit ihrem bescheidenen Umfange der einzelnen Stimmen für jede Art der Besetzung zu haben sind, und wie verschiedenfarbig ein und dasselbe Bild je nach der Besetzung erscheint. Palestrina hat in seinem Offertorium *Deus tu conversus* in Tonart und Stimmbesetzung ein prachtvolles mystisches Adventbild gemalt. Sein *Lauda Sion* gibt Gelegenheit zwei Chöre von ungleicher Stimmenbesetzung zu vergleichen (1. Chor 2 Sopran, Alt und Bariton, 2. Chor Alt, 2 Ten. und Baß[2]) und zugleich palestrinenische Kraft mit orlandischer zu messen, wenn man sich an die vormittägige Messe zurückerinnern mag. Haslers *Dixit Maria* und Croces *O sacrum convivium* sollten Gemeingut aller Kirchenchöre sein.

Meine Absicht bei der Zusammenstellung dieses Programms ist offenbar gut und ehrlich. Gebe der liebe Gott seinen Segen, daß die Ausführung nicht allzusehr hinter der Absicht zurückbleiben möge!

Eichstätt. Dr. W. Widmann.

---

[1]) Beilage zum „Kirchenchor" 1902.

[2]) Vgl. Kirchenchor 1898 zur 3. u. 4. Musikbeilage.

## Vermischte Nachrichten und Notizen.

1. ◯ **Das Bachfest zu Leipzig** anläßlich der Enthüllung des Bachdenkmals, vom 16.—18. Mai brachte eine Hochflut musikalischer Darbietungen, und mancher sonst handfeste Bachianer konnte ins Schwanken geraten darüber, ob er den Veranstaltungen in ihrer Gesamtheit genügende geistige Widerstandskraft entgegenzusetzen imstande wäre.

Nun jetzt, da alles glänzend vorüber und alles stimmungsvoll verlaufen ist, kann man sagen: es war alles gut, die Auswahl, die Anordnung und die Wiedergabe; die Feier war würdig dem Andenken Bachs.

Da das Programm in der Mainummer des Cäcilienvereinsorgans schon erschienen ist, bedarf es nur noch einer zusammenfassenden Übersicht der Leistungen.

Zuerst kommt in Betracht der Thomanerchor selbst. Er sang am Sonnabend unter Professor Schrecks Leitung die achtstimmige Motette: „Singet dem Herrn ein neues Lied“. Die Polyphonie ist bis ins Unendliche gesteigert, und dabei zeigt sie von einem feinen Sinn Bachs für stimmliche Klangschönheit, die man in diesem „instrumentalen“ Polykontrapunktisten nicht vermuten sollte.

Als Präludium spielte Gustav Knak, Organist an der Christuskirche zu Hamburg, Phantasie und Fuge *G*-moll. Es schien uns, als ob die Gegensätze in der Registerwahl oft zu unvermittelt aufeinanderfolgten. In dem ersten Kirchenkonzert abends ½ 8 Uhr trat dieser Mangel bei der Wiedergabe der Passacaglia (*C*-moll) wohltuend zurück.

... So sehr wir einer dynamischen Schattierung und kontrastierenden Farbengebung durch die Register der Orgel beim Themenspiel der Fuge das Wort reden, so sehr verlangt das Ohr einen einheitlichen, durchgehenden Zug, eine gewisse festzuhaltende Grundstimmung. Alle Gegensätze der Farbengebung sind nur relativ zu nehmen; d. h. die Schattierungen dürfen nicht ins Grelle übertrieben werden....

Darauf folgten zwei deutsche Kantaten: „Wie schön leuchtet der Morgenstern“ — und: „Mein liebster Jesu ist verloren“ — letztere eine Solokantate für Alt, Tenor und Baß. Besonders in der ersten Kantate entwickelt Bach eine hohe, überraschende Kunst der Tonmalerei.... Lieblicheres als der Anfang dieses Stimmungsbildes läßt sich schwerlich denken. Dieses Tonstück fesselt doppelt stark im Hinblick auf das Herbe, das nicht selten der Bachschen Musik eigen ist und eine ihrer charakteristischen Seiten ausmacht....

Hieran schloß sich das um 1723 komponierte *Magnificat*, das Bach im Sinne einer Kantate aufgefaßt und durchkomponiert hat zu Anfang seiner Tätigkeit als Thomaskantor in Leipzig (von 1723—31. Juli 1750.) Dieses vom Orchester begleitete Vokalwerk stellt sich dar als ein würdiges Seitenstück zur „Hohen Messe“, wo auch Gedanke für Gedanke in tiefer Betrachtung aufgefaßt und musikalisch voneinander unabhängig verarbeitet wird. Das „*omnes generationes*“ erinnerte uns in seiner furchtbaren Wucht an gewisse Stellen des Gloria in Beethovens *Missa solemnis*. Die Wiedergabe dieses *Magnificat* bildete einen der Höhepunkte des Festes.... Es war merkwürdig, wie modern der alte Bach in solchen Sätzen uns anmutet. Die *Fortissimo*-Stellen dieses Opus zeigen denselben Zuschnitt, denselben Aufbau, wie sie Liszt bietet, wenn er in seinem *Stabat mater* den Auferstehungsjubel musikalisch darstellt. Wie groß dieser Bach, daß mehr als 150 Jahre dazu gehörten, um seine Werke technisch zu meistern....

Die nächste größere künstlerische Veranstaltung bildete der Kammermusikabend im großen Saale des Gewandhauses. Es lag eine Weihe über jenem Abende, wie wir sie selten erlebt haben, obwohl es uns nicht an Gelegenheit zur Vergleichung bis dahin gefehlt hatte.

Der große Saal, gefüllt bis auf den letzten Platz von einem Publikum, das nicht sich sehen lassen wollte, sondern das gekommen war, den gewaltigen Geist Bachs von einer Seite kennen zu lernen, die sich selten dem Schauenden darbietet.

Eine Sonate *H*-moll für Klavier und Flöte (Professor Max Reger und Schwedler vom Gewandhausorchester) eröffneten den Abend. „Drei Gesänge“ für eine Altstimme „aus dem Klavierbüchlein der Anna Magdalena Bach“ schlossen sich daran; gesungen von Fräulein Maria Philippi aus Basel.

Des weiteren folgten: Sonate für Klavier und Violine (*F*-moll) (Professor Henri Marteau); Sonate (*G*-moll) für Klavier und Violoncello (Professor Julius Klengel).

Solokantate für eine Sopranstimme und kleines Orchester (1749), Gelegenheitsmusik zur Hochzeitsfeier eines Leipziger Bürgers — und schließlich Partita (*D*-moll) für Violine allein.

War das ein Wettstreit in des Wortes edelster, vielsagender Bedeutung. Ohne das Verdienst der andern zu schmälern, müssen wir doch sagen, daß die herrliche Altstimme von Fräulein Philippi in ihrer schlichten, innigen, wahrhaften Weise tief zu Herzen ging. Aber auch Fräulein Emma Reichel (Paris) wurde ihrem koloratiy reichen Singpart in jeder Hinsicht gerecht. Die Größe des Entwurfs der „Partita“ lockte Henri Marteau (an Joachims Stelle berufen) zur Entfaltung seiner eminenten Bogenkraft, seiner absoluten Sicherheit und unvergleichlichen Schönheit des Tones. Nicht zu vergessen des Flötengesanges von Schwedler, einem der größten Meister auf diesem sonst so trocken klingenden Instrumente, das überaus seelenvoll zu der gespannt lauschenden Zuhörerschaft sprach.

Dementsprechend war der Beifall ein starker, begeisterter, besonders auch beim Erscheinen des Leiters all dieser Veranstaltungen: des Thomasorganisten Karl Straube. Nachhaltigen Eindruck erweckte Professor Max Reger, der in seiner Begleitung all der Gesänge und Sonaten ein Feingefühl und eine Gewandtheit entwickelte, die man sich schwerlich gesteigert vorzustellen vermag. Alles in allem ein selten stimmungsvoller, interessanter Abend.

Am Montag erfolgte nachmittags 3 Uhr und abends ½ 8 Uhr die Matthäuspassion in ihren zwei Teilen. Ungekürzt.

Die Aufführung zeigte von Kunstsinn, Energie, historischer Kenntnis und persönlichem Erfassen. Leider waren die Chöre der Turba an manchen Stellen turbulent, wodurch ein Wirrwarr der Stimmen die unausbleibliche Folge war. . . . Zuviel Realistik beeinträchtigt die Kunst. Unsere Phantasie will mitschaffen, nachbilden. Wird die Kunst realistisch, so wird der Phantasie die Möglickeit dazu genommen. Der Zuhörer wird zum geistigen Müßiggange gezwungen. Und anderenteils: die vollkommenste Wirklichkeit bleibt in der Tonkunst doch immer nur ein Abglanz des aus dem Kunstwerke zum Hörer sprechenden Idealen. Das feinere ästhetische Empfinden fühlt sich durch ein beabsichtigtes Übermaß abgestoßen, bevormundet, belästigt. . . .

Herr L. Heß als Evangelist, mühte sich redlich, um die Wiedergabe des schweren Singparts eindrucksvoller zu gestalten. Der Christus des A. van Eyk hinterließ einen starken, einheitlichen, innerlichen Eindruck. Das Gleiche gilt von den Damen Fräulein Maria Philippi und Frau Jeanette Grumbacher de Jong. . . .

So waren die Festtage geschaffen, das Seelenbild des großen Bach uns vor Augen zu führen wie es passender und wirkungsvoller nicht gut gedacht werden kann.

Wir sind die letzten, die in der ausschließlichen Pflege Bachscher Musik alles musikalische Heil erblicken. Wir wissen uns frei von den Anwandlungen einer hie und da merkbaren Bachmanie.

Aber das müssen wir gestehen: man muß von Bach vieles und vor allem viel und das Viele gut gehört haben, um zu der Überzeugung zu gelangen, daß dieser Heros an Geist und Erfindung, Gestaltung — daß dieses gläubige Gemüt, daß dieser ehrliche, tief christliche Mann unergründbar erscheint und im Zuhören den ganzen Menschen dermaßen erfaßt, daß man Mühe hat, ohne Verstimmung und ohne tiefere Sehnsucht nach ihm mit den stolzen Männern der modernen Musik sich auszusöhnen.

Uns werden diese Tage ehrlichen Kunstschaffens unvergeßlich bleiben. —b—

2. ⊙ **Prag. Dr. Gerh. von Keußler** kam vor zwei Jahren nach Prag, voziert vom Deutschen Männergesangverein, dem ältesten Gesangverein der Stadt, und von dem daraufhin gegründeten Frauenchor des Lyzeums. Mit diesen beiden Vereinen machte sich Keußler sofort an die wichtigste der von ihm erkannten Aufgaben, nämlich: Die im Prager Konzertleben völlig vernachlässigte geistliche Musik zu pflegen. Mit einer 200 zähligen Sängerschar führte er zuerst das *Requiem* von Mozart auf. Der Erfolg war ein derartiger, daß die Aufführung gleich darauf vor ausverkauftem Haus wiederholt werden mußte, und daß der größte und älteste gemischte Chor Prags, der Deutsche Singverein, bei eingetretener Vakanz des Direktionspostens Keußler einstimmig auch zu seinem Dirigenten wählte. — Seit der Zeit treten die Gesangvereine oft in gemeinschaftlicher Wirksamkeit auf. Außer dem erwähnten *Requiem* haben sie auf geistlichem Gebiet Händels Messias und Liszts Heilige Elisabeth mit durchschlagendem Erfolg aufgeführt und stehen vor einem Bachabend.

Besonders hervorzuheben aber ist unter den Programmen eines, das sich ausschließlich aus Kompositionen des 16. Jahrhunderts zusammensetzte (Motetten, Sologesänge und Orgelwerken) und durch das allseitig begeistert anerkannte Gelingen im Konzert den Nachweis geliefert hat, daß diese köstliche Musik des Palestrinastils auch in einem so heterogenen Medium wie im Konzertsaal den ebenfalls heterogenen, also der Tradition entwachsenen Konzertbesucher ganz zu bannen weiß. Es bedarf eben nur einer kirchlich-ästhetischen Zusammensetzung des Programms in stilgerechter Ausführung, und es zeigt sich, daß die Kirchenmusik der großen klassischen Vokalperiode unverblichen dasteht.

Keußler, der auch in den von ihm begründeten „Neuen Symphonie-Konzerten" immer das Prinzip der ästhetischen Einheit im Programm durchgeführt hat, stellte den „Palestrinaabend" in folgender Ordnung zusammen: 1. Orgel: Intonation von G. Gabrieli. 2. Chor: *O magnum mysterium* von Palestrina. 3. Sologesang: *Congratulamini mihi* von Croce. 4. Chor: *Ave Regina* von Lasso. 5. Orgel: *Canzon da sonare* von Maschera. 6. Chor: *Hodie stella Magos duxit* von Marenzio. 7. Orgel: *Fantasia in Eco movendo un Registro* von Banchieri. 8. Chor: *Dextera Domini* von Palestrina. 9. Sologesang: *In die tribulationis* von Croce. 10. Chor: *Fratres, ego enim accepi* von Palestrina. 11. Orgel: *Ricercar* von Frescobaldi. 12. Chor: *Agnus Dei* von Vittoria. 13. Sologesang: *O vos omnes* von Vittoria. 14. Chor: *Tenebrae* von Palestrina. 15. Sologesang: *Pater noster* von Lasso. 16. Chor: *Christus resurgens* von F. Anerio. 17. Orgel: *Toccata per l' Elevatione* von Frescobaldi. 18. Chor: *Ascendo ad Patrem* von Gallus.

Man sieht also: es sind die Hauptmomente der Heilsgeschichte in eine kontinuierliche Folge von Motetten und Sologesängen eingekleidet, die ihrerseits wieder musikalisch untereinander kontrastieren, wobei der Solist in vornehmlich Gesänge der Muttergottes zukommen, wie *Congratulamini mihi* zur Geburt in der Weihnacht und *O vos omnes* zum Tod am Kreuz.

Zu einer dem Geist des Ganzen entsprechenden Durchführung müssen natürlich die äußeren Momente günstig hergestellt werden: 1. Der Chor muß vor dem eigentlichen Studium des Programms mit allen musikalischen Stilfragen des 16. Jahrhunderts völlig vertraut gemacht werden, und 2. dem Zuhörer muß — wenn die Aufführung im Konzertsaal stattfindet, lautlose Ruhe auch während der Pausen geboten, also jede Beifallsbekundung untersagt werden. — Für beides war gesorgt.

Um den Chor theoretisch wie praktisch mit den mannigfachen Stilfragen vertraut zu machen, begründete Keußler — zunächst innerhalb des Rahmens seiner Vereine — eine Chorschule, die in stetem Fortschritt Stilstudien treibt. Galten diese Studien im Vorjahr dem Palestrinastil, heuer gelten sie dem Bachstil. Sie setzen sich aus geschichtlichen Vorträgen, Demonstrationen und praktischen Übungen zusammen. Ein Exzerpt der Vorträge über den Palestrinastil bietet Keußlers geschichtlich-ästhetische Studie „Der Palestrinastil" in der „Wiener Zeitschrift für Musik" Heft 2—6.

3. ✠ Gott dem Allmächtigen hat es gefallen, unsern geliebten Vater in Christo, den Hochwürd. Herrn **Dr. Benediktus Sauter**, O. S. B., Abt des Kgl. Stiftes U. L. Fr. zu Emaus, Landesprälaten des Königreiches Böhmen, wohlvorbereitet durch die Gnadenmittel der heiligen Kirche, am Pfingstsonntag, den 7. Juni 1908, vormittags zu sich in die Ewigkeit abzuberufen im 73. Jahre seines Lebens, im 51. seines Priestertums, im 46. Jahre seiner heiligen Ordensprofeß und im 24. Jahre seiner äbtlichen Würde. Die Seele des teuren Verstorbenen empfehlen wir dem heiligen Opfer der Priester am Altare und dem Gebete der Gläubigen. Das Pontifikalrequiem findet am Mittwoch, den 10. Juni vormittags 9 Uhr in hiesiger Abteikirche statt. Hierauf folgt die Beerdigung auf dem Wyschehrader Friedhof.

Abtei Emaus, Prag, den 7. Juni 1908.

Diese offizielle Todesnachricht aus Emaus wird auch den Mitgliedern des Cäcilienvereins Veranlassung geben, eines Mannes im Gebete und beim heiligen Opfer zu gedenken, der bereits 1865 durch seine Schrift „Choral und Liturgie" große Anregungen für Reformen in der katholischen Kirchenmusik gegeben hat. Er war nach der „Reichspost" einer der Gründer der reformierten Benediktiner, der im gleichen Geiste und von derselben Frömmigkeit beseelt wie die hochverdienten Brüder, Maurus und Plazidus Wolter wirkte. Als Konventuale der Erzabtei von Beuron kam Sauter nach Prag in das Stift Emaus, das 1880 vom österreichischen Kaiser den Beuronern übergeben worden war und an dessen Spitze Sauter im Jahre 1885 trat. In den letzten Jahren war die Schaffensfreude dieses Mannes gelähmt, Abt Sauter entbehrte des Augenlichtes. Eine kurze Krankheit hat seinem Lebenslaufe ein Ziel gesetzt. Dr. Benedikt Sauter war am 24. Aug. 1835 zu Langenenslingen in Hohenzollern geboren, 1858 zum Priester geweiht, 1885 zum Abt von Emaus erwählt. R. I. P. F. X. H.

4. ✠ **Altötting**, 30. Mai. Heute nachmittags 12¾ starb Herr Joseph Merk, Organist an der K. Kapellstiftung in einem Alter von 28 Jahren. Möge die himmlische Schutzfrau ihrem treuen Diener (unserem ehemaligen Schüler. F. X. H.) eine milde Fürsprecherin sein. R. I. P.

Muckenthaler, Kapellmeister.

5. i. **Gleiwitz. „Das Paradies und die Peri".** Wer vorigen Herbst dem Diözesan-Cäcilienfeste in Gleiwitz beigewohnt hatte, wird sich mit Befriedigung der durchaus wohlgelungenen kirchlichen und weltlichen Aufführungen erinnern, die insbesondere dem vom Chorrektor Gebauer geleiteten Gleiwitzer Cäcilienchor reichen Beifall eintrugen. Dieser Chor führte am 5. April Schumanns „Paradies und Peri" auf. Welches Vertrauen ihm entgegengebracht wurde, zeigte das trotz seiner Größe „ausverkaufte Haus", in dem wir Vertreter aus allen Teilen Oberschlesiens — selbst sehr entlegen — sahen; sogar aus Breslau und Glatz waren Kunstkenner erschienen. Der Kgl. Musikdirektor Paul Mittmann aus Breslau nennt diese Aufführung in der von ihm verfaßten Rezension („Breslauer Ztg.") „ein musikalisches Ereignis ersten Ranges".

Mit dem ihm eigenen Fleiße und strengster Gewissenhaftigkeit hatte Herr Gebauer, der treffliche, kunstbegeisterte Dirigent, die Einstudierung dieses grandiosen Werkes geleitet, und der Chor, der die stattliche Zahl von 160 Damen und Herren aufwies, unterzog sich unter dieser sicheren Führung gern der mühevollen Aufgabe. Welch volles Vertrauen die Sängerschar dem Leiter entgegenbrachte, zeigte sich deutlich in der bewundernswerten Disziplin, in welcher sie selbst den feinsten Winken seines Stabes folgte, in dem gleichmäßig tiefen Auffassen und dem Hineinleben in Text und Melodie. Nur bei derartiger Übereinstimmung ist es möglich, daß die an sich teilweise recht schwierigen Chöre so einheitlich charakteristisch und dramatisch gelingen können. Welche Kriegswut zeigten doch die Chöre der Inder und der Eroberer und von welch bangem Schmerze war das „Weh" des Chores in Nr. 8 durchdrungen! Gleiche Bewunderung forderte die kraftvolle Feierlichkeit im Freiheitsliede, die Lieblichkeit des Chores der Genien des Nils und vor allem die Zartheit des „Schlaf"-Chores wie auch die helle Freude, welche das Finale beseelte. Alle Einsätze gelangen vorzüglich. Mit derselben Sicherheit hatte es Herr Gebauer verstanden dem Orchester — die durch geschätzte Kräfte verstärkte Kapelle des Infanterie-Regiments „Keith" Nr. 22 — denselben Geist einzuhauchen, so daß auch dieses in größter Einmütigkeit treu zu den Solisten und dem Chore hielt. Als Solisten traten auf: Frau Dr. Bialon-Fußek, Frau Lange-Schwarzer, Herr Konzertsänger Janssen und Herr Konzertsänger Rupprecht, sämtlich aus Breslau. Diese wohlbekannten Namen genügen wohl schon allein, um festzustellen, daß auch die Solopartien glänzend erledigt wurden. Frau Dr. Bialon besitzt einen in allen Lagen ausgeglichenen hell und schön klingenden hohen Sopran. Sie sang die Peri mit großem Verständnis und treuem Gefühl. Die anstrengende Jubelszene im Finale war eine Prachtleistung. Frau Dr. Bialon und ihre Partnerin sind prädestinierte Schumannsängerinnen. Frau Langes Alt zeigt eine äußerst feine Schulung; er ist in allen Lagen kräftig und hat vorzügliche Klangfarben, die sich bei deutlichster Aussprache vortrefflich dem jeweiligen Charakter anzupassen vermögen. Der Tenor des Herrn Janssen zeigte sich schön bei dem Rezitativ: „Fort streift von hier das Kind." Es war aber merkbar, daß eine Indisposition die volle Entfaltung des sonst so herrlichen Organs verhinderte. Herr Rupprecht bewies wieder einmal seine Schlagfertigkeit und Sicherheit, indem er als Bassist auch die Partie des zweiten Tenors übernahm und tadellos erledigte. Als Anerkennung und Dank wurden Herrn Gebauer, dem genialen Dirigenten, ein großer Lorbeerkranz mit Schleife und Widmung und ein prachtvolles Blumenarrangement überreicht. Hoffentlich spornen ihn die schönen Erfolge und die allseitige Anerkennung derselben zu neuen Taten an, so daß sein reiches Talent sich voll entwickele zum Segen seines Wirkungsortes und ganz Oberschlesiens. Johannes Hanisch, Lehrer, 1. Schriftführer.

6. ⊙ Gutachten über die neue Orgel von der Orgelbauanstalt Steinmeyer in Öttingen a. R für die römisch-katholische Kirche in **Jekaterinoslaw** (Russland). Der Unterzeichnete hat sich auf ausdrücklichen Wunsch des Hochwürd. Herrn Pfarrers in Jekaterinoslaw am 18. Mai 1908 von Regensburg nach Öttingen begeben, nachdem die Firma Steinmeyer mitgeteilt hatte, daß die Orgel für Jekaterinoslaw zur Prüfung fertiggestellt sei und noch in dieser Woche zur Versendung an ihr Ziel gelangen solle.

Nach eingehender persönlicher Prüfung erklärt der Unterzeichnete wie folgt:

1. Das Äußere der neuen Orgel mit zwanzig klingenden Stimmen und den notwendigen Nebenzügen gewährt in seiner Einfachheit der Ausstattung und des Prospektes einen äußerst freundlichen Eindruck. Der Spieltisch besonders ist überaus sorgfältig und sauber gearbeitet; die Registerzüge wurden sehr bequem, rechts und links von den beiden Manualen, durch Klappen in drei verschiedenen Farben, je eine für das I. und II. Manual und für das Pedal, angebracht und gekennzeichnet. Besonders lobenswert und erwünscht ist die Einrichtung, daß der Organist über der Klaviatur des II. Manuals kleine Plättchen erscheinen sieht, auf denen er, ohne nach rechts oder links zu schauen, die Namen der zugezogenen Register und der Kombinationszüge *Piano, Mezzoforte*, *Forte* und *Tutti* ablesen kann.

2. Die Orgel wurde auf Grund der vorgelegten Disposition in ihren einzelnen Registern sorgfältig geprüft. Jedes Manual enthält 56 Töne und Tasten, das Pedal 27. Die Disposition ist unter Vermeidung von Zungenstimmen angefertigt — eine Anordnung, die der Unterzeichnete ausdrücklich lobt, da bei Temperaturwechsel und der außerordentlichen Schwierigkeit, die verstimmten Zungen wieder in Ordnung zu bringen, auf diese Weise lästige Störungen beim Gebrauche der Orgel vermieden sind. Glänzende Wirkung wird durch die Cornet-Mixtur erzielt, da dieselbe aus einem Gedeckt 4′, einer Oktav 2′, einer Quint 2⅔′ und einer Terz 1⅗′ besteht und bei der nötigen Deckung durch die übrigen 16′-, 8′- und 4′-Register festliche Klänge erzeugt.

3. Sehr angenehm und zweckentsprechend sind im I. und besonders im II. Manual reiche und liebliche Soloregister von charakteristischer und verschiedener Tonfärbung disponiert, durch welche sowohl bei der Begleitung des Gesanges als auch beim Einzelspiel die gewünschten und notwendigen Tonschattierungen und reichliche Effekte erzielt werden können.

Unter diesen Registern hebe ich hervor im I. Manual: Dolce 8′, Flauto amabile 8′ und Viola di Gamba 8′; im II. Manual: Aeoline mit Vox coelestis, Lieblich gedeckt, Salizional und Konzertflöte 8′; im Pedal ist der Bourdonbaß 16′ aus dem I. Manual herübergenommen; die beiden 16füßigen Register Violon und Subbaß aus Holz wirken voll und rund; der Oktavbaß (Zink) besitzt bestimmten und klaren Ton. Eine Menge von Tonmischungen ist endlich durch die Nebenzüge der Manualkoppel, der Pedalkoppel zum I. und II. Manual und der Sub-Oktavkoppel vom II. zum I. Manual möglich gemacht. Dazu zähle ich auch die festen Kombinationen für *Piano, Mezzoforte, Forte* und *Tutti*, das ausgezeichnete General-*Crescendo*, das durch einen Fußtritt hervorgerufen werden kann, den Schwellkasten für das II. Manual und das Pianopedal.

4. In bezug auf das Material muß als Vorzug dieses und der übrigen Fabrikate aus der Orgelbauanstalt Steinmeyers rühmend hervorgehoben werden, daß alle, auch die kleinsten Teile an Ort und Stelle gefertigt und nicht aus fremden Werkstätten bezogen sind, daß Hart- und Weichholz durch jahrelanges Lagern in den großen und wohleingerichteten Magazinen vollkommen ausgetrocknet ist, und daß für die Holzpfeifen astfreies Holz verwendet wird. Die Zinn- und Zinkpfeifen werden in eigenen Räumen fabriziert, die Windladen und Pfeifenstücke mit Maschinen gehobelt, gefräst und gebohrt und bis zur Vollendung kontrolliert, so daß Garantie für die äußerste Solidität und Sauberkeit geboten ist. Ähnliches ist von dem Gebläse (Magazinbalg) zu sagen.

5. Die Röhrenpneumatik ist nach bewährtestem Systeme eingerichtet; die Röhren selbst sind übersichtlich, bequem und mit großer Raumersparnis sorgfältig gelegt. Sie funktionieren deshalb außerordentlich prompt und schnell; ein Hängenbleiben oder Zögern des Tones ist ausgeschlossen, die Spielart wie bei einem Klavier, auch bei vollem Werke.

6. Die Winderzeugung geschieht durch elektrischen Antrieb, durchaus gleichmäßig beim leisen und stärksten Spiele, ohne Schwanken und Stoßen.

Das Gesamturteil faßt der Unterzeichnete in dem Satze zusammen: „Die Orgel Steinmeyers für Jekaterinoslaw entspricht allen Anforderungen in bezug auf Material, Tonfülle und -Vielheit, Intonation, Kombination und Reinheit, ist nur aus echtem, gediegenem Material hergestellt, entspricht den Zwecken des katholischen Gottesdienstes nach allen Seiten und wird der römisch-katholischen Gemeinde in Jekaterinoslaw begründete Freude bereiten, denn — sie ist ein gelungenes Meisterwerk!

Regensburg, den 20. Mai 1908. Dr. Fr. X. Haberl,
Kgl. Geistl. Rat und Direktor der Kirchenmusikschule.

Die Disposition der neuen Orgel für die röm.-kath. Kirche in Jekaterinoslaw. (Op. 990 von Firma Steinmeyer.) I. Manual 56 Töne. 1. Principal 8′ Zink und Probzinn. 2. Bourdon 16′ Holz. 3. Viola di Gamba Zink und Probzinn. 4. Doppelgedockt 8′ Holz. 5. Flauto amabile 8′ Holz. 6. Dolce 8′ Zink und Naturguß. 7. Oktav 4′ Zink und Probzinn. 8. Cornett-Mixtur 4′ 3–4fach bestehend aus Gedeckt 4′, Quint 2⅔′, Oktav 2′, Terz 1⅗′ Naturguß. — II. Manual (Schwellwerk) 56 Töne. 9. Geigenprincipal 8′ Zink und Probzinn. 10) Salicional 8′ Zink und Naturguß. 11. Konzertflöte 8′ Holz. 12. Aeoline 8′ Zink und Probzinn. 13. Vox coelestis 8′ Probzinn. 14. Liebl. Gedeckt 8′ Holz und Naturguß. 15. Fugara 4′ Naturguß. 16. Traversflöte 4′. — Pedal 27 Töne. — 17. Violon 16′ Holz. 18. Subbaß 16′ Holz. 19. Bourdonbaß 16′ aus Nr. 2.

20. Oktavbaß 8′ Zink. **Nebenzüge.** Manual-Koppel. Pedal-Koppel I. Pedal-Koppel II. Suboktav-Koppel II—I. P. MF. F. Tutti O. Generalcrescendo. Autom. Zeigervorrichtung. Pianopedal. Schwellkasten fürs II. Manual. Elektrischer Antrieb.

7. ○ Was mit einem Orgelwerk von 6 Stimmen im Manual und 2 bezw. 3 Stimmen im Pedal in klanglicher Hinsicht zu erreichen ist, davon konnte ich mich in den letzten Tagen in der Kgl. Bayer. Hof-Orgel- und Harmoniumfabrik von G. F. **Steinmeyer** & Cie. in **Ottingen** überzeugen. Die Disposition dieser Orgel lautet:

Manual: 1. Principal 8′. 2. Viola di Gamba 8′. 3. Salicional 8′. 4. Gedeckt 8′. 5. Flöte 4′. 6. Oktav 4′. Pedal: 7. Subbaß 16′. 8. Bourdonbaß 16′ (durch Abschwächung aus Nr. 7). 9. Violon 8′. Die Manualwindlade dieser Orgel ist derart konstruiert, daß bei Verwendung eines zweimanualigen Spieltisches jedes Register vollständig unabhängig voneinander ohne Zuhilfenahme von Koppeln, sowohl auf dem I. als auf dem II. Manual gespielt werden kann. Die Vorzüge einer solchen Doppelregistrierung sind unverkennbar, und ist hiebei noch besonders beachtenswert, daß die Steinmeyersche rein pneumatische Windlade wenig Raum beansprucht; ferner stellen sich die Kosten eines solchen Werkes wesentlich niedriger als für ein normal disponiertes zweimanualiges Werk mit gleicher Registerzahl. Ist durch erwähnte Anordnung schon eine große Mannigfaltigkeit in der Ausnützung der Register, wie auch die Möglichkeit im beliebigen Wechsel der Register Trio zu spielen, gegeben, so wird diese Mannigfaltigkeit noch erhöht, durch Anlage einer Super- und Suboktav-Copula, gleichviel in welchem Manual und auf welches wirkend; es wird also durch diese Koppeln das Pfeifenwerk doppelt, ja 3fach ausgenützt, bei den 8′-Stimmen der 16′- und 4′-Ton bei den 4′-Stimmen der 8′- und 2′-Ton erreicht. Auf diese Weise gestaltet sich auch ein kleines Werk mit wenigen Registern viel abwechslungsreicher als ein solches gewöhnlicher Bauart und reicht auch für größere Räume noch aus, so daß diese Einrichtung, namentlich bei **kleineren** Werken, aufs beste empfohlen werden kann. F. X. H.

8. * Im laufenden Monat Juni werden die Subskribenten den 10. Teil *Magnum opus musicum* von **Orlando di Lasso**, also den 19. Band der Gesamtausgabe, zugesendet erhalten. Derselbe enthält die Motetten von Nr. 457 bis 492 des Originals (in der fortlaufenden Numerierung unter Einrechnung der mehrteiligen Kompositionen Nr. 671—721). Die **sechsstimmigen** Motetten werden in diesem Bande abgeschlossen, dann folgen die **siebenstimmigen** (15 mit Zählung der mehrteiligen Kompositionen) und die ersten Nummern der achtstimmigen.

Der 11. Teil des *Magnum opus* wird ausgefüllt vom Reste der achtstimmigen Motetten, den zwei neunstimmigen Nummern, den drei zehnstimmigen und zwei 12stimmigen. F. X. H.

9. * **Regensburg.** Zur Aufnahme zum 35. Kurs an der hiesigen Kirchenmusikschule vom 15. Januar bis 15. Juli 1908 können noch einige Herren zugelassen werden. Auf Anfragen sendet die Direktion Programm und Statuten der Schule und bemerkt, daß die definitive Aufnahme erst erfolgen wird und kann, wenn die vorgeschriebenen Zeugnisse eingesendet sind und die Unterschrift der Statuten von seiten des Petenten erfolgt sein wird.

Von den Aufnahmebedingungen seien kurz wiederholt (siehe Cäcilienvereinsorgan 1907, S. 83):

1. Mehr als 16 Schüler werden nicht zugelassen, wenn nicht außerordentliche Verhältnisse, wie etwa besondere Wünsche eines Hochwürdigsten Diözesanoberhirten, eintreten.

2. Der Aufzunehmende muß das 19. Lebensjahr überschritten haben. Die Laien müssen ein Zeugnis ihres zuständigen katholischen Pfarramtes beibringen und schon in der Anmeldung die Diözese bemerken, welcher sie angehören. Bei Priestern wird die schriftliche Erlaubnis ihrer oberhirtlichen Stelle vorausgesetzt.

3. Nachdem das *Graduale Vaticanum* vollständig erschienen ist, wird dasselbe bis auf weitere Verfügungen der kirchlichen Autorität neben dem *Graduale* der **bisher** offiziellen Ausgabe zur Grundlage des Choralunterrichtes genommen. *Compendium Antiphonarii et Breviari Romani, Officium Hebdomadae Sanctae* usw. werden nach den von Pius IX. und Leo XIII. als offizielle Ausgaben erklärten Büchern beibehalten. F. X. Haberl.

10. **Inhaltsübersicht von Nr. 6 der *Musica sacra*:** Neu und früher erschienene Kirchenkompositionen: L. Bonvin; Jos. Dobler; P. Viktor Eder (2); Vinc. Goicoechia (4); Vinz. Goller; Mich. Haller; W. Hohn; Alex. Kunert; A. Löble; A. Müller; Otano; P. Schäfer; Joh. Schweitzer (2); J. G. Ed. Stehle; Palestrina-Thiel; Vincent. Wheeler (2). — *Liturgica:* Frauen auf dem Kirchenchore. Von Dr. A. Schmid. — *Organaria:* Die elektrisch-pneumatische Doppelorgel in Scheyern. Von H. M.; Der Umbau der Domorgel in Pelplin. Von Lewandowski. — Zur 18. Generalversammlung in Eichstätt. Von Dr. W. Widmann. — Vermischte Nachrichten und Mitteilungen: Kirchenmusikalisches aus Ägypten; Inhaltsübersicht von Nr. 5 des Cäcilienvereinsorgans. — Anzeigenblatt Nr. 6.

---

Druck und Expedition der Firma **Friedrich Pustet** in Regensburg.

**Nebst Anzeigenblatt**

sowie Cäcilienvereins-Katalog, 5. Band, Seite 153–160, Nr. 3589—3610.

1908. Regensburg, 15. Juli 1908. Nro. 7.

Cäcilienvereinsorgan.

43. Jahrgang

der von Dr. Franz Xaver Witt († 2. Dez. 1888) begründeten Monatschrift

# Fliegende Blätter für kath. Kirchenmusik.

Verlag und Eigentum des Allgemeinen Cäcilienvereins zur Förderung der kathol. Kirchenmusik auf Grund des päpstlichen Breve vom 16. Dezember 1870.

Verantwortlicher Herausgeber: Dr. Franz Xaver Haberl, z. Z. Generalpräses des Vereins.

Erscheint am 15. jeden Monats mit je 20 Seiten Text inkl. des Cäcilienvereins-Kataloges. — Abonnement für den ganzen Jahrgang, inkl. des Vereinskataloges 3 Mk., einzelne Nummern ohne Vereinskatalogbeilage 50 Pf. Die Bestellung kann bei jeder Post oder Buchhandlung gemacht werden.

Inserate, welche man rechtzeitig an die Expedition einsenden wolle, werden mit 20 Pf. für die 1spaltige und 40 Pf. für die 2spaltige (durchlaufende) Petitzeile berechnet.



## Programm für die 18. Generalversammlung des Allgemeinen Cäcilienvereins in Eichstätt vom 20.—22. Juli 1908.

**Montag,** den 20. Juli, abends 6 Uhr im Dom musikalische Andacht: 1. *Terribilis est locus iste*, Motette für 5st. gemischten Chor von Gottfr. Rüdinger. 2. *Adoramus te Jesu Christe*, 5st. von Raim. Heuler, Op. 10, Nr. 2. (Langensalza, Schulbuchhandlung von F. G. L. Greßler.) 3. *Ave Maria*, 4st. von T. L. da Vittoria. (*Mus. div.* Ann. I, tom. IV; Wüllner, Chorübungen, III. St., Nr. 32.) 4. *Tantum ergo*, 4st. von A. Bruckner. (*Mus. sacra* 1885.) Abends 8 Uhr Begrüßungsfeier im Gesellenhause. (Vorträge der „Eichstätter Liedertafel“.)

**Dienstag,** den 21. Juli, früh 6 1/2 Uhr Choralamt in der Schutzengelkirche (bischöfl. Seminar): Messe vom Tage *(S. Camilli de Lellis Conf.)* nach der Editio Medicaea. 9 Uhr im Dome *Veni Creator*, 5st. von J. N. Ahle; Predigt; *Ecce Sacerdos*, 4st. von F. X. Hacker; Pontifikalamt: *Missa rot. de Trinitate*, Wechselgesänge choraliter nach *Lib. Grad.* von Dom Pothier (Orgelbegleitung zum Graduale von W. Widmann); *Missa Beatus qui intelligit*, 6st. von Orlando di Lasso (Beil. zu *Mus. sacra* 1908 und zum „Kirchenchor“ 1905 und 1906); nach dem Choraloffertorium Motette *Tibi laus* für Alt und 3 Männerstimmen von Orlando di Lasso.[1]) Dann Festversammlung in der Kgl. Aula; nachmittags 2 1/2 Uhr im Dome Aufführung kirchlicher Tonwerke von „alten“ Meistern: 1. Aus *Missa VIII. Toni*, 4st. von Orlando di Lasso, a) *Kyrie*, b) *Sanctus*, c) *Benedictus*. 2. *Gloria* aus *Missa L'homme armé*, 5st. von Palestrina. 2a. Zweites Choral-*Credo*. (Ausgabe Dom Pothier, Orgelbegleitung von W. Widmann.) 3. Drei 4st. Responsorien aus den Charwochenmotten, a) 5. Respons. in der Gründonnerstags-Mette, *Judas mercator pessimus* von A. Zoilo, b) (c) 4. Respons. in der Charsamstags-Mette, *Recessit pastor noster*, 4st. von J. Handl, c) (d) 7. Respons. in der Charsamstags-Mette, *Astiterunt reges terrae* von M. A. Ingegneri. 4. *Improperia* und *Adoratio Crucis* nach Palestrina-Bernabei. 5. Ostermotette für 8st. Chor *Angelus Domini* von Cl. Casciolini. 6. Motette für das Fest Mariä Verkündigung *Dixit Maria*, 4st. von H. L. Hasler.

[1]) Diese Motette, sämtliche mehrstimmige Gesänge der nachmittägigen Produktion und die Gesänge für die instruktiven Proben sind redigiert von W. Widmann, in 1 Faszikel vereinigt und in beiden Eichstätter Buchhandlungen [A. Amberger (Gebr. Bögl) und Ph. Brinner (P. Seitz)] erhältlich. Preis ℳ 2.50.

7

7. Aus drei 4st. Motetten von Orlando di Lasso, a) dasselbe für Alt und 3 Männerstimmen, b) *Domine convertere* für Sopran, Alt, Tenor und Baß. 8. Offert. am 2. Adventsonntage *Deus tu conversus*, 5st. von Palestrina. 9. Zwei Motetten für das heil. Fronleichnamsfest, a) *O sacrum convivium*, 4st. von Giov. Croce, b) *Lauda Sion*, 8st. von Palestrina. Nachmittags 5 Uhr: Geschlossene Versammlung (s. Cäcilienvereinsorgan Nr. 4, Seite 46). 7 $^1/_2$ Uhr abends: Konzert des Domchores in der Kgl. Aula: „Frithjofs Heimkehr“ für Soli, Chor und Orchester von G. Ed. Stehle.

**Mittwoch**, den 22. Juli, früh 8 Uhr *Requiem* für die verstorbenen Vereinsmitglieder oder *Missa pro defunctis — in piam mem. Leonis XIII. gloriosae record.*, 5st. von Ign. Mitterer, Op. 124 (Regensburg, Pustet); Sequenz choraliter (Ed. Med.). Nach demselben geschlossene Versammlung und instruktive Proben (in der Kgl. Aula oder im Probelokal des Domchores): a) *Gloria* aus *Missa de Angelis (Kyriale Vaticanum* Nr. 8), b) *Caligaverunt oculi mei*, 4st. von M. A. Ingegneri. Nachmittags 2 Uhr im Dome Vesper: Choralverse (bischöfl. Seminar) im Wechsel mit 4- und 5st. Falsibordoni von C. de Zachariis und L. Viadana (Domchor); (die Falsibordoni sind der *Mus. div.* Ann. I. tom. 3. entnommen); Hymnus choraliter; *Salve Regina*, 4st. von J. B. Diebold.

Sodann Vorführung neuerer Kirchenkompositionen: a) Seitens des Dompfarrkirchenchores (Herr Kgl. Seminaroberlehrer J. Pilland). 1. Lauret. Litanei in *C* für gemischten Chor mit Instrumentalbegleitung, Op. 53 (Regensburg, Pawelek). 2. Zwei 6st. Motetten von Joh. B. Tresch: a) *Ave Maria*, b) *Beata es* (aus Enchiridion von J. B. Tresch, Op. 10, Regensburg, Pustet). 3. Offert. *Veritas mea*, 5st. von M. Haller. 4. Offert. *Constitues eos*, 4st. mit Instrumentalbegleitung von P. Piel (Nr. 3 und 4 aus zehn Original-Kompositionen, redigiert von F. X. Engelhart, Regensburg, Pawelek). — b) Seitens des bischöfl. Alumnates (H. H. Musikpräfekt Gottfr. Wittmann): 1. *Credo* aus der Messe in *D* zu Ehren der unbefleckt empfangenen Gottesmutter für 2 Tenöre und Baß mit Orgelbegleitung von J. Ev. Habert, Op. 20. 2. *Domine non sum dignus* für Männerchor von Mich. Haller (aus dessen Op. 39). 3. Kirchweih-Offert. *Domine Deus* für Männer-Doppelchor und Orgel von Fr. Koenen. c) Seitens des Domchores. *Te Deum* für 6st. Chor und Orgel von Edg. Tinel, Op. 46 (Leipzig, Breitkopf & Härtel). Abschiedszusammenkunft.

Vom Eichstätter Lokalkomitee werden ausgegeben a) Mitgliederkarten zu 2 *M*; b) Teilnehmerkarten zu 3 *M*. Die Mitgliederkarten berechtigen zu allen Produktionen in den Kirchen sowie zu den öffentlichen und geschlossenen Versammlungen; die Teilnehmerkarten berechtigen ebenfalls zu den Produktionen in den Kirchen und zu den öffentlichen, nicht aber zu den geschlossenen Versammlungen; die Karten zum Domchor-Konzerte in der Aula am 21. Juli („Frithjofs Heimkehr“) müssen eigens gelöst werden. Wer sich seine Karte zuschicken lassen will, hat zu dem Preise für die Karte noch 10 ₰ zuzulegen. Für Quartiere und Verköstigung sorgt der „Fremdenverkehrsverein Eichstätt“. Alle Anmeldungen und Anfragen wolle man gefälligst an Herrn Buchhändler Fritz Bögl in Eichstätt richten. Es empfiehlt sich die Anmeldungen bald zu machen, damit ein Überblick über die in Anspruch zu nehmenden Wohnungen etc. gewonnen werden kann.

## Charwochen-Programme des Jahres 1908.

(Fortsetzung und Schluß.)

○ Capella musicale della Basilica Antoniana in **Padova**. 12. April: Zur Prozession und Messe: 1. *Pueri Hebraeorum* a 4 v. p. di Palestrina. 2. *Gloria laus* a 2 v. p. di O. Ravanello. 3. Introito, Graduale, Traktus, Communio in *Cantu Gregoriano*. 4. *Kyrie, Credo, Sanctus, Benedictus, Agnus Dei* della *Missa V Toni* a 4 v. m. di Orlando di Lasso. 5. Passio a 4 v. m. di F. Suriano. 6. *Offertorio* a 5 v. di Palestrina. Abends: 1. *Pange lingua* a 3 v. p. di G. Tartini. 2. a) *Salmi di Compieta* a 5 v. m.; b) *Inno* a 6 v. m. di O. Ravanello; *Nunc dimittis* a 4 v. m di Palestrina; d) *Ave Regina* a 3 v. di O. Ravanello. 3. *Tantum ergo* a 8 v. m. in due chori di D. L. Perosi. — 13. April: 1. a) *Compieta* a 3 v. p.; b) *Nunc dimittis* a 3 v. p. di O. Ravanello; c) *Ave Regina* a 2 v. p. di J. Hanisch. 2. *Miserere* in falsobordone a 4 v. p. di D. L. Perosi. 3. *Tantum ergo* a 4 v. m. di L. Bottazzo. — 14. April: Alla Messa: 1. Passio a 2 v. p. di O. Ravanello. Alla Sera: 1. *Pange lingua* a 4 v. m. di D. L. Perosi. 2. Zur Komplet (come la Domenica delle Palme). 3. Zur Prozession: a) *Pange lingua* a 4 v. m. di D. L. Perosi; b) *Tantum ergo* a 8 v. m. in due cori di

D. L. Perosi. — 15. April: Zur Messe: 1. Passio a 2 v. p. di C. Grassi. Zur Matutin: 1. Resp. a 3 v. p. d' Antore ignoto. 2. IX. Resp. a 3 v. p. di C. Grassi. 3. *Benedictus* a 4 v. p. di O. Ravanello. 4. *Miserere* a 4 v. m. di O. Ravanello. — 16. Aprile: Zur Messe: 1. Introito, Graduale, Communio in *Cant. Greg.* 2. *Kyrie* e *Gloria* a 3 v. p. di L. Bottazzo. 3. Offertorio a 2 v. p. di O. Ravanello. 4. *Credo, Sanctus, Benedictus, Agnus Dei* a 3 v. p. di J. Singenberger. Zur Matutin: 1. Resp. a 3 v. p. d' Antore ignoto. 2. IX. Resp. a 4 v. p. di L. Bottazzo. 3. *Benedictus* a 4 v. p. di O. Ravanello. 4. *Miserere* a 4 v. m. di O. Ravanello. — 17. April: Zur Messe: 1. Traktus in *Cant. Greg.* 2. Passio a 4 v. m. L. Vittoria. 3. Improperia a 4 v. m. di Bernabei. Zur Matutin. 1. Resp. d' Aut. ign. 2. IX. Resp. a 4 v. m. di L. Vittoria. 3. *Benedictus* a 4 v. p. di O. Ravanello. 4. *Miserere* a 4 v. m. di O. Ravanello. — 18. April: Zur Messe: 1. *Kyrie* a 3 v. p. di J. Singenberger. 2. *Gloria, Sanctus, Benedictus* a 2 v. p. di Ign. Mitterer. 3. *Laudate Dominum* a 2 v. p. di M. Haller. 4. *Magnificat* a 4 v. p. di P. Piel. — 19. April: Zur Messe: *Salmi di Terza* in *Cant. Greg.* 2. *Kyrie, Gloria, Credo, Sanctus, Benedictus, Agnus Dei* della *Messa in onore di S. Cecilia* a 6 v. m. di Oresto Ravanello. 3. Introito in *Cant. Greg.* 4. Graduale e Communio, a 4 v. p. di L. Bottazzo. 5. Offertorio a 2 v. p. di L. Bottazzo. 6. Sequenza per coro unisono di C. Pargolesi. 7. *Canto Antico Pasquale.* Zur Vesper: 1. *Antifone* in *Cant. Greg.* 2. *Domine* a 4 v. m. di L. Sabbatini. 3. *Dixit* a 4 v. m. di O. Ravanello. 4. *Confitebor* a 4 v. p. di O. Ravanello. 5. *Beatus vir* a 3 v. m. di D. L. Perosi. 6. *Laudate* a 3 v. m. di D. L. Perosi. 7. *In Exitu* a 4 v. p. d' Antore ignoto. 8. *Antifona Haec dies* a 2 v. p. di M. Haller. 9. *Magnificat* a 5 v. m. di O. Ravanello. 10. *Regina coeli* a 3 v. p. di O. Ravanello.

□ **Rownoje** (Diözese Tiraspol, Rußland). Palmsonntag: Palmweihe choraliter mit Ausnahme *Pueri*, 4st. gemischten Chor von Haller; XIII. Choralmesse; Offert.: *Improperium*, 4st. gemischter Chor von Haller. — Mittwoch, Donnerstag und Freitag, 5 Uhr nachmittags, *Matutinum: Tenebrae, Benedictus*, 4st. gemischter Chor; Falsobordone von Zachariis. — Donnerstag, zur Übertragung des Allerheiligsten: *Pange lingua*, 4st. von A. Volkheimer. — Samstag, abends 8 Uhr, Auferstehungsfeier: Zur Predigt: *Veni Creator*, 3st. von J. Steingaß; nach der Predigt: „Freu dich, erlöste Christenheit", 4st. von Schmid: Auferstehung: Antiphon: *Gloria tibi Trinitas*; Psalm: *Laudate Dominum*, 2st. von Haller; Psalm: *Domine quid.* Falsobordone, 3st. Männerchor; *Matutinum*, choral; *Surrexit*, 4st. von Haller. — Ostersonntag: Hochamt: *Missa in hon. S. Thomae*, 4st. gemischter Chor von Mitterer; Offert.: *Terra tremuit*, 3st. von Steingaß; zur Aussetzung: *O salutaris*, 4st. aus Nikels *Jubilate Domino*; Vesper: *Deus in adjutorium*, 4st. von Steingaß; 1. Psalm: *Dixit*, 4st. von Bernabei; *Magnificat*, 4st. von Cäc. de Zachariis; *Regina coeli*, 4st. von Lotti aus *Musica divina*. — Ostermontag: Hochamt: Stehles Preismesse, 4st. mit Orgel; Offert.: *Angelus Domini*, 2st. von Hengesbach; Vesper wie am ersten Tage. J. Steingaß, Organist und Chorregent.

× **Votivkirche in Wien.** Palmsonntag, ½10 Uhr: *Asperges me*, Choral. Zur Palmweihe: Antiphonen etc. von Franz Schubert. Während der Prozession: Knabenchor: *Turba multa.* Beim Kirchentor der Hymnus: *Gloria laus et honor*, Choral. Auf dem Rückwege: *Ingrediente Domino.* Zum Hochamte: Vokalmesse von J. Rheinberger; Grad.: *Tenuisti* und Offert.: *Improperium* von C. R. Kristinus. Bei der Passion: Männerchöre und Soli; das übrige Choral. — Mittwoch, 4 Uhr: Lamentationen (*Feria quinta in Coena Domini*) von C. G. Lickl. Resp.: I. *In monte Oliveti* und II. *Tristis est anima mea* von G. B. Martini, III. *Ecce vidimus eum* von Mich. Haydn, IV. *Amicus meus*, V. *Judas mercator pessimus*, VI. *Unus ex discipulis meis*, VII. *Eram quasi agnus innocens*, VIII. *Una hora* und IX. *Seniores populi* von Joh. Reuter. — Gründonnerstag, ½8 Uhr: Introitus und *Kyrie*, Choral; *Gloria* von Gottfried Preyer; Grad.: *Christus factus est* von A. Kaim; *Credo* von G. P. da Palestrina; Offert.: *Dextera Domini* von Rud. Glickh; *Sanctus, Benedictus* und *Agnus Dei* von Palestrina; während der Generalkommunion: *Ave verum corpus* von W. A. Mozart; *O salutaris hostia* von Fr. Liszt: *Ecce panis Angelorum* und *Tantum ergo* von V. Goller; Communio, Choral. Während der Prozession: Hymnus: *Pange lingua* von Joh. Peregrinus. 4 Uhr: Lamentationen (*Feria sexta in Parasceve*) von C. G. Lickl. Resp.: I. *Omnes amici mei* (Autor unbekannt), II. *Velum templi scissum est*, III. *Vinea mea* und IV. *Tamquam ad latronem existis* von Th. Kretschmann; V. *Tenebrae factae sunt* von Mich. Haydn; VI. *Animam meam dilectam*, VII. *Tradiderunt me* und VIII. *Jesum tradidit impius* von Johann Reutter; IX. *Caligaverunt oculi mei* von Mich. Haydn; *Christus factus est* von A. Kaim; *Miserere* von J. B. Nendegger. — Charfreitag, ½9 Uhr: Traktus: *Domine* und *Eripe me*, Choral. Bei der Passion: Männerchöre und Soli: Improperien: *Popule meus* von T. L. da Vittoria; *Crux fidelis* von Johann IV., König von Portugal mit eingeschaltetem Choral: *Pange lingua.* Während der Übertragung des Hochwürdigsten Gutes: Hymnus: *Vexilla Regis prodeunt* von Kaspar Ett. Während der Prozession zum Heiligen Grabe: *Ecce quomodo moritur justus* von Jac. Gallus. 4 Uhr Lamentationen (*Sabbato Sancto*) von C. G. Lickl. Resp.: I. *Sicut ovis* und II. *Jerusalem surge* von J. Reutter; III. *Plange* von Th. Kretschmann; *Recessit pastor noster* von Mich. Haydn; V. *O vos omnes* von Th. Kretschmann; VI. *Ecce quomodo* von Jac. Gallus; VII. *Astiterunt reges terrae* und VIII. *Aestimatus sum* von J. Reutter; IX. *Sepulto Domino* von Th. Kretschmann; *Christus factus est* von A. Kaim; *Miserere* von Jos. Rheinberger. — Charsamstag: ½8 Uhr: Bei den Prophezeiungen, vor und nach der Taufwasserweihe: Choralgesänge. Zum Hochamte: *Missa in Sabbato Sancto* von Rud. Glickh. 6 Uhr: Nach der feierlichen Auferstehungsprozession: *Regina coeli* von Ferd. Schubert. *Te Deum* von Ludw. Rotter und *Tantum ergo* von Franz Schubert. — Ostersonntag: 10 Uhr: *Vidi aquam*, choral. Zum feierlichen Hochamt: *Missa solemnis* von Rud. Glickh; Grad.: *Haec dies* von J. G. Zangl; Offert.: *Terra tremuit* von Max Filke. Das übrige Choral. 5 Uhr: Zum heiligen Segen: *Tantum ergo* von Jos. Kaulich; *Regina coeli* von J. Rheinberger. — Ostermontag: 10 Uhr: Messe von Rud. Bibl; Grad.: *Haec dies* und Offert.: *Angelus Domini* von J. G. E. Stehle. Das übrige Choral. Rudolf Glickh, Kapellmeister an der Votivkirche.

9 **Lazaristenkirche in Wien.** Den liturgischen Gesang besorgte der Chor des katholischen Jünglingsvereins „Maria Hilf" (Wien, VII., Westbahnstraße 40) unter Leitung des Herrn Dominikus Joseph Peterlini. Palmsonntag: ½9 Uhr zur Palmweihe: *Hosanna Filio David*, *In monte oliveti*, *Pueri Hebraeorum*, *Ingrediente Domino*, 4st. von M. Haller. *Gloria laus*, greg. Choral. Zum Hochamte: Introitus: *Domine;* Graduale und Traktus: *Tenuisti; Deus, Deus meus;* Communio: *Pater*, greg. Choral; Offert.: *Improperium*, 4st. von F. X. Witt; während der Passion: „Die Kreuzwegstationen", 4st. a capella von F. X. Witt; Rafaelsmesse für 5st. a capella-Chor von F. X. Witt. — Gründonnerstag: 7¼ Uhr früh zum Hochamte: Introitus: *Nos autem*, greg. Choral; Grad.: *Christus factus est;* Offert.: *Dextera Domini;* Communio: *Domine Jesu*, 4st. von Leitner; *Missa Iste Confessor*, 4- und 5st. von P. da Palestrina; zur Prozession: *Pange lingua* von Ett. — Charfreitag: 7 Uhr, Beginn der heiligen Zeremonien: Passion (Leidensgeschichte): *Responsoria chori*, 4st. von Fr. Suriano; zur Kreuzenthüllung und Adoration: *Ecce lignum; Popule meus*, 4st. von L. Vittoria; zur Prozession: *Vexilla regis*, Männerchor; zur Grablegung: *Caligaverunt*, Männerchor. — Charsamstag: ½7 Uhr früh: Beginn der heiligen Zeremonien (heilige Feuerweihe, Weihe der Weihrauchkörner, Weihe der Osterkerze, Lesung der 12 Prophetien). ¾8 Uhr zum Hochamte: *Kyrie, Gloria, Sanctus, Benedictus*, 4st. von F. X. Witt. *Confitemini*, *Laudate*, *Magnificat*, Choral und Falsobordone. ½6 Uhr: abends zur Auferstehung: *Regina coeli*, 4st. von Mettenleiter; *Tantum ergo*, 4st. von Haller. — Ostersonntag: 8 Uhr früh zum Hochamte: Introitus: *Resurrexi;* Communio: *Pascha nostrum*, greg. Choral; Grad.: *Haec dies;* Sequenz: *Victimae Paschali;* Offert.: *Terra tremuit*, 4st. a capella von M. Haller. *Missa solemnis in B* für Soli, Chor und großes Orchester von Aug. Weirich. ½6 Uhr abends: Heiliger Segen: *Tantum ergo*, 8st. von M. Haller; Lauretanische Litanei in *Es* für Soli, Chor und Orchester von Dr. Otto Müller; *Regina coeli* für Soli Chor und Orchester von Dr. Otto Müller; *Te Deum* für Soli, Chor und großes Orchester von Max Filke. — Ostermontag: 8 Uhr früh zum Hochamte; Introitus: *Introduxit vos;* Communio: *Surrexit Dominus*, greg. Choral; Grad.: *Haec dies*, Sequenz: *Victimae paschali;* Offertorium; *Angelus Domini* von Mich. Haller; *Missa solemnis* in *Es* für Soli, Chor und Orchester von Dr. Otto Müller. — Am 26. April (Weißer Sonntag): Introitus: *Quasi modo* und Communio: *Mitte*, greg.; Wolfgangsmesse für Männerchor von Haller; Grad.: *Alleluja, In die* von Diebold; Offert.: *Angelus* von Witt; *Tantum ergo* in *Es* von Mitterer. — 3. Mai (Fest der Übertragung des heil. Vinzenz von Paul): Introitus: *Pauperes Sion;* Communio: *Confiteantur*, greg.; Grad.: *Evangelizare* und Offert.: *Inclinet* von Dr. Otto Müller; *Missa* in *F*-moll mit Orchester von Brosig; *Tantum ergo* von Mitterer. — 10. Mai (Schutzfest des heil. Joseph): Introitus: *Adjutor;* Communio: *Jacob*, greg.; Grad.: *Alleluja, De quacumque* von Stehle; Offert.: *Lauda Jerusalem* von Witt; Preismesse mit Orchester von Stehle; *Tantum ergo* in *As*-dur von Hanisch. — 17. Mai (Fest des heil. Johannes von Nepomuk): Introitus: *Protexisti* und Communio: *Laetabitur*, greg.; Grad.: *Alleluja, Alleluja, Confitebuntur* von Breitenbach: Offert.: *Confitebuntur* für Männerchor von Witt; *Missa sexta* für Männerchor von Haller; *Tantum ergo* in *As*-dur, Männerchor von Witt. — 24. Mai (Maria, Hilfe der Christen): Introitus: *Salve;* Offert.: *Ave Maria* und Communio: *Beata viscera*, greg.; *Alleluja, Alleluja, Virga Jesse* von E. Stehle; Motett: *Ave Maria* von Dr. Otto Müller; *Tantum ergo* von Dr. Otto Müller; *Missa Assumpta est* für Männerchor von Haller. — 28. Mai (Christi Himmelfahrt): Introitus: *Viri Galilaei* und Communio: *Psallite*, greg.; Grad.: *Alleluja, Alleluja, Ascendit* von Singenberger; Offert.: *Ascendit* von Schaller; *Missa* in *A*-dur, 8st. von Ett-Witt; *Tantum ergo* in *A*-moll, 6st. von Haller. — 31. Mai (Fest der heil. Angela): Introitus: *Dilexisti* und Communio: *Quinque prudentes*, greg.; Grad.: *Alleluja, Alleluja, Adducentur* von Schaller; Offert.: *Filiae regum* von Witt; *Missa* in *B*-dur, Männerchor von Jaspers; *Tantum ergo*, Männerchor von Hanisch. — 7. Juni (Heiliges Pfingstfest): Introitus: *Spiritus* und Communio: *Factus est*, greg.; Grad.: *Alleluja, Alleluja, Emitte* von Koenen; Sequenz: *Veni Sancte*, greg.; Offert: *Confirma* für Männerchor von Mitterer; *Missa solemnis* über das 2. Choralmotiv des *Salve Regina* für Soli, Chor und großes Orchester von E. Stehle; *Tantum ergo*, greg. — 8. Juni (Pfingstmontag): Introitus *Cibavit* und Communio: *Spiritus*, greg.; Grad.: *Alleluja, Alleluja, Loquebantur* von Diebold; Offert.: *Intonuit* für Männerchor von Mitterer; *Missa solemnis* (Herz Jesumesse) für Soli, Chor und Orchester von Mitterer; *Tantum ergo*, 7st. von Haller. — 14. Juni (Fest der heiligsten Dreifaltigkeit): Introitus: *Benedicta sit* und Communio: *Benedicimus*, greg.; Grad.: *Benedictus est* von Walther; Offert.: *Benedictus* für Männerchor von Mitterer; *Missa* in *C*-Moll für Chor und Orchester von M. Brosig; *Tantum ergo* in *D*-dur, 5st. von Witt.

1 **K. K. Universitätskirche in Wien.** 24. Mai, 10 Uhr: Jubiläumsfest des St. Severinusvereins: Pontifikalamt in Anwesenheit Sr. Eminenz des Hochwürd. Herrn Kardinals Dr. Anton Jos. Gruscha, Fürsterzbischofes von Wien: *Missa solemnis* in *Es*, „Maria von der immerwährenden Hilfe" von Dr. Otto Müller. — 31. Mai, ½7 Uhr abends: Litanei für Soli, Chor und Orchester von Mitterer: *Regina coeli* und *Te Deum* von Dr. Otto Müller; *Tantum ergo*, 5st. von Mitterer. — 7. Juni: Preismesse von Stehle.

---

## St. Cäcilia und St. Wenzeslaus im Bunde.

Weiß wirklich nicht, wie es gekommen, daß ich solange gezögert hatte, das nachbarliche Böhmen, das Land des heil. Wenzeslaus, zu schauen. War es die trotz verhältnismäßig geringer Entfernung via Eisenstein etwas langweilige Verkehrsverbindung? Oder war es ein geheimer, ungerechtfertigter Argwohn, daß in dem sonst so musikalischen Lande die Kirchenmusik darniederliege, daß sich St. Wenzeslaus und St. Cäcilia gegenseitig im Lichte stünden? Oder war es eine geheime Vorahnung des disharmonischen Abschlusses, den meine Wanderung in Prag finden sollte? Kurz und gut — es bedurfte wiederholter, dringender Einladung von Seite des ungemein rührigen und musikbegeisterten Chordirektors des Erzdekanalkirchenchores in Pilsen, des Herrn Norb. Kubat und des Administrators des dortigen Erzdekanalamtes, des Hochwürd. Herrn A. Skrivan, dessen Herz warm für die Sache der heil. Cäcilia schlägt und dessen Wohnung ein wahres Arsenal von Kirchenmusikalien cäcilianischer Richtung ist, bis ich mein Päckchen schnürte, und mich voll begreiflicher Neugier den Flügeln des Dampfrosses überließ, das mich am Freitag, den 15. Mai, einem sonnigen Frühlingstage, schnaubend und pustend bergauf an die Grenzpfähle führte. Was mir drüben entgegentrat, war zuerst ein herrliches Landschaftsbild von hochgebirgsartigem Charakter, später sich abflachend, überall fruchtstrotzend und im Schmucke blühender Bäume prangend; alsdann fielen mir in die Augen große, schöne Güter mit ganzen Arbeiterherden auf den sie umgebenden Feldern, dann die berühmten böhmischen Gänse, die mit ihren Erzeugnissen, den böhmischen Bettfedern unsere Weiterfahrt von Station zu Station verzögerten, und endlich mehrten sich die böhmischen Laute, die in mir eine unangenehme Empfindung auslösten, das Gefühl der Fremde und Erinnerungen an den Deutschenhaß, den man den Tschechen nachsagt. In Pilsen aber war dieser Eindruck sofort gehoben durch den liebenswürdigen Empfang, den mir meine beiden Gastfreunde bereiteten; von ihnen geleitet landete ich nach kurzem Rundgang in einem Musiksaale, wo mich eine stattliche Sängerschar — ich schätzte sie auf 60—70 Stimmen — der Chor der Erzdekanalkirche erwartete.

Da mir das böhmische „Maoz da“ oder wie diese Grußformel lautet, damals noch ein spanisches Dorf war, so konnte ich die fröhliche, sangeslustige Schar nur mit einem internationalen Kopfneigen vulgo Komplimente begrüßen. Als ich aber das Dirigentenpult betrat und den Taktstock schwang, um *nolens volens* meine Gotthardmesse zu dirigieren, da gab es kein Sprachhindernis mehr, da war das gegenseitige Verständnis rasch hergestellt; der tüchtige, gut geschulte Chor, der über ein wunderbares *pp* sehr verfügt und ebenso zu überwältigender Stärke anzuschwellen weiß, verstand sofort alle meine Bewegungen und hing vollständig an meinem Taktstock, auf alle meine Intentionen willig eingehend. Gar frisch klangen die Frauenstimmen, gestützt und getragen von kräftigen Männerstimmen, die, bei der Probe in der Minderzahl, am Aufführungstage weiteren Sukkurs erhielten. Damen jeden Standes, Herren aus allen Kreisen, auch aus dem Klerus und Lehrerstande, hat hier die Begeisterung für die Sache der heiligen Cäcilia zu schönem Tun und Streben vereinigt, und die Seele des Chores, mit seiner Begeisterung alle mitreißend, ist der nimmermüde Chordirektor, ein Selfmademan, der sich durch Eifer und Tüchtigkeit eine hochgeachtete Stellung errungen und um die Musikverhältnisse der großen Fabrikstadt, ja selbst Böhmens hervorragende Verdienste erworben hat. In seiner mit malerischem Geschmacke arrangierten Wohnung starrt alles von Lorbeerkränzen und Siegestrophäen, von Künstlerphotographien, von ruhmvollen Erinnerungen an gelungene Oratorienaufführungen und Konzertreisen, und mit Stolz kann der unternehmende Mann auf die goldene Medaille blicken, den ersten Preis, den er sich mit seinem Chore auf der Berliner Weltausstellung ersungen hat. Auf dieser Pariserfahrt sang der Chor mit großem Erfolge auch in Kirchen, wie z. B. in Lüttich. In Paris wollten sie in der Madeleine-Kirche eine Messe singen, wurden aber abgewiesen, was man nach den glänzenden Erfolgen in der Ausstellung lebhaft bedauerte. Ich habe sein eminentes Direktionstalent am folgenden Tage, dem böhmischen Nationalfesttage St. Johann Nepomuk, von der vorteilhaftesten Seite kennen gelernt, als ich ihm nach einer wohlgelungenen Aufführung meiner Gotthardmesse am Dirigentenpulte Platz machte. Wie schwebend klang das *pp*, mit dem er beim Vortrage der 3 Strophen des *Pange lingua* wohltuende Abwechselung schuf! Es hatte nichts Gemachtes, nichts Aufdringliches an sich: es kam von Herzen. Und wie dieser Chor auf Kommando anzuschwellen weiß! Des Dirigenten Zeichen wirkten mit einer Sicherheit und Promptheit auf den Gesangskörper, wie der Rollschweller auf eine Orgel. Das wäre ein Chor, der sich auch einmal vor einer Generalversammlung hören lassen könnte. Und als dann im Anschlusse an den Gottesdienst mein *Stabat mater,* das vorher schon eine pompöse Aufführung im Wasdeck-Konzertsaale erlebt hatte, in gehobener Stimmung und heller

Begeisterung durch den wundervoll akustischen, gotischen Prachtbau erklang, da strahlten die vorzüglichen Eigenschaften des Dirigenten, des Chores und der herrlichen Orgel erst im vollsten Lichte, und die Wirkung war eine überwältigende — mein Nachbar im Presbyterium drückte mir stumm die Hand — und ich werde den Tag nicht wieder vergessen, an dem ich mein Opus 114 erst eigentlich kennen gelernt habe.

In gleich brillanter Verfassung sang der Chor des anderen Tages — es war Sonntag — Hallers 4stimmiges *Veritas* und 7stimmiges *Pange lingua*, sowie eine *E*-dur-Messe von Kubat, eine Messe, die der Dirigent seinem Chore auf den Leib geschnitten hatte, eine von moderner Schulung zeigende und von kirchlichem Geiste getragene Meßkomposition, die dem Chore Gelegenheit gab, alle Vortragsfarben in reichem Wechsel zu entfalten vom zartesten *pp* des *Et incarnatus* bis zum mächtigen Aufschwung am Schlusse des *Gloria*, des *Credo* und ebenso des *Agnus*, das mir am besten gefallen wollte. Kubat ist nicht nur ein vorzüglicher Dirigent, sondern auch ein feinfühliger Komponist, der Effekt zu machen weiß ohne aufdringlich zu werden, und der seine eigenen Wege wandelt, ohne bizzar zu werden. Aber mehr als all das Lob, das ich seinen Kompositionen spenden kann, von denen einige bei einem Prager Verleger erschienen sind, gereicht dem strebsamen Dirigenten zur Ehre sein unermüdlicher Eifer, womit er im Vereine mit dem *rector Ecclesiae*, dem Hochwürd. Herrn Administrator seine ganze Kraft aufbietet, um jahraus jahrein eine den liturgischen Vorschriften — auch der Choral findet seine Pflege — und deren cäcilianischen Geist entsprechende Kirchenmusik zu bieten, für die sich die schöne große, nach Art der Münchener Frauentürme die ganze große Fabrikstadt beherrschende Erzdekanalkirche so dankbar erweist, daß man an das Dichterwort denken muß: „Das Lied, das aus der Kehle dringt — Ist Lohn, der reichlich lohnet."

Fürwahr, diese Tage waren genußreiche Tage. Und daß Böhmen, in specie Pilsen, außer musikalischen auch noch andere Genüsse zu bieten vermag, das erfuhr ich bei den an die Aufführungen sich anschließenden Diners in der Wohnung meiner beiden Gastfreunde. Zu guter Letzt mußte man sich wohl oder übel zu einem Photographen schleppen lassen und heute liegen die Resultate der dortigen Sitzung in Form von gelungenen Ansichtskarten vor mir; es ist nicht meine Schuld, es war gegen meinen Wunsch; aber immerhin ist es in manchen Punkten gut, wenn man „seine eigene Ansicht" haben kann! — —

Am Sonntag konnte ich mich noch am Portale der Kirche vom Gesangschore verabschieden; es wurden warme Worte gewechselt und meine Versicherungen, daß ich Pilsen, die große Fabrikstadt, die Pfarrei mit 80000 Katholiken, nicht vergessen werde, kamen gewiß aus tiefinnerstem Herzen. Und mein Versprechen, dem Erzdekanalkirchenchore eine Messe zu widmen, habe ich unterdessen bereits gelöst. Am Montag in aller Frühe mußte ich noch im Konvikte der Schulschwestern eine heilige Messe zelebrieren, während welcher ich von Schwester Immaculata mit ihrem Chore durch den andächtigen Vortrag von Herz-Jesuliedern aus meinem Opus 33 überrascht wurde. Hernach drückte ich noch den beiden liebenswürdigen Gastfreunden die Hand und fort ging's mit Schnellzugsgeschwindigkeit der ob ihrer schönen Lage soviel besungenen böhmischen Hauptstadt zu.

Auch dort habe ich, aufs herzlichste begrüßt von dem bereits bekannt gewordenen Organisten von St. Emaus, Herrn Max Springer, einem jungen, vielversprechenden Talente, und aufs freundlichste aufgenommen in dem weltberühmten Benediktinerstifte Emaus, überaus gute Eindrücke gewonnen, zunächst von dem herrlichen Städtebild mit der hochragenden Königsburg und dem prächtigen, seiner Vollendung entgegengehenden Dom St. Veit, dessen musikliebenden Pfarrer ich leider nicht antreffen konnte, dann von dem in seiner Art einzigen Choralvortrage, wie man ihn in Emaus täglich beim Konventamte zu hören bekommt unter der stilreinen und prinzipgetreuen Begleitung durch den Stiftsorganisten. Das gab im Verein mit dem schönen und strammen Zeremoniell ein vollendetes Bild wie aus einem Gusse, und es kam mir vom Herzen, als ich ins Fremdenbuch die kurzen Worte schrieb: *Veni, vidi, victus sum.*

Schöne, anregende Stunden habe ich auch im Verkehr mit dem schaffensfreudigen Organisten verlebt, der eben eine Oper ausarbeitet, sowie mit dem Hochwürd. Herrn P. Leopold, einem eifrigen Choralforscher. Recht gerne hätte ich noch das Kloster der Sacrè coeur-Damen in Schmichow besucht, die mit ihren umfangreichen Gesangbüchern mir allen Respekt eingeflößt haben . . . Aber „mit des Schicksals Mächten ist kein ew'ger Bund zu flechten". Und das Schicksal wollte es, daß ich am Dienstag abends in das „Deutsche Theater" kam, das einen hervorragenden Ruf als internationale Kunststätte genießt und wo gerade Verdis Traviata in italienischer Sprache gegeben wurde, ein Genuß, den ich mir nicht entgehen lassen wollte. Abends 7 Uhr betrat ich das schöne Theater, das mich lebhaft an das Münchener Residenztheater gemahnt. Es wurde Vorzügliches geboten, wenn auch das Orchester etwas aufdringlich erschien. Aber die Solokräfte waren vorzüglich; namentlich die Primadonna, eine Gastin aus Dresden, brillierte in der Koloratur zum Entzücken, und so konnte man zu vollem Genusse kommen. Als ich, noch in Musik schwelgend, auf die Gasse trat, gab es eine plötzliche Ernüchterung. Große Menschenmengen stauten sich; Gendarmen sprengten zu Fuß und zu Pferd durch die Massen — da ein Menschenknäuel, dort ein Menschenknäuel, von Wächtern des Gesetzes in eine Ecke gedrängt, in scheuer Form eine gaffende Menge — auf dem Wenzelplatze, dem größten Stadtplatze des Kontinents starrte es von Aufwieglern, Tschechen und Deutschhassern und ich — ein Deutscher — allein mitten unter ihnen! Ich dachte nicht mehr an mein Quartier; im nächstbesten Gasthofe suchte ich Zuflucht, das Bett 5 Kronen bei allerbescheidenster Ausstattung! Dort ersah ich erst aus der Zeitung, daß es am Vortage am Deutschen Theater Blut gegeben hatte; es waren die Besucher des Restaurationsgarten gesteinigt worden; daher erklärte sich mir die auffallende Leere des Theaters und der Mangel an Besuchern am Dienstag. In einer schlaflosen Nacht sann ich hin und her. Ich dachte mir: Böhmen ist ein musikalisches Land; aber „politisch Lied, garstig Lied." Darum adieu Böhmen! Adieu Prag, auf Nimmerwiederschauen! Den lieben Pilsenern aber rief ich noch im Vorbeifahren ein heimliches „Maozda" und „Rokolibam" zu oder wie der Spruch lautet! Und jetzt, weil ich wieder in sicherer Heimat bin, gedenk ich schöner, musikalischer Tage mit einem disharmonischen Abschlusse!

Osterhofen. Benefiziat Pet. Griesbacher.

---

## Vereins-Chronik.

1. Die 18. Generalversammlung des Cäcilienvereins der Diözese Augsburg fand heuer am Pfingstmontag und Dienstag, den 8. und 9. Juni, nach vorausgegangener Ankündigung im Cäcilienvereinsorgan und im oberhirtl. Amtsblatt in Memmingen statt. Zur allgemeinen Freude und hoher Ehre für die Diözese Augsburg und Stadt Memmingen hat dieselbe diesesmal der Hochwürdige Herr Generalpräses Dr. F. X. Haberl, Kgl. Geistl. Rat und Direktor der Kirchenmusikschule in Regensburg auf Einladung des Herrn Diözesanpräses, Domkapitular Dr. Joh. Nep. Ahle von Augsburg mit seiner Anwesenheit ausgezeichnet, und ihr dadurch einen besonderen Glanz verliehen. Punkt ½7 Uhr abends — die nämliche sonst nicht immer und überall bei den Generalversammlungen übliche Pünktlichkeit bei Gottesdienstbeginn und kirchlicher Gesangeproduktion muß in Memmingen rühmlich konstatiert werden — wurde sie eingeleitet am Montag in der Stadtpfarrkirche mit Abendandacht: vierstimmige (gemischter Chor) Lauretanische Litanei, Op. 33 von Friedrich Koenen, dem leider allzu früh dahingeschiedenem Cölner Domkapellmeister, einem der ältesten Mitglieder und geistvollsten Referenten des Cäcilienvereins. Gesungen wurde die wegen „zusammengezogener Anrufungen" rasch sich abwickelnde Komposition, die einen besseren Chor erheischt, tadellos. Ob nicht viele, ja die meisten alten Cäcilianer zeitlebens an Koenenscher Muse mehr Gefallen finden als an den meisten der heute immer mehr sich breit machenden nunmehr auch sporadisch im Vereinskatalog aufgeführten „modernen" Elaboraten? Mir will es scheinen, als ob der am Dienstag bei der Mitgliederversammlung vorteilhaft als ein durchaus gewiegter, gelehrter und feiner Kenner jeglicher Musik sich einführende Hochwürd. Herr Musikpräfekt Thaddäus Hornung am Bischöfl. Knabenseminar in Dillingen und Chorregent an der dortigen Studienkirche auch unentwegt zur alten Fahne schwörte. Als Segensgesang figurierte das alte, aber doch ewig junge chorale *Tantum ergo*, fließend und gut vorgetragen, was ebenso gilt von dem bekannten und jubelnden *Regina coeli* von Anton Lotti, woran sich wohl jeder Chor mit vier Sängern wagen darf. Im Ganzen war der heutige Abend schon ein vielversprechender Anfang. Und wir wurden nicht enttäuscht. Frisch und erbaulich trugen die Schulkinder am Dienstag um 7¼ Uhr zur vom Hochwürd. Herrn Diözesanpräses zelebrierten heiligen Schulmesse Volksgesänge aus dem „Laudate" vor. Um 9 Uhr begann der feierliche Hauptgottesdienst mit Predigt von Herrn

Stadtpfarrchordirektor und Benefiziat in Günzburg und darauffolgendem Hochamt, gehalten von Herrn Geistl. Rat und Dekan F. X. Königsberger von Stötten a. A. Erstere — der das bekannte *Veni Sancte Spiritus* für 5 gemischte Stimmen von C. Aiblinger — voransging, war tiefdurchdacht und vortrefflichen Inhaltes und führte unter Hinweis auf die 2 Bitten des Pfingsthymnus *Accende lumen sensibus, infunde amorem cordibus* ganz treffend aus, wie der katholische Kirchensänger zur richtigen und verdienstvollen Ausübung seines erhabenen Dienstes unbedingt nötig habe, Glauben und Liebe. Möchten alle, sowohl ausführende als auch unterstützende Mitglieder des Cäcilienvereins die wohlgemeinten und von inniger Hingabe an die heilige Messe eingegebenen Worte beachten und bewahren! Vielfach war es bisher Bestreben, bei den festlichen Gottesdiensten anläßlich der Diözesan-Generalversammlung etwas aparte und hervorragende Darbietungen jeglicher Kirchenmusikart zu Gehör zu bringen, so in Füssen und Mindelheim Instrumentalmusik, in Kempten die „Alten" usw. Heute war es eine 1906 erschienene Papst Pius X. dedizierte moderne höchst wertvolle Festmesse *in hon. S. Caeciliae*, 4 voc. mixt. des amerikanischen Jesuitenpaters Ludwig Bonvin. Kaum hat bisher einer der Generalversammlungsteilnehmer diese Messe je gehört und deswegen und wohl auch wegen der darüber im Vereinskatalog stehenden zwei interessanten Referate der zwei Herren Dr. Hermann Müller und Arnold Walther sahen alle der Aufführung mit Spannung entgegen. Was nun dazu sagen werden die allseitig und hochgebildeten Musiker *ex professo* und welches der Eindruck auf sie war — weiß ich nicht. *Gloria* und *Credo* mit obligater Orgel boten gewiß für jedermann überwältigende und ergreifende Stellen genug, die bei 4 Stimmen im Effekt kaum mehr recht großer Steigerung fähig sein dürften. Gleiches kann meines Erachtens — um teilweise hier dem Bericht nicht vorzugreifen — auch gesagt werden von den am Nachmittag durch den rastlos tätigen Ottobeurener-Kirchenchor exekutierten zwei prächtigen Nummern 8stimmig von Haller und Stehle. Ob wohl dem Großteil der andächtigen Anwesenden, deren Zahl beim Vormittagsgottesdienst gemäß dem Raume der Kirche schon noch größer hätte sein können, es zum Bewußtsein kam, wie viel Fleiß, Eifer und Mühe und Proben und Aufregung und vielleicht auch Verdruß vorausgegangen, um solch glänzende Aufführungen zu ermöglichen? Ich für meine Person konnte mich dieses vollauf berechtigten Gedankens und Raisonements — ich merke das ausdrücklich an — bei sämtlichen Vorführungen aller sechs aufgetretenen Kirchenchöre in und außer der Kirche nicht erwehren und sei ihnen allen hiemit nochmal der wärmste Dank ausgesprochen. Sie haben ihr Bestes geleistet und sich mit Ruhm bedeckt und wird und muß es dem Musikfreund zur Befriedigung dienen, wieder einmal die tröstliche Wahrnehmung haben machen zu können, daß doch noch in vielen Pfarreien löblicher Eifer und unermüdetes Streben vorhanden, die so mächtig bildende und veredelnde Musik zu pflegen, an erster Stelle zur Verherrlichung und Anbetung des Allerhöchsten in seinem Hause. Möchten die durchaus wertvollen, gut einstudierten Piecen der genannten Chöre deren bleibendes und viel und oft verwertetes Eigentum sein! Introitus sangen die Unterstimmen bis zum *Gloria Patri*, von da an erst Gesamtchor; Communio wieder nur Tenor und Baß mit richtig registrierter Orgelbegleitung; *Alleluja* mit ℣. und Sequenz waren rezitiert mit teilweise Choral. Ich kann mir's nicht versagen, meiner *salvo meliori* dahingehenden und schon oft mündlich und schriftlich ausgesprochenen Anschauung Ausdruck zu geben, daß mir Choral vom Gesamtchor fließend und schön vorgetragen mehr imponiert und zusagt und vollkommener scheint, und daß nach meiner Meinung jeder Chorleiter sich die dankbare Mühe geben und schöne Aufgabe stellen soll, alle seine Sänger — Unter- und Oberstimmen — zum regelmäßigen und guten Vortrag der Choralwechselgesänge des Amtes, sowie der Antiphonen und Hymnen der Vespern heranzuziehen und emporzuheben. Das Tagesoffertorium war eine Komposition für 4 Männerstimmen von Meister Ignaz Mitterer, der auch nachmittags nochmals auf dem Programm in einem wohlklingenden, feierlichen 4stimmigen Vesperpsalm (109), vorgeführt vom sehr strebsamen Kirchenchor Hawangen, und im *Agnus Dei* seiner 6stimmigen, prächtigen Weihnachtsmesse, vorgeführt vom sehr gut geschulten Kirchenchor Westerheim, vertreten war.

Bei der Mitgliederversammlung im „Burgsaal" um ½11 Uhr wurde vorerst der geschäftliche Teil erledigt mit der herkömmlichen Berichterstattung über die Tätigkeit des Vereins in den abgelaufenen 2 Jahren und der Rechnungsablage. Dann aber kam ein fesselnder, belehrender und von großer Erudition zeugender allgemein verständlicher Vortrag des genannten Herrn Präfekten Thaddäus Hornung: „Choral und polyphone Vokalmusik". In eingehender Weise wurde wieder die aufmerksame Zuhörerschaft hingewiesen auf den großen Wert, die primäre Stellung des Chorals vor mehrstimmiger Kirchenmusik, seine hohe Bedeutung und Schönheit, den vielfach dramatischen Ausdruck seiner Melodien usw. Letzterer wurde gezeigt, in den zwei zu gedachtem Zweck äußerst gelungen gewählten Introitus des Festes Christi Himmelfahrt und des Septuagesimasonntags: *Viri Galilaei* und *Exsurge*. Herr Präfekt hatte die Güte diese zwei Introitus musterhaft vorzusingen und gewiß dabei die beste und löbliche Absicht, vielleicht doch den einen oder andern der noch außen und nach dieser Hinsicht müßig am Wege stehenden (Matth. XX., 6.) *rectores ecclesiae* oder Lehrerchorregenten vorerst zur Erwägung des Gehörten und dann zu praktischen Versuchen und Ausführungen heranzuziehen. *Fiat!* Bezüglich der zwei Choralausgaben, der früheren offiziellen *Medicaea* und nunmehrigen authentischen *Vaticana* neigte man sich in der Versammlung allgemein zu der Ansicht, man solle vorerst bei der *Medicaea* bleiben und mit eventueller Neuanschaffung noch eine zuwartende Stellung einnehmen. Zum Thema: „Mehrstimmige Vokalmusik" führte Redner namentlich an zuerst die großen Meister des 16. Jahrhunderts mit ihren zahlreichen Kompositionen von unvergänglichem Werte, vor allen den *princeps musicae sacrae:* Palestrina und seine Schüler. Wer sich es leider mit seinem Chore versagen müsse, diese unsterblichen Meisterwerke aufzuführen, der greife zum Palestrina des 19. und 20. Jahrhunderts, zu Michael Haller, dessen *Opera* auch kleinere Chöre einstudieren und mit Erfolg aufführen können. Nambaft wurden dann auch noch gemacht die bekannten Autoren seit Gründung des Cäcilienvereins, über deren Kompositionen in durchaus zu Vertrauen berechtigter Weise im Vereinskatalog referiert werde. Man möge aber stets gut auswählen und minderwertige Namen und Nummern auf dem Repertoire allmählich verschwinden lassen!

Wohl verdient war der allgemeine Applaus am Schluß der Rede, die gedruckt und überall verbreitet werden sollte. Nun stand als vierter Punkt auf der Tagesordnung der Versammlung: Diskussion und Anträge. Es wurde angeregt und dann beschlossen: jährliche Konferenz aller Bezirks- und Pfarrvereinspräsides unter dem Vorsitz des Diözesanpräses zur Besprechung und Beratung über Vereinsangelegenheiten und Förderung der Vereinszwecke. Es wurde der berechtigte Wunsch ausgesprochen, zum Zwecke der endlichen Einführung vollständiger und *quo ad cantum* korrekter Ämter nach liturgischer Vorschrift ernstlich Hand ans Werk zu legen und über diese allgemein notwendige Durchführung der kirchlichen, auf den Gesang sich beziehenden Gesetze in Predigten auch das Volk zu belehren. Beantragt wurde der Druck eines brauchbaren, bisher nur im Manuskript in Dillingen vorliegenden handlichen und praktischen *in continuo* an den einzelnen Festtagen brauchbaren Vesperwerkleins für die Kirchenchöre, möglichst zu verbreitende Einführung des Schottschen Meßbuches (Herder, Freiburg) unter den Gläubigen im Schiff der Kirche und auf dem Musikchore, bessere Ausgestaltung des Gesangsunterrichtes in der Volksschule usw. Mögen die Anträge und Verhandlungen gute Früchte bringen. Jetzt noch einige Worte zur nachmittägigen Vorführung kirchlicher Gesänge in der Stadtpfarrkirche durch nachstehende Kirchenchöre: Boos, Hawangen, Westerheim, Obergünzburg und Ottobeuren, sämtliche Dekanats Ottobeuren. Deren, resp. Herren Dirigenten sind genannt im Vereinsorgan Nr. 5 vom 15. Mai pag. 53. Konstatiert wurde bereits oben, daß alle ihre Aufgabe zu größter Befriedigung gelöst, und daß wirklich die genannten Pfarrgemeinden stolz sein dürfen auf ihr wackeres Chorpersonal, und die treffenden Pfarrherren zu beneiden sind, daß sie das Glück haben, die Abhaltung ihrer Gottesdienste durch solche Musik verherrlicht zu sehen. Verständnisvoll begann der schon öfters rühmlich in den Vereinsblättern genannte Kirchenchor Boos seine Vorführung mit zwei Strophen des choralen Vesperhymnus: *Custodes hominum.* Nochmal bekamen wir Choral zu hören im vom großen Chor Ottobeuren gewaltig imponierend gesungenen *Sanctus* (ohne Orgel) des *Kyriale Vaticanum.* Bravo! Boos trug noch sicher vor Hallers Offertorium für Palmsonntag und ein liebliches und doch feierliches *Regina coeli* von Adolf Kaim, beide Sätze für 4 gemischte Stimmen; letzteres wohl in jüngster Zeit daheim viel gebraucht, schien dem Chor „auf den Leib geschnitten". Eine andere schöne Marianische Antiphon *Alma redemptoris* von A. Kaim hat Chor Hawangen gewählt für 4 gemischte Stimmen, dann das mir gar nicht so leicht dünkende und nicht unbedeutende *Gloria* der Alban Lippschen Maximiliansmesse, endlich noch ein inniges, rührendes „Gegrüßt seist du, Maria" für vier gemischte Stimmenbesetzung von dem frommen und begabten, leider auch viel zu früh gestorbenen fruchtbaren Komponisten Jos. Modlmayr.

Durch recht sorgfältigen, zarten Vortrag suchte der Kirchenchor Westerheim selbst aus dem *Kyrie* der einfachen anspruchslosen Kaimschen St. Anna-Messe für 4 gemischte Stimmen etwas zu machen und es ist ihm so weit möglich gelungen. Der im übrigen numerisch starke Chor scheint sich für alle Fälle für einfachere Verrichtungen und festliche Anlässe in seinem Repertoir vorgesehen zu haben und, wie er dieses ja vor einigen Jahren bei einer nachmittägigen Vereinskonferenz in Westerheim selbst gezeigt hat, über eine reiche und wertvolle Auswahl von einstudierten Repertoirnummern und Kompositionen zu verfügen. Da er viele Männerstimmen hat, ist diesem Chore auch glücklich gelungen das *Credo* aus Dr. Ahles viel gesungener und bekannter *Missa brevissima in hon. S. Hieronymi;* es dauerte 5½ Minuten, fast 6. Der vor keiner Schwierigkeit — wie es scheint — zurückschreckende, tüchtige Kirchenchor Obergünzburg ist prächtig eingeübt für alle Stimmenkombinationen: Frauen-, Männer- und großen gemischten Chor. Sorgfältig und wirkungsvoll brachte er die für 4 Männerstimmen von Stehle harmonisch bearbeitete 3. Lamentation *(Oratio)* der Matutin des Charsamstags zur Vorführung. Eine kunstvolle, ganz des seligen früh gestorbenen Peter Piel würdige Arbeit ist das *Sanctus* aus dessen Sakramentsmesse für 3 gleiche Stimmen, hier mit Andacht vorgetragen von 3 Frauenstimmen. Endlich beschloß Obergünzburg seine Darbietungen mit einem größeren, nicht leichten, wirkungsvollen 7stimmigen gemischten Chor: *O Deus, ego amo te* von Th. Gaugler, das wohl Verwendung findet bei Kommunionausteilung oder Sakramentsandachten. Den Reigen der ganzen genuß- und lehrreichen und mit Verständnis ausgewählten Aufführungen beendete der starkgeschulte Marktkirchenchor Ottobeuren mit den bereits erwähnten Nummern und einem sichtlich auf die Zuhörer erbaulich wirkenden deutschen J. Gruberschen Marienlied in deutlichster, leicht auch ohne Textbuch verständlicher Aussprache.

Mit hoher Befriedigung konnte wirklich gerade diesesmal der Berichterstatter über die 18. Diözesan-Generalversammlung an seine Aufgabe gehen. Es war ein schönes Fest. Von allen Seiten waren sie wieder herbeigeeilt die wackeren Jünger der heil. Cäcilia und mag auch leider zurzeit, wie der Hochwürd. Herr Diözesanpräses selbst es konstatieren zu sollen meinte, die Vereinsmitgliederzahl bedauerlich nicht in Zunahme begriffen sein, sondern eher in Abnahme — wenn nur die Treugebliebenen und ein durch Belehrung und gutes Beispiel überzeugter junger Nachwuchs ihre übernommenen Vereinsobliegenheiten stets richtig auffassen und gewissenhaft erfüllen! Mit Recht wies gerade auf diese dringendst wünschenswerte, unabweisbare Notwendigkeit in einer von hohem Ernst getragenen und beherzigenswerten Ansprache der Generalpräses Dr. Haberl hin, am Schluß der vormittägigen Mitgliederversammlung, welcher Geistliche und Lehrerchorregenten beiwohnten. Möchten doch des greisen, hochverdienten Priesters eindringliche, goldene Worte, die die heilende und verbessernde Hand legen an leider fast schon stereotyp gewordene, aber auch durch noch so hohes Alter und angebliche „Diözesangewohnheit", und „wenn's auch beinahe alle so halten", doch nie und nimmer sanktionierbare Mißstände, die vielmehr immer *abusus omnino eliminandi* und durch Generalrubriken des *Missale Romanum* verboten — auf guten Boden gefallen sein, zur möglichst allgemeinen Kenntnis der *rectores ecclesiae* und *directores chori* in der Diözese Augsburg gelangen und überall der zur Beseitigung der notorischen Mißstände und Defekte einzig und allein notwendige Wille vorhanden sein! Als solche zu Unrecht bestehende und daher baldmöglichst von jedem Cäcilienvereinsmitglied erst recht pflichtgemäß abzuschaffende bisherige häufige Observanzen wurden namhaft gemacht: die ständige Auslassung der vorschriftsmäßig zu singenden, oder wenigstens zu rezitierenden Wechselgesänge des Amtes, das ständige und beharrliche Nichtabwarten des stets vollständig ohne jedwede Auslassung oder Verstümmlung vom Chor zu singenden *Credo* im Amte, die aus dieser Unsitte entspringende Auslassung des treffenden Offertoriumsgesanges durch den Chor. Der Cäcilienverein ist ein kirchlicher von Papst und Bischöfen approbierter Verein mit einem Kardinalprotektor in Rom an der Spitze. Er hat auf seine Fahne geschrieben: Nichts ohne und gegen die Bischöfe! Diese wollen und können ja nie einer widerrechtlichen Außerachtlassung der auf die von der Kirche vorgeschriebene Art und Weise der Gottesdienstfeier sich beziehenden Gesetze zustimmen oder sie gutheißen. Daher sei und bleibe unsere Devise: Immer und überall und unter allen Umständen bei allen liturgischen Funktionen, die mit Gesang auszuführen sind in der Kirchensprache: Liturgische Korrektheit und liturgische Vollständigkeit! Sie ist nicht unmöglich; man kann viel, wenn man will. A. S.

2. ✠ **Speyer.** Mit Domkapellmeister und Seminarlehrer a. D. **Joseph Niedhammer** schied einer unserer bedeutendsten Kirchenmusiker aus dem Dienste der *Musica sacra*, die kaum einen mehr begeisterten und eifrigen Diener, als ihn hatte. Niedhammer geboren zu Wachenheim (Pfalz) am 18. März 1851, war vom 11. November 1869 bis 1. November 1872 der erste Seminarhilfslehrer an dem seit 1839 bestehenden Lehrerseminar in Speyer, dann Präparandenlehrer in Blieskastel vom 1. Januar 1874 bis 1. Februar 1887. Seitdem wirkte er, hauptsächlich als Musiklehrer an der Speyerer Lehrerbildungsanstalt als Präparanden- und Seminarlehrer. Letztere Beförderung ward ihm, als mit dem ersten seiner Kategorie, am 14. Oktober 1900.

Seit 20 Jahren bekleidete Niedhammer den schwierigen Posten eines Domkapellmeisters an der hiesigen Kathedrale. Und gerade auf dem Gebiete der Kirchenmusik fand der schaffensfreudige Mann sein liebstes Arbeitsfeld. Wie oft lauschten wir staunend seinem meisterlichen Orgelspiel, das den souveränen Beherrscher des Kontrapunkts, aber auch den sorgfältig vorbereiteten, wenn schon regelmäßig „frei" spielenden Musiker verriet. Der Domchor (welcher etwa 60 Damen und Herrn zählt) ward durch ihn zu solchen Leistungen befähigt, daß er stets als erster Kirchenchor der Pfalz galt und sich mit den besten Domchören Deutschlands messen kann. Niedhammer hatte als regelmäßiger Besucher der großen Cäcilienvereins-Versammlungen ja reichlich Gelegenheit hierin Vergleiche anzustellen. An Pfingsten des Jahres 1886 veranstaltete er hier im hohen Dom ein großes Cäcilienfest, gegeben vom Domchor, das ihn und seinen Chor auf stolzer Mittagshöhe des Schaffens zeigte. Klassische wie neuere Kirchenmusik pflegte er mit gleichem Eifer. Die ganze Pfalz war damals Zeuge seiner glänzenden Direktionskunst.

Als Diözesanpräses der Cäcilienvereine unseres Bistums wirkte Niedhammer durch gerechte, aufmunternde Beurteilung der Leistungen der verschiedensten Kirchenchöre anläßlich ihrer Bezirksfeste, Orgelweihen usw. Als Orgelexperte ward sein Rat stets geschätzt und gesucht. Niedhammer war auch ein fruchtbarer Komponist, und zwar diente sein Schaffen fast ausschließlich der Kirchenmusik. Er schrieb zehn Messen, die letzte, *Missa decima*, beschäftigte ihn noch auf dem Totenbette. Zu den bedeutendsten darunter zählen die Jubiläumsmesse, anläßlich der Feier des 25. Jahrestages der Weihe des seligen Bischofs von Ehrler am 6. Oktober 1903, und die Messe *Pax vobiscum*, unserem jetzigen Bischofe Konrad von Busch gewidmet (Weihnachten 1906). Als sein größtes Werk müssen wir das Kaiser-*Requiem* (Op. 18) bezeichnen, das gelegentlich der Einweihung der Kaisergruft in Speyer am 12. Juli 1906 zur Aufführung kam. „Die kirchenmusikalische Literatur besitzt bis heute kaum ein derartiges Werk, es verdient im höchsten Grade, der kirchenmusikalischen Welt zugängig gemacht zu werden", so urteilte darüber Weinberger, Würzburg. „Sie beschäftigten sich bei dieser Komposition auffallend stark mit dem Ewigkeitsgedanken und bringen uns diesem nahe", sagte ein Musikkenner zum Meister Niedhammer. In der Tat war der mit großen Plänen beschäftigte, stets rege Geist des Meisters — Niedhammer traf ja bereits die ersten Vorbereitungen zur Feier der Generalversammlung der deutschen Cäcilienvereine in Speyer (1907, dann 1908) — mit dem Gedanken eines frühen Todes vertraut. Schon im Jahre 1902 (Februar bis Mai) warf ihn eine langwierige Krankheit schwer nieder, aber er erholte sich wieder; noch einmal ein schwerer Rückfall, im Mai 1904, und er konnte das Amt eines Kgl. Seminarlehrers nicht länger versehen. Vom 1. Januar 1905 ab ward er in den dauernden Ruhestand versetzt. Nach verhältnismäßig guter Erholung galt sein ganzes Wirken dem Amte als Domkapellmeister. Im Herbste 1907 faßte ihn die Todeskrankheit und hielt ihn am Krankenlager bis heute.

Niedhammers Name wird in der Geschichte des Lehrerseminars wie des Domchors Speyer und des pfälzischen Diözesan-Cäcilienvereins fortleben. Als äußeres Zeichen der Anerkennung seiner Verdienste um die Kirchenmusik ward ihm am 23. Oktober 1903 durch Seine Heiligkeit Papst Pius X. (durch Vermittlung des Hochwürd. Herrn Bischofs Ehrler) die Ernennung zum Ritter des Ordens vom heil. Silvester. A. P.

3. + **Marienkolleg Hamberg b. Passau.** Hochwürd. Herr Redakteur! Der kleine Sängerchor unserer kleinen Kirche ersucht Sie, ihm in Ihren „Fliegenden“ ein kleines Plätzchen zu seinem kurzen, kirchenmusikalischen Jahresberichte 1907/08 einzuräumen. Er hat keine Domchorleistungen aufzuweisen, weder qualitativ noch quantitativ; denn mit 8—9 Mann, die durchs ganze Jahr bis über die Ohren im Studium stecken und dazu eines richtigen Orgelwerkes entbehren, muß man sich einer gewissen Reserve befleißen. Daß unser Chorus aber den kirchlichen Geist hochhält, mag der folgende Bericht bezeugen: I. Introitus, Graduale und Communio wurden zum größten Teil choraliter gesungen, nur bei knapper Zeit rezitiert. An Feiertagen kamen die 2., 3., 12. und 13. Choralmesse zum Vortrag; außerdem das Choralrequiem. II. Neue Messen wurden folgende aufgeführt: *Missa Stella matutina*, 1st. von P. Griesbacher; leichte Messe, 2st. von G. Weber; *Missa tertia* und *quarta*, 2st. von Haller; Cäcilienmesse, 4st. von Hohnerlein. III. Offertorien: *Veritas mea* und *Ave Maria*, 2st. von Kornmüller; *Reges Tharsis*, 2st. von Haller; *Justorum animae*, *Ave Maria*, *Laetentur coeli*, *Diffusa est gratia*, *Ascendit Deus*, sämtliche 4st. von Mitterer; *Justorum animae*, *Benedic anima mea*, 4st. von Haller; *Domine Jesu Christe*, 4st. von Modlmayer; *Improperium exspectavit*, 4st. von C. J. Clair. IV. Litaneien, Antiphonen etc. *Litaniae de SS. Corde Jesu*, 2st. von Haller, ebenso eine 2st. von Wagner; *Tantum ergo*, 4st. von Engelhart, Haller, Clair und Witt; die Fronleichnamsgesänge von Haller; *In monte Oliveti*, 3st. von Martini; *Sacerdos et Pontifex*, 4st. von Clair zum Empfange des Hochwürd. Herrn Bischofes von Passau; *Popule meus*, 4st. von Vittoria; *Oratio Jeremiae*, 4st. harmonischer Choral von Kl. Bachsteffel; *Alleluja* mit *Laudate Dominum*, 4st. von Griesbacher, *Regina coeli* von demselben; *Te Deum*, 4st. von Clair. V. Deutsche Lieder: Herz-Jesulieder von Haller und Wiltberger; Marienlieder von Engelhart, Goller, Bäuerle, Haberl, Haller, P. Theresius.

P. A. M. Weiß, S. D. S.

4. ♁ **Prag**, 3. Juli 1908. Bei der gestern stattgefundenen Abtwahl in Emaus an Stelle des † Dr. Sauter (s. Nr. 6 des Cäcilienvereinsorgans) wurde **P. Alban Schachleithner** gewählt. Der Hochwürd. Herr Abt ist geboren am 29. Januar 1861 zu Mainz am Rhein. Seine Eltern waren Kaufleute. Er absolvierte 1879 das Gymnasium, bezog die Leipziger Universität, beschäftigte sich mit kultur- und musikgeschichtlichen Studien und gleichzeitig widmete er sich durch 2½ Jahre am Kgl. Konservatorium der Musik. Im Jahre 1882 trat er in das Noviziat in Emaus, 1883 legte er die Profeß ab und absolvierte die theologischen Studien in Seckau in Steiermark. 1886 wurde er zum Priester geweiht und 1887 nach Beuron in Hohenzollern versetzt. 1891 kam er nach Emaus zurück und erwarb 1900 das österreichische Staatsbürgerrecht. Seit dem Jahre 1903 ist er Vorsitzender des St. Bonifaziusvereins. Das bisherige segensreiche Wirken des neugewählten Abtes hat ihm in allen Kreisen der Bevölkerung ein dauerndes Anrecht auf Verehrung und Liebe erworben. (*Ad multos annos!* Die Redaktion.)

## Rundschau der deutschen kirchenmusikalischen Zeitschriften von April mit Juni 1908.

1. **Cäcilia.** (Breslau.) Nr. 4. Schluß des Artikel von A. Gebauer „Der Chordirigent in der Praxis“. — Seminargottesdienst zu Habelschwerdt. — Rezensionen. — Nr. 5. Neuerscheinungen auf kirchenmusikalischem Gebiete. Von A. Anift. — Umschau von A. Gebauer. — † Franz Urwan, Stadtpfarrer von Wünschelburg. — Rezensionen. — Nr. 6. Einiges über den gregorianischen Gesang und dessen Vortrag. Von Chorrektor Zeisig in Troplowitz (Schluß in Nr. 7). — Aufführungen des St. Cäcilienvereins Allenstein. — Kirchenmusik im Lehrerseminar zu Pilchowitz. — Wiener Kirchenmusik für Ostern 1908. — Rezensionen.

2. **Cäcilia.** (Straßburg.) Nr. 4. Ch. Hamm und die Straßburger „Cäcilia“ (1881—1897). Von H. M. (Wird in Nr. 5 u. 6 fortgesetzt.) — Osterklänge. (Gedicht von M. C.) — Das Vatikanische Graduale und die Choralrestauration. (Von J. V.) Wird in Nr. 5 fortgesetzt. — Zur Liturgie der Charwoche im Mittelalter. (Von Karl Ott.) — Ist echte Kirchenmusik auch echte Kunst? (Von C. Dussourd.) Schluß. — Conradi de Zabernia. (Von M. Vogeleis.) Wird in Nr. 5 fortgesetzt. — Korrespondenz der Diözesan-Cäcilienvereine Straßburg und Metz; Varia; Bibliographie; Zeitschriftenschau (in jeder Nummer). — Nr. 5. Maria, Maienkönigin. (Gedicht von M. C.) — Die modale Interpretation der Melodien der Troubadurs und Trouvères. Von Dr. Joh. Bapt. Beck. — Maria Hilf! (Gedicht.) — Nr. 6. Des Gottesherzens Liebesklage. (Gedicht von M. C.) — Die revidierten Gesänge des Meßbuches von L. Lutz. — Einladung zur Generalversammlung des Cäcilienvereins Metz zu Saargemünd am 30. Juli. — Korrespondenz des Diözesan-Cäcilienvereins Straßburg und Metz. — Varia: 18. Generalversammlung des Allgemeinen Cäcilienvereins in Eichstätt; — Neue Werke von L. Perosi und P. Hartmann. — Bibliographie.

3. **Der Chorwächter.** Nr. 4. Die Gesang- und Gebetbuchfrage im Bistum Basel. — Vereinsnachrichten; Rundschau; Interludium; Besprechungen (in jeder Nummer). — Nr. 5. Das Fest der Auffindung des heiligen Kreuzes. — Das deutsche Kirchenlied und der kirchliche Volksgesang. (Von A. W.) — Nr. 6. Praktische Winke. (Von K. M. im Gregoriusblatt.) — 18. Generalversammlung des Allgemeinen Cäcilienvereins.

4. **Gregorianische Rundschau.** Nr. 4. Jahresrechnung des Diözesan-Cäcilienvereins Seckau. — Die elektropneumatische Orgelanlage der Benediktinerabtei Seckau. (Von P. Ildefons Veith, O. S. B.) Wird fortgesetzt. — Nachtridentinische kirchenmusikalische Literatur. (Von Dr. J. Mantuani.) Fortsetzung in Nr. 5. Schluß in Nr. 6. — Das *Trisagium* des Karfreitags. (Von P. Hildebrand Waagen, O. S. B.) — Zur liturgischen Geschichte Rouens. (Von P. W.) Berichte

und Korrespondenzen; Kleinere Mitteilungen; Besprechungen (in jeder Nummer). — Nr. 5. Das Graduale nach der Vatikanischen Ausgabe erschienen. Von P. Ildefons Munding, O. S. B.) — † Anton Seydler. (Von Dr. Franz Puchas.) — Nr. 6. Das neue Vatikanische Graduale in seiner Anordnung und Ausstattung. (Von P. Ildefons Munding, O. S. B.) — Die VII. Choraltonart und das *Gloria* der Ostermesse. (Von A. Sandhage.) — Über Orgeln.

5. **Gregoriusblatt.** Nr. 1. Pflege des deutschen Kirchenliedes in der Gemeinde. (Nach C. Wiltberger.) — Die Kunst als Führerin zu Gott. (Festrede, gehalten von Emil Ritter auf der Versammlung des Bezirks-Cäcilienvereins zu Elberfeld.) — „Habe Geduld mit mir!" — Der 27. März 1908 und Joseph Haydn. — Melodien des Essener *Liber ordinarius*. — Kritische Referate; Vermischte Mitteilungen; Zeitschriftenschau (in jeder Nummer). — Nr. 5. Das Vatikanische Graduale. — Die 18. Generalversammlung des Cäcilienvereins. — Der Gesang der Genealogie in der Weihnachtsmette. (Ergänzung zu Nr. 4.) — Nr. 6. Das *Graduale Romanum*. — Kunst und Archäologie. (Von P. Bohn.) — Programm für die 18. Generalversammlung des Allgemeinen Cäcilienvereins. — Schlußkonzert und Aufnahmeprüfung im Gregoriushause zu Aachen. — Disposition der neuen Orgel im Erfurter Dom.

6. **Gregoriusbote.** Nr. 4. Osterlied. (Gedicht von P. M. Dreves, S. J.) — Charsamstag. — Kunstwert des Chorals. (Aus einem Vortrag, gehalten anläßlich der Generalversammlung des Hohenzollerschen Cäcilienvereins von A. Birkle.) — Kaiser Karl der Große und der Kirchensänger. — Über Kritik. — Miszellen und Kirchenkalender (in jeder Nummer.) — Nr. 5. Auf dem Bittgang. (Gedicht von P. M. Dreves.) — Diözesanversammlung des Cäcilienvereins Cöln am 11. Juni 1908. (Ankündigung: Bericht in Nr. 6.) — Himmelfahrt. (Gedicht, entnommen dem jüngsten Werke einer österreichischen Erzherzogin: „Das katholische Kirchenjahr". Eine Gedichtsammlung von Philomena. Wien, Norbertusdruckerei.) Das Wunderbrot. (Nach Koenen, Op. 40, bearbeitet von J. Quadflieg. für 9 gemischte Stimmen: 1. Chor für S., A., T., Bar. u. B.; 2. Chor für 4 Männerstimmen.) — Im Gürzenichkonzert. (Von P. H. in C.) — Das Kirchenlied in der Volkssprache. — Nachrichten aus dem Cäcilienverein (auch in Nr. 6). Nr. 6. Fronleichnam. (Gedicht von W. Kreiten, S. J.) — Fronleichnam. — Kirchenmusik in Jerusalem (Charwochenprogramm).

7. **Der Kirchenchor.** Nr. 4/5. Über Chorgesang-Unterricht. (Fortsetzung aus Nr. 12 von 1907 und fortgesetzt in Nr. 6.) — Das *Tollite portas principes* in der Auferstehungsfeier. (Von Dr. A. Schmid.) Die Wechselchöre im Choralgesang und Kirchenliede. (Von Dr. A. Schmid.) — Frauen auf dem Kirchenchor. — Vom Eichstätter Domchor. (Von Dr. W. Widmann.) — Choral und kirchenmusikalische Praxis. — Kirchenmusik des Stadtpfarrchores zu Ried (Oberösterreich), von Dr. H. — Nr. 6. 3. Bayer. Musikfest zu Nürnberg. — Programm für die 18. Generalversammlung in Eichstätt. — Vermischtes.

8. **Der katholische Kirchensänger.** Nr. 4. Aus dem Hinterlande. — Die Orgel. Nachrichten aus: Freiburg i. B.; Münchweiler; Beuron. Quodlibet; Literatur; Sprechsaal; Kirchenmusikalische Fachschriften (in jeder Nummer). — Nr. 5. *Sanctificetur nomen tuum!* (Predigt des Hochwürd. Herrn Kaplan Dietrich in Mingolsheim, gehalten beim Kirchenmusikfest (Orgelweihe) in Langenbrücken am 9. Februar 1908.) — Evangelische Kirchenmusik in Österreich. — Johann Diebolds Privat-Musikschule in Freiburg i. B. — Nachrichten aus Freiburg; Münchweiler; Kevelaer; Darmstadt; Rom. — Nr. 6. Erlaß des Erzbischöflichen Ordinariates Freiburg i. B.: „Den Kirchengesang betreffend." — Römische Tonkunst (5. Fortsetzung). — Eine kleine Studie über das deutsche Volkslied. (Von F. Zieger.) — Nachrichten aus: Freiburg; Leopoldshöhe; Villingen; Karlsruhe; Malsch; Straßburg; St. Gallen; Regensburg; Eisenach; Graz; Amsterdam; Rom.

9. **Die Kirchenmusik.** Nr. 4. Jerusalem und die römische Liturgie der Charwoche. (Von Dr. A. Baumstark.) — Jakob Baldes Ehrenpreis, „christlich korrigiert" von M. Joh. Ulrich Erhard. (Von Dr. Wilhelm Bremme in Pfaffendorf am Rhein.) — Neues vom Vatikanischen Gradualbuch. (Von Dr. H. Müller.) Kleine Beiträge (Sequenz auf den heil. Märtyrer Patroklus). Von J. Cordes. — Aus der musikalischen Welt; Vom Diözesan-Cäcilienverein Paderborn; Besprechungen (in jeder Nummer). Nr. 5. Das neue *Graduale Romanum*. (Von Dr. H. Müller.) — Theoretische Neuerungen zur Stütze eines subjektiven Choralsystems. (Von L. Bonvin.) — Humor bei Josquin de Près. (Von Dr. K. Weinmann.) — Nr. 6. Erläuterungen zur Motette und Messe *Beatus qui intelligit* (6st.), von Orlandus Lassus. (Von Rektor Jakob Quadflieg in Elberfeld.) — Der Hymnus *Benedictus in firmamento coeli*, der Frühjahrsquatember. (Von Karl Ott, Gerichtsassessor in Ravensburg.) — Inhalt der Musik. (Von Pfarrer Dr. A. Möhler in Pfrungen, Württemberg.) — Kleine Beiträge. (Von J. Cordes.)

**Inhaltsübersicht von Nr. 7 der *Musica sacra*:** Neu und früher erschienene Kirchenkompositionen: Jul. Bas; Ludw. Ebner; R. Heuler; Paul Kindler; Br. Stein (2). — K. Attenkofer; K. Deigendesch; Rud. Glickh; Hans Greipel; Jos. Gruber (4). (Fortsetzung folgt.) — Der IV. musikpädagogische Kongreß zu Berlin. Von Dr. H. Löbmann. Vom Bücher- und Musikalienmarkte: M. Breslauer; Oskar Guttmann; Georg Huemer; Dr. A. Möhler; O. Ravanello; B. Rutz; A. Rich. Scheumann; Rudolph Schwartz; Dr. Starke; Hans Steiner; Karl Wiltberger; Antiquarische und Musik-Kataloge. — Vermischte Nachrichten und Mitteilungen: Jahresbericht der Gregorius-Akademie in Beuron; Wilhelm Gottschalg †; Jos. Niedhammer †; Karl Walter; Cöln; Memmingen; Korrektur. — Musik-Programm der 18. Generalversammlung in Eichstätt. — Anzeigenblatt Nr. 7 mit Inhaltsübersicht von Nr. 6 des Cäcilienvereinsorgans.

---

Druck und Expedition der Firma **Friedrich Pustet** in Regensburg.

**Nebst Anzeigenblatt, sowie Sachregister Seite XVII—XXIV zu den 3500 Nummern des Cäcilienvereins-Katalogs.**

**Doppel-Nummer.**

1908. **Regensburg, 15. August und 15. September 1908.** Nro. 8 & 9.

# Cäcilienvereinsorgan.

**43. Jahrgang**

der von Dr. Franz Xaver Witt († 2. Dez. 1888) begründeten Monatschrift

# Fliegende Blätter für kath. Kirchenmusik.

Verlag und Eigentum des Allgemeinen Cäcilienvereins zur Förderung der kathol. Kirchenmusik auf Grund des päpstlichen Breve vom 16. Dezember 1870.

Verantwortlicher Herausgeber: Dr. Franz Xaver Haberl, z. Z. Generalpräses des Vereins.

Erscheint am 15. jeden Monats mit je 20 Seiten Text inkl. des Cäcilienvereins-Katalogen. — Abonnement für den ganzen Jahrgang, inkl. des Vereinskataloges 3 Mk., einzelne Nummern ohne Vereinskatalogbeilage 30 Pf. Die Bestellung kann bei jeder Post oder Buchhandlung gemacht werden.

Inserate, welche man rechtzeitig an die Expedition einsenden wolle, werden mit 20 Pf. für die 1spaltige und 40 Pf. für die 2spaltige (durchlaufende) Petitzeile berechnet.



## Vereins-Chronik.

1. × **Bericht über den Diözesan-Cäcilienverein des Bistums Basel pro 1907.** I. Von besonderer Bedeutung war im Berichtsjahre die am 16. und 17. Juni in Zug abgehaltene VII. Generalversammlung. Dieselbe erfreute sich eines sehr zahlreichen Besuches und nahm einen in allen Beziehungen äußerst günstigen Verlauf. Von den gepflogenen Verhandlungen ist als die bemerkenswerteste die Beratung über das diözesane Gebet- und Gesangbuch zu verzeichnen, welche schon seit langem angeregte Frage ihrer Lösung nahe gebracht wurde. Über die Generalversammlung erschienen verschiedene, durchweg höchst anerkennende Berichte, von welchen wir hier erwähnen: „Fliegende Blätter" 1907, Nr. 7 und „Chorwächter" 1907, Nr. 8/9.

II. Totentafel. Von den aus unsern Reihen Hingeschiedenen seien vornehmlich genannt: 1. Karl Adolf Kamber, über dreißig Jahre lang tüchtiger und unermüdlicher Direktor des Kirchenchores Hägendorf, Kt. Solothurn, sowie seit 1884 Direktor des Bezirks-Cäcilienvereins Olten-Gösgen, gestorben den 11. Februar. 2. Georg Sütterlin, Dekan und Ehrendomherr in Arlesheim, Baselland, von 1885—1898 Präses des Dekanats-Cäcilienvereins Birseck, gestorben den 11. Juni. 3. Niklaus Estermann, Organist und Chorregent in Münster, Kt. Luzern, auch verdient als mehrjähriger Vizepräses des kantonalen Cäcilienvereins Luzern, gestorben den 18. August. 4. Fräulein Marie von Arx, während fast dreißig Jahren Domorganistin in Solothurn, auch mit der Feder für die Förderung der Kirchenmusik viel tätig, gestorben den 27. August. — Diesen und allen andern verstorbenen Mitgliedern unseres Verbandes schenke der Herr die ewige Ruhe!

III. Gesamtproduktionen fanden im ganzen drei statt: 1. Am Pfingstmontag durch den Dekanats-Cäcilienverein Birseck, Baselland, in Oberwil Hochamt mit Predigt. Nachmittagsgottesdienst mit Einzelvorträgen und Segensandacht. Vgl. „Chorwächter" 1907, S. 58, 72, 89. 2. Am Pfingstmontag durch den Cäcilienverein des Bezirkes Untersee, Kt. Thurgau, in Escheuz. Nachmittagsaufführung mit sakramentaler Andacht und Ansprache. Vgl. „Chorwächter" 1907, S. 58. 3. Den 26. Mai durch den Bezirks-Cäcilienverein Thal-Gäu, Kt. Solothurn. Nachmittagsaufführung mit Segensandacht und Ansprache. Vgl. „Chorwächter" 1907, S. 59, 87.

IV. Den eingegangenen Einzelberichten sei entnommen: 1. Kirchenchor der Stadt Bern. Nach gregorianischem Choral wurden ausgeführt: alle Wechselgesänge, Vespern, Gradualien und Offertorien, das Requiem. Neu einstudiert wurde die *Missa solemnis*, fünfstimmig mit Orgelbegleitung von J. C. Sychra. — Der Chor zählt 64 Stimmen und hält wöchentlich eine Probe.

Berichterstatter: Julius Stössel, Chordirektor.

2. Der Kirchenchor der Stadt Thun. Neu einstudiert wurden zwei Choralmessen aus dem Vatikanischen Kyriale. Mit den Kindern sind neue Weihnachtslieder eingeübt und vorgetragen

8 u. 9

worden. Im übrigen hat sich der Chor an das bisherige Repertoire gehalten. Zahl der Stimmen: 13. Proben: im Sommer beinahe alle Wochen, im Winter keine.

Berichterstatter: K. A. Cottat, Pfarrer und Dekan.

3. Kirchenchor St. Klara in Basel. Choral: alles, was nicht mehrstimmig gesungen wurde. Figuralgesang: 22 verschiedene Messen. Verschiedene Vespern, 28 Gradualien, 33 Offertorien und Motetten, 3 Introitus, 3 Communiones. Novitäten: Gradualien: *Epiphania* (fünfstimmig) von Witt; St. Thomas (29. Dez.) von Piel. Offertorien und Motetten: *Domine non sum dignus* für Männerstimmen von Haller; *Ecce sacerdos* (6st.) von Perosi; *Veritas mea* (2st.) von Quadflieg; *Veritas mea* (4st.) von Gruber; *Afferentur* (2st.) von Haller; *Posuisti* (2st.) von Schildknecht. — 22 Hymnen und verschiedene Marianische Antiphonen, 27 deutsche Gesänge, 20 Predigtgesänge, 22 *Pange lingua*. 18 Charwochengesänge (neu Matthäuspassion von Ett), 1 *Te Deum*. — Der Chor zählt 50 Stimmen.

Berichterstatter: Karl Schell, Chordirektor.

4. Katholischer Kirchengesang Groß-Basel (Marienkirche). Dieser Chor hat, wie schon früher, einen gedruckten Jahresbericht herausgegeben, dem wir folgendes entnehmen: Der Verein zählte Ende 1906 60, Ende 1907 62 Mitglieder. Mit Ausnahme der Sommerferien, welche eine Pause von 5 Wochen eintreten ließen, fanden in der Regel jede Woche 2 Spezialproben und eine Hauptprobe statt, die im großen und ganzen gut besucht waren. An kirchlichen Gesängen konnten keine neuen von Bedeutung eingeübt werden, indem die Wiederholung der mit jedem Sonntag wechselnden Messen die Gesangsstunden so ziemlich ausfüllte. Bei dem starken Mitgliederwechsel dürfte dieses ohne weiteres einleuchten. Dagegen sind verschiedene Messen und andere größere Werke aufs neue gründlich einstudiert worden. Es wurden im Jahre 58 mal Messen gesungen, 4—8stimmig: a capella, mit Orgel- oder Orchesterbegleitung: Weirich A., *Missa sol.*; Koenen, Op. 21; Lipp, Op. 78; Zeller, Festmesse in *C*; Filke M., Op. 47, 87, 106; Mitterer Ign., Op. 98; Wiltberger A., Op. 78; Thielen P. H., Op. 25; Zangl J., Messen in *B* und *Es*; Witt Fr., Op. 33. — Choralmesse in *Dom. Adventus et Quadragesimae*. — Fastenlieder von Witt, Kammerlander, Haydn, Aiblinger, Zütcher. *Stabat Mater* von Witt; *Passio* von Quadflieg; *Popule meus* von Vittoria; *Ecce quomodo* von Handl; Lamentationen von Kehrer-Mitterer und Palestrina-Filke. Auferstehungslied von Dörr. Kommunionlieder aus A. Lipps Sammlungen. Firmungsgesänge: *Ecce sacerdos* von M. Filke, Orgel- und Posaunenbegleitung; *Confirma hoc* von Mitterer-Dörr; *Veni Creator* von Dörr; Marienlieder von Gruber, Haller, Engelhart. Weihnachtslieder von Aiblinger und Hedinger. Offertorien: *Terra tremuit* von K. Greith: *Confirma hoc* von Ign. Mitterer; *Domine Deus* von G. E. Stehle; *Adeste fideles* von K. Greith. Sakramentale Gesänge: *O salutaris* (Männerchor) von Dörr und Bartsch; *Tantum ergo* von Groiß, Oberhoffer, Kammerlander, Dörr. — Leiter dieses Chores ist Herr Musikdirektor Ernst Dörr.

5. Dekanats-Cäcilienverein Birseck (Baselland). Versammlungen der Chordirektoren fanden zwei statt, die eine in Oberwil, die andere in Reinach. — Beim Durchgehen der eingelaufenen Berichte fällt auf, daß nur zwei Chöre (Äsch und Liestal) es zustande gebracht haben, mehr als eine neue Messe einzustudieren; die andern Chöre begnügten sich mit der Messe von Goller, Op. 8, die ihnen ex officio für die Gesamtaufführung in Oberwil (s. ob. sub. III) überbunden war. Durchgeht man jedoch jeweilen die Programme der weltlichen Aufführungen, dann muß man sich wundern, wie viel Zeit man zum Einüben weltlicher Stücke zur Verfügung hat. — Nach meiner Ansicht sollte der Choral besser gepflegt werden. Hoffe, dieses Jahr einen besonderen Choralkurs abhalten zu können. — In den Verband neu eingetreten ist Binningen.

Berichterstatter: Karl Tschan, Pfarrer, Vereinspräses.

6. Kantonaler Cäcilienverein Zug. 1. Baar: Choral: Wechselgesänge. Messen: J. G. Meuerer, Op. 15 und 34; J. Gruber, Op. 96, 97 und 104. Vespern: an Festtagen von Ign. Mitterer; Offertorien von Mitterer, Gruber, Goller u. a. 2. Cham-Hünenberg. Choral: Wechselgesänge, *Requiem*. Messen: Filke, *Missa* in *G*; Arnold, *Missa brevis*. *Requiem*: Gruber in *C*-moll; Thaller, für Chor und Orchester. Vespern von Molitor. Deutsche Gesänge aus „Lasset uns beten". 36 Mitglieder. Proben wöchentlich eine bis zwei, Zeitschrift: Chorwächter. 3. Menzingen. Messen: J. Stein, Op. 39; O. Joos, Op. 16. *Requiem* von A. Schwarz. Offertorien: R. Glückh, Op. 41, *Ave Maria*; J. Renner, Op. 126 und Cl. Kainerstorfer. *Ad Salvat.* von Cl. Kainerstorfer. 26 Mitglieder. Proben 2. Zeitschrift: Chorwächter. 4. Neuheim. Nichts Neues. 11 Mitglieder. 5. Oberägeri. Messen: J. Gruber, *Mat. dol.* und Pastoralmesse. *Requiem* von J. Deschermeier, Op. 73. Offertorien von Edenhofer. Muttergotteslieder von V. Goller. 6. Risch. Choral: Wechselgesänge, *Requiem*, Messen. *Missa St. Anna* von A. Kaim. Offertorien von Edenhofer, Dobler, Kühne. Litaneien aus dem Kantate von Mohr. Marienlieder von Haller. 14 Mitglieder. Proben 1—2. Zeitschrift: Chorwächter. 7. Steinhausen. Choral: Messen aus dem *Ordin. Missae*; Messe Op. 34 von J. G. Meuerer. Gesänge aus dem *Cantemus* von Kühne. Marienlieder von Haller aus Op. 17a. 15 Mitglieder. Proben 1. Zeitschriften: Chorwächter und Fliegende Blätter. 8. Unterägeri. Nichts Neues. 9. Walchwil. Messen: Arnold, *Missa brevis*; Goller, *Missa B. M. V. de Loretto*. *Ave Maria* von Greith und J. Faure. „Jesus am Ölberg" von C. Aiblinger. „An der Krippe" von F. Nagen. Gesänge aus *Cantemus* von Kühne. 18 Mitglieder. 10. Zug. Choral. Wechselgesänge. Messen: Rheinberger, Op. 169 (mit Orch.); Meuerer, Op. 42 mit Orch.; Witt, *Missa in hon. S. Franc. Xaverii*; Witt, *Stabat mater*, Op. 7; Stehle, *Jesu rex admirabilis*; Breitenbach F. J., *Adoro te*. 69 Mitglieder. Proben 1—2. Zeitschriften: Chorwächter und Fliegende Blätter.

Berichterstatter: K. Bütler, Rektor, Vereinspräses.

7. Cäcilienverein des Siß- und Frickgau (Kt. Aargau). Die Kirchenchöre sind bestrebt, den Bestimmungen der Agenda nachzukommen. Die Wechselgesänge aber wollen keinen rechten Eingang finden. Vierstimmige Gradualien und Offertorien, weniger jedoch Introitus und Communio,

werden an hohen Festtagen gesungen. Vielerorts fällt den Chören das gewöhnliche Pensum schwer. In allen Pfarreien werden wenigstens an den höheren Festtagen und Monatssonntagen gesungene Ämter gehalten, an den übrigen Sonntagen 4stimmige oder 1stimmige Singmessen. — Ich glaube, daß nur noch an einem Orte Messen gesungen werden, die des kirchlichen Charakters entbehren. — Vespern werden an den meisten Orten an den hohen Festtagen gesungen und zwar lateinische, liturgische Vespern; deutsche Vespern sind ganz wenige noch zu hören. — Im allgemeinen ist wieder mehr Eifer und Begeisterung für die cäcilianische Sache, das hat auch die sehr große Beteiligung am Kirchengesangfest in Gansingen bewiesen (31. Mai 1908). Anfänglich hatten 20 Verbandschöre ihre Beteiligung zugesagt; verschiedener Umstände wegen hatten drei Chöre in letzter Stunde ihre Anmeldung zurückgezogen. Immerhin waren 17 Chöre mit über 350 Sängern erschienen, die größte Beteiligung seit Bestehen des Vereines. Das Fest ist in allen Teilen glänzend verlaufen und hat bei allen Sängern einen sehr guten Eindruck hinterlassen und neue Impulse gegeben. — Am Pfingstmontag (1908) wurde die übliche Delegiertenversammlung des Fricktalischen Cäcilienvereins abgehalten. Dabei wurde ein Bericht über das Gesangfest mit einer kurzen Kritik der Einzelvorträge und der Gesamtchöre abgegeben; auch wurde das kommende neue Gesang- und Gebetbuch besprochen und lebhaft begrüßt.

Berichterstatter: J. Schleininger, Pfarrer, Vereinspräses.

8. Bezirks-Cäcilienverein Baden, Kt. Aargau. Eine Aufführung fand dieses Jahr nicht statt. Der Vorstand versammelte sich, wie üblich, den 7. Februar und den 30. Oktober. In der ersten wurde ein Referat entgegengenommen von Hochwürd. Herrn Pfarrer Ab-Egg über den 1906 in Baden abgehaltenen Chordirektorenkurs, in der letzteren wiederum von Hochwürd. Herrn Pfarrer Ab-Egg über die VII. Generalversammlung des Cäcilienvereins in Zug. Ein zweites Referat hielt Herr Direktor Bürli über das Dirigieren. Zudem wurde das Festheft bereinigt für die Aufführunf, in Stetten im Sommer 1908. — Jahresberichte sind eingegangen seitens der Chöre von Gebensdorg Spreitenbach, Neuenhof, Würenlos, Ehrendingen, Stetten, Wettingen, Fislisbach. Ohne Berich blieben Birmenstorf, Künten, Mellingen, Kirchdorf. Die Tätigkeit der einzelnen Chöre muß im allgemeinen als eine flaue bezeichnet werden. Berichterstatter: A. Karli, Stadtpfarrer, Vereinspräses.

9. Bezirks-Cäcilienverein Solothurn-Lebern-Kriegstetten. Auch im Berichtsjahre wieder ist wacker gearbeitet worden, um den Kirchengesang zu heben im Einklang mit den bestehenden kirchlichen Vorschriften. Bei einigen Chören besorgen Geistliche die Direktion. Es sieht jetzt wesentlich anders aus als bei der Gründung des Bezirksvereines im Jahre 1886. Der Nutzen der Gesamtaufführungen war jedesmal offensichtlich. Die für 1907 planierte mußte leider wegen eines eingetretenen Hindernisses auf das Jahr 1908 verlegt werden. An Novitäten weist der Kirchenchor Bettlach zwei Messen auf: Stehle, Op. 50 und Witt, Op. 11. Mit einer größern Zahl Novitäten bereicherte der Domchor St. Urs sein Repertoire. — In einzelnen Chören war man des jungen Nachwuchses wegen auf das Einüben des alten Repertoires angewiesen. — Auf der ordentlichen, erweiterten, von 80 Personen besuchten und durch die hohe Gegenwart unseres Hochwürdigsten Bischofes Dr. Jakobus Stammler beehrten Delegiertenversammlung referierte der Vereinspräses über die Geschichte der Kirchenmusik im ersten Jahrtausend. Hochwürd. Herr Diözesanpräses Dompropst Walther sprach als bischöflicher Referent in einläßlicher und vorzüglicher Weise über die Entstehung und den Inhalt unseres neuen, im Entwurfe vorliegenden Diözesangesang- und Gebetbuches. Der Gnädige Herr selbst führte noch einige Erläuterungen bei und munterte mit freundlichen Worten die Kirchensänger auf, im Hinblick auf die Wichtigkeit des Kirchengesanges auf dem eingeschlagenen Wege mutig und opferwillig vorwärtszuschreiten.

Berichterstatter: Al. Haberthür, Pfarrer, Vereinspräses.

10. Kantonaler Cäcilienverein Luzern. Das verflossene Vereinsjahr kann bezüglich Eifer und Arbeitsleistung den frühern Jahren füglich an die Seite gestellt werden. Der Präsidiumswechsel ließ hoffen, daß eine gewisse Lethargie, die seit Jahren im Vereine Platz gegriffen hatte, beseitigt werden könnte; leider trotz Anstrengungen und Bemühungen seitens des Vorstandes ohne direkt wahrnehmbaren Erfolg. Man huldigt eben vielerorts einem liebgewordenen Optimismus und ist bezüglich Kirchengesang zu sehr mit sich selbst zufrieden. Diese Selbstzufriedenheit ist aber bekanntlich ein Feind jeden gesunden Fortschrittes. — Der kantonale Verband zählt gegenwärtig 46 Chöre mit rund 1000 Sängern. Etwa 20 größere und kleinere Chöre halten sich immer noch mit zäher Beharrlichkeit fern. — Gleich zu Anfang des Jahres wurde die Abhaltung einer kantonalen Produktion aufs Programm genommen und, damit auch die kleinern und kleinsten Chöre mitmachen könnten, sollte sie in möglichst einfachem Rahmen sich bewegen; es wurden somit nur 20 Chöre zur Teilnahme eingeladen, Großwangen zum Festort bestimmt. Der Erfolg der beratenden Zusammenkunft in Ettiswil war, daß nur 7 Vereine zusagten, was den Vorstand bewog, die Abhaltung der Produktion auf günstigere Zeiten zu verschieben. — Der neue Vorstand befaßt sich wiederum mit dieser Angelegenheit, hoffentlich mit glücklicherer Hand. — Was das Arbeitsprogramm der einzelnen Vereine betrifft, kann nach den freilich etwas säumig eingelaufenen 32 Fragebogen konstatiert werden, daß die Chöre durchschnittlich ihre Pflichten gut und in liturgischer Hinsicht soweit möglich gewissenhaft, einzelne sogar in hervorragender Weise erfüllen. Unter den Komponisten, deren Werke berücksichtigt wurden, figurieren Namen von bestem Klang: Liszt (*Missa choralis*, Stiftschor Luzern); Filke (Op. 47, Chor Sursee); Filke (Op. 106, Franziskanerchor Luzern und Orchesterverein „Fidelio“); Gruber (St. Anna-Messe, Chor Root); Palestrina (*Missa brevis*, Chor Horw); ferner Goller V., Stehle, Dr. Faist, Plag, Mitterer; für Offertorien: Kothe, Haller, Tresch, Thielen, Stehle u. a. — Die Pflege des Choralgesanges läßt immer noch zu wünschen übrig. Wir dürfen eben nicht zufrieden sein und es gar als Ideal betrachten, wenn der Herr Lehrer allein die

8* u. 9*

Wechselgesänge mehr oder weniger schön singt oder rezitiert. Bei gutem Willen und einigem Verständnis lassen sich sozusagen überall mehrere Männerstimmen finden, welche die Wechselgesänge nach einer vorausgegangenen Probe — gut vortragen können. — Drei Verbandschöre: Hildisrieden, Neudorf, Großwangen besorgten dieses Jahr den kirchenmusikalischen Teil der Sempacher Schlachtfeier und führten eine klangvolle Messe von Plag, Op. 42 und als Offertorium ein *Ave Maria* von Ign. Mitterer auf. — Im abgelaufenen Jahre wurde auch die 25jährige Wirksamkeit des Stiftschores Luzern durch eine Jubiläumsfeier begangen, nämlich durch eine Sängerfahrt nach dem Süden, sowie durch mehrfache kirchliche und weltliche Aufführungen bei Anlaß des Festes der heil. Cäcilia. — Auch das *Memento mori* darf in diesem Berichte nicht vergessen werden; der Tod hat uns in diesem Jahre zwei verdiente Kämpfer für die kirchenmusikalische Sache, zwei treue Söhne der heil. Cäcilia entrissen. Am 18. August starb in Beromünster Hochwürd. Herr Chorregent Estermann, der bis zu seinem Tode als Vizepräsident dem Vereine treu ergeben war. Und am 3. Januar 1908 starb in Luzern Hochwürd. Herr Stiftskaplan Frid. Jakober, welcher am 11. April 1907 sein Aktuariat niedergelegt hatte. Der „Chorwächter" widmete beiden einen ebenso wohlverdienten Nachruf. — Möge das Vereinsjahr 1908 unter kräftiger Führung reichliche Früchte zeitigen.

Berichterstatter: Otto Oskar Müller, Pfarrer in Luzern, gew. Vereinspräses.

11. Cäcilienverein des Kantons Thurgau. Derselbe umfaßte im abgelaufenen Vereinsjahre 50 Kirchenchöre, welche sich verteilen auf die Bezirke: 1. Untersee, 8 Chöre mit 63 Stimmen. 2. Bodensee, 10 Chöre mit 170 Stimmen. 3. Weinfelden, 13 Chöre mit 195 Stimmen. 4. Frauenfeld, 7 Chöre mit 119 Stimmen. 5. Hinterthurgau, 12 Chöre mit 186 Stimmen. Von 7 Dirigenten lief kein Bericht ein trotz wiederholter Aufforderung. — Am Pfingstmontag den 20. Juni hielt der Bezirk Untersee seine zweite Produktion in der Pfarrkirche von Eschenz ab. (Die erste war 1901 in Steckborn.) Aus dem Kreisverein beteiligten sich 4 Kirchenchöre: Steckborn, Eschenz, Basadingen und Mammern, wozu noch als Gastvereine sich anschlossen aus dem benachbarten Kanton Schaffhausen die Chöre von Stein und Ramsen. 100 Sänger. Allgemeine Gesänge: Messe zu Ehren der Gottesmutter von E. Krämer; Predigtlied von Goller; *Benedictus Deus* von Tresch; „Gegrüßt seist du, Königin" von Walther; „Herr, wir preisen dich" aus dem St. Galler Gesangbuch. Jeder Chor trug einen Einzelgesang vor. Direktor: Lehrer Oswald in Steckborn. Ansprache vom Hochwürdigen Herrn Pfarrer Schönenberger in Steckborn. Den Schluß bildete eine sakramentale Andacht. Den 14. Oktober fand Versammlung des kantonalen Cäcilienvereins in Frauenfeld statt. Hiebei wurden die Statuten durchberaten und von der Versammlung angenommen. Sie fanden die nachher erbetene Genehmigung des Hochwürdigsten Bischofes. Ferner wurde beschlossen, am Pfingstmontag 1909 eine kantonale Produktion zu veranstalten und als Meßkomposition bestimmt die Cäcilienmesse Op. 13 von J. Schulz. — In bezug auf die Tätigkeit der einzelnen Vereine gilt so ziemlich das Gleiche, was im letzten Bericht aufgeführt wurde.

Berichterstatter: E. Herzog, Pfarrer, Vereinspräses.

Einige Bezirksvereine (Kanton Solothurn: Balstal-Tal-Gäu, Olten-Gösgen, Thierstein; Kanton Bern: Laufental; Kanton Aargau: Oberfreiamt, Bremgarten, Zurzach) haben nicht Bericht erstattet. — Auf die VII. Generalversammlung des Diözesan-Cäcilienvereins hin hat Unterzeichneter einen einläßlichen Bericht über den Gesamtverein verfaßt, und zwar betreffend der Jahre 1904—1906. Der Bericht kam nicht zur Verlesung, ist aber abgedruckt im „Chorwächter" 1907, Nr. 10—12.

Arnold Walther, Dompropst, Diözesanpräses.

**2. + Eichstätt.** Die 18. Generalversammlung des Allgemeinen Cäcilienvereins hat nach dem wiederholt abgedruckten Programme am Abend des 20. Juli begonnen und in zwei arbeitsreichen Tagen ihren Abschluß gefunden. Der unterzeichnete Generalpräses bringt nachfolgenden durchaus objektiven Bericht auf Grund der stenographischen Mitteilungen und will in dieser Doppelnummer auch die beiden Referate, welche in der Festversammlung zum Vortrag kamen nach dem Originalmanuskript der Herren Redner, den Rechenschaftsbericht des Vereinskassiers und die alphabetisch geordnete Teilnehmerliste abdrucken lassen.

An Zeitungsberichten über diese Generalversammlung liegen ihm vor: 1. Die Eichstätter Volkszeitung, 2. Der Eichstätter Kurier, 3. Der Bayerische Kurier von München, 4. Die Augsburger Postzeitung, 5. Die Germania, 6. Das Linzer Volksblatt, 7. Die Nummer 31 der Allgemeinen Rundschau von Kausen in München, 8. Die Trierer Landeszeitung, 9. Ein kurzer Bericht von Dr. Herm. Müller in der Zeitschrift „Die Kirchenmusik" in Paderborn. Ein Originalbericht ist in Nr. 8 der *Musica sacra* erschienen. Es wird dringend gebeten, alle anderen hier nicht genannten Zeitungsausschnitte an die Redaktion des Cäcilienvereinsorgans einzusenden, um gelegentlich, sei es in *Musica sacra* oder Cäcilienvereinsorgan unter der üblichen Rubrik „Stimmen der Presse", dem Leserkreis vorliegender Zeitschrift darüber Mitteilung machen zu können.

Das Lokalkomitee unter dem Vorsitze des Hochwürd. Herrn Lyzealprofessors Monsignore Dr. Freiherr Lochner von Hüttenbach hatte für den Empfang der Gäste durch Beflaggung der Häuser und Einweisung in die Quartiere aufs beste gesorgt.

Die Abendandacht im Dom hielt Herr Dompfarrer Reindl, und der Domchor fesselte schon am Vorabend durch den exakten Vortrag der vier aus dem Programm bekannten Nummern unter Leitung des Domkapellmeisters Dr. W. Widmann. Am besten gelang die 5stimmige Motette *Terribilis* des früheren Domchormitgliedes Gottfried Rüdinger. Am wenigsten befriedigte das *Tantum ergo* von A. Bruckner und die fremdartige Art und Weise der Segengebung.

Über den Empfangsabend berichtet die „Eichstätter Volkszeitung", Nr. 163 u. a.:

„Der Andrang zu derselben war ein so gewaltiger, daß diejenigen, die sich etwas verspätet hatten, im Saale keinen Platz mehr fanden und infolgedessen genötigt waren, wiederum den Heimweg anzutreten. Nach Umfluß des akademischen Viertels eröffnete die gesamte Bataillonsmusik des 3. Bataillons des 21. Infanterie-Regiments unter der Direktion des Herrn Musikleiters Lingl den Abend mit dem Drontheimer-Marsch von Morena, worauf die Liedertafel unter der Leitung des Herrn Gymnasialmusiklehrers Kugler den Jagdmorgen von Jos. Rheinberger in so mustergültiger Weise vortrug, daß am Schlusse desselben geradezu ein demonstrativer Beifall ertönte. Überhaupt hatte die Tafel gestern einen guten Tag, denn alle ihre Lieder gelangen vorzüglich, besonders das Lied in der Fremde und der Frühling am Rhein. Es herrschte denn auch nur eine Stimme des Lobes, so daß die Liedertafel auf den gestrigen Abend mit Stolz zurückblicken darf. Aber auch die Bataillonsmusik stand voll und ganz auf der Höhe der Zeit und brachte das teilweise ungemein schwierige Programm in nur vollendeter Weise zum Vortrage; besonders muß das von der Introduktion und dem Terzett der Rheintöchter aus „Rheingold" von Richard Wagner und von der Fantasie aus der Oper: „Der Freischütz" von Weber gesagt werden. Eine Glanzleistung waren auch „Die beiden Finken", Polka für zwei Trompeten von Kling. Die beiden Trompetenbläser Hahn und Finister verdienen für ihre hervorragenden Leistungen ein ganz besonderes Lob, das ihnen hiemit auch an dieser Stelle nicht vorenthalten sein soll. Zwischen die einzelnen Musik- und Gesangpiecen fielen die verschiedenen Begrüßungsreden, die oftmals wegen ihres humoristischen Inhalts stürmische Heiterkeit auslösten. Namens des Lokalkomitees begrüßte der Vorsitzende desselben, der Hochw. Herr Lyzealprofessor und Päpstl. Geheimkämmerer Dr. Frhr. v. Lochner die Gäste, indem er seiner Freude darüber Ausdruck verlieh, daß unter denselben wahre Koryphäen sich befänden, deren Namen in ganz Deutschland, ja in ganz Europa bekannt seien. Redner erinnerte dann an die Generalversammlung des Cäcilienvereins im Jahre 1871 in Eichstätt und wies auf die Fortschritte hin, die seit dieser Zeit in bezug auf die Kirchenmusik gemacht wurden, auf die Deutschland stolz sein kann und an denen auch Eichstätt stets nach bestem Können den regsten Anteil genommen habe. Mit dem Wunsche, in Eichstätt recht vergnügte Tage zu verleben, schloß der Herr Vorsitzende seine Rede. Der zweite Redner, der Generalpräses des Vereins, Herr Dr. Haberl aus Regensburg, erinnerte ebenfalls an die im Jahre 1871 glänzend verlaufene Generalversammlung und gedachte mit Wehmut der vielen Toten, die seit dieser Zeit in die Ewigkeit abberufen wurden, um sodann der Stadt Eichstätt großes Lob zu spenden, indem er dieselbe mit ihren freundlichen Bewohnern eine wahre Perle nicht nur im Altmühltal sondern in ganz Bayern nannte. Der Herr Domkapellmeister Cohen von Cöln erinnerte unter dem Ausdrucke der Gefühle der größten Dankbarkeit an die Tatsache, daß in den siebziger und achtziger Jahren eine Reihe von Geistlichen der Erzdiözese Cöln hier ihre theologische Ausbildung erhalten und von dem unvergeßlichen Bischof Frhrn. v. Leonrod die Priesterweihe empfangen haben. Redner übermittelte sodann die Grüße seines Generalvikars und des Hochw. Herrn Kardinalerzbischofs, der mit ganzer Seele die Bestrebungen des Cäcilienvereins fördern helfe.

Als früherer Alumnus und Domkapellmeister stellte sich der Herr Pfarrer Krabbel von Kendenich (Rheinland) vor, der, inzwischen hübsch grau geworden, die in Eichstätt verlebte Zeit als die schönste seines Lebens bezeichnete. Mit tiefer Wehmut sei er heute in den Gottesacker gegangen, um die Gräber seiner ehemaligen Lehrer, die wegen ihrer Gelehrsamkeit in der ganzen katholischen Welt bekannt gewesen seien, aufzusuchen. Redner rühmte dann die Verschönerung, die die Stadt und insbesondere ihr herrlicher Dom seit den 20 Jahren seiner Abwesenheit von hier erfahren haben und brachte auf das schöne, herrliche und unvergeßliche Eichstätt einen insbesondere von den fremden Herren mit großer Begeisterung aufgenommenen Toast aus. Herr Domkapellmeister Mitterer aus Brixen, ein berühmter Kirchenkomponist, stellte sich als Tiroler und als alten Cäcilianer vor, der ebenfalls vor 37 Jahren in Eichstätt war und von diesem Aufenthalt sich die lieblichsten Erinnerungen bewahrt habe. In seinem Heimatlande seien die Bayern immer hochwillkommen und werden als Freunde betrachtet. Redner schloß mit einem Hoch auf die bayerischen Cäcilianer. Herr Domkapellmeister Viktori aus Straßburg überbrachte die Grüße vom Elsaß und insbesondere jene des neuen Cäcilienvereins in Metz. Er sprach der Liedertafel für ihre heutigen Leistungen die wohlverdiente Anerkennung aus und verlieh der Hoffnung Ausdruck, daß auch der Herr Domkapellmeister alle auf den Eichstätter Domchor geknüpften Erwartungen erfüllen werde. Stürmische Heiterkeit entfesselte der folgende Redner, der Herr Kaplan, Chordirigent und Organist Kuhn von Frauenfeld in der Schweiz, der zunächst ebenfalls an seine in Eichstätt verlebte Studienzeit und an die rotbemützten Schweizer Studenten, von denen über hundert hier ihren Studien oblagen, erinnerte, um daran den Dank zu knüpfen für die Sympathien, die sie in Eichstätt genossen haben. Sie hätten hier nicht bloß die Kirchen und die Schule besucht, sondern auch die Vergnügungslokale, ja sogar den Weg in die „Hölle" hätten sie gefunden, deren freundlicher Wirt, Herr Liebold, leider nicht mehr unter den Lebenden weile. Redner gedachte sodann kurz seiner verstorbenen Freunde, des Herrn Lehrers Bezold und des Herrn Uhrmachermeisters Koller, um dann als ehemaliges Mitglied der Liedertafel dieser einen Toast zu weihen, der von dem Vorstande der Tafel, Herrn Rechtsanwalt Morhard, unter der Versicherung, daß sie freudig und gerne der Einladung, den heutigen Abend mit verherrlichen zu helfen, gefolgt sei, mit einem Hoch auf das deutsche Lied und den deutschen Männergesang erwidert wurde.

Wir brauchen wohl am Schlusse unseres Berichtes nicht zu versichern, daß unter diesen Umständen der Abend den denkbar gemütlichsten Verlauf nahm und allen Teilnehmern gewiß in unvergeßlicher Erinnerung bleiben wird. Besonders freudig bemerkt wurde, daß sowohl die städtischen als auch die Privatgebäude reichen Flaggenschmuck tragen. Leider ist dieser Flaggenschmuck wegen der heutigen regnerischen Witterung, die jeden Aufenthalt im Freien nahezu unmöglich macht, wieder verschwunden. Trotzdem war die heutige Festpredigt und das Pontifikalamt im Dome sehr zahlreich besucht."

Am 21. Juli fand um 6½ Uhr in der Schutzengelkirche (der Kirche des Klerikalseminars) durch die Herren Alumnen ein Choralamt unter Leitung des Hochwürd. Herrn Musikpräfekten Wittmann statt. Um 8½ Uhr hielt Herr Domkapitular Dr. Ahle die Festpredigt, welche die Redaktion des Cäcilienvereinsorgans später als eigenen Artikel abdrucken zu können hofft. Beim Einzug des Hochwürd. Herrn Bischofs wurde ein ganz prächtig gearbeitetes und wirkungsvolles *Ecce Sacerdos* von dem früheren Musikpräfekten in Eichstätt, nunmehrigen Pfarrer in Mailling, Hochwürd. Herr F. X. Hacker, vom Domchore gesungen. Dann folgte das Pontifikalamt unter großer Assistenz, bei welchem die als Beilage zur *Musica sacra* erschienene, von Dr. Widmann redigierte sechsstimmige Messe *Beatus intelligit* von Orlando di Lasso zum wohlvorbereiteten meisterhaften Vortrage kam. Die wechselnden Teile der Votivmesse *Te Trinitate* wurden nach dem *Liber Gradualis* von Dom Pothier gesungen, nach dem Choraloffertorium die Motette *Tibi laus* für Alt und 3 Männerstimmen von Lassus eingelegt.

Die öffentliche Festversammlung begann ein Viertel vor 11 Uhr und wurde vom Generalpräses mit dem Gruße „Gelobt sei Jesus Christus!" eingeleitet. Se. Bischöfl. Gnaden hatten die Güte an die Versammlung herzliche Worte zur Begrüßung zu richten und den Bischöfl. Segen zu erteilen.

Darauf folgte die Verlesung des Telegrammes, welches durch Vermittlung des Kardinal-Protektors vom Cäcilienverein, Se. Eminenz, Pietro Gasparri, durch den Staatssekretär Karl Merry del Val am 18. Juli an den Generalpräses eingelaufen war und lautete: „*Summus pontifex caecilianis comitiis proxime habendis omnia fausta a Deo precatus, testem benevolentiae suae Benedictionem Apostolicam tibi et adfuturis effuso animo impertit.* Karl Merry del Val."

In freudiger Stimmung erstattete Redner Rechenschaftsbericht über den Stand des Vereines, der in 29 Diözesen Deutschlands, Österreichs und der Schweiz verbreitet ist und deren Vertreter als Diözesanpräsides mit ganz geringen Ausnahmen persönlich erschienen seien; eine Festrede habe jedoch Ahles feinsinnige Festpredigt erspart. In Erstaunen hätten ihn die Leistungen des Domchores während des Pontifikalamtes versetzt.

Auf ausdrücklichen Wunsch erteilte hierauf der Generalpräses das Wort dem Herrn Bürgermeister Mager von Eichstätt. Derselbe sprach mit hoher Begeisterung:

„Hochwürdigster Herr Bischof! Hohe Festversammlung!

Es gereicht mir zu ganz besonderer Genugtuung, im Namen der städtischen Kollegien die hohe Versammlung auf das Herzlichste begrüßen zu dürfen. Wir sind stolz darauf und glücklich darüber, daß Sie als Ort Ihrer diesjährigen Versammlung eine Stadt gewählt haben, in welcher die Pflege reiner, edler Kirchenmusik schon von jeher eifrig gefördert wurde — ich brauche nur die Namen Tresch und Krabbel zu nennen — ganz besonders aber auch in den letzten zwei Jahrzehnten, in denen unser unermüdlicher, kunstbegeisterter Domkapellmeister Dr. Widmann den Domchor zum Mittelpunkt allen musikalischen Lebens in Eichstätt gemacht hat! Hochverehrte Herren! Sie haben Ihr ideales Unternehmen unter den Schutz der heiligen Cäcilia gestellt, einer der schönsten und poesieumwobensten Heiligengestalten des ganzen Martyrologiums! Wie hat diese Idealgestalt zumal im sonnigen Italien von jeher die größten Künstler begeistert! Welche wunderherrlichen Cäcilien-Bildnisse prangen beispielsweise in Bologna und Florenz! Und doch, gerade im Heimatlande der heiligen Cäcilia ist die Pflege der Kirchenmusik, zumal in den letzten Jahrzehnten, sehr darniedergelegen. Was habe ich selbst für befremdende Kirchenmusik auch in den größten Kirchen Italiens gehört! Welch tiefer Schauder faßte mich an, als ich in einer schönen Kirche an der Riviera ein mechanisches Spielwerk automatisch arbeiten hörte! Wie viel idealer sind da bei uns die Zustände auf diesem Gebiete! Wir verdanken dies nicht zum wenigsten der pflichttreuen Mitwirkung musikalisch gut geschulter Lehrer beim Kirchengesang. Ihr Verdienst in dieser Hinsicht kann gar nicht hoch genug angeschlagen werden. Ganz besonders aber sind diese weit besseren Kirchenmusikverhältnisse bei uns das erfreuliche Resultat der unablässigen Reformtätigkeit der Cäcilienvereine Deutschlands. Auch Ihre diesjährigen Beratungen sind dieser hohen Aufgabe gewidmet. Mögen sie vom denkbar schönsten Erfolge begleitet sein! Und nach den Mühen und Beschwerden der Beratungen und Versammlungen mögen Sie sich, da es des Wetters Ungunst nicht erlaubt, die ungezählten Naturreize unserer Gegend zu genießen, wenigstens an den reichen Kunstschätzen erfreuen, auf die unsere Stadt wahrhaftig stolz sein kann. Und mögen Sie wenigstens auf diesem Gebiete so gute und erfreuliche Eindrücke von unserer lieben Stadt mit fortnehmen, daß nicht Ihr Abschiedswort den Eingangsworten Ihres reichen kirchenmusikalischen Programms entsprechen möge: *Terribilis est locus iste!* In diesem Sinne nochmals ein recht herzliches Willkommen!"

Nach diesen mit großem Beifall aufgenommenen Worten ersuchte der Generalpräses die beiden Vertreter von Österreich und der Schweiz, welche von ihm brieflich zu Vorträgen eingeladen worden waren und gütigst zugesagt hatten, um den Vortrag der mit ihrem Einverständnisse gewählten Themate. Nach einer sehr humoristischen Einleitung führte P. Rob. Johandl, O. S. B. von Göttweig (Niederösterreich) wörtlich folgendes aus:

„Mein Thema heißt: „Randglossen zum Cäcilienvereins-Katalog", nicht etwa: „Der Vereinskatalog". Dazu gehört eine Rede von Tag und Nacht, und ein Redner, der nicht P. Johandl heißt. Ich will nur einige Punkte aphoristisch behandeln und meine Gedanken aussprechen, die sich mir gelegentlich eingestellt haben. Ob sie richtig sind, weiß ich nicht.

Ich schenke ein größeres Vertrauen dem Urteile, das mehrere Kritiker ganz unabhängig voneinander fällen, als einem Urteile, das nur von einem einzelnen abgegeben wird. Eine gerechtere und vernünftigere Einrichtung als die des Kataloges läßt sich kaum denken. — Und wenn man sagt, die Referenten bleiben im Formalismus stecken und kümmern sich nicht um den Geist, so sage ich: Täuschen wir uns nicht, meine Herren, resp. lassen wir uns nicht täuschen!

Werfen wir nur einen flüchtigen Blick in das Gebiet der weltlichen Kritik. Ich erinnere nur an die Kritik der Reformatoren Gluck und Wagner. Ich glaube, „es ist kaum jemals ärgere Beckmesserei getrieben worden", als bei der Beurteilung der Riesenwerke Richard Wagners. Ist ja gerade derjenige, der die Veranlassung zur Kreierung der Rolle Beckmessers gegeben hat, Dr. Eduard Hanslick, einer der ersten Kunstkritiker der damaligen Welt, es gewesen, der sich bei Beurteilung der Werke Wagners, wörtlich zu nehmen, unsterblich blamiert hat; er ist es gewesen, dessen sonst glänzender Name befleckt ist von der Makel des Spottes und Hohnes, den er für die Form und den Geist der Werke dieses Meisters hatte, eines Hohnes, der bald auf ihn selbst zurückfiel und ihm folgen wird, solange es eine Musikgeschichte geben wird. — Und wenn wir das Bonmot belächeln, welches behauptet, Mendelssohn habe beim ersten Anhören der 9. Symphonie Beethovens gerufen: Das hat entweder ein Stümper oder ein Narr geschrieben, so ist dieses Bonmot bezeichnend genug.

Konnten sich mithin weltberühmte Kritiker und Komponisten täuschen, so können sich auch weniger berühmte Komponisten und Kritiker irren, besonders wenn wir bedenken, daß auf keinem Kunstgebiete ein allgemein gültiges Urteil so schwer zu fällen ist, als auf dem Gebiete der Musik, noch dazu der Kirchenmusik. Denn die Musik im allgemeinen ist Ausdruck des individuellen, persönlichen seelischen Empfindens. Die Kirchenmusik aber muß Ausdruck des religiösen Empfindens der Kirche sein. Es ist deshalb gewiß sehr schwer, die moderne Musik mit dem kirchlichen Fühlen zu verquicken; und es ist sehr schwierig zu beurteilen, inwieweit der Komponist diesbezüglich glücklich war. Dazu gehören Männer nicht nur von hoher, künstlerischer Bildung und Schaffenskraft, sondern auch von echt kirchlichem Geiste. Und wenn selbst die größten Geister nicht vermochten, das nämliche Empfinden in allen Zuhörern wachzurufen, so ist das um so erklärlicher bei kleineren Geistern.

Es war in der vorjährigen Wiener Konzertsaison. Auf dem Programme stand: *Missa solemnis* von Beethoven. Im Foyer des großen Musikvereins-Gebäudes erwartete ich nach Schluß des Konzertes meine Begleiter. Als wir beisammen waren, erfolgte gleich an Ort und Stelle die Kunstkritik. Der eine heftete seine verweinten Augen auf mich und stotterte, noch voll Rührung: „Nicht wahr, großartig, erschütternd bis in die Seele hinein!" Der zweite sprach: „Eine Rührung habe ich nicht empfunden, vielmehr Staunen; aber daß das eine Messe war, weiß ich nur aus dem Textbuche". Der dritte war ziemlich apathisch und gab mit einem Phlegma sondergleichen die Erklärung ab: „Wissen Sie, mir gefallen die Messen, die Sie zu Hause aufführen, besser!" —

Meine Herren! Es ist leichter zu kritisieren, als besser zu machen. Die Gegner des Vereinskataloges übersehen nur zu häufig den Zweck desselben. Das Prinzip des Vereinskataloges lautet: zuerst liturgische, dann künstlerische Musik. Und daß es auch im Katalog einen künstlerischen Fortschritt gibt, dafür liefert er selbst Beweise genug. Wir müssen bedenken, daß der Cäcilienverein und mit ihm der Vereinskatalog die laxe, zweckwidrige, verwerfliche Musik aus der Kirche verdrängen will; wir müssen bedenken, daß wir noch immer eine kirchenmusikalische Frage haben, die einer glücklichen Lösung harrt; wir müssen bedenken, daß sich noch immer kein eigentlicher Kirchenmusik-Stil aus all den Arbeiten eines halben Jahrhunderts herauskristallisiert hat; wir müssen bedenken, daß wir noch mitten in der Reform der Kirchenmusik stecken. Der Katalog ist ein Ackerland, das noch lange bebaut werden muß, auf dem noch langwierige Versuche gemacht werden müssen, um zu erkennen, welche Früchte für die Bestellerin, für die Kirche am geeignetsten sind. Der Katalog ist ein Volksbuch für Kirchenmusiker, ein Katechismus der praktischen Kirchenmusik; er ist ein Erbauungsbuch für den gemeinen Mann, im musikalischen Sinne gesprochen. Für Euch, Ihr Großen, für Euch, Edelleute und Barone im Reiche der holden Musika, ist der Katalog nicht erfunden worden; für Euch, Ihr Elite-Dirigenten und Elite-Chöre mag die Katalogsmusik keine Bedeutung haben, obwohl auch Ihr nur Katalogsmusik uns vorgeführt habt, freilich in unvergleichlich herrlicher Weise. Und wenn ihr Glücklichen im Sonnenlande der Schönheit das musikalische ABC des Katalogs nicht benötigt, so tretet es nicht mit Füßen, sondern überlaßt es uns Armen, uns kleinen Leuten, uns Landsknechten mit der schwerfälligen Rüstung. Ihr seid Führer; wir sind führerlos, nehmt Ihr uns den Katalog. —

Meine Herren! Ein in neuerer Zeit oft gehörter Ruf lautet: „Palestrina muß populär werden!" — Ich wäre fast geneigt, die Frage zu stellen: Glauben Sie daran, daß Palestrina noch populär werden wird? — Glauben Sie daran, daß der Choral noch einmal Gemeingut des Volkes werden wird, wie er es einmal war? —

Es fällt mir gar nicht ein, darauf mit einem dezidierten „nein" zu antworten. Weiß ich doch, mit welcher Liebe und Verehrung Sie, gerade so wie ich, an diesen beiden kirchlichen Musikgattungen hängen! Wenn wir aber die Sache nur vom rein menschlichen, sagen wir, künstlerischen Standpunkte aus betrachten, so könnte uns um die Realisierung des Rufes: „Palestrina muß populär werden", geradezu bange werden.

Für uns, die wir im Milieu der — ich sage nicht „modernen", sondern weltlichen Musik aufgewachsen und erzogen worden sind, die wir von rein weltlicher Musik selbst im Alltagsleben fast erdrückt werden, die wir nur ganz sporadisch altklassische Musik in vollendeter Wiedergabe zu hören bekommen; für uns sind diese alten Musikgattungen, der „aschgraue" Choral und die „mathematische" Polyphonie der Alten etwas ganz neues! Und so paradox es klingen mag, — ich bitte, mich nicht zu unterbrechen — der Choral und die Polyphonie sind vergangen, sie sind in gewissem Sinne tot, wenn auch nicht gerade für uns, aber für das moderne musikalische Empfinden, für den modernen Geist. Das ist auch angedeutet in dem Rufe: „Palestrina muß populär werden!", was doch nichts anderes heißt, als Palestrina soll weiterhin, allgemeiner bekannt, gesungen und gehört werden, nicht nur in einigen Dom- und Klosterkirchen, die man an den Fingern abzählen kann.

„Palestrina muß populär werden!" Und wie hat man schon gearbeitet, wie mühte man sich ab bis auf den heutigen Tag, wie viele Bäche von Tinte sind verschrieben, wie viele Töpfe von Druckerschwärze sind verdruckt worden, wie viele Hunderte von Reden sind in die Welt hinausposaunt worden; und Palestrina ist noch immer nicht populär geworden, ja nicht einmal der Choral. Es ist das freilich ganz gut erklärlich. Denn das Wesen der alten Musik ist die Diatonik; und diese ist klar wie Wasser; das Wesen der neuen Musik ist das Chroma; und dieses glüht wie Feuer. Der alte polyphone Gesang ist mehrstimmig, also Chormusik, die moderne Musik ist vorzugsweise monodisch. Der Choral hat also einen Berührungspunkt mit der modernen Musik in der Monodie. Diese sowohl als die Modernisierung des Chorals durch die Begleitung, und wie Versuche bereits zeigen, fast instrumental gedachte Begleitung, bringen den Choral dem modernen Ohre näher als den polyphonen Gesang. Und nach einem Saeculum — wir dürfen schon etwas große Zahlen nehmen! — nach einem Saeculum wird der Choral weitere Kreise erfaßt haben als der alte Chorgesang. — Doch den Propheten spielen ist immer gewagt! Sei dem wie immer! Nehmen wir nur 50 Jahre, oder vertrösten wir uns mit 1000 Jahren: Die Frage ist diese: Wo ist der Weg, der zu Palestrina und zum Choral zurückführt? Geht der Weg durch die seichte, vom Opernstile gänzlich beherrschte Musik des verflossenen Jahrhunderts? Gewiß nicht! Die Gegensätze sind zu groß, sind unüberbrückbar, sind so groß wie Welt und Kirche.

Meine Herren! Die Pfadsucher, die Kundschafter, welche das gelobte Land des Palestrinastiles finden wollen, müssen durch den Vereinskatalog wandern! Dort finden sie die Vorarbeiten, dort finden sie Abbilder des Palestrinastiles, dort finden sie die Form, die Art und den Geist des Palestrinastiles, dort finden sie die Pionierarbeiten zur Eroberung der alten musikalischen Welt registriert. „Palestrina muß populär werden!" Wenn es möglich ist, so nur dann, wenn wir durch die großartige Registratur des Vereinskataloges hindurchwandern und sie gebrauchen! Der Pionier für Palestrina heißt Cäcilienvereinskatalog! Nehmt ihr uns den Katalog, dann könnt Ihr Palestrina dorthin legen, wo er einige Jahrhunderte geruht hat; Ihr könnt ihn legen in das Grab des Vergessens!

Die 20 Minuten, die mir eingeräumt wurden, sind vorüber. Die Arbeitszeit ist abgelaufen, aber die Redemaschine wäre noch im besten Gange. Ich will sie abstellen. Nur zwei Schlagwörter habe ich noch notiert. Das eine ist neueren Datums, wenigstens aus der alten Rüstkammer in neuester Zeit hervorgeholt, und heißt: „Da hub ein großes Komponieren an." Das zweite wurde mir selbst in künstlerischer Entrüstung entgegengehalten: „Jeder Landpfarrer glaubt jetzt, es stecke ein Komponist in ihm."

Beide Sätze sind sinnverwandt und richten sich gegen den Katalog; beide enthalten etwas Wahres, und ihr gemeinsamer Sinn ist: kirchenmusikalische Überproduktion sei eingerissen.

Merkwürdig! — Als sich die alten „Schulen", die niederländische, venezianische und römische, entwickelten, als man auf den Einfall gekommen war, zu der einen Stimme eine 2., eine 3., ja 4. zu erfinden, da schossen die Komponisten wie Pilze nach einem warmen Regen aus der Erde. „Da hub ein großes Komponieren an." — Als sich aus dem Madrigal der monodische Gesang und aus diesem die Oper entwickelte, da überfluteten die Komponisten, gar viele mit Hunderten von Werken, die musikalische Welt wie Heuschreckenschwärme das Ackerland. „Da hub ein großes Komponieren an.“ — Als dann später das ganze Musikgetriebe vom Geiste der italienischen Oper durchsäuert war, da dieser Geist auch in die Kirche eindrang und sich dort festsetzte und fast unaustilgbare Wurzeln trieb, da traten die Orgelschläger zu Hunderten mit wahren Allerheiligen-Litaneien von Messen auf den Plan. „Da hub ein großes Komponieren an.“ — Und als mit der Gründung des Cäcilienvereins die helle Begeisterung für eine bis dahin nicht gekannte ernste, heilige Musik aufloderte, als man sich vertiefte in den Geist des Chorals und der „Alten“, und es versuchte, diesen letzteren es nachzumachen, ihre Form sich anzueignen und in ihren Geist sich hineinzuleben; — ja, ich frage, hätte da etwa in den musikalischen Werkstätten ein Stillstand eintreten sollen? Nein, — da mußte ein gewaltiges Komponieren anheben, es ist gar nicht anders denkbar! Jede neue große Idee, sei es im politischen, sozialen oder geistigen Leben, rief die schlummernden Geister wach und riß Tausende, ja ganze Völker mit sich. So oft die Musikgeschichte von einer neuen Periode berichtet, lesen wir von ihren Anfängen, von ihrem Gedeihen und Blühen, von helleuchtenden Gestirnen, die stets ergänzen werden an dem so reich gestirnten Musikhimmel, aber auch von Nebensternen, die bald wieder untertauchten und wie Sternschnuppen im Äther verschwanden.

Das musikalische Leben und Weben jeder Epoche ist ein Spiegel, in dem wir das jeweilige soziale und religiöse Leben wiederschauen. Je glaubensfreudiger ein Zeitalter war, je durchsättigter es war von Religiosität, desto schönere Blüten entfaltete die *musica sacra*. Und, meine Herren, welchen Eindruck macht auf Sie der folgende Satz, den ich erst unlängst in einer neuen Musikgeschichte las, und der lautet: „Weit im Rückstande und gegen früher stark vernachlässigt ist heute die Kirchenmusik. Das hängt nun freilich, heißt es weiter, zum großen Teil mit der mehr und mehr abnehmenden Bedeutung des kirchlichen Lebens für die Allgemeinheit zusammen.“ — Glauben Sie, meine Herren, daß in einem Lande, in dem die „Landpfarrer“ fleißig in Kirchenmusik sich betätigen, das kirchliche Leben an Bedeutung Einbuße erleidet? Und wo blüht das kirchliche Leben am reichsten, wo äußert sich die religiöse Überzeugung am tatkräftigsten, wo finden wir die glaubensfreudigsten Volksschichten? Dort, meine Herren, wo in fast jedem Landpfarrer ein Komponist steckt. Ich will und darf keine Vergleiche ziehen zwischen Ländern und Gegenden, so verlockend es auch wäre. Und umgekehrt ist ebenso wahr: Je größer die Indolenz des Klerus im allgemeinen kirchlichen Leben, desto ärmlicher, abscheulicher, frecher die Kirchenmusik. Ich könnte auch dazu zitieren; ich will mich aber nicht in das eigene Fleisch schneiden.

Also, Ihr Landpfarrer! laßt Euch nicht einschüchtern; arbeitet fleißig weiter; ermuntert und stärkt Euch selbst durch fleißiges Studium, Lektüre und Anhören guter musikalischer Aufführungen, ermuntert Eure Lehrer und Sänger! Und da soeben das Wort „Lehrer“ gefallen ist, so sei noch einmal öffentlich wiederholt, was ich schon mehrmals beteuerte: Ohne Lehrerwelt keine Reform der Kirchenmusik! Lehrer und Pfarrer müssen zusammenwirken. Blättert fleißig im Katalog, nehmt Euch die Mühe, die Referate des Kataloges durchzulesen. Der Katalog ist eine Fundgrube von Musik-Ästhetik-Geschichte, -Geist und -Form. Er ist ein Berater, wie nur wir Kirchenmusiker einen haben: er ist ein Nachschlagebuch, wie kaum eine andere Disziplin ein solches aufzuweisen hat. Auf jede Frage gibt er Auskunft, unentgeltlich, leicht verständlich und rasch. Das Namen- und das eben jetzt erscheinende, mit ungeheurer Mühe und Genauigkeit gearbeitete Sachregister orientiert schnell und sicher. Es gibt keine liturgische Aktion, für die der Katalog keine musikalische Umkleidung hätte; es gibt keinen Kirchenchor, dem der Katalog nicht das Passendste verabreichen könnte. Und wäre auch, lieber Chorregent, Dein Ohr gesättigt vom ärgsten weltlichen Musikgetriebe, wäre es auch noch so verwöhnt vom laszivsten, liederlichsten weltlichen Instrumentalrummel: kehre zurück zum Katalog mit seiner ebenfalls modernen, aber würdigen, für den heiligsten Dienst passenden Instrumentalmusik. Und bist Du in dieser Umgebung heimisch, dann wird es Dir ein Leichtes sein, Dich hie und da in moderner, im Katalog ebenfalls verzeichneter, Gesangsmusik zu erproben. Und ist Dein Chor hierin halbwegs sattelfest, dann hast du keinen allzuweiten Weg mehr zur à capella-Musik im alten Stile; und bist Du einmal da angelangt, dann wage nur getrost den Schritt in die beseligenden Gefilde des alterwürdigen, hocherhabenen, eigentlichen Gesanges der Kirche, in die Gefilde des — heiligen Choralgesanges!“

Dieser mit wiederholtem Beifall begleiteten Rede folgte

## „Bedeutung des kirchlichen Volksgesanges“.

Vortrag von J. Käfer, Pfarrer in Basel.

Hochansehnliche Versammlung!

Vor wenig Wochen erzählte mir ein hervorragender Cäcilianer der Schweiz Folgendes: „Kürzlich war ich in X. bei der Jahresversammlung der Kirchenchöre jener Gegend. Das Programm wies unter anderem auch zwei Nummern für allgemeinen Volksgesang auf. Ich freute mich darauf. Aber ich war arg enttäuscht! — Schlecht, was schlecht heißt, wurden diese Lieder gesungen, so daß ich den Eindruck bekam: diese beiden Nummern wurden von den einzelnen Chören zu Hause entweder gar nicht geübt — oder höchstens einmal schnell durchgesungen.“ — Ähnliche Wahrnehmungen hat der Sprechende mancherorts auch gemacht, und man hat wirklich sehr oft den Eindruck, als ob manche Chordirektoren den Volksgesang als eine *Quantité négligeable* betrachten und behandeln. Und wenn dann und wann auch gegen den Cäcilienverein leise oder laut gemurrt wird, er tue nichts für den Volksgesang, so ist das erklärlich. Wahr ist es freilich nicht und soll es nicht sein. Denn einmal sagen die Statuten des Allgemeinen Deutschen Cäcilienvereins unter § 2 No. 3: „Der Sorgfalt des Vereins obliegt daher die Pflege des Kirchenliedes in der Volkssprache"; dann aber sahen wir doch in den letzten Jahren eine Reihe von guten Gesangbüchern entstehen, bei deren Ausarbeitung die Mitglieder des Allgemeinen Cäcilienvereins getreulich mitgeholfen haben. Und wenn der kirchliche Volksgesang bis heute auch noch nicht überall das Bürgerrecht erlangt hat, so ist doch vielerorts ein schöner Anfang gemacht, und unter der sorgsamen Pflege unseres Vereins dürfen wir auch auf diesem Gebiete herrliche Blüten und Früchte erwarten.

Verehrte Versammlung! Sie alle haben ja, erfüllt von Begeisterung für die Sache der heiligen Musik, die Reise hieher unternommen und Sie werden es mir darum gewiß nicht verübeln, wenn ich Ihre Aufmerksamkeit für das kirchliche Volkslied kurz in Anspruch nehme. —

Zunächst ein Wort I. Über die Stellung des deutschen Gesanges oder des Gesanges in der Volkssprache überhaupt bezüglich der Liturgie. Da sind wir längst im Reinen.

Die Sprache der Kirche bei ihren liturgischen Handlungen ist die lateinische und darum muß das Gebet am Altar und das, was der Chor singt, in derselben Sprache betend gesungen werden. Diese Bestimmung ist ja nicht etwa von heute — sondern uralt. Nur vorübergehend bemerke ich, daß z. B. die Synode von Eichstätt im Jahre 1446 verbot, im Hochamt die lateinischen Gesänge abzukürzen und Lieder in der Volkssprache einzufügen. Ähnlich tadelt das Baseler Konzil 1435 (in der 21. Sitzung), daß da und dort während des Hochamtes Lieder in der Volkssprache gesungen werden.

Wenn nun auch nach kirchlicher Vorschrift der lateinische Gesang allein berufen ist, die heilige Opferhandlung beim Hochamt zu umrahmen, so bleibt dem Gesang in der Volkssprache oder dem Kirchenlied doch noch Raum genug bei der Still- resp. Sing-Messe, bei Segens-, Mai-, Oktober-, Fasten-Andachten, Prozessionen usw. Da ist dann der Volksgesang an seinem Platze. Denn auch Pius IX. in seinem Breve vom 16. Dezember 1870 ist vollständig einverstanden, daß die heiligen Gesänge, welche das Volk bei gewissen Andachten zu singen pflegt, soweit geduldet werden, als die kanonischen Gesetze es gestatten.

II. Welches ist nun die Stellung des Allgemeinen deutschen Cäcilienvereins hinsichtlich der Pflege des deutschen Kirchenliedes?

Es gab eine Zeit — und sie liegt noch nicht so weit hinter uns — da war die heilige Cäcilia ihres Schmuckes beraubt und — verzeihen Sie mir den Ausdruck — zur religiösen Bänkelsängerin degradiert worden. Die Kirchenmusik lag im Argen!

Da standen jene wackeren Männer auf, die unseren Verein gegründet haben, um der heiligen Sangeskunst ihre frühere Würde und Weihe wiederzugeben. Und es war das wahrlich ein saures aber verdienstvolles Stück Arbeit, die Kirche Gottes von diesen unkirchlichen Produktionen zu reinigen. Da hat der Cäcilienverein von Anfang an sich auch des Volksgesanges warm angenommen. Domkapellmeister Könen von Cöln hat anno 1887 in einer Erklärung gegenüber gewissen Anschuldigungen, als wolle der Cäcilienverein den deutschen Volksgesang unterdrücken, das direkte Gegenteil nachgewiesen und zugleich an die Vereinsmitglieder die Bitte gerichtet, neben dem liturgischen Gesang auch das deutsche Kirchenlied und den Volksgesang mit rechter Liebe in Pflege zu nehmen.

Auf der Generalversammlung zu Konstanz wurden sodann im gleichen Jahre folgende Resolutionen gefaßt:

„Der Verein protestiert gegen die Behauptung, er sei exklusiv und verwerfe irgend eine Gattung von Kirchenmusik, welche die Kirche gestattet wissen will. . . . Wir verlangen kein Jota mehr oder weniger als der Papst oder die Kirche." —

„Der Verein protestiert gegen die Behauptung, er pflege und fördere nicht den Gesang in der Volkssprache und suche ihn nicht zu bessern und zu heben. Aber er will ihn vom Hochamt ganz ausgeschlossen wissen, weil er sich weder mit der Liturgie desselben noch mit den kirchlichen Gesetzen und Rubriken verträgt."

In diesem Sinne brachten ja die „Fliegenden Blätter" und die *Musica sacra* eine Reihe von Abhandlungen, woraus doch klar zu sehen war, der Cäcilienverein behandelt den Volksgesang als vollwertiges und nicht als Stiefkind der heiligen Cäcilia.

Auch bei uns in der Schweiz, wo vielerorts der Volksgesang verschwunden oder sehr ausgeartet war, hat man in gleichem Sinne gearbeitet. Und unser Diözesanpräses Walther in Solothurn mahnte im Jahre 1892 zu ernster Einkehr, als er schrieb: „Die katholische Kirche besitzt einen reichen Schatz urkräftiger, innig frommer, tiefergreifender Kirchenlieder, die es im vollsten Maße verdienen, wieder zu Ehren gezogen und an erste Stelle gesetzt zu werden. Jene herrlichen, wunderbaren Blumen der Dicht- und Tonkunst, wie sie einst aus einer glaubenstreuen Zeit hervorgegangen sind, die so lange verblüht und verblichen waren, sie sollen wieder aufleben; der lange versunkene Liederhort, er soll wieder gehoben werden." —

Und er ist gehoben worden. Denn eine ganze Reihe von deutschen Diözesen haben in den letzten Jahrzehnten ihre alten, schlechten Gesangbücher aufgegeben und neue an deren Stelle eingeführt. Und ich kann es Ihnen mit Freuden verkünden: auch für unsere Basler Diözese ist ein solches in Aussicht. Unser Hochw. Bischof Dr. Stammler im Verein mit unserem unermüdlichen Diözesanpräses Walther in Solothurn haben die schwierige und mühevolle Arbeit auf sich genommen, aus Mohrs „Psälterlein" sowie aus dem St. Galler, Straßburger und anderen Gesangbüchern das für unsere Verhältnisse passende herauszusuchen. Und diese Arbeit ist soweit gediehen, daß wir auf Neujahr unser Gesangbuch erhalten werden. —

Von dort ab hoffen wir, daß der Volksgesang auch bei uns wie bei Ihnen in Deutschland immer mächtiger erschallen werde in Dorf und Stadt zu Gottes Lob und Preis.

III. Wesen des deutschen Kirchenliedes. Treten wir nun dem Wesen des Kirchenliedes auf einige Augenblicke näher. Wir haben es da zu tun mit jenen Gesängen in deutscher Sprache, welche geeignet sind, von der Gemeinde bei gottesdienstlichen Anlässen gesungen zu werden, und die zu diesem Zwecke von der kirchlichen Obrigkeit stillschweigend oder ausdrücklich gebilligt werden. Es ist diese Art von Gesängen ein Produkt innerer Notwendigkeit. Denn es will ja unsere heilige Religion, es will das Christentum einen recht innigen Anschluß, einen recht lebendigen Wechselverkehr der gottliebenden Seele mit ihrem Herrn und Schöpfer; unser Kultus will ein rechtes Aufflammen des Gemütes zu Gott.

Diese gottgeweihten Gefühle nun, die unsere Herzen in ihren tiefsten Tiefen erfüllen, bewegen, kann und will der Mensch nun einmal nicht ins stille Herzenskämmerlein verschließen. Nein, dieser tiefempfundene Dank, diese Liebe, diese Freude, diese Begeisterung für Gott ist wie des Vogels Frühlingsfreude, die er hinaussingt in die Welt. So will auch der Christ im Gnadensonnenschein der Andacht und des Gottesdienstes sich aussingen; er will mit anderen, die Gleiches fühlen wie er: betend singen und singend beten. Das ist der kirchliche Volksgesang.

Die romanischen Völker, denen das Verständnis der lateinischen Sprache viel näher liegt, tun sich da bedeutend leichter, indem sie am lateinischen Chore, an Hymnen und Psalmen innigsten Anteil nehmen, zuweilen sogar — wie ich kürzlich in Triest und Venedig zu beobachten Gelegenheit hatte — fast alles auch halblaut mitsingen, was der Priester am Altare singt.

Ganz anders nun der Deutsche! Die lateinische Sprache ist ihm großenteils fremd und daher hat er oft wenig von dem, was lateinisch gesungen wird.

Und wenn einstens Johannes Diaconus bezüglich des lateinischen Choralgesanges bald nach der Einführung des katholischen Glaubens in Deutschland schrieb: „Die widerspenstigen Stimmen der Deutschen brachten nur Töne hervor, welche dem Gepolter eines von der Höhe herunterrollenden Lastwagens ähnlich waren" — so mag das wenig schmeichelhaft, vielleicht auch übertrieben sein. Doch sicher ist, daß der lateinische Choralgesang nicht bloß bei den alten Deutschen, sondern auch bei deren modernen Epigonen sehr oft ein Stein des Anstoßes war. Darum hielten es auch die Statuten von Salzburg (799) für nötig, vorzuschreiben: „Das Volk soll lernen *Kyrie eleison* und zwar nicht so ungeschlacht wie bisher, sondern besser." —

Nun, das Volk lernte die Melodie des *Kyrie eleison*, legte aber diesen Melodien bald deutsche Texte unter, und so entstanden die sogen. „Leisen." Denn das Volk wollte auch in seiner Sprache singen. Und als dann Gottfried von Weissenburg sein Reimevangelium schrieb: „Thaz wir Kriste sungun in unsere Zungun, da fanden diese Reime beim Volke großen Anklang. Überall kam der Volksgesang mehr und mehr auf, so daß bereits um die Mitte des 12. Jahrhunderts Propst Gerhoch von Reichensperg schreiben konnte: „Das ganze Volk jubelt das Lob des Heilandes auch in Liedern in der Volkssprache. Am meisten ist das bei den Deutschen der Fall, deren Sprache zu wohltönenden Liedern besonders geeignet ist." —

Und was die damalige Zeit zu Gottes Ehre sang, das soll und wird auch in unseren Tagen einen mächtigen Wiederhall finden; wenn das deutsche Volkslied in seiner Schönheit und Reinheit auch von unserer Seite sorgsame Pflege findet. — Ich sage in seiner Schönheit und Reinheit! Und das führt mich zur Frage:

Welches sind denn die Anforderungen, die wir an das deutsche Kirchenlied stellen müssen?

IV. P. Dreves schreibt zur Gesangbuchfrage sehr richtig:

„Das Kirchenlied ist nicht bestimmt für einzelne bevorzugte Lieblinge der Musik; es ist ge-„schrieben fürs Volk. Jede Kirche, angefüllt mit Menschen aller Alter und Stände, mit arm und „reich, gebildet und ungebildet, sie alle wie sie daknien, Bank an Bank, Kopf an Kopf, sie sollen „es denken, im Herzen mitbeten und mitfühlen."

Das Kirchenlied also ist ein Volkslied im besten Sinne — unser ganzes katholisches Volk soll es mitdenken, mitbeten und mitsingen können. Und daher je einfacher das Kirchenlied, je gemeinverständlicher in Text und Melodie, desto besser! Was nutzt da alle poetische Luftschifferei, alles Turnen der Melodien am hohen Trapez? Ein solches Lied wird nie vom Volke adoptiert, wird nie ein Volkslied werden. Denn in erster Linie muß der Text des Kirchenliedes volkstümliche Poesie, in zweiter Linie die Melodie auch volkstümliche Kirchenmusik bieten.

(a. volkstümlich-religiöse Poesie.) Habe ich vorhin der Einfachheit das Wort geredet, so sprach ich doch nicht etwa von Trockenheit und ägyptischer Dürre und Gehaltlosigkeit. Nein. Das Volkslied muß Poesie, warmempfundene Lyrik sein. Das Volkslied soll die Sprache des Herzens sein zu Gott. Da aber spricht vorab das Gefühl — nicht der trockene Verstand. Im Liede verzichten wir gerne auf gereimte Moralpredigten und auf versifizierte dogmatische Spekulationen.

Freilich auf dem Fundamente gläubiger Gesinnung muß im Liede Dogma, Moral, Verstand und Herz lyrisch durchdrungen, assimiliert sein; denn das Lied ist nicht da, um zu überzeugen, sondern quillt aus überzeugtem Herzen heraus und weckt sein Echo nur in glaubensvollen Herzen. Denn „Wer als Christ das Tiefste seines Innern am reinsten ausspricht, spricht aller Christen Tiefstes aus," sagt Lange mit vollem Recht.

Und solche Lieder haben wir, Gott sei Dank, eine große Anzahl. Oft vielleicht sind sie etwas hart in der Form, eckig im Ausdruck, wie die Figuren einer mittelalterlichen Basilika —

aber voller Glaubenskraft und kindlicher Andacht. Es sind das zumeist die Blüten jener sonnigen Tage mittelalterlicher, religiöser Innerlichkeit, die noch weit über die Glaubensspaltung hinauswirkte, wie uns Gerhards wunderschönes „O Haupt voll Blut und Wunden" beweist.

Ganz besonders glücklich sind wir mit so vielen herrlichen Marienliedern älterer und neuerer Zeit, die so recht glaubenstief den Ton anschlagen, in dem schon vor 1500 Jahren Ephrem der Syrer sang.

Daß aber Lieder mit solchen Texten auch zu begeistern vermögen, ist wohl einleuchtend. — Jene faden Salbadereien, jenes blöde Gewäsch für ein verschwommenes Allerweltschristentum, jene öde Gefühlsduselei nach Art der modernen Ethiker dagegen, wie man im 18. Jahrhundert singen zu sollen glaubte, darf und muß füglich aus jedem katholischen Gesangbuch gestrichen werden.

(b. religiöse Melodie.) Beim Volksliede aber gehören Text und Melodie so eng zusammen, wie Leib und Seele beim Menschen. Noch bevor der Tondichter es einhüllt ins Gewand der Töne, muß es eigentlich schon Musik sein. Für den Gesang ist es geschaffen und nur gesungen, wird es ganz und voll, was es sein soll. Denn Musik ist auch eine Art der Sprache und zwar vorzugsweise des Gefühls. Stimmt nun die Sprache des Liedes mit der Sprache der Musik vollkommen überein — sind Text und Musik nicht bloß nebeneinander, sondern seelisch verwandt und verbunden, dann haben wir ein wahres kirchliches Volkslied; denn von der Melodie gilt was vom Text: sie muß volkstümlich und religiös sein.

Ebensowenig als die lyrischen Ergüsse einer hysterischen Dame, ebensowenig taugen die süßholzig tändelnden Weisen oder triviale Melodien zum Kirchenlied. Nein — da muß Kraft und bei allem Wohllaut der Melodie auch Ernst her, nicht aber ein bloßes frommes musikalisches Geseufze. —

Man lobt die alten Lieder oftmals gar sehr. Und gewiß, viele von ihnen sind wahrhaft goldene Lieder, voll eigenartiger Kraft und melodiöser Tiefe — warum? Weil sie sich eng an die alten kirchlichen Tonarten anschmiegen oder ganz und gar aus denselben herausgewachsen sind. Weil aber die alten Kirchentonarten unserem Empfinden etwas ferne stehen, und weil anderseits die moderne Tonkunst nicht bloß sehr ausgebildet, sondern auch leistungsfähig ist — wäre es gewiß nicht das Richtige — nur einseitig Lieder in den alten Tonarten singen zu lassen, — sondern es ist da beides miteinander zu verbinden.

Das heutige Denken und Fühlen in musikalischen Dingen ist eben auch, wie auf anderen Gebieten, anders geworden als im 15. und 16. Jahrhundert. Sagen Sie über die heutige Kultur was Sie wollen, — aber rechnen müssen wir mit ihr. Und wenn Sie alles verfeinert sehen, alles auf raffinierten Genuß hin zugespitzt, dann müssen Sie sagen: „Wahrlich, nicht vom Schwarzbrot allein lebt der Mensch!" — Nein — auch in kirchenmusikalischen Dingen liebt das Volk ab und zu einmal eine etwas süßere Zuspeise — ein textlich edles Lied mit etwas wärmerer Färbung in der Melodie. Und warum soll man ihm das versagen? Von diesem Gesichtspunkt ausgehend wird im neuen Basler Gesangbuch ein Auszug aus dem Psälterlein von Mohr, aber auch eine Reihe bewährter anderer, volkstümlich fromm gehaltener Lieder Aufnahme finden, damit das Volk auch freudig singe.

Und darauf gerade, daß das Volk auch gerne und freudig singe, möchte ich noch besonderes Gewicht legen. Darin liegt eben einer der wichtigsten Gründe, die uns zu eifriger Pflege des Volksgesanges antreiben sollen. Denn wenn auch der Volksgesang in der Kirche in erster Linie die Verherrlichung Gottes zum Zwecke hat, — so ist es doch auch sicher, daß er wie ein Magnet, breite Schichten des Volkes anzieht. Und das gerade ist in unserer Zeit so wichtig. Die Kirche hat ja von jeher alle Künste in ihren Dienst genommen, nicht bloß um den Gottesdienst als solchen zu verschönern, sondern um dadurch die Menschen zu erbauen und anzuziehen.

Und wie es seinerzeit den Reformatoren möglich war, sehr viele unbewußt mit Hilfe des kirchlichen Volksliedes ins andere Lager gleichsam hinüberzusingen, so sollte es möglich sein, mit Hilfe des Volksgesanges viele Laue, Gleichgültige wieder in den Gottesdienst zu bringen. Denn der Volksgesang greift oft mächtiger und tiefer in die Seele der Menschen ein, als der schönste polyphone Gesang.

Wenn ich mich nicht irre, so war es im Jahre 1895. Da nahm ich teil am Jubelfeste der St. Galler Cäcilienvereine. Die Aufführungen der Chöre, speziell des St. Galler Domchores in der Kathedrale waren herrlich und gossen eine weihevolle Stimmung aus über die große versammelte Menge. Als aber zum Schluß das Allerheiligste in der Monstranz ausgesetzt war und von allem Volke das „Heilig, heilig" gesungen wurde, da lief es mir heiß und kalt über den Rücken und eine Freude und eine Begeisterung durchzitterte mich, wie ich sie nie zuvor gefühlt hatte.

O gewiß, der Volksgesang bei feierlichen Andachten und Festanlässen, das ist so recht der Kulminationspunkt der Festfeier und der Festfreude. Und wenn dann Vater, Mutter und Kinder vom Gottesdienst nach Hause gehen, da singen sie auf dem Wege und zu Hause vor lauter Freude das eben in der Kirche gesungene Lied da Capo.

Und es wäre ein großer Gewinn, wenn statt der oft gehörten Leierkastenmelodien das kirchliche Volkslied auch seinen Ehrenplatz wieder gewänne am heimischen Herd. Wie viele schöne Gebräuche und Festzeiten des Kirchenjahres wurden ehedem im Hause mit kirchlichen Liedern begleitet. „Johann Busch, ein Ordensmann, erzählt, daß er an Ostern 1473 von Markgraf Friedrich von Brandenburg zu Tische geladen war. Als man den Gästen die Hände gewaschen hatte, sangen alle im ganzen Hof dreimal mit heller Stimme: „Christus ist erstanden etc.", worauf man sich zu Tische setzte." — Ähnliche Bräuche hatten sich lange erhalten — sind aber heute vielfach in

Vergessenheit geraten. Gerade darum wäre es für unsere heutige, religiös so angekränkelte Zeit ein großer Gewinn, wenn durch die eifrige Pflege des kirchlichen Volksliedes auch das Heim wenigstens in etwa zur Hauskirche umgewandelt würde.

Und wie mancher, auf dem Wege durchs Leben in die Irre gegangener Mensch, wird vielleicht später durch das innere „Glockengeläute eines in der Jugend" gesungenen Liedes wieder auf den rechten Weg geleitet werden.

Darum hat sich der Allgemeine Cäcilienverein mit der Pflege des kirchlichen Volksgesanges eine hohe, ideale Aufgabe gestellt und es ist nur zu wünschen, daß durch liebevolle Pflege von seiten unseres Vereines mehr und mehr in weiten Kreisen sich erwahre, was der Hochw. Herr Erzbischof von Freiburg in seinem Hirtenschreiben vom 12. März 1892 gesagt hat, daß nämlich das Kirchenlied werde und sei Arznei für die Seele, Stärkung in Not und Gefahr, Freude und Labsal für das Leben. Es ist wie das liebe Brot, das wir täglich essen, ohne Überdruß zu empfinden, wie das Vaterunser schlicht und klar, daß es jeder versteht und doch so tief, daß es keiner ergründete, weil es die Summe der Gottesweisheit in sich birgt."

Nachmittags führte der Domchor in der Klosterkirche St. Walburg eine Reihe von Kompositionen alter Meister nach dem Programme durch und fand reichen Beifall.

Die erste geschlossene Versammlung in der Kgl. Aula eröffnete der Generalpräses nach vorhergehender Beratung mit den anwesenden Diözezanpräsides und Referenten, indem er den Seite 76 des Cäcilienvereinsorgans publizierten Antrag stellte. Er modifizierte denselben in der Weise, daß er nur den ersten Teil als Resolution zur Debatte stellte, an welcher sich die Herren Bewerunge, Cohen, Dr. Müller, P. Johandl, Dr. Weinmann, V. Goller, Victori, W. Stockhausen beteiligten. Nach längeren Auseinandersetzungen der genannten Herren wurde als Resolution einstimmig angenommen:

„Die Generalversammlung unterwirft sich hinsichtlich des traditionellen Chorales ganz und gar den Weisungen des Heiligen Apostolischen Stuhles und betrachtet in dem jüngst erschienenen römischen Graduale aus der Vatikanischen Druckerei das Normalbuch für den liturgischen Choralgesang."

In welcher Weise durch die Hochwürd. Bischöfe, an welche das Dekret vom 8. April 1908 gerichtet worden sein soll, die Einführung in ihren Diözesen anordnen, wie die intendierten Privatausgaben und -Auszüge vom *Graduale Vaticanum* zu redigieren seien usw., wollte die Generalversammlung nicht entscheiden; sie überläßt diese spinose Frage der freien Konkurrenz.

Am Abende fand die Aufführung von „Frietjoffs Heimkehr" in Gegenwart des Komponisten J. G. Ed. Stehle vor einem gewählten Publikum statt und erntete reichen Beifall.

Am Mittwoch, den 22. Juli, morgens 8 Uhr führte der Domchor, sehr ermüdet und fast geschwächt, das fünfstimmige *Requiem* von Mitterer auf, erzielte jedoch in der Kathedrale besonders in den Gesängen vom *Sanctus* angefangen einen tiefen Eindruck mit dieser ernsten und wirkungsvollen Komposition.

Um 9¼ Uhr fand die zweite geschlossene Versammlung in der Kgl. Aula statt.

Als ersten Gegenstand der Beratung begründete der Generalpräses die schon seit November 1904 durch Zirkular an den Gesamtvorstand angeregte Ergänzung und Neuwahl von Referenten für den Cäcilienvereins-Katalog. Es sind sieben neue Referenten notwendig geworden und der Generalpräses schlug vor, weitere drei Ersatzmänner zu wählen, um die statutenmäßige Zahl von zwanzig für längere Zeit aufrecht zu erhalten. Das Resultat der Wahl sind die Herren:

Klem. Bachstefel, Domkapellmeister in Passau; Joseph Frei, Musikdirektor in Sursee (Schweiz); Adolf Geßner, Professor am Konservatorium in Straßburg; Vinz. Goller, Chorregent in Deggendorf; Pet. Griesbacher, Benefiziat in Osterhofen; Theodor Lobmiller, Domkapellmeister in Rottenburg (Württemberg); J. G. Meuerer, Domkapellmeister in Graz; W. Osburg, Kgl. Seminarlehrer in Breslau; Wilh. Stockhausen, Domkapellmeister in Trier; Dr. W. Widmann, Domkapellmeister in Eichstätt.

Die Wahl wurde per Akklamation vorgenommen, und die Gewählten nahmen dieselbe teils persönlich, teils schriftlich an.

Als zweiter Gegenstand der Beratung wurde vom Generalpräses der Rechenschaftsbericht vorgelegt, welcher sich auf die letzten vier Jahre erstreckt und hiemit zur Veröffentlichung gelangt.

| A. Einnahmen: | ℳ | ₰ |
|---|---|---|
| Bar in der Kasse am 15. Juli 1904 | 226 | 63 |
| Eingenommene Mitgliederbeiträge | 590 | 10 |
| Einnahme für verkaufte Musikalien aus dem Cäcilienvereins-Verlag | 1,376 | 09 |
| Einnahme aus dem Cäcilienvereinsorgan 1905 | 261 | 61 |
| Einnahme für Inserate und Statuten | 80 | — |
| verkaufte zwei 3½% B. Vereinsbank-Pfandbriefe nominell à 200 | 401 | 65 |
| Bar erhoben bei der Bay. Vereinsbank-Filiale in Regensburg | 4,100 | |
| Gesamteinnahmen ℳ | 7,036 | 08 |

| B. Ausgaben: | ℳ | ₰ |
|---|---|---|
| Bar-Einlagen bei der Bay. Vereinsbank-Filiale in Regensburg | 1,400 | — |
| Honorar an H. H. Domkapellmeister Engelhart f. kirchl. Aufführungen bei der 17. Generalversammlung des Cäcilienvereins, speziell am 20. August 1904 | 100 | — |
| **Ausgaben für die Cäcilienvereinsbibliothek:** | | |
| Zahlung an Brandstetter Leipzig für Neuherstellungskosten v. Bonvin. Op. 88 (C.-V.-B. Nr. 19), Cannicciari, Missa in A-moll Partitur und Stimmen (C.-V.-B. Nr. 3) und Stimmen zu Hymni Eucharistici S. 1 (C.-V.-B. Nr. 1); für Stimmennachdruck Lassus Motetten (C.-V.-B. Nr. 4) u. Ebner, Op. 59 (C.-V.-B. Nr. 7) . . . ℳ 887.55<br>Honorar an H. H. Benefiziat Griesbacher für Op. 112 Feria II Majoris Hebdomadae, an W. Amberger für Generalregister Nr. 1—3000 und Gewinnanteil an E. v. Werra, Konstanz für C.-V.-B. Nr. 5, 6, (Orgelbuch) . . . ℳ 381.40<br>Lokalmiete an Amberger für Aufbewahrung der Cäcilienvereinsbibliothek pro 1906/07 und Besorgung derselben . . . ℳ 300.— | 1,518 | 95 |
| **Ausgaben für das Cäcilienvereinsorgan:** | | |
| Redaktionshonorar für das Cäcilienvereinsorgan pro 1904 Nr. 5—12, 1905/06/07 je Nr. 1—12 und 1908 Nr. 1—6, 50 Nr. à ℳ 50,— ℳ 2,500.-<br>Bezahlte Honorare an die Herren Referenten des Cäc.-Ver.-Kat. pro 1904/05/06/07 . . ℳ 749.82<br>Inserat.-Gebühr in 10 Zeitungen betr. Cäcilienvereinsorgan . ℳ 68.77<br>Honorar an W. Amberger f. Sachregister des C.-V.-K. im Cäcilienvereinsorgan 1907 . ℳ 100.—<br>Zahlung an Pustet als Defizit für Cäc.-Vereinsorgan pro 1907 ℳ 238.09 | 3,656 | 68 |
| Div. Drucksachen, Neudruck von 200 Pfarrvereinstatuten u. Porto | 307 | 91 |
| Beitrag für den Kirchenchor Stegaurach | 50 | — |
| Aktivrest (bar in der Kasse am 31. Mai 1908) | 2 | 51 |
| Gesamtausgaben ℳ | 7,036 | 08 |

**Bankkonto-Auszug:**

| | ℳ | ₰ |
|---|---|---|
| Bar-Einlagen bei der Bank | 1,400 | — |
| Von der Bank einkassierte Zinskoupons und Zinsen-Gutschrift in laufender Rechnung | 3,755 | 70 |
| Verkauf eines 4% Vereinsbank-Pfandbriefes wegen Verlosung, nom. ℳ 1000 | 1,010 | — |
| | 6,165 | 70 |

| | ℳ | ₰ |
|---|---|---|
| Guthaben der Bank in laufender Rechnung am 15. Juli 1904 | 594 | 50 |
| Bar-Entnahme bei der Bank | 4,100 | — |
| Lieferung eines 3½% Vereinsbank-Pfandbrief, nom. ℳ 1000.— | 999 | 80 |
| Berechnete Zinsen, Spesen u. Depotgebühren | 41 | 15 |
| Unser Guthaben bei der Bank am 1. Juni 1908 | 430 | 25 |
| | 6,165 | 70 |

### Vermögensstand am 1. Juni 1908.

| | ℳ | ₰ |
|---|---|---|
| Deponierte Wertpapiere bei der Bay. Vereinsbank-Filiale Regensburg. Nominell | 27,000 | — |
| Guthaben bei derselben Bank in laufender Rechnung | 430 | 25 |
| Bar in der Kassa | 2 | 51 |
| Herstellungswert der vorhandenen Verlagsvorräte der Cäcilienvereins-Bibliothek | 5,285 | 72 |
| Gesamtvermögen: | 32,718 | 48 |
| Das Gesamtvermögen betrug laut letzter Abrechnung vom 15. Juli 1904 | 32,234 | 19 |
| Zuwachs demnach in den letzten 3 Jahren und 10½ Monaten | 484 | 29 |
| wie oben: | 32,718 | 48 |

### Vorräte des Cäcilienvereins-Verlages 1. Juni 1908.

| | | | | |
|---|---|---|---|---|
| Hymni Eucharistici, Sectio I | 260 | Partituren | 2,014 | Stimmen |
| Hymni Eucharistici, Sectio II | 504 | „ | 1,495 | „ |
| Canniciari, Missa in A-moll | 396 | „ | 1,927 | „ |
| Lasso, Orlando, Motetten | 114 | „ | 796 | „ |
| Ebner, Opus 59. Missa Cantantibus | 519 | „ | 3,196 | „ |
| Auer, Opus 36. Herz-Jesu-Preis | 434 | „ | 1,249 | „ |
| Griesbacher, Opus 45. Herz Jesu-Litanei | 183 | „ | 1,092 | „ |
| Croce-Haller, Motetten | 339 | „ | 474 | „ |
| Haller, Opus 81. Requiem | 706 | „ | 938 | „ |
| Hochamt in der Charwoche | 358 | „ | 1,440 | „ |
| Schaller, Opus 55. Gradualien | 607 | „ | 1,816 | „ |
| Sandhage, Requiem | 278 | „ | 1,567 | „ |
| Responsoria Eucharistica | 456 | „ | 3,477 | „ |
| Engler, Opus 18. Missa III | 158 | „ | 568 | „ |
| Bonvin, Opus 88. Missa Gregor. | 409 | „ | 2419 | „ |
| Werra, I. Orgelbuch | | | 983 | Exemplare |
| „ II. „ | | | 638 | „ |
| Braun, Chorantworten | | | 510 | „ |
| Generalregister zu Nr. 1—3300 | | | 780 | „ |
| Förster-Langer, Completorium | | | 27 | „ |
| Ottenwälder, Fuge | | | 280 | „ |
| Griesbacher, Opus 112. Feria II | | | 335 | „ |
| Cäcilienvereinsorgan: 1899 komplette Jahrgänge | | | 30 | |
| „ 1900 „ „ | | | 153 | |
| „ 1901 „ „ | | | 203 | |
| „ 1902 „ „ | | | 230 | |
| „ 1903 „ „ | | | 152 | |
| „ 1905 „ „ | | | 50 | |
| „ 1906 „ „ | | | 107 | |
| „ 1907 „ „ | | | 215 | |

Selbstkostenpreis vorstehender Werke der Cäcilienvereins-Bibliothek 5,285 ℳ 72 ₰.

### Absatznachweis der Cäcilienvereins-Bibliothek.

| | | | | |
|---|---|---|---|---|
| Hymni Eucharistici, Sectio I | 46 | Partituren | 701 | Stimmen |
| „ „ „ II | 22 | „ | 216 | „ |
| Canniciari, Missa in A-moll | 16 | „ | 327 | „ |
| Lasso, Orlando, 13 Motetten | 30 | „ | 219 | „ |
| Werra, I. Orgelbuch | 141 | „ | — | „ |
| „ II. „ | 108 | „ | — | „ |
| Ebner, Opus 59. Missa Cantantibus | 212 | „ | 1315 | „ |
| Auer, Opus 36. Herz-Jesu-Preis | 35 | „ | 689 | „ |
| Griesbacher, Opus 45. Herz Jesu-Litanei | 32 | „ | 408 | „ |
| Croce-Haller, 14 lateinische Motetten | 15 | „ | 291 | „ |
| Braun, Chorantworten | 156 | „ | — | „ |
| Haller, Opus 81. Missa pro defunctis | 6 | „ | 330 | „ |
| Hochamt in der Charwoche | 1 | „ | 20 | „ |
| Schaller, Opus 55. Gradualien | 5 | „ | 9 | „ |
| Sandhage, Requiem | 68 | „ | 829 | „ |
| Responsoria Eucharistica | 48 | „ | 201 | „ |
| Engler, Opus 18. Missa III | 4 | „ | 16 | „ |
| Bonvin, Opus 88. Missa Gregoriana | — | „ | 10 | „ |
| Griesbacher, Opus 112 | 203 | „ | — | „ |
| Ottenwälder, Fuge | 10 | „ | — | „ |

Generalregister 55 Exemplare.
Cäcilienvereinsorgan diverse Jahrgänge 35 komplette Exemplare.

Regensburg, den 1. Juni 1908. **Franz Feuchtinger**, z. Z. Vereinskassier.

**Revisions-Protokoll:** Auf Ansuchen des Hochwürd. Herrn Geistl. Rates F. X. Haberl, dem Generalpräses des Allgemeinen Deutschen Cäcilienvereins, begaben wir uns zum Kassier des genannten Vereins, Herrn Musikalienverleger Feuchtinger dahier und prüften den Rechenschaftsbericht, die Zeit vom 15. Juli 1904 bis 1. Juni 1908 umfassend, aufs genaueste, indem wir alle Einträge mit den sauber geordneten Belegen kontrollierten. Wir konstatieren hiemit, daß die Kassageschäfte des genannten Vereins tadellos geführt und sich keinerlei Beanstandung ergeben hat.

Regensburg, den 16. Juni 1908.

Die Revisoren:

**Ludw. Baumann,**
Kassier des Kreditvereins.

**Richard Kühlwein,**
Kassier der Verlagsbuchhandlung Friedrich Pustet.

**Bestätigung:** Wir bestätigen hiemit auf Wunsch, daß sich im Depot Nr. 240 des Allgemeinen Cäcilienvereins, Regensburg, nachstehende Wertpapiere

ℳ 9000. — 3½% Pfälz. Hypothekenbank.-Pfandbriefe.
„ 4000. — 3½% Bayer. Handelsbank-Pfandbriefe.
„ 4000. — 3½% Bayer. Hypothek- und Wechselbank-Pfandbriefe.
„ 1000. — 4% unk. Bayer. Vereinsbank-Pfandbriefe.
„ 9000. — 3½% dergl.
ℳ 27000. — nominell

befinden.

Regensburg, den 6. Juni 1908.

Bayerische Vereinsbank, Filiale Regensburg.

pp. **Geyer.** pp. **Pöllinger.**

Die Generalversammlung erteilte dem Kassier Decharge und sprach ihm Anerkennung und Dank für die gehabte Mühe aus. Im Anschluß an diesen Bericht schlug Dr. H. Müller-Paderborn vor:

„Die Generalversammlung setzt zur Hebung und Förderung der wissenschaftlichen Arbeiten auf den mannigfachen Gebieten des Vereins eine fünfgliedrige Kommission ein. Diese Kommission möge eventuell Vorschläge oder Anträge der nächstjährigen Generalversammlung unterbreiten."

Zum Vorsitzenden der in diesem Beschlusse vorgesehenen Kommission wurde auf Vorschlag des Antragstellers hin der Stiftskapellmeister Dr. Weinmann (Regensburg) gewählt; es wird ihm anheim gegeben, aus den Mitgliedern des Cäcilienvereins vier weitere Mitglieder hinzuzunehmen. (Nähere Mitteilungen über die Debatte nach dem stenographischen Bericht behält sich die Redaktion für später bevor.)

Nach einem Danke vom Dompropst Walther in Solothurn an den Vorsitzenden erteilte letzterer das Wort an Herrn Chorregent Heinrich von St. Bonifaz in München über das schon im Vereinsorgan angekündigte Thema: „Der bayerische Kirchenchorverband und sein Verhältnis zum Cäcilienverein". Vielleicht wird die Redaktion in die Lage versetzt, den Vortrag zum Abdrucke gelangen zu lassen.

Der Vorsitzende sprach seine Sympathien für diesen neu gegründeten Verein aus und schloß die zweite geschlossene Versammlung.

Um 2 Uhr wurde eine Vesper gesungen, in welcher die Alumnen des Bischöflichen Seminars die Choralverse würdig und schön zum Vortrage brachten und der Domchor die vierstimmigen Falsibordoni besorgte.

Der Dompfarrkirchenchor unter Leitung des Kgl. Seminaroberlehrers J. Pilland erledigte sich seines Programms in glücklicher Weise, das Bischöfl. Alumnat sang ein *Credo* aus der Messe, Op. 20 von Joh. Ev. Habert für 2 Tenöre und Baß mit Orgelbegleitung in trefflicher Weise, ebenso das innige *Domine non sum dignus*, Op. 39 für vier Männerstimmen von Haller und das Kirchweihoffertorium *Domine Deus* für Doppelmännerchor und Orgel von Koenen. Zum Abschluß der beiden Festtage hatte Dr. Widmann das sechsstimmige *Te Deum* von Edgar Tinel gewählt, das die Kräfte der Sänger, besonders der Frauenstimmen, erschöpfte und auch die im Dome anwesenden Zuhörer ermüdete.

Der Unterzeichnete hatte die Mitglieder bei der zweiten geschlossenen Versammlung gebeten, sich zum Abschiede noch einmal in der Kgl. Aula einzufinden. Eine stattliche Anzahl der Besucher hat dieser Einladung Folge geleistet. Der Eichstätter Kurier schrieb darüber folgende Zeilen:

„Dr. Haberl sprach dem Lokalkomitee, dem Hochwürdigsten Herrn Bischof, Herrn Bürgermeister und der Einwohnerschaft Eichstätts, Herrn Domkapellmeister und den übrigen Leitern der musikalischen Veranstaltungen sowie den vielen daran Beteiligten seinen Dank aus, ebenso den zahlreich zu der Generalversammlung erschienenen Mitgliedern und Teilnehmern und faßte auf interessante Weise die wichtigsten Punkte, Ergebnisse und Beobachtungen der Tagung zusammen. Er schloß unter sichtlicher Rührung mit den Worten: „Auf Wiedersehen“ im nächsten Jahre, wenn mir der liebe Gott das Leben gibt!“

Herr Dr. Frhr. Lochner von Hüttenbach erwiderte mit einem herzlichen Abschiedsgruße an die Gäste und forderte die Versammlung auf, einzustimmen in ein Hoch auf den Cäcilienverein, seine edlen Bestrebungen und seinen idealen Generalpräses Hochwürd. Herrn Dr. Haberl. Das schöne Wetter veranlaßte viele, sich nun wenigstens noch von der herrlichen Lage Eichstätts durch einen Spaziergang auf den Höhen zu überzeugen. Die meisten unserer lieben Gäste entführten schon die Abendzüge in ihre Heimat. Mögen sie dort sich gerne an die Tage in Eichstätt erinnern!

Der Unterzeichnete schließt seinen offiziellen Bericht einstweilen mit der:

## Präsenzliste der 18. Generalversammlung des Allgemeinen Cäcilienvereins zu Eichstätt vom 20. bis 22. Juli 1908.

**Sr. Gnaden der Hochwürdigste Herr Bischof Leo von Mergel, O. S. B.** Generalpräses: Hochwürd. Herr Dr. Fr. X. Haberl, Kgl. Geistl. Rat, Regensburg. 1. Vize-Generalpräses: Hochwürd. Monsignore K. Cohen, Domkapellmeister, Cöln a. Rh. 2. Vize-Generalpräses: Hochwürd. Monsignore Ign. Mitterer, Propst, Domkapellmeister, Brixen. Kassier: Herr Franz Feuchtinger, Musikalienhandlung, Regensburg. Diözesanpräsides: Hochwürd. Herr Adler Thomas, Geistl. Rat, Domkapellmeister, Bamberg. Hochwürd. Herr Dr. Ahle Joh. Nep., Geistl. Rat, Domkapitular, Augsburg (Referent). Hochwürd. Herr Bachstefel Klem., Geistl. Rat, Domkapellmeister, Passau. Hochwürd. Herr Brettle Aug., Domkapitular, Freiburg i. B. Hochwürd. Herr Cordes, Domvikar, Paderborn. Hochwürd. Herr Engelhart Fr. X., Domvikar und Domkapellmeister, Regensburg (Referent). Hochwürd. Herr Dr. Faist A., Gymnasialprofessor, Graz. Hochwürd. Herr Gruber Franz, Chordirektor, Meran für Trient d. A. Hochwürd. Herr Hergenröther J., Stiftspfarrer, Aschaffenburg für Würzburg. Hochwürd. Herr Keilbach E., Pfarrer in Öffingen für Rottenburg. Hochwürd. Herr Oswald A., Dekan, Goldingen für St. Gallen. Hochwürd. Herr Skala Jakob, Domkapitular, Bautzen für das Apostol. Vikariat im Königr. Sachsen. Hochwürd. Herr Sontheimer Otto, Benefiziat und Chorregent, Traunstein für München-Freising. Hochwürd. Herr Stockhausen Wilhelm, Domkapellmeister, Trier. Hochwürd. Herr Victori Joseph, Domchordirektor, Straßburg. Hochwürd. Herr Walther Arnold, Dompropst, Solothurn, Schweiz (Referent). Hochwürd. Herr Dr. Widmann, W., Domkapellmeister, Eichstätt. Referenten: Hochwürd. Herr Dr. Müller Hermann, Theologieprofessor, Paderborn. Herr Walter Karl, Seminarlehrer, Montabaur. Herr von Werra Ernst, Musikdirektor, Beuron.

Auf der Mitglieder- und Teilnehmerliste sind außerdem nachfolgende Namen hier in alphabetischer Ordnung notiert: Herr Allio Jos., Dampffärbereibesitzer, Berching. Hochwürd. Herr Bart Thomas, Pfarrer, Ettelried, Post Dinkelscherben. Herr Bauer, Seminardirektor, Straubing. Hochwürd. Herr Baumann J. B., Pfarrer, Neuburg a. D. Hochwürd. Herr Behr Alois, Pfarrer, Seeshaupt. Hochwürd. Herren P. P. Benediktiner, Kloster Scheyern. Hochwürd. Herr P. Benizius, O. Cap., Augsburg. Hochwürd. Herr Berberich, Pfarrer, Ruhpolding. Herr Berngehrer, Chorregent, Eggenfelden. Hochwürd. Rev. Bewerunge Heinrich, Maynooth-Kollege. Hochwürd. Herr Biersack, Pfarrer, Veitsaurach. Herr Bittner Karl, Chordirektor, Lechhausen. Hochwürd. Herr Böck, Stadtpfarrer, Ellingen. Herr Böhringer J., Joshofen. Herr Bornewasser, Direktor, Aachen. Hochwürd. Herr Brand, Domprediger und Domvikar, Eichstätt. Frau Broili El., Würzburg. Hochwürd. Herr Bruggaier, Bischöfl. Sekretär, Eichstätt. Hochwürd. Herr Buchecker Mich., Katechet, Lippa, Ungarn. Hochwürd. Herr P. Cyriakus, O. Cap., Mariabuchen. Herr Day M., Ludwigshafen. Hochwürd. Herr Decker Jos., Kaplan, Ansbach. Hochwürd. Herr Decker Jos., Domkapellmeister, Augsburg. Herr Deigendesch Karl, Seminaroberlehrer, Lauingen. Hochwürd. Herr Demler J., Stadtpfarrer, Neuburg a. D. Hochwürd. Herr Dentel, Pfarrer, Walburg i. Elsaß. Herr Deschler, Chorregent, Landshut. Herr Diebold Joh., Musikdirektor, Freiburg i. B. Hochwürd. Herr Distlberger, Pfarrer, Gelbelsee. Hochwürd. Herr Dolbatsch, Expositus, Gefäll i. Ufr. Hochwürd. Herr P. Dominikus, O. Cap., Burghausen. Frl. Dotterweich Gustl, Würzburg. Hochwürd. Herr Durner, P. Salvator, O. S. B., Kloster Scheuern. Herr Dusch, Obersekretär, Eichstätt. Hochw. Herr Ebenberger, Musikpräfekt, Regensburg. Herr Ebersberger, Kaufmann, Eichstätt. Hochwürd. Herr Eder, Stadtpfarrer, Treuchtlingen. Hochwürd. Herr Eder, P. Viktor, O. S. B. Musikdirektor, Metten. Herr Emslander Mich., Eichstätt. Hochwürd. Herr Dr. Eisenhofer, Lyzealprofessor, Eichstätt. Herr Ernst A., Lehrer, Zittau, Sachsen. Herr Ewert Franz, Chordirigent, Berlin W. 30. Hochwürd. Herr Feyrer, P. Benno, Musikdirektor, Kremsmünster. Hochwürd. Herr Dr. Fick, Domkaplan, Eichstätt. Hochwürd. Herr Abbé Folletête, Dekan, Saignelégier, Schweiz. Hochwürd. Herr Fritz Gg., Stadtpfarrprediger, Ingolstadt, St. Moritz. Herr Frosch, Chordirektor, Bayreuth. Herr Funk J., Kgl. Seminarinspektor, Dillingen. Hochwürd. Herr P. Gebhard, O. Cap., Mariabirnbaum. Herr Gerber, Oberbahnsekretär, Stuttgart. Herr Gerstner, Inspektor, Gangolding. Herr Geßner Ad., Professor, Straßburg. Hochwürd. Herr Glatt, Domkapellmeister, Päpstl. Ehrenkaplan, Pecs. Herr Gleichauf Fritz, Musikverleger, Regensburg. Hochwürd. Herr Gmelch J., Kaplan, Weißenburg. Hochwürd. Herr Gnanth, Pfarrer, Westerstetten. Herr Goller Vinz., Chorregent, Deggendorf. Hochwürd. Herr Gottfried Rich., Pfarrer, Mittweida, Sachsen. Herr Dr. Grabmann, Professor, Eichstätt. Hochwürd. Herr Griesbacher Pet., Benefiziat, Osterhofen. Herr Griesmayr, Lehrer, Stötten a. Auerberg. Hochwürd. Herr Guttenberger, Kaplan, Freystadt. Hochwürd. Herr Hacker, Pfarrer, Mailing. Herr Hacklinger, Chorregent, Wartenberg. Hochwürd. Herr Haggenmüller Aug., Pfarrer, Adelried. Hochwürd. Herr Hagenmüller Joh., Pfarrer, Böbingen. Herr Hahn Wilhelm, Lehrer, Chorregent, Montabaur. Herr Dr. Hartl Alois, Linz. Hochwürd. Herr Heimburger Joh. Ant., Pfarrer, Schriesheim, Baden. Hochwürd. Herr Heindl, Domkaplan, Eichstätt. Herr Heinrich B., Chordirektor bei St. Bonifaz, München. Herr Held, Lehrer, Ebenried. Frl. Heller Anna, Würzburg. Hochwürd. Herr Hellmaier, Religionslehrer, Landsberg a. L. Herr Hirschbeck, Privatier, Eichstätt. Hochwürd. Herr Höfler Korb., Pfarrer, Lechsend. Herr Hörmann K., Kgl. Landgerichtsrat, München. Herr Hoff Rich., Musikdirektor, Sigmaringen. Frl. Hofmann Babette, Würzburg. Herr Hohnerlein Max, Vorstand des katholischen Lehrervereins, Stuttgart-Kannstadt. Hochwürd. Herr Dr. Hollwetk, Lyzealprofessor, Eichstätt. Hochwürd. Herr Holweck, Vikar, Zürich. Herr Holzmann J., Lehrer, Jettingen. Hochwürd. Herr P. Horn Mich., O. S. B., Seckau, Steiermark. Frl. Horndasch Zenzi, Würzburg. Herr Hornung Thadd., Musikpräfekt, Dillingen. Hochwürd. P. Ignatius, O. Cap., Eichstätt. Hochwürd. Herr Inzenhofer, Pfarrer, Fünfstetten. Herr Jochum, Chordirektor, Kempten. Hochwürd. Herr Johandl, P. Rob., Chorregent, Stift Göttweig, Post Furth (Niederösterreich). Herr Junkert, Seminarlehrer, Lauingen. Hochwürd. Herr Käfer, Stadtpfarrer, Basel. Herr Kastel Peter, Oberlehrer, Worms. Hochwürd. Herr Kastner Ed., Benefiz.-Prov., Heideck. Herr Katzenberger, Hauptlehrer, Kissingen. Hochwürd. Herr Kinker Thadd., Pfarrer, Moorenweis. Hochwürd. Herr Klaiber, Benefiziat, Gundelsheim, Württemberg. Herr Klais Alex, Chorregent, Aichach. Herr Kleeberger, Lehrer, Heuberg. Hochwürd. Herr Köhler, Dompropst, Eichstätt. Hochwürd. Herr Königsberger Fr. X., Dekan, Stötten a. Auerberg. Hochwürd. Herr Kohl, Domkapitular, Reichstagsabgeordneter, Eichstätt. Hochwürd. Herr Koller Ed., Geistl. Rat, Seminardirektor, Aschaffenburg. Herr Koller F., Chorregent, Neumarkt. Herr Koller J., Großweingarten. Hochwürd. Herr Krabbel, Pfarrer, Kendenich. Hochwürd. Herr Kratzer, Kammerer, Otting. Herr Kubat Norbert, Chordirektor, Pilsen. Hochwürd. Herr Küzdi, P. Aurelius, O. Cist., Gym.-Prof., Eger, Ungarn. Herr Kugler J., Königsbrunn. Herr Kuhn J., Chordirektor, Frauenfeld, Schweiz. Hochwürd. Herr Lampart H., Pfarrer in Kinsau, Obb. Hochwürd. Herr Langreiner Jos., Kooperator, Pförring. Hochwürd. Herr Lederer, Sup., Ingolstadt. Hochwürd. Herr Lewandowski, Domchordirektor, Pelplin. Hochwürd. Herr Lindner F. X., Direktor bei St. Emmeram, Regensburg. Hochwürd. Herr P. Linus, O. Cap., München. Hochwürd. Herr Lohmiller, Domchordirektor, Rottenburg. Hochwürd. Herr Dr. Frhr. Lochner von Hüttenbach, Professor, Eichstätt. Hochwürd. Herr Lohmüller, Pfarrer, Oberthürheim. Hochwürd. Herr Matt H., Pfarrer, Waldhausen, Württemberg. Herr Mayer, Oberlehrer, Chordirektor, Stuttgart-Kannstadt. Hochwürd. Herr Meier J. Chr., Pfarrer, Kemnath. Hochwürd. Herr Merk, Pfarrer, Freimann. Herr Meuerer Joh. Gg., Domkapellmeister, Graz. Hochwürd. Herr Meyer, Dekan und Benefiziat, Eichstätt. Hochwürd. Herr Mittenhuber, Expositus, Roth a. S. Hochwürd. Herr Mitterer Alb., Brixen. Herr Moosauer Jos., Bezirksoberlehrer, Landau a. I. Herr Morhard, Rechtsanwalt, Eichstätt. Hochwürd. Herr Dr. Mrstik Jos., Erzdechant, Chrudim. Herr Muckenthaler, Kapellmeister, Altötting. Frl. Mühlbauer Anna, Lehrerin, München. Hochwürd. Herr Mühlbauer Richard, Musikpräfekt, Würzburg. Herr Müller, Oberlahnstein. Herr Müller, Architekt, Oberlahnstein. Hochwürd. Herr Müller, Pfarrer, Pfaffenhofen. Hochwürd. Herr Müller August, Pfarrer, Landsberg. Hochwürd. Herr Müller Karl, Benefiziat, Altmannstein. Hochwürd. Herr Münz Mich., Domvikar, Regensburg. Herr v. Nascády Jos., Lehrerpräparandie-Professor, Szeged. Hochwürd. Herr Nörpel Joh. Bapt., Pfarrer, Hitzhofen. Hochwürd. Herr Ohmer, Kaplan, Ludwigshafen. Hochwürd. Herr Patin, Stadtpfarrer von St. Walburg, Eichstätt. Herr Pfenning J., Mühlhausen. Hochwürd. Herr Poll Jos, Stadtkaplan, Plattling. Hochwürd. Herr Popp Joh., Pfarrer, Krugzell bei Kempten. Frau Pramberger Karolina, Amtsrichtersgattin, Eichstätt. Herr Preinfalk K., Chorregent, Günzburg. Hochwürd. Herr Pruner Mich., Dekan, Spalt. Herr Pustet Friedr., Verlagsbuchhändler, Regensburg. Herr Raith Martin, Unterhausen. Hochwürd. Herr P. Raphael, Zisterzienser, Mehrerau. Frl. Redler, Musiklehrerin, Kloster Ditramszell. Herr Reeg, Lehrer, Hilpoltstein. Hochwürd. Herr Reelle, Pfarrer, Rottenbuch. Ehrwürd. Herr Reinauer Fr. Ottmar, Andechs. Hochwürd. Herr Reindl M., Dom-Stadtpfarrer, Eichstätt. Herr Retzlaff Georg, Chordirektor, Muskau. Herr Reuß Adam, Hof-Chorregent, Würzburg. Frl. Reuß Priska, Würzburg. Hochwürd. Herr Riehl Gg., Stadtkaplan, Landsberg a. L. Herr Riesenkönig Hermann, Reinbach, Diözese Cöln. Herr Ringelsen, Chordirektor Straßburg. Herr Rinu, Chorregent, Landsberg a. L. Herr Röhrl Joh., Absolvent, Eichstätt. Hochwürd. Herr Romstöck, Geistl. Rat und Lyzealprofessor, Eichstätt. Hochwürd. Herr Rosenlehner J. B., Domkapitular, Passau. Herr Rügener, Bruno, Kaufmann, Würzburg. Hochwürd. Herr Rützel, Pfarrer, Aschach bei Bad Kissingen. Hochwürd. Herr Ruhrseitz, Domkapitular, Eichstätt. Hochwürd. Herr Rupp, Pfarrer, Stopfenheim. Herr Rutz B., Stiftschordirektor, Neustift, Südtirol. Hochwürd. Herr Sand, Geistl. Rat und Stadtpfarrer, Eichstätt. Herr Schäffer, Chordirektor, Ulm. Herr Scheffer J., Musikpräfekt, Neuburg. Herr Schiffmann, Bezirksoberlehrer, Waldsassen. Herr Schmachtenberger Hugo, Daßwang. Hochwürd. Herr Schmelzer, Pfarrer, Röttenbach. Hochwürd. Herr Schmid Simon, Dekan, Kgl. Geistl. Rat, Tutzing. Hochwürd. Herr Schmidt, Pfarrer, Ebbenkirch, Post Meckenbeuren. Hochwürd. Herr Schmidt J., Stadtkaplan, Abenberg. Hochwürd. Herr Schneid, Stadtkaplan, Eichstätt. Herr Schönhuber, Hauptlehrer, Gungolding. Herr Schöttl, Chordirektor, Pfaffenhofen. Herr Schreiner, Seminardirektor, Eichstätt. Hochwürd. Herr Schweitzer K., Stadtpfarrer, Mülheim i. B. Herr Dr. Schwertschlager, Professor,

Eichstätt. Hochwürd. Herr Sedlmeier, Kaplan, Goßheim. Hochwürd. Herr P. Fr. Seraph, O. Cap., Eichstätt. Herr Sittler, Lehrer, Haimhausen, Obb. Hochwürd. Herr Sperber, Kaplan, Spalt. Herr Sternadel, Technikumlehrer, Mittweida, Sachsen. Herr Streiter Lamb., Chordirektor, Innsbruck. Hochwürd. Herr Tasch Albert, Pfarrer, Johannesberg, Unterfranken. Hochwürd. Herr Templer, Dekan, Unterstall. Herr Thaller K., Chordirektor, München. Hochwürd. Herr Thanner Joseph, Pfarrer, München. Herr Tölzer Karl, Chorregent, Wien I, Freyung. Hochwürd. Herr Tresch, Geistl. Rat, Dekan, Hilpolstein. Hochwürd. Herr Dr. Triller, Domdekan, Eichstätt. Hochwürd. Herr P. Tuto, O. Cap., Eichstätt. Hochwürd Herr Vonay F., Benefiziat, Kempten. Hochwürd. Herr Vonwerden, Beichtvater, Eichstätt. Hochwürd. Herr Waibel Otto, Kaplan, Hohenwart. Herr Waldesbühl, J., Musikdirektor, Bremgarten. Hochwürd. Herr Wanger, Pfarrer, Gaimersheim. Hochwürd. Herr Weber F. X., Kammerer, Hohenried. Herr Weigl Jos., Eichstätt. Hochwürd. Herr Dr. Weinmann, Stiftskapellmeister, Regensburg. Frl. Weis Eva, Stadtschullehrerin, Würzburg. Hochwürd. Herr Weiß P. Gerloch, Stift Reichenberg. Herr Weiß M., Kgl. Präfekt und Seminaroberlehrer, Eichstätt. Hochwürd. Herr Widmann, P. Bernhard, Prior, Mehrerau. Hochwürd. Herr Widmann, P. Pius, O. S. B., Metten. Hochwürd. Herr Wiedenmann, Benefiziat, Mindelheim. Herr Will Aug., Organist, Gries b. Bozen. Herr Wirth, Chorregent, Neuburg a. D. Hochwürd. Herr Dr. Wittmann, Lyzealprofessor, Eichstätt. Hochwürd. Herr Wünsch, Pfarrer, Tagmersheim. Herr Ziegenbach, Lehrer, Duderstadt in Hannover. Hochwürd. Herr Zientner J. C., Pfarrer, Ellhofen im Allgäu. Hochwürd. Herr Zoch, Stadtkaplan, Eichstätt.

Die Eichstätter Volkszeitung brachte am 27. Juli nachfolgende Korrespondenz:

„**Allgemeiner Cäcilienverein.** Das Komitee, das die Vorbereitungsarbeiten für die Abhaltung der 18. Generalversammlung des allgemeinen Cäcilienvereins leitete, hielt gestern vormittags 11 Uhr seine Schlußsitzung ab. Nachdem der Vorsitzende des Komitees, Herr Lyzealprofessor Dr. Frhr. von Lochner, über den Verlauf des Festes kurz referiert hatte, wobei er insbesondere betonte, daß die auswärtigen Gäste hochbefriedigt von dem Gebotenen unsere Stadt wieder verlassen haben, stattete er allen, die irgendwie zur Durchführung des Festes mitgewirkt haben, den verbindlichsten Dank ab. Der Kassenbericht ergab folgendes Resultat: Für Mitglieder- und Teilnehmerkarten wurden eingenommen 564 ℳ 11 ₰, ausgegeben wurden 459 ℳ 82 ₰, so daß sich ein Überschuß von 104 ℳ 29 ₰ ergibt. Für das Domchorkonzert wurden eingenommen: 845 ℳ, ausgegeben 544 ℳ 92 ₰, so daß ein Überschuß von 300 ℳ 08 ₰ verbleibt, der dem Domchore überwiesen wurde mit der Auflage, allenfalls noch einlaufende Rechnungen zu bezahlen und den mitwirkenden Sängern und Sängerinnen für ihre Zeitversäumnis bei den Proben usw. ein kleines Honorar zu gewähren. Wie wir hören, wurden hiezu 300 ℳ verwendet. Herr Domdekan und Prälat Dr. Triller erstattete in herzlichen Worten dem Vorsitzenden des Komitees für seine wirklich hingebungsvolle Arbeit, die zum großen Teile es ermöglichte, daß das Fest einen so glänzenden Verlauf nahm, so daß die auswärtigen Gäste den allerbesten Eindruck von hier mit fortgenommen haben, den innigsten und herzlichsten Dank ab, worauf die Sitzung geschlossen wurde."

Dieser glänzende rechnerische Abschluß gibt den Unterzeichneten nochmals Veranlassung, allen bei dieser Generalversammlung aktiv beteiligten Persönlichkeiten des Lokalkomitees, des Domchores und der übrigen Vorführungen, besonders aber den Leitern Dr. W. Widmann, Pilland, Wittmann auch an dieser Stelle nochmals öffentlichen Dank und vollste Anerkennung auszusprechen. F. X. Haberl.

---

## Zum Feste Kreuzerhöhung.

I. Kaiser Konstantin hatte seinen Nebenbuhler Maxentius im Jahre 312 an der Milvischen Brücke bei Rom besiegt und dieser Sieg war der endgültige Sieg des Christentums über das heidnische Römerreich. Konstantin war noch Heide, den Christen aber gut gesinnt; nachdem er aber mit Hilfe des Kreuzes, das ihm am Himmel mit der Inschrift: *In hoc vince!* In diesem siege! erschienen war, seinen Feind besiegt hatte, riß er alle das Christentum einengenden Gesetzesschranken nieder und gab ihm die volle Freiheit durch das Edikt von Mailand i. J. 313. Nun hielt das Erlösungszeichen seinen Siegeszug durchs Römerreich, es erstanden christliche Kirchen, auf deren Zinnen anstatt heidnischer Kultzeichen das Kreuz herrschte und von wo es Segen und Frieden und den Sieg des wahren Gottes verkündete durch alle Lande. Tiefe Verehrung für das Zeichen der Erlösung erfüllte die Herzen der Christen: es hatte ihnen ja Erlösung aus der Sünde und nun auch Freiheit für ihren religiösen Kult gebracht. Es war deshalb eine niederschmetternde Botschaft, die im Jahre 615 die Einnahme Jerusalems durch die Perser und die Wegführung des heil. Kreuzes meldete, das Helena, die Mutter Konstantins, auf dem Kalvarienberge hatte aufstellen lassen. Das kostbarste Kleinod der Christenheit, an dem der Erlöser geblutet, war in den Händen der Heiden. Kaiser Heraklius (610—641) erkannte aus den Friedensbedingungen, die Chosroes, der Perserkönig, stellte, daß die Vernichtung des Christentums in der Absicht der Feinde lag. Er suchte Trost und Beharrlichkeit gegen die Zweifel über den Erfolg an den Stufen des Altars und stärkte sich durch den Empfang des Leibes Christi für den Entscheidungskampf, in den er mit einem großen, für den heiligen Krieg begeisterten Heere ziehen konnte. Unter dem Banner Christi schlug er die drei Heerführer des Perserkönigs vollständig, drang bis zur Hauptstadt der Perser vor und nahm den König gefangen, der im Gefängnis bald starb. Die Feinde schlossen nun schnell Frieden. Das heil. Kreuz gelangte wieder in die Hände der Christen. Im Frühjahr 629 zog Heraklius mit dem wiedergewonnenen, kostbaren Schatze nach Jerusalem. Dort wollte er die süße Kreuzeslast auf seinen eigenen Schultern unter feierlichem Gepränge auf den Kalvarienberg tragen. Dabei ereignete sich, wie das römische Brevier bemerkt, ein besonderer Vorfall: Heraklius wollte im vollen Schmucke seines kaiserlichen Ornates, mit Gold und Edelsteinen reich geziert, das Kreuz tragen. Doch er konnte wie von geheimnisvoller Macht festgebannt, sich nicht bewegen. Alle seine Bemühungen, vorwärts zu gehen, waren vergeblich. Darob allgemeines Erstaunen. Da trat Zacharias, der Patriarch von Jerusalem zum Kaiser und sagte: „Siehe zu, o Kaiser, daß du nicht etwa in deiner kaiserlichen Pracht beim Tragen des Kreuzes die Armut und Demut Jesu Christi allzuwenig nachahmest." Nun legte der Kaiser seine reichen Gewande ab, zog die Schuhe aus und konnte, wie ein gewöhnlicher Mann gekleidet, mit dem Kreuze beladen den Weg zum Kalvarienberg ohne Hindernis zurücklegen, den gleichen Weg, den einst sein Heiland gegangen war. Auf Golgotha brachte er das Kreuz wieder an die Stelle, von wo es die Perser geraubt hatten. Zur Erinnerung an diese Begebenheit wurde alljährlich das Fest der Erhöhung des heiligen Kreuzes in besonderer Weise gefeiert. Das Fest selbst wurde schon im 4. Jahrhundert begangen. Tags vorher (13. Sept.) feierte die Kirche des Orients das Fest der Auffindung des heiligen Kreuzes und zugleich das Gedächtnis der Einweihung der von Konstantin auf dem Kalvarienberge und über dem heiligen Grabe errichteten Kirchen. Dieses Fest nahm die römische Kirche in ihre Liturgie auf, setzte aber seine Feier auf den 3. Mai (Osterzeit) fest, so daß die beiden Geheimnisse unserer Erlösung — Kreuz und Auferstehung — in innige Beziehung traten — beide verkünden den Sieg des Heilandes über Sünde und Tod.

II. Diese Siegeskraft des Kreuzes Christi tritt uns in allen Teilen der Festmesse entgegen. Weil das Kreuz unser Siegesbanner ist, müssen wir uns in demselben rühmen, wie der gute Soldat stolz ist auf die siegreiche Fahne seines Königs, sie in Ehren hält und ihren Ruhm verkündet: „*Nos autem gloriari oportet in Cruce Domini nostri Jesu Christi.*" Und weil Christus am Kreuze und durch das Kreuz seinen Sieg errungen hat, so kommt auch von ihm, unserem Feldherrn, durch das Kreuz alles Heil *(salus)*; in ihm und von ihm wird uns das ewige Leben *(vita)* zu teil; durch sein Kreuz, durch seinen Sieg am Kreuze hat er sich seine Auferstehung verdient, mit der auch wir beglückt werden als solche, die seines Kreuzes sich nicht schämen, sondern rühmen *(resurrectio)* (Intr.). Der Sohn Gottes, am Kreuze erhöht und gestorben, wurde von seinem Vater verherrlicht „mit einem Namen, der über alle Namen ist" *(dedit illi nomen, quod est super omne nomen)*, dessen Ruhm und Preis durch alle Welt erschallt und vor dem sich die Knie aller beugen müssen. Auch wir müssen uns einen Namen erwerben, der uns bei Gott empfiehlt, Ruhm einträgt, indem wir wahre Christen, gehorsam sind Gottes Gebot bis zum Tode *(obediens usque ad mortem)*, indem wir die süße Kreuzeslast *(dulce lignum)*, die uns der Herr anbietet, freudig auf uns nehmen und sie nicht eher ablegen, bis Gott es will (Grad). Wir müssen also beharrlich sein im Kreuztragen, um mit Christus, unserem Siegesvorbilde, auch den Kampfpreis zu erringen. Um diese Gnade der Ausdauer und des endlichen Triumphes müssen wir aber auch bitten, und da wollen wir ganz vorzüglich in der Kraft dieses Kreuzes Christi bitten, das der Schrecken der Feinde Christi und unserer Seelenfeinde ist. Was Konstantin im Kreuze am Himmel las: „*In hoc vince!*" das soll auch uns gelten: „In diesem Zeichen des heiligen Kreuzes werden wir siegen, wenn wir vertrauensvoll zu ihm aufblicken und um seiner Leidensverdienste willen den Sieger über Sünde und Tod bitten, daß er uns im Schatten seines Kreuzes beschütze vor der sengenden Glut unserer Leidenschaften *(Protege, Domine, plebem tuam per signum sanctae crucis ab insidiis inimicorum omnium)* vor den Nachstellungen des Teufels und den Fallstricken der bösen, glaubenslosen Welt. Unter dem Schutze der Kreuzesarme werden wir Gott wohlgefällig dienen *(gratam servitutem)* und unsere Gebete und Opfer *(sacrificium nostrum)* werden vor Gott angenehm *(acceptabile)* und verdienstvoll werden (Offert.). Die Communio: *Per signum crucis* fordert uns zur gleichen Bitte auf.

Das Fest der Kreuzerhöhung bietet vielen Kirchensängern Gelegenheit, den Vorsatz der Treue und Ausdauer in ihrem heiligen Dienste wieder zu erneuern. Es ist ja für alle wirklich eine Last, ein kleines Kreuz, regelmäßig am Chore zu erscheinen oder gar den Proben beizuwohnen. Andere Berufsarbeiten stehen oft hinderlich im Wege; nach des Tages Mühen will der Leib Ruhe haben; deshalb verlangt niemand Unmögliches. Aber es schleicht sich so leicht ein „Ich mag nicht", ein unmotiviertes „Ich hab' keine Zeit" ein. Da soll der Sänger seinen Blick höher richten zu dem für den er singt, da soll er glaubensvoll die Mühe und Last auf sich nehmen, seine Gedanken hinaufrichten zum Kreuze, an dem der gehangen, der für ihn jede Mühe und Last auf sich nahm. Überwindet er sich, so wird er stets freudig vom Chore oder aus der Probe gehen in dem Bewußtsein, am Guten mitgearbeitet, die Ehre Gottes befördert und durch bereitwillige Annahme des kleinen Kreuzes seine Verdienste vermehrt zu haben. *„In hoc signo vince"* soll sich auch der katholische Kirchensänger öfters zurufen. P. A. W.

## Vermischte Nachrichten und Notizen.

1. × 18. **Generalversammlung des Allgemeinen Cäcilienvereins in Eichstätt.** Vom 20. bis 22. Juli fand für die Mitglieder des Allgemeinen Cäcilienvereins, der sich auf Deutschland, Österreich und die Schweiz erstreckt, eine Generalversammlung statt, nachdem die letzte 1904 in Regensburg abgehalten worden war. Als Ort der Versammlung hatte der Generalpräses, Dr. Haberl aus Regensburg, die alte Bischofstadt Eichstätt gewählt. Dem Freunde der Natur wie auch der Kunst bietet diese in einem anmutigen, malerischen Tale der Altmühl gelegene, an interessanten Kunstdenkmälern reiche kleine Stadt viel Anziehendes. Für die Diözesen Nord- und Westdeutschlands war die Zeit nicht günstig gelegt, da die Ferien, welche in Bayern bereits am 15. Juli beginnen, bei uns noch nicht angefangen haben. Dennoch waren sie auf der Versammlung zum größten Teile vertreten, so z. B. Köln durch Domkapellmeister Cohen und Direktor Bornewasser (Aachen), Trier durch Domkapellmeister Stockhausen, Paderborn durch Domkapellmeister Cordes und Theologieprofessor Dr. Müller. Im ganzen wies die Präsenzliste 168 Mitglieder und 76 Teilnehmer auf, meist Chordirigenten und Kirchenkomponisten.

Die Generalversammlungen des Allgemeinen Cäcilienvereins bezwecken vor allem ein Doppeltes: Sie wollen durch mustergültige kirchenmusikalische Aufführungen belehren, bilden und anregen, sodann über wichtige Angelegenheiten des Vereins beraten.

Montag nachmittag um 6 Uhr wurde begonnen mit einer musikalischen Andacht im Dom. Unter dem Bischof Leopold Freiherrn von Leonrod in wohlgelungener Weise restauriert, bildet dies ehrwürdige Gotteshaus, eines der ältesten Deutschlands, die Hauptzierde der Stadt Eichstätt. Zum Vortrag gelangten vier lateinische Gesänge (*Terribilis est* von Rüdinger, *Adoramus te* von Heuler, *Ave Maria* von Vittoria, *Tantum ergo* von Bruckner). Abends 8 Uhr war Begrüßungsfeier im Gesellenhaus, in welcher Lyzealprofessor Freiherr Lochner von Hüttenbach die fremden Gäste in herzlichen Worten begrüßte. Einzelne Gäste überbrachten Grüsse aus ihrer Heimat. Unter anderem wies Domkapellmeister Cohen auf die freundliche Aufnahme hin, welche preußische Seminaristen während des Kulturkampfes in Eichstätt gefunden haben. Monsignore Mitterer (Brixen) stellte sich vor als Tiroler und alten Cäcilianer. In humoristischer Weise führte er aus, wie Bayern und Tiroler vor hundert Jahren gehörig miteinander gerauft, aber gerade dadurch liebe Freunde geworden seien. Zur Verschönerung dieses Abends trugen nicht wenig bei die Gesangsvorträge der „Liedertafel" und die Darbietungen der Kgl. Kapelle. Nicht vergessen dürfen wir aber bei dieser Gelegenheit das ausgezeichnete bayerische Bier, welches nicht nur viel besser und billiger, sondern auch weit bekömmlicher ist als das unsrige.

Am Dienstag, 21. Juli, morgens um 6½ Uhr sangen die Alumnen des Bischöfl. Seminars nach der medizäischen Ausgabe ein Choralamt. Um 8½ Uhr riefen die Glocken des Domes zum Pontifikalamte. Vor diesem hielt Domkapitular Dr. Ahle im Anschlusse an den Vortrag seines fünfstimmigen *Veni Creator* eine herrliche Festrede über „Gesang und Gebet". Das fromme, innige Gebet, so führte der Festredner aus, drängt zum Gesang; jeder kirchliche Gesang muß die Eigenschaften des Gebetes haben. In dem nun folgenden Pontifikalamte brachte der Domchor die sechsstimmige Messe *Beatus vir qui intelligit* von Orlando di Lasso in vortrefflicher Weise zu Gehör. Es ist das eine Festmesse allerersten Ranges, von einer großartigen Klangwirkung und meisterhaften Vertonung des erhabenen Textes. Als Einlage wurde gesungen *Gloria laus* von demselben Komponisten. Die Choralgesänge wurden vorgetragen nach dem *Liber Gradualis* von Dom Pothier.

Gleich nach dem Amt begaben sich die Teilnehmer nach der Aula des Gymnasiums, woselbst die öffentliche Versammlung stattfand. Der Generalpräses eröffnete diese mit dem Gruße „Gelobt sei Jesus Christus" und bat alsdann den Hochwürd. Herrn Bischof von Eichstätt, einige Worte an die Versammlung zu richten. Der Hochwürd. Herr Bischof hob in seiner Ansprache besonders hervor, daß die 18. Versammlung eine Jubelversammlung sei, da ja der Allgemeine Cäcilienverein im Jahre 1868, also vor 40 Jahren gegründet worden sei. Weiterhin brachte er in Erinnerung die erste Generalversammlung in Eichstätt unter Witt im Jahre 1871 (welcher auch Liszt beiwohnte). Noch heute erinnere er sich des tiefen Eindruckes, den diese Versammlung auf ihn, den damaligen Alumnus gemacht habe. Von der allergrößten Bedeutung für das kirchliche Leben sei die Kirchenmusik. Darauf erteilte der Hochwürd. Herr Bischof den Bischöflichen Segen.

Der Generalpräses dankte im Namen der Versammlung und machte alsdann bekannt, daß ein Telegramm des Kardinalstaatssekretärs eingetroffen sei, welches den Segenswunsch des Heiligen Vaters enthielt. Hierauf erstattete er das Referat über den Verein, welcher gegenwärtig in 29 Diözesen besteht. Er hob hervor, daß fast sämtliche Diözesanpräsides erschienen seien. Hierauf begrüßte der Bürgermeister Mager von Eichstätt im Namen der Stadt, die stolz darauf sei, daß sie als Ort der Versammlung gewählt worden sei. Ausgehend von der heiligen Patronin des Vereins, „einer der schönsten und poesieumwobensten des ganzen Martyrologiums", stellte er einen Vergleich an zwischen der „befremdenden, sehr darniederliegenden“ Kirchenmusik im Heimatlande dieser Heiligen (Italien) und den „idealen“ Zuständen in Deutschland. Letzteres sei ein Verdienst des Cäcilienvereins, der wiederum vieles verdanke der eifrigen, pflichttreuen Mitwirkung der Lehrer. Dr. Haberl gibt im Hinblick auf die beiden Ansprachen des Hochwürd. Herrn Bischofs und des Bürgermeisters unter dem lauten Beifall der Versammlung seiner Freude Ausdruck darüber, daß die Kirchenmusik „solche Stützen“ habe. Ohne diese könne sie nicht gedeihen. Darauf folgten zwei Festreden. Der Benediktiner P. Johandl aus Stift Göttweig (Niederösterreich) sprach über den Vereinskatalog, Pfarrer Käfer aus Basel über das deutsche Kirchenlied. Was er in echt rhetorischer Weise über die Wichtigkeit des deutschen Kirchenliedes, die Gesangbuchfrage, die Anforderungen an das deutsche Kirchenlied und dessen erforderlichen Eigenschaften sagte, fand den ungeteilten und warmen Beifall aller Cäcilianer, die man so gerne als Gegner deutschen Kirchenliedes hinstellt.

Nach einer kurzen Mittagspause versammelten sich die Festteilnehmer in der freundlichen Kirche St. Walburg, um den Darbietungen des Domchores zu lauschen. Dessen Leiter, Domkapellmeister Dr. Widmann, hatte ein umfangreiches Programm von Tonstücken nur alter Meister zusammengestellt. Diese hat er in der von ihm redigierten Zeitschrift „Kirchenchor“ im Laufe der letzten Jahre veröffentlicht, mit den entsprechenden Vortragszeichen versehen. Besonders schöne Stücke waren das fünfstimmige Gloria aus der Messe *L'homme armé*, das fünfstimmige Adventsoffertorium *Deus tu conversus* und das achtstimmige *Lauda Sion* von Palestrina; ferner das vierstimmige *Caligaverunt* und *Tenebrae factae sunt* von Ingegneri, das vierstimmige *Recessit pastor noster* von Handl, das achtstimmige *Angelus Domini* von Casciolini, das vierstimmige *Domine convertere* von Orlando di Lasso. Unsere katholische Kirchenmusik kann mit Recht stolz sein auf diese wie auch zahlreiche andere Werke, welche das Höchste darstellen, was auf dem Gebiete des a capella-Gesanges geschaffen worden ist. Möchten recht viele Chöre das gründliche Studium dieser edlen Tonstücke mit Eifer betreiben. Der Eichstätter Domchor hat nicht, wie sonst die meisten Domchöre, Knaben- sondern Mädchenstimmen. Dank einer sorgfältigen *castigatio vocis* (Stimmenbildung), wie es der Generalpräses in der Kritik nannte, war aber so ziemlich alles beim Gesang beseitigt, was sonst oft mit Recht gegen den Frauengesang in der Kirche ins Feld geführt wird. Angenehm fielen insbesondere auf die reinen und weichen Sopranstimmen und die vollen, runden, klangschönen Bässe. Bei einem so großen und schwierigen Programm fehlt es ja nicht an kleinen Unebenheiten; doch standen die Leistungen des ersten und zweiten Tages im ganzen auf recht künstlerischer Höhe. Korrektes Zusammensingen, Ausarbeiten der einzelnen Stimmen in dem polyphonen Gewebe, angemessene dynamische Unterschiede, seien besonders hervorgehoben.

Es folgte hierauf eine Beratung der Diözesanpräsides und Referenten und im Anschlusse daran die erste geschlossene Generalversammlung. Zur Beratung stand ein sehr aktuelles Thema: die Choralfrage. Das Vatikanische Graduale ist seit einigen Wochen erschienen. Dessen Bearbeiter ist der Benediktinerabt Dom Pothier. Bedeutende Choralforscher stimmen den Grundsätzen nicht in allweg bei, nach welchem das Vatikanische Graduale bearbeitet ist. Sie bezeichnen es als „nicht wissenschaftlich“. Aus diesen Kreisen ist nun auch ein Antrag an die Versammlung eingegangen, diese solle ihr Bedauern darüber aussprechen, daß die Vatikanische Ausgabe nicht nach wissenschaftlichen Grundsätzen bearbeitet worden sei und daher nicht als eine endgültige Lösung der Choralfrage gelten könne. Der Generalpräses bezeichnete aber diesen Antrag als nicht diskutierbar und stellte einen Gegenantrag, dessen Hauptsatz lautet: „Die Generalversammlung unterwirft sich hinsichtlich des traditionellen Chorales ganz und gar den Weisungen des Heiligen Apostolischen Stuhles.“

Eine lebhafte Debatte entstand über die Frage, wie der schwierigere Choral der Vatikanischen Choralausgabe in die Praxis unserer Kirchenchöre eingeführt werden könne. Es beteiligten sich insbesondere daran die Herren Bewerunge (Maynooth), P. Horn (Seckau), P. Johandl, die Domkapellmeister Stockhausen (Trier) und Victori (Straßburg). Insbesondere wurde hingewiesen auf die Notwendigkeit, Auszüge aus dem umfangreichen und teuren Graduale für unsere Kirchenchöre zu bieten, und es wurde über die Art debattiert, wie diese einzurichten seien. Dr. Haberl versprach, seinen *Magister choralis* umzuarbeiten, sodaß er eine Einführung in den traditionellen Choral darstelle. Aus der ganzen, durchaus ruhigen und würdigen Debatte ging mit Klarheit hervor, daß der Cäcilienverein entschlossen ist, für die von der obersten kirchlichen Behörde herausgegebenen Choralbücher mit allem Eifer einzutreten, daß er sich aber auf der anderen Seite auch nicht die Schwierigkeiten verschleiert, die der Einführung dieses künstlerisch höher stehenden, aber auch höhere Anforderungen an Dirigenten und Sänger stellenden Chorals im Wege stehen.

Den Schluß dieses arbeitsreichen Tages bildete die Aufführung von „Frithjofs Heimkehr“, für Solostimmen, Chor und Orchester, komponiert von Stehle, Kapellmeister in St. Gallen, aufgeführt vom Domchor und einigen auswärtigen Gesangssolisten. Das Oratorium enthält viele schöne und packende Stellen; es wurde auch gut gesungen. Musikvereinen können wir das vortreffliche Werk bestens empfehlen. Der anwesende Komponist, ein humorvoller Schweitzer, wurde durch stürmische Hervorrufe geehrt.

Mittwoch, 22. Juli, fand um 8 Uhr ein Requiem für die verstorbenen Mitglieder des Cäcilienvereins statt. Der Domchor sang die vortrefflich vertonte fünfstimmige *Missa pro defunctis* in *h*-moll (Op. 124) von Mitterer. Die Wiedergabe dieser Messe wie auch die nachmittägigen Produktionen standen zum Teil nicht auf derselben Höhe, wie die des vorhergehenden Tages — wohl infolge der außerordentlichen Anstrengungen des zweiten Tages. Beim Choralvortrag, insbesondere bei den syllabischen Gesängen hätten wir ein weniger schnelles Tempo und mehr Legato gewünscht. Auch wurde dem Zuhörer durch die $2^1/_4$ stündige musikalische Aufführung am Nachmittag, in welche sich der Domchor, ein Pfarrkirchenchor und der Seminarchor teilte, wohl viel zugemutet. Erwähnt sei aus dem reichen Schatze: eine lauretanische Litanei von Pilland, zwei Motetten von Tresch (einem früheren Domkapellmeister von Eichstätt), ein *Credo* für 3 Männerstimmen und Orgel von Habert. Den Schluß bildete der Vortrag von Tinels prachtvollem *Te Deum*.

In der zweiten geschlossenen Versammlung wurde auch das sogenannte Referentenkollegium ergänzt. Dasselbe besteht aus 20 Herren, welche in dem Vereinskatalog ihr Urteil abgeben über die neu erschienenen Kirchenkompositionen. Da in den letzten Jahren ein Teil der Referenten gestorben ist, so mußte das Kollegium ergänzt werden. Gewählt werden für Preußen Seminarmusiklehrer Osburg-Breslau und Domkapellmeister Stockhausen-Trier.

Darauf folgte die Rechnungsablage. Der Verein besitzt ein Vereinsvermögen von etwa 33000 Mark. Es wurde von dem Generalpräses der Vorschlag gemacht, die jährlichen Zinsen armen Kirchenchören zuzuwenden. Dagegen wurde namentlich von den Herren Stehle und Stiftspfarrer Hergenröther-Aschaffenburg geltend gemacht, für die erforderlichen Kirchenmusikalien hätte die Kirchenkasse zu sorgen. Auch sollten die Herren Pfarrer stellenweise sich dafür mehr interessieren. Auf den Vorschlag des Herrn Theologieprofessors Dr. Müller wurde beschlossen, wissenschaftliche kirchenmusikalische Arbeiten mit dem Gelde zu fördern, namentlich solche, die der Förderung des deutschen Kirchenliedes und der Orgelliteratur dienen. Eine eigene Kommission sollte die Sache in die Hand nehmen.

Zum Schlusse dankte Domkapitular Walther-Solothurn dem Herrn Generalpräses für dessen große Verdienste für die *Musica sacra* und den Cäcilienverein. Begeistert stimmte die Versammlung ein in das Hoch. Dr. Haberl hielt alsdann einen kurzen Rückblick über die Tagung und erstattete allen Beteiligten den gebührenden Dank. Darauf verließen die meisten Teilnehmer das liebgewonnene Eichstätt, aufs neue angeregt und angeeifert für die ideale Sache, der sie dienen.

W. St. in der Trierer Landeszeitung vom 25. Juli.

3. × **Auf der Heimreise** von Eichstätt begriffen, hielten wir über Sonntag Rast in einem Städtchen Niederbayerns. Noch voll von den Eindrücken und ermüdet von den Strapazen in der gemütlichen, altehrwürdigen Bischofstadt an der Altmühl, tat uns Ruhe wohl. Mein Begleiter, Herr Domkapellmeister Meuerer aus Graz, und ich, zwei „verrannte" Cäcilianer, kehrten zuerst bei einem ebenso unglücklich veranlagten Menschen, bei Herrn Dekan und Pfarrer A. Schneider in Oberigling ein, um uns so recht im cäcilianischen Fahrwasser herumzutummeln. Darauf zogen wir, zwei fahrende Sänger, wohl nicht über den Rhein, sondern über den Lech und die Isar in die Nähe der Donau, um Grüße nach unserem lieben Österreich hinunterzusenden, und die wenigen noch erübrigten Ferialtage bei einem Kirchenkomponisten ersten Ranges, bei P. Griesbacher in Osterhofen zu verbringen. Bei unserer dortigen ziemlich ausgiebigen körperlichen Pflege vergassen wir als ordentliche Leute keineswegs darauf, daß der Mensch aus zwei Teilen bestehe, und so wanderten wir Sonntags in das schmucke Kirchlein zum Hochamte, voll Neugierde, wie es denn da zugehe, und was der Chor eines kleinen Städtchens zu leisten imstande sei.

Es war ein gewöhnlicher Sonntag; kein Patrozinium, keinerlei Festlichkeit gab Anlaß zu einer größeren kirchlichen Feier. Und siehe da, eine Festmesse, die gerade nicht zu den leichten gehört, erklang: die *Missa S. Petri* von Griesbacher, Op. 69, die auch von einem Referenten des Kataloges (Nr. 3255a) als „eine wahre Festmesse" bezeichnet wird. War schon der Introitus (*Gaudeamus*) choraliter wie aus einem Munde flott gesungen worden, so staunte ich nicht wenig über die prompte, feurige Wiedergabe der Meßkomposition unter Leitung des Komponisten. Die Frische der jungen, sehr gut geschulten Stimmen, die leichte Ansprache der Tenöre in der Höhe, die weichen und doch kräftigen, keineswegs dicken Sopranstimmen vereinigten sich mit den runden Bässen zu einem so gelungenen Ensemble, daß es eine helle Freude war. Und stünde dem Organisten eine Orgel mit sanfteren Registern zur Verfügung, so wäre der Erfolg noch schöner gewesen. Aber am meisten wunderte ich mich über die leichte Lenkbarkeit des Chores mitsamt seinem gewandten Organisten, Herrn Hauptlehrer Vogl. Wenn ein Chor seinem Dirigenten (Griesbacher), der mit lebhaftem Tempowechsel nicht kargt, so leicht und ohne Fehl zu folgen vermag, so ist das ein Beweis außerordentlicher Schulung. Und daß der „Macher" dieser schönen musikalischen Zustände, Herr Vogl, in relativ kurzer Zeit und unter großem Aufwand von Mühe, Geduld und — materiellen Mitteln sich und seinen Chor zu solch schöner Höhe emporgeschwungen hat, verdient öffentlich angemerkt zu werden. Ein kräftiges „Wacker!" dem Kirchenchor zu Osterhofen und seinem Bildner, Herrn Hauptlehrer Vogl.

P. Rob. Johandl.

4. ⊙ **Mainz.** Am 5. Juli wurde im hiesigen Dome die kirchliche Feier des goldenen Priesterjubiläums Sr. Heiligkeit Papst Pius X. in sehr erhebender Weise begangen. Um 10 Uhr zelebrierte der Hochwürd. Herr Bischof Dr. Antonius Kirstein ein feierliches Pontifikalamt, das der Domchor unter der vorzüglichen Leitung seines Kapellmeisters, Hochwürd. Herrn Albert Vogt, durch die vollendete Wiedergabe der sechsstimmigen Prachtmesse: *Ecce ego Joannes* von Palestrina verherrlichte. Zum Offertorium hörten wir gleichfalls einen sechsstimmigen Tonsatz von demselben Meister: *Tu es Petrus* und in der Schlußandacht, abends um 7 Uhr, bildete das achtstimmige jubelvolle *Laudate Dominum* des *Princeps musicae* den Glanzpunkt. Nach dem Urteil von Fachleuten war der Eindruck der musikalischen Leistungen ein großartiger, an einzelnen Stellen ganz überwältigend.

5. ♃ **Die Kirchenmusik bei der 55. Generalversammlung der Katholiken Deutschlands vom 16. bis 19. August.** Eingeleitet wird die Generalversammlung durch ein feierliches Pontifikalamt in der altehrwürdigen St. Lambertuskirche (de große Kerk). Der Kirchenchor wird unter Leitung seines erfahrenen Dirigenten Rektor Malsburg die sechsstimmige Messe: *O crux Ave* von Nekes singen, sowie beim Einzuge: *Ecce sacerdos* von Witt, beim Offertorium: *Ave Maria* von Piel und am Schlusse: *Te Deum* von Perosi.

Montag wird der Kirchenchor von St. Rochus die vierstimmige Messe für gemischten Chor *In hon. B. M. de Loretto* von Goller unter der Leitung seines Organisten Meisen vortragen. Beim Einzug des Bischofs singt der Chor *Ecce Sacerdos* für vierstimmigen gemischten Chor mit Orgel von Meisen, zum Offertorium: *Jubilate Deo* von Plag.

Im Pontifikal-*Requiem* am Dienstag wird der unter der Leitung des Lehrers Purrio stehende St. Max-Kirchenchor die Schönheit des kirchlichen Choralgesanges zur Geltung bringen.

Das hervorragende Stimmaterial und die gute Schulung der Düsseldorfer Cäcilienvereine zu bewundern, werden die Besucher des Katholikentages gleich bei der Begrüßungsfeier am Sonntag Abend Gelegenheit haben. Über 450 Mitglieder der Kirchenchöre werden unter der Leitung des Dirigenten, Organist Münstermann, zunächst den eigens für das Fest komponierten und vom Manuskript gesungenen Begrüßungschor „Gelöbnis" von Frz. Nekes vortragen. Es folgt „Der Rebe Hulden" vom Kölner Domkapellmeister K. Cohen, „Papsthymne" vom Düsseldorfer Hoforganisten J. Plag und endlich *Tu es Petrus* von M. Haller.

Sodann will die treffliche Sängerschar auch noch das Gartenfest im Zoologischen Garten am Dienstag abend verherrlichen, in dem sie auf der Terrasse einige Chöre vorträgt, so „Der Rhein" von C. Steinhauer, „Abendglöckchen", Volkslied von Leyendecker und „Abschied von der Heimat" von C. Steinhauer.

Es wird sich zeigen, daß Frau Musika in Düsseldorf kunstbegeisterte Anhänger hat, die ihr reiches Talent zu Ehren Gottes und zur Freude ihrer Mitmenschen gewillt sind.

6. **Salzburg.** Aus **Stuhlfelden** wird uns berichtet: „Am 25. Juli hatten wir Visitation und Firmung durch Se. Eminenz den Hochwürd. Herrn Kardinal Katschthaler. Hochderselbe kam um Donnerstag abends von Gerlos her an und wohnte am 24. der Kinderkommunion bei, nach welcher Se. Eminenz zelebrierte. Nach der heiligen Wandlung sangen die Kinder aus dem „Alleluja" das schöne „Kommt herab, ihr Himmelfürsten!". Am Abend war Fackelzug und Ständchen bestehend aus gemischten (aus der Sammlung von Molitor) und Männerchören (Regensburger). Das kirchenmusikalische Programm war folgendes: *Ecce Sacerdos* für gemischten Chor und oblig. Orgelbegleitung von A. Unterwurzacher, Organist. Zum Segen *Tantum ergo* in *D* von Spies. Zur Pontifikalmesse: Cäciliamesse von Ad. Kaim (*Kyrie, Sanctus, Benedictus* und *Agnus Dei*). Zum Graduale: *Constitues* von Mitterer. Zum Offertorium: *Ave Maria*, Männerchor in *As* von Mitterer. Zur Predigt: Heil. Geistlied aus der Sammlung von Mittersackschmöller. In der Totenkapelle: *Libera* von Lindenthaler. Bei der Predigt dankte Se. Eminenz insbesondere auch dem Chore mit den Worten: „Ich danke auch für die schöne Kirchenmusik; das hört man nicht überall." Se. Eminenz geruhte auch den Sängern ein Bildchen als Anerkennung zu hinterlassen. Daß die Chormitglieder hocherfreut waren über die hohe Anerkennung läßt sich denken; mögen diese Worte uns zur Ausdauer auf dem eingeschlagenen Weg bestärken, andere aber zum Einlenken bewegen. Bei solchen Anlässen bieten gewöhnlich auch solche Chöre ein schönes Programm, welche sonst mit der Liturgie und dem kirchlichen Geschmacke auf sehr gespanntem Fuße stehen. Was unser Chor das ganze Jahr singt, davon war die Aufführung vom 25. eine Auslese.

7. **Ems a. d. Lahn** (Bistum Limburg), 13. Juli. Gestern besuchte der kathol. Kirchenchor von Montabaur unter Führung des Herrn Kaplan Weyand unsere Kur- und Badestadt. Es waren etwa 50 Herren, die gegen 9 Uhr morgens hier eintrafen. Während des Hochamtes sangen dieselben unter Leitung ihres Dirigenten, des Hauptlehrers Stillger die *Missa prima* von W. Hohn (C.-V.-K. Nr. 3146) und eine vierstimmige Motette zur Opferung. Dadurch trugen die Sänger nicht nur zur Verherrlichung des Gottesdienstes bei, sondern boten auch den anwesenden Einwohnern und Kurfremden einen herrlichen Kunstgenuß; umsomehr, da der Komponist der Messe, Herr Lehrer und Chorregent W. Hohn, aus dem nahen Nievern herbeigeeilt war und die Begleitung des Gesanges selbst übernommen hatte. Zum Schluße spielte Herr Hohn seine wirkungsvolle Phantasie über: „Großer Gott, wir loben dich". Nachmittags versammelten sich die Mitglieder des Chores im Saalbau Kram. Hier begrüßte sie Herr Stadtpfarrer Dam. Kunst (geboren in Montaubaur) in einer recht humorvollen, mit großem Beifall aufgenommenen Ansprache als Landsleute. Hierauf gab der Chor herrliche weltliche Liedervorträge, unter denen namentlich geschmackvoll ausgewählte recht sinngemäß vorgetragene Volkslieder sich befanden. Allmählich rückte die Zeit vor zur Besichtigung des venetianischen Nachtfestes, das recht geschmackvoll arrangiert war. Um 10 Uhr wurde die Heimfahrt angetreten. Der Verlauf des Ausflugs hat bei allen Teilnehmern nur die besten Eindrücke hinterlassen.

8. **Inhaltsübersicht von Nr. 8 der *Musica sacra*:** Einführung in das Tondiktat und Verbindung der Ziffer mit der Note. (Von —b—.) — Aus Archiven und Bibliotheken: Die Vorsänger (*primicerius cantorum*) in vorchristlicher und christlicher Zeit. (Von Dr. A. Schmid.) — Vom Bücher- und Musikalienmarkte: II. Geistliche und weltliche Gesänge: J. S. Bach; C. Thiel; H. Buchal; Fr. Böning; K. Cohen (3); Jos. Deschermeier; Joh. Diebold; Jak. Fabricius; Mich. Haller; Seb. Pörtner-Raim. Heuler; R. Heuler; F. A. Hoffmann; P. Kindler; P. Manderscheid; Rud. Nowowiejski; P. Pracher; P. Teresius; A. Seiffert; K. Walter (2). (Fortsetzung folgt.) — Bei St. Willibald und St. Walburga zu Gaste. (Von J. N. Salveni.) — Chor des Bischöfl. Knabenseminars „Collegium Petrinum", Urfahr-Linz, Oberösterreich. (Schluß folgt.) — Vermischte Nachrichten und Mitteilungen: Trier, Aufführung der geistl. Oper „Parzival"; Auszeichnung Rud. Glickhs; Neue Sammlung Joh. Diebolds; Straßburg, Einführung der Vatikanischen Ausgabe; † Dr. Einig; Kirchenmusikalischer Verlagskatalog der Firma Pustet. — Inhaltsübersicht von Nr. 7 des Cäcilienvereinsorgans. — Anzeigenblatt Nr. 8.

---

Druck und Expedition der Firma Friedrich Pustet in Regensburg.

Nebst Anzeigenblatt, sowie Sachregister zum Generalregister W. Ambergers S. 85*—92* über die 3500 Nummern des Cäcilienvereins-Katalogs.

1908. Regensburg, 15. Oktober 1908. Nro. 10.

# Cäcilienvereinsorgan.

43. Jahrgang

der von Dr. Franz Xaver Witt († 2. Dez. 1888) begründeten Monatschrift

# Fliegende Blätter für kath. Kirchenmusik.

Verlag und Eigentum des Allgemeinen Cäcilienvereins zur Förderung der kathol. Kirchenmusik auf Grund des päpstlichen Breve vom 16. Dezember 1870.

Verantwortlicher Herausgeber: Dr. Franz Xaver Haberl, z. Z. Generalpräses des Vereins.

Erscheint am 15. jeden Monats mit je 20 Seiten Text inkl. des Cäcilienvereins-Kataloges. — Abonnement für den ganzen Jahrgang, inkl. des Vereinskataloges 3 Mk., einzelne Nummern ohne Vereinskatalogbeilage 30 Pf. Die Bestellung kann bei jeder Post oder Buchhandlung gemacht werden.

Inserate, welche man rechtzeitig an die Expedition einsenden wolle, werden mit 20 Pf. für die 1spaltige und 40 Pf. für die 2spaltige (durchlaufende) Petitzeile berechnet.



## Das Referentenkollegium und die Geschäftsordnung bei Herstellung des Cäcilienvereins-Kataloges.

Bei der 2. geschlossenen Sitzung während der 18. Generalversammlung des Allgemeinen Cäcilienvereins zu Eichstätt, am 22. Juli 1908, wurde vom Generalpräses die Ergänzung und Neuwahl von Referenten für den Cäcilienvereins-Katalog an erster Stelle auf die Tagesordnung gesetzt. Seit September 1904 sind die Herren Anton Seydler in Graz und P. H. Thielen in Goch gestorben und H. H. Kanonikus Michael Haller hat infolge Kränklichkeit seine Funktion als Referent 6 Wochen vor der Generalversammlung freiwillig niedergelegt, so daß nur mehr 13 Männer über die zahlreiche Neuliteratur als Richter zur Verfügung standen. Die statutenmäßige Zahl ist laut päpstlichem Breve Pius' IX. vom 16. Dezember 1870 auf 20 festgesetzt worden. Durch ein Zirkular vom 17. November 1904 an die P. T. Diözesanpräsides und -Referenten des Allgemeinen Cäcilienvereins hatte der unterzeichnete Generalpräses zehn Persönlichkeiten vorgeschlagen, aus denen vier nach der absoluten Stimmenmehrheit bereits ausgewählt worden sind. Nach § 13, E, Ziffer 3 der allgemeinen Statuten jedoch kann die definitive Wahl erst bei einer Generalversammlung vorgenommen werden, so daß sich die Angelegenheit fast vier Jahre verzögerte.

Bei der Wahl in Eichstätt sind 10 neue Referenten aufgestellt worden, damit auch bei unvorhergesehenen Fällen auf mehrere Jahre hinaus die nötige Zahl von Referenten gegeben sei.

Seit dem 22. Juli 1908 lauten die Namen und Adressen der Herren des Referentenkollegiums wie folgt:

H. H. Dr. J. N. Ahle, Domkapitular und geistl. Rat in Augsburg.
H. H. Jos. Auer, Pfarrer in Osterwaal, Post Au bei Freising.
H. H. Klemens Bachstefel, Domkapellmeister, geistl. Rat in Passau.
Monsignore C. Cohen, Domkapellmeister, Professor in Cöln a. Rh.
H. H. F. X. Engelhart, Domvikar und Domkapellmeister in Regensburg.
Herr Joseph Frei, Musikdirektor in Sursee (Schweiz).
Herr Adolf Gessner, Kaiserl. Musikdirektor, Professor am Konservatorium in Straßburg. (Rupprechtsau, Hinterortweg 2a.)

10

Herr Vinzenz Goller, Stadtpfarrchorregent in Deggendorf.
H. H. Peter Griesbacher, Benefiziat in Osterhofen (Diözese Passau).
H. H. Raphael Lobmiller, Domkapellmeister in Rottenburg (Württemberg).
Herr J. G. Meuerer, Domkapellmeister in Graz.
Monsignore Ign. Mitterer, Domkapellmeister in Brixen.
H. H. Dr. Hermann Müller, Theologieprofessor in Paderborn.
Monsignore Fr. Nekes, Domkapellmeister in Aachen.
Herr Wilhelm Osburg, Kgl. Seminarlehrer in Breslau. (Schwerinstraße 27/II.)
Herr Jak. Quadflieg, Schulrektor in Elberfeld.
Monsignore Dr. Fr. Schmidt, Domkapitular in Münster i. W.
H. H. Wilhelm Stockhausen, Domkapellmeister in Trier.
Herr Karl Walter, Seminarmusiklehrer in Montabaur.
H. H. Arnold Walther, Dompropst in Solothurn.
Herr Ernst v. Werra, Musikdirektor in Beuron.
H. H. Dr. Wilhelm Widmann, Domkapellmeister in Eichstätt.
Herr August Wiltberger, Kgl. Seminarmusiklehrer in Brühl a. Rh.

---

Der Unterzeichnete hält es auch für notwendig, bei dieser Gelegenheit die im September 1904 abgedruckte Geschäftsordnung wiederum in Erinnerung zu bringen. Die letzte Fassung derselben nach den Beschlüssen der 17. Generalversammlung 1904 lautet:

**§ 1.** In den Katalog des Allgemeinen deutschen Cäcilienvereins können kirchenmusikalische Werke allerart aufgenommen werden: Bücher, Broschüren, mögen sie die Geschichte, die Liturgie, die Kompositionslehre, Technik, oder sonst Einschlägiges behandeln, dann Kompositionen, die für die Kirche, für den Gottesdienst bestimmt sind, also Choralwerke, dann ältere (neu aufzulegende) und neue, schon vor Jahren gedruckte Kompositionen mit oder ohne Instrumente, Werke für oder über die Orgel, kirchliche Gesangbücher, Studienwerke etc. mögen sie von Mitgliedern des Vereins oder von Nichtmitgliedern verfaßt sein.

**§ 2.** Die Aufnahme hängt von einer Prüfung ab. Von der Zulassung zu dieser Prüfung sind im voraus vom Generalpräses abzuweisen: Kompositionen, welche zwar religiösen Inhalt haben aber nicht zur Aufführung beim Gottesdienste bestimmt sind, z. B. religiöse Dramen, Krippenspiele und ähnliches, wie Gesänge in der Volkssprache, welche für den außerliturgischen Gottesdienst bestimmt sind, deren Texte jedoch nicht die kirchliche Approbation tragen.

**§ 3.** Der Prüfung können nur gedruckte Werke sich unterwerfen. Vorerst ist an den Generalpräses des Vereins ein Freiexemplar (Partitur mit Einzelstimmen) einzusenden, damit dieser prüfe, ob das Werk sich überhaupt nach § 1 und 2 zur Aufnahme in den Vereinskatalog eigne. Gegen die Entscheidung desselben, daß es sich aus einem der in § 2 angegebenen Gründe nicht eigne, gibt es keine Appellation. Das eingesendete Freiexemplar kann auch im Falle der Nichtaufnahme nicht zurückverlangt werden.

**§ 4.** Ist das Werk vom Generalpräses zu einer Prüfung angenommen, so bezeichnet derselbe dem Verleger schriftlich zwei Referenten, welche er aus den durch die Generalversammlung hiezu gewählten Männern nehmen muß. An jeden derselben hat der Autor oder Verleger ein Freiexemplar des Buches oder der Komposition (in Partitur und Einzelstimmen) einzusenden. Sind Stimmen nicht erschienen, so muß dieser Umstand ausdrücklich erwähnt werden. Auch die Preise des Werkes müssen beigesetzt werden. Den beiden Herren Referenten ist der Mitreferent bekannt zu geben. — Das Freiexemplar verbleibt den Referenten als persönliches Eigentum, auch wenn die Aufnahme nicht erfolgt. Alle Porti und Verpackungskosten hat der Ansuchende zu tragen. Die Referenten unterzeichnen ihr Referat. Da der Vereinskatalog keine Belehrungs- oder Unterrichtszwecke verfolgt, sondern nur über den liturgischen, künstlerischen, praktischen Wert der betreffenden Werke urteilen soll, sind im allgemeinen die Referate kurz zu fassen. Der Verein vergütet die Referate à Druckzeile mit 6 ₰ bis zum Höchstbetrag von 25 Druckzeilen.

**§ 5.** Bei allen nach § 1 für den Cäcilienvereins-Katalog bestimmten Kompositionen hat der Verleger, Komponist oder Herausgeber ausdrücklich das Jahr der Publikation im Drucke kenntlich zu machen.

**§ 6.** Die beiden Referenten haben das Werk zu prüfen und das Resultat ihrer Prüfung innerhalb vier Wochen direkt an den Generalpräses brieflich einzusenden. Stimmen die Referenten und der Generalpräses überein, das Werk sei nicht aufzunehmen, so gibt es dagegen keine Appellation. Wenn ein Referent für, der andere gegen die Aufnahme ist, so liegt die Entscheidung beim Generalpräses; das ablehnende Referat muß jedoch abgedruckt werden. Wenn die vom Generalpräses bestimmten Referenten einstimmig ein Werk ablehnen, so sollen diese ablehnenden Referate weder im Katalog noch im Cäcilienvereinsorgan veröffentlicht werden; dem Autor oder Verleger jedoch wird auf ausdrücklichen Wunsch Abschrift der betreffenden Referate zugesendet.

**§ 7.** Ist das Werk geprüft, so übergibt der Generalpräses die Referate nach der Reihenfolge des Einlaufs zum Drucke für den Cäcilienvereins-Katalog. Die Aufnahme begreift nicht eine direkte Belobung in sich, sondern drückt an sich nur aus, daß das Werk der Aufführung nicht unwürdig sei.

**§ 8.** Bei jedem aufgenommenen Werke wird angegeben, ob dasselbe für tüchtige, mittlere oder schwache Chöre passe. Auch sonstige praktische Notizen können die Referenten z. B. über den Vortrag, die Tempi, die Feste, für welche der Text paßt etc., nach Belieben beifügen.

**§ 9.** Erscheint ein schon aufgenommenes Werk in zweiter etc. Auflage, so hat der Generalpräses allein das Recht, auch diese aufzunehmen, wenn sie gar keine oder bloß unwesentliche Änderungen aufweist. Ist jedoch das Werk wesentlich umgestaltet, so hat es sich der vollständigen Neuprüfung zu unterziehen. Die Entscheidung, ob dies der Fall sei, steht dem Generalpräses allein zu.

**§ 10.** Alle Referenten sind auf Lebenszeit gewählt und können nur durch eine Generalversammlung aus triftigen Gründen dieses Vertrauensamtes enthoben werden. Dem einzelnen der H. H. Referenten steht es frei, den Austritt aus dem Referentenkollegium mindestens sechs Wochen vor der Generalversammlung beim Generalpräses anzumelden. Wird der Generalpräses als solcher nach Ablauf von fünf Jahren nicht wiedergewählt, so bleibt er ohne Neuwahl als Referent im Kollegium. Der neugewählte Generalpräses des Vereins wird als solcher sofort auch Präsident des Referentenkollegiums, so daß also in dem erwähnten Falle eine Vermehrung der Referenten eintritt.

**§ 11.** Die bei der 7. Generalversammlung in Biberach 1877 gefaßten Beschlüsse „Über das Chroma in der Kirchenmusik“ haben nach den schriftlichen Gutachten der Herren Referenten und infolge der Beschlüsse des Gesamtvorstandes am 19. August 1901 bei der 16. Generalversammlung in Regensburg nachfolgende Fassung erhalten:

a) Ebensowenig wie die alten Meister können die Komponisten der Neuzeit in der polyphonen Kirchenmusik das Chroma entbehren. Ja die ganze musikalische Bildung unserer Zeit bedingt eine reichere Verwendung desselben in der Kirchenmusik, und kann eine solche in derselben zur Geltung kommen, ohne die Zwecke der Kirchenmusik und ihre Bestimmung zu gefährden.

b) Die Diatonik wird in der Kirchenmusik die Grundlage bilden und in jeder Komposition die Herrschaft über die Anwendung der Chromatik behaupten müssen.

c) Durch die Anwendung des Chroma werden Ausweichungen in zunächstliegende Tonarten (im Sinn der neuen Musik aufgefaßt) den Harmoniereichtum erhöhen, reicheres Leben und Wechsel zugunsten der Kirchenmusik entfalten; Ausweichungen in entferntliegende Tonarten werden für einzelne Fälle von guter Wirkung sein, ohne den der Kirchenmusik eignenden Charakter der Ruhe und Würde zu gefährden. Doch scheinen solche immerhin die Ausnahme bilden zu sollen.

d) Eine die Melodienbildung wesentlich beeinflussende Chromatik scheint gefährlich und unstatthaft, indem so für den Ausbau des Themas selbst die Diatonik als Grundlage der Komposition aufgegeben ist.

10*

e) Enharmonische Verwechslungen scheinen, wenn sie vereinzelt auftreten, nicht an und für sich den kirchlichen Charakter einer Komposition zu gefährden, doch sprechen auch folgende Gründe gegen die Anwendung derselben in der Kirchenmusik, besonders im unbegleiteten Vokalgesang. 1) Die enharmonische Verwechslung widerstrebt in sich der Reinheit der Harmonie, denn dieselbe beruht auf der durch die Temperatur erzeugten Unreinheit der Akkorde. 2) Dieser Wechsel der Akkorde ist schwer aufzufassen für die Sänger; ebenso schwer ist das Verständnis solchen Harmoniewechsels für den weitaus größten Teil der Zuhörer.

f) Wenn die Chromatik schon der Musik im allgemeinen den Charakter der Unruhe und des Leidenschaftlichen aufzudrücken geeignet ist, so wird ein gewisses Übermaß derselben Bestimmung und Zweck der Kirchenmusik vereiteln. Wann diese Gefährdung eintritt, wird mit Rücksicht auf die Herstellung des Vereinskatalogs in jedem einzelnen Falle der Entscheidung der Referenten unterliegen.

g) Wenn ein Komponist nur in einzelnen Stellen seiner Komposition mit Anwendung der Chromatik und Enharmonie zu weit oder weiter gegangen ist, als es dem Referenten gut scheint, so ist auch hier das *tolerari potest* an der Stelle. Man kann für solche Fälle den Referenten die Verweigerung der Aufnahme nicht zur Pflicht machen, auf der andern Seite sie aber auch nicht tadeln, wenn sie in dieser Beziehung eine gewisse Strenge üben. Wenn es ratsam ist, das *„tolerari potest“* durch die Aufnahme in den Vereins-Katalog auszusprechen, so erscheint es ebenso geraten, den Tadel über solche vereinzelte Stellen, wo der Subjektivismus des Komponisten zu sehr in den Vordergrund tritt, offen in dem für den Katalog bestimmten Referate auszusprechen.

**§ 12.** Diese Geschäftsordnung tritt in Kraft, nachdem sie durch Beschluß der Majorität des Gesamtvorstandes und der Referenten bestätigt und im Cäcilienvereinsorgan vom 15. Januar 1905 veröffentlicht worden ist.“

Dr. F. X. Haberl, z. Z. Generalpräses.

---

## Die Frauenfrage in der Kirchenmusik.

Das in St. Louis, Mo. erscheinende „Pastoralblatt“ druckt in seiner Nr. 7 (1908) aus den römischen *„Ephemerides liturgicae“* von März 1908 ein Gutachten über die Erlaubtheit des Frauengesanges in der Kirche unverändert ab. Das Gutachten ist von C. Mancini, Präsidenten der liturgischen Kommission, unterzeichnet. Diese Kommission pflegt von der Ritenkongregation vor Erlaß ihrer Dekrete zu Rate gezogen zu werden; der Verfasser des Schriftstücks steht demnach in enger Fühlung mit den Autoritäten in liturgischen Dingen und sein Gutachten entbehrt also, auch abgesehen vom objektiven Wert seiner Beweisführung, nicht eines gewissen Gewichtes.[1])

In seinen einleitenden Worten spricht das „Pastoralblatt“ die Überzeugung aus, daß seine Leser alle mit großem Interesse und viele zu ihrem Troste von dem Mitgeteilten Kenntnis nehmen werden. Die Frage der Statthaftigkeit des Frauengesanges im Kirchenchore ist in der Tat für die Praxis der Kirchenmusik, besonders in manchen Ländern, von großer Wichtigkeit. Haben doch gewiegte Kenner der Situation die Befürchtung ausgesprochen, daß durch eine absolute, wahrscheinlich noch auf Mißverständnis beruhende Durchführung der diesbezüglichen Disziplin das Gegenteil von dem Angestrebten bewirkt werde, die gesamte künstlerische Kirchenmusikübung in Zerfall gerate, und die blühenden Vereine, von denen der Heilige Vater spricht, vom Schauplatz verschwinden, um einer dem Buchstaben nach vielleicht korrekteren, der Wirkung nach aber leistungsunfähigeren Institution Platz zu machen. Es hieße dies „eine bereits durchgeführte Reform wieder durch eine andere totschlagen“.

Das Gutachten der *„Ephemerides liturgicae“* löst nun die Schwierigkeit in kunstfreundlichem Sinne und verdient weiteren Kreisen mitgeteilt zu werden. Ich werde also das in lateinischer Sprache verfaßte Schriftstück in möglichst genauer Übersetzung ganz wiedergeben, Stellen aber,

[1]) Obiges sehe ich bestätigt durch die Märznummer der *Ephemerides* selbst, die mir nun nachträglich zukommt. Sie bringt Mancinis Gutachten als Kommentar zu dem Dekret nach Los Angeles vom 17. Januar 1908 (siehe unter Nr. 28) und leitet es mit folgenden Worten ein: „Es freut uns, den Lesern Mancinis Gutachten vorzulegen, das er als Vorsitzender der Liturgischen Kommission bei der Ritenkongregation amtshalber ausgearbeitet hat und welches die Antwort dieser Kongregation bestimmt hat.“ Die Ritenkongregation selbst erwähnt demnach im betreffenden Dekret, daß sie dasselbe erlasse, nachdem sie das Votum sowohl der Liturgischen Kommission als derjenigen *de Musica et cantu sacro* eingeholt habe.

bei denen eine Erklärung und Illustrierung erwünscht oder angebracht erscheinen, mit eigenen oder aus fremden Quellen geschöpften Bemerkungen versehen. Die „*Ephemerides*" schreiben:

„1. Manche halten dafür, daß das *Motu proprio* den Frauen das Singen in der Kirche verbietet. Sie stützen sich auf die folgende Stelle des genannten Aktenstückes Pius' X.: „Die Sänger in der Kirche bekleiden ein wirklich liturgisches Amt; daraus folgt, daß die Frauen als untauglich zu einem solchen Amte zur Chorteilnahme oder zum Musikchore nicht zugelassen werden können."

2. Dem steht aber entgegen, daß falls die Frauen im allgemeinen und unbedingt zum Sängeramte in den Kirchen untauglich wären, sie in den ältesten christlichen Zeiten unrecht gehandelt hätten, indem sie damals zugleich mit dem übrigen Volke im Gotteshaus das kirchliche Offizium beteten und sangen."

In der Tat sagt z. B. der hl. Ambrosius: „Auch die Frauen singen ihren Psalm gut; er ist ja für jedes Alter süß und paßt für jedes Geschlecht . . . Es ist ein wirksames Band der Einheit, wenn das ganze zahlreiche Volk in einem Chor die Stimmen erhebt." Er vergleicht das Gotteshaus, in welchem der Gesang der Männer, Frauen, Jungfrauen und Kinder bei den Responsorien der Psalmen in kräftigem, wogendem Klange widerhallt, mit dem Meere.[1] Ja der kirchliche Frauengesang läßt sich bis ins erste Jahrhundert hinein verfolgen; Philo Judaeus erwähnt ihn ausdrücklich in seiner „*Vita contemplativa*" bei der Beschreibung des Gottesdienstes der Therapeuten, welche den Berichten des Eusebius, des hl. Hieronymus und fast aller Kirchengeschichtsschreiber zufolge nichts anderes als die ersten christlichen Jünger des hl. Markus in Alexandrien sind." Alle erheben sich, so erzählt er; es werden zwei Chöre gebildet, der Chor der Männer und derjenige der Frauen. Jeder Chor hat seinen Leiter, ausgezeichnet sowohl durch persönliche Würde als durch musikalisches Können; es werden dann zum Lobe Gottes rhythmisch und melodisch sehr abwechslungsreiche Hymnen vorgetragen, indem bald ein Chor allein singt, bald beide Chöre sich gegenseitig antworten . . . Schließlich vereinigen sie sich zu einem einzigen Chore . . . Die tiefen Stimmen der Männer verbinden sich mit den hohen Stimmen der Frauen, und aus diesem Zusammenklang verschiedener Stimmen ergibt sich eine sehr liebliche und wirklich musikalische Harmonie." — Aber kehren wir zum Text der *Ephemerides* zurück:

„3. Zudem würde sich das *Motu proprio* widersprechen; wünscht es ja, daß der gregorianische Gesang wieder beim Volke eingeführt werde, damit die Gläubigen von neuem einen tätigeren Anteil am Gottesdienste nehmen, wie dieses früher der Fall war. Zweifellos aber gehören auch die Frauen zum Volke.

4. Endlich wäre sonst die Gepflogenheit aller christlichen Völker zu verurteilen, welche zu allen Zeiten das Lob Gottes in den Gotteshäusern gesungen haben: unter den Gläubigen nahm aber stets und nimmt jetzt noch das weibliche Geschlecht den regsten Anteil daran.

5. Also ist es einfach falsch, daß der Heilige Vater Pius X. in seinem *Motu proprio* die Frauen vom Kirchengesang ausschließen wollte; er wünscht vielmehr angelegentlich, daß sowohl die Frauen als die Männer, welche ja zusammen das Volk ausmachen, diesen Gesang erlernen und in der Kirche ausführen."

Was hier die *Ephemerides* aus einer Stelle des *Motu proprio* folgern, das hat Pius X. selbst mehrmals ausdrücklich erklärt, so z. B. in einer einige Monate nach dem Erscheinen des *Motu proprio* dem Dr. P. Wagner gewährten Audienz. Letzterer schrieb damals in der „Ostschweiz": „Es war mir genügend, aus dem Munde des obersten Gesetzgebers der Kirche den Paragraph V des *Motu proprio* über Kirchenmusik vom 22. Nov. 1903 dahin interpretiert zu hören, daß von der gemeinsamen Ausführung der liturgischen Gesänge, von welchem in diesem Paragraphen die Rede ist, durchaus nicht die Frauen und Jungfrauen ausgeschlossen sein sollen." Dasselbe hat nun auch die Ritenkongregation offiziell und in klaren Worten in einem am 17. Januar 1908 erlassenen Dekrete ausgesprochen. Bei Besprechung der Nr. 28 des Gutachtens der *Ephemerides* werde ich die betreffende Stelle des Dekrets anführen.

Aus der Erlaubtheit der Beteiligung der Frauen am Gemeindegesang im Kirchenschiff folgt logisch, daß überhaupt ihre Teilnahme am Laienchor im Laienraume des Gotteshauses, also auch auf der Orgelempore, statthaft ist; der dort aufgestellte Laienchor ist ja am natürlichsten als ein ausgewählter Gemeindechor aufzufassen. Diese Schlußfolgerung wurde schon oft und von den verschiedensten Seiten gemacht, und, wie selbst die frauenfeindliche Zeitschrift „*Church Music*" (Jahrg. III, n. 5, S. 239) gestehen muß, „vom Standpunkt der Logik aus, ist das Argument schwer zu widerlegen; denn wenn die Frauen überhaupt mit der Gemeinde singen dürfen, was sollte es ihnen dann unerlaubt machen, mit demjenigen Teile der Gemeinde zu singen, der auf der Orgelempore oberhalb des Kircheneingangs Platz nimmt."

Der Widerspruch zwischen der zulässigen und doch wieder nicht zulässig sein sollenden Beteiligung derselben Ausführenden an einem in beiden Fällen liturgisch nicht belangreichen Orte fällt bei unserer Ansicht weg. Und ist es denn nicht Regel bei Auslegung eines Gesetzes, letzteres, wenn möglich, so zu erklären, daß dem Gesetzgeber kein Widerspruch zur Last gelegt wird?

Ich habe aber hiermit den Ausführungen der *Ephemerides* einigermaßen vorgegriffen. Die ersten fünf Abschnitte derselben hatten sich zunächst auf den Gemeindegesang bezogen; von Nr. 6 an wird der eigentliche Musikchor ins Auge gefaßt:

[1]) Vergl. Analekten in der Innsbrucker „Zeitschrift für kathol. Theologie", IV. Quartalheft, 1906.

„6. Andere halten dafür, daß das *Motu proprio* die Frauen vom Musikchor ausschließe: es sagt nämlich, dieselben können zur Chorteilnahme oder zum Musikchore nicht zugelassen werden, da sie zum liturgischen Dienste nicht befähigt sind.

7. Man beachte jedoch zuerst den Grund, auf dem diese Bestimmung fußt. Dieser Grund ist folgender: „Mit Ausnahme der Melodien, welche für den Zelebranten am Altare und für die Altardiener bestimmt sind . . . gehört der ganze übrige liturgische Gesang dem Chor der Leviten, deren Stelle die Kirchensänger eigentlich einnehmen." Hieraus schließt man mit dem *Motu proprio*: Da die Frauen den Leviten nicht beigezählt werden können, so dürfen sie weder am (Kleriker)chor noch am Musikchor teilnehmen.

8. Was bedeuten aber die Worte „weder am (Kleriker)chor noch am Musikchor teilnehmen", so lautet ja der Text des *Motu proprio: ad chori partem agendam aut in musicum chorum admitti non posse (mulieres)?* Das ist der Kern der Frage, welche viele und besonders die Diözesanbischöfe beunruhigt.

9. Bedeuten sie, daß die Frauen ihre Stimmen nicht mit den Leviten vereinigen dürfen, die z. B. im Chore die Vesper singen, oder daß es den Frauen nicht gestattet sei, abwechselnd mit dem Klerikerchor die Psalmen zu singen? Bedeuten sie, daß die Frauen, selbst wenn sie das Volk ausmachen, z. B. im Hochamt nicht die Worte des respondierenden Levitenchores singen dürfen, wie *Amen, Et cum spiritu tuo*, oder auch abwechselnd oder zusammen das *Kyrie, Gloria, Credo, Sanctus, Agnus?* Das ist kaum anzunehmen."

Die *Ephemerides* nennen hier nebst den Responsorien nur die stehenden Meßgesänge: *Kyrie, Gloria* etc. Soll das vielleicht eine Bestätigung der in Amerika und England vielfach ausgesprochenen Ansicht sein, daß die Frauen sich wohl an diesen Gesängen beteiligen dürfen, weil diese früher auch vom ganzen Volke gesungen wurden, nicht aber an den sogen. Wechselgesängen (Introitus, Offertorium etc.) als den angeblich heiligeren und liturgischeren Gesangsteilen? Die Wechselgesänge wurden aber von einem ausgewählten Sängerchor ausgeführt, nicht wegen eines ihnen etwa in höherem Grade zukommenden liturgischen Charakters, sondern weil sie eben bei den Tages- und Festmessen in Text und Melodie wechseln und daher zur Ausführung seitens des in liturgischen Dingen nicht bewanderten Volkes ungeeignet sind. Indem sie aber so einem Spezialchor vorbehalten blieben, durften sie in viel schwererem Stile komponiert werden, als die übrigen Meßteile; und dieser Umstand war dann wiederum ein Grund, warum es als unpraktisch befunden wurde, sie von der gesamten Gemeinde singen zu lassen. — Das *Motu proprio* (§ V n. 12) macht keinen Unterschied zwischen den einzelnen nicht dem Altargesang gehörenden liturgischen Melodien; und die *Ephemerides* erwähnen später (Nr. 15), daß tatsächlich „alle vom Klerus (Klerikerchor) zu singenden Meßteile, „*omnes Missae partes a clero modulandas*", durch Frauen erlaubterweise ausgeführt werden.

In Nr. 10 fahren dieselben fort:

„Wir können uns zwar irren; aber was für einen Sinn hat denn in dieser Voraussetzung das *Motu proprio*, wenn es den christlichen Geist fördern will durch des Volkes „tätige Teilnahme an den heiligen Geheimnissen und den feierlichen Kirchengebeten"? Wie sollen denn die Gläubigen es anstellen, um an dem Lobe Gottes und der Feier der Geheimnisse tätigen Anteil zu nehmen? Also kann das *Motu proprio* das Obige nicht besagen wollen.

11. Ja, aus früher angegebenem Grunde darf laut dem *Motu proprio* das Volk, das aus Gläubigen beiderlei Geschlechts besteht, zweifellos die genannten Gesänge ausführen. Verrichtet nun der Klerus im Chore das liturgische Amt der Leviten und bildet der Klerus selbst den Musikchor, wird da nicht das Volk, und folgerichtig auch die Frauen, indem sie zusammen oder abwechselnd (mit den Klerikern) singen, des liturgischen Amtes teilhaft? Und nichtsdestoweniger lehrt das *Motu proprio*, die Frauen seien zu liturgischem Amte untauglich. Es kann also dem *Motu proprio* nicht dieser Sinn zugeschrieben werden." Das *Motu proprio* kann also an dieser Stelle den Ausdruck „liturgisches Amt" nicht in einem mehr allgemeinen, mit weiblicher Teilnahme, wie wir sahen, verträglichen Sinne gebrauchen, sondern in einer spezielleren, engeren Bedeutung.

„12. In welchem Sinne also wird das Amt der Sänger liturgisch genannt, so daß die Frauen als zu demselben nicht befähigt zu gelten haben? Der Dienst der Sänger ist ein liturgischer (im Sinne des *Motu proprio*), insofern er im Chore d. h. im geheiligteren Orte (Sanktuarium) der Kirche von Leviten verrichtet wird: die Frauen aber dürfen weder im Chorraum sein noch mit den Leviten Gemeinschaft haben. Deshalb erklärt das *Motu proprio* mit Recht, daß „die Frauen, als zu einem solchen Amte nicht befähigt, zur Chorteilnahme oder zum Musikchore nicht zuzulassen sind."

Kanisius-Kolleg, Buffalo N. Y. Ludwig Bonvin, S. J.

(Schluß folgt in Nr. 11.)

## Laudate Dominum in Sanctis eius!

(Allerheiligenfest.)

I. Die Feste der Heiligen waren in den ersten christlichen Jahrhunderten vorherrschend Martyrerfeste, die sich auf den Ort oder jene Diözese beschränkten, wo die Blutzeugen gelitten und ihre Grabstätte gefunden hatten. Im vierten Jahrhundert nahmen einzelne Diözesen des Orients auch Feste der benachbarten Diözesen in ihre Liturgie auf, zu deren Feier nicht nur Leiber der Martyrer an die betreffenden Hauptkirchen übertragen, sondern auch einzelne Teile derselben an verschiedene Orte gegeben wurden. Daher stammen die Feste der Übertragung *(translatio)* eines heiligen Leibes oder seiner Reliquien. So zog die Verehrung der Heiligen in der christlichen Kirche immer weitere Kreise und bewahrheitete die Lehre, ein jeder Heilige sei Fürsprecher für die über den Erdkreis verbreitete Kirche und darum von der ganzen Kirche zu verehren. Schon frühe kam deshalb im Oriente ein Fest aller Heiligen in Übung, wie uns zwei Predigten Ephrem des Syrers und des hl. Johannes Chrysostomus beweisen. Im Abendlande wurde ein solches Fest erst unter Papst Bonifatius IV. (608—615) eingeführt. Aus dessen Munde tönte das Zeichen hinab in die geheiligten Grüfte der Katakomben, daß die Martyrer nun endgültig aus der Verborgenheit ihrer unterirdischen Begräbnisstätten hervorgehen und emporsteigen sollten ans Licht der Sonne, um jene Stadt zu heiligen, in der sie ihren Kampf siegreich vollendet hatten, um jene Plätze einzunehmen, von denen die falschen Gottheiten verdrängt waren, öffentlich Zeugnis abzulegen von der Siegeskraft der Lehre und des Kreuzes Christi. Bonifazius weihte den noch jetzt unter dem Namen Pantheon bekannten Rundtempel, der von Markus Agrippa i. J. 27 v. Chr. als Heidentempel in Rom erbaut worden war, zu einer christlichen Kirche unter dem Titel *S. Maria ad Martyres*, damit, wo ehemals eine Kultstätte nicht der Götter, sondern aller Dämonen war, von nun an das Gedächtnis aller Heiligen begangen werde. Vor der Weihe, die am 13. Mai 609 stattfand, ließ der Papst eine große Menge Reliquien aus den Katakomben in das Pantheon bringen; es sollen dazu 28 Wagen gedient haben, die aufs prachtvollste ausgestattet waren. So hielten die hl. Martyrer, die ehemals als Verräter durch die Straßen Roms zu schmachvollem Tode geführt wurden, ihren endlichen Triumph durch die nun heilige Stadt, das neue Sion. Der Tag der Einweihung des Pantheons ist der eigentliche Ursprung unseres heutigen Festes. Die alljährliche Wiederkehr des Tages ließ die Kirche bald erkennen, daß bei der stets wachsenden Zahl ihrer Heiligen eine eigene Festfeier für jeden einzelnen derselben zur Unmöglichkeit werde, weshalb sie diesen Tag als Gedächtnistag aller Heiligen, nicht nur der Martyrer, beging; er wurde aber mehr als ein Jahrhundert nur in Rom gefeiert. Erst von Gregor III. (731—741) an, der eine Kapelle in der Peterskirche ebenfalls zu Ehren Mariens, der Apostel und Martyrer, aber auch aller Bekenner und vollkommenen Gerechten einweihte (732) und den Gedächtnistag hiefür auf den 1. November festsetzte, begegnen wir diesem Feste in anderen Ländern, aber nur vereinzelt, bis Ludwig der Fromme unter Zustimmung aller Bischöfe seines Reiches diese Feier zum „heiligen Gesetz" für sein ganzes Reich erhob, das die Kirche dann auch zu dem ihrigen machte.

II. Es ist der Beruf der heil. Kirche, die ihr als Mutter anvertrauten Kinder der geistigen Vollendung entgegenzuführen, sie für das vom Gottessohn versprochene Erbe fähig zu machen. Und in der Tat hat sie Millionen ihrer Kinder, die ihrer Führung gefolgt waren, glücklich an dies Ziel geleitet und nun freut sie sich als liebende Mutter über das unvergleichliche Glück ihrer Kinder. Aber nicht die Mutter allein erfüllt Freude. Sie will, daß auch jene ihrer Kinder, die ihrer Leitung auf Erden unterstehen, einstimmen in ihren Freudengesang zu Ehren der im Himmel triumphierenden Kinder. Wie sich ein gutes Kind freut, wenn ein Glied seiner Familie mit Ehren überschüttet wird, so soll ein jedes Kind der in Christus vereinigten Gottesfamilie auch Anteil nehmen an der Freude und den Ehren, die seine im Tode ihm vorausgegangenen Brüder und Schwestern als Heilige am Throne Gottes genießen. Zu dieser gemeinsamen Freude lädt die Kirche alle ihre Kinder durch die Antiphon zum Introitus ein: *„Gaudeamus omnes in Domino: diem festum celebrantes sub honore Sanctorum omnium: de quorum solemnitate gaudent Angeli et collaudant Filium Dei."* „Freuen wir uns alle im Herrn, da wir das Fest begehen zu Ehren aller Heiligen, über deren Feier sich die Engel freuen und Gottes Sohn loben." Diese Antiphon ist nicht der Hl. Schrift entnommen, sondern von der Kirche selbst verfaßt. Mit uns Menschen auf Erden freuen sich die Engel, die die Lücken ihrer Chöre sich wieder füllen sehen durch die von Jahr zu Jahr wachsende Zahl der Auserwählten; sie freuen sich, weil Gottes Barmherzigkeit und des Sohnes Gottes Leiden, der Erdenkinder Mitwirken mit Gottes Gnade so herrliche und zahlreiche Früchte zeitigen am Baume des Lebens; sie freuen sich, weil so viele ihrer Schützlinge gelandet sind nach stürmischer Meeresfahrt im Hafen der ewigen Ruhe. Aber all diese Freude hat ihren Brennpunkt im Herzen des Gottessohnes, der den Heiligen die Gnade der Auserwählung verliehen hat; und deshalb: *Angeli collaudant Filium Dei.* So vereinigen sich heute Erde und Himmel in dem Jubel über die Glorie der Auserwählten zur Verherrlichung Gottes. Wenn wir Staubgeborene aber unsere Brüder in ihrem Lichtglanze schauen, kommt uns das Verlangen nach einstiger Vereinigung mit ihnen; zu dieser ist uns Gottes Güte und Barmherzigkeit nötig, die wir frohgemut erhoffen dürfen beim Anblick so vieler Fürsprecher, deren gemeinsame Bitten Gottes Vaterherz uns gnädig machen; deshalb beten wir in der Festoration: „Gib uns bei dieser übergroßen Zahl von Fürbitten die ersehnte Fülle deiner Erbarmung." Und welche Stelle der Hl. Schrift könnte uns eine umfassendere Schilderung der Barmherzigkeit des Herrn und eine klarere Vorstellung von der Menge der Heiligen geben als jenes wunderbare Gesicht des hl. Johannes in der Apokalypse, das ihn die mit dem Zeichen des lebendigen Gottes geschmückten hundertvierundvierzig Tausend des Volkes Israel und jene unzählbare Schar aus allen Nationen und Stämmen und Völkern und Sprachen schauen ließ, die vor dem Throne und dem Lamme standen mit Palmen in den Händen und mit starker Stimme riefen: „Heil unserm Gott, der auf dem Throne sitzt, und dem Lamme!" (Epistel). Nur jene, die das heilige Zeichen an der Stirne tragen, werden vor Gott bestehen; wem dieses fehlt, wird dem Zeichen des Tieres nicht entgehen und zu den Schlacken geworfen werden zu ewigem Brande. Lassen wir also das Bild des eingebornen Sohnes Gottes unseren Seelen aufprägen und leben wir stets in der im Graduale anempfohlenen kindlichen Furcht, die vor dem Mißfallen dessen bangt, von dem alle Wohltaten, alle Liebe kommt: „Fürchtet den Herrn, ihr alle seine Heiligen; denn nichts mangelt denen, die ihn fürchten. Denen, die den Herrn suchen, wird kein Gut abgehen." Wie uns dies die Heiligen vom Himmel aus zurufen, so lädt uns auch der König, die Krone aller Heiligen ein, ihm zu folgen, ihm zu dienen, damit er uns seinen Auserwählten beizählen kann: „Kommet zu mir alle, die ihr mühselig seid und beladen, und ich werde euch erquicken." Bei ihm sollen wir in die Schule gehen, um zu lernen jenen Schmuck uns anzueignen, in welchem sein göttlich Herz erstrahlt, jene Tugenden, deren beharrliche Nachahmung uns die Seligkeit verdient; sie werden uns im heutigen Evangelium, in dem sich die Güte und Menschenfreundlichkeit unseres Meisters so anmutig offenbart, anempfohlen, und wer sie alle sein Eigen nennen kann, der darf sich wahrhaftig freuen und frohlocken, da sein Lohn einst groß wird im Himmelreich. Innig schließt sich die Antiphon zum Offertorium ans Evangelium an. Wer Verfolgung leidet um der Gerechtigkeit, der Wahrheit willen, wer geschmäht und verleumdet wird um Jesu willen, dessen Seele ist in Gottes Hand — *Justorum animae in manu Dei sunt* — und keine Qual der Bosheit der Menschen wird sie berühren, ihr schaden; und wenn sie bei aller Verfolgung und Bedrückung in den Augen der Toren, ihrer Feinde auch zugrunde zu gehen scheint — *visi sunt oculis insipientium mori* — so ruht sie doch in Gottes heiligem Frieden — *illi autem sunt in pace* — der durch äußere widrige Einflüsse nicht erschüttert, sondern vervollkommnet wird. Wer Herzensreinheit besitzt, der hat auch den Herzensfrieden, der durch Drangsale nicht gestört wird, und Reinheit und Friede finden ihre Nahrung und Bewahrung im Brote des Lebens, das dem Herzen Stärke gibt zur gottergebenen Ausdauer und Geduld in Unbild und Trübsal. So wurden uns ganz zweckentsprechend die drei letzten der acht Seligkeiten als Antiphon zur Communio nochmals ins Gedächtnis gerufen: Reinheit, Friedfertigkeit und Geduld, gleichsam auch als Echo des Evangeliums, in dem wir die Grundlage unserer Heiligung und seligen Vollendung kennen lernten. Und in der Postcommunio flehen wir zum Herrn um die Gnade, daß alle Gläubigen in der Verehrung aller Heiligen, d. h. vor allem in der Nachahmung ihrer Tugenden ihre Freude finden und hierin von den Heiligen selbst durch ihre stete Fürbitte bei Gott befestigt, beschirmt werden möchten. Lassen wir uns in allem Tun und Wollen durch das Beispiel unserer verklärten Brüder zum Guten bestimmen, dann hat es für uns keine Not, wenn wir aus diesem Schmerzenslande hinübergehen in die Ewigkeit: dort werden auch unsere Seelen in Gottes Hand sein und in heiligem Frieden am Herzen Gottes ruhen. P. A. W.

## Vereins-Chronik.

I. ‖ Bericht über den Stand und die Tätigkeit des Diözesan-Cäcilienvereines **Freiburg i. B.** für 1907. Erstattet von J. Schulz im Auftrage des Hochwürd. Herrn Diözesanpräses Domkapitular Brettle. Wenn seit einigen Jahren aus unserer Erzdiözese keine Kundgebung über den Stand und die Tätigkeit des Cäcilienvereins erfolgte, so hat dieses seinen Grund darin, daß die üblichen Jahresberichte der Präsides fast gänzlich ausgeblieben sind. Die Herren scheinen der Meinung zu sein, es genüge ab und zu das nächstgelegene Lokalblatt zu bedienen; sie bedenken nicht, daß der Diözesanpräses verpflichtet ist, die Kirchenbehörde jedes Jahr einmal über die kirchenmusikalischen Lebensäußerungen zu informieren.

Doch, wenn auch alle Vereinsvorstände regelmäßig ihre Jahresberichte einsenden würden, so bekäme man trotzdem kein richtiges und vollkommenes Bild von dem Stande der Kirchenmusik in der ganzen Erzdiözese. Es existieren nämlich eine große Anzahl Kirchenchöre, welche korrekt liturgisch singen, aber keinen Pfarrverein bilden, auch weder mit einem Bezirksverein, noch mit dem Diözesanvereine in Verbindung stehen. Und doch ist es interessant und lehrreich, nicht bloß das Leben und Wirken der eigentlichen Pfarrvereine, sondern auch die Tätigkeit der übrigen Kirchenchöre zu kennen. In dem nachstehenden Berichte soll deshalb in allgemeinen Umrissen ein Bild von der gesamten Tätigkeit unserer Kirchenchöre gegeben werden.

Erhalten die Diözesanvorstände verhältnismäßig nur wenig offizielle Berichte, so haben dieselben dennoch vielfache Gelegenheit, sich sowohl über die Tätigkeit der Pfarrvereine, als auch über das Wirken der übrigen Kirchenchöre zu orientieren, und es darf die Überzeugung ausgesprochen werden, daß in allen Teilen der Erzdiözese zwar geräuschlos, aber stetig gearbeitet wird, und daß die Reform der Kirchenmusik, unter Beachtung des *Motu proprio*, von Jahr zu Jahr weitere Kreise ihrer Wirksamkeit zieht.

War die Berichterstattung seitens der Vereinsvorstände vom Beginn des neuen Jahrhunderts an äußerst spärlich, so trat im Laufe des Jahres 1907 eine Besserung ein. Beiläufig 40 Vereinsnachrichten gelangten anher. Einzelne derselben sollen hier auszüglich Platz finden:

Aus Baden-Baden schreibt der Hochwürd. Vereinspräses unter anderem: „Mit großer Genugtuung darf der hiesige katholische Pfarr-Cäcilienverein auf sein letztes Vereinsjahr zurückschauen. Derselbe war aufs eifrigste bemüht, nach den im *Motu proprio* dargelegten Grundsätzen die Kirchenmusik zu pflegen . . . Seine Leistungen und Erfolge fanden wärmste Anerkennung von kompetentester Seite . . . Am 25. November erfreute der Kirchenchor seine passiven Mitglieder mit ausgezeichneten Darbietungen. Bei dem levitierten Hochamte in der Stiftskirche kamen zum Vortrage: Introitus, Graduale, Offertorium, Communio aus dem *Graduale Romanum*; dazu die fünfstimmige Raphaelsmesse, und 1 vierstimmiges *Veni Creator* von Witt . . . Abends war in den Restaurationssälen des Konversationshauses zur Feier des St. Cäcilienfestes Konzert mit vornehmem Programm . . ."

Bingen bei Sigmaringen. Hier fand am 16. Oktober die Generalversammlung des Hohenzollerschen Cäcilienvereins statt. Beim Hochamte wurde vom Bingener Kirchenchore (30 Mitglieder) die *Missa septimi toni* von Witt zur allgemeinsten Zufriedenheit vorgetragen. Nach dem gemeinschaftlichen Mittagsmahle trat man in die Verhandlungen ein. Der Unterzeichnete, welcher im Auftrage des Hochwürd. Herrn Diözesanpräses Brettle der Festlichkeit anwohnte, übte eingehende Kritik über Gesang und Orgelspiel und fügte Belehrungen an über Stimmbildung, Atmen, Textdeklamation usw. Herr Bezirkspräses Schmidt verbreitete sich alsdann in längerer Rede über Beschaffung und Verbreitung guter Musikalien, über kirchenmusikalische Produktionen, über Instruktionskurse, über Fachschriften, über Pfarr-Cäcilienvereine. Herr Kaplan Birkle hielt einen mit großer Aufmerksamkeit und mit vielem Interesse aufgenommenen Vortrag über den Kunstwert des Chorals (abgedruckt im „Kirchensänger" 1908, Nr. 2).

In Edingen feierte man am 30. Dezember das 25jährige Jubiläum des Pfarr-Cäcilienvereins mit Hochamt, Predigt (Pater Solan) und Abendkonzert. Der Bezirkspräses, Herr Stadtpfarrer Freund, beteiligte sich am Feste.

Aus Eigeltingen wurde ein „Kleiner Überblick über den Stand und die Tätigkeit des Kirchenchores" anher gesendet. Im Gebrauch stehen daselbst: 16 liturgische Messen, teils Choral-, teils mehrstimmige Messen; 19 andere liturgische Gesänge; 31 Offertorien. Zwei neue Messen befinden sich in Vorbereitung.

In Emmendingen, woselbst der liturgische Gesang in schöner Blüte steht, wurde an Mariä Himmelfahrt „Die heilige Elisabeth, geistliches Festspiel in 7 Bildern für Soli und gemischten Chor von H. F. Müller" zur Aufführung gebracht.

In der Stadtkirche zu Ettlingen erfreut sich der liturgische Gesang einer sorgsamen Pflege. Im Januar fand die Prüfung der neuen Orgel statt; dieselbe hat 45 Register.

In der Herz Jesukirche zu Freiburg steht der liturgische Gesang in Übung. Am 21. November veranstaltete der Kirchenchor im katholischen Vereinshause ein Cäcilienfest-Konzert mit auserlesenem Programme.

Der St. Martinschor in Freiburg singt streng liturgisch und wird hinsichtlich seiner musikalischen Leistungen von keinem Chore des Landes übertroffen. Dessen genialer Chorregent, der Kgl. Musikdirektor Herr Diebold, wurde anfangs des Jahres durch ein huldvolles Schreiben des Heiligen Vaters ausgezeichnet zur Anerkennung für seine kirchenmusikalischen Verdienste.

In Möhringen feierte am 10. Februar der Kirchenchor und die ganze Gemeinde das 50jährige Musikerjubiläum des Hauptlehrers und Organisten Herrn Eduard Bickel. Durch die unermüdliche Tätigkeit Bickels zählt der Pfarr-Cäcilienverein Möhringen, wie sich der Unterzeichnete an Ort und Stelle überzeugt hat, zu den tüchtigsten Chören des Landes.

In Gütenbach, wo sich der Ortspfarrer Herr Halter, um den Pfarr-Cäcilienverein große Verdienste erworben hat, fand am 11. August ein kleines Kirchengesangsfest statt mit nachfolgendem Konzerte.

Der Kirchenchor in Bräunlingen ist tüchtig bei der Arbeit. In dem herrlichen Gotteshause daselbst war am 15. September ein kleines Kirchengesangsfest mit darauffolgendem Konzerte.

Der Pfarr-Cäcilienverein Lahr leistet Vorzügliches dank der Tüchtigkeit des Herrn Chorregenten Deutsch. Herr Stadtpfarrer Popp unterstützt dessen Bestrebungen in jeglicher Weise. Am 18. Nov. gab der Kirchenchor für seine passiven Mitglieder in der Gambrinushalle ein Konzert.

Aus Oberweier (bei Lahr) liegt ein Verzeichnis der Kirchenmusikalien vor, welche zurzeit daselbst im Gebrauche stehen. Bei allen Ämtern, auch an den Werktagen, werden Introitus, Graduale, Offertorium, Communio aus dem Pustetschen *Graduale Romanum* gesungen. An Messen gelangen abwechslungsweise zum Vortrage: 3 Choralmessen, 2 einstimmige Messen, 2 Messen für 2 gleiche Stimmen, 2 zweistimmige Messen für die vereinigten Ober- und Unterstimmen, 2 dreistimmige Messen für Frauenchor, 2 vierstimmige Messen für Männerchor, 1 dreistimmige Messe für gemischten Chor, 9 vierstimmige Messen für gemischten Chor, 1 Choral-*Requiem*, 1 zweistimmige, 1 dreistimmige, 1 vierstimmige Messe für die Abgestorbenen, im ganzen 27 Messen; dazu vier- bis achtstimmige liturgische und außerliturgische Gesänge, insgesamt aus dem Vereinskatalog; etwa 12 Präludiensammlungen; 120 Volkslieder aus dem Diözesangesangbuche *Magnificat* (aus dem Anhang wird nicht gesungen); 1 vierstimmige liturgische Vesper.

Aus Rotenfels schrieb unterm 15. August Herr Pfarrektor Dr. Wehrle: „Unser Pfarr-Cäcilienverein, dessen Leistungen die vielen Kurgäste aus Straßburg, Mainz, Frankfurt usw. lobend anerkennen, macht unter Leitung des Herrn Hauptlehrers Faller stetige Fortschritte, sowohl was kirchliche Vorschrift als musikalisch gute Nüanzierung betrifft." Der Unterzeichnete fügt diesem bei, daß Herr Dr. Wehrle, selbst Fachmusiker, kräftig mithilft, den Kirchenchor auf der Höhe zu halten.

Der Pfarr-Cäcilienverein Wyhl zählt zu den eifrigsten und tüchtigsten des Landes. Von der Fronleichnamsoktav liegt ein ausführliches Programm vor, das auch dem besten Stadtchore zur Ehre gereichen würde.

Herr Bezirkspräses Dekan Götz aus Neudenau, der für den liturgischen Gesang in seinem ganzen Dekanate sich viel abgemüht, schenkte der Diözesan-Cäcilienvereinskasse 120 ℳ.

Aus dieser Auslese von Einzelberichten ist ersichtlich, daß kirchenmusikalisches Leben im Lande ist; und aus eigener Wahrnehmung sei noch beigefügt, daß von unseren etwa 1000 Kirchenchören nur wenige sein werden, welche der Reform ganz ferne stehen. Die allerwenigsten Chöre lassen etwas in die Öffentlichkeit gelangen. Um nur ein Beispiel zu erwähnen: Im Landkapitel Lahr singen alle 44 Kirchenchöre liturgisch, aber nur zwei haben einen Bericht eingesendet. Ähnlich fast ist es durch das ganze Land; man tut seine Pflicht, aber man redet und schreibt nicht davon.

Diese Bemerkung gilt nicht nur den Kirchenchören in Stadt und Land, sondern in gleicher Weise auch den kirchlichen Anstalten und klösterlichen Instituten. Es verlohnt sich der Mühe, auch hierüber einige Worte zu sagen.

In dem Priesterseminar St. Peter wurde, wie alljährlich, so auch im abgelaufenen Jahre von Herrn Domkapitular Brettle ein achttägiger kirchenmusikalischer Kursus abgehalten; in mehrstündiger Tagesarbeit bekommen die Priesterkandidaten theoretische und praktische Unterweisungen über alles, was sie hinsichtlich der Kirchenmusik wissen und können müssen. Außerdem wurden sie während der ganzen Seminarzeit praktisch auf den liturgischen Dienst vorbereitet.

Im Theologischen Konvikt zu Freiburg befanden sich vergangenes Jahr, auf drei Kurse verteilt, 170 Alumnen, welche im liturgischen Gesange gesondert unterrichtet wurden. Herr Domkapitular Brettle besorgte den III. Kurs, der Unterzeichnete den I. und II. Kurs. Die musikalisch minder veranlagten Herren bildeten für sich eine eigene Abteilung und erhielten von dem Unterzeichneten theoretisch-praktischen Gesangunterricht. Nach kurzer Zeit konnte man die erfreuliche Wahrnehmung machen, daß unter den 170 Alumnen kein einziger stimmlos war. Aus allen drei Kursen fanden sich 16 junge Herren zusammen, welche sich als Organisten ausbildeten. Der Unterzeichnete gab ihnen die nötige Anleitung durch Unterricht im Orgel- und Harmoniumspiel und in der Harmonielehre. Wenn aus jedem Kurs jährlich auch nur 3 Organisten hervorgehen, so werden diese später im Lande draußen als Priester der Reform der Kirchenmusik nützlich sein.

Den 215 Studenten im Gymnasialkonvikt zu Freiburg erteilte der Unterzeichnete theoretisch-praktischen Gesangunterricht. In sämtlichen Gymnasialkonvikten zu Konstanz, Freiburg, Rastatt, Tauberbischofsheim steht der kirchliche Gesang in schöner Blüte.

Aus der Lenderschen Lehranstalt in Sasbach (442 Gymnasiasten) liegt das Verzeichnis der im Gebrauche stehenden liturgischen Gesänge vor, das sehr reichhaltig ist; auch die lateinische Vesper ist in das Jahresprogramm aufgenommen.

In den klösterlichen Instituten zu Konstanz, Villingen, Freiburg, Offenburg, Baden-Baden, Lichtental erfreut sich der liturgische Gesang einer sorgsamen Pflege. Die Zoffinger Klosterfrauen singen den Dominikaner Choral; die Lehrfrauen in Offenburg bedienen sich der Medicäa.

In dem badischen Teil der Erzdiözese sind die Volksschullehrer nicht mehr verpflichtet, den Chorregenten- und Organistendienst zu übernehmen. Es stellte sich deshalb die Notwendigkeit heraus, für den etwaigen Ausfall von Organisten rechtzeitig Vorsorge zu treffen. Am 23. April 1906 eröffnete der Unterzeichnete in Freiburg eine Kirchenmusikschule unter Mitwirkung des Kgl. Musikdirektors Herrn Diebold und des Domorganisten Herrn Hofner. Der erste Jahreskurs schloß am 30. April 1907 mit 6 Zöglingen. Da der Unterzeichnete durch anderweitige Verpflichtungen allzusehr in Anspruch genommen ward, überließ er die Schule Herrn Diebold, welcher alsdann den zweiten Jahreskurs am 1. September 1907 mit 7 Schülern begann. Die Zöglinge haben den Vorteil, daß sie zugleich an allen Proben und Aufführungen des St. Martinschores teilnehmen müssen und so unter der zielbewußten Oberleitung des Herrn Diebold praktisch in das Chorregenten- und Organistenamt eingeführt werden. Auch haben die Organistenschüler reichliche Gelegenheit, anderen musikalischen Veranstaltungen, an denen in Freiburg kein Mangel ist, beizuwohnen und dabei zu lernen.

Am 17. Oktober wurde von der Benediktinerabtei zu Beuron eine Kirchenmusikschule errichtet und sofort mit 10 Zöglingen bevölkert. Leiter der Schule ist der frühere Münsterchordirektor Herr von Werra. Demselben stehen einige Konventualen aus dem Kloster helfend zur Seite. Diese beiden Kirchenmusikschulen bieten die Gewähr für eine gediegene Heranbildung von zahlreichen Organisten und Chorregenten nicht nur für unsere eigene, sondern auch für fremde Diözesen. Haben die Schüler in Freiburg viele Gelegenheit, polyphone Musik zu hören und dadurch den Geschmack zu bilden, so darf man sich der Hoffnung hingeben, daß die in Beuron ausgebildeten Organisten durch die tägliche Anhörung der gottesdienstlichen Choralgesänge für das Lieblingskind der Kirche, für den gregorianischen Choral, begeistert werden und später ihren Chorsängern dieselbe Begeisterung vermitteln.

Den kirchenmusikalischen Nachrichtendienst besorgt der „Katholische Kirchensänger“ seit 21 Jahren. Derselbe ist das Vereinsorgan für den Diözesan-Cäcilienverein. Die Kirchenbehörde wünscht die Erhaltung und Verbreitung des Blattes und gestattet deshalb, daß dasselbe in der ganzen Erzdiözese auf Fondskosten angeschafft werde.

Noch einige Worte über die einzelnen Arten der Kirchenmusik:

Mit dem Choral, welcher vor einem halben Jahrhundert ganz außer Übung war, geht es zwar langsam, aber es geht doch. Durch die Beuroner Kirchenmusikschule im Osten unserer Erzdiözese ist ein Licht aufgegangen, welches sich, wie zu hoffen steht, nach und nach über das ganze Land ausbreiten wird. Schon pilgern zahlreiche Geistliche und Organisten, ja ganze Kirchenchöre nach Beuron, um dort Lust und Freude für die Liturgie und den Choral einzutauschen.

Die vierstimmigen Meßgesänge stehen überall in Blüte und werden auch, vornehmlich in den Städten, meist gut aufgeführt. Zugunsten des Chorales sollte der mehrstimmige Gesang allerorts recht tüchtig beschnitten werden. Es soll Pfarr-Cäcilienvereine geben, welche gar keinen Choral singen, und es gibt gut geschulte Kirchenchöre, bei welchen die männlichen Mitglieder sich brummend hinter die Orgel retirieren, so oft eine Choralmesse vorgenommen wird. — Es dürfte sich auch empfehlen, zwei und dreistimmige Messen in Gebrauch zu nehmen. Ganz besonders aber sind anzuraten zweistimmige Messen für die vereinigten Ober- und Unterstimmen mit Orgelbegleitung; diese Gesangsart wird in unserer Diözese noch zu wenig kultiviert.

Instrumentalmessen finden sich im Münster zu Freiburg vor; in andern Kirchen sind sie selten.

Liturgische Vespern werden regelmäßig gesungen im Münster zu Freiburg, im Priesterseminar zu St. Peter, im Theologischen Konvikte zu Freiburg, in den Frauenklöstern zu Konstanz, Offenburg, in der Lenderschen Lehranstalt zu Sasbach.

Das deutsche Volkslied findet im nichtliturgischen Gottesdienste ausgiebige Verwendung. Das im Jahre 1892 eingeführte neue Diözesangesangbuch *Magnificat* ist jetzt so ziemlich in allen Pfarrkirchen eingebürgert. Der Vortrag der Lieder läßt bisweilen zu wünschen übrig. In vielen Kirchen werden die Lieder „sekundiert“ und zwar so: Die Melodie ertönt bisweilen in 3 Oktaven, falls gehörige Bierbässe anwesend sind; dazu wird stets in Terzen, auch in Sexten, bisweilen auch in Quarten und Quinten „kontrapunktiert“ und zwar in 2 Oktaven; es ist wunderbar, daß die Geistlichen und Organisten solches hören können, ja oft selbst mittun.

Das Orgelspiel erfreut sich einer besseren Pflege als früher. Die Zahl jener Organisten, welche auf ihre eigene Empfindungsgabe verzichten und nach Vorlagen spielen, mehrt sich von Jahr zu Jahr. Unsere beiden Kirchenmusikschulen werden hierin für geläuterten Geschmack Sorge tragen.

Da und dort gibt es manchmal in neuerer Zeit wieder Schwierigkeiten, indem das Volk, trotz jahrelanger Übung des lateinischen Gesanges, die früheren deutschen Ämter zurückverlangt und dafür mitunter geltend macht, solche Ämter wurden ja auch in dem und jenem Kloster gehalten.

Doch ist kaum zu befürchten, daß die Reform der Kirchenmusik den Rücklauf antrete. Denn die Kirchenbehörde besteht darauf, daß der liturgische Gesang da, wo er bereits eingeführt ist, forterhalten werden muß. Auch sind immerhin Männer an der Arbeit, welche die Reform zu fördern suchen, und stets erstehen, wie oben angedeutet ward, neue Kräfte: die beiden Kirchenmusikschulen in Freiburg und Beuron, die priesterlichen Organisten, welche alljährlich aus dem Theologischen Konvikte hervorgehen; dazu das Vereinsblatt, der „Kirchensänger“. Gebe Gott, daß unsere Bemühungen von Erfolg begleitet seien.

J. Schulz, Mitglied des Diözesanvorstandes, Redakteur des „Kirchensänger“.

2. [ ] **Aus der Diözese Münster i. Westfalen.** Am letzten Sonntage (4. Oktober) fand in **Buldern** das diesjährige Bezirksfest der Cäcilienvereine des Dekanates **Coesfeld** statt. Am Morgen war feierliches Hochamt mit Predigt. Gesungen wurden vom dortigen Chore die betreffenden Choralgesänge aus der Messe des Tages: *Gaudeamus (Fest. Ss. Rosarii B. M. V.)* nach der Medicäa, ferner *Missa in hon. S. Trinitatis*, 4st. gem. Chor von Schöllgen und als Einlage nach dem Offertorium *O bone Jesu* von Fr. Schmidt.

Nachmittags 3 Uhr war Andacht mit sakramentalem Segen und Vortrag kirchlicher Tonstücke. Wegen der ungünstigen Lage der Örtchens ganz an der Grenze des Dekanates konnten sich nur die Chöre von Dülmen und Haltern beteiligen, so daß die Gesänge von den beiden genannten und dem Ortschore vorgetragen wurden. Hier ist das Programm:

I. 1. „O Königin, o milde Frau“, deutsches Kirchenlied. (Alle Chöre.) 2. *Kyrie* aus *Missa brevis* von Palestrina. (Chor von Dülmen.) 3. *Viri Galilaei*, gregorianischer Choral. (Chor von Buldern.) 4. *Gaudeamus*, gregorianischer Choral. (Chor von Haltern.) 5. *Benedicta es tu*, 4st. gem. Chor von Schmidt. (Buldern.) 6. *Tu es Petrus*, 8st. gem. Doppelchor von Schmidt. (Dülmen.) II. 7. „O Haupt voll Blut und Wunden“, 4st. gem. Chor von Schiffels. (Buldern.) 8. *Terra tremuit*, 5st. gem. Chor von Haller. (Haltern.) 9. a) Offertorium *in fest. Nativitatis B. M. V.*; b) Offertorium *in fest. Ss. Nominis B. M. V.*, gregorianischer Choral. (Dülmen.) 10. *Sanctus* und *Benedictus* aus *Missa in hon. S. Raphaelis*, 5st. gem. Chor von Witt. (Haltern.) 11. *Tantum ergo*, gregorianischer Choral. (Alle Chöre.)

Die sämtlichen Chöre wurden gut vorgetragen, und auch der Besuch der Andacht war ein reger, sodaß die geräumige neue Kirche bis auf den letzten Platz gefüllt war. Der Tag war ein Festtag für die ganze Gemeinde, was auch durch reichen Flaggenschmuck äußerlich bekundet wurde. Der Herr Diözesanpräses Domkapitular Msgr. Dr. Schmidt nahm an der Feier teil und hielt in der sich anschließenden geschlossenen Versammlung der Dirigenten und Sänger eine seiner meisterhaften Kritiken. Im allgemeinen kamen die Chöre jedoch gut davon ab, indem er denselben für ihr ernstes Streben und für die prächtigen Leistungen seine volle Anerkennung zollte.

Gegen 5 Uhr vereinigten sich die Sänger zu gemütlichem Zusammensein in dem bis zum letzten Plätzchen gefüllten Saale der Ww. Halberstadt. Unter Vortrag weltlicher Gesänge für gemischten und Männerchor, unter ernsten und heiteren Reden verfloß der Abend nur zu bald, und als die Eisenbahn die auswärtigen Chöre wieder zurückbrachte, hatte gewiß jeder Sänger das Gefühl, reiche geistige Ausbeute und neuen Eifer für die Sache der heiligen Cäcilia mit heimzutragen.

3. [ ] Programm zur Generalversammlung des Cäcilienvereines der Diözese **Trient** (d. A.) in Mais am 15. Oktober 1908. 9 Uhr: Hochamt in der Pfarrkirche: Introitus und Communio choraliter. Primizmesse für vierstimmig gemischten Chor (Op. 152) und 5 Blasinstrumente von Ign. Mitterer. Graduale: *Specie tua*, Op. 58 von Ign. Mitterer. Offertorium: *Filiae regum* aus *Musica ecclesiastica* von Fr. Moll. Nach dem Hochamt: 1. *Requiem* und *Kyrie*, 2st. mit Orgel, Op. 69 von Ign. Mitterer. 3. Graduale: *Locus iste*, 6st. von P. M. Ortwein. 3. Offertorium: *Ave Maria* aus „Zwölf Motetten“ von M. Haller. 4. Marienlied, 6st. (Erstaufführung) von J. Kirchmair. ½11 Uhr: Generalversammlung im Saale des Restaurant „Sportplatz“. 12 Uhr: Gemeinsames Mittagessen. 2 Uhr: Ausflug nach Forst.

Fr. X. Gruber, Diözesanpräses.

4. ✠ **Brixen.** (Chorregent **Franz Moll** †.) Ein alter, hochverdienter Cäcilianer wird heute (8. Oktober 1908) hier zu Grabe getragen — Herr **Franz Moll**, städt. Lehrer i. P. und Chorregent an der hiesigen Stadtpfarrei zum heil. Michael. Er war ein überaus braver Katholik, ein durch und durch solider und edler Charakter. Als Chorregent und Organist diente er mit nie müdem Pflichteifer und peinlicher Pünktlichkeit durch 40 Jahre, durch welche Zeit er auch dem Cäcilienvereine angehörte und dessen Grundsätze auf seinem Chore zur entschiedenen Geltung brachte. Er war ein Ideal eines katholischen Chorregenten. Seine Funktionen waren ihm heiliger Gottesdienst und gewissermaßen zum Seelenbedürfnisse geworden, so daß er bis ins hohe Greisenalter von denselben sich nicht zu trennen vermochte. Erst die letzte kurze Krankheit setzte seinem Wirken als Chorregent ein Ende — in seinem 79. Lebensjahre! — Franz Moll war auch als Komponist tätig. Einige wertvolle Stücke von ihm enthalten die ersten Lieferungen der von Ign. Mitterer edierten Sammlung *Musica ecclesiastica*. Auch zwei kleine *Requiem* gab er in jüngeren Jahren heraus. Vieles andere ist Manuskript geblieben. An seinem Grabe trauern vier musikalisch gebildete Söhne, von denen zwei Priester sind, einer ein renommierter Arzt, der vierte aber Lehrer geworden ist.

Mögen die Mitglieder des Allgemeinen Cäcilienvereins des edlen Verstorbenen in ihren Gebeten gedenken! I. M.

5. ✠ Der Hochwürd. Herr **Edmund Langer** starb in **Tetschen** den 21. September 1908. Geboren in Weipert im Erzgebirge 1831, ordiniert zu Prag 1856, war er Kaplan in Graslitz und Heinrichsgrün im Erzgebirge, dann Pfarrer in Neukirchen bei Eger. Als solcher war er vor 40 Jahren in Bamberg bei der konstituierenden Versammlung zur Gründung des Allgemeinen Deutschen Cäcilienvereins unter dem Vorsitze des † Dr. Witt, p. t., mit dem Hochwürd. Herrn Dechant Schmid Jos. in Plan zugegen. Mit „Witt" war er bis zu dessen Tod im freundschaftlichen Verkehr. Aus Bamberg kehrte Edmund Langer nach Hause zurück mit dem Entschlusse, nach Prag als Katechet bei den Ursulinerinnenschulen zu ziehen und dabei die Redaktion des neuen Wochenblattes „Frisch voran" zu übernehmen. Später übernahm er die Last der Redaktion: „Christliche Akademie" und „Hirtentasche". Nach mehreren Jahren zog er nach Tetschen als Archivar des Herrn Grafen von Thun. Nachdem Langer sowohl in den gräfl. Thunschen und anderen Archiven mit Bienenfleiß die nötigen Data gesammelt hatte, trat er mit der Geschichte des gräfl. Thunschen Hauses hervor. Er war ein sehr guter Rituskenner und nach Kräften beständiger Beförderer der *Musica sacra*. Monsign. Anton Kropsbauer, Erzdechant in Tetschen a. E. mit den anderen Hochwürd. Herren Priestern in Tetschen, faßte in einem warmen Nachrufe die guten Eigenschaften des † Archivars in folgenden Worten zusammen: Hochwürd. Herr E. Langer war eine Zierde des Priesterstandes, ein Mann von tiefem und reichem Wissen und edlem Herzen, die Bescheidenheit selbst, unermüdlich und erfolgreich tätig in seinem Amte, immer bereit zur seelsorglichen Aushilfe, besonders im Beichtstuhle; ein stiller Wohltäter der Armen; geehrt und betrauert von allen, welche ihn kannten. Die Redaktion des Cäcilienvereinsorganes stand mit dem Verstorbenen ebenfalls lange Jahre in persönlichem und schriftlichem Verkehr und bittet die Vereinsmitglieder um ihr Fürbittgebet. R. I. P.

6. + **Trier.** Am 22. Oktober findet in Trier die Diözesanversammlung statt. Vormittags 9½ Uhr Pontifikalamt (5st. Cäcilienmesse von Haller), 11 Uhr Mitgliederversammlung in der Treviris. Nachmittags 5 Uhr Vortrag kirchenmusikalischer Werke älterer und neuerer Meister. Zugleich werden auf der nunmehr fertiggestellten neuen Domorgel verschiedene Orgelstücke vorgetragen.

7. * **Wegen Mangel an Raum mußten mehrere Korrespondenzen, sowie weitere Nachrichten über die 18. Generalversammlung in Eichstätt zurückgestellt werden.**



Druck und Expedition der Firma **Friedrich Pustet** in Regensburg.

**Nebst Anzeigenblatt, sowie Cäcilienvereins-Katalog, 5. Band, S. 161–168, Nr. 3611–3625, und Sachregister S. XXV–XXXII über die 3500 Nummern des Cäcilienvereins-Katalogs.**

1908. Regensburg, 15. November 1908. Nro. 11.

# Cäcilienvereinsorgan.

43. Jahrgang

der von Dr. Franz Xaver Witt († 2. Dez. 1888) begründeten Monatschrift

# Fliegende Blätter für kath. Kirchenmusik.

Verlag und Eigentum des Allgemeinen Cäcilienvereins zur Förderung der kathol. Kirchenmusik auf Grund des päpstlichen Breve vom 16. Dezember 1870.

Verantwortlicher Herausgeber: Dr. Franz Xaver Haberl, z. Z. Generalpräses des Vereins.

Erscheint am 15. jeden Monats mit je 20 Seiten Text inkl. des Cäcilienvereins-Kataloges. — Abonnement für den ganzen Jahrgang, inkl. des Vereinskataloges 3 Mk., einzelne Nummern ohne Vereinskatalogbeilage 30 Pf. Die Bestellung kann bei jeder Post oder Buchhandlung gemacht werden.

Inserate, welche man rechtzeitig an die Expedition einsenden wolle, werden mit 20 Pf. für die 1spaltige und 40 Pf. für die 2spaltige (durchlaufende) Petitzeile berechnet.



## Vereins-Chronik.

1. × Die XIV. Generalversammlung des Cäcilienvereins der Diözese **Trier** fand am 22. Oktober in **Trier** statt und gestaltete sich durch den unermüdlichen Eifer und Fleiß der Leiter und der Ausführenden, durch die vollendete Wiedergabe der im Programme angegebenen Kompositionen, durch die liebenswürdige Teilnahme der beiden Hochwürd. Herren Bischöfe und der hohen Geistlichkeit und durch das zahlreiche Erscheinen unserer Cäcilianer zu einer erhebenden Kundgebung des kirchenmusikalischen Lebens in unserer Diözese aus. War es schon ein guter Gedanke, die Versammlung auf dem heiligen Boden der altehrwürdigen Bischofsstadt und die durch die Kunst verklärte Feier der heiligen Geheimnisse, sowie den Vortrag der Meisterwerke der Kirchenmusik in der hohen Domkirche abzuhalten, wo schon jahrhundertelang das Lob Gottes erklang, so war auch die Ausführung dieses Gedankens seiner Trefflichkeit entsprechend eine vorzüglich gelungene künstlerische Tat, und mit großer Befriedigung werden alle Teilnehmer dieses Tages gedenken, der ihnen soviel des Erhebenden und Anregenden bot.

Eröffnet wurde die Feier durch das vom Hochwürd. Herrn Bischof Dr. Korum zelebrierte Pontifikalamt in der hohen Domkirche. Das *Proprium Missae* — die *Missa Os justi* (Fest des heiligen Wendelinus) — war dem *Graduale Vaticanum* entnommen und wurde von den Schülern der Kirchenmusikschule gesungen. Das *Ordinarium Missae* bestand aus den Gesängen der fünfstimmigen Cäcilienmesse von Haller; als Einlage zum Offertorium hatte man das vierstimmige Motett *Justorum animae* von Löbmann gewählt. Ein gedrucktes Programm wies in treffenden Worten auf die besonderen Schönheiten der Kompositionen der in lateinischer Sprache und deutscher Übersetzung angegebenen Texte hin und gab auch die Registerkombinationen bei den einzelnen Orgelstücken an, welche vom Domorganisten Herrn Kehrer vorgetragen wurden. — Das freie Orgelspiel über das Introitusmotiv *as, b, as, es,* ziemlich breit angelegt, gelang vortrefflich und führte passend in die erhebende Feier ein. Der Introitus (Tonus VI, eine kleine Terz höher auf die Dominante C transponiert) wurde mit guter Phrasierung und Dynamik vorgetragen; auch die Orgelbegleitung war bezüglich der Registrierung und der Unterlage der Harmonien gut gewählt und unterstützte den Gesang in passender Weise. Die Aussprache der Vokale war bei allen Gesangsvorträgen ganz rein und wohlklingend, nur vermißten wir eine etwas schärfere Aussprache der Schlußkonsonanten, welche in den großen Hallen des Domes und bei der weiten Entfernung der Zuhörer vom Chor sehr erwünscht ist. Ganz besonders gespannt waren wir auf das Graduale *Domine praevenisti eum* (Tonus IV) und das *Alleluja* (Tonus I), beide wahre Prüfsteine für Choralsänger, zumal, da sie hier ohne Orgelbegleitung gesungen wurden. Unsere Erwartungen wurden jedoch übertroffen. Obschon mehrere Männerstimmen am Vortrage teilnahmen, klangen die schwierigen Stücke doch wie aus einem Munde, so exakt waren der Stimmenausgleich, die Reinheit der Intervalle, die Einheit beim Atmen und bei den Vortragsschattierungen herausgearbeitet; wir vermißten gerne jede noch so kunstvolle Orgelbegleitung, so innig und vollendet wurde diese herrliche Melodie vorgetragen. Ergreifend klang das Motiv mit dem aufsteigenden Gang zur Septime *(c, e, g, a, b, g, a, e)* in der langen Koloratur

11

über *cedrus*, welche so anschaulich die sich weithin ausbreitenden Äste und Zweige *(multiplicabitur)* dieses kühn aufstrebenden Baumes versinnbildet. Sowohl das Offertorium: *Desiderium animae ejus* (Tonus IV) als auch die Communio: *Fidelis servus* (Tonus VII) waren Musterleistungen; beide Stücke begleitete die Orgel in vortrefflicher Weise. Alles in allem: Die Ausführung der Choralsätze war meisterhaft; man merkte, daß die Sänger von ihrem verdienten Dirigenten in das Verständnis des Textes, in die Schönheiten der Melodie eingeführt, mit wahrer Begeisterung sangen und daß ebenfalls der Meister auf der Orgel es verstand, sein Spiel in den Einleitungen, Übergängen und in der Begleitung dem Ganzen wohltuend anzupassen. Erschwerend für beide Teile ist der Umstand, daß Chor und Organist voneinander ziemlich weit getrennt sind, so daß beiderseits größte Achtsamkeit vorhanden sein muß, damit alles wie aus einem Gusse klingt; (dazu kommt noch, daß der Sitz des Domorganisten so ungünstig angebracht ist, daß derselbe den Altar d. h. den Celebranten nur durch einen seitwärts angebrachten Spiegel sehen kann).

Die fünfstimmige Cäcilienmesse von Haller, ein Meisterwerk in jeder Beziehung, ist über das Motiv *c, d, e, g, a*, dem Geläute der neuen Cäcilienkirche zu Regensburg, angepaßt, komponiert: sie wurde vom Domchore mit großer Hingabe und Begeisterung gesungen. Die Männerstimmen (Baß, Bariton und Tenor) standen sowohl unter sich als auch zu den Knabenstimmen (Alt und Sopran) in einem wohltuenden Verhältnisse. Besonders heben wir hervor den Vortrag des *Kyrie* und *Gloria*, wobei der Chor sein Bestes leistete; beim *Sanctus* und *Benedictus* hätten wir eine etwas noch feinere Abtönung in Dynamik gewünscht; das *Agnus*, welches an den Komponisten und den Chor als Schlußsatz die höchsten Anforderungen stellt, gelang vortrefflich, abgesehen von einer kleinen Ermüdung der Stimmen am Schlusse, welches ein geringes Abweichen von der sonst genau festgehaltenen Tonhöhe zur Folge hatte. Eine wahre Glanzleistung war die vierstimmige Einlage: *Justorum animae;* das langsame Versinken ins *pianissimo* bei den Worte „*mori*" war wundervoll wiedergegeben. Nicht unterlassen dürfen wir, zu erwähnen, daß der Vortrag der Responsorien ebenfalls ein sorgfältiger war.

Die Orgel schloß die schöne Feier mit der großartig angelegten Choralfuge aus der Orgelsonate in *C* von dem französischen Komponisten Guilmant. Das Thema der Fuge mit seinem Rhythmus in punktierten Vierteln und Achteln dient als Gegensatz zu dem Choral, der in langezogenen Noten sich dahinzieht. Beide Themen wurden recht plastisch wiedergegeben, dazu kam die gewaltige Steigerung am Schlusse, die dem Organisten Gelegenheit gab, die Orgel in ihrer ganzen Machtfülle erklingen zu lassen.

In der darauffolgenden Versammlung im kleinen Saale des Vereinshauses „Treviris" begrüßte der Vorsitzende, Herr Domkapellmeister Stockhausen, die zahlreich erschienenen Mitglieder, unter ihnen auch die beiden Hochwürd. Herren Bischöfe und den Herrn Generalvikar und führte etwa folgendes aus:

„Cäcilienversammlungen wollen anregen, mit neuer Liebe und Begeisterung für die *Musica sacra* erfüllen. Heute will ich die Aufmerksamkeit der Versammlung hinlenken auf denjenigen Gesang, welchen die Kirche selbst als *cantus ecclesiasticus per excellentiam*, als im eigentlichen Sinne des Wortes **kirchlichen** Gesang bezeichnet. Das Jahr 1908 weist ein hochbedeutendes Ereignis in der Geschichte des Choralgesanges auf: die Vollendung des vatikanischen Graduale. Pius X. ist der Urheber dieses Werkes, und so bildet unsere heutige Versammlung nach einer Richtung hin eine Ergänzung zu der schönen Papstfeier, welche wir vor einigen Wochen in Trier begangen haben. Kaum hatte Pius X. den Stuhl des heil. Petrus bestiegen, da beschenkte er die kirchenmusikalische Welt in seinem *Motu proprio* vom 22. November 1903 mit einem „Rechtsbuch der Kirchenmusik", das an Umfang, Klarheit und Gründlichkeit alle diesbezüglichen Erlasse früherer Päpste übertrifft. Herrliche Worte sind es insbesondere, welche die Schönheit und den Wert des Chorals hervorheben. Dabei gibt der Papst auch seiner schon längst gehegten Vorliebe für die ältere Form des Chorals Ausdruck. Als Mann der Tat entschloß er sich alsbald, in der Vatikanischen Druckerei eine neue Choralausgabe drucken zu lassen, mit deren Herstellung eine Kommission, bestehend aus den bedeutendsten Choralforschern, betraut wurde. Als Richtlinie für die Restaurationsarbeit gab der Papst an: Benützung der ältesten Choralhandschriften, aber auch Rücksichtnahme auf die Überlieferung und die Praxis. In der Kommission bildeten sich nun zwei Parteien: die einen, die Archäologen, wollten für jede einzelne Stelle stets die ältesten Handschriften ausschlaggebend wissen, die anderen, die Traditionalisten, gaben in sehr vielen Fällen einer modifizierten, jüngeren Lesart den Vorzug. So sehr man von vornherein sich auf die Seite der Archäologen stellen möchte, da sonst ja doch immer bei der Restauration eines Kunstwerkes die ursprüngliche Form nach Möglichkeit wieder hergestellt wird, so liegt doch in unserem Falle die Sache so, daß eine gemäßigte Archäologie das einzig Annehmbare ist. Denn zunächst ist es für einen großen Teil der einzelnen Choralstücke gar nicht möglich, ihr Alter, ihre ursprüngliche Form und Geschichte mit Sicherheit festzustellen; zudem war der Choral gerade in seinem goldenen Zeitalter (9. bis 10. Jahrhundert) weder seiner Melodie nach rein diatonisch, noch war sein Rhythmus, wie dies hervorragende Choralhandschriften und Theoretiker erkennen lassen, derjenige des wahrscheinlich in späterer Zeit eingeführten Gleichwerts der Noten *(cantus planus)*. Die ursprüngliche Lesart für jedes einzelne Choralstück zu finden, ist demnach unmöglich; die schon seit vielen Jahrhunderten rein diatonischen Gesänge heute wieder chromatisch und enharmonisch zu gestalten, sowie den Taktrhythmus einzuführen, erscheint nicht ratsam und praktisch. Dieser Streit der Gelehrten konnte nur entschieden werden durch eine autoritative Entscheidung desjenigen, der die Restauration des Chorals veranlaßt hatte. Es erging etwa ein Jahr nach Gründung der Choralkommission im Auftrag des Papstes ein Schreiben des Kardinal-Staatssekretärs an den Präsidenten der genannten Kommission, den Benediktinerabt Dom Pothier, welches genaue Anweisungen enthält: es habe der Heilige Vater nicht beabsichtigt, ein die Archäologie ausschließlich begünstigendes Werk zu schaffen; die Kirche habe immer den Fortschritt der Künste anerkannt, es dürfe auch irgend einer weniger alten Komposition vor der nachweisbar ältesten der Vorzug gegeben werden, wenn sie schön und praktisch sei. Kurz: die Restauration des gregorianischen Chorals soll archäologisch, aber auch traditionell, ästhetisch und praktisch sein. Dies war wohl der einzige Weg, der Erfolg versprach. Er machte aber einen weiteren Schritt notwendig: die Vereinfachung der Kommission. Denn bei der Entscheidung der Fragen: Was ist rechtmäßige Überlieferung? Welche Lesart ist schöner? Wie weit darf und soll die Rücksicht auf die praktische Ausführbarkeit der Gesänge gehen? spielt der persönliche Geschmack, die liebgewonnene Gewohnheit, das ästhetische Urteil eine ausschlaggebende Rolle. So wurde denn das ganze Werk in die Hand eines einzigen Mannes gelegt, des in Sachen des Chorals durch langes, eingehendes Studium sehr erfahrenen Abtes Dom Pothier. Er sollte sein 1895 herausgegebenes Graduale zugrunde legen, dasselbe revidieren und korrigieren. Nun schritt die Arbeit voran, wenn auch langsam. Vor drei Jahren erschien das Kyriale, seit mehreren Monaten liegt das Graduale vor. Es enthält nicht den ursprünglichen Choral, sondern nach Melodie und Rhythmus die Lesart des 12. und 13. Jahrhunderts. Ferner weist es eine große Anzahl von Änderungen auf, die der Redaktor aus ästhetischen und praktischen „Rücksichten" vorgenommen hat. Die Kritik hat insbesondere das letztere bemängelt; Dom Pothier kann sich aber mit Recht auf die erhaltenen Weisungen berufen. Den Fachgelehrten ist, so will es der Heilige Vater ausdrücklich, nach wie vor das Feld für das weitere Studium dieses hochinteressanten Gegenstandes freigegeben, auch ist selbstverständlich eine sachgemäße Kritik der *Vaticana* nicht verboten.

Naheliegend ist ein Vergleich der Vatikanischen Ausgabe mit der bisher offiziellen, der sogenannten *Medicaea*. Die beiden wichtigsten Unterschiede sind folgende: 1. Die *Medicaea*, eine der im 17. und 18. Jahrhundert entstandenen Reformationsausgaben, hat die im älteren Choral so häufigen Notengruppen (besonders in den Gradualien und Offertorien) gekürzt und dies oft sogar bedeutend, während die Vatikanische Ausgabe die völlig ungekürzten Melismen darbietet. 2. Die *Medicaea* hat, den sprachlichen Anforderungen ihrer Entstehungszeit entsprechend, die im Choral so häufig mit langen Notengruppen belasteten unbetonten Silben dadurch entlastet, daß dieselben auf die vorangehende betonte Silbe gelegt wurden. Kann man letzteres Verfahren nicht billigen — in der gesamten Tonkunst ist die Belastung auch nicht betonter Wortsilben gebräuchlich — so wird einer Verkürzung der oft überlangen Choralkoloraturen von vielen eifrigen Verehrern das Wort geredet, wenigstens für ein Buch, das für unsere Durchschnittschöre bestimmt ist. Denn gerade diese langen Melismen erfordern, nicht für das Treffen, sondern für einen schönen Vortrag eine gute, biegsame, geschulte Stimme, sowie ein feines, musikalisches Verständnis; sie werden daher in ihrer ungekürzten Form den Solisten reserviert bleiben oder rezitiert werden.

Des weiteren besteht der Unterschied zwischen den beiden Büchern darin, daß die *Vaticana* zum Teil andere Notenformen, Ziernoten und eine (für ein geübtes Auge) übersichtlichere Phrasierung aufweist. Auch ist in einer Reihe von Fällen der frühere Text aus musikalischen Gründen wieder hergestellt worden. Nach meinem persönlichen Urteil ist das vatikanische Graduale als Ganzes betrachtet, künstlerischer und einheitlicher als die *Medicaea*, aber auch schwieriger. Daß eine spätere Zeit in der Lage ist, ein die praktische Ausführbarkeit des Choralgesanges noch mehr berücksichtigendes Buch zu schaffen, ist wahrscheinlich. Doch freuen wir uns aufrichtig dieses Werkes, welches der Statthalter Christi uns geschenkt hat. Die Herren Chordirigenten mögen sich jetzt schon bemühen, diese Melodien zu studieren, damit sie bei einer Einführung vorbereitet sind. Sehr empfehlenswert ist für diesen Zweck die „Neue Schule des Choralgesanges" von P. Johner, O. S. B., erschienen bei Pustet in Regensburg. Das heutige Pontifikalamt, bei welchem mit Erlaubnis des Hochwürd. Herrn Bischofs das *Proprium Missae* nach dem Vatikanischen Graduale gesungen wurde, gab Gelegenheit, sich über den traditionellen Choral ein Urteil zu bilden. Wird er sorgfältig vorbereitet und andächtig gesungen, so werden auch die hohen Erwartungen sich erfüllen, die der Heilige Vater bezüglich seiner Wirkungen hegt. Unsere Liebe zum Choral gründet sich auf einen dreifachen Vorzug desselben. Vergl. Molitor, der gregorianische Choral als Liturgie und Kunst. 1. Er ist ein altehrwürdiger Gesang, ein Monument altchristlicher Kultur. Der Grundstock seiner Melodien reicht hinauf bis in die ersten christlichen Jahrhunderte. Etwa 1000 Jahre lang hat die Kirche nur Choral gesungen. Es ist ein erhebender Gedanke: Wie unsere Väter sangen, so singen auch wir. 2. Er besitzt hohen musikalischen Wert und stellt eine hochbedeutsame Stufe in der Entwicklung des einstimmigen Gesanges dar. Er ist auch nicht veraltet, überlebt, sondern hat seine Jugendfrische durch die Jahrhunderte hindurch bewahrt und weiß noch heute unser an die Moderne gewöhntes Ohr und vor allem unser christliches Gemüt zu erheben, zu erfreuen, ja zu begeistern. 3. Sein Hauptvorzug ist sein inniger Anschluß an die Liturgie. Er ist mit der Liturgie, gleichzeitig mit dem Brevier und mit dem Missale entstanden. Sie wurden für den Gesang eingerichtet und sind in vielen ihrer Gebetsformen ganz unverständlich, wenn man nicht ihren innigen Zusammenhang mit dem Choralgesang ins Auge faßt. Die altchristlichen Gesänge vermitteln demnach unserer heutigen Generation etwas von der Kraft und Salbung, von der Glaubenswärme und von dem Schwunge einer Zeit, deren gesamtes Sinnen und Trachten vom Geiste des Gebetes durchweht war. Wäre es möglich, eine Geschichte des Gebetes und des Gebetslebens zu schreiben, so müßte man dem Choral ein Ehrenblatt darin widmen.

Wann wird bei uns die *Vaticana* eingeführt? Das ist einzig Sache der Hochwürd. Herren Bischöfe, nicht der Dirigenten und unserer Sänger. Dies muß bekannt werden gegenüber den Vorwürfen, die in einer kirchenmusikalischen Zeitschrift gegen uns Deutsche erhoben werden, weil der

11*

deutsche Episkopat in seiner Mehrheit das Vatikanische Graduale bisher noch nicht in den einzelnen Diözesen offiziell eingeführt hat. Eine sofortige Einführung gleich nach Erscheinen der Vatikanischen Ausgabe war aus verschiedenen fast zwingenden Gründen nicht möglich. Der Umfang und der hohe Preis des vollständigen Graduale, von dem erst Auszüge für unsere Kirchenchöre hergestellt werden müssen, die jetzt erst mögliche Herstellung des Appendix etc. etc. verbieten eine Überstürzung. Die deutschen Bischöfe, welche seiner Zeit auf den bloßen Wunsch des Heiligen Vaters die *Medicaea* eingeführt haben, werden, wenn sie den geeigneten Zeitpunkt für gekommen erachten, sich an Gehorsam gegen den Heiligen Stuhl nicht übertreffen lassen. Sie handeln dabei ganz im Sinne des Heiligen Vaters.

Wenn aber der neue Choral in unserer Diözese eingeführt wird, dann muß der Cäcilienverein nach besten Kräften mithelfen, daß er auch würdig und schön gesungen werde. Insbesondere wird die Arbeit der nächsten Jahre sein müssen, den Verein weiter auszubauen, besser zu organisieren. In denjenigen Dekanaten, wo Bezirkspräsides noch nicht bestehen, müssen solche gewählt werden. Jährliche Konferenzen und Bezirksversammlungen sollten überall stattfinden, wie dies in einer Reihe von Dekanaten löblicherweise regelrecht geschieht.

Es ist von höchster Bedeutung, daß der Heilige Vater Pius X., der sich so vielen Aufgaben von größter Wichtigkeit gegenübersieht, die Sorge für eine würdige Liturgie und eine der Liturgie entsprechende Kirchenmusik zu den vorzüglichsten Pflichten seines heiligen Amtes zählt. Auch an Sie, hochwürdige Herren Konfratres, werden vielerlei wichtige Anforderungen gestellt. Die so wichtige soziale Frage insbesondere nimmt ihre Tätigkeit und Fürsorge sehr in Anspruch. Aber über all dieser Arbeit darf das Feuer der heiligen Liturgie auf unseren Altären nicht erlöschen; mitten im täglichen Leben stehend, wollen wir Sions und seiner heiligen Lieder nicht vergessen. Möge der gregorianische Choral in seiner neuen Form überall noch mehr als der bisherige die Gemüter für die heilige Liturgie begeistern, möge er mitwirken an der Heiligung, an dem Glücke unseres christlichen Volkes!"

Als der lebhafte Beifall, der den interessanten Ausführungen des Redners folgte, geendet hatte, bestieg der Hochwürd. Herr Bischof Dr. Korum die Tribüne und richtete folgende beherzigenswerte Worte an die Versammlung:

„Der neue Choral wird eingeführt, aber erst dann, wenn alles vollendet ist, wenn die Choralbücher fertiggestellt sind. Es ist der Wunsch der Bischöfe, den neuen Choral einzuführen; „wir wollen unsere Pflicht tun, aber vernünftig tun." Sodann empfiehlt der Hochwürd. Herr als *unum necessarium*: den Gesang zu hegen und zu pflegen und tüchtig zu arbeiten, daß ein guter Gesang zustande komme, gleichviel, welchem Choralsystem er angehöre. Deshalb ist es ratsam, schon die Kinder zum Gesang heranzuziehen, damit das Ziel erreicht werde. Auch möge man nicht die Pflege des deutschen Kirchenliedes vergessen. Für sehr gut sei es zu halten, die Texte der lateinischen Gesänge ins Deutsche zu übersetzen und den Dirigenten zu empfehlen, den Inhalt des Textes zu studieren; erst dann sei ein guter Gesang möglich . . . Der Vortrag des Gesanges sei zurückhaltend und verrate mehr die Selbstbeherrschung der Sänger, welche gerade durch die Einführung in das Verständnis des Textes erreicht werde; ein Gesang in dieser Weise aufgeführt, störe nicht, sondern erbaue alle.

Reicher Beifall folgte diesen erhebenden und ermutigenden Worten aus dem Munde des Oberhirten unserer Diözese; dem der Präses seinen Dank dafür aussprach; es wurde sodann bestimmt, daß nach zwei Jahren die nächste Versammlung stattfinden solle und mitgeteilt, daß man, wenn die *Vaticana* vollständig eingeführt worden sei, Kurse für Organisten und Chordirigenten abhalten wolle zur Einführung in den traditionellen Choral; letzterer Beschluß fand freudige Zustimmung bei allen. Die früheren Vorstandsmitglieder, die Herren Definitor Burgund zu Gelsdorf, Seminarprofessor Disteldorf (Trier), Domorganist Kehrer (Trier) und Seminarlehrer Beyer (Wittlich) wurden wiedergewählt und damit schloß die Versammlung.

An die Mitgliederversammlung schloß sich ein gemeinsames Mittagessen im kleinen Saale der Treviris, bei welchem Generalvikar Prälat Dr. Reuß einen Trinkspruch auf das Wohl des Jubelgreises auf Petri Stuhl, unseren geliebten Heiligen Vater Pius X., den großen Förderer der katholischen Kirchenmusik, ausbrachte. Mehrere einheimische Künstler hatten sich bereit gefunden, durch musikalische Vorträge das Festessen zu verschönern. Ihre Darbietungen gingen bei weitem über das künstlerische Durchschnittsmaß hinaus. Es waren dies Konzertmeister Ziegner (Violine), der besonders durch den in allem vollendeten Vortrag des 9. Beriotschen Violinkonzertes zu lautem Beifall hinriß, Konzertsänger Thugutt, der mit seiner schönen Tenorstimme die Zuhörer begeisterte, und Organist und Musiklehrer Schütz, der das Cello mit der ihm eigenen Geschicklichkeit handhabte.

Die vortreffliche Ausführung der Gesänge und Orgelstücke am Vormittag ließ darauf schließen, daß in dem um 5 Uhr stattfindenden Kirchenkonzerte in der Domkirche noch sehr viel des Guten und Schönen zu erwarten sei.

Und in der Tat, unsere Erwartungen wurden nicht allein erfüllt, sondern noch übertroffen, und von Anfang bis zum Ende stand die gewaltige Menge der Zuhörer, die sich von nah und fern eingefunden hatten, sichtlich ergriffen unter dem Banne der herrlichen Musik, welche bald mit freudig bewegten, bald mit ernsten, trauervollen, bald mit majestätisch dahinrauschenden Klängen eindrucksvolle Bilder der verschiedenen Zeiten des ganzen Kirchenjahres vor unsere Seele zauberte. Bachs gewaltiges Präludium in C-moll (Ausgabe Peters, Band II, Nr. 6) war zu einem solch ernsten Beginnen die passendste Einleitung. Die Registrierung bestand hauptsächlich aus den feststehenden Kombinationen *p, mf, f, ff,* und *Plenum*. Herr Domorganist Kehrer verstand es, sowohl bei der zartesten als auch stärksten Registrierung das Tonleiterthema *c, d | es, f | g, f, es, d | c . . .*) mit seinem Kontrapunkt von Achteltriolen recht plastisch herauszugestalten; sehr deutlich konnte man die zu zweien gebundenen Achtel und den Triller auf *f* hören; die Sechzehntelfiguren litten etwas an Deutlichkeit durch den 16′ Ton in den Manualen, der aber bei den stärker klingenden feststehenden Kombinationen nicht zu vermeiden ist. Das einleitende Orgelspiel zu Nr. 2, (fünfstimmiges Motett von Palestrina) hatte folgende Registrierung: Gemshorn 8′, Prinzipal 8′, H.-D. Gedakt 8′. Pedal: Subbaß 16′. Das Hochdruckregister hob sich klar und nicht zu stark von den anderen Registern ab, dank seiner vorzüglichen Intonation. Bei dem Vortrage des Motetts von Palestrina: *Meditabor in mandatis tuis* bewunderten wir die Tonreinheit und Dynamik und die vortreffliche Interpretation des Textes. Mit besonderer Liebe wurde das *Hodie Christus natus est* von Haller für siebenstimmigen Chor (vier Männer- und drei Knabenstimmen) vorgetragen. Es war wirklich eine Glanzleistung! Alles, was der geniale Komponist in sein Werk hineingelegt hatte, verstand der Chor unter der meisterhaften Leitung seines Dirigenten herauszuholen; dazu kam die angenehm berührende Ausgleichung der Stimmen untereinander, eine tadellose Tonreinheit und wie oben gesagt, eine zündende Begeisterung, der sich niemand zu entziehen vermochte. Das dazugehörige Orgelvorspiel hatte folgende Registrierung: Äoline 8′, Traversflöte 4′, ferner Klarinette 8′, Gedakt 8′, bezw. Rohrflöte 4′. Pedal: Harmonikabaß 16′ und Cello 8′ abwechselnd im triomäßigen Spiele: ganz besonders wohlgelungen fanden wir die Intonation der Klarinette, deren Ton sich voll und rund von den übrigen Registern abhob. Mit vorzüglicher Dynamik wurde das *Tenebrae factae sunt* von Ingegneri gesungen; ergreifend klang das absteigende *inclinato capite emisit spiritum*, nur ein verständnisvolles, andächtiges Eingehen der Sänger in den Inhalt des Textes konnte eine solche Wirkung hervorbringen. Auch die Orgel gab zum Vorspiel dunkle Klangfarben: Salicional 16′ und Dulciana 8′, gemildert durch den zarten Ton der Traversflöte 4′. Bei dem *Terra tremuit*, achtstimmiger Doppelchor von Haller entfaltete der Chor gewaltige Klangmassen; das *Crescendo* bis zum *tremuit* klang überwältigend. Auch beim Orgelvorspiel, dessen Registrierung aus H.-D. Stentorphon 8′, dann allmählich hinzutretend Gamba 8′, Gedakt 8′, Geigenprinzipal 4′, Tuba mirabilis 8′, Pedal: Subbaß 16′, Baßtuba 16′ bestand, konnte man beim Hinzutreten der Baßtuba eine dem *tremuit* ähnliche Wirkung beobachten. Die beiden folgenden Stücke, von der Orgel gespielt, waren sehr interessante Nummern. Der erste Satz war ein Kanon in der Oktave für Oberstimme und Pedal mit zwei Füllstimmen, eine Komposition des Domorganisten selbst, die bis zum Schluß fesselte, zumal bei folgender Registrierung: 1. Oberstimme: Prinzipal 8′, Füllstimmen: Gamba 8′ (II. Manual), Pedal: Violonbaß 16′, 2. Oberstimme: H.-D. Violine 8′, Füllstimmen: Prinzipal 8′, Pedal: Violonbaß 16′; 3. Registrierung wie bei 1. Das Hochdruckregister war sehr gut intoniert, ebenso klang Prinzipal 8′ recht angenehm; der Violonbaß im Pedal war weniger deutlich zu verstehen.

Das zweite Orgelstück, das Vorspiel zu der alten phrygischen Choralmelodie: „Aus tiefer Not schrei ich zu dir“ von Brosig, war trefflich registriert und wurde formvollendet vorgetragen. Sehr klar und deutlich war die rhythmische Zeichnung der Begleitfigur auf dem II. Manuale im Gegensatze zu der führenden Oberstimme. Prächtig klang das sechsstimmige Pfingstmotett von Palestrina; keine Ermüdung der Stimmen, trotz langgehaltener Töne am Schluß kein Sinken! kurz wiederum eine den vorigen sich würdig anschließende Leistung! Das dazu gehörige Orgelvorspiel begann mit *Dolce*, stieg unter Anwendung des Schwellens bis zum *ff* und kehrte zum *Dolce* zurück, eine schwierige Aufgabe, die nur einem mit seinem Instrumente vollständig vertrauten und im Improvisieren erfahrenen Organisten, wie hier, gelingen konnte. Mit besonderer Spannung erwarteten wir das wundervolle Motett: *Beatus, qui intelligit* von Lassus, jenem gewaltigen Meister, den wir mit Michelangelo und Beethoven so gerne vergleichen. Welch eine Fundgrube tiefer Gedanken, kühner Harmonien, dramatischer Wendungen birgt die Partitur dieses Meisterwerkes? Das mächtig anschwellende *beatus*, der wohlklingende *B*-dur-Akkord neben dem das *beatus* abschließenden *C*-dur-Dreiklang, das schmerzlich verklingende *pauperem*, die rauh klingenden Sextakkordfolgen bei *(die) mala*, die darauffolgende dramatische Steigerung bis *et beatum faciat eum in terra* und dann das drohend anwachsende: *et non tradat eum in animam inimicorum ejus*, dazu der wundervolle, beruhigende Schluß   wahrlich, eine Fülle herrlicher, hinreißender Musik! — In der Tat! beim Vortrag dieses Werkes übertraf der Domchor unser aller Erwartungen; namentlich war es die wohlgelungene Dynamik, die uns alle Schönheiten der Komposition in packender Weise empfinden ließ.

Das Orgelvorspiel führt uns die Oboe 8′ als Soloregister gegen Hohlflöte 8′ und Harmonikabaß 16′ vor und zwar in einer angenehm klingenden, überall gut ausgeglichenen Intonation. Das siebenstimmige Motett: *Domine Deus* von Stehle stellte hohe Anforderungen an die Stimmittel der Sänger (vier Männer- und drei Knabenstimmen); obschon die Knabenstimmen bis zum $a^2$ hinauf mußten und schon 8 Nummern vorher gesungen waren, war keine Ermüdung zu bemerken, im Gegenteil, das „effektvolle“ Stück wurde frisch und lebendig vorgetragen mit dem Bewußtsein nicht zu erschöpfender Kraft. Auch das dazu gehörige Orgelvorspiel mit vollem Normalwerk bildete die rechte Einleitung zu diesem kraftvollen Chorsatz. — Händels grandiose *F*-moll-Fuge, die den 2. Teil, die kirchenmusikalische Andacht, einleitete, wurde recht klar und prägnant zu Gehör gebracht. Sehr gut gelang bei Mitterers: *O quam suavis est* der Stimmenausgleich zwischen den drei Männerstimmen und der einen Knabenstimme (Alt), eine Besetzung, die bei nicht allzu langer Dauer eines Stückes recht interessant erklingt.

Im Orgelvorspiel erwiesen sich Fugara 8′ und H.-D. Flöte 8′ als sehr vornehm intonierte Stimmen, ebenso auch Bassethorn 8′ und Subbaß 16′ im Pedal. — Auch im *Salve Regina* von Nekes hielten sich die Stimmen unermüdet auf der Höhe, trotz der oft hohen Tonlage: das Orgelvorspiel vereinigte sämtliche streichenden Stimmen beider Werke mit einer angenehmen, nicht zu scharf klingenden Wirkung. Einen würdigen Schluß bildete das wie alle Nummern vollendet gesungene fünfstimmige *Tantum ergo* von Mitterer und das schwierige *Allegro* aus der Sonate in C-moll von Merkel, in welchem die Orgel mit brausenden Klängen beider vereinigten Werke ihre ganze Macht und Fülle zum letzten Male offenbarte.

Höchste Anerkennung und innigen Dank zollen wir gerne von ganzem Herzen den wackeren Sängern, welche sich so vorzüglich hielten, ganz besonders aber den beiden verdienstvollen Herren, in deren Händen das Gelingen des ganzen Tages lag, dem Herrn Domkapellmeister Stockhausen und dem Herrn Domorganisten Kehrer; herzlichen Dank auch all denen, welche durch ihre Anwesenheit durch Wort und Tat zur Hebung und Verschönerung des Festes soviel beitrugen, ganz besonders den beiden Hochwürd. Herren Bischöfen und der hohen Geistlichkeit. Der 22. Oktober war ein Ehrentag für den Domchor, für seinen Leiter und Begleiter und ein Freudentag für alle Jünger Cäcilias, der so leicht nicht in Vergessenheit geraten wird. Beyer.

2. ⊙ **Cäcilienverein Gleiwitz.** Am 18. Oktober abends 8 Uhr fand im großen Saale des Konzerthauses ein Familienabend statt, bestehend in Konzert, Gesangsaufführungen und Theater. Die Leistungen des Vereins, seien es solche im großen umfangreichen Rahmen, deren Aufführungen uns noch alle im Gedächtnis schweben, oder seien es solche lokaler Art bei besonderen Veranlassungen in kirchlicher und weltlicher Hinsicht, auch bei Volksunterhaltungen, sind uns hinreichend und zur vollen Genüge bekannt. So war es denn auch vorauszusehen, daß der Familienabend einen glücklichen Abschluß finden werde. Um ³/₄8 Uhr war das Haus ausverkauft. Das Programm war ein reichhaltiges, wohl durchdacht und nicht ermüdend. Jeder der drei Teile brachte neue Überraschungen und fesselte des Zuschauers Ohr. Schon die Aufstellung des Vereins auf der Bühne, die stattliche Anzahl der Mitglieder, ließen erkennen, daß Leitung und Chor in gewissem Einklang zueinander stehen. Ergreifend und mächtig erscholl das *Halleluja* aus dem Oratorium Messias von Händl. Gefühlvoll klang das Paul Mittmannsche Lied: „Mutter, so sing mich zur Ruh'." Man erkannte im Mittelsatze beim Übergange die schwierige Komposition. Unter genauer Beobachtung der Vortragsweise kam das „Gebet" aus der Oper der „Freischütz" von K. M. Weber zur Geltung. Drei Lieder für gemischten Chor (a capella) von M. Filke, Kgl. Musikdirektor und Domkapellmeister zu Breslau, schafften eine erfrischende Abwechslung, nämlich „Das Spechtlied" mit seinem lebhaften Tempo, ferner „Mir träumte einst ein schöner Traum" sinnig und würdevoll vorgetragen, und „Das Waldlied", das mit seinem Refrain: „Waidmann ist König im Wald" einen exakten Abschluß des 1. Teiles bildete. Im 1. Teile gelangten auch zwei Lieder für I. und II. Sopran mit Klavierbegleitung (Herr Stähler) als Einlage, vorgetragen von den Damen Fräulein Bartel und Graser, die zum ersten Male öffentlich auftraten. Wenn auch das erste Lied einige Zaghaftigkeit erscheinen ließ, so bemerkte man im zweitem Liede sofort bewußte forsche Sicherheit, die doch vor allem auf den tüchtigen Leiter zurückzuführen ist. Der 2. Teil brachte uns zwei Lieder für gemischten Chor a capella im Volkston. Während das erste Lied „Liebeslied" von M. Reger meist zart gehalten wurde, wurde das „Tanzlied" (im Manuskript) vom Kgl. Musikdirektor P. Mittmann, Breslau mit großer Begeisterung gesungen, die kräftiger, stürmischer Applaus zum nochmaligen Vortrag anregte. Die lustig bebende Stimmung wurde gleichsam auf das folgende Theaterstück „Im Riesengebirge", Schwank mit Gesang in 1 Akte von Moser und Lenhart, Musik von P. Linke, übertragen und leitete so den Schlußteil vortrefflich ein. Die Personen entledigten sich ihrer Rollen vorzüglich und lauschten manchen lauten Freudensausdruck ab. Die gesanglichen Partien waren gut einstudiert und zeigten volles Verständnis bezüglich ihrer Reinheit und Tonfülle. Die Klavierbegleitung lag in den bewährten Händen des Herrn Chorrektors.

Im Anschluß hieran würde ich mir erlauben, anzufragen, wann uns der strebsame Cäcilienverein Gleiwitz wieder mit einem größeren Werke beglücken würde. Wir wünschen ihm hierzu den besten und schlagendsten Erfolg. Befriedigt eilte so mancher heim mit den Worten: „Es war wieder ein genußreicher Abend im Cäcilienverein". Besonders soll aber noch hervorgehoben werden die aufopfernde Tätigkeit des altbewährten Leiters, des Herrn Chorrektors Gebauer, der unermüdlich bestrebt ist, stets das zu bieten, was sich erreichen läßt und seinen Verein auf dem Höhepunkte zu erhalten, der ihm gebührt. („Oberschlesische Volksstimme").

3. **Saargemünd**, 30. Juli. (Zu spät eingesendet. Die Redaktion.) Heute fand dahier die Generalversammlung des **Metzer Diözesan-Cäcilienvereins** statt. Die Beteiligung war eine große. Wir zählten gegen 400 Anwesende, viele Geistliche, Lehrer, Sänger, als Vertreter des Bischofs war dessen Generalvikar anwesend, die bekannten bedeutenden Führer in der Choralfrage Dr. Mathias, Regens des Priesterseminars und Privatdozent an der Universität zu Straßburg, sowie der dortige Domchordirektor Victori nahmen an der Versammlung und an den Beratungen teil, auch mehrere Herren Präsides und Dirigenten aus dem Kapitel Homburg in der Pfalz waren zu bemerken. Die früher in der Diözese bestandenen verschiedenen Vereinigungen zur Förderung des Kirchengesanges lösten sich anläßlich der Verordnungen des Heiligen Vaters über die Kirchenmusik auf, es bildete sich ein einziger Cäcilienverein für die ganze Diözese unter Angliederung an den Straßburger Nachbarverein und Gliederung in einzelne Ortsgruppen. Bis zur heutigen ersten Generalversammlung dieses neuen Diözesanvereins hatten sich 64 Ortsgruppen oder Pfarrvereine gebildet. Die heutigen Verhandlungen waren sehr instruktiv. Außer den offiziellen Begrüßungen, dem Berichte über die bisherige Tätigkeit des neuen Vereins und über den Stand der Kasse stand im Vordergrunde der Verhandlungen ein hochinteressanter Vortrag, sozusagen ein fein präpariertes Destillat der historischen Forschungen über den künstlerischen und kulturellen Wert des traditionellen Chorales, gegeben von Herrn Dr. Mathias. Zwei Knabenchöre von Saargemünd und Neunkirchen und ein gemischter Chor — aus Knaben- und Männerstimmen bestehend —

aus Münzthal St. Louis mit verschiedenen Darbietungen aus dem *Kyriale* und *Graduale Romanum* bildeten gleichsam die Illustration zu dem Vortrage, ließen aber auch erkennen, daß man den schönen Zweck der Sache mit verschiedenen Vortragsarten erzielen kann. Ganz besonders lehrreich und ansprechend waren die Choralvorträge des Münzthaler Sängerchores. Wie eine aufmerksame Schülerschar lauschten die Anwesenden den instruktiven Winken des Münzthaler Vereinspräses jedesmal vor den Aufführungen seiner Sänger; ein Pfälzer Dirigent wisperte uns dabei ins Ohr: „Da ist es ja eine Lust, Schüler zu sein!" Vom gleichen Chore wurde um 2 Uhr nachmittags in der Pfarrkirche eine Vesper und Segensandacht im traditionellen Choral und in Falsibordoni mit einigen mehrstimmigen Männerchören gesungen. Dann wurden die Verhandlungen im großen Saale des „Münchener Kindl" weiter geführt. Herr Viktori aus Straßburg gab auf besonderen Wunsch eine Kritik der gesanglichen Tagesleistungen, er pries deren Vorzüge, hielt aber auch nicht zurück mit seinen Aussetzungen in manchen Punkten und knüpfte daran gediegene positive Winke. Sein Vortrag über Choralkurse und Instruktionsversammlungen legte den Leitsatz zugrunde, dieselben seien mühevoll und undankbar, aber doch von großem Nutzen. Er zeigte, wie vor allem Präsides und Dirigenten bei solchen Kursen sich mit der Sache vertraut zu machen hätten, wie dann Vereine bei ihren Bezirksversammlungen gleichheitlich vorbereitete und auch unvorbereitete Choralstücke vortragen und in gemeinsamen Instruktionsproben lernen könnten. Wir dachten dabei an jene Zeiten, da auch in der Diözese Speyer beim Übergang von der *Harmonia sacra* eines Benz zum bisher gebräuchlichen Choral Diözesanpräses Kuhn dazumal mit Domkapellmeister Häfele umherwanderten und bei Bezirksversammlungen die Gesangchöre instruierten. Die weiteren Verhandlungen in Saargemünd betrafen die Ausgestaltung des bereits in 10000 Exemplaren verkauften neuen Diözesangesangbuches, die baldigste Einführung des *Kyriale* und wenigstens des *Commune* aus dem *Graduale Vaticanum*, das Diözesanblatt „Cäcilia" (Straßburg), welches wegen der instruktiven Winke über den Aufbau des traditionellen Choralea auch für Freunde der Sache in der Pfalz Interesse haben dürfte. Bemerkenswert ist noch ein beschlossener Antrag an die Schulbehörden, dahingehend, es möchten in den Lehrerseminarien die Zöglinge in dem vom Heiligen Vater angeordneten Chorale unterrichtet, geübt und in dessen Begleitung auf der Orgel eingeschult werden. Unter wiederholten sachkundigen und trefflichen Bemerkungen und unter herzlicher Aneiferung des Bischöfl. Vertreters, unter sehr geschickter Leitung der Verhandlungen gestaltete der Tag sich zu einem außerordentlich lehrreichen und sind die schönsten Früchte für die Diözese Metz zu erwarten.

4. 7. Cäcilienverein Main-Taunusgau. In Homburg v. d. H. fand am 23. August das 7. Verbandsfest des genannten Cäcilienvereines statt, über dessen Verlauf (leider sehr spät!) der Redaktion ein Zeitungsausschnitt zugegangen ist, dem folgendes entnommen wird. — Beim liturgischen Hochamte setzte der Lokalkirchenchor, der schon über 33 Jahre besteht, sein bestes Können ein. Die liturgische Predigt hielt Monsignore Eikerling, Pfarrer von Cronberg, mit großer Begeisterung und schönem Erfolge. Nachmittags sangen die verbündeten Kirchenchöre eine imposante, gemeinsame Vesper; herrlich erklang das von 300 Sängern vorgetragene *Magnificat*. Die Festversammlung eröffnete der Hochwürd. Herr Pfarrer Menzel von Homburg. Der Hochwürd. Herr Bischof von Limburg erfreute die Versammlung aus Bad-Bertrich mit nachfolgendem Telegramm:

„Mit aufrichtiger Freude begrüße ich die Bezirksversammlung des Cäcilienvereins, wünschend, daß sie die alten Mitglieder mit neuer Begeisterung und Opferwilligkeit für die echte Kirchenmusik erfülle und recht viele Anhänger gewinne." † Dominikus."

Bekanntlich hat der Hochwürd. Diözesanbischof schon seit Jahren angeordnet, daß bei Firmungen in seiner Gegenwart, beim Hochamte nur die lateinischen vorgeschriebenen Gesänge erschallen dürfen; wo dies nicht möglich sei, und man nur deutsch singen könne, erlaube er nur die stille Messe. Auch der von Rom erbetene Segen wurde durch Se. Eminenz den Staatssekretär erteilt. Möge durch die Autorität der Bischöfe recht bald in allen Diözesen Deutschlands der Verunstaltung der heiligen römischen Liturgie durch fremde Hände ein Ende bereitet werden. Was in den Diözesen Paderborn und Rottenburg noch kürzlich möglich war, nämlich das bischöfl. Gebot, welches für einen Sonntag ein streng liturgisches Amt ohne Deutsch vorschreibt, für den andern deutschen Volksgesang, aber mit stiller Messe, ohne Gesang des Priesters, das ist auch für Limburg, Mainz usw. möglich. Das walte Gott!

---

## Die Frauenfrage in der Kirchenmusik.

(Schluß aus Nr. 10, S. 124.)

„13. Dagegen, wenn die Frauen sich außerhalb des Chores aufstellen — und unter „Chor" ist hier fraglos der ganze Raum des Sanktuariums zu verstehen; — wenn sie, soviel es die Ortsumstände erlauben, vom Altare entfernt und nach Möglichkeit auch von Männern örtlich getrennt sind, wenn sie gut vorbereitet und eingeübt sind, so verbietet weder das *Motu proprio* noch ein anderes Gesetz ihr Singen."

Wir haben es hier übrigens mit keiner ausschließlich den *Ephemerides* eigenen oder neuen Ansicht zu tun: die Antwort, die Kardinal Bartolini, Präfekt der Ritenkongregation, dem Präses des amerikanischen Cäcilienvereins gab, als er von diesem bezüglich der Erlaubtheit der Verwendung von Frauenstimmen in unseren Kirchenchören befragt wurde, ist noch in frischer Erinnerung. Sie lautete dahin, daß wenn irgendwelche Vorteile für die Würde und Schönheit des kirchlichen Gesanges oder andere vernünftige Gründe die Mitwirkung von Frauenstimmen bei den Cäcilienfesten nötig oder wünschenswert machen, so stehe nichts im Wege. Dasselbe gelte auch von den übrigen Kirchenchören, solange nicht der Bischof der betreffenden Diözese eine solche Mitwirkung direkt verbiete." (Siehe die amerikan. „Cäcilia" 1885 n. 7, S. 52).

Und nach dem Erscheinen des *Motu proprio* ließ Bischof Leonhard durch den Domherrn und Diözesanpräses Arnold Walther folgendes im „Kirchenamtl. Anzeiger" für die Diözese Basel erklären: „Die Vorschrift über Nichtbeiziehung von Frauenstimmen zum Kirchengesang ist wohl nur auf solche Gesangchöre zu beschränken, die beim Altare aufgestellt sind, und braucht nicht auf jene Gesangchöre ausgedehnt zu werden, die auf unseren Emporen das Volk vertreten, von welchem das *Motu proprio* die Teilnahme am liturgischen Gesange wünscht."

Auch Dr. P. Wagner, in seinen Mitteilungen gelegentlich der Audienz beim Heiligen Vater, von der bei Nr. 5 schon die Rede war, hegte „die Überzeugung, für deren Richtigkeit er die stärksten Gründe habe, daß . . . die Frauen und Jungfrauen nicht vom Kirchenchor ausgeschlossen zu werden brauchen, wenn . . . der Chor nicht ein strikt liturgischer ist, aber nicht in der Nähe des Altares steht."

Es sei hier nebenbei bemerkt, daß das geistliche Gewand oder der Chorrock, den Pius X. in seinem *Motu proprio* für die Sänger beim Gottesdienste als wünschenswert erachtet, auch darauf hinzuweisen scheint, daß das Kap. V. in seinen das Sängerpersonal betreffenden Bestimmungen einen Sanktuarium-Chor im Auge hat und nicht unsere bei der Orgel oberhalb des Kircheneingangs aufgestellten und daher den Blicken entzogenen Chöre.

Was nun die von den *Ephemerides* gestellte Bedingung der örtlichen Trennung der Frauen von den Männern betrifft, so zeigt schon die gemachte Einschränkung: „nach Möglichkeit," daß es sich hier, auch nach der Auffassung der *Ephemerides*, jedenfalls nicht um etwas Wesentliches handelt. In den später anzuführenden Nummern 26, 28 und 30 wird von der notwendigen Vermeidung von „Unordnung" und „Ärgernissen" gesprochen; vielleicht werden dort diese Ausdrücke als Gegensätze zu den in Nr. 25 des näheren erklärten Ausdrücken „Ordnung" und „Unterwürfigkeit" verstanden; vielleicht aber sind sie in speziell geschlechtlich-sittlichem Sinne gemeint und so in Verbindung zu setzen mit der Forderung der getrennten Aufstellung der Männer und Frauen. Wie dem immer sei, dieser Forderung gegenüber möchte ich bemerken, daß der Heilige Vater in seinem *Motu proprio* mit keinem Worte diesen Grund für die Ausschließung der Frauen erwähnt: den Frauen wird dort nur aus spezifisch liturgischen Rücksichten die Mitwirkung untersagt; man kann also bei Berufung auf das *Motu proprio* auch nur solche liturgische Rücksichten geltend machen. Selbstverständlich ist auch das ethische Moment zu beachten; aber das *Motu proprio* hat hierin keine neue Lage geschaffen, und es genügen hier die sonst für das christliche Leben zu beobachtenden Grundsätze und Verhaltungsmaßregeln. Gewohnheiten, Anschauungen und Anlagen sind je nach den Ländern und Völkern verschieden und damit auch das Maß der in Rede stehenden Gefahren. Das praktische Urteil über diese Gefahren wird am besten in jedem Lande den Diözesanbischöfen und Seelsorgern zu überlassen sein. In manchen Ländern ist überhaupt die Trennung der Geschlechter eine strengere und nimmt das Volk nach den Geschlechtern unterschieden auf beiden Seiten des Kirchenschiffes Platz; unter diesen Umständen wird man allerdings geneigter sein, die Hände über den Kopf zusammenzuschlagen bei dem bloßen Gedanken an Männer und Frauen, die im Probelokal und auf der Orgelempore gemeinschaftlich den gottesdienstlichen Gesang vorbereiten und aufführen; in einem Lande aber, wie z. B. die Vereinigten Staaten, wo der Verkehr zwischen den Geschlechtern ein so unbehinderter ist, hätte es wenig Sinn und praktische Bedeutung, wollte man gerade im Gotteshause ein Zusammenwirken verpönen. Zutreffend hat Monsignor Ign. Mitterer (in Nr. 12 der „Salzburger Katholischen Kirchenzeitung", 1904) der *Rassegna gregoriana*, welche die Frauenmitwirkung „*un vero scandalo*" genannt hatte, geantwortet, daß man durch gute Chordisziplin und Vorsicht bei der Aufnahme von Chormitgliedern „Ärgernisse" vermeiden kann, ohne das Kind mit dem Bade auszuschütten. Die Mitwirkung von braven, christlichen Frauenspersonen beim Kirchengesang an sich aber empfinde in seinem Vaterlande niemand als ein Ärgernis". — Kehren wir nun wieder zum Texte der *Ephemerides* zurück:

„14. Sind Nonnen etwa Männer und nicht Frauen? Und doch verrichten sie Levitendienst und zwar im Chorraum, der ihnen allerdings eigen und jedem Manne verschlossen ist. Sie üben wirklich ein liturgisches Amt aus, singen Antiphonen und Responsorien, verrichten rezitierend oder singend das Chorgebet aus Verpflichtung, antworten bei der gesungenen Messe."

Ähnlich war schon 1868 in Witts „Fliegende Blätter für kath. Kirchenmusik", S. 64, bezüglich des Stundengebetes der Nonnen zu lesen: „Öffentlich verrichtetes, von der Kirche geordnetes Chorgebet ist Liturgie. Die Nonnen, obwohl Frauen, sind zu solch liturgischem Gesang berechtigt; nun ist aber eine Nonne ebensowenig eine liturgische Person im strengsten Sinne, als eine andere Frau."

„15. Und die weiblichen religiösen Genossenschaften, die aber keine Klausur haben? Singen nicht auch diese in ihren Kirchen die Vesper, die lauretanische Litanei, das *Tantum ergo*, die Responsorien im Hochamt, ja alle Meßteile, die sonst der Klerikerchor ausführt? Tun sie dies etwa unbefugterweise?"

In Nr. 16 werden eine Anzahl solcher in Rom selbst ansässiger religiösen Genossenschaften aufgezählt.

„17. Diese nun singen von der Empore (tribuna) aus, allein, mit Ausschluß von Männern, und die Frauen in der Kirche sollten dieses nicht tun dürfen aus dem Grunde der Nichtbefähigung zu einem solchen Dienste? Wir wiederholen es: nicht ein derartiges liturgisches Amt ist den Frauen untersagt, sondern jenes andere, das wir früher besprochen haben.

18. Es werden allerdings zwei dem Gesagten scheinbar entgegenstehende Dekrete der heiligen Ritenkongregation angeführt; das eine befindet sich unter Nr. 3964 (der „*Decr. auth.*“), das andere ist vom 19. Februar 1903. Bei näherer Prüfung beider wird es aber sofort ersichtlich, daß sie mit Fug und Recht erlassen wurden, weil das (darin Verurteilte) mit dem *Motu proprio*, dem die Dekrete der Zeit nach allerdings vorausgingen, in dem von uns erklärten Sinne, nicht übereinstimmt. Aus der Darlegung der Zweifel [d. h. aus den in der Anfrage berührten Umständen] ergibt sich nämlich, mehr oder minder, eine gewisse Gemeinschaft zwischen den Klerikern und den singenden Frauen, und dieses kann und soll nicht geduldet werden.“

Die Anfrage aus Truxillo, welche das erstgenannte Reskript veranlaßte, schließt nämlich auch die Aufstellung der Frauen innerhalb des dem Klerus vorbehaltenen Sanktuariums („*intra ambitum chori*“) als Fragobjekt ein. Schwieriger ist es beim Dekret vom 19. Febr. 1903 (Plocen.) die erwähnte unstatthafte Gemeinschaft zu entdecken; wahrscheinlich liegt der Grund des Verbots in dem Umstand der „*mulieres ac puellae solae ipsae*“ d. h. des ausschließlichen Frauengesanges, der ja auch laut einem neueren Dekrete bei vorhandener *officiatura choralis* in Kathedralkirchen etc. nicht gestattet ist. Wir werden dieses neuere Reskript, das im übrigen den Frauengesang gutheißt, unter Nr. 28 kennen lernen. Ließen sich die Dekrete auch nicht übereinstimmend erklären, so würde selbstverständlich das frühere Dekret nicht das spätere umstoßen, sondern vielmehr umgekehrt.

„19. Wenn dem so ist, was verschlägt es, wenn zwei, drei oder vier Frauen, während, z. B. der Offiziant sich zum Altare begibt, um dem Volke den Segen mit dem allerheiligsten Sakramente zu geben, die Litanei anstimmen, und die übrigen Gläubigen darauf antworten, wie dies gemeiniglich in den Kirchen Oberitaliens zu geschehen pflegt? Wenn nun diese von den Männern schon getrennt aufgestellten Frauen oder Mädchen nun auch noch einen von den übrigen Frauen getrennten Platz einnehmen, so geschieht dies offenbar aus notwendigen (praktischen) Rücksichten, und diese Personen bilden noch immer einen Teil des in der Kirche befindlichen Volkes.“

Es handelt sich hier, wie man sieht, bei diesen oberitalienischen Sängerinnen nicht mehr um Gemeindegesang, sondern um ein etwa bei der Orgel aufgestelltes Gesangsquartett.

„20. Wenn nun eine größere Anzahl gut unterrichteter Frauen an einem abgesonderten Platze in der Kirche die Vesper abwechselnd mit dem Klerus, oder, in Ermangelung von Klerikern, die Meßresponsorien, oder allenfalls abwechselnd mit ihnen *Kyrie, Gloria, Credo* usw. singen, und noch andere Kirchengesänge ausführen, soll das zu tadeln sein?[1])

21. Es ist hier am Platze zu bemerken, daß heutzutage der Klerus vielerorts an Zahl abgenommen hat und der Kirchenbesuch seitens der Männer viel geringer ist, als in früheren Jahrhunderten. Ja, handelt es sich um die Vesper und das Hochamt, die doch recht eigentlich Gottesdienst genannt werden, so sind die Männer leider *rari nantes in gurgite vasto* zu nennen.

22. Daraus folgt, daß in vielen Pfarrkirchen die Vesper und die Messe kaum gesungen werden können falls nicht weibliche Personen, besonders Mädchen, im Kirchengesang unterwiesen werden. Man kann doch nicht mit nur dem einen oder andern Sänger und dem Geistlichen den Gottesdienst abhalten; zieht man also nicht die Frauen und besonders die Mädchen hinzu, so muß der feierliche Gottesdienst entweder unterlassen werden oder verkümmern.

23. Aber, entgegnet man, warum nicht statt der Mädchen Knaben zu diesem Zwecke verwenden? Hierauf ist zu antworten, daß es aus vielen, leicht begreiflichen Ursachen äußerst schwer wäre, solche zu finden und zweckentsprechend auszubilden . . . In vielen Dörfern und Ortschaften lassen sich nur sehr wenige dazu geeignete Knaben auftreiben; man muß schon zufrieden sein, wenn man einige zum Altardienst vorbereiten kann.

24. Wünscht man also mit dem *Motu proprio*, daß das ganze christliche Volk zur früheren Gewohnheit zurückkehre und wieder am Kirchengesang, namentlich am gregorianischen teilnehme, so muß man notwendigerweise mit den jungen Mädchen beginnen. Dieselben werden dann, wenn sie singen dürfen, noch bereitwilliger als bisher die Kirche besuchen, und dort noch andächtiger verweilen, andere Frauen werden durch ihr Beispiel angeregt werden, ja selbst die Männer werden nach und nach gleichsam durch die Umstände gezwungen dem guten Beispiele folgen. Wir wüßten, praktisch gesprochen, kein anderes Mittel, um das gläubige Volk zur Beteiligung an dem gregorianischen und gottesdienstlichen Gesange zu veranlassen.“

Was werden die zwei amerikanischen Zeitschriften „*Ecclesiastical Review*“ und „*Church Music*“ zum Obigen sagen, sie, denen die weibliche Stimme zu kirchlicher Verwendung überhaupt und gar erst zum gregorianischen Gesang als total untauglich und unpassend gilt?

„25. Auf zwei Dinge müssen jedoch diejenigen, denen es zusteht, besonders achthaben: auf Ordnung und Unterwürfigkeit. Die Ordnung verlangt, daß die Frauen, welche den Kirchengesang ausführen, in richtiger Entfernung von Altar und Sanktuarium Aufstellung nehmen und ihren Gesangpart

[1]) Soeben lese ich in Nr. 7 der Zeitschrift „Die Kirchenmusik“, 1908 (Paderborn) einen Brief aus Rom, in welchem berichtet wird, wie unter den Augen und mit Gutheißung des Papstes, nahe bei der Säulenhalle von St. Peter, in einer Anstalt nicht nur alle Zöglinge gewisse Kirchengesänge ausführen, sondern namentlich ein Chor von 20 Mädchen bei den Hochämtern die Melodien des *Kyriale* und die Wechselgesänge: Introitus, Graduale, *Alleluja* usw. singen. Auf die Bitte des Monsign. Bressan, Geheimsekretär Sr. Heiligkeit, übernahm seit der Fastenzeit 1907 der bekannte Pater de Santi, S. J., bei diesem Mädchenchor den Unterricht in der Kirchenmusik; und der Heilige Vater hat letzten Juni für die Begleitung der liturgischen Gesänge dem Chore ein sehr schönes Harmonium zum Geschenk gemacht.

gut einstudieren und einträchtig vortragen. Die Unterwürfigkeit fordert, daß sie sich nicht anmaßen, was anderen Sängern zukommt, sondern sich vielmehr der Leitung der Vorgesetzten fügen.

26. Es wird dann für die Erfüllung des Wunsches des Heiligen Vaters Pius X. die beste Hoffnung vorhanden sein, nämlich für die Wiederherstellung des früheren Gebrauchs des Singens seitens des gesamten Volkes . . . und die Fernhaltung von Unordnungen und Ärgernissen vom Hause Gottes.

27.[1]) Nach diesen Darlegungen führen wir gleichsam als Schlußfolgerung die Antworten an, welche die Ritenkongregation auf vorgelegte Zweifel aus Irland und Los Angeles gegeben hat. Wir schicken noch voraus, daß zwischen diesen Reskripten und den Ansichten des Hochw. Herrn apostolischen Protonotars Peter Piacenza und des Vorsitzenden der Choralkommission Dom Pothier vollständige Übereinstimmung besteht."

Als Bestätigung des von den *Ephemerides* zuletzt Gesagten möge hier Dr. Wilh. Widmanns Mitteilung (in „Der Kirchenchor", 1907 n. 8.9) einen Platz finden: „Ich habe, so schreibt er, durch einen Freund in Rom über die Deutung des *Motu proprio* bei Dom Pothier, dem gegenwärtigen Redakteur der neuen Choralbücher, ferner beim Sekretär der Congr. Episc. et Reg. und bei anderen Herren, die maßgebend sind und etwas von der Sache verstehen, Erkundigungen einziehen lassen: überall dieselbe Antwort: Der Heilige Vater hat gar nicht daran gedacht, die Frauen praktisch vom Kirchengesang, namentlich von den Ämtern, wie sie in Deutschland gebräuchlich sind, ausschließen zu wollen." Nebenbei möge hier auch folgende nicht uninteressante Tatsache einen Platz finden: Dr. Widmann schreibt (l. c.): „Bei der Konsekration des Bischofs Leo von Eichstätt und beim Eucharistischen Kongreß am 1. und 2. Aug. 1906 pontifizierte der päpstliche Nuntius Caputo in Eichstätt, hörte meinen Domchor singen und sprach wiederholt seine Anerkennung aus namentlich über den Choralgesang der Damen; an eine Chorsängerin, die ich ihm unterwegs vorstellte, richtete Se. Exzellenz die liebenswürdigste Aufmunterung, zur Ehre Gottes wie bisher fortzusingen. So der Vertreter Sr. Heiligkeit 2—3 Jahre nach dem *Motu proprio*." — Das erste der von den *Ephemerides* mitgeteilten Reskripte lautet wie folgt:

„28. Der Erzbischof von Los Angeles (Mexiko) fragt an: „ob es nach dem *Motu proprio* über die Kirchenmusik zu gestatten sei, daß Mädchen und Frauen in eigenen, von den Männern getrennten Kirchenbänken die stehenden Gesänge der Messe oder wenigstens bei nicht streng liturgischen Verrichtungen Hymnen und Lieder in der Volkssprache singen?" Antwort: Ja, beides, und *ad mentem*. Die „*mens*" ist: [2] daß wo eine *officiatura choralis*[2]) besteht, besonders in Kathedralkirchen, der ausschließliche Gesang der Frauen nicht zuzulassen ist, außer der Bischof gestatte ihn aus wichtiger Ursache. Es soll zudem Sorge dafür getragen werden, daß keine Unordnung entstehe.

29. Der Bischof von Armagh *(Episcopus Ardachadensis)* in Irland fragt, ob während der stillen Messe *(Missa lecta)* und dem Segen mit dem allerheiligsten Sakrament Frauen — und namentlich Mädchengesang erlaubt sei. Antwort: ja."

Es folgen in den *Ephemerides* die für unsere Sache nichts Neues bringende Nr. 30 und die Unterschrift: C. Mancini, P. C. M., Praeses Comm. Liturg.

Ich teile hier noch den in Nr. 28 von Mancini ausgelassenen ersten Teil des am 17. Jan. 1908 ergangenen Reskriptes der Ritenkongregation mit. Er ist in unserer Frage von nicht geringer Bedeutung und lautet: „Unter den Gläubigen sollen Männer und Frauen, soweit es möglich ist, ihren Teil zum gottesdienstlichen Gesang beitragen, ohne daß jedoch die Frauen und Mädchen, besonders in Ermangelung von Männern, ausgeschlossen wären." Universitätsprofessor Dr. Andreas Schmid (München) in seiner Mitteilung in *Musica sacra* (Regensburg) 1908, n. 6, erblickt im zitierten Reskript eine amtliche Bekräftigung der Auffassung der *Ephemerides* und schließt mit den Worten: „Nach dieser Entscheidung ist also der Gesang von Frauen und Mädchen auf unseren Kirchenchören nicht mehr zu beanstanden."

Ich möchte bei dieser Gelegenheit aufmerksam machen, daß die Zeitschrift „*Acta Sanctae Sedis*" (15. Febr. 1908) in ihrer Auslegung des nach Los Angeles gerichteten Reskriptes, letzteres willkürlich Einschränkungen machen läßt, von denen in demselben nichts steht: das betreffende Dekret soll, nach den „*Acta S. S.*", die Bedingung machen, daß die Frauen einen von den Männern getrennten Platz einnehmen, und außerhalb der Orgelempore seien. Nun aber erwähnt nur der erzbischöfliche Fragesteller den erstgenannten Umstand, die Kongregation aber berührt diesen Punkt in ihrer Antwort gar nicht; und von dem Ausschluß von der Orgelempore spricht selbst weder der Fragesteller noch das Reskript. In der Tat liegt vom liturgischen Standpunkt aus betrachtet kein Grund vor, einen Unterschied zwischen Orgelempore oberhalb des Kircheneingangs und dem übrigen Laienraum zu machen.

Man wird in dem Teile des Reskriptes, den die Nr. 28 des Gutachtens anführt, bemerkt haben, daß die Ritenkongregation gegen ausschließlichen Frauengesang ihre Bedenken hat. Im Gegensatz hierzu hat die amerikanische „*Ecclesiastical Review*" (Mai, 1908), die sonst den Kern aller Kirchenmusikreform im unerbittlichen Ausschluß der Frauen erblickt, unkonsequenterweise gegen

[1]) Nebenbei sei bemerkt, daß die Nummern 27, 28 und 29 allem Anscheine nach, hier in den *Ephemerides* als Kommentar zum Dekret Angelopol. von Mancini erst beigefügt worden sind; sie können keinen Teil des Gutachtens gebildet haben, das die im Dekret gegebene Antwort mitbestimmt hat, (siehe Anmerkung zu Anfang gegenwärtigen Artikels), denn Nr. 27 und 28 zitieren ja dieses Dekret selbst.

[2]) Was ist die genaue Bedeutung des in lateinischen Lexika nicht zu findenden Ausdrucks: „*officiatura*?" Italienisch bedeutet „*officiatura*" Vollziehung des Gottesdienstes, Kirchendienst (Officiatore ist der meßlesende Priester). Es wird hier wohl ein streng liturgischer Klerikerchor gemeint sein.

einen nur aus Frauen bestehenden Chor nichts einzuwenden; ein mit Männern und Frauen besetzter Kirchenchor aber gilt ihr als gegen den liturgischen Geist verstoßend. Man sollte doch meinen, daß gerade durch Beigesellung von männlichen, und daher liturgisch befähigteren Elementen der Chor nur noch passender und dem strikt liturgischen Charakter näher gebracht würde. Es heißt sonst: *Pars major trahit minorem;* sollte man nicht auch hier sagen: *Pars liturgice habilior trahit minus habilem?*

Kanisius-Kolleg, Buffalo N. Y. Ludwig Bonvin, S. J.

---

## St. Cäcilia, unsere Patronin.

(Zu ihrem Feste am 22. November.)

Hast du schon einmal, lieber Leser, die Lebensgeschichte deiner heiligen Patronin dir näher angesehen, nicht nur oberflächlich gelesen? Oder hast du es überhaupt noch nicht der Mühe wert gefunden ihr Leben kennen zu lernen? Das wäre eine Nachlässigkeit, die du sogleich gutmachen mußt. Damit du aller Ausrede überhoben seiest, will ich dir gleich hier ein kleines Lebensbild zeichnen, dem du absehen kannst, wie die Heilige dazu kam, unsere Schutzfrau zu werden, und wie du sie nicht als solche bloß verehren, sondern auch getreulich nachahmen sollst.

Cäcilia, Jungfrau und Martyrin, stammte aus einem adeligen Geschlechte Roms. Sie wurde schon in frühester Jugend mit der christlichen Lehre bekannt und trug die heiligen Evangelien nicht nur beständig an ihrem Herzen, sondern bewahrte auch die Lehren derselben in ihrem Herzen als köstlichsten Schatz. Siehe, Jünger der heil. Cäcilia, das Beispiel deiner Patronin! Willst du es nicht nachahmen? Willst du als bevorzugter Teilnehmer am hochheiligen Opferdienste, herausgehoben aus deinen Mitbrüdern, nicht ein Leben führen, geregelt nach den Lehren des Evangeliums? Oder solltest du nicht überzeugt sein von deiner Pflicht, als Kirchensänger durch ein dem christlichen Sittengesetz entsprechendes Leben deine Mitmenschen zu erbauen? — Cäcilia achtete nicht auf ihre edle Geburt, auf den Reichtum ihrer Eltern noch auf die Freuden der Welt; sie wollte nur ihrem Heiland angehören und weihte sich ihm deshalb durch das Gelöbnis der Jungfräulichkeit, das sie veranlaßte, dem ihr von den Eltern aufgedrängten Bräutigam Valerian zu bekennen: „Wisse, Valerian, ich stehe unter dem Schutze eines Engels, der meine Jungfräulichkeit beschützt, erlaube dir also nichts, wodurch du Gottes Zorn gegen dich erregest." Siehe, welch anmutiges Beispiel von Berufstreue! Cäcilia weiß sich berufen, Gott im jungfräulichen Stande zu dienen und tritt für die Unversehrtheit ihres Standes furchtlos ein. Beobachtest auch du jene Reinheit, welche dein Stand erfordert? Bist du ein reiner Mitopferer beim unbefleckten Opfer? Oder strömen deine Gesänge von Lippen, die bedeckt sind mit Zoten und Possen, aus einem Herzen, das in unreinen Leidenschaften verstrickt ist? Mußt du dich nicht gedrückt fühlen und schämen, wenn du am Feste der heil. Cäcilia den Introitusvers der Messe hörst oder gar selbst vorsingst: *Beati immaculati in via:* „Glückselig, die unbefleckten Wandels sind!" Was nützt es dir, mit deiner Stimme Gott zu verherrlichen, wenn du durch ein ärgerliches, gottentfremdetes Leben Gottes Namen schändest? Du singest im Namen der Pfarrgemeinde, der in der Kirche anwesenden Gläubigen; du sollst ihre Gebete im heiligen Gesange zum Throne Gottes emporsenden: wird der Allheilige und Reinste deine aus unreinem Gefäße fließenden Gebete beachten? — Valerian verlangte den Engel zu sehen. Cäcilia antwortete: Ohne getauft zu sein, sei dies nicht möglich. Valerian war nämlich noch Heide; er ließ sich von Bischof Urban taufen und als er als ein Schüler Christi zu Cäcilia, die gerade betete, zurückkehrte, sah er neben ihr den Engel, von göttlichem Glanze umflossen. Nachdem er sich von seiner Furcht erholt hatte, rief er seinen Bruder Tiburtius, den Cäcilia im christlichen Glauben unterrichtet hatte, herbei. Auch dieser ließ sich taufen und wurde nun ebenfalls den Engel zu sehen gewürdigt. Cäcilia hat durch ihren Eifer zwei Seelen für Christus gewonnen. Kannst du sie auch hierin nachahmen? Gewiß, indem du fleißig auf dem Kirchenchore erscheinst und freudig singest; vor allem aber durch eifrige Wachsamkeit über dich selbst: Gib nie selbst Anlaß zu Plaudereien unter den Sängern, laß dich nicht durch andere in Unterhaltungen hineinziehen; bleibe für dich in den Ruhepausen, welche du mit Gebet ausfüllen sollst — dein gutes Beispiel wird dann auch andere zur Ehrfurcht im Hause Gottes führen und sie erkennen lassen, daß du im Recht bist, mit deinem Eifer für einen unbefleckten, unentweihten Gottesdienst. Und bist du in der Tat besorgt, daß dein Singen und Beten wirklich zu Gottes Ehre und dir und den Kirchenbesuchern zu Nutz und Frommen dient, so schreibe dir folgendes Gebet auf einen Zettel und lege ihn in dein Gebetbuch, damit du wenigstens vor jeder kirchlichen Verrichtung, bei der du mitwirkest, das Gebet verrichten könnest. Das Gebet lautet:

„**Antiphon**: Mitten unter dem Klange der Instrumente sang die Jungfrau Cäcilia in ihrem Herzen Gott allein Loblieder und sprach: Bewahre, o Herr, meine Seele und meinen Leib unbefleckt, damit ich nicht zuschanden werde!

℣. Bitte für uns, o heilige Cäcilia! ℟. Auf daß wir würdig werden etc.

**Gebet**: O Gott, der du uns durch den Schutz der heiligen Jungfrau und Martyrin Cäcilia erfreuest, gib, daß wir derselben, die wir fromm verehren, auch im Beispiele frommen Wandels nachfolgen durch Christum unsern Herrn. Amen.“

Dies Gebet ist eigentlich das **Vereinsgebet** der Cäcilienvereins-Mitglieder und von Leo XIII. mit einem Ablaß von 100 Tagen, täglich einmal zu gewinnen, versehen worden. Auch gewinnt ein jedes Mitglied, das am Feste der heil. Cäcilia oder am unmittelbar vorhergehenden oder folgenden Sonntag eine öffentliche Kirche besucht, einen Ablaß von 7 Jahren und 7 Quadragenen. Laß diese Gnadenerweisung der heiligen Kirche nicht unbenützt liegen.

Im Anschluß an die oben gebrachte Antiphon soll dir gleich erzählt werden, wie Cäcilia die Patronin der Kirchenmusik wurde. Die Antiphon, welche den Akten der Heiligen entnommen ist, sagt, daß Cäcilia inmitten des Klanges der Instrumente Gott allein Loblieder gesungen habe. Dieser Klang der Instrumente waren die weltlichen Weisen, die zur Feier ihrer Hochzeit gespielt wurden und bei Cäcilia keinen Gefallen fanden; sie hatte an dem für sie so trübseligen Feste, das ihre Jungfräulichkeit zu gefährden schien, ihre ganze Seele abgewandt von irdischen Freudenklängen und eingetaucht in Gottes Schönheit und Seligkeit und wußte nur von dem einen Bittgesang: „Bewahre, o Herr, meine Seele und meinen Leib unbefleckt“. „Wie traumhaft singend,“ sagt Abt Gueranger, „erhebt sie inmitten profaner Akkorde ihr Herz zu Gott. Diese schweigsame Melodie ist über alle irdischen Klänge erhaben; sie veranlaßte den glücklichen Gedanken, die heil. Cäcilia mit den Attributen der Königin der Harmonie — der Orgel — darzustellen und sie als Schutzpatronin der bezauberndsten der Künste zu feiern.“ (Kirchenjahr, Bd. 15, S. 401.)

Valerian und Tiburtius erlitten bald nach ihrer Taufe den Martertod, in welchen ihnen Cäcilia kurze Zeit darauf nachfolgte. Sie hatte, überzeugt von ihrem baldigen Tode, ihr Vermögen vorher an die Armen verteilt, was den römischen Stadtpräfekten Almachius, vor den sie geschleppt worden war, so in Wut versetzte, daß er den Befehl gab, sie in ihrem Badezimmer durch heiße Dämpfe zu ersticken. Dort brachte sie einen Tag und eine Nacht zu, ohne im mindesten verletzt zu werden. Nun wurde ein Henker zu ihr geschickt, der sie enthaupten sollte; aber trotz dreimaligen Streiches konnte er ihr Haupt nicht vom Leibe trennen und ließ sie noch lebend zurück. Drei Tage lag sie in ihrem Blute und hatte noch Zeit, ihr Haus zu einer Kirche weihen zu lassen, wofür sie in ihren Martyrerakten selbst Zeugnis ablegt mit den Worten: „Einen dreitägigen Aufschub habe ich vom Herrn begehrt, um mein Haus zu einem Tempel einzuweihen.“ Ihr Todesjahr ist wahrscheinlich das Jahr 178, als Papst Eleutherius regierte und Mark Aurel und Kommodus römische Kaiser waren.

Die Kirche singt in den Tagzeiten der Heiligen: *Caecilia famula tua (Domine) quasi apis tibi argumentosa deservit;* Cäcilia, deine Dienerin, (o Herr) hat dir wie eine Biene emsig gedient. Diese Emsigkeit und Unermüdlichkeit im Dienste Gottes hatte zum Quell die Reinheit ihres Herzens. Wer sich frei weiß von schwerer Schuld, wer nicht in ungebührlicher Art mit der Welt liebäugelt, wird treu und eifrig seinem Gott dienen. Und dein Gottesdienst, lieber Leser, besteht vor allem in der Verherrlichung, im Lobpreis des Allerhöchsten durch deinen andächtigen Gesang beim heiligen Opfer und anderen kirchlichen Verrichtungen. Sei darin immer emsig und dienstbereit. Veranlasse durch deine Saumseligkeit, deine Unbeständigkeit im Erscheinen am Chore keine Unordnung, keinen Ärger unter dem Chorpersonal; bringe den Dirigenten nicht in Verlegenheit durch dein willkürliches Wegbleiben. Es ist wahr, du wirst nicht bezahlt für dein Mitwirken am Chore. Aber wie hat das Büblein gesagt, als der Fremde, dem es eine Stunde weit den Weg gewiesen hatte, ihm für seinen großen Dienst eine Belohnung geben wollte? Es hat bescheiden gesagt: „Man muß sich nicht alles bezahlen lassen.“ Und dann deutete es zum Himmel empor und sagte treuherzigen Sinnes: „Der da oben wird mich bezahlen.“ Auch dir, lieber Kirchensänger, wird einmal für deine Liebe und Treue, für deine Mühen und Überwindungen dort oben ganz gewiß der Lohn zugeteilt werden, der um so reichlicher dir zufallen wird, je mehr du aus reiner Liebe zu Gott dein Sängeramt ausgeübt hast, je mehr du den Ruhm des Hauses Gottes und die Würde seines heiligen Dienstes geliebt und erhöht hast. Wohlan also: Frisch und freudig weiter gesungen zu Gottes Ehr und deiner Mitmenschen Erbauung und mache heute, am Feste deiner heiligen Patronin S. Cäcilia des Psalmisten Wahlspruch zu dem deinigen: „Ich will preisen den Herrn zu aller Zeit; immerdar sei sein Lob in meinem Munde.“ (Ps. 33, 1.) P. A. W.

## Zur zwanzigsten Gedächtnisfeier von Dr. Fr. Witts Todestag.

Am 2. Dezember 1888, dem Vorabende vom Feste seines heiligen Namenspatrones, verschied zu Landshut der hochverdiente Gründer und 1. Generalpräses des Allgemeinen Cäcilienvereins, 54 Jahre alt, unerwartet rasch, aber gut vorbereitet. Groß und allgemein waren Schmerz und Trauer über den Verlust des genialen, für die Regeneration der katholischen Kirchenmusik in Deutschland unermüdlich wirkenden Priesters. Ein Aufruf seines Nachfolgers als Generalpräses, des nunmehrigen Domkapitulars Dr. Friedrich Schmidt in Münster, zur Stiftung eines Witt-Denkmals hatte den Erfolg, daß schon um Allerheiligen des Jahres 1889 das hier abgebildete Grabdenkmal auf dem Friedhofe zu Landshut feierlich enthüllt werden konnte.[1])

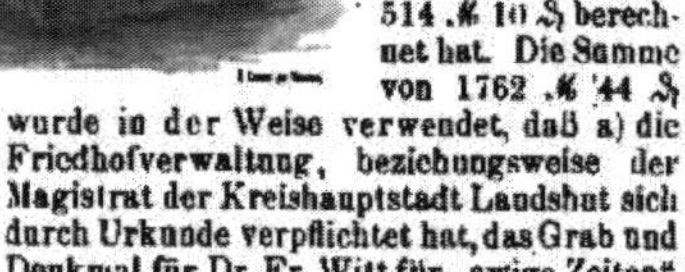

Seit dieser Zeit haben viele Einheimische und Fremde, Eleven der Kirchenmusikschule fast jedes Jahr mit ihrem Direktor, diese Grabstätte besucht, für den Dahingeschiedenen gebetet, die Vorsätze, seinem Beispiel im Eifer für die katholische Kirchenmusik zu folgen, erneuert.

Auch bei der 18. Generalversammlung in Eichstätt, wo Witt kurze Zeit die Stelle eines Domkapellmeisters inne hatte, wurde das Andenken an das 20. Todesjahr wiederholt wachgerufen. Aber erst ein Brief von der noch lebenden Schwester Witts, Fräulein Therese, Privatiere in Landshut, veranlaßte den zweiten Nachfolger Witts als Generalpräses, nicht nur für die Erhaltung und Pflege des Grabdenkmals Sorge zu tragen, sondern auch von Vereines wegen jährlich eine Seelenmesse mit Rosenkranz in der Stadtpfarrkirche zu Sankt Jodok in Landshut und einen Jahrtag mit Totenoffizium, levitiertem *Requiem* und *Libera* in der neuen Cäcilienkirche zu Regensburg für die Seele des Gründers vom Cäcilienverein und aller verstorbenen Mitglieder zu stiften.

Die dazu notwendigen Mittel gewann der Unterzeichnete aus dem Überschuß von 1248 ℳ 34 ₰, der bisher fälschlich als Vereinsvermögen galt und der dreiprozentigen Verzinsung dieser Summe während 18 Jahren, welche sich auf 514 ℳ 10 ₰ berechnet hat. Die Summe von 1762 ℳ 44 ₰ wurde in der Weise verwendet, daß a) die Friedhofverwaltung, beziehungsweise der Magistrat der Kreishauptstadt Landshut sich durch Urkunde verpflichtet hat, das Grab und Denkmal für Dr. Fr. Witt für „ewige Zeiten"

[1]) Siehe „Fliegende Blätter" 1899, Nr. 11 und ebenfalls 1890, Nr. 2, sowie die Resultate der Sammlung für das Denkmal in „Fl. Bl." 1899, fast in jeder Nummer; Abschluß der Sammlung ebenda 1890, S. 32; ebenda berichtet der damalige Vereinskassier, H. Pawelek, unter dem 24. Februar 1890: „Nach Abzug der Ausgaben von den Einnahmen ergibt sich sonach ein Überschuß von 1248 ℳ 34 ₰, den zunächst die Kasse des Vereins übernimmt und zur Erhaltung des Denkmals, zur Zierung und Instandhaltung des Grabes verwenden wird."

unberührt zu lassen, gegen eine einmalige Zahlung; b) die Marienanstalt Landshut, neben welcher der Verstorbene zu Lebzeiten gewohnt hat, wird durch ein kleines Kapital, zu welchem den größten Teil Fräulein Therese Witt beigesteuert hat, auch nach ihrem Tode für die Erhaltung und Schmückung des Grabes sorgen; c) die Kirchenstiftung St. Jodok in Landshut erhielt einen Teil obiger Summe für eine jährliche Rosenkranzmesse; d) in der Cäcilienkirche ist obenerwähntes Jahrtagsamt angenommen worden.

Auf diese Weise glaubt der Unterzeichnete eine Dankespflicht für den Gründer des Allgemeinen Cäcilienvereins in würdigster Form erfüllt zu haben. Bei der 19. Generalversammlung im Jahre 1909 wird der Rechenschaftsbericht die Einzelheiten inbezug auf die verwendeten Gelder enthalten und den Mitgliedern vorgelegt werden. F. X. H.

## Vermischte Nachrichten und Notizen.

1. — Das nördliche Hauptportal der Cäcilienkirche in Regensburg. Schon am Cäcilienfeste 1907 sind die Bildhauerarbeiten am Portal der romanischen Cäcilienkirche durch die Freigebigkeit einer ungenannt sein wollenden Wohltäterin vollendet worden. Die Redaktion des Cäcilienvereinsorgans glaubt den Verehrern der heil. Cäcilia durch beifolgende Abbildung des Hauptportals und Abdruck eines Artikels, der im Regensburger Anzeiger vom 21. Nov. 1907 erschienen ist, eine Freude zu machen. Vielleicht öffnen sich noch einige milde Hände, welche die Last der Bauschulden vermindern helfen oder weitere Mittel zur Ausschmückung des schönen Gotteshauses zur Ehre Gottes und zur Verehrung unserer Patronin gewähren.

Der Artikel lautete:

„Es ist ein Vorzug der Cäcilienkirche, daß sie nicht wie mit einem Schlage fix und fertig gestellt wurde, sondern daß nach ihrer trefflichen architektonischen Vollendung nun schon seit Jahren an ihrer inneren und äußeren Ausstattung weiter gearbeitet wird. Erst dieses Frühjahr sahen wir zu den vorhandenen Glasgemälden fünf anziehende neue treten. Zum St. Cäcilientage können wir nun auch über die bildnerische Vollendung des Hauptportals an der Reichsstraße berichten. Es möge hier gleich bemerkt sein, daß sie wohl gelungen ist.

Nach Maßgabe der vorhandenen Architektur hatte es sich darum gehandelt, das Bogenfeld des Portals und die Felder der 17 Friesbögen seitlich und über dem Portal mit bildnerischem Schmucke auszustatten. Da der Patronin der Kirche im Innern durch mehrfache Darstellungen, insbesondere in den Glasgemälden, Rechnung getragen worden war, so ließ das Portal Raum für einen anderweitigen Inhalt, der indes doch des Hinweises auf die Patronin der Kirche nicht entbehren sollte. Gewählt wurde (nach den Ideen des Hochwürd. Herrn Lyzealprofessors Dr. Jos. Endres dahier) der Gedanke der Schöpfung und Erlösung. Die Schöpfung findet ihren Ausdruck in den Halbkreisen des aufsteigenden Bogenfrieses am Giebel des Portals. Es ist hier die Geisterwelt in den neun Engelschören dargestellt, und zwar in der Weise, wie sie die Kunst seit alten Zeiten zu veranschaulichen pflegt. In den seitlichen Halbkreisen der Portalwand schließt sich daran die Schöpfung der irdischen Welt im Sechstage-Werk. Auch hier sind alte künstlerische Reminiszenzen verwertet. Rechts vom Beschauer sehen wir den Geist Gottes über den Gewässern schweben (eine Taube über Wasserwellen). Es folgen der zweite und dritte Schöpfungstag mit dem Firmament (personifiziert in einer Menschengestalt, die über sich ein Tuch schwingt) und den Sternen. Von der linken Seite her reihen sich die drei weiteren Schöpfungstage an mit der Pflanzen- und Tierwelt (Ähren und Weinlaub, zugleich ein Hinweis auf das heilige Opfer; der Löwe als König der Tiere) und dem Menschen. Auf den innersten Halbrändern zu beiden Seiten des Portals war noch Raum für sehr beliebte Darstellungen an Kirchenportalen, nämlich die Personifikationen von Synagoge und Kirche, zwei Frauengestalten, die Kirche mit einer Krone auf dem Haupte und dem Kirchengebinde in der Hand, die Synagoge mit verbundenen Augen und gebrochenem Zepter. Diese beiden Gestalten leiten über auf den Gedanken der Erlösung, die im Alten Bunde (Synagoge) vorbereitet und im Neuen (Kirche) vollbracht wird.

Die Erlösung selbst kommt zu ihrem prägnanten Ausdruck innerhalb des Portalbogens und zwar durch den menschgewordenen Gottessohn auf dem Schoße seiner Mutter, welche in Erfüllung von Gen. 3, 15 („Sie wird dir den Kopf zertreten") ihre Füße auf den Kopf des Höllendrachen stellt.

Nun galt es noch, der Patronin der Kirche ihr Recht auf dem Hauptportal einzuräumen und die Kirche nach Möglichkeit in ihrer Beziehung zur Kirchenmusik zu kennzeichnen. Deshalb kniet heraldisch rechts, auf der Seite der „Kirche", die heil. Cäcilia mit ihrem Orgelspiel, während heraldisch links David, der königliche Sänger und Verfasser der Psalmen, wie in prophetischer Verzückung auf seine Harfe gestützt, den Blick nach dem Erlöser richtet. Vielleicht ist es ein wohlüberlegter Zug des feinfühligen Bildhauers, daß David die Hand vom Spiele läßt — zum Troste des Erbauers der Kirche und um der Instrumentalmusik nicht allzusehr das Wort zu reden, auf dem Hauptportal der Kirche der Kirchenmusikschule.

Die sämtlichen Bildwerke sind entworfen vom Herrn Kgl. Baurat Friedrich Niedermayer dahier und Herrn Bildhauer Alois Miller in München, welch letzterer sie auch ausführte. Entwurf und Ausführung verdienen alle Anerkennung. Sehr wohl gelungen sind namentlich die Figuren über der Türe. In hoheitsvoller Würde, nicht ohne einen gewissen herben Ernst, wie er dem romanischen Stile so wohl ansteht, thront die Gottesmutter mit dem Kinde über dem Portale. Die Klippe der Manier hat der Künstler an dieser wie an den beiden Seitenfiguren glücklich ver-

Nordportal der Cäcilienkirche von Regensburg.

mieden. Trotz aller billigen Anpassung an die alte Stilart belebt die Gestalten warmes, modernes Empfinden, aber ein Empfinden ganz im Sinne der frommen, kirchlichen Kunst.

Das Portal will, wie obige Ausführungen zeigen, in seinem anspruchslosen Bilderschmuck auf einen bedeutenden Gedankeninhalt hinweisen. Es entbietet einen sinnigen Gruß an die an der Kirche Vorübergehenden und wirkt erhebend und sammelnd auf das Gemüt der Eintretenden."

Am Feste der heil. Cäcilia, Sonntag, den 22. November, wird Se. Exzellenz der Hochwürd. Herr Bischof Antonius von Henle eine Pontifikalmesse lesen, während welcher die Knabenstimmen des Domchors unter Leitung des Hochwürd. Herrn Domkapellmeisters F. X. Engelhart mehrere Gesänge zur Aufführung bringen werden. Um 4 Uhr wird eine Lauretanische Litanei gesungen. F. X. H.

**2. † Richtigstellung.** Die Doppelnummer 8 und 9 dieses Blattes nennt mich „Schweizer". Tatsächlich bin ich jedoch immer noch deutscher Reichsbürger, obgleich allerdings nächstens 40 Jahre in öffentlicher und amtlicher Stellung in der Schweiz wirkend; meinen Kollegen, die weltliche Chöre dirigieren, Gottfried Angerer in Zürich und Peter Faßbänder in Luzern ist allerdings schon nach zehnjähriger Tätigkeit die Ehre des schweizerischen Bürgerrechts gratis in den Schoß gefallen!

St. Gallen, August 1908. J. G. E. Stehle.

3. ‖ Oberösterreichischer Cäcilienverein. Für die Generalversammlung dieses Vereines, welche am 29. Oktober in **Kremsmünster** stattgefunden hat, wurde folgendes Programm aufgestellt: Hochamt in der Stiftskirche. *Missa votiva de Ss. Sacramento.* Intr.: *Cibavit*, Choral. — Ign. Mitterer, Op. 35. — Grad.: *Oculi omnium* für gemischten Chor von Ign. Mitterer, Op. 49. Offert.: *Sacerdotes* für gemischten Chor mit Orgel von V. Goller, Op. 23. — Communio *Quotiescumque*. Choral. — *Tantum ergo* und *Genitori* für 7st. gemischten Chor von M. Haller, Op. 63. — 10 Uhr: Versammlung im Stiftsmusiksaale. Ansprachen Sr. Gnaden des Hochwürd. Herrn Abtes Leander Czerny und des Hochwürd. P. Michael Horn, O. S. B. aus Graz. Mitteilungen des Vereinsobmannes, Rechenschaftsbericht, Neuwahl des Ausschusses. — Nachmittags: Musikalische Produktionen in der Stiftskirche. 1. *Salve Regina* für gemischten Chor und Orgel von Dr. A. Faist, Op. 2. 2. Introitus am Palmsonntag für 4st. Chor von V. Goller, Op. 60. 3. *Gloria de Angelis*, Choral. 4. *Improperium* für Karfreitag, 4st. von L. de Victoria. 5. „Jesus nur dir allein" für gemischten Chor von Pet. Griesbacher, Op. 33 A. 6. *Credo* Nr. 3, Choral. 7. *Sanctus* aus Palestrina, *Missa Papae Marcelli*, 4st. von Ign. Mitterer. 8. *Ave verum*, 4st. von W. A. Mozart. 9. *Haec dies*, Graduale für den Ostersonntag. 4st. mit Orgel von J. E. Habert, Op. 15. Nr. 2. 10. *Da pacem Domine*. Fronleichnamsmotette für gemischten Chor und Orgel von Jos. Gruber, Op. 178, Nr. 4. 11. „Jungfrau, Mutter Gottes mein". 4st. von M. Haller, Op. 17 A. — ¾4 Uhr: Besichtigung der Stiftssammlungen. (Ein Bericht über den Verlauf des musikalischen Teiles, den P. Benno Feyrer geleitet hat, wird der Redaktion sehr erwünscht sein.)

4. □ Personalnotizen. Der bisherige Organist an der Kgl. Herzogspital-Hofkirche in München, Herr **Georg Sackerer**, wurde zum Chordirektor an der St. Rupertuskirche ernannt. — Den vakanten Organistenposten an der Kgl. Herzogspital-Hofkirche erhielt unter vielen Bewerbern Herr **Max Deuk**, ein vortrefflicher Orgelspieler und Kirchenmusiker. — Der Direktor der Neuen Akademie der Tonkunst in München, Hofpianist **Georg Liebling**, Wurzelstrasse 9, hat eine Abteilung seines Konservatoriums als ein Seminar für Kirchenmusik eingerichtet, in dem Orgelspiel, Liturgie, gregorianischer Choral, Harmonielehre, Partiturspiel, Liturgik und Literatur der Kirchenmusik gelehrt wird. Als Leiter dieser Abteilung ist Chordirektor **Max Pracher** von der Kgl. Herzogspital-Hofkirche gewonnen worden.

**5. ♃ Regensburg.** Der bisherige Stiftskapellmeister Hochwürd. Herr **Dr. Karl Weinmann** wurde am 1. November von Sr. Exzellenz dem Hochwürd. Herrn Bischof Antonius von Henle zum Domvikar und Bibliothekar der berühmten Musiksammlung von Dr. Karl Proske ernannt. (Die Redaktion gratuliert aufs herzlichste! *Ad multos annos.*) — Als Nachfolger Weinmanns wählte das Stiftskapitel zu Unserer Lieben Frau zur Alten Kapelle den Hochwürd. Herrn **Otto Jung** zum Stiftsvikar und -Kapellmeister. Derselbe ist am 2. Januar 1881 geboren, wurde am 15. Mai 1904 zum Priester geweiht und war vorher Katechet und Organist an der Stadtpfarrkirche zu St. Emmeram dahier.

**6. Inhaltsübersicht von Nr. 11 der *Musica sacra*:** Welche Anforderungen stellt die katholische Kirchenmusik an den Vokalkomponisten? Von Alfred Gebauer. (Schluß folgt.) — Geheime Korrespondenz. Von —b—. — *Organaria*: I. Die neue Orgel in der katholischen Pfarrkirche zu Schreckendorf in der Grafschaft Glatz von Orgelbaumeister Lux-Landeck. Von Georg Amft; Orgelweihe und Disposition der neuen Orgel von Späth zu Ennetach in Sigmaringen. II. **Orgelliteratur**: Angelo Balladori: Pietro Branchina; Max Burger; Adolf Gessner; Alban Lipp; Joh. Gg. Meuerer; A. J. Monar; G. P. Polleri (2); Alfred Rasmussen; J. Spanke; Franziskus Walczynski. (Schluß folgt.) — Vermischte Nachrichten und Mitteilungen: † Erzabt Plazidus Wolter in Beuron; Corrigenda zu den Artikeln von L. Bonvin, *Musica sacra* Seite 110 und 125; Wer verlegte Kistlers Artikel über Dr. Witt? — Aufnahmen für Kirchenmusikschule 1909 abgeschlossen. — Inhaltsübersicht von Nr. 10 des Cäcilienvereinsorgans. — Anzeigenblatt Nr. 11.

---

Druck und Expedition der Firma **Friedrich Pustet** in Regensburg.

**Nebst Anzeigenblatt, sowie Cäcilienvereins-Katalog, 5. Band, S. 169–176, Nr. 3626–3646 und Sachregister zum Generalregister W. Ambergers S. 93*–100* über die 3500 Nummern des Cäcilienvereins-Kataloges.**

1908. Regensburg, 15. Dezember 1908. Nro. 12.

# Cäcilienvereinsorgan.

43. Jahrgang
der von Dr. Franz Xaver Witt († 2. Dez. 1888) begründeten Monatschrift

# Fliegende Blätter für kath. Kirchenmusik.

Verlag und Eigentum des Allgemeinen Cäcilienvereins zur Förderung der kathol. Kirchenmusik auf Grund des päpstlichen Breve vom 16. Dezember 1870.
Verantwortlicher Herausgeber: Dr. Franz Xaver Haberl, z. Z. Generalpräses des Vereins.

Erscheint am 15. jeden Monats mit je 20 Seiten Text inkl. des Cäcilienvereins-Kataloges. — Abonnement für den ganzen Jahrgang, inkl. des Vereinskataloges 3 Mk., einzelne Nummern ohne Vereinskatalogbeilage 30 Pf. Die Bestellung kann bei jeder Post oder Buchhandlung gemacht werden.
Inserate, welche man rechtzeitig an die Expedition einsenden wolle, werden mit 20 Pf. für die 1spaltige und 40 Pf. für die 2spaltige (durchlaufende) Petitzeile berechnet.



## Vereins-Chronik.

1. + Der Diözesan-Cäcilienverein **Seckau-Graz** veranstaltete am 10. September d. J. eine Versammlung in **Stainz**, einem größeren Markte an der Kärntner Grenze in Verbindung mit einer kirchlichen Produktion.

Das Programm derselben war folgendes: 9 Uhr vormittags Predigt, gehalten vom Direktor Dr. Puchas. ½10 Uhr Hochamt, zelebriert vom Hochwürd. Dechant Gangl. Hiebei wurde aufgeführt (Direktion: Oberlehrer August Musger): Intr., Grad. und Communio choraliter *(Editio Medicaea)*. „Lorettomesse", 4st. mit Orgel von V. Goller; Offert.: *In virtute tua*, 4st. a cappella von F. X. Witt; *Tantum ergo*, 5st. a cappella von J. G. Meuerer (Op. 13, Nr. 9). Nach dem Hochamte (Direktion: Dr. Faist): *Veritas mea*, 5st. a cappella von M. Haller; *Tui sunt coeli*, 5st. mit Orgel von Ign. Mitterer; Marienlied, 4st. („Mariengrüße", Nr. 2) von A. Faist. Hierauf sogleich Versammlung in A. Hofers Salon. Vortrag des Präses und Allfälliges. 3 Uhr nachmittags Litanei mit Segen. Hiebei wird unter Leitung des Präses aufgeführt: *Tantum ergo*, 4st. a cappella von J. G. Meuerer (Op. 13, Nr. 5); „Lauretanische Litanei", 4st. mit Orgel von A. Faist; *Salve Regina*, 4st. a cappella von F. X. Witt, arrangiert von Greiß; nach dem Segen: „Marienlied", 4st. a cappella aus „Mariengrüße", Nr. 12. Zirka 5 Uhr abends Reunion in Hofers Lokalitäten. Hierüber berichtete Hochwürd. V. Finster im „Grazer Volksblatt" und in der „Gregorianischen Rundschau" folgendermaßen:

„Am 10. September fand in **Stainz** eine vom Diözesan-Cäcilienvereine Seckau veranlaßte Musteraufführung, sowie eine Versammlung des genannten Vereines statt. Die geräumige Kirche war zum feierlichen Gottesdienste von Gläubigen gefüllt. Um 9 Uhr war Predigt, gehalten vom II. Vizepräsidenten des Vereines, Herrn Dr. Franz Puchas, Direktor der „Styria" in Graz. Derselbe legte seinem begeisterten Vortrag die Stelle aus dem Epheserbriefe (5, 19) zugrunde: „Redet miteinander in Psalmen und Lobgesängen und geistlichen Liedern", und führte aus: 1. Der Gesang ist ein wirksames Mittel, Gott zu verherrlichen, wenn es ein guter Gesang ist. 2. Welches sind die Eigenschaften dieses letzteren? Die Predigt verfehlte ihren Eindruck nicht. — An dieselbe schloß sich ein assistiertes Hochamt. Bei demselben brachte der pfarrliche Gesangchor, von 22 auf 36 Stimmen vermehrt, dirigiert von seinem Chorleiter August Musger, Oberlehrer i. P., die zur Meßliturgie des heil. Nikolaus de Tolentino (10. September) zu singenden gottesdienstlichen Teile zum Vortrage. Es waren folgende: Intr.: *Justus ut palma*, Choral; *Kyrie, Gloria, Credo, Sanctus, Benedictus* und *Agnus* aus der Lorettomesse in *Es-dur* von Vinzenz Goller, vierstimmiger gemischter Chor mit obligater Orgel. Grad.: *Os justi*, Choral; Offert.: *In virtute tua*, 4st. a cappella von Dr. F. X. Witt; Communio: *Amen dico vobis*, Choral; *Tantum ergo* und *Genitori*, 5st. (Bariton und Baß) von J. G. Meuerer, Op. 13, Nr. 9. Der Choral wurde sehr würdig und andächtig gesungen. Die Messe von Goller ist von hervorragender Schönheit. Im *Gloria* und *Credo* tritt der Glanz der Komposition mächtig hervor. Die Sopranstimme im *Jesu Christe* und *Et incarnatus est*, die Unterstimmen des

12

*Crucifixus* und der Tenor *Et in Spiritum* bringen kunstreiche Abwechslung in die Machtfülle des Chores. In meisterhafter Geschicklichkeit sind die Stellen eingefügt, in welchen die Altstimme geltend hervortritt. Jubelnd ist der Schluß des *Gloria*, wie mit wahrnehmbarer Glaubensstärke schließt das *Credo*. Machtvoll erhaben klingt das *Fortissimo* des Chores im *Hosanna* hervor. Eine vorzüglich gelungene a cappella-Leistung war das Offertorium *In virtute*, 4st. von F. X. Witt. Ein besonderer musikalischer Vorzug der Meßkomposition ist auch darin gelegen, daß der Taktrhythmus künstlerisch weich, sich mehr der sprachlichen Deklamation als seinen eigenen Fesseln anschließt und die Dauer vom Beginne des Introitus bis zum *Ite missa est* nur 48 Minuten betrug. Gleich nach dem Hochamte übernahm Dr. Faist den Dirigentenplatz und es erklangen das schöne *Veritas mea* (Offert.), 5st. (Bariton und Baß) a capella von M. Haller; dasselbe entzückte das Ohr, wie ein herrliches mit Gold und reichem Farbenschmuck durchwebtes Seidenstück das Auge fesseln muß. Ebenso war stimmenreich das Weihnachtsoffertorium *Tui sunt coeli* von Ign. Mitterer, welches einen Glanz hervorbringt, wie wenn leuchtende Strahlenbündel mit Farbenpracht aus dem Sternenhimmel herniederfielen; und dieser Eindruck wird festgehalten und fortgesetzt im letzten Stücke Nr. 2 „Mariengrüße" von Dr. A. Faist.

Am Nachmittag wurde die Lauretanische Litanei (lateinisch), 4st. gemischter Chor mit Orgel von Dr. A. Faist und das *Salve Regina*, 4st. gemischter Chor von Dr. F. X. Witt, arrangiert von Groiß, a cappella vorgetragen. In dem Litaneigesange ward eine überraschende und ergreifende Wirkung hervorgebracht. Die der Gebetslitanei eigene Einförmigkeit hat der geniale Komponist durch die Gruppierung und die äußerst schönen Tonmotive glücklich überwunden. Solch künstlerische Behandlung bewahrt den Chor auch vor Überbürdung. Der deklamatorisch schwungvolle und nicht überhastete Vortrag, das Hervorleuchten der einzelnen Stimmengattungen, die entzückend schön klingenden Tenortöne, die elegante Orgelregistrierung und die Macht des Gesangchores haben die der Komposition innewohnende Wesensschönheit in lebendig bester Gestaltung gezeigt. Folgend dem in der Diözese lebenden Gebrauche, wurde zum sakramentalen Beginn- und Schlußsegen das *Tantum ergo* und *Genitori* Nr. 5 aus Op. 13 von J. G. Meuerer hinzugenommen. Auf die Segenspendung folgte noch Nr. 12 aus dem obengenannten Opus „Mariengrüße", 4st. a cappella von Dr. A. Faist. Als Schlußnummer gut gewählt, um noch einmal die einheitliche Gesangvereinsseele in ihrer kunstgebildeten Schönheit ersehen zu lassen. Wenn auch das *Pianissimo* manchmal an Stärke etwas zu leiden hatte, darf solche ob der Begeisterung, mit welcher der Chor und sein Führer durchglüht waren, wohl erlassen sein."

Hierzu ergänzt der Diözesanobmann: „Die Ausführung des Programms war im ganzen eine gute, meist schwungvolle. Zu bemängeln wäre nur etwa, daß es nachmittags beim *Salve Regina* im Sopran einige Schwankungen im Einsatze gab, die sich aus der Eigenart der Komposition wohl erklären lassen (es wechseln Falsibordoni mit Stellen im Takte). Die Nummer war überhaupt minder glücklich gewählt. Die Sänger waren mit Eifer bei der Sache; besonders die schönen Sopranstimmen (14 Damen) fielen auf, während in der Litanei der lyrische Tenor des Hochwürd. Herrn Christian sehr vorteilhaft heraustrat. Das Hauptverdienst am Gelingen des Ganzen hat Herr Oberlehrer Muager, welcher noch im Alter unermüdlich tätig ist im Erteilen des Gesangsunterrichtes und welcher auch die Vorproben hielt.

Nach dem Hochamte, bald nach 11 Uhr, wurde die Versammlung vom Präses Dr. Faist eröffnet. Anwesend waren zwei Dechante, mehrere Pfarrer, Kapläne, Organisten, Alumnen und Studenten; ferner die meisten Chormitglieder von Stainz, St. Stefan, Gams und Ligist, im ganzen an 100 Personen. Der Vorsitzende begrüßte die Anwesenden und sprach dem Stainzer Chor seinen Dank aus. Hieran schloß er einen Vortrag über die Hauptpunkte der kirchlichen Verordnung vom Jahre 1903 und tadelte die diesbezüglichen in der Diözese bestehenden Mißbräuche. Darnach sprach er über das Verhältnis der Lehrer zum Organistendienste und empfahl, die Lehrer soweit als möglich als Organisten beizubehalten; ferner über die Eigenschaften eines guten Chorregenten, über die Auswahl der Kirchenmusikalien, warnte vor zu schwierigen Werken, aber auch vor solchen, die niemandem gefallen, besonders den Sängern nicht; der Vereinskatalog biete Auswahl genug. Zuletzt wandte er sich an die Sänger und sagte, hier könne er sich kurz fassen, da der Festprediger darüber in ausgezeichneter Weise gesprochen habe. Er spricht demselben im Namen des Vereines den wärmsten Dank aus. An der nun folgenden Debatte beteiligten sich besonders die Herren Dechant Gangl, Pfarrer Finster, Dr. Puchas und Oberlehrer Schreiner. Es wurde hauptsächlich über Volksgesang beraten und eine Umarbeitung des Diözesangesangbuches gewünscht. Die Versammlung wurde 12½ Uhr geschlossen.

Die Reunion, die 5 Uhr abends begann, gestaltete sich sehr animiert. Es wechselten Männerquartette mit gemischten Chören, Duetten und Solovorträgen. Selbstredend fehlte auch eine Reihe von Toasten nicht, in welchen alle gefeiert wurden, die für das Gelingen des Festes in besonderer Weise gearbeitet hatten.

Graz, den 8. November 1908. Dr. A. Faist, derz. Diözesanpräses.

2. [ ] Bericht über den Cäcilienverein von **Oberwallis**, Diözese **Sitten**. Seit der am 17. April 1908 in Mörel stattgefundenen, sehr gut verlaufenen 5. Generalversammlung des Oberwalliser Cäcilienvereins, über die der „Chorwächter" in Nr. 6 und 7 desselben Jahres eingehend berichtete, hat sich der Stand unseres Vereinsverbandes nur wenig geändert.

1. Im Dekanate Goms bestehen Pfarrvereine in Bellerwald, Biel, Binn, Blitzingen, Ernen, Fiesch, Gluringen, Lax, Münster, Obergesteln, Oberwald und Reckingen. Nach den Berichten werden besonders in Ernen und Reckingen fleißig Proben gehalten. Am 30. April dieses Jahres hielt Goms in Ernen ein Dekanatsfest, das etwa 120 Teilnehmer zählte. Beim Hochamt, das Hochwürd. Herr Pfarrer Werner in Blitzingen zelebrierte und wobei Hochwürd. Herr Dekan

Dr. Aug. Julier über die Entwicklung und Bedeutung des Kirchengesanges eine vortrefflich orientierende Predigt hielt, sang der Pfarrverein die *Missa brevis in hon. S. Stanislai* für 3 Männerstimmen von J. Singenberger, und als Einlage ein *Ave maris stella*, 3st. von H. Wiltberger. Nach dem Hochamte traten der Reihe nach die Pfarrvereine Ried-Mörel, Lax, Fiesch, Blitzingen, Biel, Gluringen, Reckingen, Münster und Oberwald mit 3- und 4stimmigen Stücken cäcilianischer Komponisten auf. Es war dem Unterzeichneten, der verhindert war, am Feste teilzunehmen, leider nicht möglich, das Programm zu erhalten. Nach dem Urteile des Hochwürd. Herrn Rektors Imahorn, der den Produktionen beiwohnte, gaben die Aufführungen von strebsamer Arbeit und guten Fortschritten Zeugnis. Die Feier wurde mit den Gesamtchören: *Kyrie (Medicaea in Solemnibus), Te Deum (mod. simplex), Tantum ergo* und Segen mit dem Allerheiligsten geschlossen.

Das Dekanat Goms ist im Oberwalliser-Vereinsvorstand durch den Pfarrer Jos. Schmid in Reckingen vertreten, der zugleich Vizepräses des Vereines ist.

2. Im Dekanatsverein von Brig, der durch Zusammenschluß einiger Kirchenchöre des Dekanates Brig ins Leben getreten ist und bald darauf am 8. Mai 1906 ein gelungenes erstes Dekanatsfest feierte, wird laut Berichten besonders in Ried-Brieg, Mörel, Ried-Mörel und Termen beispielvoll gearbeitet. Bei der 5. Generalversammlung des Oberwalliser Cäcilienvereins hat Mörel, das übrigens schon bei den früheren Generalversammlungen stets mit lobenswerten Leistungen dabei war, sich als festgebender Verein die Anerkennung und den Dank aller verdient. Leider ist ihm der eifrige und opferwillige Gründer und Beförderer, Herr Kaplan Luggen, vor einigen Wochen durch den Tod entrissen worden. Möge sich der Pfarrverein durch diesen Verlust nicht entmutigen lassen, sondern auch in der Zukunft eifrig fortarbeiten!

Der Dekanatsverein von Brig ist im Zentralvorstande des Oberwalliser Cäcilienvereins durch den Hochwürd. Herrn Pfarrer Viktor Beck vertreten. Es ist zu hoffen, daß in diesem Dekanate sich noch andere Pfarrchöre dem Dekanatsverein anschließen werden, die über leistungsfähige Kräfte verfügen könnten.

3. Im Dekanate Visp, das im Zentralkomitee durch Hochwürd. Herr Pfarrer Alois Ruppen in Saas-Grund vertreten ist, herrscht in mehreren Pfarrvereinen eine rege Tätigkeit, von der die Dekanatsversammlung, die am 4. Mai dieses Jahres in Zermatt abgehalten wurde, den besten Beweis lieferte. Bei dem von Hochwürd. Herrn Alois Andenmatten in Randa zelebrierten feierlichen Hochamt führte der Pfarrverein unter der Leitung des Herrn Direktors Ösch, frühern Schülers der Regensburger Kirchenmusikschule, die Messe *de SS. Martyribus* für 4 Männerstimmen von Ign. Mitterer auf. Dabei *Veni Creator*, 3stimmig von Aug. Wiltberger und Offertorium: *Diffusa*, 3stimmig von Heinr. Wiltberger. Dank der ausgezeichneten Direktion, kamen diese Kompositionen zur schönsten Geltung. Besonders verdienen feine Nüanzierung und gute Aussprache alles Lob. Die Predigt hielt der Unterzeichnete über die Würde und die Pflichten des Kirchensängers. Nachmittag kam folgendes Programm zur Ausführung: Chor Saas-Balen: *Laetamini*, 3st. von H. Wiltberger. Chor Saas-Fee: *Justus ut palma*, 4st. von Haller. Chor Grächen: *Sacris solemniis*, 4st. von F. O. Wolf. Chor Grund: *Salve Regina*, 4st. von Röder. Chor Randa: *Kyrie*, 4st. aus „dritte leichte Messe" von Schiffels. Chor Staldenried: *Sanctus*, 3st. aus *Missa VI.* von Haller. Chor Täsch: *Ave Maria*, 3st. von Johann Imahorn. Chor Visp: *Laetentur coeli* für 4 gemischte Stimmen von Gruber. Chor Visperterminen: *Veni Creator*, 4 voc. von Wipf; *Nunquam felix*, 4 voc. von Witt. Chor Stalden: *Ascendit Deus*, 4 voc. von Haller; *Assumpta est*, 4 voc. mixt. von Imahorn. Chor Zenggen: *Sanctus* aus der Stanislausmesse von Singenberger. Chor Zermatt: *Tantum ergo*, 3st. von H. Wiltberger.

Zum Schlusse wurde der Segen mit dem Allerheiligsten erteilt. Bei der nachher im Zermatterhof erfolgten gemütlichen Vereinigung konnte der Unterzeichnete nur die vollste Anerkennung zollen zu den Fortschritten, die die meisten Pfarrvereine zu verzeichnen hatten. Möge man im Dekanate Visp immer mit demselben Eifer weiter arbeiten.

4. Aus dem Dekanate Raron sind es, laut eingelaufenen Berichten, die Pfarrvereine Birchen, Eischoll, Kippel und Unterbäch, die regelmäßige Proben abhalten. In Birchen wird alles vollständig und liturgisch korrekt gesungen. Das reichhaltige Repertorium zeigt, daß hier mit Fleiß und Verständnis gearbeitet wird. In Eischoll singt man gute Sachen: auch die Wechselgesänge werden hier, wie in Unterbäch, fleißig gesungen. Der Verein in Kippel ist gut organisiert, arbeitet mit gutem Erfolg und verfügt über ein schönes Repertorium. Leider hat das Dekanat Raron seinen Präses und seine Vertretung im Zentralvorstand durch den allzu frühen Hinscheid des Herrn Dekans Bellwald verloren. Diesem Umstande ist es zuzuschreiben, daß in diesem Dekanate, das vor Jahren das erste Dekanatsfest in Wallis gefeiert, heuer keine Versammlung veranstaltet wurde.

In letzter Zeit wurden in Unterbäch und Birchen neue pneumatische Orgelwerke erstellt.

5. Das Dekanat Leuk ist im Eifer für die Sache der heil. Cäcilia nicht zurückgeblieben. Es gibt freilich Pfarreien, wo durch ungünstige Verhältnisse wenig getan wird; dann auch Orte, wo man noch immer von der Arbeit früherer Jahre zehrt und kaum Neues hinzufügt. Fleißig geprobt wird in Albinen, Ergisch und Gampel.

Daß wir in Leuk nicht müßig sind, beweist das reichhaltige und wertvolle Repertorium, das jedes Jahr im Wachsen begriffen ist. Dem Eifer und Können des Chorregenten, Herrn Rektors Imahorn, gebührt besonderes Lob, aber auch dem Fleiß der Sänger und Sängerinnen. Leider hat der Tod empfindliche Lücken in deren Reihen gerissen. Nachdem wir vor vier Jahren den Hinscheid des langjährigen, verständnisvollen Dirigenten, Herrn Landschreibers Julius Gentinetta melden mußten, sind uns im Mai und Juni dieses Jahres zwei vorzügliche Kräfte, die Herren Fürsprech, Dr. Hermann Gentinetta, Gemeindepräsident, und Peter Marie Zen Ruffinen, Einleitungsrichter, dahingestorben: Gott der Herr möge ihnen im Himmel reichlich lohnen, was sie mit so großem Eifer und Verständnis Jahrzehnte hindurch im Dienste des Kirchengesanges gearbeitet haben!

Das Dekanat Leuk hielt am 3. Mai dieses Jahres auch ein Vereinsfest ab, und zwar in Turtmann. Das feierliche Hochamt wurde von Hochwürd. Herrn Staatsarchivar L. Meyer zelebriert, assistiert von den Herren Pfarrer Schmid in Varen und Schmidhalter in Salgesch. Die Predigt hielt in vorzüglicher Weise Herr Pfarrer Supersaxo in Albinen über die Eigenschaften und die richtige Ausführung des Kirchengesanges. Die Wechselgesänge wurden choraliter *(Medicaea)* aufgeführt. Die Messe, aufgeführt vom Pfarrverein Turtmann, *Missa in hon. S. Caeciliae* von Hohnerlein für 4st. Männerchor. Offertorium, 3st. Männerchor *Dextera Domini* von J. Imahorn. Das *Veni Creator* vor der Predigt choraliter gesungen von sämtlichen Chören. Nach dem Hochamt war Versammlung, die vom Unterzeichneten geleitet wurde und wobei Hochwürd. Herr Rektor Imahorn ein treffliches Referat hielt: „Winke für Sänger und Organisten." Nachmittags ½ 3 Uhr Aufführungen in der Kirche: 1. Gesamtchor: „Freu dich, du Himmelskönigin", 1st. aus „Lobsinget". 2. Verein Albinen: *Sanctus* aus *Missa sexta*, 3st. von Haller; Marienlied: „Maria, lichter Meeresstern", 4st. von Mitterer. 3. Ergisch: *Laetamini in Domino*, 3st. von H. Wiltberger; *O bone Jesu*, 3st. von H. Wiltberger. 4. Gampel: *Benedictus* aus *Missa quarta*, 2st. von Haller; *Gloria* aus Stanislausmesse, 3st. von Singenberger; *Confirma hoc*, 4st. von Haller. 5. Leuk: „Trauert, ihr himmlischen Chöre", Charfreitagschor, 5st. von J. Imahorn; *Surrexit pastor bonus*, 5st. von Haller; *Ego sum panis vivus*, 4st. von Palestrina; „Wenn Angst uns hält umwunden", Marienlied, 4st. mit Orgel von Mitterer. 6. Leukerbad: *Benedictus* aus der Konzilsmesse, 4st. von Witt. 7. Salgesch: *Terra tremuit*, 4st. mit Orgel von Aug. Wiltberger, Op. 52; *Credo*, 3st. von A. Wiltberger. 8. Varen: *Kyrie* aus *Missa XV.*, 2st. von Haller; *Veni Creator*, 3st. von H. Wiltberger. 9. Gesamtchor: *Sacris solemniis*, 1st. aus „Lobsinget"; *Te Deum*, Choral, *Mod. simpl.*; *Tantum ergo*, Choral; nach dem Segen: „Ein Haus voll Glorie schauet", aus dem „Lobsinget".

Siders, dessen Beitritt in den Cäcilienverein für Oberwallis seiner Zeit gemeldet wurde, hat sich nicht weiter an unserm Vereinsleben betätigt. Seit einiger Zeit wirkt dort im Geiste des Cäcilienvereins Herr Chorregent Iten. Im letzten Frühjahr wurde in der dortigen Kirche eine neue, mit den neuesten Errungenschaften des Orgelbaus ausgestattete pneumatische Orgel mit 22 klingenden Stimmen von der Orgelbaufirma Th. Kuhn in Männedorf installiert. Möge die Sache der heil. Cäcilia bei uns immer mehr wachsen und gedeihen!

Leuk, am Feste der heil. Cäcilia, 1908.

Julius Eggs, Dekan,
Präses des Cäcilienvereins von Oberwallis.

3. × Die Feier des 70jährigen Stiftungsfestes des kathol. Kirchenchores „St. Gregorius" und die 5. Bezirksversammlung der Pfarr-Cäcilienvereine des Westerwaldes zu Wirges am 9. August. Es war ein Jubiläum, dessen Feier, voll berechtigt und würdig, doch auch die Mühen der Vorbereitung lohnte, das wir heute hier begangen haben — 70jähriges Jubiläum unseres Kirchenchores „St. Gregorius". 70 Jahre sind eine in unserer schnellebigen Zeit besonders lange Periode, eine Bürgschaft der Treue in Erstrebung des gesetzten Ziels, ein Ruhmestitel für alle, welche zum treuen Festhalten an diesem Ziel mitgewirkt haben. Nach St. Gregorius, dem großen Papst und Organisator der Kirchenmusik, nennt sich unser Chor, und St. Gregorius' Bild ziert die neue schöne Fahne, welche der Chor sich zu seinem Jubelfeste beschafft und welche heute im feierlichen Hochamte die kirchlichen Weihe erhalten hat. Der liturgische Gesang im Hochamt fiel ganz unserm von Herrn Lehrer Urban mit großem Fleiße und günstigem Erfolge geleiteten Chore zu, der sowohl den einstimmigen Choral wie die Pielsche St. Klemensmesse zu sehr anerkennenswertem Vortrag brachte. Die Hauptfeier für die auswärtigen Vereine brachte der Nachmittag, der sechs fremde Vereine in unseren in Fahnenschmuck prangenden Ort und in unsere prächtige große Kirche führte. Es waren die Vereine von Goldhausen, Marienrachdorf, Montabaur, Oberelbert, Siershahn und der Lourdesverein von Montabaur. Der Verein von Siershahn hatte die Vesper übernommen und bot in derselben eine in allem vorzügliche Leistung. Ihn leitet Herr Schneidermeister Oswald Weyand, der seinen etwa 80 Köpfe (darunter 45 Mädchen) zählenden Verein mit militärischer Zucht in der Hand hat. Wir waren über die Sicherheit und Schönheit des Vortrages, die Reinheit der Aussprache und die Vertrautheit mit dem Text, der ganz vollständig nach den kirchlichen Bestimmungen zum Vortrag gelangte, geradezu erstaunt. Ein Landchor, der sich an so schwere Falsibordoni wagt und sie so rein und schön singt, wie der Siershahner Chor, ist gewiß alles Lobes für die Ausdauer würdig, mit welcher der Leiter und der Chor ihrer Aufgabe gerecht zu werden suchen. Freilich hat sich um denselben auch der Bezirksverbandspräses, Herr Seminarlehrer Walter von Montabaur, unser wackerer Diözesan-Orgelbau- und Glockeninspektor, durch Abhaltung mehrfacher Proben und öfteren Unterricht besonders angenommen. Seine Meisterhand merkten wir auch alsbald in der Handhabung der Orgel und dem herrlichen Spiel, das rasch und geschickt von Antiphon zu Antiphon und von Psalm zu Psalm überleitete. Kurz, die Vesper war ein wahrer, frommer Genuß. Ihr folgte in dem gefüllten Gotteshause, in welchem die Anwesenden treulich aushielten, von jedem der sieben Vereine der Vortrag zweier kirchlichen Tonstücke; den Anfang machte der Verein von Goldhausen (Männerchor), unter Leitung des Herrn Lehrers Stähler, der mit einer Frische, Sicherheit und Genauigkeit der Einsätze, und einem so dem Text in der Tonstärke angemessenen Vortrag sang, daß er eine wohlverdiente, sehr beifällige Beurteilung fand, welche namentlich das fünfstimmige ergreifend schöne *Coenantibus illis* von M. Haller vollauf verdiente. Der Männerchor von Marienrachdorf, auf dessen Schulung Herr Lehrer Müller treuen verständnisvollen Fleiß verwendet, bot Tonstücke der bekannten Komponisten Piel und Wiltberger,

der von Herrn Lehrer Lanx geleitete Männerchor von Oberelbert außer einem Tonstück von Piel eine altklassische Komposition von Casini (1706), der unter Herrn Hauptlehrer Stillger stehende Männerchor von Montabaur außer einem sehr wirkungsvoll und dem Text entsprechend prächtig vorgetragenen Tonstück von Nekes ein *Gloria* von unserem jungen tüchtigen Landsmann, Herrn Lehrer Hohn in Nievern, ein sehr entsprechendes Tonwerk, das als Erstlingskomposition dem Künstler zu besonderem Lobe gereicht. Unser Männerchor zeigte sich den für ihn besonders großen Anstrengungen des Festtags gewachsen und ließ frisch und in gutem Vortrag sowohl eine Choralmelodie als ein sehr inniges *Sanctus* von Piel erklingen, für das nur die Tenorstimmen hätten etwas zahlreicher sein dürfen. Prächtig klang das von Herrn Bezirkspräses Walter vertonte und von dem gemischten Chor unseres Nachbarortes Siershahn mit Kraft und Wärme gesungene *Tu es Petrus* in der akustisch sehr wohl gelungenen Kirche. Dem pompösen Festlied folgte ein frommzartes, sakramentales Lied in gleich schöner Ausführung. Den würdigen Schluß der frommen Darbietungen bot die erst seit einem Jahre unter der tüchtigen Leitung des Herrn Kaufmanns Müller gebildete Gesangsabteilung des Lourdesvereins von Montabaur, welcher mit einem Marien- und einem Herz Jesuliede durch sehr ansprechenden Vortrag Ehre einlegte und der Leistungsfähigkeit von Dirigent und Chor ein günstiges Zeugnis ausstellte. Zur Einleitung der kirchlichen Tonstücke hatte Herr Lehrer Hohn, ein Schüler von Walter und der Kirchenmusikschule von Regensburg, eine von ihm komponierte gedankenreiche Phantasie und Fuge über „Großer Gott, wir loben dich", in der Mitte des Programms zu angenehmer Abwechslung und Erholung ein Larghetto von Piel und nach dem Schlußchor des Montabaurer Lourdesvereins noch eine Fuge von Altmeister Bach auch mit Meisterschaft vorgetragen. Wenn man die fromme und andächtige Aufführung ein Kirchenkonzert nennen darf, so können wir behaupten, daß die Zuhörerschaft durch dasselbe in eine weihevolle Stimmung und gewiß auch in Begeisterung für die kirchenmusikalische Tätigkeit der Chöre versetzt wurde, bezüglich deren es schwer ist zu sagen, wem unter Abwägung aller Verhältnisse die Palme zukommt. Der Vesper, wie der ihr folgenden Aufführung kirchlicher Tonstücke in unserm Gotteshaus und der weltlichen Feier wohnte außer mehreren Nachbargeistlichen auch der Generalvikar, Herr Domdekan Hilpisch, aus Limburg bei.

Nach etwa halbstündiger Pause begann die weltliche Feier des Stiftungsfestes mit einem durch die Teilnahme der auswärtigen und hiesigen Vereine, die sehr schöne Fahnen führten, ausgezeichneten Umzug, der sein Endziel im Saalbau Herz hatte. Dort begrüßte zunächst in herzlicher Ansprache Herr Pfarrer Dr. Luschberger die Gäste, besonders Herrn Generalvikar Domdekan Hilpisch und Herrn Bezirkspräses Walter und verbreitete sich in belehrenden Ausführungen über die Wahl des Namens St. Gregorius für den hiesigen Kirchenchor und die Wahl der Farben des Papstes für dessen neue Fahne. Dann ließ der aus sämtlichen Vereinen gebildete Massenchor unter Leitung des Herrn Bezirkspräses den von letzterem bearbeiteten Feyeschen Hymnus „Preis des Höchsten" in machtvollem Vortrag erschallen. Kaum waren die majestätischen Klänge verhallt, als Herr Prälat Hilpisch die Grüße und Wünsche des Hochwürd. Herrn Bischofes für unsern schon 70 Jahre bestehenden Kirchenchor und die übrigen Vereine entbot und die Pflege eines echt kirchlichen Gesanges als eine Herzensangelegenheit darlegte. Bezüglich der Darbietungen der Vereine äußerte der auf diesem Gebiete sachverständige Redner, daß seine Erwartungen über die Leistungsfähigkeit der ländlichen Chöre durch die Sicherheit auch bei sehr schwierigen Tonstücken, wie durch die Reinheit von Gesang und Aussprache und die Vortragsweise weit übertroffen seien. Im besonderen feierte der Herr Domdekan noch die Verdienste des Herrn Seminarlehrers Walter auf kirchenmusikalischem Gebiete, die auch der Heilige Vater kürzlich durch die Verleihung des Kreuzes *pro Ecclesia et Pontifice* anerkannt habe, und schloß mit dem Ausdruck seiner eigenen Wünsche für den festfeiernden Verein und die übrigen Chöre. Nachdem der Männerchor von Marienrachdorf zwei schöne Lieder würdig vorgetragen, hielt der Bezirkspräses unter dankbarer Anerkennung der Anwesenheit eines Vertreters des Hochwürd. Herrn Bischofs in sehr gewählten Worten die Festrede, in welcher er eingehend auf die Tätigkeit des Heiligen Vaters für die Förderung der Kirchenmusik und das vom Kaiser noch gelegentlich eines Besuches der Benediktinerabtei Maria Laach für die echte traditionelle Kirchenmusik bekundete Interesse zu sprechen kam, so daß das am Ende der Rede ausgebrachte Hoch von der Festversammlung mit besonderer Freude aufgenommen wurde. Die Chöre von Oberelbert und hier trugen dann je zwei Lieder, darunter der hiesige Chor die von dem Zisterzienserpater und berühmten Tonkünstler Alberich Zwyssig (im Kloster Mehrerau im November 1854 gestorben) vertonte „Sonntagsfeier" vor. Im Anschluß hieran gedachte Herr Pfarrer Dr. Luschberger des vor 20 Jahren aus Mehrerau zu uns hergewanderten Wiederherstellers von Marienstatt, den 10 Jahre später die göttliche Vorsehung auf den bischöflichen Stuhl von Limburg geführt habe, dankte dem für die Sache der Cäcilienvereine begeisterten Oberhirten für seine durch den Generalvikar ausgedrückten Wünsche und Aufmunterungen und bat diesen, dem Hochwürd. Herrn Bischof die Huldigung der Versammlung und den Ausdruck ihrer dankbaren Ergebenheit zu übermitteln. In das auf Bischof und Generalvikar ausgebrachte Hoch stimmten die Anwesenden begeistert ein. Es folgten dann die Vorträge der Vereine von Goldhausen, Montabaur (Kirchenchor und Lourdesverein) und Siershahn — lauter prächtige Darbietungen, welche wohlverdienten Beifall fanden. Kurz nach 6 Uhr war das reich gewählte Programm des Festkonzertes erledigt, worauf Herr Pfarrer Dr. Luschberger mit freundlichen Dankesworten an die Festgäste die sehr würdig verlaufene und so ganz passend zu früher Stunde schon beendigte Feier schloß.

**4.** = Die Jahresversammlung des Bezirks-Cäcilienvereins Landau pro 1908. Vertreten waren gestern 21 Pfarr-Cäcilienvereine durch 41 Herren. Außerdem beehrte der neue Herr Diözesanpräses Stadtpfarrer Breitling von Homburg die Versammlung mit seinem lieben Besuche. Nach

Begrüßung der Erschienenen durch den Bezirkspräses trat man in die Tagesordnung ein. Der Sekretär erstattete den Jahresbericht, zu dessen Fertigstellung 23 Vereine ihren Tätigkeitsbericht eingesendet hatten, die ein recht erfreuliches Gesamtbild abgaben. Zwei größere Produktionen wurden gehalten. Die eine in Herxheim aus Anlaß des 100jährigen Bestehens des dortigen Cäcilienvereins, an der 8 Vereine sich beteiligten, die andere in Annweiler, ausgeführt von den Vereinen der Sektion Annweiler. Die Rechnung wurde abgeschlossen mit einem Einnahmeüberschuß von 78,85 ℳ. Dem Rechner wurde Entlastung erteilt und Dank für die unentgeltliche und prompte Rechnungsführung ausgesprochen. Der vom Kaplan Dehs in Kirrweiler gehaltene Vortrag über die kirchliche Sequenz *Dies irae* in der *Requiems*-Messe gefiel allgemein und erntete die vom Vorsitzenden erteilte wohlverdiente Anerkennung. Nach Anhörung des Vortrages konnte man das schöne Urteil des Protestanten Daniel über diese Sequenz besser würdigen, das da lautet: „Unter der geistlichen Poesie ist *Dies irae* einstimmig die größte Zierde und der kostbarste Edelstein der lateinischen Kirche."

Zur Feier des sechsundzwanzigjährigen Bestehens des Bezirksvereins, der am 2. Januar 1884 in Landau gegründet wurde, soll eine große Produktion veranstaltet, jedoch erst nach Vollendung der neuen Marienkirche, die ausreichenden Raum bietet, ausgeführt werden. Auch soll die Abhaltung eines zweiten kirchenmusikalischen Instruktionskursus ähnlich wie der im Jahre 1891 in Landau betätigte, in nähere Erwägung gezogen werden. Beide Veranstaltungen könnten ein fruchtbares Jubiläum des Bezirksverbandes werden. Nach Erledigung der Tagesordnung widmete Herr Lehrer Kempf in Flemlingen dem leider zu früh verstorbenen Domkapellmeister und Diözesanpräses Niedhammer ein warmes Gedenken. Der neue Diözesanpräses Stadtpfarrer Breitling schildert die angenehmen Eindrücke, die er heute auf der Versammlung empfangen, berichtet über seine Wahrnehmungen, die er über die Kirchenmusik in Frankreich vor einigen Wochen gemacht, empfiehlt die Pflege des Choralgesanges und feiert die Verdienste des Heiligen Vaters Pius' X. um die Kirchenmusik. Mit dem Wunsche, der Bezirksverein Landau möge blühen, wachsen und gedeihen, wurde die Versammlung, die im Übungslokal des Pfarr-Cäcilienvereins Landau (Alte Brauerei Stöpel) von 4—6½ Uhr nachmittags stattfand, geschlossen.

**5. ♃ Aus der Eifel. Großlittgen** (Kr. Wittlich), 6. Sept. Bezirks-Cäcilienfest. Heute nachmittag tagten hierselbst die Kirchenchöre von Binsfeld, Buchholz, Eisenschmitt, Greimerath, Großlittgen, Hupperath, Landscheid und Laufeld. Trotz der weiten Entfernung der meisten dieser Ortschaften (bis zu 2¾ Stunden) und der schwierigen Verbindung (Bahn gibt's hier nicht) fanden sich gegen 159 Sänger hier ein, gewiß ein schöner Beweis des großen Eifers für die heilige Sache der Kirchenmusik. Die kirchliche Feier wurde um 3¼ Uhr eröffnet mit einem vom Ortschor vorgetragenen 4stimmigen *Veni Creator* und der Predigt des Hochwürd. Domkapellmeisters Stockhausen aus Trier über die Würde und die Pflichten des kathol. Chorsängers. Das heutige Fest der heiligen Schutzengel legte einen Vergleich zwischen den Kirchensängern und Engeln nahe, die unaufhörlich Gottes Lob singen. Hoch steht der kathol. Kirchengesang, so führte der Redner des weiteren aus, über der weltlichen Sangeskunst, nicht bloß durch die Erhabenheit seiner Bestimmung (Verherrlichung des Allerhöchsten) und die herrlichen Texte (größtenteils der Heiligen Schrift entnommen), sondern auch durch die künstlerische Schönheit der Melodien. Dem hohen Ehrenamte der Kirchenchormitglieder entsprechen jedoch auch Pflichten. Der Prediger verstand es, in begeisterten Worten den bisher bewiesenen Eifer der anwesenden Sänger für die heilige Sache noch mehr zu entflammen. — Danach wurden von den einzelnen Chören 1 oder 2 Choralstücke und auch mehrstimmige Kompositionen (Teile aus Messen, Motetten, Hymnen, auch einige deutsche Lieder) vorgetragen. Die Pausen zwischen den Gesängen wurden durch Orgelkompositionen verschiedener Meister ausgefüllt. Von einigen Einzelheiten abgesehen muß die Aufführung als durchaus gelungen bezeichnet werden. Man merkte, daß auch auf diesem Gebiete unsere Eifel keineswegs rückständig ist, sondern sogar manchen Städten zum Muster dienen könnte, wenigstens was die Pflege des Chorals, dieses ureigensten und vornehmsten Gesanges der Kirche, angeht. Wir möchten im Interesse der guten Sache wünschen, daß derartige Aufführungen öfters in allen Dekanaten veranstaltet würden. Sie sind nicht nur ein edler Genuß und eine Freude für die zahlreich zusammenströmenden Zuhörer, sondern auch sehr lehrreich für die teilnehmenden Chöre. Es wird dadurch ein heiliger Wetteifer entfacht, immer mehr die echte Kirchenmusik zur Ehre Gottes und zur Erbauung der Gläubigen zu pflegen. — Die kirchliche Feier schloß mit einer kurzen sakramentalen Andacht, bei welcher der Ortsverein das trierische *Te Deum* (Choral) und ein polyphones *Tantum ergo* von Piel vortrug. In der darauffolgenden Versammlung im Hubertschen Saale kamen noch mehrere Quartette verschiedenen Inhaltes zur Begrüßung und Unterhaltung der Vereine zum Vortrag. Auf besonderen Wunsch der Anwesenden gab der Domkapellmeister einige, mit großem Interesse und Beifall aufgenommenen Anweisungen und Winke über Einübung und Vortragsweise des Chorals. Um 7 Uhr erreichte die wirklich schön verlaufene Feier, die auch vom besten Wetter begünstigt war, ihr Ende.

**6. ♄ Stuttgart.** Am 7. und 8. Oktober fand hier die 20. Plenarsitzung des Cäcilienvereins der **Diözese Rottenburg** statt unter dem Vorsitze des derzeitigen Präses Pfarrer Keilbach-Öffingen. An den kirchenmusikalischen Aufführungen beteiligten sich die hiesigen vier Pfarrkirchenchöre von St. Eberhard (Chordirektor Enz), St. Maria (Weiß), St. Nikolaus (Sauter) und St. Elisabeth (Enz junior). Bei der liturgischen Andacht am Mittwoch abends wurde u. a. ein fünfstimmiges *Tantum ergo* von Haller, sowie die Lauretanische Litanei von Witt und ein Marienlied von Gruber (St. Florian) ganz schön erbauend vorgetragen. Der starke Klang der Orgelbegleitung störte in etwas die schöne Wirkung der Litanei. Bei der darauffolgenden Festversammlung im großen Saale des Königsbaues sang der Chor von St. Elisabeth prächtige gemischte und Frauenchöre von Faißt.

Mendelssohn und Rheinberger. Ein mit sehr schöner Tenorstimme begabter Lehrer Ackermann trug in vollendeter Weise Lieder von Mehul, Schubert, Cornelius und Schumann vor. Sieben Künstler von der Hofkapelle spielten in meisterhafter Weise das Septett von Beethoven.

Am 8. Oktober war Predigt (Schulinspektor Fleck-Dunningen über „Der Geist der Kirchenmusik") und levitiertes Hochamt in der schönen Elisabethenkirche, die ein ausgezeichnetes Orgelwerk besitzt. Der Chor von St. Eberhard sang die wechselnden Gesänge im Gregorianischen Choral. Das Graduale *Diffusa est* von Ortwein, die Motette *Dixit Maria* von Haßler und als Hauptwerk Palestrinas *Missa brevis*. Wurde bei dem Vortrag auch nicht ganz das kirchliche und musikalische Ideal erreicht, so war die Aufführung doch eine gute und schöne Tat, die von dem guten Willen der Mitwirkenden und von dem Eifer des Chores für die *Musica sacra* Zeugnis ablegt.

Die Mitgliederversammlung wählte am Mittag an Stelle des verstorbenen Pfarrers Bökeler den Domchordirektor Lobmiller von Rottenburg. Die Zahl der Mitglieder des Vereins beträgt zurzeit 967, wovon 454 Geistliche, 288 Stiftungen, 144 Lehrer sind. Die übrigen sind sonstige Freunde der kirchlichen Musik. In sämtlichen Pfarreien der Diözese (eine verschwindend kleine Zahl in der Diaspora ausgenommen) bestehen eigene Kirchenchöre, welche durchweg im Sinne des Cäcilienvereins arbeiten. Das Vereinsvermögen beträgt 2428 ℳ, die Bibliothek umfaßt etwa 600 Werke und soll bedeutend erweitert werden.

Am Nachmittag fand eine kirchenmusikalische Produktion in der Nikolauskirche statt. Aus dem reichen, schön durchgeführten Programm heben wir besonders hervor das *O vos omnes* von Vittoria, das *Haec dies* von Palestrina, *Kyrie* von Ebner, *Veni Creator* von Griesbacher, *Agnus* von Koenen und das *Stabat Mater* von Rheinberger. Von prächtiger Wirkung waren die Kompositionen mit Orchester: *Kyrie* aus der Herz Jesumesse von Mitterer, *Credo* aus der *Missa solemnis* von Stehle und *Gloria* und *Agnus* von Filke.

Die ganze Versammlung nahm einen schönen und würdigen Verlauf, und die sämtlichen Aufführungen legten davon Zeugnis ab, daß die hiesigen Kirchenchöre mit Liebe, Eifer und Verständnis die *Musica sacra* pflegen. Auf zwei Dinge möchten wir aber doch hinweisen, die in dem reichen Programm der Festtage fehlten: erstlich, daß der Volks- bezw. Schülergesang ganz ausgeschaltet war, und zweitens, daß auch nicht ein einziger katholischer schwäbischer Komponist der Gegenwart von den Chören der Residenz gewürdigt wurde, auf das Programm gesetzt zu werden. Faißt war Protestant und Stehle ist zwar ein geborener Württemberger, lebt aber seit seiner Jugend in der Schweiz.

Am Abend des 8. Oktobers wurde im Kgl. Hoftheater durch das anerkennenswerte Entgegenkommen der Intendanz die „Lisztsche Legende der heil. Elisabeth" gegeben, wozu dem Verein 500 Karten zu bedeutend ermäßigten Preisen zur Verfügung gestellt wurden. So schloß das schöne Fest in schönster Harmonie mit einem erhebenden Weihespiel, das noch lange in den Herzen der Teilnehmer der Cäcilienversammlung nachtönen wird.

---

## Die drei Tage nach Weihnachten.

Das heilige Weihnachtsfest nimmt in der Feier seiner Oktave gegenüber den übrigen höchsten Festen des Kirchenjahres eine Sonderstellung ein. Sie besteht darin, daß anstatt der Wiederholung der Hauptfestfeier an den Oktavtagen einige Heiligenfeste begangen werden, die mit dem Weihnachtsfeste in Beziehung stehen. Die heilige Kirche weist uns auf diese Beziehung besonders in der Vesper hin, welche täglich bis zum Kapitel vom Weihnachtsfeste und im zweiten Teile vom Feste des Heiligen genommen wird; das Meßformular aber entspricht in allen Teilen dem Heiligenfeste, wobei das Weihnachtsfest einfach kommemoriert wird. Um dem engen Raum der Zeitschrift gerecht zu werden, wollen wir nur den drei ersten Festen hier Aufmerksamkeit schenken, zumal diese auch vom christlichen Volke mehr oder weniger mitgefeiert werden. Es sind dies: die Feste des heil. Erzmartyrers Stephanus, des heil. Johannes Evangelist und das Fest der Unschuldigen Kinder. Inwiefern stehen diese mit dem Weihnachtsfeste in Beziehung?

I. Fest des heil. Erzmartyrers Stephanus. Der Heiland der Welt liegt als Kind in der Krippe zu Bethlehem. Mit ihm und durch ihn — seine Lehre, sein Beispiel — sollen wir Kinder werden dem Gemüte, der Gesinnung nach — durch Gehorsam gegen ihn, unseren Vater, durch reinen Wandel und kindliches Vertrauen auf die liebreiche Hilfe des Vaters: „Wenn ihr nicht werdet, wie Kinder, werdet ihr nicht eingehen ins Himmelreich." Auf diesem Kindersinne beruht unsere Geburt zum übernatürlichen Leben der Gnade. Was dem Gnadenleben feind, muß in uns bekämpft, zurückgedrängt, vernichtet werden. Eigenwille, Hoffart, Fleisch, Begierlichkeit, der böse Weltgeist. Nur so wird der Geist der Gotteskindschaft aus Christus in uns bewahrt und vervollkommnet. Dieses Streben wird uns in dem Beispiele des heil. Stephanus vor Augen gestellt und in ihm gezeigt, welch herrlichen Erfolg ein wahres Kind Christi erringt.

Stephanus war kein Apostel des Herrn; er war ein Diener der ersten Christengemeinde, ein jugendlicher Bekenner Christi; vielleicht war er noch gar nicht lange durch die heilige Taufe ein Kind des Heilandes geworden. Aber sobald er den Geist dieser Gotteskindschaft empfangen hatte, bot er alles auf, um das Glück ein Kind Gottes zu sein, getreu zu hüten, nach dem Geiste der Kindschaft Christi gewissenhaft zu leben und so seinem göttlichen Beispiele möglichst ähnlich zu werden. Und aus dem Leben in diesem Geiste schöpfte er jenen heiligen Freimut, jene unwiderstehliche Macht, mit denen er gegen die Feinde der christlichen Lehre auftrat; jene Unerschrockenheit und Kraft, in welchen er den Kampf auf Leben und Tod für seinen Heiland aufnahm. Daher legt die heilige Kirche mit Recht in seinen Mund die Worte: *Adjuva me, Domine Deus meus, quia servus tuus exercebatur in tuis justificationibus:* „Hilf mir, mein Herr und Gott; denn dein Knecht hat deine Satzungen gehalten" (Introitus). Und diese Hilfe seines Gottes erfuhr er im Streite gegen seine und Christi Widersacher in überschwenglichem Maße; niemand konnte seiner Rede, dem Geiste, der aus ihm sprach, widerstehen. Dieser Geist war der Geist der wahren Gotteskindschaft, der den Heiligen den Himmel erschloß und seinen verklärten Meister schauen ließ: *Video coelos apertos et Jesum stantem a dextris virtutis Dei:* „Ich sehe den Himmel offen und Jesus stehen zur Rechten der Kraft Gottes" (Graduale). Wer ein wahres Kind des Heilandes ist, ohne Wanken dem Willen und Beispiel seines Meisters folgt, hat auch den Heiligen Geist zum steten Begleiter und steht fest im Glauben und Vertrauen — *plenum fide et Spiritu Sancto* — und wenn er diesen Geist beharrlich in sich gehütet hat, wird er mitten in den Schmerzen des Todes freudig und hoffnungsreich beten können: *Domine Jesu, accipe spiritum meum:* „Herr Jesu, nimm meinen Geist auf" (Offertorium). Der Geist Christi ist der Geist der Liebe, der allen verzeiht und dem Feinde nichts nachträgt, der bei allen Ungerechtigkeiten und Leiden dem rührenden Beispiele Jesu am Kreuze folgend für seine Feinde noch im Tode betet: *Ne statuas illis hoc peccatum:* „Rechne ihnen dieses nicht zur Sünde an" (Communio). So ward dieses Kind des himmlischen Vaters durch seine Gottesliebe, aus der alle christlichen Tugenden quellen, reif zur Geburt für den Himmel, aus dem sein König ausgezogen war, um, getrieben von seiner Liebe zur sündigen Menschheit, im Stalle zu Bethlehem seine Geburt für diese Erde zu feiern. Weil Stephanus als erster die Göttlichkeit des Kindes in der Krippe mit Blut und Tod bezeugte, weil er der Führer der kühnen Kämpen für den Heiland ist, darf er auch als Hüter an der Wiege seines Königs stehen und er ist der erste Heilige, den die Kirche mit einem besonderen Feste feierte; selbst die Apostel hatten in den ersten Jahrhunderten nur ein gemeinsames Fest am 29. Juni, welcher Tag, wie es scheint, erst im 7. Jahrhundert den Apostelfürsten allein reserviert wurde.

II. Fest des heil. Johannes Evangelist. Es war billig, daß der erste Platz an der Krippe dem heil. Stephanus zugeteilt wurde; denn niemand hat eine größere Liebe als jene, in der er sein Leben für seine Freunde gibt.[1]) Zum zweiten Wächter an der Krippe des göttlichen Kindes wurde der Liebesjünger Johannes erkoren. Dürfte wohl diese reine, jungfräuliche kindliche Seele an der Krippe fehlen? Der Jünger, von dem es heißt: „Den Jesus liebte", den er mehr liebte als alle übrigen Apostel, darf nicht fern dem Geheimnis der Liebe, dem Kinde zu Bethlehem weilen: er ist das bevorzugte Kind des Heilandes, sein Vertrauter und Freund; Jesus schloß ihn besonders innig in sein Herz. Warum? Weil er ganz ein Kind war in Gesinnung und Gemüt, arglos und unberührt vom Hauche der Welt, umstrahlt und durchgeistigt vom milden Lichte der Jungfräulichkeit. Gerade diese Tugend hat die Kraft, den Menschen Gott zu nähern und Gott zu ihm hinzuziehen, in Gottes Kenntnis ihn tief eindringen zu lassen, da der Geist des Reinen nicht verdunkelt ist durch den Schatten der Sünde und sich frei aufschwingt zur Betrachtung der Wesenheit Gottes. Und so wurde auch Johannes gewürdigt der Offenbarung des Geheimnisses vom Worte, das Gott ist von Ewigkeit, das Fleisch geworden zum Heile der Menschheit. Sein mit Christus vereinter Geist schwang sich wie ein Adler in die Lüfte, empor zum Schauen Gottes und hörte dort göttliche Lehre, die uns aus allen seinen Schriften entgegenleuchtet. Deshalb gibt ihm auch die Tradition den schönen Namen Theologus — Gottesgelehrter und die Kirche zeichnet ihn in der Messe mit dem Introitus: *In medio Ecclesiae* aus, der nur Kirchenlehrern *(Doctores)* zukommt: Inmitten der Gemeinde — Kirche wird er (Gott) seinen Mund eröffnen — zur Verkündigung seiner Geheimnisse — ihn mit dem Geiste der Weisheit und des Verstandes *(sapientiae et intellectus)* erfüllen — mit dem Gewande der Herrlichkeit *(stolam gloriae)* um seiner Jungfräulichkeit willen ihn bekleiden. Und auch in der Kollekte tritt uns Johannes als Lehrer der Kirche entgegen. Die Epistel aus dem Buche der Weisheit ist ein Lobpreis auf den Heiligen und klingt aus in die an ihm erfüllte Prophezeiung: *Nomine aeterno haereditabit illum:* einen ewigen Namen wird ihm zum Erbteil geben der Herr unser Gott — sein ewiger Name ist: Johannes der Liebesjünger; ihm hat der Heiland

[1]) Joh. 15, 13.

verheißen, daß er so bleibe, bis er (Jesus) komme, was unter den Jüngern die Meinung hervorrief, Johannes werde den Tod nicht schauen bis zur Ankunft Christi als Richter; doch offenbar wollte er sagen: Dieser bleibt, bis ich ihn von dieser Welt hole, so wie er ist, ohne daß er den Martertod sterben muß; du aber, Petrus, folge mir in den Martertod (Graduale). Das Offertorium weist uns hin auf die gläubigen Geschlechter, die er durch seine Gotteslehre gezeugt, auf die Kirche, die er gegründet, die sich, gleichsam wie junge Zedern auf dem Libanon um die altehrwürdigen Riesenbäume, um ihn den Geistesriesen scharen, durch die als seine geistigen Kinder er ewig lebt und blüht im Garten der Kirche Gottes. Die Communio bringt wieder die Worte des Graduale als Bürgschaft, daß, wer immer würdig von diesem Brote ißt, wenn er auch dem Leben nach stirbt, doch immer fortleben wird als geliebtes Kind am Herzen seines himmlischen Vaters.

III. Fest der Unschuldigen Kinder. Sollte diese liebe Schar kleiner Kinder in ihren weißen, von Blut getränkten Gewändern nicht an der Krippe des neugeborenen Gottmenschen zu finden sein? Wer sollte sich nicht wundern, wenn er sich neben Stephanus und Johannes diese wegen des göttlichen Kindes dem Tode als Erstlinge überlieferten, makellosen Seelen vermissen würde? Die Stärke, Treue und Liebe wurden uns in den beiden ersten gezeigt; heute winkt die Unschuld, an der Krippe uns einzufinden und in des Kindes Gesellschaft zu verweilen. Von ihnen singt der prophetische König: *Ex ore infantium Deus et lactentium perfecisti laudem propter inimicos tuos:* Aus der Kinder und Säuglinge Munde, o Gott, hast du dir Lob bereitet um deiner Feinde willen (Introitus). Die Grausamkeit und Herrschbegierde des Herodes vernichtete ihr Erdenleben; aber Gottes Weisheit erhob sie dadurch zu Martyrern Christi, wofür sie ihn nun in ewigen Dankliedern preisen. In der Kollekte bittet die Kirche um die Gnade, daß ihre Gläubigen den Glauben an Jesus durch ihre Werke bekennen; wer im Alter der Vernunft steht, dem obliegt die Pflicht, seinen Glauben vor der Welt und den Leidenschaften gegenüber zu bekennen; er darf nicht stillschweigen, wenn sein Glaube in Frage kommt. Die Epistel entnimmt die Kirche der geheimen Offenbarung und zeigt darin, welchen Wert sie auf die Unschuld legt. Die Unschuldigen Kinder vollbrachten nicht Heldentaten auf dieser Erde, ihr Leben war zu kurz; rasch gingen sie durch dieses Leben, blieben deshalb auch unberührt von irdischem Schmutze und nun sind sie Gefährten des Lammes, dessen Blicke sie durch ihre nur mit dem Purpur ihres Blutes besprengte Reinheit auf sich gelenkt hatten. Im Graduale singen sie sich selbst ihre Jubelhymne und ihrem Gott das Danklied: *Anima nostra sicut passer erepta est de laqueo venantium* — Unsere Seele ist entronnen wie ein Sperling dem Netze der Nachsteller — dem Netze, in welchem die Welt sie gefangen halten wollte und das Gott der Herr zerriß durch das Schwert des Herodes; *laqueus contritus est* — die Schlinge ist zerrissen; *et nos liberati sumus* — und wir sind erlöst. Der Traktus läßt das Klagen und den Unwillen der bethlehemitischen Mütter hören, welche die Rache Gottes über den entmenschten Herodes und seine Soldaten herabrufen. In ihrer Freude angesichts der lieblichen Martyrerblüten vergißt die Kirche nicht die Trauer der Mütter und teilt mit ihnen den Schmerz; deshalb kleidet sie sich mit der Farbe des Kummers und der Betrübnis — violett, verzichtet auf das *Gloria* und unterläßt den Freudengesang *Alleluja*. Nur wenn das Fest an einen Sonntag fällt, läßt sie an Stelle der violetten Farbe rot — den Purpur der Martyrer — treten, *Gloria* und *Alleluja* singen, was auch für den Oktavtag gilt. Wiederum ertönt die Stimme der Unschuldigen Kindlein beim Offertorium mit dem Gesange des Graduale: sie frohlocken, daß sie ihr Leben nach kurzem Dasein dem göttlichen Kinde opfern durften, das um ihretwillen einem weit grausameren Opfer sich geweiht hat, um ihnen die Freuden der Erde mit den ewigen Freuden zu vergelten. Und in der Communio hören wir nochmals die Klagelaute der Mütter Bethlehems in den prophetischen Worten des Jeremias: *Vox in Rama audita est* — eine Stimme wird auf der „Höhe" vernommen — *ploratus et ululatus* — Weinen und Weheklagen — *Rachel plorans filios suos* — Rachel (als Mutter des jüdischen Volkes) beweint ihre Kinder — *et noluit consolari, quia non sunt* und will sich nicht trösten, weil sie nicht mehr sind. In Liebe gedenkt die Kirche, die soeben das Geheimnis der Liebe vollendet hat, der trostlosen Mütter, aber auch ihres eigenen Schmerzes über ihre treulosen, verlorenen Söhne, erhebt sich aber empor zu dem, der allein in Trübsal, Trost und Hilfe bringen kann.

In der Verbindung dieser drei Festfeiern findet der heil. Bernhard ein Sinnbild der Rechtfertigung aller Heiligen in Christus. Da es besonders drei Klassen von Heiligen gibt — *Martyres voluntate et opere* — Martyrer im Willen und im Werke — heil. Stephanus; *Martyres voluntate et non opere* — im Willen und nicht im Werke — heil. Johannes; *Martyres opere et non voluntate* — im Werke und nicht im Willen — Unschuldige Kinder: so bildet ein jedes der drei Feste das Zentralfest der einzelnen Klasse. Bitten wir in den Tagen der Feier des Weihnachtsfestes das göttliche Kind, daß es uns auf Grund unseres durch ein christlich frommes Leben betätigten Willens wenigstens der zweiten Klasse der Heiligen zurechnen wolle auf die mächtige Fürbitte all der lieben Heiligen, die als treue Wächter an seiner Krippe stehen und als seine getreuen Nachfolger in Kindeseinfalt und Gehorsam den ewigen Lohn an seinem himmlischen Throne genießen.

P. A. W.

## Rundschau der deutschen kirchenmusikalischen Zeitschriften von Juli mit November 1908.

1. **Cäcilia.** (Breslau.) Nr. 7. Einiges über den gregorianischen Gesang und dessen Vortrag. (Schluß aus Nr. 6.) — Die neue Orgel in der kathol. Pfarrkirche zu Lauban, erbaut von der Firma „Gebrüder Späth" in Ennettach—Mengen. — Kgl. Lehrerseminar zu Liebenthal, Bez. Liegnitz. Maiandachten. Nr. 8. Über Palestrinastil in Nr. 9 und 10. (Fortsetzung und Schluß.) Umschau. — Jahresbericht der kirchenmusikalischen Kurse zu Beuron. — Nr. 9. Zum goldenen Priesterjubiläum Sr. Heiligkeit Papst Pius X. (Gedicht.) — Zu Cöl. Hnizdills goldenem Priesterjubiläum auch in Nr. 11. — Versammlung des Breslauer Diözesan-Cäcilienvereins in Trebnitz. (Einladung); und Nr. 11 (Bericht). — Nr. 10. Neuerscheinungen auf kirchenmusikalischem Gebiete, auch in Nr. 11. — Eine neue Orgel für die Kirche zu Sackisch, Kreis Glatz, erbaut von Lux in Landeck. — Der Kirchenchor in Spremberg. — Nr. 11. Generalversammlung des Grafschafter Cäcilienvereins zu Niedersteine am 23. September 1908. Nachrichten, Rezensionen u. a. in jeder Nummer.

2. **Cäcilia.** (Straßburg.) Nr. 7. Ch. Hamm und die Straßburger Cäcilia (1881—1897). Schluß. — Beim Altare. (Gedicht.) — Bischöfliches Schreiben zur Einführung des vatikanischen Graduale. — *La Crise de la Musique Sacrée en France.* (Schluß in Nr. 8.) — *Conradi de Zabernia.* (Schluß.) — † Domkapellmeister Niedhammer in Speyer. — Generalversammlung des Cäcilienvereins Metz zu Saargemünd am 30. Juli, auch in Nr. 9. — Die neue Orgel von St. Pilt, erbaut von Rinkenbach. — Nr. 8. L. Lutz und die Straßburger Cäcilia (1897—1906). (Fortsetzung in Nr. 9 und 10.) — Mariens Himmelsherrlichkeit. (Gedicht.) — Bericht über die Tätigkeit des Diözesan-Cäcilienvereins Metz. Von April—Mai bis Juli 1908. — *Association Sainte Cécile du diocèse de Metz.* — † Benedikt Sauter, O. S. B. — Nr. 9. Gedicht. — Die Universalität des gregorianischen Chorals. — † P. Benedikt Sauter, Abt. — Wichtige Bestimmungen, betreffend Gesang- und Musikaufführungen, auch in Nr. 11. Nr. 10. Himmelsrosen. (Gedicht.) — Jubiläumsbeilage. (Fortsetzung in Nr. 11.) — Erläuterungen zu Choralstücken. — *L'Edition Vaticane du Graduel romain et la restauration gregorienne.* — Nr. 11. Widmung und Heil Pius dir! (Gedicht.) — Das älteste uns erhaltene deutsche Kirchenlied. — *Le rythme gregorien.* — Bibliographie, Vereinsnachrichten usw. in jeder Nummer.

3. **Der Chorwächter.** Nr. 7. Die Glocken. (Schluß in Nr. 8/9.) — Das Gesang- und Gebetbuch des Bistums Basel. — Nr. 8/9. Das deutsche Kirchenlied und der kirchliche Volksgesang. (Fortsetzung, Schluß in Nr. 11.) — P. Ludwig Bonvin S. J., ein bedeutender schweizerischer Komponist im Ordenskleid. — Frauen auf dem Kirchenchore. — Nr. 10. Die 18. Generalversammlung des Allgemeinen Cäcilienvereins zu Eichstätt. — Zwei Dekrete in betreff des vatikanischen Graduale. — Nr. 11. Vorbemerkungen zur vatikanischen Ausgabe des Römischen Gesanges. — Vereinsnachrichten, Rundschau usw. in jeder Nummer.

4. **Gregorianische Rundschau.** Nr. 7/8. Die *Editio Vaticana* — verpflichtend? — Zur Lage. — Die elektropneumatische Orgelanlage der Benediktinerabtei Seckau. (Wird fortgesetzt.) — Über Sequenzen. — Die Choralfrage in den Rheinlanden. — Zur Glockenkunde. (Schluß in Nr. 10.) — Liturgie, Theorie des römisch-katholischen Kultus von Monsgr. Dr. H. Bäuerle. — *Henri Villetard, office de Pierre de Corbeil.* — † Abt Benedikt Sauter, O. S. B. — Die Orgel in der neuen St. Josephskirche in Graz, erbaut von Matthäus Mauracher in Salzburg—Graz. — Nr. 9. Die Versammlung des Diözesan-Cäcilienvereins. — Die Frauen auf dem Kirchenchore. — Die 18. Generalversammlung des Allgemeinen Cäcilienvereins. — Über Orgeln. — Nr. 10. Gedanken über Orgelbau. — Die Orgelprobe im Benediktinerstift zu Weltenburg. — † P. Georg Ruemer, O. S. B. — † P. Alexander Grospellier. (Von M. H.) — Nr. 11. Zur neuen Lage in der Choralangelegenheit. — Das *Praeconium paschale* inhaltlich betrachtet. — Luther und die Pflege der kirchlichen Musik in Sachsen. — Berichte und Korrespondenzen etc. in jeder Nummer.

5. **Gregoriusblatt.** Nr. 7. Das Vatikanische Graduale, auch in Nr. 10. — Vortrag des Herrn Pfarrers Dr. Hilt aus Elberfeld, gehalten auf der Diözesanversammlung des Cäcilienvereins in Cöln am 11. Juni 1908. (Schluß in Nr. 8.) — Stimmen der Presse über die Aufführungen bei der Diözesanversammlung in Cöln. — Schlußkonzert im Gregoriushaus in Aachen (am 29. Juli 1908.) — Nr. 8. Die bei den Meßgesängen zu beachtenden Gebräuche. — Über die Feier des Chrysostomusfestes in Rom. — Nr. 9/10. † Alexander Grospellier. — Zur Charakteristik der Tonarten. — Was gehört dazu, um der Funktion eines kirchlichen Organisten vollkommen gewachsen zu sein? — Recht praktische Winke. — Nr. 11. Zur Einführung des Vatikanischen Graduale. — Das *Graduale Universi* in der *Medicaea* und in der *Editio Vaticana.* — Zur Ergänzung des Referentenkollegiums. — Bei St. Willibald und St. Walburga zu Gaste. (Aus *Musica sacra.*) — Vermischte Mitteilungen etc. in jeder Nummer.

**Gregoriusbote.** Nr. 7. Das beste Heim. (Gedicht.). — Ansprache Sr. Eminenz auf der Diözesanversammlung des Cäcilienvereins in Cöln am 11. Juni 1908. — Bericht über die Tätigkeit des Cäcilienvereins in den Dekanaten des Erzbistums Cöln. — Nr. 8. Zu U. L. Frauen Ehrentag.

(Gedicht.) — Allgemeine Pflichten des Kirchensängers. — Fünf Tage in Bayern. (Fortsetzung in Nr. 9/10; Schluß in Nr. 11.) — Nr. 9/10. Gedicht. — Form und Ausführung der Gesamtnoten. — Ein Duell. — Auch eine Gewissenserforschung. — Nr. 11. Blätterfall. (Gedicht.) — Einige Nachklänge zur Cölner Diözesanversammlung. — Nachrichten aus dem Cäcilienverein, Kirchenkalender, Miszellen u. ä. in jeder Nummer.

6. **Der Kirchenchor.** Nr. 7. Nochmals „Choral und kirchenmusikalische Praxis". — Zur Wahrung unseres kirchenmusikalischen Kunstbesitzes. — Drittes Bayrisches Musikfest in Nürnberg. (Schluß.) — Die neue Orgel im großen Musikvereinssaale in Wien, erbaut von der Firma Gebrüder Rieger in Jägerndorf, Ö.-Schl. — Nr. 8/9. Gedanken zu einer Probe des *Kyrie* und *Sanctus in feriis per annum (Kyr. Vat.* Nr. 16). — Vom Eichstätter Domchor. — Die Pflege der liturgischen Wechselgesänge (*Proprium Missae*) an den Wiener Kirchen. — Doppelorgel in Scheyern (erbaut von Koulen & Cie. in Augsburg). — Nr. 10. Epilog zur 18. Generalversammlung des Allgemeinen Cäcilienvereins in Eichstätt. — Kirchenmusikalisches Jahrbuch. (Schluß in Nr. 11.) — Nr. 11. Die Improperien am Charfreitag. — Die 20. Generalversammlung des Cäcilienvereins der Diözese Rottenburg. — Generalversammlung des oberösterreichischen Diözesan-Cäcilienvereins. — Ein neuer Baustein zur Kirchenmusikreform.

7. **Der katholische Kirchensänger.** Die 18. Generalversammlung des Allgemeinen Cäcilienvereins, auch in Nr. 9. — Eine kleine Studie über das deutsche Volkslied. — Umbau der Orgel in Rot bei Wiesloch. — Ein Kirchenchor auf der Pilgerreise. — Jahresbericht (Kurse in Beuron). — Nr. 8. Römische Tonkunst. — Von fröhlicher Sängerfahrt. — Diebolds Privatkirchenmusikschule. — Nr. 9. Orgelprüfungen und Produktionen in Hohenzollern. — Nr. 10. Neue Orgel in Salmendingen. — Nr. 11. Das Vatikanische Graduale. — Pfarrcäcilienverein Baden-Baden. — Vereinsnachrichten, Kirchenmusikalische Fachschriften u. ä. in jeder Nummer.

8. **Die Kirchenmusik.** Nr. 7. Die alten Tonarten. — Der Gesang der Genealogie in der Weihnachtsmette. — Das Dekret zur Einführung der Vatikanischen Choralausgabe. — Im Schatten von St. Peter. — Nr. 8. Das Dekretale „*Docta SS. Patrum*" Johann XXII. und die musikalische Geschichtsschreibung. *Medicaea* und *Vaticana*. — Kleine Beiträge. — 12. Generalversammlung des Diözesan-Cäcilienvereins Paderborn in Iserlohn am 3. August. — Nr. 9. *Dies irae.* Der Verfasser, die Übersetzungen und die Melodien desselben. — Die Musik beim Hochamt und bei Segensandachten. Kleine Beiträge; Aus der musikalischen Welt; Besprechungen in jeder Nummer.

9. **Der bayrische Kirchenchor.** Organ des Kirchenchor-Verbandes in Bayern (E. V.). Erscheint unter diesem Titel (seit 1. Okt. mit Nr. 5 regelmäßig) am 1. jeden Monats. Abonnementspreis pro Jahr 2 *M*. Redakteur: Ludwig Laske, Landshut, Spiegelgasse 212. Druck bei Jos. Thomann in Landshut. Nr. 5. Das Verbandsorgan, der neue Name, der neue Redakteur. — Mehr Mut! Ein Rückblick. — Unsere Kasse. — Nr. 6. Frisch voran! — Juristisch-Musikalische Plauderei. — Die zu erwartende Pension. — Kleine Verbandsangelegenheiten. F. X. H.

## Vermischte Nachrichten und Notizen.

1. + **Ein neuer Baustein zur Kirchenmusikreform.** Es ist das unstreitbare Verdienst des von Franz Witt gegründeten Cäcilienvereins, die Schundmusik aus der Kirche verdrängt und an deren Stelle im allgemeinen ein neues, würdigeres Lied gesetzt zu haben. Hat sich aber die liturgische und vielfach auch die künstlerische Qualität der Kirchenkompositionen gehoben, so gilt das nicht so sehr von der Ausführung derselben durch eine große Anzahl von Kirchenchören, namentlich auf dem Lande. Das Können hält eben dort mit dem guten Willen nicht immer gleichen Schritt.

In letzter Linie wurzeln diese schwachen Leistungen in der bedauerlichen Rückständigkeit des deutschen Volksschulgesanges. Die Schule hat den jungen Leuten außer einer sehr beschränkten Anzahl geistlicher und weltlicher Lieder in gesanglicher Beziehung ja nichts mit ins Leben gegeben, der bürgerliche Beruf mit den erhöhten Anforderungen unserer Tage gestattet mangels genügender Zeit auch nur eine oberflächliche Politur, gesungen wird trotzdem auf dem Chore und da ist denn häufig eine Musik zu hören, die zur Ehre Gottes und der Menschen besser unterbleiben würde.

Es sei ferne von mir, einen Stein auf die Schule zu werfen. Die wahre Schuld tragen Verhältnisse, nicht Personen, in allererster Linie der Umstand, daß es jahrhundertelangen Bemühungen und Versuchen nicht gelungen ist, das Problem einer wirklich rationellen Schulgesangmethode zu lösen. Die spröde Materie ließ sich nur teilweise meistern. Und so haben alle Gesangmethoden, sowohl die sogenannte mathematische Treffiehrmethode, welche das Treffen der Intervalle durch Abschätzen derselben nach Sekunden, Terzen usw. lehrt, einerseits als das reine Gedächtnis-, (Gehör)-singen, andererseits, sowie alle Kompromisse, die zwischen diesen beiden Verfahren hin- und herpendelnd, in der Volksschule kläglich Fiasko gemacht. Daher überall der Ruf nach neuen Bahnen.

Den „Stein der Weisen" hat endlich der große Akustiker Karl Eitz in Eisleben vor wenigen Jahren gefunden. Er hat uns ein Tonwort und in der Tonwort-Methode das denkbar vollkommenste und zuverlässigste Unterrichtsmittel an die Hand gegeben, um auf die herkömmliche mathematische Abschätzung der Intervalle gänzlich zu verzichten und trotzdem in kurzer Zeit zu vollkommener Treffsicherheit zu führen, der vielen anderen Vorzügen für Stimm- und Sprachbildung gar nicht zu gedenken.

Angesicht der bitteren Erfahrungen, die Schule und Lehrer an vielen mit großem Klimbim angekündigten methodischen Neuerungen erleben mußten, begreift sich eine gewisse Reserve allem neuen gegenüber. Nicht mit Unrecht entrüstet man sich hie und da über den „Methodenschwindel".

Diese Vorsicht kann bei Empfehlung des Eitzschen Tonwortes einmal gänzlich außer acht gelassen werden.

Dem Eitzchen Tonwort gehört die Zukunft; es wird wirklich neues Leben aus den Ruinen erblühen lassen und den toten Ast des Schulgesanges frisch beleben. Voreingenommenheit und Oberflächlichkeit können dieser Entwicklung wohl Steine in den Weg werfen, aber nimmer sie aufhalten.

Bereits singen mehr als 20000 deutsche Schulkinder nach Tonworten; die Zahl wächst rapid von Jahr zu Jahr.

Ich wollte, alle Leser dieser Zeilen hätten gleich mir Gelegenheit gehabt, anläßlich der diesjährigen Schüleraufführungen der hiesigen Zentralsingschule eine erste Volksschulklasse (52 sechs- bis siebenjährige Knaben) singen zu hören, welche seit zehn Monaten nach der Tonwortmethode unterrichtet wurden. Die jungen sangen ein-, zwei- und dreistimmig in absoluter Reinheit, mit einer Sicherheit und einem Wohlklang, die geradezu verblüffen mußten. Und dabei sangen alle Schüler. Statisten und Brummer waren nicht dabei. (Um Nachdruck wird gebeten.)

P. Theresius Mayerhofer, Organist und Chordirektor an der Karmelitenkirche in Würzburg.

(Die Redaktion kennt die betreffenden Lehrbücher nicht, nimmt jedoch auf Ersuchen obigen Bericht des Karmelitenpaters Theresius ohne weitere Verantwortlichkeit gerne auf.)

**2.** × **Breslau.** Monsignore Professor **Emil Nikel**, Päpstl. Geheimkämmerer und Vize-Domdechant ist von der hiesigen katholisch-theologischen Fakultät, ohne Zweifel auf Grund seiner „Geschichte des gregorianischen Chorals" (siehe *Musica sacra*, Nr. 12. Die Redaktion), zum Doktor der Theologie *honoris causa* promoviert worden. (Herzlichen Glückwunsch. Die Redaktion.)

**3. Inhaltsübersicht von Nr. 12 der *Musica sacra*:** Welche Anforderungen stellt die katholische Kirchenmusik an den Vokalkomponisten? Von Alfred Gebauer. (Schluß.) — *Organaria:* Franz Walczynski; Robert Remondi; Angelo Balladori; Nando Bennati; Prüfung der neuen Orgel in der Pfarr- und Klosterkirche zu Habstal (Hohenzollern). Von P. B. H. — Vom Bücher- und Musikalienmarkte: I. Musikalien: H. Dieter; M. Filke; M. Haller; Siegfr. Karg-Elert; Ed. Koller; Rich. Kügele (2); Adolf Scorra; Nik. von Wilm (2). II. Bücher und Broschüren: J. Gelhausen; Dr. Gg. Göhler; Mich. Haller-G. Pagella; Max Hesse; Fortunato Santini-Jos. Killing; Emil Nikel; Joh. Ostendorf; Rud. Palme; Dr. Frhr. v. d. Pfordten; Dr. phil. et mus. H. Riemann (3); Kurt Sachs; Otto Schmid; Karl Storck; Wilh. Weber; Dr. Karl Weinmann; Paul Zschorlich. — Vermischte Nachrichten und Mitteilungen: † Jakob Rentsch, Joh. Backes, Ad. Haan; Wien (Cäcilienfeier in der Lazaristenkirche); Witt als Komponist gegen Dr. Alfred Schnerichs Angriffe; Anonyme Zuschrift über Elise Polko; Amsterdam (Anton Averkamps Aufführung); Berichtigung zu P. Bonvins Artikel in Nr. 9/10. — Inhaltsübersicht von Nr. 11 des Cäcilienvereinsorgans. — Offene Korrespondenz: Abonnementseinladung. — Anzeigenblatt Nr. 12. — Inhaltsverzeichnis des 41. Bandes und Bestellzettel für den 42. Jahrgang 1909 der *Musica sacra*.

## Offene Korrespondenz.

**Die Redaktionsmappe ist noch gefüllt mit reichem Material für das Cäcilienvereinsorgan, das jedoch im Jahre 1908 nicht mehr veröffentlicht werden kann, nachdem der angekündigte Umfang für die 12 Monatsnummern sowohl im Haupttext als durch die Beilagen des Cäcilienvereins-Kataloges und des doppelten Sachregisters bereits überschritten ist.**

**Die verehrlichen Einsender und freundlichen Mitarbeiter, sowie die Abonnenten und Leser sind also gebeten, mit der Schriftleitung Nachsicht zu haben und die vorhandenen Artikel: Stimmen der Presse über die 18. Generalversammlung in Eichstätt; Mehrere Orgelrevisionsberichte; Mitteilungen über kirchenmusikalische Aufführungen bei Cäcilienfesten u. ä. erst im neuen Jahre 1909 teils in *Musica sacra*, teils im Cäcilienvereinsorgan entgegenzunehmen.**

**Der Preis von drei Mark für regelmäßig 20 Seiten monatlich bleibt auch für den 44. Jahrgang 1909 bestehen. Die billigste und schnellste Bedienung wird durch Einzahlung des Abonnementsbeitrages beim nächsten Postamt erreicht.**

**Das doppelte Sachregister von W. Amberger: a) für die Abonnenten des Cäcilienvereins-Kataloges mit römischer Paginierung b) für die Besitzer des Generalregisters von W. Amberger zu Nr. 1—3500 wird in den ersten Monaten abgeschlossen werden.**

**Allen Lesern der „Fliegenden Blätter für katholische Kirchenmusik", allen Mitgliedern des Cäcilienvereins, den P. T. Diözesanpräsides, Referenten, aktiven und passiven Mitgliedern wünscht fröhliche Weihnachten und glückliches Neues Jahr**

**Franz Xaver Haberl**, Generalpräses des Allgemeinen Cäcilienvereins.

Druck und Expedition der Firma **Friedrich Pustet** in **Regensburg**.

**Nebst Anzeigenblatt, Titel und Inhaltsverzeichnis zum 43. Jahrgang und Bestellzettel für den neuen Jahrgang, sowie Sachregister S. XXXIII—XXXX zu den 3500 Nummern des Cäcilienvereins-Kataloges.**

Eigentum des Cäcilienvereins
Expedition von FRANZ FEUCHTINGER in Regensburg
z. Z. Kassier des Cäcilienvereins.

# MISSA GREGORIANA Iª

quam secundum rhythmum mediae aetatis ad usum chori unius vocis organo comitati libere accomodavit

(nach dem mittelalterlichen Rhythmus zum praktischen Gebrauch für einstimmigen Chor und Orgel frei bearbeitet von)

**Ludwig Bonvin, S.J.**

OP. 88 Nº1.

Cæc. Ver. Bibl.
Jahrgang 1908

Einzelstimme M. -.10

CÄCILIEN-VEREINS BIBLIOTHEK

C.V. B.19

Eigentum des Cäcilienvereins
Expedition von FRANZ FEUCHTINGER in Regensburg
z. Z. Kassier des Cäcilienvereins.

# Vorbemerkung.

Dieser Bearbeitung liegen Dechevrens' Rhythmisierungen zugrunde. Gestützt auf die alten Schriftsteller sowohl als auf die nicht mehr unentzifferbaren Neumen und das Beispiel des liturgischen Gesanges im Orient, will der genannte Forscher dem Choral den seit dem 12. Jahrh. verlorenen musikalischen Rhythmus wiedererstattet sehen: er gibt ihm wieder seine Noten von verschiedener, bestimmter und verhältnismäßiger Dauer. Man singe also vorliegende Choralmesse, wie man jede andere Musik singt, indem man, — selbstverständlich mit den üblichen Tempo- und Vortragsschaltierungen, — genau den Notenwert einhält. Will man Takt schlagen, so wird es wohl am besten sein, jedes Viertel (♩) mit einer leichten Handbewegung einfach nach unten zu schlagen und bei den betonten Noten etwas weiter auszuholen. Es kann auch hin und her ◡ taktiert werden.

Pater Dechevrens hat die hier gebotenen Choralstücke in seiner Zeitschrift „Voix de St. Gall". I. Jahrg. n. 1., 2., 5. u. 6, und II. n. 3 veröffentlicht und besprochen. Dort können sie in ihrer Originalgestalt eingesehen werden. Das schöne und sehr alte I. Kyrie und das Gloria sind den St. Gallerneumen Kodizes 484, 376, 381 etc. entnommen, das II. Kyrie, den Kodizes 484, 378, 381 etc. Die übrigen Meßteile gehören der sog. Missa de Angelis an, in der uns aber nur das Sanctus und das Benediktus mit rhythmischen Neumen erhalten sind, und auch diese Stücke nur indirekt, nämlich in der Melodie „O Christi pietas" (St. Gall. Kod. 414), welche den betreffenden Meßtexten angepaßt wurde.

Vorliegende Messe will, wie ihr Titel besagt, keine historisch-kritische Wiedergabe des Originalrhythmus bieten, sondern eine freie, wenn auch nicht pietätlose Bearbeitung für den praktischen Gebrauch, bei der ich mir erlaubt habe, so weit es tunlich war, unseren heutigen Anschauungen bezügl. Übereinstimmung von betonten Noten und Wortsilben in der Textunterlage Rechnung zu tragen, ferner die Rollbewegung des Quilisma und Ähnliches auszulassen, und einige Melodienoten durch solche aus Parallelstellen etc. zu ersetzen oder zu ergänzen. Das zu lang geratene und durch vollständige Wiederholungen an Wirkung einbüßende I. Kyrie habe ich derart gekürzt, daß der Endton des 1. und 2. Kyrie als „Distinktions"-Finalis aufzufassen ist, während der eigentliche Schlußton des ganzen Satzes erst im 3. Kyrie erscheint.

Ludwig Bonvin, S. J

# MISSA GREGORIANA Iª.

## I. Kyrie.

4
I. II.
Kÿ - - ri-e e, (e) - lé - i-son. Kÿ - - ri-e, (e)
e - lé - i-son.
I.u.II.
Kÿ - - ri-e, (e) e - - lé - i-son.
II. Kürzeres und leichteres Kyrie.
I. II.
Kÿ - ri - e, e - lé - i-son. Kÿ - ri - e, e - lé - i-son.
I.u.II. I., II., I.u.II.
Kÿ - ri - e, e - lé - i-son. Christe, (e) e - lé - i-son.
(ter)
I. II.
Kÿ-ri - e, e - lé - i-son. Kÿ-ri - e, e - lé - i-son.
I.u.II.
Kÿ - ri - e, e - lé - i - son.
C.V.19

# Gloria.

I.
Et in ter - ra pax ho - mi - ni - bus bo-næ voluntá - tis.
II.
Lau - dá - mus te.
I.u.II.
Be-ne - di - ci-mus te.
I.
Ad - o - rá - mus te.
II.
Glo-ri - fi - cá - mus te.
I.u.II.
Grá - ti - as á - gi-mus ti - bi pro-pter ma-gnam gló - ri - am tu - am.
I.
Dó - mi - ne De-us, Rex cœ-lé-stis, De - us Pa - ter o - mní-potens.
II.
Dó - mi - ne Fi - li u - ni-gé - ni-te, Je - su Chri - ste.
I.u.II.
Dó - mi - ne De - us, A - gnus De - i Fi - li - us Pa - tris.

C.V.19

6
Poco più lento.
I.
Qui tol - lis pec - cá - ta mun - di, mi - se - ré - re no - bis.
II.
Qui tol - lis pec - cá - ta mun - di, sú - sci - pe depreca - ti - ó - nem nostram.
I. u. II.
Qui se - des ad dex - te - ram Pa - tris, mi - se - ré - re no - bis.
Tempo I.
I.
Quó - ni - am tu so - lus sanc - tus.
II.
Tu so - lus Dó - mi - nus.
I. u. II.
Tu so - lus Al - tís - si - mus, Je - su Chri - ste.
I.
Cum san - cto
Spí - ri - tu in gló - ri - a De - i Pa - tris.
I. u. II.
A - men.
C.V.19

# MISSA GREGORIANA Iª

Gloria.
I.
II.
Et in ter-ra pax ho-mi-ni-bus bo-næ vo-lun-tá-tis. Lau-dá-mus te.
I.u.II.
I.
II.
Be-ne-di-ci-mus te. Ad-o-rá-mus te. Glo-ri-fi-cá-mus te.
I.u.II.
Grá-ti-as á-gi-mus ti-bi propter magnam gló-ri-am tu-am.
I.
Dó-mi-ne De-us, Rex cœ-lé-stis, De-us Pa-ter o-mni-po-tens.
II.
Dó-mi-ne Fi-li u-ni-gé-ni-te, Je-su Chri-ste.
I.u.II.
Dó-mi-ne De-us, A-gnus De-i Fi-li-us Pa-tris.
I. Poco più lento.
II.
Qui tol-lis pec-cá-ta mun-di, mi-se-ré-re no-bis. Qui tol-lis
I.u.II.
pec-cá-ta mun-di, sú-sci-pe de-pre-ca-ti-ó-nem nostram. Qui se-des ad
I. Tempo I.
II.
déxteram Pa-tris, mi-se-ré-re no-bis. Quó-ni-am tu so-lus sanctus, Tu so-lus
I.u.II.
I.
Dó-mi-nus. Tu so-lus Al-tis-si-mus, Je-su Chri-ste. Cum san-cto
I.u.II.
Spi-ri-tu in gló-ri-a De-i Pa-tris. A-men.
Credo.
I.
Pa-trem o-mni-po-tén-tem fa-ctó-rem cœ-li et ter-ræ, vi-si-bi-li-um
II.
ó-mni-um et in-vi-si-bi-li-um. Et in u-num Dó-mi-num Je-sum Christum,
C.V. 19

I. u. II.
Fi-li-um De-i u-ni-gé-ni-tum. Et ex Pa-tre na - tum an-te ó-mni-a
I.
sæ - cu-la. De-um de De-o, lu-men de lú-mi-ne, De-um ve-rum de De-o ve-ro.
II.
Gé-ni-tum non fa - ctum, con-substanti-á-lem Pa-tri, per quem ó-mni-a fa-cta sunt.
I. u. II.
Qui pro-pter nos hó-mi-nes et propter no-stram sa-lú-tem de-scén-dit de cœ-lis.
I. Lento.
Et in-car-ná-tus est de Spi-ri-tu san-cto ex Ma-ri-a Vir-gi-ne
II. L'istesso tempo.
et ho-mo fa-ctus est. Cru-ci-fi- - xus é-ti-am pro no-bis
I. u. II. Tempo I.
sub Pón-ti-o Pi-lá-to pas-sus et se-púl - tus est. Et re-sur-ré-xit
I.
tér-ti-a di-e se-cun-dúm scri-ptú-ras. Et a-scén-dit in cœ - lum
II.
se-det ad déx-te-ram Pa - tris. Et i-te-rum ven-tú-rus est cum gló-ri-a
ju-di-cá-re vi-vos et mór-tu-os, cu-jus re-gni non e-rit fi - nis.
I. u. II.
Et in Spi-ri-tum san-ctum, Dó-mi-num, et vi-vi-fi-cán-tem qui ex Pa-tre
I.
Fi-li-ó-que pro-cé-dit. Qui cum Pa-tre et Fi-li-o si-mul ad-o-rá-tur
et con-glo-ri-fi-cá-tur, qui lo-cú-tus est per Pro-phé-tas.
II.
Et u-nam, san-ctam, ca-thó-li-cam et a-po-stó-li-cam Ec-clé-si-am.

I.u.II.
Con - fi - te - or u - num ba - pti - sma in re - mis - si - ó - nem pec - ca - tó - rum.
I. II.
Et ex - pé - cto re - sur - re - cti - ó - nem mor - tu - ó - rum. Et vi - tam
I.u.II.
ven - tú - ri saé - cu - li. A - (a) - (a) - men.
Sanctus.
I. Moderato. II. I.u.II. I.
San - ctus, San - ctus, San - ctus, Dó - mi - nus
II.
De - us Sá - (a) - ba - oth. Ple - ni sunt cœ - li
I.u.II.
et ter - ra gló - ri - a tu - a. Ho - sán - na in ex - cél - sis.
Benedictus.
I. Moderato.
Be - ne - di - ctus, qui ve - nit in nó - mi - ne Dó - mi - ni.
I.u.II.
Ho - sán - na in ex - cél - sis.
Agnus.
I.
A - gnus De - i, qui tol - lis pec - cá - ta mun - di,
II.
mi - se - ré - re no - bis. A - gnus De - i, qui tol - lis
I.u.II.
pec - cá - ta mun - di, mi - se - ré - re no - bis. A - gnus De - i,
qui tol - lis pec - cá - ta mun - di, do - na no - bis pa - cem.

# Credo.

I.
Pa - trem o - mnipotén-tem fa-ctó-rem cœ - li et ter - ræ, vi-si-bi-li-um
ó - mnium et in vi-si-bi - - li-um.
II.
Et in u-num Dó-minum Jesum Christum,
I. u. II.
Fí-lium De-i u-ni-gé-nitum. Et ex Patre na - tum ante ó-mni-a sæ - cu-la.
I.
De-um de De - o, lu-men de lú - mi-ne, De-um ve-rum de De-o ve - ro.
II.
Gé-nitum non fa - ctum, consubstanti-á-lem Pa-tri, per quem ó-mni-a fa-cta sunt.
I. u. II.
Qui propter nos hó-mi-nes et propter nostram sa-lú-tem de-scén-dit de cœ-lis.
rit.
C.V.19

8
Lento.
I.
Et in-car-ná-tus est de Spí-ri-tu san-cto ex Ma-rí-a Vír-gi-ne
p
et ho-mo fa-ctus est.
L'istesso tempo.
II.
Cru-ci-fí - xus é-ti-am pro no-bis
p
Tempo I.
I.u.II.
sub Pón-ti-o Pi-lá-to pas-sus et se-púl - tus est.
Et re-sur-ré-xit
f
tér-ti-a di-e se-cun-dúm scriptú-ras.
I.
Et a-scén-dit in cœ - lum
II.
se-det ad déx-te-ram Pa - tris.
Et i-terum ven-tú-rus est cum gló-ri-a
ju-di-cá-re ví-vos et mór-tu-os, cu-jus re-gni non e-rit fi - nis.
C.V.19

I.u.II.
Et in Spi-ritum sanctum, Dóminum, et vi-vi-ficán-tem qui ex Patre Fi-li-ó-que procé-dit.
I.
Qui cum Pa-tre et Fi-li-o si-mul ad-o-rá-tur et conglo-ri-fi-cá-tur,
qui lo-cú-tus est per Pro-phé-tas.
II.
Et u-nam, san-ctam, ca-thó-li-cam
et a-po-stó-li-cam Ec-clé-si-am.
I.u.II.
Con-fi-te-or u-num ba-pti-sma
in remis-si-ó-nem pecca-tó-rum.
I.
Et ex-pé-cto resur-re-cti-ó-nem mortu-ó-rum.
II.
Et vi-tam ven-tú-ri sæ-cu-li.
I.u.II.
A-(a)-(a)-men

Sanctus.
Moderato.
I.
II.
I. u. II.
San - - ctus, San - ctus, San - - - - - ctus,
I.
Dó - - minus De - - - - - us Sá - - - -
(a) - - baoth.
II.
Ple - ni sunt cœ - li et ter - ra
glo - ri - a tu - a.
I. u. II.
Ho - sán - - - na in ex - cél - sis.
Benedictus.
Moderato.
I.
Be - ne - di - ctus, qui ve - - nit in nó - mi - ne Dó - mi - ni.
C.V.19

I.u.II.
Ho-sán - - na in ex - cél - - - - sis.
Agnus.
I.
A - gnus De - i, qui tol - lis pec-cá - ta mun - di,
II.
mi-se-ré-re no - bis. A-gnus De - i, qui tol-lis peccá - ta mundi,
I.u.II.
mi - se - ré - re no - - bis. A - gnus De - i,
qui tol - lis pecca - ta mun - di, do-na no-bis pa - - cem.

C.V. 19

# Die Cäcilien-Vereins-Bibliothek

**umfaßt folgende Werke (Vereinsgaben):**

1. **Hymni Eucharistici.** 14 Pange lingua neuerer Komponisten, für gem. 4stimm. Chor. **Sectio I.** Partitur 40 Pf., 4 Stimmen à 20 Pf. 2. Vereinsgabe vom Jahre 1888.
2. **Hymni Eucharistici.** 12 Pange lingua u. Hymnen verschiedener Komponisten für 3 und 4 Männerstimmen. **Sectio II.** Partitur 40 Pf., 4 Stimmen à 15 Pf. 3. Vereinsgabe vom Jahre 1888.
3. **Cannicciari,** Pomp. Messe in A-moll für gem. 4stimm. Chor. II. Auflage. Part. 1 M., 4 Stimmen à 10 Pf. C. V. K. Nr. 915.
4. **Lasso Orlando, di,** 13 Motetten für gem. 4stimm. Chor. Partitur 40 Pf., 4 Stimmen à 10 Pf. C. V. K. Nr. 946.
5. **Werra, Ernst v.,** 1. Orgelbuch, 1 M. 50 Pf. C. V. K. Nr. 1082 und 1813.
6. **Werra, Ernst v.,** 2. Orgelbuch, 1 M. 50 Pf. C. V. K. Nr. 1679.
7. **Ebner, Ludwig,** Op. 59. Messe „Cantantibus organis“ für 4stimm. Männerchor m. Orgelbegleitung. Part. 1 M. 60 Pf., 4 Stimmen à 20 Pf. C. V. K. Nr. 2563.
8. **Auer, Jos.,** Op. 36. Herz-Jesu-Preis. 9 Gesänge zu Ehren des heiligsten Herzens Jesu, für 2- und 3stimm. Frauenchor mit Orgelbegleitung. Partitur 1 M. 50 Pf., 3 Stimmen à 20 Pf. C. V. K. Nr. 2628.
9. **Griesbacher, Pet.,** Op. 45. Litaniae Ss. Cordis Jesu für vereinigte Ober- und Unterstimmen in Soli und Chor. Part. 1 M. 40 Pf., 2 St. à 20 Pf. C. V. K. Nr. 2629.
10. **Croce, Giov.,** 14 latein. Motetten für gem. 4stimm. Chor, für den heutigen Chorgebrauch eingerichtet v. **Mich. Haller.** Partitur 1 M. 50 Pf., 4 Stimmen à 20 Pf. C. V. K. Nr. 2721.
11. **Braun, Dr. Steph.,** Chorantworten zur Passion des hl. Charfreitags für 4 Männerstimmen. Neu bearbeitet und durch *Popule meus* von Thom. Lud. da Victoria und *Vexilla Regis prodeunt* von P. Athan. Kircher, vermehrt von **Fr. X. Haberl.** Partitur 1 M., Dutzendpreis 7 M. 20 Pf. C. V. K. Nr. 2745.
12. **Haller, Mich.,** Op. 81. Missa pro defunctis. Requiem (ohne *Dies irae*) mit Resp. *Libera* für 5 gem. Stimmen. Part. 1 M. 20 Pf., 5 Stimmen à 20 Pf. C. V. K. Nr. 2746.
13. **Das Hochamt am Dienstag in der Charwoche.** Choral, Passionsantworten, 4 gem. Stimmen von Fr. Suriano. Graduale und Offertorium von **M. Haller** für 4 gem. Stimmen; Passionsantworten für 4stimm. Männerchor von Auct. inc. Partitur 1 M., Stimmen à 20 Pf. C. V. K. Nr. 2889.
14. **Schaller, Ferd.,** Op. 55. 14 Gradualien für gem. 4stimm. Chor. Part. 1 M. 40 Pf., Stimmen à 20 Pf. C. V. K. Nr. 2917.
15. **Einstimmiges Requiem** mit Orchelbegl. für Schulkinder und einfache Chöre von **A. Sandhage.** Partitur 60 Pf., Singstimme 10 Pf. C. V. K. Nr. 3057.
16. **Responsoria Eucharistica.** 16 liturgische Texte vom allerheiligsten Altarssakramente für gem. 4stimm. Chor von **Melch. Haag** (10), **Ign. Mitterer** (1) und **Jos. Auer** (5). Partitur 1 M. 40 Pf., Stimmen à 20 Pf. C. V. K. Nr. 3062.
17. **Engler, J. A.,** Op. 18. Missa III für gem. 4stimm. Chor. Partitur 1 M., 4 Stimmen à 20 Pf. C. V. K. Nr. 1946.

18a. **Generalregister** von **W. Amberger** zu Nr. 1—3300 des Cäcilien-Vereins-Kataloges. Preis 1 M. 20 Pf.

18b. **Generalregister** für die Nr. 3300—3500 und **Sachregister** von Nr. 1—3500 des C. V. K. wird noch im Laufe dieses Jahres ausgegeben werden.

19. **Missa Gregoriana I,** 1stimm. mit Orgel, Op. 88 von **P. L. Bonvin,** S. J. Part. 80 Pf., Einzelstimme 10 Pf.

Von den Jahrgängen des Cäcilien-Vereins-Organs 1899—1907 incl. (nur 1904 ist vergriffen) sind noch Vorräte vorhanden. Jeder Jahrgang wird ohne die Musikbeilagen um den Nettobetrag von 1 M. 50 Pf. von dem Vereinskassier gegen Barzahlung abgegeben.

Die Musikalien der Cäcilien-Vereins-Bibliothek sind Eigentum des Vereins und können gegen feste Bestellung in Partitur u. Stimmen in jeder beliebigen Anzahl direkt vom Vereinskassier

**Franz Feuchtinger, kath. Kirchenmusikhandlung in Regensburg,**

Ludwigstraße 17, oder durch jede Musikalien- und Buchhandlung bezogen werden. — Ansichtssendungen jedoch nur direkt vom Vereinskassier.

Dr. Franz Xaver Haberl, z. Z. Generalpräses.

FSC
www.fsc.org
MIX
Papier aus verantwortungsvollen Quellen
Paper from responsible sources
FSC® C141904

Druck:
Customized Business Services GmbH
im Auftrag der KNV-Gruppe
Ferdinand-Jühlke-Str. 7
99095 Erfurt